管理業務主任者の知識

令和6年度版

マンション管理業研究会 編著

● 業務必携

令和6年4月1日時点の法令等に対応

住宅新報出版

マンション管理会社
管理業務主任者資格者 等のための
実務 に関する 総合解説書

- 区分所有法、マンション管理適正化法及び周辺法律
- マンション管理業務における苦情の類型及びトラブル対応
- 建物及び附属設備の維持・修繕に関する企画、実施の調整関係　他

令和６年度版はしがき

本書は、平成13年10月発行以来、マンションの管理業務に携わる人の業務上の必携書として、広く活用され、今日に至ったことは本研究会一同喜びに堪えないところです。

本書の構成は、マンション管理の基本法律となる「建物の区分所有等に関する法律」から始まり、「マンション標準管理規約」との対比で区分所有関係や管理組合の業務に関する事項の整理をしています。

続いて、「マンションの管理の適正化の推進に関する法律」と「マンション標準管理委託契約書」によって、管理会社と管理組合との契約関係、管理業務全般（事務系・技術系)、及び管理業務主任者の業務に関する事項を記載しています。

最後に、マンション管理に関連する周辺法律の概要をまとめています。

令和６年度版においては相続登記の申請の義務化に関する改正不動産登記法の施行や、マンション標準管理委託契約書の改訂についての記述、その他、各分野においても、最新の情報となるよう部分的な修正を加えております。

今後も機会あるごとに不備な点については是正を行い、本書がマンションの管理業務に携わる人にとって、必携の書として、より親しまれるよう努めていきたいと考えています。

令和６年７月

マンション管理業研究会

はしがき

平成13年８月１日に、マンションの管理が適正に行われることにより、良好な居住環境を確保することを目的とした「マンションの管理の適正化の推進に関する法律（平成12年12月８日法律第149号）」が施行されました。

この法律は、マンション管理業を登録制とし、管理会社に設置が義務付けされた「管理業務主任者」資格の創設、マンション管理組合等からの管理運営の相談に応じ、助言、指導等を行う「マンション管理士」資格の創設、管理業者の業務の改善向上等を図るための管理業者の団体の指定、管理業務の処理の原則などの定めをおいています。

そうした中で本書は、この新しい法律、建物の区分所有等に関する法律、管理事務の委託契約に関することをはじめとして、管理に関する法律や規約、建物及び附属施設の維持及び修繕に関すること、管理組合の会計の収入及び支出の調定並びに出納に関すること等、マンションの管理業務主任者にとって必要な知識を総合的に習得できるようにとりまとめました。

本書は、発行までに極めて短時日のうちに作成する必要があったため、社団法人高層住宅管理業協会の出版物を、ご好意により参考とさせていただきました。また、編集に当たり、業務多忙のおりにもかかわらず、各分野の専門の先生方に執筆、加筆又は調整の作業をお引き受けいただきました。ここに深く謝意を表します。

なお、時間的な制約もあって必ずしも本書において内容が十分に尽くせなかった点もあろうかとは存じますが、今後、さらに改訂を行い内容の充実を図って参る所存です。マンションの管理業務に携わる人の業務上の必携書となれば幸いに存じます。

平成13年８月

マンション管理業研究会

目　次

凡例　9

第1編　不動産業の動向及び マンション管理の役割……………………11

不動産業の動向とマンション管理の重要性……………………13
第1節　不動産業の動向……………………13
不動産の現状……………………13
第2節　マンション管理の重要性……………………18
1　マンション管理の重要性……………………18
2　マンション管理の現状……………………21
3　マンション管理業の問題点と役割……………………22

第2編　区分所有法とマンションに関する事項…25

第1章　建物の区分所有等に関する法律関係、管理組合の機関と業務の関係……………………27

第1節　建物の区分所有等に関する法律関係……………………27
1　区分所有法の制定と改正経緯……………………27
2　総　則……………………28
3　専有部分、共用部分等……………………31
4　専有部分と敷地利用権の一体性……………………36
5　管理者……………………39
6　規　約……………………41
7　集　会……………………47
8　管理組合法人……………………51
9　義務違反者に対する措置……………………55
10　復　旧……………………56

11　建替え　……………………………………………………………60
12　団　地　……………………………………………………………64
13　罰　則　……………………………………………………………68
14　区分所有法にかかわる最近の最高裁判例 ……………………71
第2節　管理組合と管理規約 ……………………………………………87
1　管理規約…………………………………………………………………87
2　管理組合の態様 ………………………………………………………102
3　組合員 …………………………………………………………………103
4　管理組合の機関 ………………………………………………………103
5　総会・理事会、監事 …………………………………………………106
6　管理組合の業務 ………………………………………………………113
7　管理組合と損害保険 …………………………………………………115
8　共用部分及び附属施設等の運営 ……………………………………122
9　マンション管理適正化法と管理組合 ………………………………123
第2章　マンションの管理の
適正化の推進に関する法律の概要 ……………………………125
第1節　総　則 ……………………………………………………………125
1　マンションの管理の適正化の推進に関する法律制定の
背景と目的 ………………………………………………………………125
2　用語の定義（法２条） ………………………………………………126
3　マンションの管理の適正化の推進を図るための
基本的な方針（法３条） ………………………………………………130
4　管理計画の認定（法５条の３） ……………………………………131
5　認定基準（法５条の４） ……………………………………………132
第2節　マンション管理業 ………………………………………………134
1　登　録 ……………………………………………………………………134
2　管理業務主任者 ………………………………………………………144
3　業務・義務 ……………………………………………………………158
4　監　督 ……………………………………………………………………183
5　罰　則（法106条～113条） ……………………………………………186
第3節　マンション管理適正化推進センター（法91条）…………188

1　指　定 ……188
2　センターの管理適正化業務（法92条） ……189
3　センターの都道府県知事又は市町村長による技術的援助への協力（法92条の２） ……189
4　センターへの情報提供等（法93条） ……189
第4節　マンション管理業者の団体（法95条）……190
第5節　マンション管理業者の役割と使命 ……191
1　区分所有建物の管理の委託 ……191
2　マンション管理業者の使命 ……198
3　管理業務の受託 ……203
4　管理委託契約の内容と履行責任 ……210
5　管理員業務の履行 ……215
6　マンションの清掃業務 ……218
第6節　管理関連業務の対応 ……226
既存マンション売買時の対応 ……226

第3編　管理業務主任者 ……261

管理業務主任者……263
管理業務主任者の業務……263
1　管理業務主任者の心得 ……263
2　重要事項の説明（法72条）……266
3　契約成立時の書面の交付（法73条）……289
4　管理事務の報告（法77条）……293

第4編　管理組合の会計の収入及び支出の調定並びに出納関係 ……307

管理組合の会計の収入及び支出の調定並びに出納関係 ……309
第1節　管理組合の収入、支出 ……309
1　管理組合の収入 ……309
2　管理組合の支出 ……312

3　修繕積立金 ……314
4　資金計画 ……315
5　財産の分別管理 ……319
6　マンション管理適正化法の改正と修繕積立金 ……320
7　管理組合資金の運用と管理 ……323
8　滞納管理費等の督促 ……326
第2節　管理組合会計の処理 ……338
1　管理組合会計の性格 ……338
2　管理組合会計に係る各機関の役割 ……339
3　収支予算案の作成 ……340
4　会計処理 ……344
5　収支報告書案、貸借対照表案の作成 ……346
6　管理組合監査について ……355
7　管理組合の税務 ……363

第5編　マンションにまつわる苦情の発生と類型、対処方法 ……369

マンション管理業務における苦情の類型及びトラブル対応 ……371
1　苦情の傾向 ……371
2　苦情発生の状況 ……372
3　苦情対応の留意点 ……380
4　苦情の内容とその対処法 ……384

第6編　建物及び附属設備の維持又は修繕に関する企画又は実施の調整関係 ……457

第1章　建物及びこれに附属する設備の維持保全関係 ……459

第1節　マンションの建築・設備の基礎知識 ……459
1　建築構造 ……459
2　部材 ……466
3　マンションの建築物に使われる主な建築材料・工法 ……467

4　設備 ……491
第2節　マンションの維持保全 ……578
1　マンションの維持保全の考え方 ……578
2　法定点検 ……585
3　日常点検と維持管理 ……604
第3節　長期修繕計画 ……617
長期修繕計画の目的と位置付け ……617
第2章　建物及びこれに附随する設備の大規模修繕関係 ……652
第1節　大規模修繕工事における役割 ……652
1　大規模修繕工事における役割 ……652
2　調査診断、修繕設計と工事監理 ……658
3　大規模修繕工事の計画から実施までのプロセスと関係者の役割の例 ……662
第2節　大規模修繕工事の実施 ……665
1　着工前の打合せ ……665
2　建築工事 ……667
3　設備工事 ……673
4　その他の工事 ……676
5　大規模修繕工事の各種検査 ……686
第7編　マンション管理にかかわる周辺法律 ……689
第1節　建築物の耐震改修の促進に関する法律 ……691
主な内容 ……691
第2節　被災区分所有建物の再建等に関する特別措置法 ……693
第3節　マンションの建替え等の円滑化に関する法律 ……695
1　法律制定の背景等 ……695
第4節　その他の周辺法律 ……698
1　民　法 ……698
2　宅地建物取引業法 ……760

3　借地借家法（借地）……770
4　借地借家法（借家）……777
5　不動産登記法……782
6　建築基準法……798
7　都市計画法……814
8　消防法……823
9　バリアフリー法……831
10　建築物のエネルギー消費性能の向上に関する法律……837
11　浄化槽法……838
12　警備業法……840
13　個人情報の保護に関する法律……846
14　住生活基本法……848
15　自動車の保管場所の確保等に関する法律……850
16　駐車場法……851
17　郵便法……853
18　失火ノ責任ニ関スル法律……854
19　動物の愛護及び管理に関する法律……855
20　身体障害者補助犬法……865
21　被災市街地復興特別措置法……866
22　消費者契約法……867
23　住宅宿泊事業法……868
24　景観法……870
25　賃貸住宅の管理業務等の適正化に関する法律……870

［資料1］「マンションの管理の適正化の推進に関する法律実務Q&A」（抜粋）……874
［資料2］重要事項説明書……879
重要事項説明書（作成例）……887
管理費等保証委託契約約款……898
［資料3］提示物用ユニバーサルデザインフォント……899
索　引　901

凡　例

1．本書では、便宜上、次のような略称を用いた（50音順）。

区分所有法……………………………………建物の区分所有等に関する法律
建築物省エネ法……建築物のエネルギー消費性能の向上に関する法律
個人情報保護法………………………………個人情報の保護に関する法律
宅建業法……………………………………………………宅地建物取引業法
建替え円滑化法…………マンションの建替え等の円滑化に関する法律
バリアフリー法…高齢者、障害者等の移動等の円滑化の促進に関する法律
被災マンション法……被災区分所有建物の再建等に関する特別措置法
標準管理委託契約書……………………マンション標準管理委託契約書
標準管理規約………………………………………マンション標準管理規約
品確法……………………………住宅の品質確保の促進等に関する法律
マンション管理適正化法…マンションの管理の適正化の推進に関する法律
マンション管理適正化法施行令…マンションの管理の適正化の推進に関する法律施行令
マンション管理適正化法施行規則…マンションの管理の適正化の推進に関する法律施行規則

2．以上のほか、各編各章の主要法令名は「法」等と、施行令は「令」等、施行規則は「規則」等　と略した。

お知らせ

本書は、原則として、令和６年４月１日現在施行の法令等に基づき編集されています。

第1編

不動産業の動向及び
マンション管理の役割

不動産業の動向とマンション管理の重要性

第1節 不動産業の動向

不動産業の現状

(1) あらゆる人間活動を支える不動産

国民の日常生活や産業活動において、建物・土地の不動産は極めて重要な存在である。

生活の場としての住宅、就業の場としてのオフィス、生産の場としての工場、それらの基盤としての土地など、あらゆる人間活動は不動産なしには存在し得ない。

そのため、社会生活の場として重要な意味を持つ不動産を最大限有効に活用し、世界に誇れる良質な不動産ストックを形成することにより、国民が真に豊かさを実感できる社会を築いていく必要がある。国民のニーズ等に合わせた売買や賃貸（又は売買や賃貸の代理若しくは媒介）等を行う不動産業の担う役割は、今後も非常に重要である。

(2) 不動産業を取り巻く状況

住宅市場においては、新築分譲マンション（全国）の供給戸数は、平成22年に大きく減少し、平成24年からは増加が続いていたが、平成27年に減少に転じてからは令和3年までほぼ横ばいとなっている。

また、オフィス市場においては、平成16年以降空室率は改善傾向にあったが、平成20年に入り悪化傾向に転じた。その後平成26年に入り改善傾向を示していたが、令和6年3月時点での東京23区における空室率は4.3%となっている。

不動産業の経営状況としては、平成18年から平成21年までの倒産件数は対前年比で増加が続いていたが、平成22年以降は減少傾向にある。また、業界全体の経常利益は、平成25・26年度は増加し、平成27年度は減少したが、平成28・

29年度は増加し、平成30年度・令和元年度は再び減少し、令和２年度・３年度は増加に転じたが、令和４年度は３年ぶりに減少した。

（３）不動産業の活動

5 不動産業は、その業態が大きく開発・分譲、流通、賃貸、管理の４つに分類され、その業務は極めて多岐にわたっている。

①　開発・分譲部門

全国の宅地供給量は、日本列島改造ブーム（昭和47年）でピークを迎え、昭和60年代以降は毎年10,000ha～11,000ha 台で安定していたが、平成10年から

10 は減少傾向にある。

令和２年度の公的供給は249ha（平成30年度比－34.4%）、民間供給は4,275 ha（平成30年度比－23.5%）となっている。

分譲住宅着工戸数は、平成19年度においては改正建築基準法の施行の影響もあり５年ぶりの減少となってから、平成21年度まで減少傾向が続いていた。そ

15 の後、平成22年度から平成25年度まで４年連続で増加となり、以降、増減を繰り返しながら令和３年度から令和４年度においては、２年度連続の増加となったが、令和５年度は３年ぶりの減少となった。なお、マンションの分譲戸数については、昭和56年度から平成20年度までの間、一戸建ての分譲戸数を上回っていたが、平成21年度以降は一戸建ての分譲戸数を下回る傾向にある（図１）。

20 また、最近では、開発物件に高度な管理サービスなど様々な価値を付加して供給する形態も見受けられる。

②　流通部門

不動産流通部門については、世界的な金融危機や景気後退の影響による市場の低迷が続いていたが、近年においてはアベノミクスや2020年東京オリンピッ

25 クの開催決定による経済回復期待の高まりや金利の先高観等から、需要に回復の兆しが見られた。しかし、新型コロナウイルス感染症の影響もあり、令和３年の地価の全国平均変動率は、住宅地は５年ぶり、商業地は７年ぶりに下落となった。その後、令和４年の全国平均では、全用途平均・住宅地・商業地のいずれも２年ぶりに上昇に転じ、令和６年地価公示（１月１日時点）によると、

30 いずれも３年連続で上昇、上昇率が拡大した。

土地取引件数については、土地取引規制基礎調査概況調査（国土交通省）に

よると、平成24年以降増加傾向にあったが、近年は150万件程度でほぼ横ばいとなっている。

今後も市場の動向に引き続き注視する必要があるが、既存住宅流通市場の活性化や住宅・オフィスのストック増大への対策等の観点から、流通部門の重要性は依然大きい。

また、消費者が安心して不動産取引を行える市場環境の整備も進められており、平成23年３月に土地総合情報システム、平成24年３月に不動産取引情報提供システム（RMI）のリニューアルがそれぞれ実施された他、不動産ジャパンにおいても引き続き消費者への情報提供がなされている。

③　賃貸部門

オフィスビルの空室率は、平成16年以降は改善傾向にあったが、景気後退の影響を受け、平成20年に入り悪化傾向に転じた。その後平成26年に入り改善傾向を示していたが、令和６年３月時点での東京23区における空室率は4.3％となっている。

④　管理部門

分譲マンションストックは、令和４年末には約694.3万戸になり（図２）、今後も、職住近接や生活の利便性を求める消費者のニーズに対応して着実な新規供給が見込まれている。マンションストックの増加とともに、マンション管理の受託業務は一層活発化し、その重要性が増大していくものと考えられる。

また、オフィスビルについても、健全なビル管理のためのメンテナンス業の必要性が高まるとともに、テナントの要求にこたえ得るビルマネジメント業務の重要性がますます増大していくものと考えられる。

図1　分譲住宅着工の推移（一戸建・マンション）

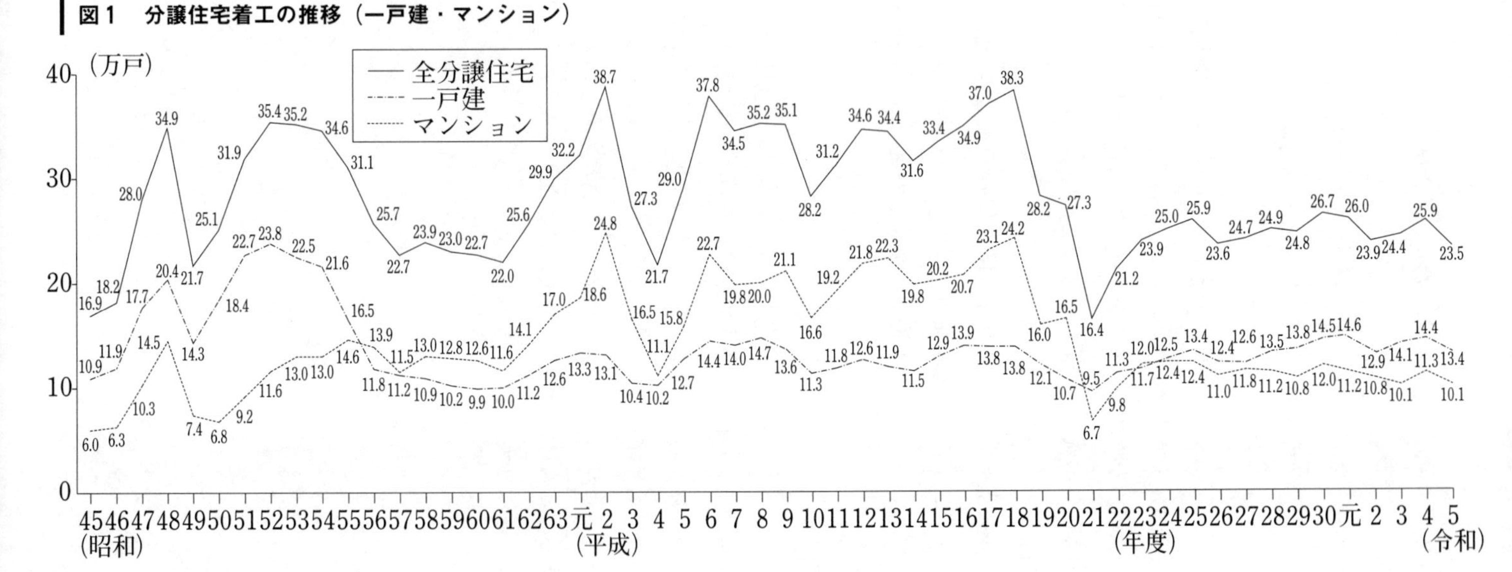

資料：国土交通省「建築着工統計」

図２　分譲マンションストック数の推移

○ 現在のマンションストック総数は約694.3万戸（2022年末時点）。

○ これに令和２年国勢調査による１世帯当たり平均人員2.2人をかけると、約1,500万人となり、国民の１割超が居住している推計となる。

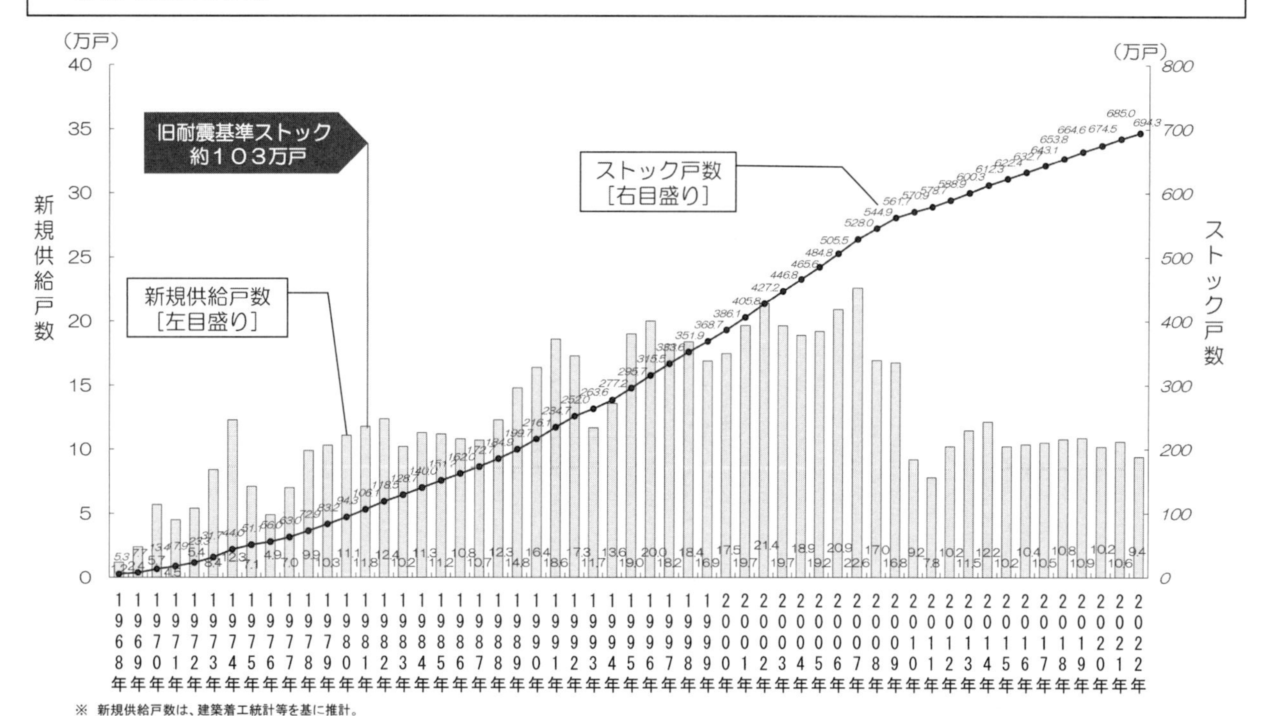

※ 新規供給戸数は、建築着工統計等を基に推計。
※ ストック戸数は、新規供給戸数の累積等を基に、各年末時点の戸数を推計。
※ ここでいうマンションとは、中高層（3階建て以上）・分譲・共同建で、鉄筋コンクリート造、鉄骨鉄筋コンクリート造又は鉄骨造の住宅をいう。
※ 1968年以前の分譲マンションの戸数は、国土交通省が把握している公団・公社住宅の戸数を基に推計した戸数。

最新（令和５年末時点）のデータは、国土交通省ホームページを参照。

第2節　マンション管理の重要性

1　マンション管理の重要性

我が国の住宅事情の現状は、令和５年の住宅・土地統計調査によれば、全国の住宅総数は6,502万戸（世帯数5,600万世帯）に達し、１世帯当たりの住宅数が1.16戸と戸数では世帯数を上回っている。特に近年、宅地供給が停滞気味であるにもかかわらず、マンション（区分所有建物で住宅を主たる用途とするもの。以下同じ。）は、地価の高い都市部において、優れた立地条件と安全で快適な生活を享受できる合理的な居住形態として都市勤労者層の支持を受け、国民の間に定着してきたことなどにより高い水準で推移している。そのストック数を見ると、昭和40年代後半から飛躍的に増加し、令和４年末には約694.3万戸になっている。

新設住宅着工戸数を年度別で見ると、平成22年度以降から平成25年度は増加傾向にあり、以降、減少傾向にあったが、令和３年度は５年ぶりの増加、令和４年度は再び減少した。令和５年度は前年度比7.0％減の80万176戸の着工となり、分譲住宅は前年度比9.4％減の23万5,041戸、うちマンションについては前年度比12.0％減の10万241戸となった。

マンションは、国民の重要な居住形態として定着しているものであるが、その管理は、次のような点から一戸建て住宅とは大きな相違がある。

第１に、マンションは共同住宅であるため、その所有は区分所有という形態であり、管理も共同で行う必要があるが、区分所有者間の調整が管理上大変重要な問題である。

第２に、マンションには、廊下、階段等の共用部分やエレベーター等の設備が設けられており、これらを共同で管理する必要があるが、そのためには専門的な知識・経験が必要である。このように、マンションは一般の住宅に比して管理が困難な面が多く、特に、マンションが登場し50年以上が経過した令和４年末において、築40年以上のマンションは、125.7万戸であり、ストック総数に占める割合は約18.1％に達している。さらに、10年後には、約2.1倍の260.8万戸、20年後には約3.5倍の445.0万戸となる見込みとなっている（表１）。なお、マンション建替えの実施状況は、表２のとおりとなっている。

表1　築40年以上のマンションストック数の推移

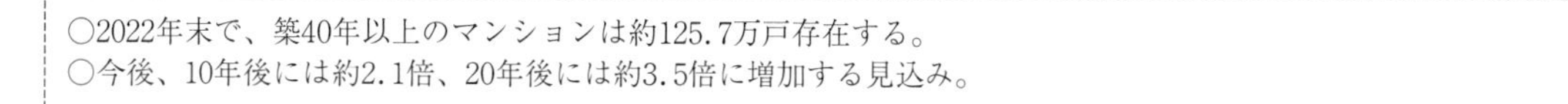

○2022年末で、築40年以上のマンションは約125.7万戸存在する。
○今後、10年後には約2.1倍、20年後には約3.5倍に増加する見込み。

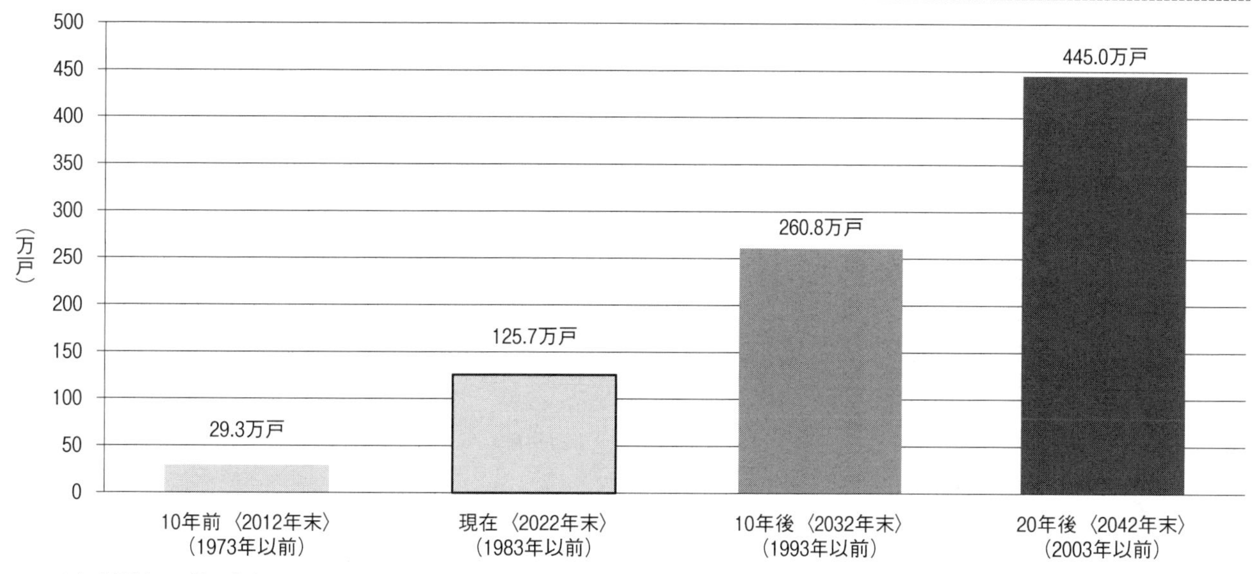

※（ ）括弧内は 築40年以上となるマンションの築年を示す。
※建築着工統計等を基に推計した分譲マンションストック戸数及び国土交通省が把握している除却戸数を基に推計。
資料：国土交通省　　最新（令和5年末時点）のデータは、国土交通省ホームページを参照。

表２　マンション建替え等の実施状況

○マンションの建替えの実績は累計で282件、約23,000戸（2023年３月時点）。近年は、マンション建替円滑化法による建替えが選択されているケースが多い。
○マンション建替円滑化法にもとづくマンション敷地売却の実績は累計で10件、約600戸（2023年３月時点）。

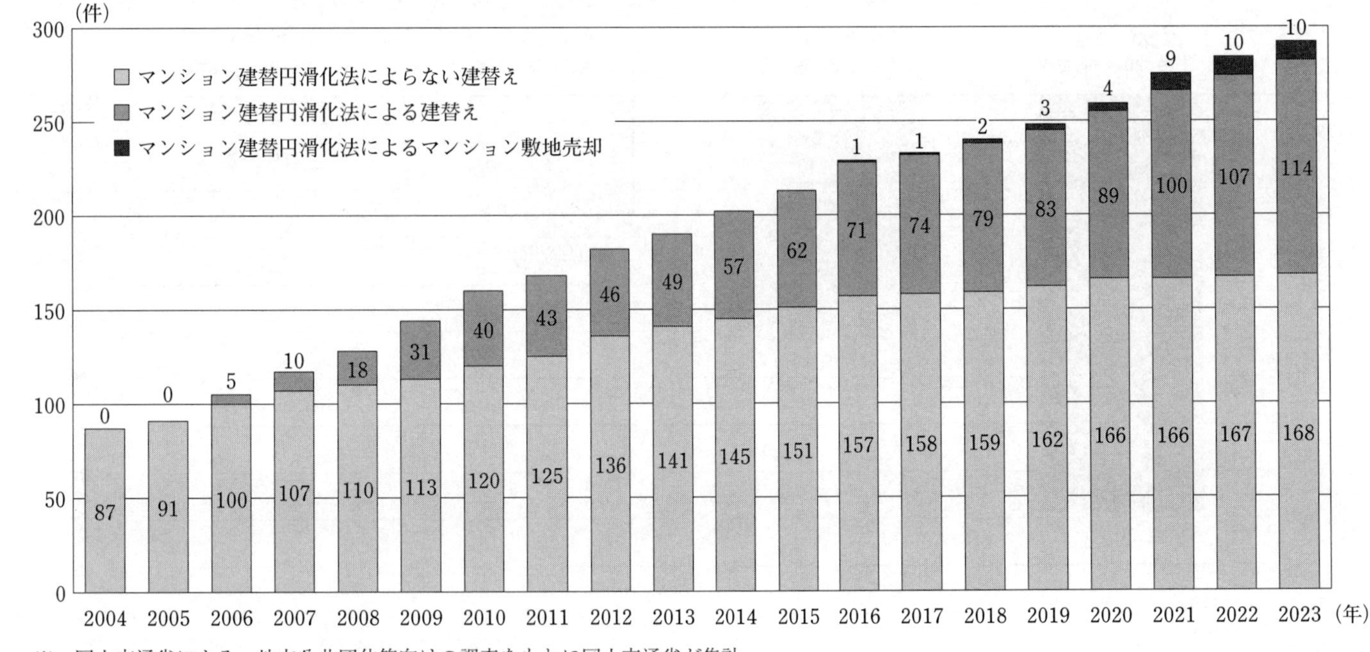

※　国土交通省による、地方公共団体等向けの調査をもとに国土交通省が集計
※　マンション建替円滑化法による建替え：建替え後のマンションの竣工
　　マンション建替円滑化法によらない建替え：建替え後のマンションの竣工
　　マンション建替円滑化法による敷地売却：マンション及び敷地の売却
※　2004年、2005年は２月末時点、2006年、2007年は３月末時点、他は各年の４月１日時点の件数を集計
※　阪神・淡路大震災、東日本大震災及び熊本地震による被災マンションの建替え（計115件）は含まない

2 マンション管理の現状

マンション管理の主体は、区分所有者及びその団体としての管理組合である。昭和58年の区分所有法改正に際しても、管理組合の管理主体としての地位が明確化・強化されたところである。

しかし、マンション管理は、不慣れな居住者の集まりである管理組合だけで行うには困難であることが多い。管理組合の役員も通常は他の職業を持っており、時間的にも、専門的知識・経験等においても、十分な能力を持たないことが普通である。

したがって、マンション管理においては、管理組合以外の主体もまた重要な役割を果たしている。まず、マンションが分譲される前に、管理組合としての規約、使用細則、管理費等の月額などを設定し、その内容を区分所有者に周知せしめるのは、分譲会社である。この場合、分譲会社が分譲後の管理を委託すべきマンション管理業者（以下、「管理業者」又は「マンション管理会社」若しくは「管理会社」ともいう。）を選定するケースが一般的である。

このように、分譲会社が用意したコースに乗って始まったマンション管理の実際の業務を行うのは、多くの場合、専門の管理会社である。国土交通省の調べによると、約９割のマンションにおいては、何らかの形で管理会社に管理業務を委託しており、約74%は、全面的に管理業務を委託している（図３、表３）。ゆえに、マンション管理の適正化を図るためには、優良な管理会社の育成、健全な発達が極めて重要な課題となっている。

マンションの管理の適正化の推進に関する法律（平成13年８月１日施行）の規定に基づき、国土交通大臣の登録を受けた管理業者は、令和６年３月末現在で1,804社となっている。

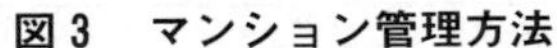

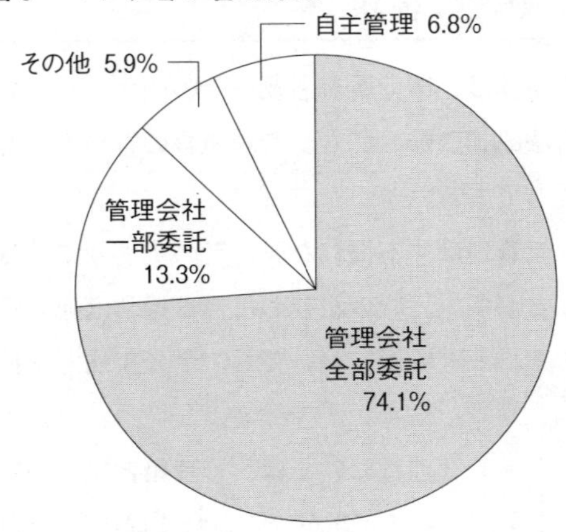

（注）平成30年度マンション総合調査（国土交通省）による。

表 3

管理方法	昭和62年度	平成 5 年度	平成11年度	平成15年度	平成20年度	平成25年度	平成30年度
全部委託	74.9%	69.6%	69.9%	69.3%	74.9%	72.9%	74.1%
一部委託	17.9%	15.1%	15.1%	17.1%	15.5%	14.9%	13.3%
自主管理	3.2%	7.7%	6.7%	7.7%	5.0%	6.3%	6.8%

※最新の調査結果は、国土交通省ホームページを参照。

3 マンション管理業の問題点と役割

マンションは一種の共同生活の場という居住様式であるため、様々なトラブルが発生している。このうち最も多いのは、居住者の管理意識、生活スタイルに起因するものであるが、管理会社とのトラブルも決して少なくない（図４）。

国土交通省公表の「平成30年度マンション総合調査」によると、管理会社に対する管理組合からの苦情としては、「委託管理業務の不十分な実施」が挙げられている。この調査結果から見ると、管理会社に対しては、管理委託契約における業務処理責任（範囲、内容）の明確化と適正な業務処理が依然求められている。また、企業としての業務の品質管理、管理組合に対する的確な助言等マネジメント能力の充実（具体的には、前述の管理業務の適切な遂行）、現地スタッフの資質の向上等が強く求められているといえよう。

さらに、今後、供給から相当年数が経過したマンションが大幅に増加していく

図4　マンショントラブルの内訳（重複回答）

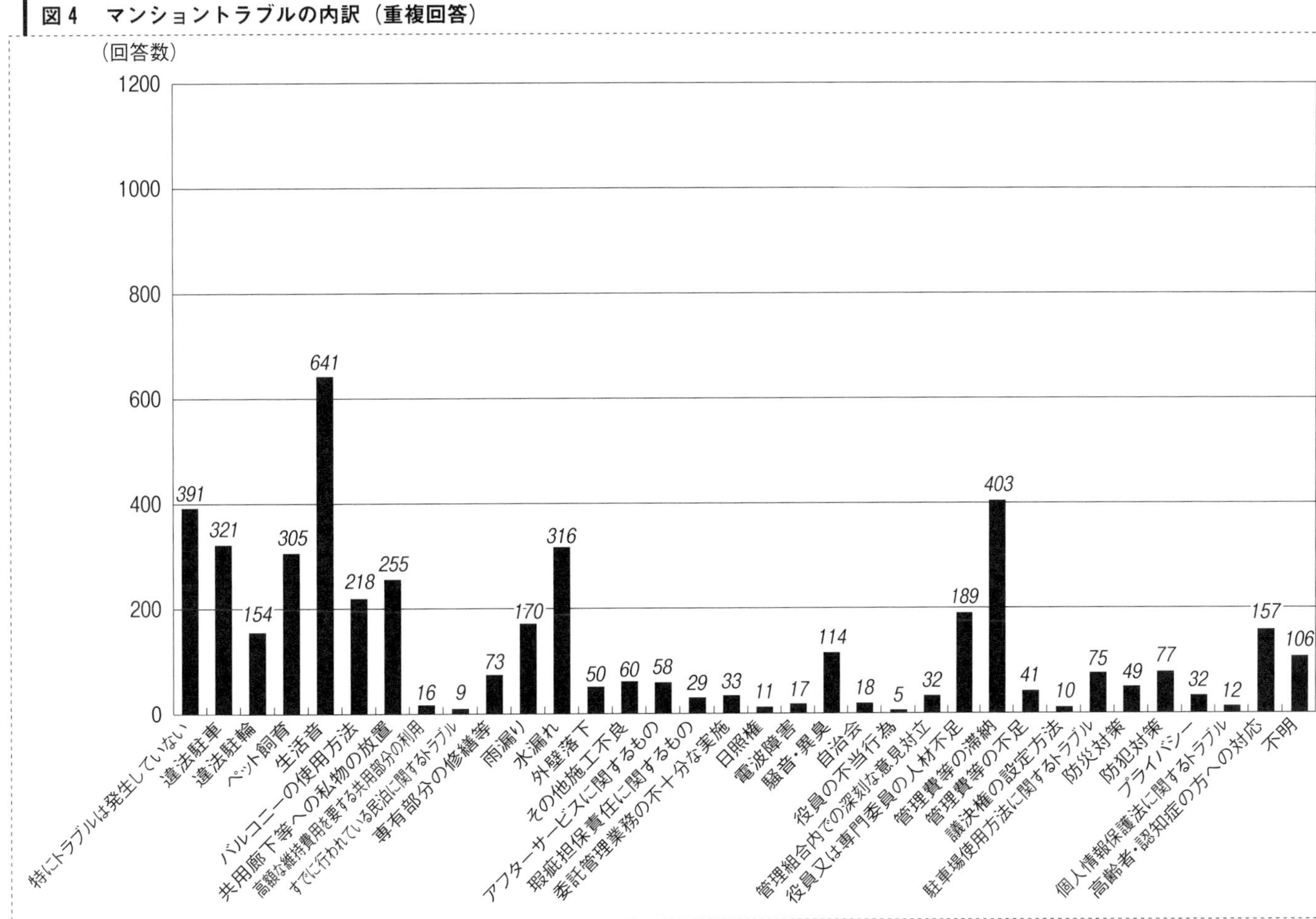

（平成30年度マンション総合調査）

ことを考えると、長期的な効用、資産価値の維持及び永住の場としてのコミュニティの形成が重要な課題となり、管理会社に対して管理の高度化を実現するための、

① 大規模修繕等に関する的確なコンサルティング

② 管理組合の運営補助等を通じての良好なマンションコミュニティ形成への寄与

③ 物件の状態を記録するシステムの確立

④ リゾートマンションや投資用マンション等タイプ別に応じた管理のあり方

といった積極的な取組みが期待されている。

管理会社がこのような期待にこたえていくためには、法律、建築、財務会計、税務等の各専門分野に関する幅広い知識・経験を有するばかりでなく、コミュニティ形成のための支援、苦情対応等の能力を含めた総合的な管理能力を備えていく必要がある。

第2編

区分所有法と
マンションに関する事項

第1章 建物の区分所有等に関する法律関係、管理組合の機関と業務の関係

第1節 建物の区分所有等に関する法律関係

1 区分所有法の制定と改正経緯

建物の区分所有という関係は民法典制定の当初から認められていたが、当時我が国の建物の区分所有は、いわゆる棟割長屋のようなものに限られていたので、これに関する特別の規定としては、民法典の中に2箇条が置かれているにすぎなかった。

しかし、昭和30年頃から、中高層ビル形式の区分所有建物が建築されるようになったことから、一棟の建物を区分してその部分ごとに所有権の目的とする場合の所有関係と、その建物や敷地等の共同管理について定める必要性があると考えられ、昭和37年に、民法の特別法として「建物の区分所有等に関する法律」が制定された（以下「旧区分所有法」という。法律第69号）。

その後約20年の歳月を経て、その間の分譲マンションの急速な普及と大型化に伴い、専有部分と敷地利用権の一体性の原則を採用することなどによる登記の合理化を図ること、及び管理上生じた問題に対応するために管理の充実を図ることなどの必要性が生じ、昭和58年に改正された（法律第51号）。この改正は、旧区分所有法の全条文に及び、しかも数多くの条文の新設を伴う大改正であった。

その後も昭和63年12月30日（法律第108号）に消費税法の制定に伴う一部改正等があったが、昭和58年の改正からさらにまた20年の後に、特に建替えについて大きな改正がなされ、「建物の区分所有等に関する法律及びマンションの建替えの円滑化等に関する法律の一部を改正する法律」が平成14年12月11日に公布され、翌平成15年6月1日に施行された。その後、不動産登記法、破産法、民法の改正等、並びに一般社団法人及び一般財団法人に関する法律（以下「一般法人法」という。）の制定などに伴い、管理組合法人に関する条文が一部改正されるなどした。

また、更にその後も、押印・書面に係る制度を見直すためのデジタル社会形成

関係法律整備法の制定・施行を受けた改正等も行われるなどして、今日に至っている。

以下、建物の区分所有等に関する法律（以下、本編において「区分所有法」又は「法」という。）について、概略を説明する。

2 総　則

（1）建物の区分所有と区分所有建物の態様

一棟の建物に、構造上区分された数個の部分で独立して住居、店舗、事務所又は倉庫その他建物としての用途に供することができるものがあるときは、その各部分は、それぞれ所有権の目的とすることができる（法1条）。

区分所有建物とは、法が適用される建物の通称であるが、専有部分の構造によって、①縦割り、②横割り、③縦横割り（重層的）の区分所有建物に分類される。構造面では、木造、鉄筋コンクリート造、鉄骨鉄筋コンクリート造等があり、階層では、低層、中層、高層、超高層に分かれる。用途面では住宅、事務所、倉庫などに、一棟の建物内でも住宅専用のものから、下層階は店舗・事務所で、上層階は住宅といった複合用途マンション等に分類される。規模面では一棟型、数棟型（団地）とに分かれる。

区分所有建物の例

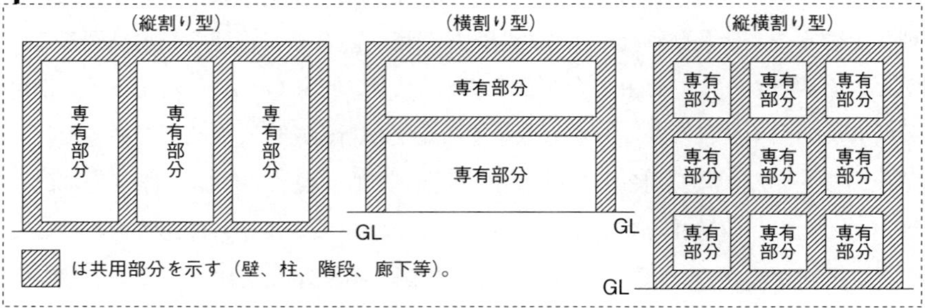

（縦割り型）
専有部分　専有部分　専有部分
GL

（横割り型）
専有部分
専有部分
GL

（縦横割り型）
専有部分　専有部分　専有部分
専有部分　専有部分　専有部分
専有部分　専有部分　専有部分
GL

▨ は共用部分を示す（壁、柱、階段、廊下等）。

（2）区分所有権、区分所有者

区分所有権とは法1条に定める建物の部分（法4条2項の規定により共用部分とされたものを除く。）を目的とする所有権をいう（法2条1項）。

区分所有者とは区分所有権を有する者をいう（同条２項）。

（３）区分所有者の団体

区分所有者は、全員で、建物並びにその敷地及び附属施設の管理を行うための団体を構成する（法３条前段）。この団体について、法文上は、「区分所有者は、全員で、建物……の管理を行うための団体を構成し、……」と定めており、管理組合という呼称は用いていないが、その実質は、昭和58年の改正前の区分所有法下で規約等に基づいて区分所有者全員を構成員として組織された管理組合と変わりはないから、区分所有者と管理組合との関係が法律上明確にされたことになる（なお、マンションの管理の適正化の推進に関する法律２条３号により、管理組合とは、「マンションの管理を行う区分所有法第３条若しくは第65条に規定する団体……」をいうと正式に定義された。）。

法の趣旨は、区分所有者は、区分所有関係に入ることによって、法律上当然に管理組合の構成員となることを明らかにしたものである。したがって、団体を結成するための設立総会等の開催は、法律上は特に必要ないということになる。

法３条前段は、区分所有者全員を構成員とする管理組合こそが、区分所有建物等の管理の主体であることも明確にしている。

一部の区分所有者のみの共用に供されるべきことが明らかな共用部分（一部共用部分）があって、その部分をそれらの一部の区分所有者が管理するときは、その部分に関する団体（一部管理組合）が法律上当然に成立する（法３条後段）。このような一部共用部分があっても、法３条前段の棟全体の規約でその管理のすべてを棟の管理組合で行うと定めているときは、この一部管理組合は構成されない。

区分所有者の団体の態様を整理すると次の表のとおりである。

区分所有者の団体の態様

	管理規約	管理者	理事会	監事
①	未設定	未選任	未設置	未設置
②	設定	未選任	未設置	未設置
③	未設定	選任	未設置	未設置
④	設定	選任	未設置	未設置
⑤	設定	選任	設置	設置

(注) 区分所有法3条に規定する区分所有者の団体は①の態様である。ただし、現状で最も多い態様は⑤である。

(4) 区分所有者、占有者の義務

区分所有者は、建物の保存に有害な行為その他建物の管理又は使用に関し区分所有者の共同の利益に反する行為をしてはならない(法6条1項)。賃借人等の占有者も同様である(同条3項)。また、占有者は、建物又はその敷地若しくは附属施設の使用方法につき、区分所有者が規約又は集会の決議に基づいて負う義務と同一の義務を負う(法46条2項)。

(5) 共用部分の経費等の負担

区分所有者は、それぞれ共用部分に対する持分(専有部分の床面積の割合)に応じて、共用部分を管理するための経費を負担し、また、共用部分から生ずる利益を収取するのが原則であるが、規約でその負担割合に関して別段の定めをすることができる(法19条、14条1項・4項)。

(6) 先取特権

① 先取特権

区分所有者は、「共用部分、建物の敷地若しくは共用部分以外の建物の附属施設につき他の区分所有者に対して有する債権」(例えば、共用部分の維持管理のために他の区分所有者に対し費用を立て替えた場合)又は「規約若しくは集会の決議に基づき他の区分所有者に対して有する債権」(例えば、区分所有者が管理費、修繕積立金及びその他の分担金を滞納した場合)に関し、債務者である区分所有者の区分所有権(共用部分に関する権利及び敷地利用権を含む。)及び建物に備え付けた動産の上に先取特権を有する。管理者又は管理組合法人がその職務又は業務を行うにつき区分所有者に対して債権を有する場合にも同様である(法7条1項)。

先取特権：債務者の総財産又は特定の財産から一般債権者に優先して弁済を受けることのできる権利（民法303条～341条）。

②　特定承継人の責任

前記①の債権については、債務者たる区分所有者の特定承継人に対しても行うことができる（法８条）。

③　区分所有者の責任

管理者がその職務の範囲内で行った行為の結果、第三者に対して負った債務については、区分所有者がその責任を負うことになるが、その責任の割合は、原則として専有部分の床面積の割合による（法29条１項本文）。

管理組合法人が第三者に対して債務を負った場合は、管理組合法人の財産でその債務を完済できないときや、管理組合法人の財産に対する強制執行が効を奏しなかったときに限り、各区分所有者は前記と同様（専有部分の床面積の割合による。）の責任を負う（法53条１項・２項）。ただし、強制執行が効を奏しなかったときでも、法人に資力があり、かつ、執行が容易であることを区分所有者が証明したときは、区分所有者はこの責任を負わない（法53条３項）。

このような管理者、管理組合法人の債務についても、区分所有者の特定承継人は責任を負わなければならない（法29条２項、54条）。

3　専有部分、共用部分等

（1）専有部分

専有部分とは、区分所有権の目的たる建物の部分であるが（法２条３項）、専有部分であるためには、その部分が、構造上も利用上も独立している必要がある。

構造上の独立性とは、仕切り壁、天井、床、扉等によって他の専有部分と構造上区画されていることであり、利用上の独立性とは、独立した出入口を有し、直接あるいは共用部分を利用することによって外部に通じることをいう。これを「通行の直接性」という。

（２）共用部分

共用部分とは、①専有部分以外の建物の部分、②専有部分に属しない建物の附属物、③専有部分とすることができる建物の部分及び附属の建物で規約により共用部分と定められた部分をいう（法２条４項、４条２項）。①及び②の共用部分を「法定共用部分」といい、③の共用部分を「規約共用部分」という。

法定共用部分とは、「数個の専有部分に通ずる廊下又は階段室その他構造上区分所有者の全員又はその一部の共用に供されるべき建物の部分」をいい（法４条１項）、専有部分以外の建物の基本的構造部分とされる支柱、基礎、天井・床スラブ、屋根、内外壁等のほか、エレベーター室、エントランスホール、自家用電気室等や、専有部分に属さない建物の附属物であるエレベーター設備、電気設備、消防・防災設備、給水設備、排水設備、集合郵便受箱、避雷設備、テレビ共同受信設備等がこれに当たる。

規約共用部分とは、本来構造上は専有部分とすることができる建物の部分及び附属の建物を規約によって共用部分と定めたものをいい、管理事務室、集会室、ゲストルーム、建物内駐車場・倉庫や附属の建物である倉庫、集会所等がこれに当たる。なお、規約共用部分は、その旨を登記しなければ第三者に対抗することができない（同条２項後段）。ただし、登記しなければ共用部分にならないという意味ではない。

（３）専有部分、共用部分の管理

管理の対象となるのは、区分所有建物とその敷地並びに附属施設である（法３条）。この場合の区分所有建物には専有部分も含まれる。

①　専有部分の管理

専有部分は、原則として区分所有者自身の責任と負担において管理又は使用するが、次のような制約を受ける。

(ア)　区分所有者は、建物の保存に有害な行為その他建物の管理又は使用に関し区分所有者の共同の利益に反する行為をしてはならない（法６条１項）。

(イ)　区分所有者は、その専有部分又は共用部分を保存し、又は改良するために必要な範囲内において、他の区分所有者の専有部分又は自己の所有に属しない共用部分の使用を請求することができる（同条２項前段）。この使用請求権は他の区分所有者の専有部分に必要に応じて立ち入ることを請求することも含む。この限度において、区分所有者は、専有部分についても制約を受けることになる。なお、相手方がこれに応じないときは、訴訟を提起し、承諾に代わる判決を得なければならない（民法414条）。

② 共用部分の管理

共用部分は、区分所有者全員の共有に属し（法11条1項本文）、管理組合が管理する。

共用部分は各共有者がその用方に従って使用することができ（法13条）、その管理は、（4）に述べる共用部分の変更である場合を除き、集会の決議によって決める（法18条本文）。その集会の議事は、原則として、区分所有者及び議決権の各過半数（以下「普通決議」という。）で決する（法39条1項）。ただし、その管理が専有部分の使用に特別の影響を及ぼすべきときは、その専有部分の所有者の承諾が必要である（法18条3項、17条2項）。

共用部分について損害保険契約をすることも共用部分の管理に関する事項とみなされ（法18条4項）、規約で別段の定めをしている場合を除いて、集会の普通決議で決する。保存行為は、各共有者が単独ですることができる（同条1項ただし書）。

③ 建物の敷地、附属施設の管理

建物の敷地又は共用部分以外の附属施設（これらに関する権利を含む。）が区分所有者全員の共有である場合は、その変更、管理、負担及び利益収取に関して、共用部分に関する規定（法17条～19条）が準用される（法21条）。したがって、その管理については、原則として集会の決議で決することになる。

（4）共用部分の変更

共用部分の変更は、区分所有者及び議決権の各4分の3以上の多数による集会の決議（以下「特別決議」という。）によることになるが（法17条1項本文）、区分所有者の定数については規約で過半数まで減ずることができる（同項ただし書）。なお、共用部分の変更が専有部分の使用に特別の影響を及ぼすべきときは、その専有部分の所有者の承諾が必要である（同条2項）。

5
10
15
20
25
30

特別の影響：変更行為の必要性や有用性と当該区分所有者の受ける不利益とを比較して、受忍すべき範囲を超える程度の不利益をいう。

昭和58年の改正法により、共用部分の変更のうち、改良を目的とし、かつ、著しく多額の費用を要しないもの（軽微変更）は狭義の管理と同じ扱いをすることとされた（普通決議による。）が、平成14年の改正法により、費用が多額か否かを問わず、形状又は効用の著しい変更を伴うものを特別決議とし、これと保存行為以外のものを普通決議によることとした。

（共用部分の管理の概念）

広義の管理
- 保存行為（物の現状を維持すること。区分所有者が単独で行うことができる。また、規約で別段の定めをすることもできる。）
- 狭義の管理（物の形状又は効用の著しい変更を伴わないもの。集会の普通決議で決する。）
- 変更（物の形状又は効用の著しい変更を伴うもの。集会の特別決議で決する。）

（5）共用部分の管理所有

管理者は、規約に特別の定めがあるときは、共用部分の所有者となり（法27条1項）、区分所有者のためにその共用部分の管理を行うことができるが、共用部分の変更行為はできない（同条2項、20条1項・2項）。

管理所有：共用部分の管理所有とは、各区分所有者が、共用部分に有した権利を一括して管理所有を認められた者にゆだねるということであり、いわば共用部分の所有権を信託するということである。ただし、管理所有を1つの権利として登記することはできない。

管理所有を認められた者ができる行為は、共用部分についての狭義の管理行為及び保存行為であり、変更行為はできない。

管理所有は共用部分に認められる制度であり、共有（又は準共有）の敷地はその対象とならない。規約で敷地を管理所有すると定めていても、法律上は無効である。

(6) 共用部分の持分

共用部分に対する各区分所有者の持分は、規約で別段の定めがある場合を除いて、その有する専有部分の床面積割合によるが(法14条1項・4項)、一部共用部分(附属の建物であるものを除く。)で床面積を有するものがあるときは、その一部共用部分の床面積は、規約で別段の定めをしている場合を除いて、これを共用すべき各区分所有者の専有部分の床面積の割合により配分して、それぞれその区分所有者の専有部分の床面積に算入する(同条2項・4項)。

専有部分の床面積の計算は、規約で別段の定めをしている場合を除いて、壁その他の区画の内側線で囲まれた部分の水平投影面積、いわゆる「内法計算」による(同条3項・4項、不動産登記規則115条)。

(7) 共用部分の持分の処分

共用部分に対する各区分所有者の持分は、その有する専有部分の処分(譲渡、抵当権又は質権の設定等)に従い(法15条1項)、専有部分と分離して持分を処分することはできない(同条2項)。ただし、区分所有法に別段の定めがある場合(規約により他の区分所有者又は管理者を共用部分の所有者とする場合等)はこの限りでない(同項)。

(8) 専用使用権

特定の区分所有者が、区分所有者全員の共有に属する共用部分又は敷地の一部を一定の目的のために、排他的、独占的に使用できる部分を専用使用部分といい、専用使用部分を使用する権利を専用使用権という。この権利は、①区分所有者以外の者に認める場合と、②特定の区分所有者に認める場合とがあるが、一般的に、前者は民法の賃貸借に関する規定(民法601条~622条の2)によってその権利関係が規制されることが多いであろうし、後者は、共用部分の管理に関する規定(法18条)、規約の設定、変更、廃止に関する規定(法31条)等によってその権利関係が規制されるものと思われる。

なお、分譲会社が、新築マンションの販売にあたって、駐車場の専用使用権を留保し、又は設定してこれを分譲する行為は、法律的には禁止されていないが、販売後にそのことをめぐって紛争になっていることが多いため、慎重な配慮が必要である。

（9）建物の設置又は保存の瑕疵に関する推定

民法717条1項は土地の工作物等の占有者、所有者の責任として「土地の工作物の設置又は保存に瑕疵があることによって他人に損害を生じたときは、その工作物の占有者は、被害者に対してその損害を賠償する責任を負う。ただし、占有者が損害の発生を防止するのに必要な注意をしたときは、所有者がその損害を賠償しなければならない」と規定している。法の趣旨は、一次的には建物の占有者が、二次的には所有者が被害者に対して損害を賠償する責任があり、占有者に故意、過失が認められないときは、所有者はたとえ無過失であってもその責任を免れることはできない、というものである。

建物の設置又は保存の瑕疵による損害（漏水事故等）が発生した場合、被害者は欠陥が専有部分と共用部分のいずれにあるかを立証しなければならないが、分譲マンションは、その構造が複雑であるなどの事情から、欠陥がどこにあるか特定できない場合も多く、損害賠償責任をめぐって紛糾する場合が予想される。そこで、法9条では、欠陥がどこにあるのかわからない、という場合は、その欠陥は「共用部分の設置又は保存にあるものと推定」し、区分所有者全員（管理組合）が共同してその責任を負うべきこととしている。欠陥箇所は判明しているが、その部分が法律上専有部分か共用部分か決めにくいという場合にも、この規定の趣旨から、その欠陥は共用部分の欠陥に基づくものと解することができるであろう。

4 専有部分と敷地利用権の一体性

（1）敷地

建物の敷地とは、「一棟の建物が所在する土地」及び「規約によって建物の敷地とされた土地」をいい（法2条5項）、前者を法定敷地、後者を規約敷地という。

建物が所在する土地とは、建物がその上に物理的に所在する一筆あるいは数筆の土地をいい、一筆であればその一筆の土地全体を、建物が数筆にまたがって所在していればその数筆の土地全体をいう。

規約敷地は、区分所有者が建物及び法定敷地と一体として管理又は使用をする庭、通路その他の土地で、規約により建物の敷地としたものをいい（法5条

１項)、法定敷地に隣接していることを要しない。

法定敷地の一部が分筆され、その部分が建物の所在する土地以外の土地となった場合、あるいは、数筆の土地にまたがっていた建物の一部が滅失して、その中の一筆の土地が建物が所在する土地以外の土地となった場合は、当該土地は、規約で建物の敷地と定めたものとみなされる（同条２項)。

区分所有建物の敷地例

図１

敷地は区分所有者全員の共有

図２

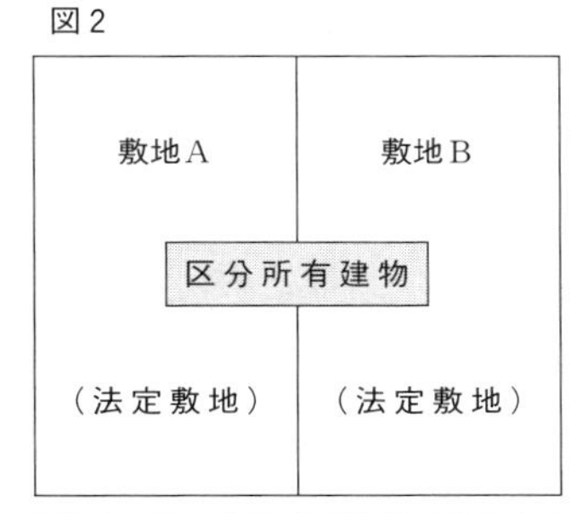

敷地Ａ、Ｂとも区分所有者全員の共有

図３

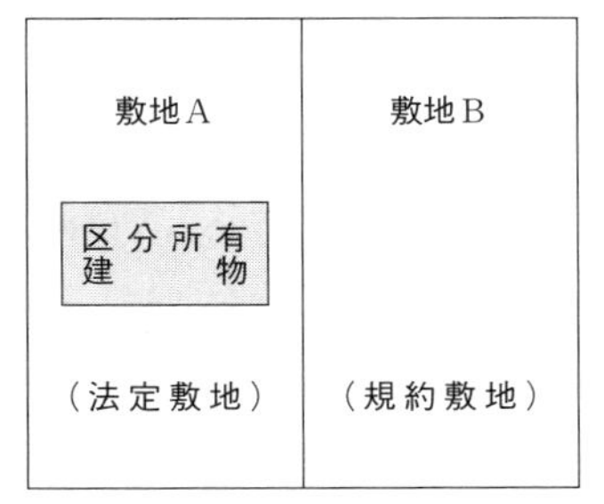

敷地Ａ、Ｂとも区分所有者全員の共有

図４

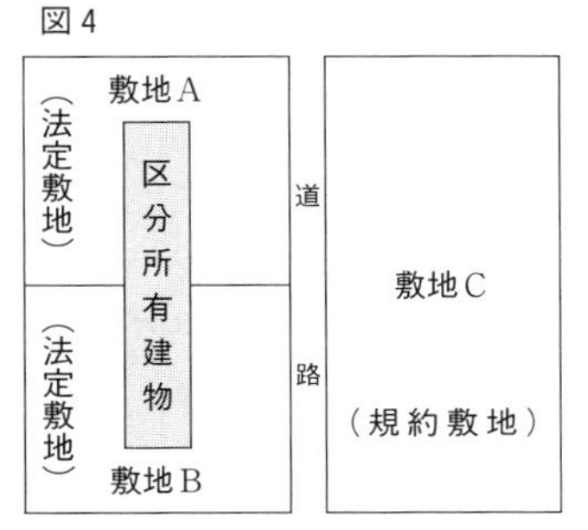

敷地Ａ、Ｂ、Ｃとも区分所有者全員の共有

（注）図１及び図２が法定敷地の例であり、図３の敷地Ｂ及び図４の敷地Ｃが規約敷地の例である。

筆：土地の単位。一筆の土地とは一個の土地をいい、一筆の土地を二筆以上に分けることを「分筆」、二筆以上の土地を一筆にまとめることを「合筆」という。

（2）敷地利用権

専有部分を所有するための建物の敷地に関する権利を敷地利用権という（法2条6項)。敷地利用権には、所有権、地上権、賃借権などがあり、敷地全体を区分所有者が共有する形態が最も多いが、敷地を目的とする地上権や賃借権を準共有する形態もある。また、敷地を区分所有者がそれぞれ単独で所有するいわゆる分有の形態もある。

所有権：物を他人の干渉を排して全面的に支配できる権利。財産権の最も基本的なもの（物権） 地上権：工作物や竹木を所有するために他人の土地を使用する権利（物権） 賃借権：賃貸借契約に基づいて目的物を使用収益する賃借人の権利（債権） 準共有：所有権以外の財産権を複数人で所有する場合の権利。準共有には共有の権利義務関係が準用される。

（3）敷地利用権の割合

区分所有者全員が敷地全体を共有（又は準共有）する場合、その共有持分（又は準共有持分）の割合をどのように定めるかについて、区分所有法では直接規定していない。しかし、建物の共用部分の共有持分について「その有する専有部分の床面積の割合による」と規定し（法14条1項)、また、敷地利用権が数人で有する所有権の共有（又は準共有）である場合において、特定の者が数個又は全部の専有部分を所有するときは、各専有部分に係る敷地利用権の割合は、規約で別段の定めをしない限り、法14条1項から3項までに定める割合(専有部分の床面積の割合)によるとしているから(法22条2項・3項)、敷地利用権の共有持分割合は、原則として「各専有部分の床面積の割合によって算定される」と解するのが妥当である。

（4）専有部分と敷地利用権の一体性

敷地利用権が数人で有する所有権その他の権利（地上権、賃借権等）である場合には、規約に別段の定めがない限り、区分所有者は、その有する専有部分とその専有部分に係る敷地利用権とを分離して処分することができない（法22

条１項)。これを専有部分と敷地利用権の一体性の原則という。

不動産登記法は、専有部分との分離処分が禁止される敷地利用権で登記されたものを敷地権とし（不動産登記法44条１項９号)、専有部分の表題登記に際し、その表題部に敷地権である旨の登記をすることとしている（同法46条)。

敷地利用権が分有である場合（タウンハウス等）には、専有部分と敷地利用権の一体性の原則は適用されない。各区分所有者がそれぞれ所有する土地をどのように利用し合うかは、区分所有者相互の合意（契約）によって決することになる。

専有部分と敷地利用権との一体性の原則は、昭和58年の改正法施行の日（昭和59年１月１日）から適用されているが、同施行日前の既存の区分所有建物においては、法施行の日から起算して５年を超えない範囲内で政令で定める日、あるいは、法務大臣によって指定された「適用開始日」から適用されている（法附則５条、６条１項)。

法務大臣の指定がなく、政令で定める日を経過した既存の専有部分については、政令で定める日に、規約で、分離して処分することができる旨を定めたものとみなされる（法附則８条)。したがって、一体性の原則を維持するためには、集会の決議を経て、規約にその旨を定めることを要する。

5 管理者

管理者は、集会決議又は規約で管理者の業務とされた事項を執行する機関として位置付けられる。

区分所有者は、規約に別段の定めがない限り集会の決議によって、管理者を選任し、又は解任することができるが（法25条１項)、管理者に不正な行為その他その職務を行うに適しない事情があるときは、各区分所有者は、その解任を裁判所に請求することができる（同条２項)。

管理者の資格については区分所有法で制限していないので、規約で別段の定めをしている場合を除いて、区分所有者でなくてもよいし、自然人でも法人でもよい。

管理者は、共用部分並びに区分所有者の共有に係る当該建物の敷地や附属施設を保存し、集会の決議を実行し、規約で定めた行為をする権利があり、またその義務を負う（法26条１項）。

管理者は、その職務に関して区分所有者を代理し、共用部分や附属施設等に付保した損害保険（火災保険等）契約に基づく保険金額の請求や受領についても代理権を持つ（同条２項）。共用部分等について生じた損害賠償金及び不当利得による返還金の請求及び受領についても同様である（平成14年の改正法により管理者の権限が拡充されたことによるもの）。管理者の代理権に加えた制限は、その事実を知らない善意の第三者に対抗することができない（同条３項）。

管理者の代理権に加えた制限：管理者はその職務について区分所有者を代理するが、この代理権については、それを行使することができる事項、範囲及びその行使方法等に関して、規約又は集会の決議によって制限を加えることができる。しかし、代理権に加えた制限は、善意の第三者に対抗することができない（ここでいう善意の第三者とは、区分所有者以外の者で、代理権に加えられた制限について知らず、かつ、その制限によって利益を害される者をいう。）。例えば、集会の決議で特定の共用部分については管理者は代理権を有しないと決しても、この決議を善意の第三者に対抗することはできない。

また、管理者は、規約又は集会の決議によって、その職務に関し、区分所有者のために裁判上の原告又は被告となって訴訟を追行することができる（同条４項、共用部分等について生じた損害賠償金及び不当利得による返還金の請求及び受領に関するものを含む。）。規約による事前の授権に基づいて管理者が原告又は被告となったときは、遅滞なく、その旨を区分所有者に通知しなければならない（同条５項前段）。

管理者の権利義務は、区分所有法及び規約に定めるもののほか、民法の委任に関する規定（民法643条～656条）に従う（法28条）（第７編第４節１（７）「⑧委任」参照）。

管理者は、少なくとも毎年１回集会を招集する義務があり（法34条２項）、毎年１回一定の時期に、集会において事務の報告をしなければならない（法43条）。

管理者が事務報告をせず、又は虚偽の報告をしたときは20万円以下の過料に処せられる（法71条４号）。

管理者は、規約、集会議事録、集会の決議に代わる全員合意の書面若しくは電磁的記録を保管する義務があり、その保管場所について建物内の見やすい場所に掲示しなければならない。また、利害関係人から、これらの閲覧請求があった場合、正当な理由がある場合を除いて、これらの閲覧（規約等が電磁的記録で作成されているときは、当該電磁的記録に記録された情報の内容を法務省令で定める方法により表示したものの当該規約等の保管場所における閲覧）を拒むことができない（法33条、42条５項、45条５項）。

管理者が規約、集会議事録、集会の決議に代わる全員合意の書面若しくは電磁的記録を保管しないとき、又は不当にそれらの閲覧を拒んだときには、20万円以下の過料に処せられる（法71条１号・２号）。

6 規　約

（1）規約の性格と効力

建物又はその敷地若しくは附属施設の管理又は使用に関する区分所有者相互間の事項は、区分所有法によるほか、規約で定めることができる（法30条１項）。

規約は、それが設定、変更された当時の区分所有者に対してのみならず、特定承継人（既存マンションの購入者等）にも効力を及ぼし（法46条１項）、団体の定款に似た性格を有する。また、建物又はその敷地若しくは附属施設の使用方法については、占有者に対しても効力を及ぼすが（同条２項）、それ以外の第三者に対しては効力を及ぼすものではない。

規約には公示性が要求されるが、区分所有法は規約に登記制度を採用せず、管理者等に規約の保管及び保管場所の明示を義務付け、利害関係人からの閲覧（規約が電磁的記録で作成されているときは、当該電磁的記録に記録された情報の内容を法務省令で定める方法により表示したものの当該規約の保管場所における閲覧）請求を不当に拒んではならないと規定している（法33条）。

（2）規約事項

各分譲マンションの規約には様々な事項が定められているが、これらの一般的な事項を区分所有法に従って分類すると、次の①から③に分けることができる。

①　法律と異なる定めができない事項

㈠　共用部分の変更（その形状又は効用の著しい変更を伴わないものを除く。）に関する集会決議要件のうち議決権数（法17条１項、21条、66条）

㈡　管理所有者の共用部分の変更行為の禁止（法20条２項）

㈢　規約の設定、変更又は廃止に関する集会の決議要件（法31条１項、68条１項）

㈣　集会招集請求権者の定数、管理者がないときの集会招集権者の定数の増加（いずれも規約で区分所有者の定数を減ずることはできるが、定数を増加させることはできない。）（法34条３項・５項、66条）

㈤　集会における決議事項の制限。集会の特別決議を要すると法定されている事項については、招集通知においてあらかじめ会議の目的たる事項を示すこととされ、規約で別段の定めをすることはできない（法37条１項・２項、66条）。

㈥　管理組合法人の設立、解散決議（法47条１項、55条２項）

㈦　義務違反者に対する訴訟提起の決議要件（法57条～60条）

㈧　建物価格の２分の１を超える部分の滅失の場合の復旧決議の要件（法61条５項）

㈨　建替え決議の要件（法62条１項）

㈩　団地内の建物の建替え承認決議の要件（法69条１項）、及びこの場合における各団地建物所有者の議決権の割合（同条２項）

(サ)　団地内の建物の一括建替え決議の要件（法70条１項）、及びこの場合における各区分所有者の議決権の割合（同条２項）

②　規約で別段の定めができる事項

㈠　規約で共用部分を定めること（法４条２項）

㈡　規約で敷地を定めること（法５条１項）

㈢　共用部分の共有関係（法11条２項）

㈣　共用部分の持分割合（法14条４項）

㈤　一部共用部分の管理（法16条）

㈥　共用部分の変更決議における区分所有者の定数を過半数まで減ずること（法17条１項ただし書）

㈦　共用部分の管理（法18条２項）

(ク) 共用部分の負担及び利益収取の割合（法19条）

(ケ) 専有部分と敷地利用権の分離処分の禁止を排除する定め（法22条１項ただし書）

(コ) 敷地利用権の割合（法22条２項ただし書）

(サ) 管理者の選任及び解任（法25条１項）

(シ) 管理者の権限（法26条）

(ス) 管理所有（法27条）

(セ) 区分所有者の責任負担割合（法29条１項）

(ソ) 一部共用部分の規約（法30条２項）

(タ) 公正証書による規約の設定（法32条）

(チ) 管理者がないときの規約の保管者（法33条１項ただし書）

(ツ) 集会招集請求権者の定数を減ずること（法34条３項ただし書）

(テ) 集会招集権者の定数を減ずること（同条５項ただし書）

(ト) 集会招集通知の期間（法35条１項）

(ナ) 掲示による集会招集通知（同条４項）

(ニ) 決議事項の制限（法37条２項）

(ヌ) 議決権の割合（法38条）

(ネ) 集会の議事における決議要件（法39条１項）

(ノ) 議長（法41条）

(ハ) 代表理事、共同代表の定め（法49条５項）

(ヒ) 理事の任期（同条６項）

(フ) 理事の定数（同条７項）

(ヘ) 理事の代理行為の委任（法49条の３）

(ホ) 理事の事務の執行（法52条１項）

(マ) 管理組合法人に対する区分所有者の責任分担割合（法53条１項）

(ミ) 管理組合法人解散の場合の清算人の資格（法55条の３ただし書）

(ム) 残余財産の帰属割合（法56条）

(メ) 建物の価格の２分の１以下の滅失における復旧方法（法61条４項）

(モ) 団地規約の設定（法68条１項）

(ヤ) 団地共用部分の定め（法67条）

(ユ) 建替え決議のための集会招集通知の期間伸長（法62条４項）

(ヨ) 団地内の建物の建替え承認決議のための集会招集通知の期間伸長（法69条4項）

(ワ) 団地内の建物の一括建替え決議のための集会招集通知の期間伸長（法70条4項）

③ 規約で任意に規定できる事項

(ア) 管理組合の名称、業務、事務所の設置

(イ) 管理組合役員の資格、職務権限、理事会・監事の設置、定数、任期、選任方法

(ウ) 集会の成立要件

(エ) 管理費等の額、徴収方法、会計区分、会計期間、会計処理、遅延損害金の付加、保管方法、諸費用の支払方法、収支予算の編成、収支報告

(オ) 専有部分の用途、管理・使用制限

(カ) 共用部分、敷地、附属施設の用途、運営方法

(キ) 専用使用部分の範囲、専用使用者の資格、決定方法、使用期間、対価の有無、専用使用料の額・徴収方法、譲渡・転貸の可否

(ク) 近隣及び地方自治体等との協定等の承継

(3) 細則

規約で基本原則を定め、個別的な事項（具体的範囲や内容）は細則に委ねているのが通常である。この場合、細則においては、管理又は使用上の「注意事項」「禁止事項」「届出事項」「承認事項」等を列挙したり、駐車場、集会所の使用方法、管理方法等を定めていることが多い。

(4) 規約の設定、変更、廃止

規約の設定、変更又は廃止は、集会において、区分所有者及び議決権のそれぞれの4分の3以上の多数による集会の決議（特別決議）によってする（法31条1項前段）。ただし、規約の設定、変更又は廃止が一部の区分所有者の権利に特別の影響を及ぼすべきときは、当該区分所有者の承諾を得なければならない（同項後段）。

特別の影響：規約の設定等の必要性又はそれにより区分所有者全員が受ける利益と比較して、一部の区分所有者の受ける不利益が我慢すべき限度（受忍限度）を超えているかどうかで判断される。

新築の分譲マンションでは、分譲会社が規約案を提示し、売買契約締結の都度、個別に各購入者の同意をとりつける方法が、一般的に採用されている。この方法は最終的に購入者全員の承認を得るものであるから、購入者全員の合意があったときに効力が発する条件付きの「集会決議に代わる全員合意書面」（法45条２項・３項）と解されている。

なお、分譲時における規約承認等に関する同意は、売買契約書又はそれに付随する覚書、承認書等に記載されていることが通常である。

（５）公正証書による規約

規約は、区分所有者相互間の規律を定めるものであるから、複数の区分所有者による区分所有関係が生じた後に、その複数者の意思により設定すべきものであるが、法32条は、その特則として、一定の事項に限り、最初に建物の全部を所有する１人の者が公正証書により単独で規約を設定することを認めた。最初に建物の専有部分の全部を所有する者（分譲会社）が公正証書によって定めることができる規約は、次の事項である。

① 規約共用部分の定め（法４条２項）

② 規約敷地の定め（法５条１項）

③ 専有部分と敷地利用権の分離処分の禁止を排除する定め（法22条１項ただし書　同条３項において準用する場合を含む。）

④ 各専有部分と一体化される敷地利用権に関する定め（法22条２項ただし書　同条３項において準用する場合を含む。）

（６）一部共用部分の規約

一部共用部分とは、一部の区分所有者のみの共用に供されるべきことが明らかな共用部分をいう。

一部共用部分について、区分所有者全員の利害に関係しない事項で、かつ、区分所有者全員の規約によって定められていない事項は、一部共用部分の区分所有者及び議決権の各4分の3以上の多数による集会の決議によって一部共用部分の規約を設定することができる（法30条2項）。なお、一部共用部分で区分所有者全員の利害に関係しない事項について、一部共用部分の区分所有者の4分の1を超える者又はその議決権の4分の1を超える議決権を有する者が反対したときは、全体規約で設定等することができない（法31条2項）。

（7）細則の設定、変更、廃止

細則の設定、変更、廃止が、集会の普通決議又は特別決議を要するかどうかは、その設定、変更、廃止の決議要件の定めと、細則の規定内容によって判断される。ただし、「専有部分の使用収益の制限に属する基本的な事項は規約でしか定められない」ことに留意する必要がある。

（8）改正区分所有法施行と経過措置

昭和58年の改正法施行の際、現に効力を有する規約（団地規約を含む。）は、改正法による手続に基づいて定められたものとみなされ、その効力が維持された。しかし、既存の規約の条項のうち、改正法の規定に抵触する事項は施行の日（昭和59年1月1日）からその効力を失った（法附則9条）。

（9）無効となる規約の定め

区分所有法では、法律と異なる定めを認めていないものもあるので、既存の規約でこうした規定をしている場合は無効とされる（規約の定めにかかわらず区分所有法が優先する。）主なものは次のとおりである。

① 共用部分等の変更（その形状又は効用の著しい変更を伴わないものを除く。）の決議要件について、法17条1項、21条、66条以外の定めを規約でしている場合

② 管理所有者の権限として、共用部分の変更ができると規約で定めている場合

③ 規約の設定、変更、廃止の決議要件について、法31条1項、68条1項以外の定めを規約でしている場合

④ 集会招集請求権者及び集会招集権者の定数について区分所有者及び議決権

のそれぞれ５分の１を超える定数を規約で定めている場合

⑤ 特別決議事項について、招集通知に会議の目的を示さないでも決議することができると規約で定めている場合

⑥ 建物の価格の２分の１を超える部分が滅失した場合、共用部分の復旧について、法61条５項以外の定めを規約でしている場合

(10) 分離処分を認めるみなし規約の成立

専有部分と敷地利用権の一体化の原則は、昭和58年の改正法の施行の日（昭和59年１月１日）から適用されたが、既存の区分所有建物においては、法施行の日から起算して５年を超えない範囲内において、政令で定める日から、あるいは、政令で定める日前に法務大臣が指定する「適用開始日」から適用された。ただし、法務大臣の指定がなく政令で定める日を経過した既存の区分所有建物においては、政令で定める日に、分離して処分することができる旨の規約の規定が定められたものとみなされる。したがって、専有部分と敷地利用権の分離処分を認めないこととするためには、改めて集会によってその旨の決議をし、規約を変更することを要する（法附則５条、６条、８条）。

7 集　会

(1) 集会中心主義

区分所有法は、規約の設定・変更・廃止、共用部分の変更・管理、区分所有者の共有に属する建物の敷地及び附属施設の変更・管理、管理者の選任・解任等管理に関する重要な事項を、原則として集会の決議で決することとしている。また、義務違反者に対する訴えの提起、建物の一部が滅失したときの復旧及び建替えも集会の決議で決するとしており、集会を団体の最高の意思決定機関として位置付けている。管理組合法人においても同様である。

(2) 集会決議の効力

集会の決議は、規約とともに、区分所有者の特定承継人（既存マンションの購入者等）に対してもその効力を有する（法46条１項）。

（3）集会の招集

管理者が選任されている場合の集会の招集は管理者（管理組合法人においては理事）が行う（法34条1項、47条12項）。

管理者がないときは、区分所有者の5分の1以上で議決権の5分の1以上を有するものが集会を招集することができる（法34条5項）。

（4）集会の招集請求

管理者が選任されている場合で、区分所有者の5分の1以上で議決権の5分の1以上を有するものが集会を招集したいときは、管理者に対し、会議の目的たる事項を示して、集会の招集を請求することができる（法34条3項本文）。この定数は、規約で5分の1以下に引き下げることは認められるが、引き上げることはできない（同項ただし書）。

管理者は、請求を受けた日から2週間以内に請求の日から4週間以内の日を会日とする集会の招集の通知を発しなければならない。管理者（又は理事）がこれを行わないときは、その請求をした区分所有者が直接に集会を招集することができる（同条4項）。

（5）集会の議長

集会においては、規約で別段の定めがある場合及び集会で別段の決議をした場合を除いて、管理者が議長となる。区分所有者が集会を招集した場合には、招集した区分所有者の1人が議長となる（法41条）。

（6）招集通知

集会の招集通知は、会日より少なくとも1週間前に、会議の目的たる事項を示して、各区分所有者に発しなければならないが、この期間は、規約で伸長又は短縮することができる（法35条1項）。なお、「1週間前に発する」とは、例えば、翌週の日曜日に集会を開催する場合の招集通知は、前週の土曜日中に発しなければならない（中1週間）、ということである。

1つの専有部分を数人で共有しているときは、共有者はあらかじめ議決権行使者を1人定めておかなければならない（法40条）。この場合の招集通知は議決権行使者と定められた者に発すれば足りる。もし議決権行使者が定められていない場合は共有者の１人に発すれば足りる（法35条２項）。

会議の目的たる事項が建物又は敷地若しくは附属施設の使用方法に関する事項で、賃借人等の占有者にも「利害関係」があるときは、招集通知を発した後、遅滞なく、集会の日時、場所及び会議の目的たる事項を建物内の見やすい場所に掲示しなければならない（法44条２項）。

招集通知は、区分所有者がこの通知を受けるべき場所を管理者に通知しているときはその場所に、通知していないときは区分所有者の所有する専有部分が所在する場所にあてすれば足りる（法35条３項）。

建物内に住所を有する区分所有者又は招集通知を受けるべき場所を通知していない区分所有者に対しては、規約で定めることにより、招集通知を建物内の見やすい場所に掲示することによってそれに代えることができる（同条４項）。

次の事項を会議の目的とする場合には、招集の通知に、会議の目的たる事項だけでなく、その議案の要領（具体的内容）をも併せて通知しなければならない（同条５項）。

① 共用部分の変更（法17条１項）
② 規約の設定、変更又は廃止（法31条１項）
③ 建物の大規模滅失（価格の２分の１を超える部分の滅失）の場合における共用部分の復旧（法61条５項）
④ 建替え（法62条１項）
⑤ 団地規約の設定（法68条１項）
⑥ 団地内の２以上の特定の区分所有建物の建替えについて一括して建替え承認決議に付する旨の決議（法69条７項）

なお、区分所有者全員の同意があれば、招集の手続を経ないで集会を開くことができる（法36条）。

（７）決議事項の制限

集会では、原則として、あらかじめ通知した事項についてのみ決議できるが、共用部分の変更等集会の決議に特別の定数が定められている事項を除いて、規約で別段の定めをすることができる（法37条１項・２項）。

(8) 議決権

各区分所有者の議決権は、原則として共用部分に対する持分の割合によるが、規約で別段の定めをすることもできる（法38条）。「一住戸一議決権」は規約で別段の定めをしている例である。

(9) 議事

集会の議事は、区分所有法で別段の定めをしている場合（特別決議事項）及び規約で別段の定めをしている場合を除いて、区分所有者及び議決権の各過半数（普通決議）で決する（法39条１項）。議決権の行使は、書面でもよく、代理人によって行使してもよい（同条２項）。また、規約又は集会の決議により、書面による議決権の行使に代えて、電磁的方法（電子情報処理組織を使用する方法その他の情報通信の技術を利用する方法であって法務省令で定めるものをいう。）によっても、議決権を行使することができる（同条３項）。

なお、次の場合はいずれも区分所有者を１人として算定する。

① １人の区分所有者が１つの専有部分を所有している場合
② １人の区分所有者が複数の専有部分を所有している場合
③ 複数の区分所有者が１つの専有部分を共有している場合
④ 複数の区分所有者が複数の専有部分を同じ複数の区分所有者で共有している場合

(10) 議事録

議長は、書面又は電磁的記録により議事録を作成し、議事の経過の要領及びその結果を記載し、又は記録しなければならない（法42条１項・２項）。議事録が書面で作成されているときは、議長及び集会に出席した区分所有者の２人がこれに署名しなければならない（同条３項）。議事録が電磁的記録で作成されているときは、当該電磁的記録に記録された情報については、議長及び集会に出席した区分所有者の２人が行う法務省令で定める署名に代わる措置をとらなければならない（同条４項）。

(11) 事務報告

管理者は、毎年１回一定の時期の集会において、事務の報告をしなければならない（法43条）。

(12) 書面又は電磁的方法による決議

区分所有法又は規約により集会において決議すべき場合において、区分所有者全員の承諾があるときは、書面又は電磁的方法による決議をすることができる（法45条１項本文）。ただし、電磁的方法による決議に係る区分所有者の承諾については、法務省令で定めるところによらなければならない（同項ただし書）。これは、集会を開催せずに書面又は電磁的方法によって決議を行うことを許容したものである。

なお、区分所有法又は規約により集会の決議事項とされた事項について、従来型の全員合意による「書面決議」とともに、全員合意による「電磁的方法による決議」も認められる（同条２項）。この合意があったときは、書面又は電磁的方法による決議があったものとみなされ、この書面又は電磁的方法による決議は、集会の決議と同一の効力を有する（同条３項）。

(13) 占有者の意見陳述権

区分所有者の承諾を得て専有部分を占有する者は、会議の目的たる事項に利害関係（法律上の利害関係をいい、実務的には、会議の目的たる事項が「建物又はその敷地若しくは附属施設の使用方法」である場合が該当する。）を有する場合は、集会に出席して意見を述べることができる（法44条１項）。

(14) 集会による決議以外の決定方法

集会の特別決議を要する事項を除く共用部分の管理に関する事項については、その決定方法について規約で別段の定めをすることができる（法18条２項）。

8 管理組合法人

(1) 法人の設立

管理組合は、集会の特別決議で、①法人となる旨、②その名称、③事務所を定め、登記をすることによって法人となることができる（法47条１項）。

法人になれば、理事の登記義務、法人住民税の納付義務等が生じるが、その他の税金、民事訴訟、契約、金融等において、通常の管理組合と管理組合法人との間に実質的な差はない。

（2）理事

管理組合法人には理事を置かなければならない（法49条1項）。理事は法人を代表する（同条3項）とともに、その事務を執行する権限と責任を有し、法人の執行機関としての機能を果たす。

理事の選任・解任については管理者と同様であり（同条8項）、資格についても管理者と同様に区分所有法で制限されていないが、法人が理事になることはできないと解されている。

理事の人数も法定されていないので、1人でも数人でもよい。

理事が数人いるときは、各自が法人を代表するが（同条4項）、規約や集会の決議により、共同代表制にすることができ、また、規約で「代表理事は理事の互選による」と規定することもできる（同条5項）。

理事の任期は2年であるが、規約で3年以内の任期を定めることができる（同条6項）。

理事が数人いるときの事務の決定は、原則として理事の過半数で決する（同条2項）。

理事の代理権に加えた制限は、善意の第三者には対抗できない（法49条の2）。

理事は、法人が備えておかなければならない「財産目録」や「区分所有者名簿」を作成しなければならない（法48条の2）。

（3）監事

管理組合法人は、監事を置かなければならない（法50条1項）。

監事の選任・解任及び任期については理事と全く同様であり（同条4項）、定数についても規約で別段の定めがある場合を除いて、1人でも2人でもよい。

監事は、監査機関という性格上、理事や管理組合法人の使用人と兼ねてはならない（同条2項）。

監事の職務は、①法人の財産状況の監査、②理事の業務執行の状況の監査、③財産の状況又は業務の執行について、法令若しくは規約に違反し、又は著しく不当な事項があると認めるときの集会への報告、④前記③の報告をするために必要があるときは集会を招集することである（同条３項）。法人と理事との利益が相反する事項については、監事が管理組合法人を代表する（法51条）。

（４）法人の事務

管理組合法人の事務は、区分所有法で定めている事項以外の事項は、すべて集会の決議によって行う。ただし、集会の特別決議事項及び法57条２項以外の事項は、規約に定めるところにより、理事その他の役員が決するものとすることができる（法52条１項）。

（５）法人の当事者能力と非法人との比較

管理組合法人はそれ自体が権利義務の法律上の帰属主体となるので、特に対外的な法律関係が明確になるとされている。また、その権利能力をはじめその他各種の「当事者能力」が拡大することも確かである。しかし、非法人（法人でない区分所有者の団体＝管理組合）に対しても、実際には法律上の解釈、運用によって、かなりの「当事者能力」が認められている。法人と非法人の「当事者能力」は次の表のとおりである。なお、表中の○印は当事者能力が明らかにあること、△印は法律の解釈、運用によって結果的に当事者能力があることを示す。

当事者能力 比較事項	管理組合法人	非法人
登記（不動産登記等）	○	×
民事訴訟	○	○
契約	○	△
金融（融資等）	○	△
税務（所得税及び法人税等）	○	○

①　登記

登記行為は管理組合法人となってはじめて、その能力が認められる行為である。不動産登記法でも人格（権利能力）のない社団について、建物及び敷地等の不動産がその社団に帰属することを明らかにする方法で登記することを認めておらず、非法人がこれを行うことはできない。非法人が行う場合は理事長等の個人名義でしか登記できない。

② 民事訴訟

管理組合法人は、法律上の権利義務の帰属主体となるので民事訴訟法上の当事者能力が認められる。非法人については、民事訴訟法29条（法人でない社団等の当事者能力）では「法人でない社団又は財団で代表者又は管理人の定めがあるものは、その名において訴え、又は訴えられることができる」と定めており、判例は法人でない社団について次のような解釈を示している。

「権利能力のない社団といい得るためには、団体としての組織を備え、多数決の原理が行われ、構成員の変更にもかかわらず団体そのものが存続し、その組織において代表の方法、総会の運営、財産の管理その他団体としての主要な点が確定していることを要する」（最判昭39.10.15）。

法律及びこの判例の解釈に従えば、規約が設定され理事長等の代表者が選出され、運営方法等が明確になっている既存の非法人にも民事訴訟法上の当事者能力があるとみなされる。

③ 契約及び金融

管理組合法人になることによって取引の相手方である第三者との法律関係は明確になるが、②のように非法人が人格（権利能力）のない社団としての法的性質を有している限り、その当事者能力に実質的な差異は認められない。例えば、金融機関からの資金借入れをする場合、法人であることによって借入れの事務手続が簡略にはなるが、金融機関にとって、融資の実行そのものはあくまでも融資を受ける団体の資力信用（返済能力、担保能力、第三者の保証等）によって決定されるのであり、法人であるか否かは融資実行の決定要件とはなり得ない。

なお、法人となって財産の帰属先が明確になることは一つのメリットであるといえる。現在、非法人においては、管理費や修繕積立金は管理組合理事長名義の口座に保管されているが、これらの金銭（財産）が個人のものであるのか団体のものであるのか必ずしも明確にはなっていない。しかし法人の場合は、法人の名義でこれらの金銭を預貯金できるので、個人財産と団体財産の区分が明確となる。

④ 税務

法人の税金には法人税、消費税及び地方消費税、所得税、復興特別所得税、地方税などがある。非法人管理組合は法人税法上の人格のない社団として取り扱われ、非営利型法人である一般財団法人又は一般社団法人と同様に非収益事業には課税されない。一方、管理組合法人の法人税については法人税法2条6号の公益法人等と同様に取り扱われ、非収益事業を営む限りその事業所得には課税されないこととされ、非法人管理組合より不利益にならないよう手当てされている。しかし収益事業所得については、非法人と同様に普通法人の税率(普通法人のうち中小法人等の税率が適用される。)で課税される。

また、預貯金利子や上場株式配当の所得については、所得税法上の手当がなされていないため普通法人扱いとなり、非法人と同様に15.315%の税率(所得税及び復興特別所得税)で課税される。

9 義務違反者に対する措置

(1) 違反行為の停止等の請求

区分所有者が法6条1項に規定する行為をした場合、又はその行為をするおそれがある場合は、他の区分所有者の全員又は管理組合法人は、その行為の停止等必要な措置をとることを請求でき、また、集会の普通決議に基づいて訴訟を提起することができる(法57条)。

占有者が法6条3項で準用する同条1項に規定する行為をした場合及びその行為をするおそれがある場合も同様である。

(2) 専有部分の使用禁止、競売の請求

区分所有者の有害な行為によって共同生活上の障害が著しく、行為の停止請求等によってはその障害を除去して共用部分の利用の確保その他の区分所有者の共同生活の維持を図ることが困難であるときは、他の区分所有者の全員又は管理組合法人は、集会の特別決議に基づき、裁判所に対して当該区分所有者の専有部分の使用の禁止の請求をすることができる(法58条1項)。また、他の方法によっては、区分所有者の共同生活上の障害を除去して共用部分の利用の確保その他の区分所有者の共同生活の維持を図ることが困難であるときは、当該区分所有者の区分所有権及び敷地利用権の競売を裁判所に請求することもできる(法59条1項)。

（3）占有者に対する専有部分の引渡し請求

有害行為を行う占有者に対しては、その占有者の行為による区分所有者の共同生活上の障害が著しく、他の方法によってはその障害を除去して共用部分の利用の確保その他の区分所有者の共同生活の維持を図ることが困難であるときは、集会の特別決議に基づいて、裁判所に対して、当該占有者が占有する専有部分の使用又は収益を目的とする契約（賃貸借契約等）の解除及びその専有部分の引渡しを請求することができる（法60条1項）。

（4）弁明の機会

専有部分の使用禁止請求、区分所有権及び敷地利用権の競売請求、専有部分の引渡し等の請求を集会で決議する場合は、当該区分所有者又は占有者に対し、あらかじめ弁明の機会を与えなければならない（法58条3項、59条2項、60条2項）。

10 復　旧

（1）建物の価格の2分の1以下に相当する部分が滅失した場合の復旧

建物の価格の2分の1以下に相当する部分が滅失したときは、各区分所有者は、滅失した共用部分及び自己の専有部分を復旧することができる（法61条1項本文）。

しかし、共用部分については、各区分所有者が復旧の工事に着手するまでに、集会において、法61条3項の滅失した共用部分を復旧する旨の決議、又は法62条1項の建替えの決議又は法70条1項の団地内建物の一括建替え決議があったときは、各区分所有者は復旧の工事をすることはできない（法61条1項ただし書）。これらについては、規約で別段の定めをすることができる（同条4項）。

各区分所有者が共用部分の復旧工事を行ったときは、他の区分所有者に対して共用部分の持分に応じた割合で復旧に要した費用の償還を請求することができる（同条2項）。同条2項の場合において、裁判所は、償還請求を受けた区分所有者の請求により、償還金の支払につき相当の期限を許与することができる（同条15項）。

（小規模滅失と大規模滅失）

阪神・淡路大震災においては、㈳日本不動産鑑定協会・不動産カウンセラー部会（当時）が、神戸市等から要請を受け、区分所有法第61条の２分の１滅失の判定手法について、次のような考え方をとりまとめており、参考となる。

１．滅失割合による判定

小規模滅失　→　滅失割合≦50%

大規模滅失　→　滅失割合＞50%

滅失割合＝１－（被災建物価格÷被災前建物価格）

２．被災前建物価格の算定

被災前建物価格＝再調達原価（注１）×現価率（注２）

（注１）再調達原価＝建築単価(設計監理費を含む)×建物延べ床面積(施工面積による)

（注２）現価率

$$=\left\{\frac{(\text{躯体耐用年数}-\text{躯体経過年数})}{\text{躯体耐用年数}}\times\text{構成比}+\frac{(\text{設備耐用年数}-\text{設備経過年数})}{\text{設備耐用年数}}\times\text{構成比}\right\}\times(1-\alpha)$$

（躯体と設備の構成比）

階　　数	構　成　比	
	躯体	設備
４Ｆ以下	90%	10%
５Ｆ以上	80%	20%

＊ $\alpha = 0 \sim 0.3$

（躯体と設備の耐用年数）

構　　　造	耐用年数	
	躯体	設備
ＳＲＣ・ＲＣ造	40年	15年
Ｓ造	30年	15年

３．被災建物価格の算定

被災建物価格＝（被災前建物価格－復旧費用）×（１－震災修正率）

震災修正率	滅失度（注３）
５％	10%以内
10%	10%超20%以内
15%	20%超30%以内
20%	30%超40%以内
25%	40%超

（注３）滅失度＝復旧費用÷再調達原価×100%

建 築 構 造

「ＳＲＣ造」とは、鉄骨鉄筋コンクリート造をいう。
「ＲＣ造」とは、鉄筋コンクリート造をいう。
「ＰＣ造」とは、プレキャストコンクリート造(壁式組立工法）をいう。
「Ｓ造」とは、鉄骨造をいう。

小規模滅失〈2分の1以下の滅失〉の場合における復旧のフローチャート

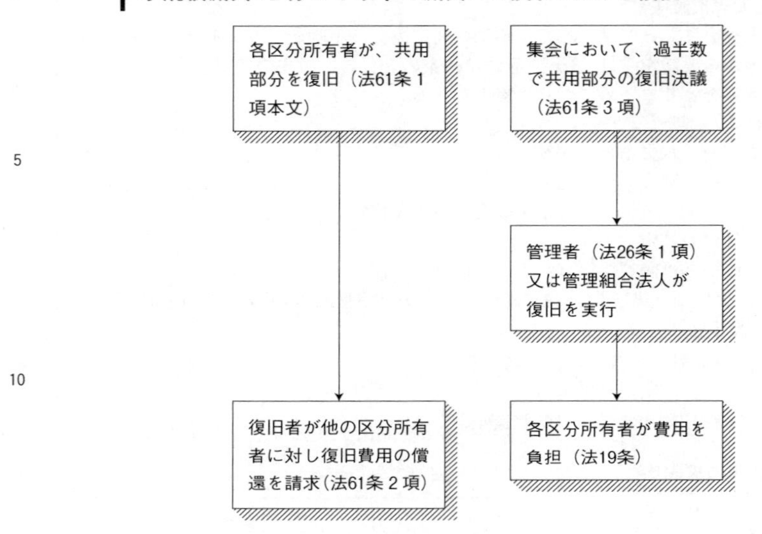

（2）建物の価格の2分の1を超える部分が滅失した場合の復旧

建物の価格の2分の1を超える部分が滅失したときは、集会において区分所有者及び議決権の各4分の3以上の多数で、滅失した共用部分を復旧する旨の決議をすることができる（法61条5項）。

復旧決議をしたときは、集会の議事録にその決議についての各区分所有者の賛否を記載し、又は記録しなければならず（同条6項）、その決議の日から2週間を経過したときは、復旧決議に賛成した区分所有者以外の区分所有者は、決議賛成者の全部又は一部に対し、建物及び敷地に関する権利を時価で買い取るべきことを請求することができる。この請求権に関する権利義務は区分所有者の承継人にも引き継がれる（同条7項前段）。

この場合、買取請求を受けた決議賛成者は、その請求の日から2カ月以内に、他の決議賛成者の全部又は一部に対し、決議賛成者以外の区分所有者を除いて算定した法14条に定める割合に応じて当該建物及び敷地に関する権利を時価で買い取るべきことを請求することができる（法61条7項後段）。

なお、復旧決議の日から2週間以内に、決議賛成者がその全員の合意により建物及びその敷地に関する権利を買い取ることができる者を指定し、かつ、その指定された者（買取指定者）がその旨を決議賛成者以外の区分所有者に対し

大規模滅失〈2分の1を超える滅失〉の場合における復旧のフローチャート

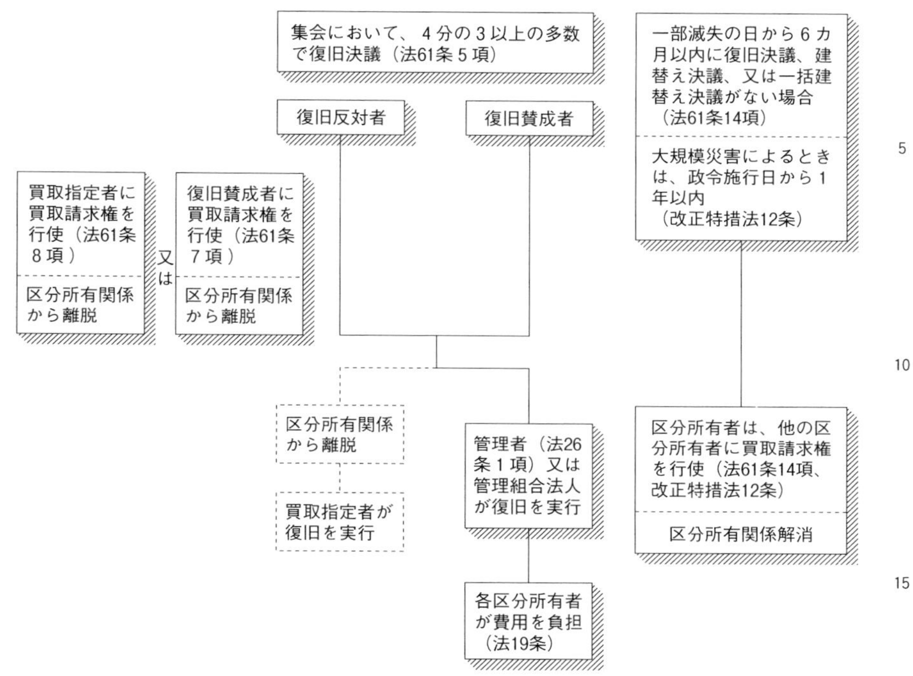

（注）改正特措法とは平成25年改正（最終改正令和３年）による「被災区分所有建物の再建等に関する特別措置法」をいう。

て書面で通知したときは、その通知を受けた区分所有者は、買取指定者に対してのみ、買い取るべきことを請求することができる（同条８項）。この書面による通知に代えて、通知を受けるべき区分所有者の承諾を得たときは、電磁的方法により通知をすることができる（同条９項）。

この買取指定者は、買い取った建物及びその敷地の売買代金を支払わなければならないが、その代金に係る債務の全部又は一部の弁済をしないときは、買取指定者以外の決議賛成者は、連帯してその債務の全部又は一部を弁済しなければならない。ただし、決議賛成者が買取指定者に資力があり、かつ執行が容易であることを証明したときは、この限りでない（同条10項）。

復旧決議の集会を招集した者（買取指定者がいるときはその者）は、決議賛成者以外の区分所有者に対し、４カ月以上の期間を定めて、買取請求をするか否かを確答すべき旨を書面で催告することができ（当該区分所有者の承諾を得た場合は電磁的方法によることも可)、催告を受けた区分所有者は、定められた期間を経過したときは、買い取るべきことを請求することができない（同条11項〜13項)。

請求に基づく代金の支払については、裁判所は、法61条７項・８項により支払義務を負った区分所有者の請求により、相当の期限を許与することができる（同条15項)。

(3) 買取請求権

建物の価格の２分の１を超える部分が滅失した日から６カ月以内に復旧決議がされなかったとき、法62条１項の建替え決議がされなかったとき、又は法70条１項の団地内の建物の一括建替え決議がされなかったときは、各区分所有者は、他の区分所有者に対し、建物及びその敷地に関する権利を時価で買い取るべきことを請求することができる（法61条14項)。この代金支払については、相当の期限が許与されることがある（同条15項)。なお、建物の価格の２分の１を超える部分の滅失の復旧については、規約で別段の定めをすることはできない。

11 建替え

(1) 建替え決議の要件

集会においては、区分所有者及び議決権の各５分の４以上の多数によって、建替え決議をすることができる（法62条１項)。

(2) 建替え決議の内容

建替え決議とは、既存の建物を取り壊し、かつ、当該建物の敷地若しくはその一部の土地又は当該建物の敷地の全部若しくは一部を含む土地に新たに建物を建築する旨の決議をいう（法62条１項)。従前の敷地と一部でも重なり合った土地であれば、新建物の敷地とすることができ、また、新旧建物で主たる使用目的を変更することが可能である。建替え決議においては、次の事項を定めなければならない（同条２項)。

① 新たに建築する建物（再建建物）の設計の概要

② 建物の取壊し及び再建建物の建築に要する費用の概算額

③　前記②の費用の分担に関する事項

④　再建建物の区分所有権の帰属に関する事項

なお、上記③、④については、各区分所有者の衡平を害しないように定めなければならない（同条３項）。

再建建物の階層増、延べ床面積の増加等が行われる場合には、これに伴い敷地利用権の再配分と、これに伴う清算が必要になるが、この再配分は、集会で決議することはできず、参加者全員の合意によって処理しなければならない。

(3) 建替え決議をする場合の手続

建替え決議をする場合の集会の招集通知は、その集会の会日より少なくとも２カ月前に発しなければならないが、この期間は、規約で伸長することができる（法62条４項）。

この場合、議案の要領のほか、次の事項もあらかじめ通知しなければならない（同条５項）。

①　建替えを必要とする理由

②　建替えをしない場合における当該建物の効用の維持又は回復（建物が通常有すべき効用の確保を含む。）をするのに必要な費用の額とその内訳

③　建物の修繕計画が定められているときは、その内容

④　修繕積立金の額

また、建替え決議の集会を招集した者は、その集会の会日より少なくとも１カ月前までに、招集の際に通知すべき事項について区分所有者に対し説明会を開催しなければならない。この説明会の開催時期については、規約により伸長することができる（同条６項・７項）。

(4) 建替えに賛成しない者に対する催告

建替え決議があったときは、集会を招集した者（管理者、理事又は区分所有者の５分の１以上で議決権の５分の１以上を有するもの）は、遅滞なく、建替え決議に賛成しなかった区分所有者（その承継人を含む。）に対し、建替えに参加するか否かを回答するよう書面で催告しなければならない（法63条１項）。集会を招集した者は、当該区分所有者の承諾を得たときは電磁的方法により催告することができる（同条２項）。

催告を受けた区分所有者は、催告を受けた日から2カ月以内に参加するか否かの回答をしなければならず（同条3項）、その期間内に回答をしなかった区分所有者は、建替えに参加しない旨を回答したものとみなされる（同条4項）。

（5）売渡し請求権の行使

建替え決議に賛成しなかった者の確認回答期間が満了した日から2カ月以内に、①建替え決議に賛成した各区分所有者（承継人を含む。）、②建替え決議の内容により建替えに参加する旨を回答した各区分所有者（承継人を含む。）、③①及び②の者の全員の合意により区分所有権及び敷地利用権を買い受けることができる者として指定された者（買受指定者）は、建替えに参加しない旨を回答した区分所有者（その承継人を含む。）に対し、区分所有権及び敷地利用権を時価で売り渡すべきことを請求することができる（法63条5項前段）。建替え決議後にこの区分所有者から敷地利用権のみを取得した者（その承継人を含む。）の敷地利用権についても同様である（同条5項後段）。

（6）明渡し期限の猶予

裁判所は、建替えに参加しない旨を回答した区分所有者が建物の明渡しによりその生活上著しい困難を生ずるおそれがあり、かつ、建替え決議の遂行に甚だしい影響を及ぼさないものと認めるべき顕著な事由があるときは、その者の請求により、代金の支払又は提供の日から1年を超えない範囲内において、建物の明渡しにつき相当の明渡し猶予期限を許与することができる（法63条6項）。

（7）再売渡し請求権

建替え決議の日から2年以内に建物の取壊しの工事に着手しない場合には、売渡し請求権の行使の結果、自己の区分所有権又は敷地利用権を売り渡した者は、2年の期間の満了の日から6カ月以内に、買主が支払った代金に相当する金銭をその区分所有権又は敷地利用権を現在有する者に提供して、これらの権利を売り渡すべきことを請求することができる。ただし、建物の取壊しの工事に着手しなかったことについて正当な理由があるときは、この再売渡し請求権は生じない（法63条7項）。

建替えフローチャート

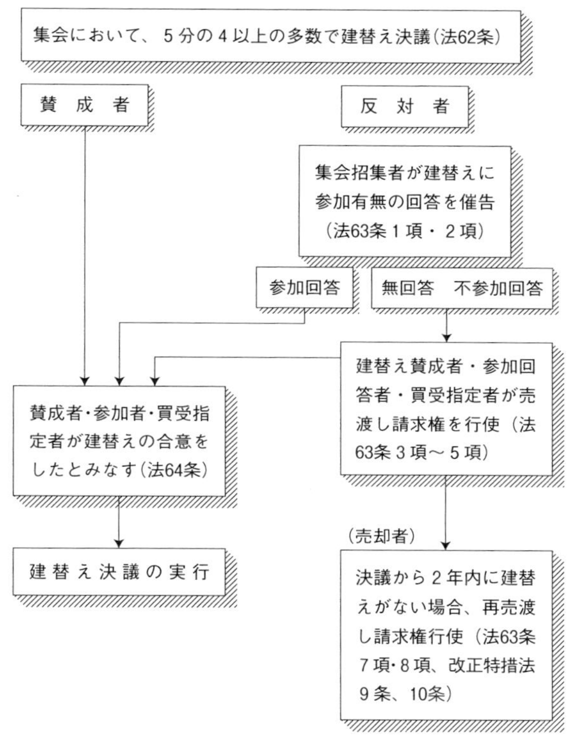

（注）　改正特措法とは令和3年改正による「被災区分所有建物の再建等に関する特別措置法」をいう。

建物の取壊しの工事に着手しなかったことにつき正当な理由があり、その理由がなくなった日から6カ月以内にその工事に着手しない場合は、再売渡し請求が可能となる。この場合の請求権の行使は、その理由がなくなったことを知った日から6カ月以内又はその理由がなくなった日から2年以内のいずれか早い時期までにしなければならない（同条8項）。

（8）建替えに関する合意

建替え決議に賛成した各区分所有者、建替え決議の内容により建替えに参加する旨を回答した各区分所有者及び区分所有権又は敷地利用権を買い受けた各買受指定者（これらの者の承継人を含む。）は、建替え決議の内容により建替えを行う旨の合意をしたものとみなされる（法64条）。これらの者は、相互に建替え決議の内容による建替えを行う義務を負う。

12 団　地

（1）団地建物所有者の団体

一団地内に数棟の建物があって、その団地内の土地又は附属施設（これらに関する権利を含む。）が、その団地内の建物の所有者（建物が区分所有建物である場合は区分所有者）の共有になっているときは、その所有者の全員で団地内の土地、附属施設及び専有部分のある建物（区分所有建物）の管理を行うための団体が当然に構成され、その団体で、区分所有法の定めるところに従って、集会を開き、規約を定め、管理者を置くことができる（法65条）。なお、団地関係は、一定の要件を備えている一戸建て住宅の団地においても成立する。

（2）建物の区分所有に関する規定の準用

団地の管理には、一棟の建物の区分所有関係の管理に関する規定のうち、次の規定が準用される（法66条）。

① 先取特権（法７条）、特定承継人の責任（法８条）
② 共用部分の管理、変更（法17条～19条）
③ 管理者（法25条、26条、28条、29条）
④ 規約（法30条１項・３項～５項、31条１項、33条）
⑤ 集会（法34条～45条）
⑥ 規約及び集会の決議の効力（法46条）
⑦ 管理組合法人（法47条～56条の７）

（3）団地共用部分

一団地内の附属施設である建物は、団地規約によって団地共用部分とすることができるが、登記をしなければ第三者には対抗できない（法67条１項）。

（4）団地規約の設定、変更、廃止

団地規約の設定、変更又は廃止は、団地建物所有者及び議決権の各４分の３

団地関係の成立例

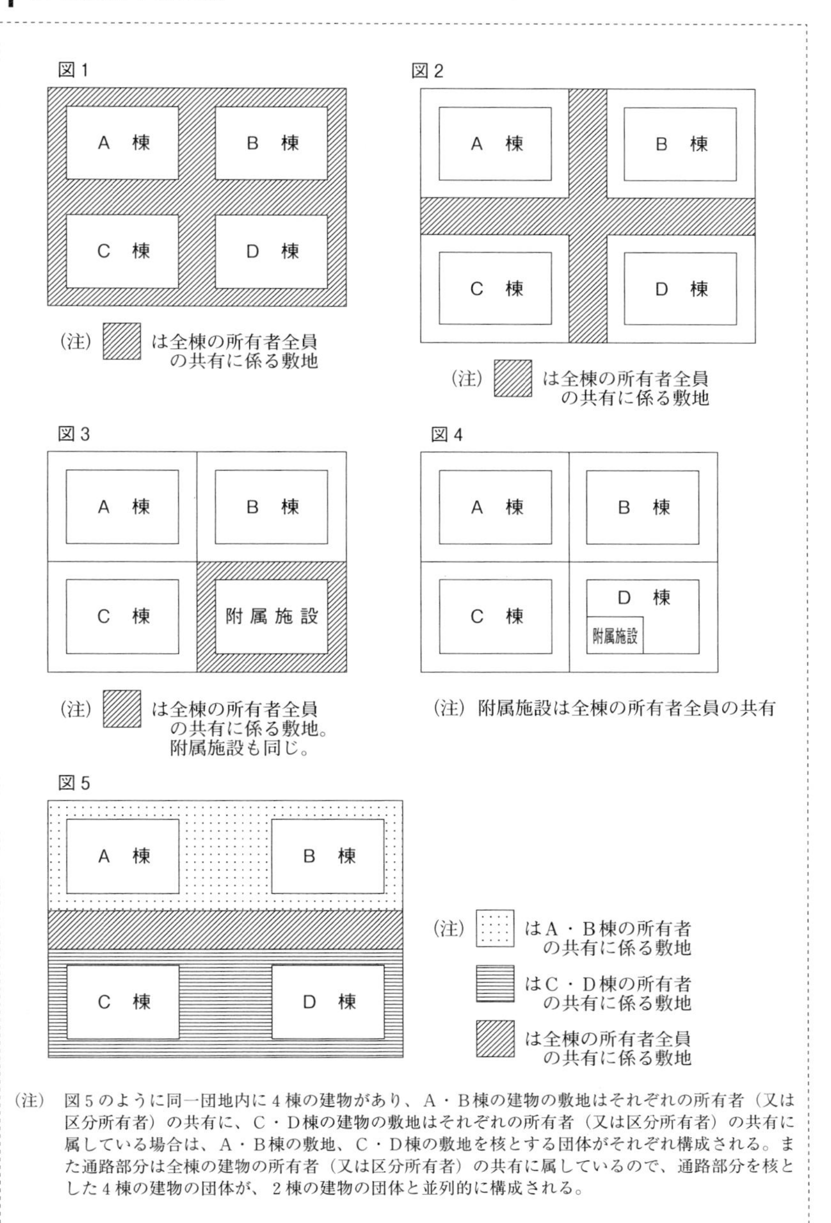

(注) 図5のように同一団地内に4棟の建物があり、A・B棟の建物の敷地はそれぞれの所有者（又は区分所有者）の共有に、C・D棟の建物の敷地はそれぞれの所有者（又は区分所有者）の共有に属している場合は、A・B棟の敷地、C・D棟の敷地を核とする団体がそれぞれ構成される。また通路部分は全棟の建物の所有者（又は区分所有者）の共有に属しているので、通路部分を核とした4棟の建物の団体が、2棟の建物の団体と並列的に構成される。

以上の多数による団地の集会の決議によってすることができる（法66条）。

（5）団地規約の設定等に関する特例

一団地内の土地又は附属施設（これらに関する賃借権等の権利を含む。）が当該団地内の一部の建物の所有者（専有部分のある建物では、区分所有者）の共有になっている場合の当該土地又は附属施設（専有部分のある建物以外の建物の所有者のみの共有に属するものを除く。）にあっては、当該土地の全部又は附属施設の全部につき、それぞれ共有者の４分の３以上でその持分の４分の３以上を有するものの同意をもって団地規約を定めることができる。また、当該団地内の専有部分のある建物については、その全部につきそれぞれ集会における区分所有者及び議決権の各４分の３以上の多数による決議があれば団地規約を設定することができる（法68条１項）。

なお、一団地内の区分所有建物の一部共用部分についての事項で区分所有者全員の利害に関係しないものについては法31条２項の規定が準用される（法68条２項）。

団地規約の保管、閲覧に関する規定については、法33条が準用される（法66条）。

（6）公正証書による団地規約の設定

一団地内の数棟の建物の全部を所有する者は、公正証書によって団地共用部分の規約を設定することができる（法67条２項）。

（7）団地内の建物の建替えとその承認

一団地内にある建物の全部又は一部が区分所有建物で、かつ、団地内の特定の建物（以下「特定建物」という。）の所在する土地が団地建物所有者の共有に属する場合において、特定の建物を建て替えるには、次の①又は②と、③の手続が必要である（法69条１項）。

① 特定建物が区分所有建物であるときは、その建替え決議又は区分所有者全員の同意があること

② 特定建物が区分所有建物以外の建物であるときは、その所有者の同意があること

③　団地管理組合の集会において議決権の4分の3以上の多数による承認の決議（建替え承認決議）を得ること

この建替え承認決議を行う場合の議決権は、当該特定建物が所在する土地の持分の割合によるが、前記①又は②の要件に該当する場合の特定建物の団地建物所有者は、建替え承認決議においては、いずれもこれに賛成する旨の議決権を行使したものとみなされる（同条2項・3項本文）。

建替え承認決議のための集会の招集は、集会の会日より少なくとも2カ月前に、議案の要領のほか、新たに建築する建物の設計の概要（当該建物の団地内での位置を含む。）を示して発しなければならないが、この期間は、規約により伸長することができる（同条4項）。

前記①又は②の建替えが当該特定建物以外の他の建物（以下「当該他の建物」という。）の建替えに特別の影響を及ぼすべきときは、次の区分に応じてそれぞれ下記④又は⑤に定める者が建替え承認決議に賛成しているときに限り、当該特定建物の建替えができる（同条5項）。

④　当該他の建物が区分所有建物の場合は、上記③の集会において当該他の建物ごとに区分所有者全員の議決権（土地の持分割合による。）の4分の3以上の議決権を有する区分所有者

⑤　当該他の建物が区分所有建物以外の建物である場合は、当該他の建物の所有者

建替え承認決議をする特定建物が2以上あるときは、当該2以上の特定建物の団地建物所有者は、各特定建物の団地建物所有者の合意により、これらの2以上の特定建物の建替えについて一括して建替え承認決議に付することができる。この場合の当該特定建物が区分所有建物であるときは、当該特定建物の建替え承認決議の集会において、当該特定建物の区分所有者及び議決権の各5分の4以上の多数で、当該2以上の特定建物の建替えについて一括して建替え承認決議に付する決議をすることができる。そして、この決議があったときは、当該特定建物の区分所有者の一括して建替え承認決議に付する旨の合意があったものとみなされる（同条6項・7項）。

（8）団地内の建物の一括建替え決議

団地内建物の全部が区分所有建物で、かつ、団地内の敷地が団地内建物の区

分所有者の共有に属する場合において、団地内建物を団地管理規約により団地管理組合が管理することとしているときは、団地管理組合の集会において、団地内建物の区分所有者及び議決権の各5分の4以上の多数で、団地内建物を一括してその全部を取り壊し、かつ、当該団地内建物の敷地若しくはその一部の土地又は当該団地内建物の敷地の全部若しくは一部を含む土地に新たに建物を建築する旨の決議（一括建替え決議）をすることができる。この場合の一括建替え決議は、その集会において、各区分所有建物ごとにそれぞれ区分所有者及び議決権の各3分の2以上が賛成した場合でなければならない（法70条1項）。議決権割合は土地の持分の割合による（法70条2項、69条2項）。

一括建替え決議においては、次の事項を定めなければならない（法70条3項）。

① 再建団地内敷地の一体的な利用についての計画の概要
② 新たに建築する建物（再建団地内建物）の設計の概要
③ 団地内建物全部の取壊し及び再建団地内建物の建築に要する費用の概算額
④ ③に規定する費用の分担に関する事項
⑤ 再建団地内建物の区分所有権の帰属に関する事項

この一括建替え決議において、法62条3項〜8項、63条及び64条の規定が準用される（法70条4項）。

13 罰 則

管理者、理事、規約保管者、議長又は清算人が次のような義務違反をした場合は、20万円以下の過料に処せられる（法71条）。

① 規約、議事録、法45条4項の書面若しくは電磁的記録の保管義務違反（法71条1号）
② 規約、議事録、法45条4項の書面、又はこれらについて電磁的記録に記録された情報の内容についての正当な理由なき閲覧拒否（法71条2号）
③ 議事録又は電磁的記録の不作成又は議事録記載事項無記載・無記録若しくは虚偽記載・虚偽記録（同条3号）
④ 事務報告懈怠又は虚偽報告（同条4号）
⑤ 管理組合法人の登記義務懈怠（同条5号）
⑥ 管理組合法人の財産目録不作成又は不正記載・不正記録（同条6号）

⑦　理事、監事の選任手続懈怠（同条７号）

⑧　清算人の債権申出の除斥公告及び破産手続開始の申立ての公告の懈怠又はそれらの不正公告（同条８号）

⑨　清算人の破産手続開始の申立ての懈怠（同条９号）

⑩　清算人の検査妨害（同条10号）

なお、管理組合法人でない組合が管理組合法人の名称を使用したときは、10万円以下の過料に処せられる（法72条）。

過　料：行政罰。非訟事件手続法（119条～122条）の定めにより、過料に処せられるべき者の住所地の地方裁判所において科せられる。

建物の区分所有等に関する法律施行規則

建物の区分所有等に関する法律（昭和37年法律第69号）第30条第５項、第33条第２項、第39条第３項、第42条第４項及び第45条第１項の規定に基づき、建物の区分所有等に関する法律施行規則を次のように定める。

（電磁的記録）

第１条　建物の区分所有等に関する法律（昭和37年法律第69号。以下「法」という。）第30条第５項に規定する法務省令で定める電磁的記録は、電子計算機に備えられたファイル又は電磁的記録媒体（電子的方式、磁気的方式その他人の知覚によっては認識することができない方式で作られる記録であって電子計算機による情報処理の用に供されるものに係る記録媒体をいう。第３条第１項第２号において同じ。）をもって調製するファイルに情報を記録したものとする。

（電磁的記録に記録された情報の内容を表示する方法）

第２条　法第33条第２項に規定する法務省令で定める方法は、当該電磁的記録に記録された情報の内容を紙面又は出力装置の映像面に表示する方法とする。

（電磁的方法）

第３条　法第39条第３項に規定する法務省令で定める方法は、次に掲げる方法とする。

一　送信者の使用に係る電子計算機と受信者の使用に係る電子計算機とを電気通信回線で接続した電子情報処理組織を使用する方法であって、当該電気通信回線を通じて情報が送信され、受信者の使用に係る電子計算機に備えられたファイルに当該情報が記録されるもの

二　電磁的記録媒体をもって調製するファイルに情報を記録したものを交付する方法

2　前項各号に掲げる方法は、受信者がファイルへの記録を出力することにより書面を作成することができるものでなければならない。

（署名に代わる措置）

第４条　法第42条第４項に規定する法務省令で定める措置は、電子署名及び認証業務に関する法律（平成12年法律第102号）第２条第１項の電子署名とする。

（電磁的方法による決議に係る区分所有者の承諾）

第５条　集会を招集する者は、法第45条第１項の規定により電磁的方法による決議をしようとするときは、あらかじめ、区分所有者に対し、その用いる電磁的方法の種類及び内容を示し、書面又は電磁的方法による承諾を得なければならない。

2　前項の電磁的方法の種類及び内容は、次に掲げる事項とする。

一　第３条第１項各号に規定する電磁的方法のうち、送信者が使用するもの

二　ファイルへの記録の方式

3　第１項の規定による承諾を得た集会を招集する者は、区分所有者の全部又は一部から書面又は電磁的方法により電磁的方法による決議を拒む旨の申出があったときは、法第45条第１項に規定する決議を電磁的方法によってしてはならない。ただし、当該申出をしたすべての区分所有者が再び第１項の規定による承諾をした場合は、この限りでない。

（電磁的方法による通知又は催告に係る相手方の承諾等）

第６条　次に掲げる規定により電磁的方法による通知又は催告をしようとする者は、あらかじめ、当該通知又は催告の相手方に対し、その用いる電磁的方法の種類及び内容を示し、書面又は電磁的方法による承諾を得なければならない。

一　法第61条第９項

二　法第61条第12項

三　法第63条第２項

２　前項の電磁的方法の種類及び内容は、次に掲げる事項とする。

一　第３条第１項各号に規定する電磁的方法のうち、送信者が使用するもの

二　ファイルへの記録の方式

３　第１項の規定による承諾を得た者は、同項の相手方から書面又は電磁的方法により電磁的方法による通知又は催告を受けない旨の申出があったときは、当該相手方に対し、当該通知又は催告を電磁的方法によってしてはならない。ただし、当該相手方が再び同項の規定による承諾をした場合は、この限りでない。

附　則

この省令は、平成15年６月１日から施行する。

附　則　（令和３年９月１日法務省令第42号）

この省令は、デジタル社会の形成を図るための関係法律の整備に関する法律の施行の日（令和３年９月１日）から施行する。

附　則　（令和５年12月27日法務省令第54号）

この省令は、公布の日から施行する。

14 区分所有法にかかわる最近の最高裁判例

（１）最高裁昭和62年７月17日判決

マンションの賃借人である広域暴力団の組長Ｙ₂が付添いの組員らと共に駐車場の無断使用等の違反行為をはじめ傍若無人な振る舞いをして居住者に恐怖感、不快感を与え、他会との対立抗争激化の後は組員の数が増加したため、居住者は恐怖感を深め、抗争事件の巻き添えになる可能性もあって、生命、身体が危険にさらされるに至ったとして、管理組合管理者Ｘがマンションの賃貸人である区分所有者Ｙ₁とＹ₂に対し、賃貸借契約の解除と専有部分の引渡しを請求した事案。

> ①区分所有法60条１項に基づき訴訟提起する前提として、集会の決議をするには、占有者に対して弁明する機会を与えれば足り、賃貸人である区分所有者に弁明の機会を与えることを要しない、②またY_2の行為は区分所有者の共同の利益に反するものであり将来もこれをするおそれがあって、この行為による区分所有者の共同生活上の障害が著しく、他の方法によってはその障害を除去して共用部分の利用の確保その他の区分所有者の共同生活の維持を図ることが困難であるとして、Y_1、Y_2の上告を棄却。

（２）最高裁平成２年11月26日判決

リゾートマンションの区分所有者Ｘが管理組合法人Ｙに対し、「理事に事故があり、理事会に出席できないときは、その配偶者又は一親等の親族に限り、これを代理出席させることができる」との規約改正を行った総会決議は、理事の個別的復代理のみを認め包括的復代理を禁じている民法55条(注)に違反するとして、総会決議無効確認を求めた事案。

> ①民法55条は、定款、寄附行為又は総会の決議によって禁止されないときに限り理事が法人の特定の行為のみを他人に委任することを認めて、包括的な委任を禁止したものであり、理事会における出席及び議決権の行使について直接規定するものではない、②管理組合の事務は、集会の決議によることが原則とされ、区分所有権の内容に影響を及ぼす事項は規約又は集会決議によって定めるべき事項とされ、複数の理事を置くか否か、代表権のない理事を置くか否か、をはじめ理事会を設けた場合の出席の要否及び議決権の行使の方法について、法は自治的規範たる規約にゆだねている、③理事に事故がある場合に限定して被選任者の範囲を理事の配偶者又は一親等の親族に限り代理出席を認めるものであるから、管理組合の理事への信任関係を害するとはいえない、等を理由に、改正規約を民法55条に違反するものではないとしてＸの上告を棄却。

(注　平成18年の民法改正により同法55条は削除された。現区分所有法49条の３に同様の定めがある。）

（３）最高裁平成５年２月12日判決

区分所有者Ｘらが分譲業者の関連会社Ｙに対し、Ｙ名義で保存登記されている管理人室は共用部分であるとして、所有権保存登記の抹消登記を請求した事案。

> ①本件マンションでは、区分所有者の居住生活を円滑にし、その環境の維持保全を図るため、その業務に当たる管理人を常駐させ、多岐にわたる管理業務の遂行に当たらせる必要がある、②本件マンションの玄関に接する共用部分である管理事務室のみでは、管理人を常駐させてその業務を適切かつ円滑に遂行させることは困難であるから、管理人室は管理事務室と併せて一体として利用することが予定されていたというべきで、両室は機能的にこれを分離することができない、等を理由に管理人室には利用上の独立性はなく区分所有権の目的とならないとして、Ｙの上告を棄却。

（４）最高裁平成９年３月27日判決

101号室の最初の区分所有者Ａは、分譲業者Ｂとの間で、101号室を屋内駐車場として使用し他の区分所有者の承諾なしに駐車場以外の用途に変更しない旨の合意をしていたが（規約には、用途を駐車場に限定する定めはない。）、Ａの相続人Ａ′が店舗に改造し、登記簿上の種類も「駐車場」から「店舗」に変更。その後Ａ′から101号室を譲り受けた区分所有者Ｘが管理組合Ｙに対し、101号室の使用目的は店舗である旨の確認を求めた事案。

> ①Ｂと101号室を建築当初に取得したＡが、他の区分所有者の承諾なしに駐車場以外の用途に変更しない旨の合意をした場合に、101号室が屋内駐車場として設計・宣伝され、建築当初においてはその用途を駐車場以外に変更することは建築基準法上許されなかった等の事情があったとしても、原始規約には101号室の用途を駐車場に限定する旨を定めた規定がなく、ＡＢ間の債権契約に基づく権利制限の合意を安易に規約上定められた制限

条項と同視することは許されない、②専有部分は住居としてのみ使用し得ることを定めた新規約が101号室にも適用されるか否かは規定上明確でなく、仮にその適用があるとしても、その定めは「一部の区分所有者の権利に特別の影響を及ぼすべきとき」に当たる等を理由に、Xは専有部分の用途制限に係るＡＢ間の合意に拘束されないとして、その合意が101号室の成り立ちからしてXに対しても効力を有するとした原判決を破棄。

（５）最高裁平成10年３月26日判決

管理規約に基づく細則で小鳥及び魚類以外の動物の飼育を禁止していたマンションにおいて、この定めに違反する者がいたことから、総会で、当時犬猫を飼育中の組合員により構成されるペットクラブを設立させ、ペットクラブの自主管理の下で飼育中の犬猫一代に限り飼育を認める決議をしたが、このルール発足後、区分所有者Ｙが犬を飼育し始めたため、管理組合ＸがＹに対し飼育禁止を請求した事案。

①マンションにおける動物の飼育は、糞尿による汚損や臭気、病気の伝染や衛生上の問題、鳴き声による騒音、咬傷事故等、建物の維持管理や他の居住者の生活に有形の影響をもたらす危険があることはもちろんのこと、動物の行動、生態自体が他の居住者に対して不快感を生じさせるなどの無形の影響を及ぼすおそれのある行為であることは明らかであるから、本件マンションで犬を飼育することは、実害又は実害発生の蓋然性の有無にかかわらず、そのこと自体、飼育禁止を定めた規定に違反する、②管理組合は、ペットクラブを設ける一方でペットクラブから歳月の経過により自然消滅するような構成をして規定の遵守を組合員に求め、その方針は多くの組合員の協力を得て浸透しており、組合員の共同の利益の保護実現を目指しつつ飼育していた犬猫が寿命を全うできるよう配慮した経過措置であるから、Ｙに対する権利濫用にはならない、③ペットクラブの会員も新たな犬猫の飼育は禁止されているから、Ｙが飼育を認められないことは平等原則に反しない、等として、Ｙの上告を棄却。

（６）最高裁平成10年10月22日判決

管理組合管理者ＸがマンションＹ分譲業者Ｙに対し、Ｙが分譲に際し敷地の一部に駐車場としての専用使用権を設定し一部の買主にこれを分譲して受領した対価が管理組合に帰属すべきものだとして、専用使用権の分譲代金返還を請求した事案。

①売買契約によればＹは、営利の目的に基づき自己の利益のために専用使用権を分譲しその対価を受領したものであって、専用使用権の分譲を受けた区分所有者も同様の認識を有していたと解されるから、その対価は、売買契約に基づく専用使用権分譲契約における合意の内容に従ってＹに帰属する、②具体的な当事者の意思や契約書の文言に関係なく、およそマンションの分譲契約においては分譲業者が専用使用権の分譲を含めて包括的に管理組合ないし区分所有者全員の受任者的地位に立つと解することは根拠を欠く、として、Ｘの上告を棄却。

（注　専用使用権分譲契約の合意内容によれば分譲代金は分譲業者に帰する、とする上記判例とほぼ同様の判例あり。最高裁平成10年10月30日判決）

（７）最高裁平成10年10月30日判決

管理組合Ｙは、マンション分譲業者から区分所有権等とともに駐車場専用使用権の分譲を受けたＸらの駐車場使用料を集会決議により値上げしたが、Ｘらが増額後の使用料を払わないため、駐車場使用契約を解除した。これに対し、ＸらがＹに対し、駐車場専用使用権を有することの確認、従来の金額を超えて使用料を支払う義務のないことの確認等を請求した事案。

①区分所有法31条１項後段の「特別の影響を及ぼすべきとき」とは、規約の設定、変更等の必要性及び合理性とこれによって一部の区分所有者が受ける不利益を比較衡量し、当該区分所有関係の実態に照らして、その不利益が区分所有者の受忍すべき限度を超えると認められる場合をいうが、使用料の増額についていえば、使用料の増額は一般的に専用使用権者に不利益を及ぼすものであるが、増額の必要性及び有用性が認められ、かつ、

増額された使用料が当該区分所有関係において社会通念上相当な額であると認められる場合には、専用使用権者は使用料の増額を受忍すべきであり、使用料の増額に関する規約の設定、変更等は専用使用権者の権利に特別の影響を及ぼすものではない、②本件のように、直接に規約の設定、変更等によることなく、規約の定めに基づき、集会決議により管理費等に関する細則の制定をもって使用料が増額された場合は、法31条１項後段の規定を類推適用して区分所有者間の利害の調整を図るのが相当である、③Ｘらは使用料増額決議の効力を争い、Ｙの催告に先立って本件訴訟を提起していたこと、Ｘらが裁判で係争中であるのにＹが増額使用料を支払うよう催告し、これを支払わなかったものとして契約を解除したこと、Ｙの主張する使用料の増額が社会通念上相当なものであることが明白とはいい難いものであること等にかんがみると、Ｘらが従前どおりの使用料の支払を続けたのも無理からぬところがあり契約解除を相当とすべき特段の事情もないからＹの契約解除の効力は生じないとして、原判決を一部破棄差し戻した。

（８）最高裁平成10年11月20日判決

Ｙは自己所有地上にマンションを建築。自ら１階店舗を取得すると同時にマンション敷地に自らの専用使用権を留保し、その旨を重要事項説明、売買契約、規約（案）に明示し、マンションを分譲したが、その後区分所有者が管理組合Ｘを結成し、新たに規約を設定したうえ新規約に基づく集会決議でＹの駐車場専用使用権のうち一部につき消滅（消滅決議）を、その余につき有償化（有償化決議）を決定した。しかし、Ｙがこれに応じなかったので、ＸがＹに対し、消滅決議に基づく専用使用権不存在確認と有償化決議に基づく専用使用料の支払等を請求した事案。

①Ｙは分譲当初から、マンションの１階店舗部分でサウナ、理髪店等を営業しており、来客用及び自家用のため専用使用権を取得したものであること、一部の駐車場の専用使用権が消滅させられた場合、その余の部分だけでは営業活動を継続するのに支障を生ずる可能性がないとはいえないこと、Ｙ以外の区分所有者は駐車場がないことを前提としてマンションを

購入した者であること等を考慮すると、Yが専用使用権を消滅させられることにより受ける不利益は、その受忍限度を超えており、消滅決議はYの専用使用権に「特別の影響」を及ぼすからYの承諾がないままなされた消滅決議はその効力を有しない、②有償化は、一般に専用使用権者に不利益を及ぼすものであるが、その必要性及び合理性が認められ、かつ設定された使用料が社会通念上相当な額と認められる場合には専用使用権者はこれを受忍すべきであり、そのような有償化決議は専用使用権者の権利に「特別の影響」を及ぼすものではないとして、Xの上告を一部棄却、一部原審判決を破棄した。

(9) 最高裁平成12年3月21日判決

特定区分所有者の専用に供されている排水管の枝管が床スラブを貫通し下階専有部分の天井裏を通って本管に結合している構造のマンションで、下階天井裏にある枝管部分から水漏れしたため、上階区分所有者Xが管理組合Y_1と下階区分所有者Y_2に対し、その枝管が共用部分であることの確認、Y_2に対する損害賠償義務がないことの確認等を求めた事案。

本件排水管はコンクリートスラブの下にあるため上階からその点検、修理を行うことは不可能であり、下階から天井板の裏に入ってこれを実施するほか方法はなく、このような事実関係の下では、本件排水管は、その構造及び設置場所に照らし、専有部分に属しない建物の附属物にあたり、かつ、区分所有者全員の共用部分にあたるとして、Xの請求を認めた。

(10) 最高裁平成16年4月23日判決

管理組合Xが、前区分所有者Aからマンションを購入したYに対し、区分所有法8条を根拠に、Aが6年余りにわたって滞納していた管理費等の支払を請求した事案。

本件の管理費等の債権は、管理規約の規定に基づいて、区分所有者に対して発生するものであり、その具体的な額は総会の決議によって確定し、月ごとに所定の方法で支払われるものであるから、このような本件の管理費等の債権は、基本権たる定期金債権から発生する支分権として、民法169条所定の債権に当たるとして、5年を経過していた部分につきXの請求を棄却した。

（注　令和2年の改正民法施行により同法169条は削除された。なお、現民法166条1項1号により管理費等の時効は5年である。）

(11) 最高裁平成22年1月26日判決

昭和40年に公社が分譲した団地（総戸数868戸）で、不在組合員が増加し、一部組合員が役員になる機会が増加したことから、管理組合Xは管理規約を改正し、役員になることのない不在組合員に対し住民活動協力金として1戸当たり月額2,500円の負担金を課す定めを置いたが、この支払を拒否した組合員Yらがいたため、Xがその支払を請求した事案。

マンションの管理組合を運営するに当たって必要となる業務及びその費用は、本来、その構成員である組合員全員が平等にこれを負担するものであるが、不在組合員は選挙規程上その役員になることができず、役員になる義務を免れているだけでなく、日常的な労務の提供をするなどの貢献をしない一方で、居住組合員が役員就任、各種団体活動に参加する等して良好な住環境の維持を図っており、不在組合員は、その利益のみを享受している、とした。その上で、①不在組合員の所有する専有部分が本件マンションの全体に占める割合が868戸中170戸ないし180戸となっていること、②不在組合員は個別の事情にかかわらず類型的に管理組合やその業務を分掌する各種団体の活動に参加することを期待し得ないこと、③不在組合員と居住組合員との間の不公平が、役員の報酬の支払によってすべて補填されるものではないこと等からすると、規約変更の必要性・合理性を否定することはできないし、④組合費と住民活動協力金とを合計した不在組合員の金銭的負担は、居住組合員が負担する組合費が月額1万7,500円であるのに対しその約15%増しの月額2万円にすぎず、⑤現在支払を拒んでいるのは、不在組合員所有の専有部分約180戸のうち12戸を所有する５名にすぎないことをも考慮すれば、規約変更は住民活動協力金の額も含め、不在組合員において受忍限度を超えるとまではいえないとして、Ｘの請求を認めた。

(12) 最高裁平成23年10月11日決定

管理費等を滞納した区分所有者Y_1に対し、区分所有者の１人Ｘが所定の手続を経て区分所有法59条１項に基づく訴訟を提起し、 その認容判決を得たが、その判決言渡確定前に、Y_1はY_2に対し、当該区分所有建物の持分５分の４を譲渡した。その後ＸはY_1とY_2に対し、当該区分所有建物の59条競売を認める判決に基づいて競売の申立てをしたところ、東京地裁はY_1の持分については競売手続を開始したが、Y_2の持分については申立てを却下したため、Ｘは、東京高裁に抗告、東京高裁もこれを棄却したので、Y_2は口頭弁論終結後の承継人であるとして、特別抗告・許可抗告した事案。

区分所有法59条１項の競売の請求は、特定の区分所有者が、区分所有者の共同の利益に反する行為をし、又はその行為をするおそれがあることを原因として認められるものであるから、同法に基づく訴訟の口頭弁論終結後に被告であった区分所有者がその区分所有権及び敷地利用権を譲渡した場合に、その譲受人に対し同訴訟の判決に基づいて競売を申し立てることはできないと解すべきであるとして、Ｘの特別抗告・許可抗告を棄却した。

(13) 最高裁平成24年１月17日判決

区分所有者Ｙが管理組合の役員らに対し、修繕積立金を恣意的に運用した等とひぼう中傷する文書を配布し、マンション付近の電柱に貼布するなどの行為を繰り返したり、マンションの防音・防水工事を受注した各業者に対し趣旨不明の文書を送付し、工事辞退を求める電話をかけるなどして業務を妨害したこと等が共同利益背反行為に当たるとして、区分所有法57条に基づき、訴訟追行権を与えられた区分所有者Ｘがこれらの行為の差止めを求めた事案。

Yは、管理組合のマンションの管理に関する決定内容につき、集会の場で意見を述べることもないまま、正当な理由なくこれを問題視して、本件各行為に及んでいるのであり、本件各行為は、役員らに対する単なる個人攻撃にとどまらず、それにより、集会で正当に決議されたマンションの防音工事等の円滑な進行が妨げられ、また、役員に就任しようとする者がいなくなり、管理組合の運営が困難になる事態が招来されるなどしているのであって、マンションの管理又は使用に関し区分所有者の共同の利益に反する行為であり、これが違法であることも明らかである。

区分所有法57条に基づく差止め等の請求については、慎重な配慮が必要ではあるが、本件各行為は、それが単なる特定の個人に対するひぼう中傷等の域を超えるもので、それにより管理組合の業務の遂行や運営に支障が生じるなどしてマンションの正常な管理又は使用が阻害される場合には、同法6条1項所定の区分所有者の共同の利益に反する行為に当たるとみる余地があり、原審の判断には法6条1項の解釈を誤った違法があるとして、原審に差し戻した。

(14) 最高裁平成29年1月19日上告不受理決定

団地管理組合法人Yは、管理規約改正により、団地内の自治会業務と財産を承継した自治防災活動に要する経費に充てるため、自治防災費をYに納入しなければならない旨を定めた。

これに対し、団地建物所有者Xは、管理規約の当該条項が無効であることの確認と不当利得返還請求権に基づく徴収された自治防災費の返還を求めたが、原審ではXの請求を一部認容し、一部を棄却した。これに対しXが上告した事案。

管理規約改正の提案理由は、加入率の低下で十分機能しなくなった自治会に代わり、その機能ないし役割を代替しようとするためである。Yと自治会とでは団体としての性格を大きく異にするものの、区分所有者間の利害調整を円滑なものとし、充実した維持管理を行っていくためには、地域と連繋したコミュニティの形成を図ることが重要であり、コミュニティ活動の中には日常の管理業務と重複する部分も多く含まれている。これに鑑みると、管理組合がマンションの管理業務を自治会が行う活動と連繋して行うことも、管理費と峻別して自治会費等の徴収、支出が適切に行われているのであれば、そのような自治会費等の代行徴収を行うことも区分所有法66条、30条1項にいう「管理」に含まれる。したがって、自治会費の徴収がYの自治会費支払い請求権の発生を直ちに否定することはできない。

しかし、団地建物所有者加入の団体が強制加入団体ではなく、その退会を制限する定めもない場合は、当該団体を退会するかどうかは団地建物所有者の自由であるから、退会した者から自治会費等を強制的に徴収することは許されない。

以上により、Xの訴状がYに送達された日の翌日以降は、Xから自治防災費を代行徴収することは法律上の原因を欠くから許されない、として上告不受理を決定した。

(15) 最高裁平成29年9月14日上告不受理決定

昭和42年竣工の5棟の建物によって構成されている団地で、管理組合は、管理規約20条4項として「専有部分である設備のうち共用部分と構造上一体となった部分及び共用部分の管理上影響を及ぼす部分の管理を共用部分の管理と一体として行う必要があるときは、管理組合としてこれを行うことができる。」を新設し、修繕積立金の取崩し事由について管理規約26条2項4号として「第20条4項の修繕」と改正、その上でマンション全体の給排水管、ガス管の更新工事のほか住戸のバランス釜、浴槽の撤去とユニットバスの設置、給湯器の交換、トイレ設備の交換、洗濯パンの新設、給水システムの変更(直結増圧方式)を内容とする工事を行った。工事対象には、専有部分に属する給排水管、ガス管、浴室設備、トイレ設備、給湯器、洗濯パン及び洗面化粧台等が含まれていたことから、自費で先行工事をしていた組合員らが、規約改正や工事の実施が区分所有法30条3項、31条1項後段に違反する等として総会決議無効確認訴訟を提起した事案。

横浜地裁は、①先行工事者に対して一定の補償措置がとられていることを考慮すると先行工事者とそうでない者との間で決議の無効をもたらす程の不公平が生じているとはいえない、②規約の変更で生じる影響は全ての区分所有者に公平に及ぶものであるから個々の区分所有者の承諾は必要ない、③浴室及びトイレ設備等は、専有部分である給排水管、ガス管を介して共用部分に属する給排水管、ガス管と接続されていること等から浴室設備やトイレ設備及びこれに付随する給湯器や洗面台を設置する工事は、共用部分の給排水管、ガス管を改修するために必要かつ合理的な工事方法である、④洗濯パンは、洗面所内に洗濯機を設置する区分所有者が増えたことによる漏水事故を考慮すると、洗面所内に新たに排水口を設置して洗濯パンを新設する工事は、必要性及び合理性があり、共用部分の管理と関連し、一体として行う必要がある等として、組合員らの請求を棄却した。

東京高裁も、一審判決を支持し、本件マンションの管理の方法として給排水管等と浴室設備等及びその附属設備とを一括して更新することには必要性及び合理性がある、として控訴を棄却、組合員らは上告したが、最高裁は、上記期日に上告不受理を決定した。

(16) 最高裁平成29年12月18日判決

管理組合Yの設立総会及び理事会で理事長に選任されたXは、その後の通常総会（定期総会）で新たに選任された役員を含む理事会において新役員の役職決定が予定されていた日の10日前に、独断で、他の理事から反対されていた管理会社の変更を議案とする臨時総会の招集通知を発した。

そのため、予定されていた理事会では、Xを除く理事達によりAを理事長に選任しXを理事長から理事に変更する旨の決議をし（本件理事会決議）、Xは翌年の総会で役員も解任された。

そこで、XはYに対し、本件理事会決議等の無効確認を求めて提訴した事案。

本件規約は、理事長を区分所有法に定める管理者とし、役員である理事に理事長等を含むものとした上、役員の選任及び解任について総会の決議を経なければならないとする一方で、理事は、組合員のうちから総会で選任し、その互選により理事長を選任するとしている。これは、理事長を理事が就く役職の１つと位置付けた上、総会で選任された理事に対し、原則として、その互選により理事長の職に就く者を定めることを委ねるものと解される。そうすると、このような定めは、理事の互選により選任された理事長について理事の過半数の一致により理事長の職を解き、別の理事を理事長に定めることも総会で選任された理事に委ねる趣旨と解するのが、本件規約を定めた区分所有者の合理的意思に合致する。本件規約において役員の解任が総会の決議事項とされていることは、上記のように解する妨げにはならない。

したがって、本件規約を有するＹにおいては、理事の互選により選任された理事長につき、理事の過半数の一致により理事長の職を解くことができるとした。

なお､本件理事会の手続の瑕疵の有無等について審理を尽くさせるため、同部分につき、本件を原審に差し戻した。

(17) 最高裁平成31年３月５日判決

５棟の区分所有建物によって構成されている団地で、団地管理組合法人は団地集会で各専有部分の受電方法を高圧一括受電に変更する旨を特別決議により可決し、高圧受電の方法以外による電気供給を受けてはならない旨の電気供給規則も特別決議により可決した。

しかし、総戸数544戸のうち、団地建物所有者２名が既存の電気供給契約の解除を拒否し、高圧一括受電の導入が阻まれた。

そこで、高圧一括受電の専門委員会の委員である団地建物所有者が解除を拒否した被告らの行為により､安価に電力供給を受ける利益が侵害されたとして、不法行為による損害賠償を請求した。

原審は原告の請求を認め、２名の被告らに対し損害の賠償を命じたが、被告らはこれを不服として上告した事案。

本件高圧受電方式への変更をすることとした本件決議には、団地共用部分の変更又はその管理に関する事項を決する部分があるものの、本件決議のうち、団地建物所有者等に個別契約の解約申入れを義務付ける部分は、専有部分の使用に関する事項を決するものであって、団地共用部分の変更又はその管理に関する事項を決するものではない。したがって、本件決議の上記部分は、法66条において準用する法17条１項又は18条１項の決議として効力を有するものとはいえない。このことは、本件高圧受電方式への変更をするために個別契約の解約が必要であるとしても異なるものではない。

そして、本件細則が、本件高圧受電方式への変更をするために団地建物所有者等に個別契約の解約申入れを義務付ける部分を含むとしても、その部分は、法66条において準用する法30条１項の「団地建物所有者相互間の事項」を定めたものではなく、同項の規約として効力を有するものとはいえない。なぜなら、団地建物所有者等がその専有部分において使用する電力の供給契約を解約するか否かは、それのみでは直ちに他の団地建物所有者等による専有部分の使用又は団地共用部分等の管理に影響を及ぼすものではないからである。

以上によれば、上告人らは、本件決議又は本件細則に基づき上記義務を負うものではなく、上告人らが上記解約申入れをしないことは、被上告人に対する不法行為を構成するものとはいえない、として原判決を破棄した。

(18) 最高裁令和元年10月11日上告棄却・不受理決定

管理組合法人は、規約を改正し、立候補者が役員候補者として選出されるためには理事会の承認を必要とするとの定めを置いたが、その後立候補した区分所有者Ｘらにつき、理事会では役員候補として承認しない旨の決定をした。これに対しＸらは、当該決定は違法であり自分たちの立候補権が侵害されたとして当時の理事会メンバーＹらに対し、損害賠償を請求した。原審は、当該決定が違法とされるのは理事会がその広範な裁量の範囲を逸脱又は濫用した場合に限られるとしてＸらの請求を棄却した。これに対しＸらが控訴した事案。

区分所有法によれば、役員の選任方法については規約により別段の定めが認められているが、規約は区分所有者の利害の衡平が図られるように定めなければならない。本件改正条項は、特定の立候補者について理事会のみの判断で立候補が認められず、集会の決議によって役員としての適格性を判断する機会も与えられないという事態が起こりうるから、区分所有者間の利害の衡平を害するもので法30条３項に反し違法である。しかし、Ｙらは区分所有者であることから理事になったもので法律やマンション管理の専門的知識を有するものではないこと等から、過失があるとは言えない。

(19) 最高裁令和２年10月９日上告不受理決定

理事長Ｘは、総会決議を経て大規模修繕工事を実施し、管理組合Ｙは修繕積立金と金融機関からの借入金を合わせ工事代金を支払ったがその後Ｘは解任され、新たに就任した役員で構成されるＹは、Ｘは自分の利益（転売）を図るために大規模修繕工事を実施しＹに支出させた善管注意義務違反があるとして出費の返還を求めた。これに対し、Ｘが債務不存在確認訴訟を提起し、原審は、大規模修繕工事はＹの総会決議を経て実施されたものだからＸには善管注意義務違反はないとした。これに対しＹが控訴した事案。

管理組合の役員と管理組合の法律関係は、委任関係にあり、理事長は区分所有法に定める管理者であり、管理者の権利義務は委任に関する規定に従うからＸは管理組合に対して善管注意義務を負う。理事長はその職務の遂行にあたり、自己の私的な利益を追求してはならず、私的利益を目的として職務を遂行することは管理組合に対する善管注意義務違反にあたり、これによって管理組合に生じた損害を賠償する責めに任ずる。当該職務の遂行が総会または理事会の決議に基づくものであったことは、賠償責任を免れる理由にはならない。Ｘは、理事会決定の趣旨に反して劣化診断等の依頼を怠り、合見積もりを取らずに工事業者を選定し総会を成立させるための虚偽の説明や一部の区分所有者に利益誘導をする等したから、Ｘは、総組合員の利益を目的とすることを装いつつ、自分の私的利益を図ったものであるから、善管注意義務違反がある。

(20) 最高裁令和６年２月２日上告棄却

管理組合Ｙの業務として、 官公署又は自治会等との渉外業務のほか、 風紀、秩序、安全の維持や防災業務、地域コミュニティにも配慮したコミュニティ形成業務を行う旨の規約の定めがあるマンションで、管理組合は、良好な住環境確保のため団体として自治会に加入し、管理費から自治会費を支払うこと及び自治会からの脱退には総会の特別決議を要するとの定めがあった。また、自治会の会則には、生活環境の改善・向上のための活動等のほか、スポーツ及びレクリエーション活動等もすることが定められており、Yとの合意書により、Yは毎年度に管理費等予算案で必要な自治会費支払い承認決議をし業務委託費を支払っていた。これに対し、区分所有者Xは自治会に退会届を出し、管理規約の無効確認、退会後の各年度の管理費等予算案の決議無効確認、退会後の自治会費相当額の返還を求めて提訴した事案。

管理組合の業務が区分所有法にいう管理の目的の範囲内のものかどうかは社会通念に照らし、建物等の使用のために全員でこれを行うことの必要性、相当性に応じて判断すべきものである。管理組合と自治会等の活動を混同しないよう注意が必要で、自治会費を管理費と一体で徴収している場合には、自治会等への加入を強制するものとはならないようにする等の注意が必要である。自治会活動地域とYが管理する建物等の対象範囲が一致することを踏まえると、自治会はYにおいてマンションの管理を行うために必要かつ有益な活動を行う団体であるから、Yが自治会に団体として加入し、活動費用を支出することは管理組合の目的の範囲内のものであり、その目的の範囲に含まれないものがあっても、直ちに管理組合の目的の範囲を逸脱するものとは言えない。しかし、自治会は納涼祭、バーベキュウ大会、バスツアー等のイベント活動を行っており、自治会の支出の大半がイベント等活動に充てられており、そのような活動は専ら地域住民の親睦を図ることを目的とするもので、イベントの参加者のみが利益を享受するもので自治会固有の活動である。このような活動に要する費用を管理組合が自治会費として負担することは本来許されない。Yが区分所有者から自治会費を管理費に含めて代行徴収することは区分所有者の共同の利益に資するものだから、管理組合の目的の範囲内であるが、Xが自治会退会後に支払った管理費のうち自治会費相当額は返還しなければならない。

第2節 管理組合と管理規約

1 管理規約

(1) 管理の対象

区分所有法は、1棟の建物について、観念上、専有部分、共用部分のいずれかに区分している。この場合、各組合員が管理する対象は専有部分であり、管理組合が管理する対象は、管理規約で特別の定めをしていない限り、共用部分と組合員全員が共有する敷地及び附属施設である。

一方、マンションは多数の人間が共同居住する形態であり、組合員個人の専有部分内の行為であっても、他の組合員や共用部分又は他の専有部分に影響を及ぼす場合がある。また、区分所有法では、専有部分と共用部分のそれぞれについて、どの範囲が専有部分であり、あるいは共用部分であるとするかは具体的に明確には規定していない。これは、建物の構造が千差万別であり、それらを網羅して専有部分あるいは共用部分の範囲を画一的に規定することに無理があるとされていることによる。ところが、管理実務上は、この範囲を相当程度に明確にしておかなければ、組合員相互間あるいは組合員と管理組合との間で、管理又は使用に関して混乱が生じることになる。

区分所有法では、組合員の基本的義務として、「建物の保存に有害な行為」「そ

管理の対象

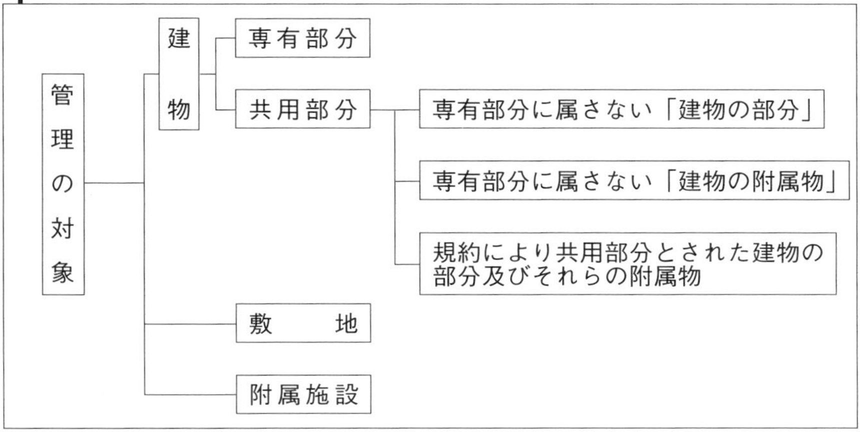

- 管理の対象
  - 建物
    - 専有部分
    - 共用部分
      - 専有部分に属さない「建物の部分」
      - 専有部分に属さない「建物の附属物」
      - 規約により共用部分とされた建物の部分及びそれらの附属物
  - 敷地
  - 附属施設

の他建物の管理又は使用に関し区分所有者の共同の利益に反する行為」をしてはならないと規定するほか、区分所有法30条１項においても「建物又はその敷地若しくは附属施設の管理又は使用に関する区分所有者相互間の事項は、この法律に定めるもののほか、規約で定めることができる」としており、管理組合の管理対象が建物・敷地・附属施設であるとの区分所有法３条前段の規定といわば連動しているとみることができる。

したがって、例えば、専用使用部分について、一定の範囲で組合員と管理組合が分担して管理を行うとか、専有部分のピアノの演奏時間を制限する、あるいは専有部分内の排水管の清掃や火災報知器の点検などを管理組合で一括して行うとすることなどを管理規約で定めることができるのである。

（２）管理規約

①　管理規約の設定、変更、廃止

管理規約は分譲マンションにおける憲法ともいわれている。

区分所有法30条１項では「建物又はその敷地若しくは附属施設の管理又は使用に関する区分所有者相互間の事項」を管理規約で定めることができるとしている。

管理規約の設定、変更、廃止は、組合員及び議決権の各４分の３以上の総会決議で決することができる。ただし、管理規約の設定、変更、廃止の内容が一部の区分所有者の権利に特別の影響（不利益）を及ぼすべきときは、その影響を受ける組合員の承諾を得ることが必要である（区分所有法31条１項）。この場合の影響（不利益）とは、管理規約の設定、変更、廃止の必要性とそれによって組合員全員が受ける利益と一部の組合員の受ける不利益とを対比して、不利益が我慢すべき限度（受忍限度）を超えているかどうかという観点から判断することになる。

（一部の区分所有者の承諾が必要と思われる事例）
・専有部分の用途について管理規約で何ら制限しておらず、現に専有部分を店舗又は事務所として使用している分譲マンションにあって、管理規約を変更して専有部分の用途を「住宅のみ」に制限するとき

管理規約の設定、変更、廃止を総会で決議するときは、総会の招集通知と

併せて、その議案の要領（設定・変更・廃止の理由、設定案・変更案など）も通知しなければならない（区分所有法35条５項）。

なお、現に設定されている管理規約や使用細則を変更しようとする場合は、以下に留意しなければならない。

㈠ 管理規約の変更と判断されるケース

㋐ 専有部分の管理又は使用に関する区分所有者相互間の事項の基本的原則及び具体的範囲（又は対象）を管理規約で定めているときの基本的原則及び具体的範囲（又は対象）の変更

㋑ 共用部分等の管理又は使用に関する事項の基本的原則及び具体的範囲（又は対象）を管理規約で定めているときの基本的原則及び具体的範囲（又は対象）の変更

㈡ 使用細則の変更と判断されるケース

㋐ 専有部分の管理又は使用に関する区分所有者相互間の事項の基本的原則を管理規約で定め、具体的範囲（又は対象）を使用細則に委ねているときの具体的範囲（又は対象）の変更

㋑ 共用部分等の管理又は使用に関する事項の基本的原則を管理規約で定め、具体的範囲（又は対象）を使用細則に委ねているときの具体的範囲（又は対象）の変更

㋒ 共用部分等の管理又は使用に関する事項の基本的原則及び具体的範囲（又は対象）を使用細則で定めているときの基本的原則及び具体的範囲（又は対象）の変更

② 管理規約の効力

管理規約の効力は組合員全員に及ぶほか、組合員の特定承継人（中古マンション購入者、競落人など）に対しても効力を有する（区分所有法46条１項）。

また、賃借人等の占有者は、建物又はその敷地若しくは附属施設の使用方法について、組合員が管理規約又は総会決議に基づいて負う義務と同一の義務を負うとされている（同条２項）。

③ 管理規約の保管、閲覧

管理者である管理組合理事長は、管理規約や総会議事録を保管し、利害関係人から請求があった場合は、それを拒否する正当な理由がある場合を除いて、これらの閲覧を拒んではならない（区分所有法33条２項、42条５項）。

不当にこれらの閲覧を拒否した場合は20万円以下の過料に処せられる（同法71条２号）。

保管すべき管理規約については真正な内容であることが求められるため、組合員全員が署名した原本を１通作成する旨をマンション標準管理規約では定めている。ただし、区分所有法では管理者に対して、原本の作成方法や組合員全員の署名について何ら規定していないので、規約原本に関する事項は管理規約で任意に定めることができる。例えば、次のような規定である。

> （管理規約原本の規定例）
> 第○○条　この管理規約が真正であることを証するため、理事長が署名した規約を１通作成し、これを規約原本とする。
> ※　理事長を理事全員［又は理事長と理事１名（２名）］としても差し支えない。

④　新築の分譲マンションの管理規約

新築の分譲マンションにおいては、売買契約締結の際に、購入者全員から、建物完成後の維持管理に関する事項について承諾を得る方法を採用している。この承諾事項には管理規約の案や使用細則の案の承諾に関する事項が含まれていることが一般的である。

購入者から承諾を得る方法は、管理に関する覚書や承認書などの書面をもって行われるが、これらの書面は、分譲マンションが完成し区分所有関係が成立した時点で法律上の効力が生じる「停止条件付きの総会決議に代わる全員合意書面」と解されており、最初に建物の専有部分の全部を所有する者（売主である不動産会社など）から最初の購入者に区分所有権が移転した時点で、管理規約や使用細則が法律上設定され、効力を有することとなるのが一般的である。

⑤　標準管理規約の変遷

管理規約は、管理組合によるマンションの管理のための最高自治規範として極めて重要な意義を有するものであり、管理組合の円滑な運営を確保するためにも管理規約は必要不可欠なルールである。

昭和50年代半ばまで、新築マンションの管理規約は作成のためのガイドラインも特になく、分譲会社や管理会社が個々に作成していたため、内容的に不十分なものが散見され、管理に関して発生する諸問題に対応できないものもあった。

(ア) 標準管理規約（中高層共同住宅標準管理規約）の公表

標準管理規約は、このような事情にかんがみ、中規模で専有部分の用途が均質な分譲マンションの管理規約作成の指針（標準モデル）とするため、管理組合役員、消費者団体、分譲会社の団体、管理会社の団体などからの意見も踏まえて、作成されたものである。

標準管理規約は、昭和57年１月28日に、住宅宅地審議会から建設大臣（現国土交通大臣）に対して、「宅地建物の取引の公正と流通の円滑化を図るための宅地建物取引業制度上講ずべき措置についての第２次答申」として答申され、これを受けて建設省（現国土交通省）は都道府県及び関係業界に対し、業務の指針としてその活用を図るよう通知している。

この当時の標準管理規約が対象としていた分譲マンションは、１棟の居住専用建物で、住戸規模が50～100戸程度のものを想定し、１棟であっても特定の区分所有者が多数の住戸を所有する等価交換マンション、用途が２種以上の複合用途型マンション、多数の専有部分が賃貸に供される投資用マンション、建物が２棟以上の団地は対象としていない。また、標準管理規約は新築マンションの管理規約作成の際のガイドラインとして作成されたものであり、その利用が強制されているものではない。また既存の分譲マンションの管理規約の変更をも要求していない。

なお、昭和58年５月にマンション管理の基本法ともいうべき区分所有法が法制定後初めて改正されたが、標準管理規約の作成時点で法改正が検討され、標準管理規約はそれを先取りする内容を規定していたため、大幅な手直しをせずに、改正法で新たに定められた事項について追加修正することを基本とし、改正法に抵触する部分が修正され、昭和58年10月に、「標準管理規約及び標準管理規約コメント（改訂版）」として建設省から関係団体に通知された。

(イ) 中高層共同住宅標準管理規約（改訂版）の改正

昭和58年の改訂以降、広く周知・普及が図られてきた「標準管理規約及び標準管理規約コメント（改訂版）」であったが、それ以降、分譲マンションが倍以上に増加するとともに、形態も多様化していった。それに伴って、管理・使用をめぐる諸問題が新たに発生していたことから、建設省は、従来の標準管理規約を改正するとともに、新たに団地型及び複合用途型の標準管理規約を作成し、現下の諸問題に対応することとしたものである。

主な改正理由等は、次のとおりである。

㋐　分譲マンションを長期に良好に維持するためには大規模修繕を適時・適切に実施しなければならないが、十分に実施されていない。このため、大規模修繕の前提となる長期修繕計画を管理組合の責任で作成することが極めて重要になっていること。

㋑　駐車場の使用、専有部分のリフォーム、動物の飼育等、分譲マンションの使用をめぐるトラブルが増加しているため、組合員間の公平性を確保するとともに、管理・使用の適正化を図る必要が生じていること。

㋒　専有部分の用途が２種以上の複合用途型マンション、建物が２棟以上の団地型マンションが増加している状況に対応する管理規約モデル作成の必要性が高まっていること。

標準管理規約は、以上の改正理由を踏まえて、その検討に当たっては住宅宅地審議会・住宅部会内に「標準管理規約等検討委員会」を設置し、検討結果が住宅宅地審議会で審議され、平成９年２月７日に建設大臣に答申された。

これを受けて建設省は、同年２月25日付で、都道府県及び関係業界に対し、管理規約作成の際の指針として活用するよう通知している。

(ウ)　中高層共同住宅標準管理規約（再改正）の主な内容

㋐　中高層共同住宅標準管理規約（単棟型）

(a)　駐車場の使用関係

専用使用権という用語が既得権のような誤解を生じていることからこれを削除するとともに、一定期間で使用者の入替えができるよう関係規定を整備し、かつ、駐車場契約書に使用期間を明示した。

(b)　専有部分のリフォーム関係

専有部分のリフォームに関するトラブルが増加していることに対応するため、トラブルの未然防止、工事の建物に及ぼす影響を考慮して、組合員がリフォームを行う場合は、管理組合の理事長に事前に書面で申請し、書面による承認を得てから実施する等の手続規定を新設した。

(c)　専有部分である設備の共同管理

配線・配管等の枝線・枝管等の専有部分の設備のうち、共用部分である主線・主管と構造上一体となっている設備の管理については、管理組合が一体として管理できるよう規定を整備した。

(d) 長期修繕計画の作成等

大規模修繕工事の円滑な実施を確保するため、長期修繕計画の作成・見直しを管理組合の業務に位置付けた。

(e) 総会の議決権

専有部分の面積が多様な分譲マンションが増加しているため、そのようなマンションに対応できるよう総会の議決権は、従来の「一住戸一議決権」とする規定のほか、別表に各組合員の議決権割合を掲げることとした。

㋑ 団地型標準管理規約

団地型標準管理規約が対象としているのは、住居専用の分譲マンションが2棟以上所在する団地で、団地内の敷地及び集会所は区分所有者全員の共有に属しているものとされている。同規約モデルは本改正で初めて作成された。

主な内容は、組合員の費用負担を明確にするために、修繕積立金を全体の修繕積立金と棟別の修繕積立金に区分するとともに、費用の額の算出方法や使途についても明確になるよう規定を整備したことである。

㋒ 複合用途型標準管理規約

複合用途型標準管理規約の対象は、1棟の建物を住戸と店舗が併用しているマンションであり、団地型規約と同様に本改正で初めてモデルが作成された。

主な内容は、以下のとおりである。

(a) 組合員の費用負担を明確にするため、管理費及び修繕積立金をそれぞれ全体と各用途別に区分するとともに、各費用の額の算出方法・使途についても明確になるよう規定を整備している。

(b) 建物全体の管理は全体管理組合で行うが、住宅共用部分及び店舗共用部分の管理等について協議するための機関として、住宅部会・店舗部会を設置することとした。

(エ)　マンション標準管理規約

平成9年に中高層共同住宅標準管理規約が大幅に改正された後、相次いで「マンションの管理の適正化の推進に関する法律（平成12年12月8日法律149号。以下「マンション管理適正化法」又は「適正化法」という。)」「マンションの建替えの円滑化等に関する法律」「建物の区分所有等に関する法律の一部を改正する法律」等が制定・施行され、いわゆるマンション三法が出揃ったこと、及び平成9年以降のマンションを取り巻く情勢も変化したことなどを踏まえて、平成16年1月、国土交通省から標準管理規約の改訂版が発表された。

これまで、標準管理規約の正式名称は「中高層共同住宅標準管理規約」であったが、「マンション」の語が普及し、マンション管理適正化法においても「マンション」が正式に定義されたことを受けて、「マンション標準管理規約」と名称を改めた。また、これまでは、マンションの分譲業者等が所属する関連団体に対する通達で「業務の指針」として位置付けられていたのに対し、標準管理規約が広く普及したことに合わせ、「管理組合が管理規約を制定、変更等する際の参考」という位置付けで発表された。

平成16年の改正の特徴は、前記マンション三法の制定・改正の内容を標準管理規約に反映させたこと、建替え決議前の建替えに関する必要な調査を管理組合の業務と定めたことのほか、修繕等の履歴情報の管理や地域コミュニティにも配慮した居住者間のコミュニティ形成を管理組合の業務としたこと、未納管理費の請求等の法的措置を理事会の決議で行うことができるとしたこと、環境問題、防犯問題等に対応するための開口部改良工事について規定を設けたことなどを挙げることができよう。

㋐　マンション標準管理規約の内容――マンションに関する法制度の充実を踏まえた改正

(a)　標準管理規約の名称及び位置付けの改正

・「中高層共同住宅標準管理規約」を「マンション標準管理規約」に変更

・標準管理規約は、管理組合がマンションの実態に応じて、管理規約を制定又は変更する際の参考という位置付け

(b)　マンション管理における専門的知識を有する者の活用に関する規定

の新設

管理組合は、マンション管理士その他マンション管理に関する各分野の専門的知識を有する者に対し、管理組合の運営その他に関し相談したり、助言・指導その他の援助を求めることができる旨を規定。また、そのための費用を管理費から支出できる旨を規定

(c) マンション建替えに関する規定の整備

・マンションの建替えの円滑化等に関する法律及び改正区分所有法を踏まえ、建替えに係る合意形成に必要な事項の調査に関する業務を管理組合の業務として明確化。また、当該業務に必要となる費用を修繕積立金から取り崩すことができる旨を規定

・建替えに係る合意の後も、建替え組合の設立認可等までの間は、管理組合消滅時に建替え不参加者に帰属する修繕積立金相当額を除いた額を限度として、建替えに係る計画・設計に必要な事項に関する費用を修繕積立金から取り崩すことができる旨を規定

(d) 決議要件や電子化に関する規定の整備

・改正区分所有法の規定を踏まえ、敷地及び共用部分の変更に関し、普通決議で実施可能な範囲を「その形状又は効用の著しい変更を伴わないもの」と規定するとともに、普通決議で実施可能又は特別決議を必要とする工事例をコメントで例示

・改正区分所有法の規定を踏まえ、電磁的記録による議事録作成や電磁的方法による決議等に関し、管理組合における電磁的方法が利用可能な場合又は不可能な場合に分けて規定を整備

④ マンション標準管理規約の内容――マンションを取り巻く情勢の変化を踏まえた改正

(a) 新しい管理組合業務の新設

管理組合の業務に、「修繕等の履歴情報の整理及び管理等」「地域コミュニティにも配慮した居住者間のコミュニティ形成」を追加

(b) 滞納管理費等の請求に関する規定の整備

滞納管理費等の請求に関して、管理組合理事長が、理事会決議を経て、訴訟その他法的措置を迅速に講じることができるよう規定を整備

(c) 環境問題、防犯問題への対応の充実

防犯・防音・断熱等住宅の性能向上に資することができる工事については、管理組合がその責任と負担において計画修繕として実施できるものとし、管理組合が当該工事を速やかに実施できない場合は、組合員の責任と負担において実施できることを細則で定める旨を規定

(オ) マンション標準管理規約の改正（平成23年7月）

㋐ 平成23年7月の改正の趣旨

マンション標準管理規約（以下「標準管理規約」という。）は、管理組合が、それぞれのマンションの実態に応じて管理規約を制定、変更する際の参考として、作成、周知しているものであり、これまで、マンションに関する法制度の改正やマンションを取り巻く情勢の変化等に対応して見直しを行ってきた。

平成23年の標準管理規約の改正は、役員のなり手不足等の課題に対応するため、役員の資格要件の緩和を行うこと等を主な内容とするものだが、パブリックコメントにおいて、いわゆる第三者管理者方式など専門家を活用した管理方式に係る規定を整備すべきであるなど、管理組合の運営の基本的なあり方に関する意見が多く出された。

特に、専門家を活用した管理組合の運営に対応した標準管理規約を整備するためには、役員の資格要件の問題だけではなく、総会と理事会の役割・関係、専門家を含む役員の業務遂行に対するチェック体制の強化等の幅広い観点からの検討が必要となる。

したがって、パブリックコメントにおいて多くの意見が寄せられた、専門家を活用した管理組合の運営に対応した標準管理規約の整備については、上記のような幅広い観点からの検討を改めて行ったうえで、早期に措置することとし、平成23年の改正においては、次のように区分所有者が主体となって行う管理のあり方の中での所要の見直しを行った。

㋑ 改正のポイント

(a) 執行機関（理事会）の適正な体制等の確保

(i) 役員の資格要件の緩和（現住要件の撤廃）

役員のなり手不足等の実態を踏まえ、役員の資格要件を緩和した。

(ii) 理事会の権限の明確化等

理事会による機動的な組合運営が可能となるよう、理事会の決議

事項の明確化、新年度予算成立までの経常的な支出を理事会承認により可能とする手続き規定の整備等を行った。

(b) 総会における議決権の取扱いの適正化

(i) 議決権行使書・委任状の取扱いの整理

組合員による出席によらない総会の運営方法である書面による議決権行使(議決権行使書及び委任状)の取扱いのルールを明確化した。

・組合員の意思を総会に直接反映させる観点からは、委任状よりも、議決権行使書によって組合員本人が自ら賛否の意思表示をすることが望ましく、そのためには議案の内容があらかじめ明確に示されることが重要であること。

・白紙委任状が多用されないよう、例えば委任状の様式等において、誰を代理人とするかについて主体的に決定することが必要であること、適当な代理人がいない場合には代理人欄を空欄とせず議決権行使書によって自ら賛否の意思表示をすることが必要であること等について記載しておくことが考えられる。

・委任状による代理人の範囲について、標準管理規約本文で限定的に列記するのではなく、コメントで基本的な考え方(代理人の範囲は、区分所有者の立場から利害関係が一致すると考えられる者に限定することが望ましいこと等)を記述することとした。

(c) 管理組合の財産の適切な管理等

(i) 財産の分別管理等に関する整理

マンション管理適正化法施行規則の改正が平成22年５月に施行されたことを踏まえ、管理費の徴収に係る60条関係のコメントを改正した。

(ii) 長期修繕計画書等の書類等の保管等に関する整理

管理組合が保管する書類等について、保管責任者の明確化やその閲覧・保存方法について規定を追加した。

(iii) 共用部分の範囲に関する用語の整理

平成22年５月のマンション標準管理委託契約書の改定を踏まえた用語の整理を行った。

(d) 標準管理規約の位置付けの整理

マンションの規模、居住形態等各マンションの個別の事情を考慮して、必要に応じて、合理的に標準管理規約を修正し活用することが望ましい旨をコメントに記載した。

(カ) 標準管理規約の改正（平成28年３月）

㋐ 平成28年３月改正の経緯・背景

(a) マンションの管理ルールについて、高齢化等を背景とした管理組合の担い手不足、管理費滞納等による管理不全、暴力団排除の必要性、災害時における意思決定ルールの明確化など、様々な課題が指摘されており、これら課題に対応した新たなルールの整備が求められた。

(b) このため、平成24年１月に「マンションの新たな管理ルールに関する検討会」を設置、平成27年３月に報告書をとりまとめた。

㋑ 改正の主要項目

(a) 選択肢を広げるもの

(i) 外部の専門家の活用

理事長を含む理事及び監事について、これまで区分所有者に限定していたものを、選択肢として外部の専門家も就任可とし、利益相反取引の防止、監事の権限の明確化等の所要の規定を措置（標準管理規約（単棟型）（以下「規約」という。）35条、37条の２、41条）。

(ii) 議決権割合

新築物件における選択肢として、総会の議決権（及び譲渡契約時の敷地の持分割合）について、住戸の価値割合に連動した設定も考えられる旨の解説を追加（規約コメント46条関係）。

(b) 適正な管理のための規定の明確化

(i) コミュニティ条項等の再整理

防災・防犯、美化・清掃などのコミュニティ活動が可能であることを明確にし、判例も踏まえた条項として各業務を再整理（規約32条、27条、規約コメント32条関係、27条関係）。

(ii) 管理費等の滞納に対する措置

管理組合が滞納者に対してとり得る各種の措置について段階的にまとめたフローチャート等を提示（規約60条、規約コメント60条関係、別添３「滞納管理費等回収のための管理組合による措置に係るフローチャート」)。

(c) 社会情勢を踏まえた改正

(i) 暴力団等の排除規定

暴力団の構成員に部屋を貸さない、役員になれないとする条項を整備（規約19条の2、36条の2）。

(ii) 災害時の管理組合の意思決定

災害時等における理事長等による応急的な補修や、緊急避難措置としての専有部分への立入り等に関する規定を整備（規約54条、規約コメント54条関係、21条関係）。

(iii) 管理状況などの情報開示

大規模修繕工事の実施状況や予定、修繕積立金の積立て状況などの情報を開示する場合の条項を整備（規約64条、規約コメント64条関係）。

(d) その他所要の規定の改正を実施

(キ) 標準管理規約の軽微な改正

㋐ 住宅宿泊事業に伴う標準管理規約の改正（平成29年8月）

住宅宿泊事業法の施行に伴い、マンションにおける「民泊」への対策として、管理組合は、民泊を認めるか認めないかを明確にすることが必要とされた。

これを受け、標準管理規約12条において、「住宅宿泊事業を実施する場合」と「住宅宿泊事業を禁止する場合」の規約条文を示している。

また、本改正による標準管理規約コメント12条関係において、以下の関連事項も提示している。

(a) 家主居住型のみ可能とする場合

(b) 新法民泊の実施にあたり管理組合への届出を求める場合

(c) 新法民泊を禁止することに加え、広告掲載も禁止する場合

㋑ 標準管理規約（団地型）の改正について（平成30年3月）

複数棟のマンションにおいて、各棟の全てが5分の4以上の多数でマンション敷地売却決議を行うことにより、団地全体のマンション敷地売却を行うための手続等を整備するため、マンションの建替え等の円滑化に関する法律施行規則及びマンションの建替え等の円滑化に関する基本

的な方針が改正され、公布・施行された。

これを受け、団地管理組合等におけるマンション敷地売却の検討に係る費用の拠出を認めることを明確化すること等を旨として標準管理規約（団地型）及び標準管理規約（団地型）コメントが改正された。

㋒ ITを活用した総会・理事会等のルールの明確化などに伴うマンション標準管理規約の改正（令和3年6月）

令和2年のマンション管理適正化法及びマンションの建替え等の円滑化に関する法律（平成14年法律78号。以下「マンション建替え円滑化法」という。）の改正並びに新型コロナウイルス感染症の感染拡大等の社会情勢の変化を踏まえ、「マンション標準管理規約」の改正が行われた。主な改正の概要は以下のとおりである。

(a) マンション標準管理規約（単棟型）の改正の概要

(i) ITを活用した総会・理事会

「ITを活用した総会」等の会議の実施が可能なことを明確化し、これに合わせて留意事項等を記載

(ii) マンション内における感染症の感染拡大のおそれが高い場合等の対応（規約コメント18条関係）

(iii) 置き配

置き配を認める際のルールを使用細則で定めることが考えられることを記載（規約コメント18条関係）

(iv) 専有部分配管

共用部分と専有部分の配管を一体的に工事する場合に、修繕積立金から工事費を拠出するときの取扱いを記載（規約コメント21条関係）

(v) 管理計画認定及び要除却認定の申請

総会の議決事項として、改正適正化法5条の3第1項に基づく管理計画の認定の申請及びマンション建替え円滑化法102条1項に基づく要除却認定の申請を追加し、これに合わせて規定順を整理（規約48条）

(vi) その他所要の改正

改元に伴う記載の適正化、書面・押印主義の見直しや近年の最高

裁判決等に伴う改正等

※ 総会の議事録への区分所有者の押印を不要とする改正（規約49条（ア）2項・（イ）3項）については、デジタル社会形成整備法による区分所有法の改正（令和3年9月施行）による。

(b) マンション標準管理規約（団地型）の改正の概要

マンション標準管理規約（単棟型）と同様の改正のほか、合わせて以下の改正が行われた。

(i) 敷地分割事業と分割請求禁止規定との関係性

標準管理規約（団地型）11条に相当する規定があった場合でも、改正法による改正後のマンション建替え円滑化法115条の4第1項に基づく敷地分割決議による敷地分割は禁止されているものではないことを記載（団地型規約コメント11条関係）

(ii) 団地修繕積立金及び各棟修繕積立金

団地修繕積立金及び各棟修繕積立金の使途として「敷地分割に係る合意形成に必要となる事項の調査」を記載（団地型規約28条、29条、団地管理規約コメント28条及び29条関係（団地修繕積立金及び各棟修繕積立金））

(iii) 招集手続

敷地分割決議を行うための団地総会の招集手続を記載（団地型規約45条、団地管理規約コメント45条関係）

(iv) 団地総会の会議及び議事

敷地分割決議の決議要件を記載（団地型規約49条、団地管理規約コメント49条関係）

(v) 議決事項

団地総会の議決事項として管理計画の認定の申請、除却の必要性に係る認定の申請及び敷地分割決議を記載（団地型規約50条）

(c) マンション標準管理規約（複合用途型）の改正の概要

マンション標準管理規約（単棟型）と同様の改正が行われた。（前記(a)参照）

なお、令和6年度中には組合員名簿及び居住者名簿の整備について、所在等が判明しない区分所有者への対応について、修繕積立金の変更予定の明確化について等の必要な規定を整備した改正が見込まれている。

2 管理組合の態様

管理組合は区分所有者（以下「組合員」という。）全員で組織され、建物並びにその敷地及び附属施設の管理を目的とする団体である。

区分所有法３条では、一棟単位に構成される管理組合（一棟管理組合）と一部共用部分の管理を目的とする管理組合（一部管理組合）の成立について規定されている。しかし、一部共用部分があれば必ず一部管理組合が成立するというわけではない。一部共用部分の管理のすべてを一棟管理組合が行うと管理規約で定めた場合は、一部管理組合は構成されない。

一棟管理組合と一部管理組合との類似の関係が団地形成の場合に生じる。

団地とは、数棟の建物が一定範囲の土地に集団的に建設される場合を指すが、区分所有法で団地として取り扱う場合とは、①一団地内に数棟の建物（区分所有建物であることを必要としない。）があること、②団地内の土地又は附属施設がその団地内の数棟の建物の所有者の共有となっていることで、この要件を満たしている場合において団地管理組合が構成される（区分所有法65条）。

団地管理組合の成立の場合に注意すべきことは、区分所有法が、第１章で一棟の区分所有建物を対象として規定し、この関係を第２章において、団地の場合に準用している関係にあることから、各棟が区分所有建物であるときは、法律上は団地管理組合と各棟の管理組合が併存することになる。この場合、各棟管理組合は、その棟の共用部分等を管理することになるのが原則であるが、区分所有法68条１項の規定に基づき、団地内の各棟の集会（以下「総会」という。）の決議（各棟の組合員及び議決権の各４分の３以上）により、各棟の管理又は使用に関する事項を団地管理組合に委任する旨の団地規約を設定すると、団地管理組合で団地共有物（土地、附属施設）及び各棟の管理を一元的に行うことができる。ただし、この場合でも各棟管理組合は通常の管理業務を行わないだけで、法律上は、専有部分と敷地利用権の一体性、義務違反者に対する措置や復旧、建替え等については棟ごとの総会でなければ決議できない。

なお、平成14年の区分所有法の改正において団地の建替えについて設けられた、団地内の特定の棟を建て替える場合に他の団地建物所有者の承認を得る決議（建替え承認決議、同法69条１項）は、原則として団地管理組合で決議することになり、また、団地内の建物の全部を一括して建て替える旨の決議（一括建替え決議、同法70条１項）は、団地管理組合で決議することはもちろん、団地管理組合が団地共有物及び各棟の管理を一元的に行う旨の団地規約を定めていることが、制度適用の要件の一つとなっている。

3 組 合 員

管理組合の構成員は組合員であり、組合員の資格は区分所有者となったときに取得し、区分所有者でなくなったときに喪失する。分譲マンションに居住するか、居住しないかは組合員の資格に影響しない。賃借人等の占有者は区分所有者ではないので組合員とはならない。

4 管理組合の機関

（1） 管理組合

区分所有法３条の規定により、管理組合は法律上当然に成立するが、実際の運営について区分所有法では管理規約、管理者、総会の決議によって運営することとしている。しかし、共用部分等の維持管理について、そのつど総会を開き、組合員の意見を集約することは困難であるため、日常的な維持管理の実施については、管理規約又は総会決議に基づいて組合員から一定の範囲内で委任を受けた機関＝理事会を設置し、理事会にそれを行わせていることが一般的である。この場合、理事会は、管理組合の業務執行機関として位置付けられる。また、管理組合（理事会を含む。）の業務実施状況及び財産の状況を監査するために監事も置かれているのが通常である。なお、管理組合に理事会又は監事（管理組合法人の理事及び監事を除く。）を設置することは区分所有法上義務付けられているわけではなく、区分所有法18条１項又は30条の規定に基づき、総会決議又は管理規約に定めることによって設置されるものである。

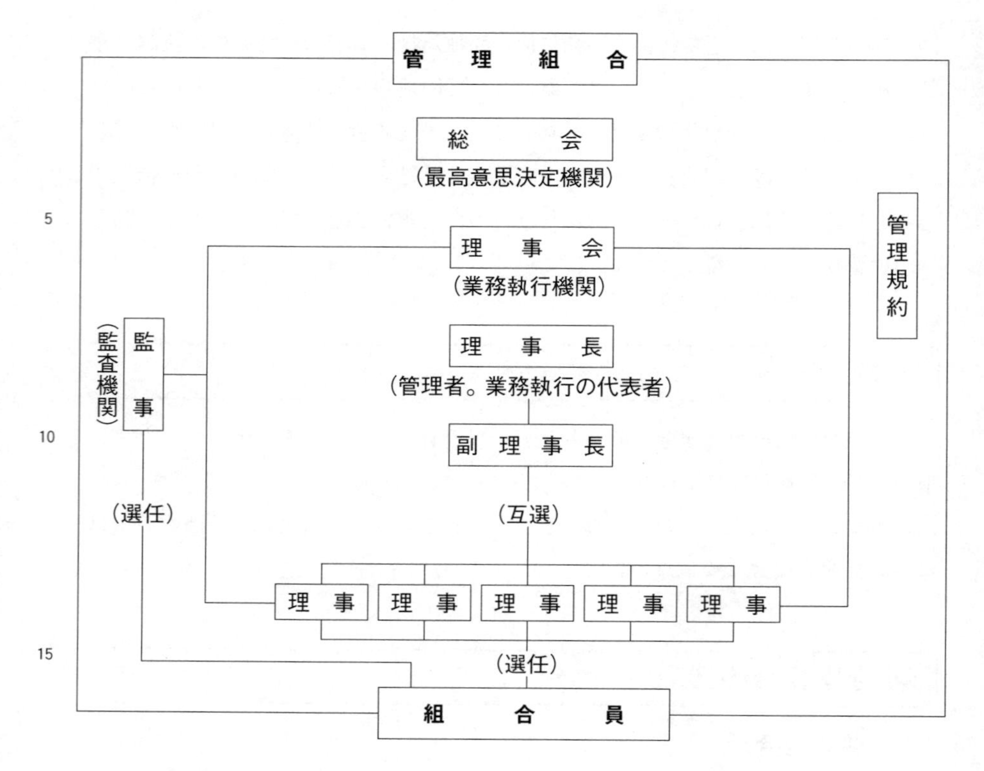

（2）自治会との相違

分譲マンションには管理組合とは別に自治会（又は町内会）が組織されているところがある。

管理組合は、組合員全員で構成し、建物及びその敷地並びに附属施設の管理を目的としている団体で、区分所有法に基づくものである。一方、自治会は、親睦、災害対策、防犯・防火、交通安全、美化清掃、社会教育、文化・スポーツ活動などを通じて地域のコミュニティづくりをすることがその目的とされており、地域の住民（所有者に限らない。）で組織される（地方自治法260条の2参照）。

管理組合は分譲マンションで最も重要な組織であるが、コミュニティ活動のすべてを担うことができないこともある。このため、管理組合とは別に自治会組織が設立されることもある。また、一部の自治体では、住民が地域の問題について陳情、要望する場合、自治会からのそれは認めても、管理組合を住民組織として認めていないところもあり、こうした地域では自治会活動が大きな役割を果たしている。

本来、管理組合と自治会は目的を異にする組織であり、その目的や機能を混同すると管理組合の運営に支障を来すおそれがあり、分譲マンションの管理を適正に行うためには各組織の違いをよく理解しておかなければならない。その理由の１つとして、区分所有法に基づく共用部分等の管理は管理組合でしか意思決定（総会決議）できないということがある。組合員や賃借人で構成する自治会で、管理に関する意思決定をしても、法律上の効力は生じない。

近隣を含めた居住者間の関係については、阪神・淡路大震災や東日本大震災などをきっかけにして、地域におけるコミュニティのあり方が問われている。いわば都市における「地縁的結びつき」や「相互扶助」の必要性であり、これまで煩わしいとされてきた「村的連帯意識」への期待である。

分譲マンションにおいても例外ではない。災害が生じた後の救援、復旧を円滑に行うためには、組合員等の自発的な協力が不可欠である。また、防犯面でもコミュニティ活動の程度によってその効果に違いがあるといわれている。その意味で、管理組合や自治会が、それぞれの機能やネットワークを積極的に活用することは組合員等の連帯感を高めることに効果があり、「いざ」というときの相互協力の基盤になるものと思われる。

また、平時においても、管理組合の第一義の目的は、敷地と附属施設を含めた建物の維持管理ではあるが、マンションは「共同住宅」であり、共に住まう居住者同士に良好なコミュニティが形成されることが、日常的なトラブルの防止や防災減災などの観点から円滑な管理組合運営を行ううえでの重要な要素となる。

そのため、本来は自治会活動として行うべきことかもしれないが、防災訓練や居住者間の親睦を深めるための催し物（子供会や餅つき大会など）やサークル活動を企画、実施することは、快適なマンションライフを営むうえで、有益なことである。

前記のような、居住者同士がお互いの顔や人となりがわかる人間関係が築けているマンションでは、管理組合の活動に必要な組合員間の合意形成も、容易に成立しやすい。

比較事項	管理組合	自治会
根拠	区分所有法	地方自治法
目的	建物、敷地、附属施設の管理	住民相互の連絡、環境の整備、集会施設の維持管理等良好な地域社会の維持及び形成に資する地域的な共同活動を行うこと（地方自治法260条の２第２項１号）
構成員	組合員全員	加入の意思を示した住民
加入・脱退	区分所有者となったとき当然に組合員の資格を取得し、区分所有者でなくなったときに組合員の資格を失う	加入、脱退は任意
費用	組合員である限り法律上の負担義務がある	加入者のみが負担する
規約	組合員並びにその包括承継人及び特定承継人にも効力が生じる	加入者にのみ効力が生じる

5　総会・理事会、監事

（1）総会

管理組合では、総会が最高意思決定機関として位置付けられる。通常、管理組合では理事会が管理業務全般について検討を行い、次年度の収支予算及び業務計画を立案し、総会の決議を経て理事長がこれを実施する仕組みを採っている場合が多い。

管理組合では、毎年定期に総会が開かれ、そこで管理業務の実施状況に関する報告並びに次年度の計画に関する意思決定がなされる。

管理組合の総会は、管理者である理事長が招集することを管理規約で規定しているのが一般的である。ただし、組合員の５分の１以上で議決権の５分の１以上を有する者から総会の招集請求がありながら、理事長が総会を招集しない場合、それらの組合員は直接総会を招集することができる（区分所有法34条３項・４項）。

総会を組織するのは組合員である。賃借人等の占有者は含まれない。しかし、総会の議案が占有者に利害関係（法律上の利害関係）がある場合は、占有者は総会に出席して意見を述べることができる。ただし、占有者に議決権はない。

総会で行使する議決権は原則として専有部分の床面積の割合によるが、管理規約で別段の定めをすることもできる（同法38条）。各専有部分の床面積にあまり格差がない場合は「一住戸につき一議決権」と管理規約で定めていることが一般的である。議決権は組合員本人による行使が原則であるが、代理人による行使又は書面、電磁的方法による行使もできる。ただし、議決権を行使する代理人については、区分所有法上資格の制限はないが、管理規約で合理的な範囲でその資格を定めておくことも考えられる。その場合には、総会は管理組合の最高の意思決定機関であることを踏まえ、組合員の意思が総会に適切に反映されるよう、区分所有者の立場から利害関係が一致すると考えられる者に限定することが望ましい。この観点から、組合員が代理人によって議決権を行使する場合の代理人の範囲について、標準管理規約（単棟型）46条5項では次のように例示している。

① その組合員の配偶者（婚姻の届出をしていないが事実上婚姻関係と同様の事情にある者を含む。）又は一親等の親族
② その組合員の住戸に同居する親族
③ 他の組合員

また、総会の円滑な運営を図る観点から、代理人の欠格事由として暴力団員等を規約に定めておくことも考えられる。なお、組合員が、議決権を書面又は代理人によって行使できるように、総会の招集の際には議決権行使書又は委任状（後掲様式例参照）を招集通知にセットしておくのが一般的である。

ちなみに、標準管理規約（単棟型）では、管理組合の総会決議事項は次のように規定されている。

（議決事項）
第48条　次の各号に掲げる事項については、総会の決議を経なければならない。
一　規約及び使用細則等の制定、変更又は廃止
二　役員の選任及び解任並びに役員活動費の額及び支払方法
三　収支決算及び事業報告
四　収支予算及び事業計画
五　長期修繕計画の作成又は変更
六　管理費等及び使用料の額並びに賦課徴収方法

七　修繕積立金の保管及び運用方法

八　適正化法第５条の３第１項に基づく管理計画の認定の申請、同法第５条の６第１項に基づく管理計画の認定の更新の申請及び同法第５条の７第１項に基づく管理計画の変更の認定の申請

九　第21条第２項に定める管理の実施

十　第28条第１項に定める特別の管理の実施並びにそれに充てるための資金の借入れ及び修繕積立金の取崩し

十一　区分所有法第57条第２項及び前条第３項第三号の訴えの提起並びにこれらの訴えを提起すべき者の選任

十二　建物の一部が滅失した場合の滅失した共用部分の復旧

十三　円滑化法第102条第１項に基づく除却の必要性に係る認定の申請

十四　区分所有法第62条第１項の場合の建替え及び円滑化法第108条第１項の場合のマンション敷地売却

十五　第28条第２項及び第３項に定める建替え等に係る計画又は設計等の経費のための修繕積立金の取崩し

十六　組合管理部分に関する管理委託契約の締結

十七　その他管理組合の業務に関する重要事項

前記事項のうち、区分所有法上の特別多数決議を必要とする事項は、区分所有法で定める定数で、それ以外の事項について管理規約で定数を定めている場合はその定数で、管理規約で定数を定めていないときは区分所有法で定める定数（組合員及び議決権の各過半数）で決議できる（区分所有法39条１項）。

ちなみに標準管理規約（単棟型）では、特別多数決議事項を除いて議決権総数の半数以上の組合員の出席（委任状等を含む。）により成立し、「総会の議事は、出席組合員の議決権の過半数で決する」（同規約47条２項）と規定されている。

区分所有法又は規約により総会の決議が必要とされる事項で、組合員全員の承諾があるときは、書面又は電磁的方法による決議をすることができる。ただし、電磁的方法による決議に係る組合員の承諾については、あらかじめ、組合員に対し、その用いる電磁的方法の種類及び内容を示し、書面又は電磁的方法による承諾を得なければならない。なお、この場合の決議は、議案の成立要件（議案によ

（様式例）

出　席　通　知

私は　　月　　日開催の第　　　回通常総会に出席して議決権を行使いたします。
年　　月　　日

棟　　号室
氏名

委　任　状

私は　　　棟　　号室の　　　　　　　　　氏を代理人と定め、　　月　　日開催の第　　　回通常総会において議決権を行使することを委任いたします。
年　　月　　日

棟　　号室
氏名

議　決　権　行　使　書

私は　　月　　日開催の第　　　回通常総会の各議案について、本書をもって、下記の通り議決権を行使します。
年　　月　　日

棟　　号室
氏名

記

第１号議案	に関する件	賛成	反対
第２号議案	に関する件	賛成	反対
第３号議案	に関する件	賛成	反対

（注１）　この用紙は切りとらないでいずれか該当する枠内に必要事項を記載の上ご提出ください。

（注２）　委任状に代理人の氏名が記載されていない場合、議決権は議長に一任されたものとみなします。

（注３）　議決権行使書の各議案について、賛成、反対のいずれにも○印がない場合は決議に参加しなかったものとみなします。

り過半数、特別多数決議等）の必要要件を満たせば足りることとなる。また、区分所有法又は規約により総会の決議が必要とされる事項で、その議案に対して、組合員全員の書面又は電磁的方法による合意があったときは、書面又は電磁的方法による決議があったものとみなされる。

このほか、総会に出席できない場合の決議への参加については、書面による議決権の行使（及び規約により電磁的方法による議決権の行使が認められている場合の電磁的方法による議決権の行使を含む。）と代理人による議決権の行使が認められている。

（2）理事会

理事会は理事で構成される。法人でない管理組合の理事の資格について区分所有法上の制限はない。標準管理規約では「組合員」を理事とする旨を設定していたが、改正により、外部専門家（組合員以外の者）を役員として選任できることとする場合の考え方が示された。

また、理事の任期及び定数、理事長及び副理事長の選任方法、理事長及び副理事長並びにその他の理事の職務等についても区分所有法上の規定がないので、通常は管理規約で規定している。

理事長は管理組合を代表するとともに、管理規約、使用細則又は総会若しくは理事会の決議により理事長の職務と定められた事項を遂行する権限を有すると規定されているのが一般的である。この場合、理事長は、区分所有法で定める管理者と規定されている。

理事長が区分所有法で定める管理者であるときは、①建物、敷地、附属施設を保存すること、②管理規約又は総会決議で決定した事項を実施すること、③毎年総会を招集すること、④管理規約、総会議事録を保管し、利害関係人に閲覧させること、⑤毎年一定の時期に事務に関する報告をすることが区分所有法上の職務とされ、その他の権利義務については民法の委任に関する規定が準用される。

副理事長は、理事長を補佐し、理事長に事故があるときはその職務を代行する。

理事長、副理事長以外の理事は、理事会に出席し、管理規約で理事会の事項と定められた事項の審議・決定に参加することがその職務である。なお、管理規約に定めることにより、理事長、副理事長以外の理事に特定の業務、例えば、会計、修繕計画、施設運営等の業務を担当させることもできる。

（３）監事

法人でない管理組合の監事の資格や任期、定数、職務について区分所有法では何ら規定していないため、通常は、一般社団法人及び一般財団法人に関する法律99条及び101条に基づいて、管理規約で規定していることが一般的である。

（標準管理規約（単棟型）に定める監事の職務規定）

（監事）

第41条　監事は、管理組合の業務の執行及び財産の状況を監査し、その結果を総会に報告しなければならない。

2　監事は、いつでも、理事及び第38条第１項第二号に規定する職員に対して業務の報告を求め、又は業務及び財産の状況の調査をすることができる。

3　監事は、管理組合の業務の執行及び財産の状況について不正があると認めるときは、臨時総会を招集することができる。

4　監事は、理事会に出席し、必要があると認めるときは、意見を述べなければならない。

5　監事は、理事が不正の行為をし、若しくは当該行為をするおそれがあると認めるとき、又は法令、規約、使用細則等、総会の決議若しくは理事会の決議に違反する事実若しくは著しく不当な事実があると認めるときは、遅滞なく、その旨を理事会に報告しなければならない。

6　監事は、前項に規定する場合において、必要があると認めるときは、理事長に対し、理事会の招集を請求することができる。

7　前項の規定による請求があった日から５日以内に、その請求があった日から２週間以内の日を理事会の日とする理事会の招集の通知が発せられない場合は、その請求をした監事は、理事会を招集することができる。

（一般社団法人及び一般財団法人に関する法律）

（監事の権限）
第99条　監事は、理事の職務の執行を監査する。この場合において、監事は、法務省令で定めるところにより、監査報告を作成しなければならない。
2　監事は、いつでも、理事及び使用人に対して事業の報告を求め、又は監事設置一般社団法人の業務及び財産の状況の調査をすることができる。
3　監事は、その職務を行うため必要があるときは、監事設置一般社団法人の子法人に対して事業の報告を求め、又はその子法人の業務及び財産の状況の調査をすることができる。
4　前項の子法人は、正当な理由があるときは、同項の報告又は調査を拒むことができる。
（理事への報告義務）
第100条　監事は、理事が不正の行為をし、若しくは当該行為をするおそれがあると認めるとき、又は法令若しくは定款に違反する事実若しくは著しく不当な事実があると認めるときは、遅滞なく、その旨を理事（理事会設置一般社団法人にあっては、理事会）に報告しなければならない。
（理事会への出席義務等）
第101条　監事は、理事会に出席し、必要があると認めるときは、意見を述べなければならない。
2　監事は、前条に規定する場合において、必要があると認めるときは、理事（第93条第１項ただし書に規定する場合にあっては、招集権者）に対し、理事会の招集を請求することができる。
3　前項の規定による請求があった日から５日以内に、その請求があった日から２週間以内の日を理事会の日とする理事会の招集の通知が発せられない場合は、その請求をした監事は、理事会を招集することができる。

管理組合業務の監査を担当するのは、監事であり、監事は、管理組合の業務や財産状況を監査し、その結果を管理組合総会に報告することになっている。監事による監査の内容は、業務監査と会計監査の２つに分類される（第４編第２節「6　管理組合監査について」を参照）。

なお、監事はその立場上、理事を兼任できない。

また、監事は、理事会に出席して必要があると認めるときは意見を述べなければならない、その過程で、管理組合の業務執行や財産の状況に不正があると認めるときは、単独で臨時総会の招集をすることができる。

6 管理組合の業務

（1） 管理組合の業務

管理組合の業務は、組合員の共同の利益を増進し、良好な住環境を確保するために、敷地、建物及び附属施設の管理を行うことである。そして、管理組合は組合員間の利害の調整をしつつ、管理組合としての意思決定を行い、その決定事項を執行するために必要な事務を処理することになる。

個別具体の業務は各管理組合の事情に応じて定めることとなるが、標準管理規約（単棟型）32条（業務）において、以下のとおり定められている。

① 管理組合が管理する敷地及び共用部分等の保安、保全、保守、清掃、消毒及びごみ処理

エレベーター、消防用設備、給排水設備、電気設備、機械式駐車場等の保守点検（法定点検、法定検査）並びに敷地及び共用部分の清掃、消毒及びごみ処理など

② 組合管理部分の修繕

外壁補修工事、鉄部塗装工事、屋上防水工事などの計画修繕、日常的な修繕（経常的修繕）、不測の事故に伴う特別な修繕及び修繕工事の前提としての劣化診断（建物診断）など

③ 長期修繕計画の作成又は変更に関する業務及び長期修繕計画書の管理

長期修繕計画の作成及び見直し及び長期修繕計画書の保管など

④ 建替え等に係る合意形成に必要となる事項の調査に関する業務

再建建物の設計概要、建物の取壊し及び再建建物の建築に要する費用の概算額やその費用分担などの調査

⑤ マンション管理適正化法103条1項に定める、宅地建物取引業者から交付を受けた設計図書の管理

竣工時の付近見取図、配置図、仕様書（仕上げ表を含む。）、各階平面図、

２面以上の立面図、断面図又は矩計図、基礎伏図、各階床伏図、小屋伏図、構造詳細図及び構造計算書の管理

⑥　修繕等の履歴情報の整理及び管理等

大規模修繕工事、計画修繕工事及び設備改修工事等の修繕の時期、箇所、費用及び工事施工者等や、設備の保守点検、建築基準法12条１項及び３項の特殊建築物等の定期調査報告及び建築設備（昇降機を含む。）の定期検査報告、消防法８条の２の２の防火対象物定期点検報告等の法定点検、耐震診断結果、石綿使用調査結果などの情報の整理及び管理

⑦　共用部分等に係る火災保険、地震保険その他の損害保険に関する業務

共用部分に係る火災保険・施設賠償責任保険契約の締結、保険金の請求・受領など

⑧　区分所有者が管理する専用使用部分について管理組合が行うことが適当であると認められる管理行為

バルコニー、玄関扉、窓枠、窓ガラス等専用使用部分に係る計画修繕の実施など

⑨　敷地及び共用部分等の変更及び運営

敷地の利用目的の変更、駐車場、自転車置場、集会室の運営など

⑩　修繕積立金の運用

修繕積立金の運用

⑪　官公署、町内会等との渉外業務

役所、消防署、警察署など官公署や町内会、分譲会社、管理会社、施工会社などとの折衝など

⑫　マンション及び周辺の風紀、秩序及び安全の維持、防災並びに居住環境の維持及び向上に関する業務

管理契約、使用細則に基づく義務違反者に対する措置、防犯に関する業務など

⑬　広報及び連絡業務

広報誌の発行、組合員に対する総会招集通知などの諸連絡や官公署からの通知事項の連絡など

⑭　管理組合の消滅時における残余財産の清算

建替え等により消滅する場合の管理費や修繕積立金等の残余財産の清算な

ど

⑮　その他建物並びにその敷地及び附属施設の管理に関する業務

会計業務、収支予算・収支決算の作成、資金計画の立案など、管理組合の目的を達成するために必要なその他の業務

（２）管理組合業務の委託等

マンションは１つの建物を多くの人が区分所有していることや、様々な価値観を持つ人が混在していることによる権利・利用関係の複雑さを踏まえ、組合員間の合意形成を図りながら、適正な管理組合運営をする必要がある。

そのためには管理組合は、マンション管理会社等に管理組合業務の一部を委託したり、弁護士、建築士、マンション管理士等の各種の専門的知識を有する者に指導・助言を求めながらマンションの管理を適正に進めることが必要である。

マンション管理会社も、適正な管理組合運営支援の一翼を担うものである。

7｜管理組合と損害保険

（１）損害保険付保の意義

マンションで火災、爆発等の事故が発生した場合、その被害は原因者にとどまらず、他の専有部分や共用部分にまで及び、被害額が多額になるケースが想定される。そして、そうした事故が発生した場合に損害保険が付保されていないと、復旧費用の調達、負担が障害となって復旧工事着手の合意形成に支障を来すこととなる。

また、マンションでは共用部分や共用設備等の不備・欠陥などが原因で、居住者や訪問者等に損害を与えたり、さらには、居住者の日常生活の不注意から水漏れを起こし、階下に損害を与えたりなど、様々な事故発生のおそれがある。

万一事故が発生しても復旧費の調達に困ることのないよう安定した管理体制を確立し、マンションの財産価値の長期安定と、居住者間の良好な共同生活環境を維持していくためには、損害保険を活用していくことが不可欠である。

マンション管理組合向けの損害保険に関して、近年、多くの損害保険会社から、各社独自の保険商品が販売され、管理組合で付保する損害保険契約の選択

肢が存在する。管理組合にとって、よりメリットの大きい内容の保険を選ぶことが重要である。

また、損害保険を契約するに当たっては、どの損害保険会社の、どのような内容の保険に加入するかの選択とともに、どの損害保険代理店で契約するのかの選択も重要である。なぜなら、管理組合が適切な保険商品の選択が行えるようアドバイスしたり、災害や事故が発生した場合の保険金請求方法をアドバイスするのは、契約を取り扱っている保険代理店だからである。

(2) 損害保険付保上の留意点

マンション共用部分に火災保険を付保する場合、保険の対象となる共用部分の範囲が明確になっていなければならない。共用部分と専有部分の区分の仕方については「上塗基準」と「壁心基準」の2つがある。

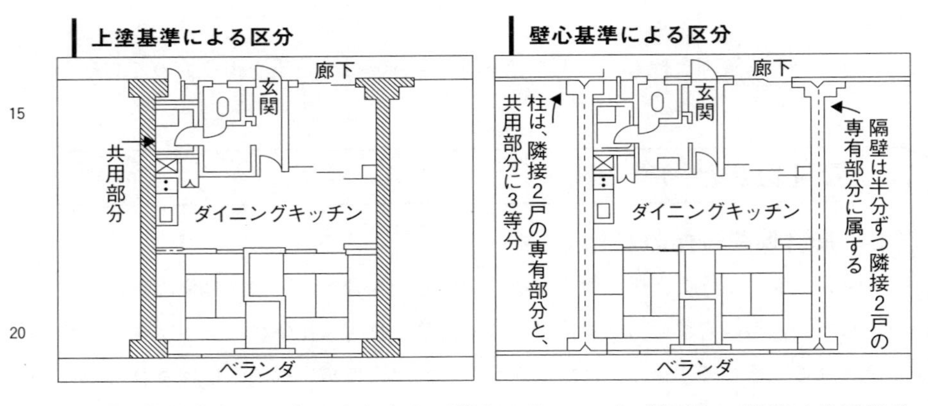

「上塗基準」では少なくとも上下階との床スラブ、隣戸との界壁は共用部分に含まれるので付保の対象となる。一方、「壁心基準」では上下階との床スラブ、隣戸との界壁は中心線を境にしてそれぞれ専有部分となり、共用部分としては付保対象にはならない。

したがって、火災・爆発などの事故に備えて管理組合が共用部分に火災保険を付保する場合は、復旧費の主要な部分を占めることになる界壁、床スラブなどの主要構造部分（共用部分）がすべて保険の対象となるよう「上塗基準」で付保しておくことが望ましい。

ただし、共用部分と専有部分の区分が「上塗基準」か「壁心基準」のどちらであるのかを明確にするためには、管理規約に定めておく必要がある。

損害保険の契約開始日は、新築マンションでは管理開始日、既存マンションでは、現に付保している損害保険の契約満了日を次の損害保険の契約開始日とする（損害保険は午後４時をもって契約が終了するので、空白期間なしに損害保険を付保するには契約満了日を契約開始日とする。）。

共用部分の火災保険はもとより、マンションでは賠償責任保険にも加入しておく必要がある。例えば、マンションでは共用部分や共用設備等の不備・欠陥などが原因で、他人に損害を与える事故、又は日常生活上の不注意により、階下への漏水事故は数多く発生しており、管理組合で一括して施設所有者管理者賠償責任保険、個人賠償責任保険に加入しているのが一般的である。なお、これらの賠償責任保険は火災保険の特約として付保されるケースが多い。

火災保険については一定期間（３年～４年）ごとに保険金額の見直しが必要である。つまり物価変動による再建築費用の変動に対処するためには、保険金額は常に建物の評価額に見合った金額にしておかなければならないからである。これを行わなければ、火災による共用部分の修復に必要な費用をすべて保険金で賄うことができなかったり、過剰に保険料を支払うことになる。

【価額協定保険特約とは】

火災保険は、事故直前の状態に復旧するための費用を補償するのが原則であるので、再調達価額を基準にして契約するのが一般的である。なぜなら、経年減価の激しい建物は、時価額どおり契約していても、時価と再調達価額との差が大きく、時価額で支払われた保険金だけでは、再築することができないからである。

保険金額をいくらに決定するかは、保険契約上のきわめて重要な事項であり、事故が生じたときの契約者と保険会社とのトラブルもこの点に多く発生している。価額協定保険特約は、火災保険の通常の契約方式に存するこれらの不便さを排除するために作られた特約であり、保険の対象物の価額について、保険会社と保険契約者との間で、保険金額を事故のあったときの評価額とみなす協定を行い、損害額どおりの支払が行われるように取り決めるものである。また、建物の契約の場合には、減耗を差し引いた時価額基準ではなく、契約時における再調達価額を保険金額とすることができるので、経過年数の大きい建物であっても、火災後の修復費用を支払限度額を限度に保険金を受け取ることができる契約方式である。

【付保割合について】

価額協定特約を付帯する場合は、建物評価額の再調達価額に対する割合で保険金額を決めるが、マンションは耐火構造となっていることから建物が全焼になることが考え難いため、保険金額を評価額の満額ではなく、例えば評価額の半額で設定するようなことができるようになっており、このことを50%の付保割合という。

損害保険の契約当事者は管理組合であり、契約の締結は通常理事長が行うが、新築マンションの場合、損害保険を付保する時点ではまだ理事長が選任されていないので、初回の付保については管理会社が管理組合を代理して契約を締結できるよう、その権限を管理会社に付与する旨の覚書などをあらかじめ区分所有者全員と取り交わしておくのが一般的である。この場合、規約発効前に付保するので覚書対応をするのが好ましい。

（3）損害保険の種類と内容

① マンション管理組合向け火災保険

各損害保険会社からマンション管理組合向けに、マンション共用部分を一括して補償する保険が販売されているが、保険の自由化により火災保険と賠償責任保険をパッケージにする等の様々なプランが用意されている。

各損害保険会社の商品とも、補償内容について詳細な部分で差異はあるが、管理規約で共用部分とされている建物・附属設備が補償の対象となる。

【保険の対象の範囲】

(ア) 専有部分以外の建物部分

(イ) 専有部分に属さない建物の附属物

(ウ) 管理規約により共用部分となる建物の部分又は附属の建物

(エ) 前記(ア)から(ウ)に掲げる部分にある畳、建具その他これに類するもの

(オ) 前記(ア)から(エ)に収容される区分所有者共有の動産

【加入方法】

管理組合が保険契約者となり、共用部分を一括して契約する方式

【保険金が支払われる主な場合】（加入する契約プランにより補償されない事故もある。）

(ア) 火災・落雷・破裂・爆発
(イ) 風・ひょう・雪災
(ウ) 水ぬれ
(エ) 盗難
(オ) 水災
(カ) 破損・汚損等

【保険金が支払われない主な場合】

(ア) 保険契約者、被保険者、又は保険金を受け取るべき人の故意又は重大な過失等による損害
(イ) 保険の対象の自然の消耗、劣化、性質による変色、さび、かび、腐敗、ひび割れ、虫食い等によってその部分に生じた損害
(ウ) 地震・噴火・又はこれらによる津波によって生じた損害

【付帯する特約】

次に掲げる④の「施設所有者管理者賠償責任保険」、⑤の「個人賠償責任保険」を特約として付帯することが望ましい。

② マンション管理組合向け積立型火災保険

マンション共用部分専用火災保険が持つ「補償機能」に「貯蓄機能」を持たせた保険であるが、昨今の低金利の影響で「貯蓄機能」としてのメリットが失われていることから、多くの損害保険会社が販売中止又は販売中止予定としている。

③ 地震保険

地震・噴火又はこれらによる津波を原因とした火災・損壊・埋没・流失による損害が補償される。保険金の支払われ方は、平成28年12月31日までの契約始期となっている地震保険は全損・半損・一部損の３パターンであり、平成29年１月１日以降の契約始期となっている地震保険は、全損、大半損、小半損、一部損の４パターンとなっている。

地震保険は火災保険とセットで付保する必要があり、地震保険単独での付保はできない。また、地震保険金額は、火災保険金額の30%～50%の範囲で設定する。ただし、地震保険金額には限度額があり、１世帯当たり「専有部分の地震保険金額」と「共用部分の共有持分の地震保険金額」を合計して5,000万円が限度となる。

契約始期が平成28年12月31日までのもの

保険の目的	損害の程度	支払われる保険金
建　　物	全損	建物の地震保険金額の全額（ただし、建物の時価額が限度）
	半損	建物の地震保険金額の50％（ただし、建物の時価額の50％が限度）
	一部損	建物の地震保険金額の５％（ただし、建物の時価額の５％が限度）

平成29年１月１日以降契約始期の区分

保険の目的	損害の程度	支払われる保険金
建　　物	全損	建物の地震保険金額の全額（ただし、建物の時価額が限度）
	大半損	建物の地震保険金額の60％（ただし、建物の時価額の60％が限度）
	小半損	建物の地震保険金額の30％（ただし、建物の時価額の30％が限度）
	一部損	建物の地震保険金額の５％（ただし、建物の時価額の５％が限度）

各世帯の「共用部分の共有持分の地震保険金額」は、共用部分合計地震保険金額に各世帯の共有持分割合を乗じた額となる。

また、地震保険は、法律に基づき国と損害保険会社が共同で運営している公共性の高い保険であるため、どこの保険会社に加入しても保険料等に違いはない。

④　施設所有者管理者賠償責任保険、昇降機賠償責任保険

マンションの共用部分や共用設備の欠陥や不備が原因になって、居住者や訪問者等の他人にケガをさせたり、それらの他人のものを壊したりして法律上の賠償責任を負う場合に、管理組合が被る損害が補償される。

（主な事故例）

・外壁タイル、屋上設置物等が落下し、通行人や通行車両に損害を与えた。

・共用配管からの水漏れで専有部分に損害を与えた。

・エレベーターの管理上の不備により来訪者がケガをした。

エレベーターに関しては、一般的には昇降機賠償責任保険を付保しないと対象とならない。ただし、マンション管理組合向け火災保険に付帯される「施設所有者管理者賠償責任保険特約」では、エレベーターに起因する事故も補償される。

（保険の対象とならない主な場合）

・契約者、被保険者の故意によって生じた賠償責任

・第三者との間に損害賠償に関する特別の約定がある場合において、その約定によって加重された賠償責任
・地震、噴火、洪水、津波などの天災によって生じた賠償責任
・屋根、樋、扉、窓、通風筒などから入る雨、雪などによって生じた賠償責任
・施設の新築、修理、改造、取壊しなどの工事によって生じた賠償責任

⑤ 個人賠償責任保険

住戸の所有、使用、管理中の偶然な事故、個人の日常生活において生じる偶然な事故によって、他人にケガをさせたり、他人のものを壊したりして法律上の賠償責任を負う場合に、個人が被る損害が補償される。

（主な事故例）

・不注意による漏水で階下に損害を与えた。
・ベランダから誤って物を落とし、駐車中の車両に損害を与えた。
・子供がボール遊びをしていて誤ってエントランスのガラスを割った。

（保険の対象とならない主な場合）

・契約者・被保険者の故意によって生じた賠償責任
・第三者との間に損害賠償に関する特別の約定がある場合において、その約定によって加重された賠償責任
・地震、噴火、洪水、津波などの天災によって生じた賠償責任
・同居の親族に対する賠償責任
・他人からの預かり物、借り物に損害を与えて生じた賠償責任（被保険者が専用使用権を有する共用部分に与えた損害等）
・職務遂行に直接起因する賠償責任
・車両、航空機、船舶の所有、使用又は管理によって生じた賠償責任

※ 店舗や事務所として使用している専有部分は個人賠償責任保険の対象とすることはできないため、それら専有部分を保険対象とする場合には、別途「施設所有者管理者賠償責任保険」を付保する必要がある。

⑥ その他の損害保険

前記損害保険のほか、エレベーター設備、給排水衛生設備、電気設備、機械式駐車場設備等の損害を補償する「機械保険」がある。このほかにも管理組合のイベント時の傷害保険など各種損害保険があるので、管理組合の実態

にあわせて検討する必要がある。

（4）損害保険会社が破綻した場合の契約者保護制度について

損害保険会社が、経営破綻に陥った場合、契約時に約束した保険金、満期返れい金、解約返れい金などの支払が一定期間凍結されたり、金額が削減されることがある。

このような事態に備えるため、契約者保護の仕組みとして、「損害保険契約者保護機構」がある。

※　詳しくは、損害保険契約者保護機構のホームページ参照。

（5）保険事故と処理（保険金の請求・受領）

①　事故発生時の対応

保険事故が発生した場合、損害保険代理店又は保険会社に迅速に通知する。

②　保険金請求書類の提出

保険事故の内容にあわせて、所定の関係書類（保険金請求書、事故状況報告書、被害状況写真、示談書、復旧工事見積書など保険の種類により異なる。）を用意し、直接保険会社へ、あるいは損害保険代理店を通して保険会社へ保険金を請求する。

8　共用部分及び附属施設等の運営

（1）自転車置場

ファミリータイプのマンションでは、１世帯につき２台～３台必要なのに対して１台分程度しかないなど、駐輪スペースが不足しているケースが多い。

築年数も経過すると所有者不明の自転車なども放置され、限られた駐輪スペースがさらに狭くなり、その結果、自転車置場の乱雑さや出し入れのしづらさが問題になっているケースも多くみられる。

設備的には、２段式の駐輪機などの導入が進んでいるが、子供や高齢者では取扱いが困難であったりするので、自転車ステッカーの貼付による契約自転車以外の排除や、一部のマンションでは、管理組合としての共用自転車の貸出し制度の導入など、様々な取組みがされている。各々のマンションの規模や特性に見合ったルールや制度の導入を検討する必要がある。

(2) 駐車場

敷地有効活用のため機械式駐車場が設置されているマンションは、車両サイズ制限や使い勝手の面から敬遠され、需要と供給のミスマッチが生じていることがある。駐車場稼働率が管理組合財政に影響を及ぼす場合もあるので、状況に応じてルールを見直すなどの対策も必要である。

また、近年はゲリラ豪雨などにより地下ピット式機械式駐車場、地下駐車場において冠水事故が後を絶たない。管理組合として冠水対策を定めて注意文の掲示や各戸配付などにより駐車場使用者等に周知しておくことが大切である。

(3) 集会室

そのマンション居住者専用のものだけでなく、地域のコミュニティセンターとして位置付けられている場合もある。

主な集会室の利用例では、理事会などの会議、居住者のサークル活動、趣味の集い、バザー、個人の利用（葬祭・法事)、営業目的の展示会などにも利用されることがあり、その利用目的により、使用料金や利用の優先順位を使用細則に定めることが望ましい。

(4) 多目的スペース（ゲストルーム、プレイルーム、キッズルーム、AV ルームなど）

最近のマンションの共用スペースには（特に大規模マンションでは、必ずといってよいほど)、いろいろな附帯施設が設けられている。これらの施設を各利用希望者に、円滑に、公平に活用できるように差配することが、重要な業務となる。

これらの共用施設を生かした住まい方ができることは、戸建住宅では味わえないマンションのメリットである。

9 マンション管理適正化法と管理組合

マンション管理適正化法により、初めて法律条文の中に「マンション」と「管理組合」という用語が使用された。日常的にこれほど広く一般的に使われていながら、従来の区分所有法の中には、住まい（集合住宅）としての「マンション」という言葉も、区分所有法３条（区分所有者の団体）に定める団体としての名称＝「管理組合」という言葉も、使用されてはいなかった。

マンション管理適正化法２条により、正式にこの２つの用語の定義が以下のとおり定められた。

マンション：①　２以上の区分所有者（区分所有法２条２項に規定する区分所有者をいう。）が存する建物で人の居住の用に供する専有部分（区分所有法２条３項に規定する専有部分をいう。）のあるもの並びにその敷地及び附属施設をいう。

②　一団地内の土地又は附属施設（これらに関する権利を含む。）が当該団地内にある①に掲げる建物を含む数棟の建物の所有者（専有部分のある建物にあっては、区分所有者）の共有に属する場合における当該土地及び附属施設をいう。

管理組合：マンションの管理を行う区分所有法３条若しくは65条に規定する団体又は区分所有法47条１項（区分所有法66条において準用する場合を含む。）に規定する法人をいう。

第2章 マンションの管理の適正化の推進に関する法律の概要

第1節 総　則

1 マンションの管理の適正化の推進に関する法律制定の背景と目的

都市における持家住宅として定着した分譲マンションは、令和４年12月末時点でそのストックが約694万戸に達し、約1,500万人の国民が居住し、今後も継続して供給が見込まれるなど、国民の主要な居住形態の一つとしてその重要性が増大している。そのためマンションの管理の適正化を図り、良好な居住環境を確保することは、国民生活の安定向上のために不可欠な要素となっている。

マンションにおける快適な居住の実現と良質な住宅ストックとしての維持保全にあたっては、その管理が適切に行われることが必要である。しかし、マンションの管理にあたるそれぞれの管理組合は必ずしも管理業務に精通していないこと、管理組合と業務を受託している管理会社との間で契約内容や金銭処理などに関しトラブルが起こる例があること、マンションの管理に関する専門的知識をもった人材や相談体制が不十分であることなど、適切なマンションの管理の推進にあたっての課題が存在していた。

このような状況にかんがみ、管理業務主任者及びマンション管理士の資格を定め、マンション管理業者の登録制度を実施するなど、マンションの管理の適正化を推進するための措置を講ずることにより、マンションにおける良好な居住環境の確保を図り、もって国民生活の安定向上と国民経済の健全な発展に寄与することを目的として、平成12年12月８日「マンションの管理の適正化の推進に関する法律（本章において「法」又は「マンション管理適正化法」と表記する。）」が公布され、平成13年８月１日に同法施行令、施行規則と併せて施行された。施行後、マンション管理会社が管理組合から委託を受けて行う出納業務において、一部のマンション管理会社の横領事件により管理組合の財産が損なわれる事態が生じていることを受け、これらの事案に対応するため、マンション管理適正化法施行規則の一部を改正する省令（平成21年国土交通省令35号。以下「財産の分別管理等に関する一部改正省令」という。）が平成21年5月1日に公布され、平成22年5月1日から施行された。

さらに、マンションの老朽化等に対応し、マンションの管理の適正化の一層の推進及びマンションの再生の円滑化の推進を図るため、都道府県等によるマンション管理適正化のための計画作成、マンションの除却の必要性に係る認定対象の拡充、団地型マンションの敷地分割制度の創設等を内容とする「マンションの管理の適正化の推進に関する法律及びマンションの建替え等の円滑化に関する法律の一部を改正する法律」が、令和2年6月24日に公布され、令和3年4月1日施行された（管理計画認定制度に係る条文等は、令和4年4月1日より施行）。

2｜用語の定義（法2条）

（1）マンション

① マンション管理適正化法によれば、マンションとは「2以上の区分所有者（建物の区分所有等に関する法律（以下「区分所有法」という。）第2条第2項に規定する区分所有者をいう。以下同じ。）が存する建物で人の居住の用に供する専有部分（区分所有法第2条第3項に規定する専有部分をいう。以下同じ。）のあるもの並びにその敷地及び附属施設」であると定められている（法2条1号イ）。

区分所有者が2以上の建物で、かつ、そのうちの1つでも居住用であれば、マンションの定義に該当し、さらに、その建物の敷地及び附属施設もマンションに該当する。

※ 敷地の上に一棟の建物が50戸に区分されている区分所有建物があり、50人が居住用として所有している場合、50人が所有している所有権を区分所有権といい、区分所有権が成立している部分を専有部分という。区分所有権を有する者を区分所有者という。この50の区分所有建物をマンションと呼び、敷地及び駐車場施設等の附属施設もマンションに含まれる。

※ 一棟の建物が50戸に区分されている区分所有建物を、後日、甲が全戸買い取り、1人で全部所有し、居住用マンションとしてすべて賃貸している場合は、区分所有者が1人となるため、法におけるマンションではないことになる。

② 一団地内の土地又は附属施設（これらに関する権利を含む。）が当該団地

内にある前記①に掲げる建物を含む数棟の建物の所有者（専有部分のある建物にあっては、区分所有者）の共有に属する場合における当該土地及び附属施設もマンションに該当する（法２条１号ロ）。

※　団地には、(ア)複数の区分所有建物のみがある場合、(イ)区分所有建物と戸建てからなる場合、(ウ)戸建てのみからなる場合があるが、法で対象としているのは(ア)及び(イ)となる。戸建てのみからなる団地は対象としていないので、区分所有法上の団地より範囲が狭くなる。

（２）マンションの区分所有者等

（１）①に掲げる建物の区分所有者並びに（１）②に掲げる土地及び附属施設の所有者をいう（法２条２号）。

（３）管理組合

マンションの管理を行う区分所有法３条若しくは65条に規定する団体又は区分所有法47条１項（区分所有法66条において準用する場合を含む。）に規定する法人をいう（法２条３号）。

（４）管理者等

区分所有法25条１項（区分所有法66条において準用する場合を含む。）の規定により選任された管理者又は区分所有法49条１項（区分所有法66条において準用する場合を含む。）の規定により置かれた理事をいう（法２条４号）。

マンションの区分所有者は、規約で管理者を定めたり、集会の決議で管理者を選任することができる。管理者とは、マンションの代表者である。

管理者等には、法人でない管理組合の代理者である管理者と管理組合法人の代表者である理事がある。

※　管理組合法人には、必ず理事を置かなければならない。管理組合法人の理事も、法に定める管理者に含まれる。理事は、管理組合法人の代表者である。

（5）マンション管理士

マンション管理士とは、マンション管理士試験に合格し、登録を受け、マンション管理士の名称を用いて、専門的知識をもって、管理組合の運営その他マンションの管理に関し、管理組合の管理者等又はマンションの区分所有者等の相談に応じ、助言、指導その他の援助を行うことを業務（他の法律においてその業務を行うことが制限されているものを除く。）とする者をいう（法2条5号）。

（6）管理事務

マンションの管理に関する事務であって、基幹事務（①管理組合の会計の収入及び支出の調定、②出納、③マンション（専有部分を除く。）の維持又は修繕に関する企画又は実施の調整をいう。）を含むものをいう（法2条6号）。

基幹事務の①②③すべてを含んでいなければならず、基幹事務の一部のみでは管理事務に該当しない。

【管理事務の定義（法第2条第6号）】通達第一　2

（平成13年7月31日国総動51号）

管理事務とは、マンションの管理に関する事務であって、基幹事務（①管理組合の会計の収入及び支出の調定[※1]　②出納　③マンション（専有部分を除く。）の維持又は修繕に関する企画又は実施の調整）を含むものであり、この管理事務には、中高層共同住宅標準管理委託契約書[※2]（昭和57年住宅宅地審議会答申）第3条　一　事務管理業務、二　管理員業務、三　清掃業務、四　設備管理業務が含まれること。

また、管理事務には、警備業法（昭和47年法律第117号）第2条第1項に規定する警備業務及び消防法（昭和23年法律第186号）第8条の規定により防火管理者が行う業務は含まれないため、これら管理事務以外の事務に係る委託契約については、管理事務に係る管理受託契約と別個の契約にすることが望ましいこと。

※1　調定とは、調べて確定することである。

※2　中高層共同住宅標準管理委託契約書は、平成15年4月に「マンション標準管理委託契約書」として改訂され、その後も順次改訂されている。

（7）マンション管理業

管理組合から委託を受けて管理事務を行う行為で業として行うもの（マンションの区分所有者等が当該マンションについて行うものを除く。）をいう（法2条7号）。

「業として行う」とは、不特定多数の者を相手方として反復継続して行うことをいい、営利目的を有するか否かを問わない。

前記平成13年7月31日国総動51号［管理事務の定義（法第2条第6号）通達第一2］①②③すべての基幹事務を行うのがマンション管理業である。したがって、基幹事務以外の、例えば、清掃業務や保守点検業務のみを行うことはマンション管理業に該当しない。

マンションの区分所有者等が、自らが所有するマンションについて管理事務を行ったとしても、区分所有者等による自主管理であって、マンション管理業とはならない。

（8）マンション管理業者

法44条の登録を受けてマンション管理業を営む者をいう（法2条8号）。

（9）管理業務主任者

管理業務主任者試験に合格し、登録を受けた後、管理業務主任者証の交付を受けた者を管理業務主任者という（法2条9号）。登録を受けただけでは、管理業務主任者ではない。この点がマンション管理士とは異なる。重要事項の説明及び管理事務の報告には、管理業務主任者証の提示が必要であり、管理業務主任者証がないと重要な仕事ができないことになる（マンション管理士が業務を行う場合は、マンション管理士登録証を提示する必要はない。）。

3 マンションの管理の適正化の推進を図るための基本的な方針（法３条）

（１）指針の策定

国土交通大臣は、マンションの管理の適正化の推進を図るため、管理組合によるマンションの管理の適正化に関する指針（「マンション管理適正化指針」）を定め、これを公表するものとし、平成13年８月１日に公表された（国土交通省告示1288号、改正：平成28年３月14日国土交通省告示490号）。その後、法改正を経て、この指針に代わる「マンションの管理の適正化の推進を図るための基本的な方針」（以下、「基本的な方針」という。）が定められ公表された（令和３年９月28日国土交通省告示1286号）。

（２）基本的な方針の概要

マンションは都市部を中心に重要な居住形態となっている一方、その維持管理には多くの課題があることを踏まえ、管理組合がマンションを適正に管理するとともに、行政がマンションの管理状況等を踏まえて、管理適正化の推進のための施策を講じることが必要である。

① マンションの管理の適正化の推進に関する基本的な事項

管理組合、国、地方公共団体、マンション管理士、マンション管理業者等の関係者について、それぞれの役割を記載するとともに、相互に連携してマンションの管理適正化の推進に取り組む必要がある。

② マンションの管理の適正化に関する目標の設定に関する事項

地方公共団体は、国の目標を参考にしつつ、区域内のマンションの状況を把握し、実情に応じた適切な目標を設定することが望ましい。

③ 管理組合によるマンションの管理の適正化の推進に関する基本的な指針（マンション管理適正化指針）に関する事項

マンションの管理の適正化のために管理組合及び区分所有者等が留意すべき事項等を記載するとともに、地方公共団体が助言、指導等を行う場合の判断基準の目安及び管理計画の認定基準を記載。

④ マンションがその建設後相当の期間が経過した場合その他の場合において当該マンションの建替えその他の措置に向けたマンションの区分所有者等の合意

形成の促進に関する事項

建設後相当の期間が経過したマンションについて、修繕等のほか、要除却認定に係る容積率特例等を活用した建替え等を含め、どのような措置をとるべきかを区分所有者と調整して合意形成を図ることが重要である。

⑤ マンションの管理の適正化に関する啓発及び知識の普及に関する基本的な事項

国、地方公共団体、マンション管理適正化推進センター、マンション管理士等は、相互に連携し、ネットワークを整備するとともに、管理組合等に対する必要な情報提供及び相談体制の構築等を行う必要がある。

⑥ マンション管理適正化推進計画の策定に関する基本的な事項

地方公共団体においては、地域の実情を踏まえた上で関係団体等と連携しつつマンション管理適正化推進計画を策定することが望ましいこと、同計画策定にあたって留意すべき事項を記載。

⑦ その他マンションの管理の適正化の推進に関する重要事項

その他、マンション管理士制度の一層の普及促進や管理計画認定制度の適切な運用等のマンションの管理の適正化の推進に関する重要事項を記載。

4 管理計画の認定（法5条の3）

管理組合の管理者等は、国土交通省令で定めるところにより、当該管理組合によるマンションの管理に関する計画（以下「管理計画」という。）を作成し、マンション管理適正化推進計画を作成した都道府県等の長（以下「計画作成都道府県知事等」という。）の認定を申請することができる（法5条の3第1項）。

管理計画には、次に掲げる事項を記載しなければならない(法5条の3第2項)。

① 当該マンションの修繕その他の管理の方法

② 当該マンションの修繕その他の管理に係る資金計画

③ 当該マンションの管理組合の運営の状況

④ その他国土交通省令で定める事項

5 認定基準（法５条の４）

計画作成都道府県知事等は、法５条の３第１項の認定の申請があった場合において、当該申請に係る管理計画が次に掲げる基準に適合すると認めるときは、その認定をすることができる。

① マンションの修繕その他の管理の方法が国土交通省令で定める基準に適合するものであること。

② 資金計画がマンションの修繕その他の管理を確実に遂行するため適切なものであること。

③ 管理組合の運営の状況が国土交通省令で定める基準に適合するものであること。

④ その他マンション管理適正化指針及び都道府県等マンション管理適正化指針に照らして適切なものであること。

> 基本的な方針
>
> 別紙２　法第５条の４に基づく管理計画の認定の基準
>
> 法第５条の４に基づく管理計画の認定の基準は、以下の基準のいずれにも適合することとする。
>
> １　管理組合の運営
>
> ⑴　管理者等が定められていること
>
> ⑵　監事が選任されていること
>
> ⑶　集会が年１回以上開催されていること
>
> ２　管理規約
>
> ⑴　管理規約が作成されていること
>
> ⑵　マンションの適切な管理のため、管理規約において災害等の緊急時や管理上必要なときの専有部の立ち入り、修繕等の履歴情報の管理等について定められていること
>
> ⑶　マンションの管理状況に係る情報取得の円滑化のため、管理規約において、管理組合の財務・管理に関する情報の書面の交付（または電磁的方法による提供）について定められていること
>
> ３　管理組合の経理

⑴　管理費及び修繕積立金等について明確に区分して経理が行われていること
⑵　修繕積立金会計から他の会計への充当がされていないこと
⑶　直前の事業年度の終了の日時点における修繕積立金の３ヶ月以上の滞納額が全体の１割以内であること
4　長期修繕計画の作成及び見直し等
⑴　長期修繕計画が「長期修繕計画標準様式」に準拠し作成され、長期修繕計画の内容及びこれに基づき算定された修繕積立金額について集会にて決議されていること
⑵　長期修繕計画の作成または見直しが７年以内に行われていること
⑶　長期修繕計画の実効性を確保するため、計画期間が30年以上で、かつ、残存期間内に大規模修繕工事が２回以上含まれるように設定されていること
⑷　長期修繕計画において将来の一時的な修繕積立金の徴収を予定していないこと
⑸　長期修繕計画の計画期間全体での修繕積立金の総額から算定された修繕積立金の平均額が著しく低額でないこと
⑹　長期修繕計画の計画期間の最終年度において、借入金の残高のない長期修繕計画となっていること
5　その他
⑴　管理組合がマンションの区分所有者等への平常時における連絡に加え、災害等の緊急時に迅速な対応を行うため、組合員名簿、居住者名簿を備えているとともに、１年に１回以上は内容の確認を行っていること
⑵　都道府県等マンション管理適正化指針に照らして適切なものであること

第2節 マンション管理業

1 登　録

5

（1）登録（法44条）

① マンション管理業を営もうとする者は、国土交通省に備えるマンション管理業者登録簿に登録を受けなければならない（法44条１項）。

なお、登録申請は、法施行当時は国土交通省本省で受け付けていたが、平成14年10月１日以降は、登録を受けようとする者の本店又は主たる事務所の所在地を管轄する地方整備局等へ申請することになっている。

10

※ 「管理業を営もうとする者」には、法人だけでなく、個人でも要件さえ満たせば登録を受けることができる。また、未成年者でも一定の条件が整えば、登録を受けることができる。

【権限の委任】 マンション管理の適正化の推進に関する法律施行規則（以下「施行規則」又は「規則」と表記する。）103条

15

法に規定する国土交通大臣の権限のうち、次に掲げるものは、マンション管理業者又は法第44条第１項の登録を受けようとする者の本店又は主たる事務所の所在地を管轄する地方整備局長及び北海道開発局長に委任する。ただし、第８号から第13号までに掲げる権限については、国土交通大臣が自ら行うことを妨げない（以下、略）。

20

（平成14年９月19日国総動1956号（別紙１））

地方整備局等に委任する事務

25

以下の事務については、マンション管理業者等の本店等を管轄する地方整備局長等に委任する（ただし、⑧～⑬については、国土交通大臣も権限を行使することができる：大臣権限の留保）。

（マンション管理業者の登録関係業務）

① 法第45条に基づく登録の受理（マンション管理業登録申請書の受理）

30

② 法第46条に基づく登録・通知（マンション管理業者の登録簿への登録・

通知）

③　法第47条に基づく登録の拒否（マンション管理業者登録の拒否）

④　法第48条に基づく変更届の受理（登録事項の変更の受理）

⑤　法第49条に基づく閲覧（マンション管理業者登録簿等の閲覧）

⑥　法第50条に基づく届出の受理（マンション管理業の廃業の届出の受理）

⑦　法第51条に基づく消除（マンション管理業者の登録の消除）

（マンション管理業者の監督関係業務）

⑧　法第81条に基づく指示（マンション管理業者に対する指示処分）

⑨　法第82条に基づく業務の一部・全部停止命令（業務停止命令）

⑩　法第83条に基づく登録の取消（マンション管理業者の登録の取消）

⑪　法第84条に基づく公告（監督処分の公告）

⑫　法第85条に基づく報告聴取（マンション管理業者からの報告聴取）

⑬　法第86条に基づく立入検査等（マンション管理事務所等への立入検査）

※　⑧、⑨、⑪～⑬については、所管地方整備局長等のみならず、支店等の所在地を管轄する地方整備局長等もその権限を行使することができる。

②　有効期間

マンション管理業者の登録の有効期間は５年間である（法44条２項）。登録有効期間の満了後も引き続きマンション管理業を営もうとする者は、登録の有効期間満了の日の90日前から30日前までの間に登録申請書を提出し（規則50条）、更新の登録をしなければならない（法44条３項）。期間満了前に更新の登録の申請をしたものの、有効期間の満了の日までにその申請に対する処分がなされないときは、従前の登録は、有効期間の満了後もその処分がなされるまでの間は、なお有効である（法44条４項）。有効期間満了後に更新の登録がなされた場合には、その登録の有効期間は、従前の登録の有効期間の満了日の翌日から起算する（法44条５項）（なぜなら、従前の有効期間満了後もマンション管理業を営業することができたからである。）。

③　登録失効に伴う業務の結了

マンション管理業者の登録がその効力を失った場合には、当該マンション管理業者であった者又はその一般承継人は、当該マンション管理業者の管理組合からの委託に係る管理事務を結了する目的の範囲内においては、なおマンション管理業者とみなされる（法89条）。これは、登録が効力を失った場合でも、管理事務を結了する目的の範囲内では、なおマンション管理業者とみなされ、業務を行うことができるという意味である。

（2）登録の申請（法45条）及び変更の届出（法48条）

新規にマンション管理業者の登録又は更新の登録を受けようとする者は、国土交通大臣に次の①～⑤に掲げる事項を記載した登録申請書を提出しなければならない（法45条1項）。登録事項に変更があったときは、その日から30日以内に、その旨を国土交通大臣に届け出なければならない（法48条1項）。国土交通大臣は、登録事項の変更の届出を受理したときは、届出があった事項をマンション管理業者登録簿に登録しなければならない（法48条2項）。また、マンション管理業者が、登録事項の変更の届出をするときは、法47条各号の登録拒否事由に該当しない者であることを誓約する書面を添付しなければならない（法48条3項、45条2項）。

① 商号、名称又は氏名及び住所

② 事務所（本店、支店その他の国土交通省令で定めるものをいう。）の名称及び所在地並びに当該事務所が法56条1項ただし書に規定する事務所（成年者である専任の管理業務主任者を設置すべき事務所）であるかどうかの別

※ 居住部分の数が5以下のマンション管理組合からのみ管理事務の委託を受けている事務所には、成年者の専任の管理業務主任者を設置する必要はない。

（平成13年7月31日国総動51号）

通達第二　1⑵　事務所の定義（法第45条第1項第2号、規則第52条）

本法の「事務所」とは、

① 本店又は支店（商人以外の者にあっては、主たる事務所又は従たる事務所）

② ①の他、継続的に業務を行うことができる施設を有する場所で、マンション管理業に係る契約の締結又は履行に関する権限を有する使用人を置くもの

をいう。

「本店」、「支店」とは、商業登記簿に本店、支店の登記がされたものであ

ること。

また、本店及び支店の商業登記は当然商人のみが行うものであるが、公益法人や協同組合等商人以外の者については「本店」及び「支店」を事務所の基準とすることができないことから、民法等で「主たる事務所・従たる事務所」として取り扱われているものであること。

「継続的に業務を行うことができる施設を有する場所」とは、物理的にも社会通念上事務所と認識される程度の形態を備えているもので、実体上支店に類似するものをいうこと。

「契約の締結又は履行に関する権限を有する使用人」とは、支店における支店長又は支配人に相当するような者であること。

③　法人である場合においては、その役員の氏名

※　登録申請者が法人である場合、役員の氏名は記載事項になっているが、住所は記載事項ではない。

④　未成年者である場合においては、その法定代理人の氏名及び住所（法定代理人が法人である場合においては、その商号又は名称及び住所並びにその役員の氏名）

⑤　法56条１項の規定により前記②の事務所ごとに置かれる成年者である専任の管理業務主任者（同条２項の規定によりその者とみなされる者を含む。）の氏名

※　成年者である専任の管理業務主任者の氏名は記載事項であるが、住所は記載事項ではない。

登録申請書には、登録申請者が法47条各号のいずれにも該当しない者であることを誓約する書面その他国土交通省令（施行規則）で定める書類を添付しなければならない（法45条２項）。

【添付書類】施行規則53条

1　法第45条第２項に規定する国土交通省令で定める書類は、次に掲げるものとする。

一　マンション管理業経歴書

二　事務所について法第56条第１項に規定する要件を備えていることを証する書面

三　登録申請者（法人である場合においてはその役員並びに相談役及び顧問をいい、営業に関し成年者と同一の行為能力を有しない未成年者である場合においてはその法定代理人（法定代理人が法人である場合においては、その役員）を含む。以下本条において同じ。）及び事務所ごとに置かれる専任の管理業務主任者が破産手続開始の決定を受けて復権を得ない者に該当しない旨の市町村（特別区を含む。以下同じ。）の長の証明書

四　法人である場合においては、相談役及び顧問の氏名及び住所並びに発行済株式総数の100分の５以上の株式を有する株主又は出資の額の100分の５以上の額に相当する出資をしている者の氏名又は名称、住所及びその有する株式の数又はその者のなした出資の金額を記載した書面

五　登録申請者、事務所ごとに置かれる専任の管理業務主任者の略歴を記載した書面

六　法人である場合においては、直前１年の各事業年度の貸借対照表及び損益計算書

七　個人である場合においては、資産に関する調書

八　法人である場合においては法人税、個人である場合においては所得税の直前１年の各年度における納付すべき額及び納付済額を証する書面

九　法人である場合においては、登記事項証明書

十　個人である場合（営業に関し成年者と同一の行為能力を有しない未成年者であって、その法定代理人が法人である場合に限る。）においては、その法定代理人の登記事項証明書

十一　マンション管理業者が第三者との間で締結する契約であって、当該マンション管理業者が管理組合に対して、法第76条に規定する修繕積立金及び第87条第１項に規定する財産（以下「修繕積立金等」という。）が金銭である場合における当該金銭（以下「修繕積立金等金銭」という。）の返還債務を負うこととなったときに当該第三者がその返還債務を保証することを内容とするもの（以下「保証契約」という。）を締結した場合においては、当該契約に関する事項を記載した書面

2　国土交通大臣は、登録申請者（個人に限る。）に係る機構※保存本人確認情報のうち住民票コード以外のものについて、住民基本台帳法第30条の９の規定によるその提供を受けることができないときは、その者に対し、住

民票の抄本若しくは個人番号カードの写し又はこれらに類するものであって氏名、生年月日及び住所を証明する書面を提出させることができる。

※　機構とは、住民基本台帳法において総務省令で定めるところにより、市町村長ごとに、当該市町村長が住民票に記載することのできる住民票コードを指定し、これを当該市町村長に通知する地方公共団体情報システム機構のことである。

3　国土交通大臣は、登録申請者に対し、第1項に規定するもののほか、必要と認める書類を提出させることができる。

4　法第45条第2項並びに第1項第1号、第2号、第4号、第5号、第7号及び第11号に掲げる添付書類の様式は、別記様式第12号によるものとする。

(3) 登録の受理

マンション管理業を営もうとする者から、登録申請の書類が国土交通大臣に提出されたとき、国土交通大臣は、法47条の規定により登録を拒否する場合を除き、遅滞なく、次に掲げる事項をマンション管理業者登録簿に登録することになる（法46条1項)。

① 法45条1項各号に掲げる事項

(ア) 商号、名称又は氏名及び住所

(イ) 事務所の名称及び所在地並びに当該事務所が成年者である専任の管理業務主任者を設置すべき事務所か否かの別

(ウ) 法人である場合においては、その役員の氏名

(エ) 未成年者である場合においては、その法定代理人の氏名及び住所（法定代理人が法人である場合においては、その商号又は名称及び住所並びにその役員の氏名)

(オ) 事務所ごとに置かれる成年者である専任の管理業務主任者の氏名

② 登録年月日及び登録番号

この登録をしたとき、国土交通大臣は、遅滞なく、その旨を登録申請者に通知することになる（法46条2項)。また、国土交通大臣は、このマンション管理業者登録簿その他国土交通省令で定める書類（登録の申請及び登録の変更の届出に関係する書類）を一般の閲覧に供することになっている（法49条)。国土交通大臣は、マンション管理業者登録簿その他の書類を一般の閲覧に供するため、マンション管理業者登録簿閲覧所を設けなければならない

（規則57条１項）。管理事務を委託している管理組合の管理者等及びマンションの区分所有者等のみならず、これから管理事務を委託することを検討している管理組合の管理者等及びマンションの区分所有者等が、マンション管理業者に関する情報を容易に入手できるようにすることにより、マンション管理業者の的確な選定が可能となった。

【登録の拒否】法47条

国土交通大臣は、登録申請者が次の各号のいずれかに該当するとき、又は登録申請書若しくはその添付書類のうちに重要な事項について虚偽の記載があり、若しくは重要な事実の記載が欠けているときは、その登録を拒否しなければならない。

一　破産手続開始の決定を受けて復権を得ない者

※　破産者が免責の申立てをし、裁判所の免責の決定を受けると借金の支払義務はなくなり、公私の資格制限もなくなる。これを復権という。

二　第83条の規定により登録を取り消され、その取消しの日から２年を経過しない者

※　法83条（登録の取消し）
①　登録されていた者が、登録拒否事由に該当するに至ったとき
②　偽りその他不正の手段によりマンション管理業者の登録を受けたとき
③　業務停止処分事由に該当し情状が特に重いとき
④　業務停止処分違反（業務停止命令違反）したとき

※　マンション管理業者が、正当な理由がないのに、業務に関して知り得た秘密を漏らしたり、マンション管理業に関し不正又は著しく不当な行為をしたときは、業務停止処分に該当し、国土交通大臣は業務停止処分（業務停止命令）をすることができる。また、業務停止処分を受けたのに営業する者に対しては、国土交通大臣は、登録を取り消し、その者は２年間は、マンション管理業者の登録を受けることはできない。

三　マンション管理業者で法人であるものが第83条の規定により登録を取り消された場合において、その取消しの日前30日以内にそのマンション管理業者の役員であった者でその取消しの日から２年を経過しないもの

四　第82条の規定により業務の停止を命ぜられ、その停止の期間が経過しない者

五　禁錮以上の刑に処せられ、その執行を終わり、又は執行を受けること

がなくなった日から２年を経過しない者

※　刑罰には、死刑、懲役、禁錮、罰金、拘留、科料がある。禁錮以上の刑とは、死刑、懲役、禁錮を意味する。

六　マンション管理適正化法の規定により罰金の刑に処せられ、その執行を終わり、又は執行を受けることがなくなった日から２年を経過しない者

七　暴力団員による不当な行為の防止等に関する法律（平成３年法律第77号）第２条第６号に規定する暴力団員又は同号に規定する暴力団員でなくなった日から５年を経過しない者（第11号において「暴力団員等」という。）

八　心身の故障によりマンション管理業を適正に営むことができない者として国土交通省令で定めるもの

九　マンション管理業に関し成年者と同一の行為能力を有しない未成年者でその法定代理人（法定代理人が法人である場合においては、その役員を含む。）が前各号のいずれかに該当するもの

※　成年者と同一の行為能力を有する未成年者とは、法定代理人（保護者のこと）からマンション管理業を営業してよいとの事前の許可を得ている未成年者のことであり、事前の許可を得ていない未成年者のことを成年者と同一の行為能力を有しない未成年者という。成年者と同一の行為能力を有しない未成年者の法定代理人が登録拒否事由に該当すれば、当該未成年者は登録を受けることができない。

十　法人でその役員のうちに第１号から第８号までのいずれかに該当する者があるもの

十一　暴力団員等がその事業活動を支配する者

十二　事務所について第56条に規定する要件を欠く者

※　法56条　マンション管理業者は、その事務所ごとに、事務所の規模を考慮して国土交通省令で定める数の成年者である専任の管理業務主任者を置かなければならない。

十三　マンション管理業を遂行するために必要と認められる国土交通省令で定める基準に適合する財産的基礎を有しない者

※　マンション管理業者の登録を受けるには、基準資産額が300万円以上あることが必要である（規則54条）。
資産総額－負債総額＝基準資産額（規則55条１項）

なお平成14年10月１日以降、前述のとおり登録申請を各地方整備局等に委任したことにより、マンション管理業者登録簿の閲覧も、各地方整備局等で

閲覧可能になった。

（平成14年９月19日国総動1956号）

通達３　マンション管理業者登録簿の閲覧について

従来、マンション管理業者登録簿の閲覧については、「マンション管理業者登録簿閲覧所の場所を定める件（平成13年国土交通省告示第1279号）」に基づき、国土交通本省において閲覧事務を行っていましたが、標記省令改正による事務委任に伴い、新たに告示（平成14年国土交通省告示第823号）を定め、平成14年10月１日より各地方整備局等で閲覧に供することとしたので、閲覧を希望される場合は登録業者に係る本店又は主たる事務所を管轄する地方整備局等にお越しください。

閲覧時間等については、従来通り「マンション管理業者登録簿閲覧規則を定める件（平成13年国土交通省告示第1280号）」に定めている通りです。

なお、事務委任後については国土交通本省における閲覧事務は実施しないことと致しますので、ご周知願います。

（４）廃業等の届出、登録の消除（法50条、51条）

マンション管理業者が次の①～⑤のいずれかに該当することとなった場合においては、当該①～⑤に定める者は、その日（①の場合にあっては、その事実を知った日）から30日以内に、その旨を国土交通大臣に届け出なければならない（法50条１項）。

①　死亡した場合　その相続人

②　法人が合併により消滅した場合　その法人を代表する役員であった者

※　法人が吸収合併されて消滅したときは、消滅した法人（吸収された法人）の代表役員が届出人であり、存続する法人の代表役員ではない。

③　破産手続開始の決定があった場合　その破産管財人

※　マンション管理業者に破産手続開始の決定があったときは、破産手続開始の決定があった本人が届出をするのではなく、裁判所から選ばれた破産管財人が届出をする。

④　法人が合併及び破産手続開始の決定以外の理由により解散した場合　その清算人

⑤　マンション管理業を廃止した場合　マンション管理業者であった個人又はマンション管理業者であった法人を代表する役員

マンション管理業者が前記の①〜⑤のいずれかに該当するに至ったときは、マンション管理業者の登録は、その効力を失う（法50条２項）。届出のときに効力を失うのではない。

国土交通大臣は、マンション管理業者の登録がその効力を失ったときは、その登録を消除しなければならない（法51条）。廃業等の届出を怠った者は、10万円以下の過料に処せられる（法113条１号）。

（５）財産的基礎（規則54条）

マンション管理業を遂行するためには、国土交通省令で定める基準（基準資産額が、300万円以上であること）に適合する財産的基礎を有していなければならない。

【財産的基礎について】
（マンションの管理の適正化の推進に関する法律　実務Q&A
マンション管理業登録・業務編（一般社団法人マンション管理業協会））

①　財産的基礎は、直前１年の貸借対照表（基準資産表）に計上された資産総額（創業費その他の繰延資産及び営業権を除く。）から負債総額を控除した額（基準資産額）が300万円以上であることとする（施行規則54条、55条１項）。

②　基準資産額が300万円未満である場合で、市場性の認められる資産（不動産等）の再販価格の評価額が基準資産表計上の資産額を上回る旨の証明があったときは、その評価額によって資産を計算することができる（施行規則55条２項、国総動51号）。

③　②のように算定される基準資産額については、「公認会計士又は監査法人（その他公正な監査証明を行うことができる公的資格を有する者を含む。）による監査証明を受けた中間決算による場合」、又は「増資、贈与、債務免除等があったことが証明された場合」で増減があったときは、その増減額をもって基準資産額とすることができる（施行規則55条３項、国総動51号）。なお、この場合は、中間決算時又は増資等が証明された時点の

貸借対照表（基準資産表）の提出を要するものとする（国総動51号）。

（6）無登録営業の禁止（法53条）

マンション管理業者の登録を受けない者は、マンション管理業を営んではならない。マンション管理業者の登録を受けないで、マンション管理業を営んだ者は、マンション管理適正化法上、最も重い1年以下の懲役又は50万円以下の罰金に処せられる（法106条2号）。

（7）名義貸しの禁止（法54条）

マンション管理業者は、自己の名義をもって、他人にマンション管理業を営ませてはならない。自分の名前を他人に貸して、他人に仕事をさせることを名義貸しという。名義貸しの禁止に違反した者は、無登録営業の場合と同じ、1年以下の懲役又は50万円以下の罰金に処せられる（法106条3号）。

2｜管理業務主任者

（1）管理業務主任者の設置（法56条）

マンション管理適正化法により、マンション管理業者は管理業務主任者を、マンションを管理する事務所ごとに設置しなければならないと定められた。

① 専任の管理業務主任者の数

マンション管理業者は、その事務所ごとに、事務所の規模を考慮して国土交通省令で定める数の成年者である専任の管理業務主任者を置かなければならない。ただし、人の居住の用に供する独立部分（区分所有法1条に規定する建物の部分をいう。）が国土交通省令で定める数以上であるマンションの管理組合から委託を受けて行う管理事務を、その業務としない事務所については、成年者である専任の管理業務主任者を設置する必要はない。そして、規則62条は、国土交通省令で定める人の居住の用に供する独立部分の数は6とした。したがって、人の居住の用に供する独立部分の数が5以下である管理組合からのみ、管理の委託契約を受ける場合には、成年者である専任の管理業務主任者を設置しなくてもよい（法56条1項）。

国土交通省令で定める数は規則61条で「管理業務主任者の数は、マンション管理業者が管理事務の委託を受けた管理組合の数を30で除したもの（1未満の端数は切り上げる。）以上とする」、すなわち、30管理組合につき1名以上の管理業務主任者を設置しなければならないと定められている。例えば、100の管理組合と管理委託契約を締結した事務所には、成年者である専任の管理業務主任者が4人必要である（100÷30＝3.3（小数点以下は1人と考えるので、4人必要となる。））。なお、人の居住の用に供する部分が5以下の管理組合は30管理組合にカウントしないことになる。

② みなし専任管理業務主任者

前記①の場合において、マンション管理業者(法人である場合においては、その役員）が管理業務主任者であるときは、その者が自ら主として業務に従事する事務所については、その者は、その事務所に置かれる成年者である専任の管理業務主任者とみなされる（法56条2項)。

例えば、マンション管理業者の取締役が管理業務主任者である場合、その取締役は、常駐している事務所の成年者である専任の管理業務主任者とみなされるという意味である。

③ 専任の管理業務主任者の不足の場合

管理業務主任者が退職するなど、必要とされる成年者である専任の管理業務主任者の数が不足したときは、2週間以内に必要数を補充しなければならない（法56条3項)。

④ 複数の管理組合が併存する場合

複合用途型マンションで複数の管理組合（全体、住宅、事務所など）が併存している場合、又は団地型のマンションで複数の管理組合（全体、街区、棟別など）が併存する場合で、これらの組合と一の契約をもって管理事務の委託を受けているときは、これらの組合をまとめて1つの組合として算定する。

（平成13年7月31日国総動51号）

通達第二　2　⑴事務所ごとに設置する専任の管理業務主任者についての算定（法第56条、規則第61条及び第62条）

イ）法第56条及び規則第62条により、人の居住の用に供する部分が5以下である法第2条第1号イに掲げる建物の区分所有者を構成員に含む管理組合から委託を受けて行う管理事務のみを行う事務所については、専任の管理業務主任者の設置義務を適用除外としているところであるが、規則第61条に規定する「管理組合」についても、人の居住の用に供する部分が5以下である法第2条第1号イに掲げる建物の区分所有者を構成員に含む管理組合を含まないものとすること。

ロ）いわゆる「団地組合」が形成されており、その内部に複数の別の管理組合が存在している場合で、これらの組合から委託を受けて管理事務を行っている事務所に設置すべき管理業務主任者の算定においては、規則第61条に規定する「管理組合」には、当該「団地組合」のみでなく、複数の別の管理組合も含むものであること。ただし、これらの組合と一の契約をもって管理受託契約を締結している場合にあっては、これらの組合をまとめて1つの組合として算定しても差し支えないものとすること。

⑤　専任の定義

「専任」というのは、専らその事務所に常勤し、管理事務に従事する状態であることをいう。他の法律の専任の資格者と兼務している場合又は他に職業を有し通常の営業時間に当該事務所で管理事務に従事することができない状態にある場合は、「専任」の状態ではない。

（平成14年2月28日国総動309号）

通達第三　「専任の管理業務主任者」の専任性について

1　法第56条第1項の「専任」とは、原則として、マンション管理業を営む事務所に常勤（マンション管理業者の通常の勤務時間を勤務することをいう。）して、専らマンション管理業に従事する状態をいう※。ただし、当該事務所がマンション管理業以外の業種を兼業している場合等で、当該事務所において一時的にマンション管理業の業務が行われていない間に他の業種に係る業務に従事することは差し支えないものとすること。

2　「専任の管理業務主任者」は、宅地建物取引業法（昭和27年法律第176号）第31条の3第1項に規定する「専任の取引士」を兼務できないこと。ただし、「専任でない管理業務主任者」が「専任の取引士」を兼務すること及び「専任の管理業務主任者」が「専任でない取引士」を兼務することは差し支えないこと。

また、マンション管理業の事務所が建築士事務所、建設業の営業所等を兼ね、当該事務所における管理業務主任者が建築士法、建設業法等の法令により専任を要する業務に従事しようとする場合、及び個人のマンション管理業者が管理業務主任者となっているマンション管理業の事務所において、当該個人が同一の場所において土地家屋調査士、行政書士等の業務をあわせて行おうとする場合等については、他の業種の業務量等を斟酌のうえ専任と認められるものを除き、専任の管理業務主任者とは認められないこと。

※ 「専らマンション管理業に従事する状態をいう」とは、例えば、午前中だけのアルバイトやパートは、専任の管理業務主任者になることはできないということである。

なお、上記施行通達には、次の事務連絡と通達により、部分的な改正が加えられている。

(令和３年４月23日事務連絡)

１　「専任の管理業務主任者」の専任性について

施行通達第三１の「当該事務所がマンション管理業以外の業種を兼業している場合等で、当該事務所において一時的にマンション管理業の業務が行われていない間に他の業種に係る業務に従事することは差し支えないものとすること。」には、マンション管理業を営む事務所における専任の管理業務主任者が、賃貸住宅管理業法第12条第１項の規定により選任される業務管理者として、賃貸住宅管理業に係る業務に従事する場合も含むこととする。

(令和３年７月１日国不参43号)

１　施行通達の一部改正について

施行通達を次のように改正する。

記第三１中「勤務することをいう。」の下に「ＩＴの活用等により適切な業務ができる体制を確保した上で、マンション管理業者の事務所以外において通常の勤務時間を勤務する場合を含む。」を加える。

（２）専任の管理業務主任者を設置する事務所

専任の管理業務主任者を設置すべき事務所は、次のものをいう（法45条１項２号、規則52条）。

① 本店又は支店（商人以外の者にあっては、主たる事務所又は従たる事務所（商業登記がなされたもの））

② 上記①のほか、継続的に業務を行うことができる施設を有する場所で、マンション管理業に係る契約の締結又は履行に関する権限を有する使用人（支店における支店長又は支配人に相当する者）を置くもの

本店以外の事務所のみでマンションの管理組合から委託を受けて管理事務を業として行っている場合は、本店に専任の管理業務主任者を設置することを要しない。

③ マンション管理業者は、前記（１）①に抵触する事務所（所要の管理業務主任者を設置していない事務所）を開設してはならず、既存の事務所が（１）①の規定に抵触するに至ったときは、２週間以内に、（１）①の規定に適合させるため必要な措置をとらなければならない。これに違反した者は、国土交通大臣により、１年以内の業務の全部又は一部の停止命令を受ける場合があるほか、情状が特に重いとき、又は業務停止命令に違反したときは、登録の取消しを受けることとなり、また30万円以下の罰金に処せられる（法56条３項、82条２号、83条３号、109条１項５号）。

（３）管理業務主任者の登録及び管理業務主任者証の交付（法59条、60条）

① 管理業務主任者の登録

管理業務主任者とは、マンション管理適正化法60条に規定する管理業務主任者証の交付を受けた者をいう（法２条９号）。管理業務主任者証の交付を受けて、はじめて管理業務主任者となるのである。管理業務主任者試験に合格し、管理事務に関し国土交通省令で定める期間以上の実務の経験を有する

もの又は国土交通大臣がその実務の経験を有するものと同等以上の能力を有すると認めたものは、国土交通大臣に管理業務主任者登録申請書を提出し登録を受けることができる。登録は、国土交通大臣が、管理業務主任者登録簿に、氏名、生年月日、その他国土交通省令で定める事項を登録することによって行われる。その他国土交通省令で定める事項とは、住所、本籍（日本の国籍を有しない者にあっては、その者の有する国籍）及び性別、マンション管理業者の業務に従事する者にあっては、当該マンション管理業者の商号又は名称及び登録番号などである（規則72条）。この登録を受けた者が、国土交通大臣に対し、氏名、生年月日、その他国土交通省令で定める事項を記載した管理業務主任者証の交付を申請し、管理業務主任者証の交付を受けることとなる。

※ 管理業務主任者証は、管理業務主任者であることを証明するカードである。管理業務主任者証には、氏名、生年月日その他国土交通省令で定める事項が記載されている（法60条１項）。その他国土交通省令で定める事項とは、登録番号及び登録年月日、管理業務主任者証の交付年月日、管理業務主任者証の有効期間の満了する日である（規則74条、別記様式22号）。

② 実務経験の期間

ここで定められている管理事務の実務経験の期間は、２年とされており（規則68条）、管理事務とは、マンションの管理に関する事務であって、基幹事務を含むものとされている（法２条６号）。

実務経験を有するものと同等以上の能力を有すると認められた者とは、

㈎ 管理事務に関する実務についての講習であって、国土交通大臣の登録を受けたもの（登録実務講習）を修了した者

㈏ 国、地方公共団体又は国若しくは地方公共団体の出資により設立された法人において管理事務に従事した期間が通算して２年以上である者

㈐ 国土交通大臣が㈎㈏に掲げるものと同等以上の能力を有すると認めた者

である（規則69条）。

③ 管理業務主任者証の交付

管理業務主任者証の交付を受けようとする者は、国土交通大臣の登録を受けた者（登録講習機関）が国土交通省令で定めるところにより行う講習で交付の申請の日前６月以内に行われるものを受けなければならない。ただし、

試験に合格した日から１年以内に管理業務主任者証の交付を受けようとする者については、この限りでない（法60条２項）。なぜなら、試験に合格したばかりで、新しい知識が頭に入っているからである。

【登録の申請】施行規則70条

1　法第59条第１項の規定により管理業務主任者の登録を受けることができる者がその登録を受けようとするときは、別記様式第17号による管理業務主任者登録申請書を国土交通大臣に提出しなければならない。

2　国土交通大臣は、前項の登録申請書の提出があったときは、遅滞なく、登録をしなければならない。

3　管理業務主任者登録申請書には、次に掲げる書類を添付しなければならない。

一　法第59条第１項の実務の経験を有するものであることを証する書面又は同項の規定により能力を有すると認められたものであることを証する書面

二　法第59条第１項第１号に規定する破産手続開始の決定を受けて復権を得ない者に該当しない旨の市町村の長の証明書

三　法第59条第１項第２号から第７号までに該当しない旨を誓約する書面

4　国土交通大臣は、法第59条第１項の登録を受けようとする者に係る機構保存本人確認情報のうち住民票コード以外のものについて、住民基本台帳法第30条の９の規定によるその提供を受けることができないときは、その者に対し、住民票の抄本又はこれに代わる書面を提出させることができる。

5　国土交通大臣は、法第59条第１項の登録を受けようとする者に対し、第３項に規定するもののほか、必要と認める書類を提出させることができる。

6　第３項第１号の書面のうち法第59条第１項の実務の経験を有するものであることを証する書面及び第３項第３号の誓約書の様式は、それぞれ別記様式第18号及び別記様式第19号によるものとする。

管理業務主任者証交付手続の流れ

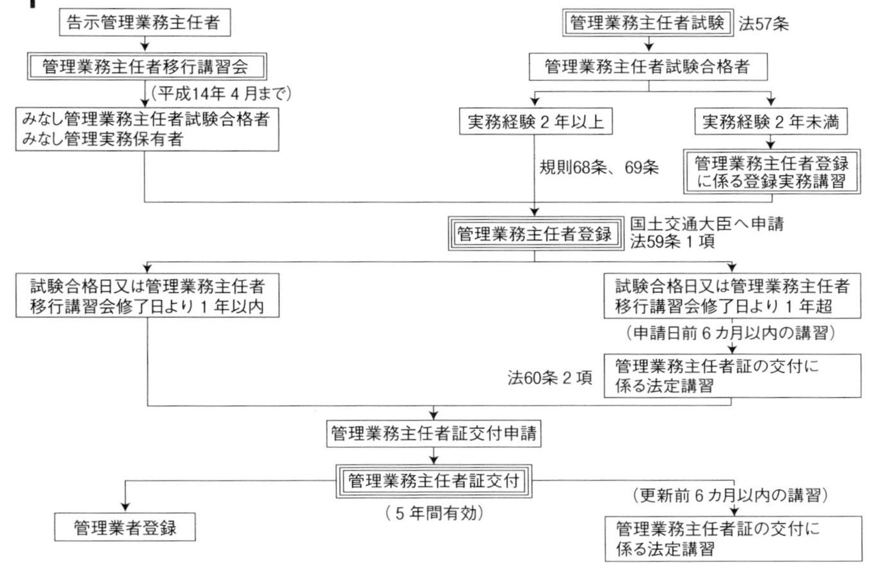

【管理業務主任者証交付の申請】施行規則73条

1　法第60条第１項の規定により管理業務主任者証の交付を申請しようとする者は、次に掲げる事項を記載した管理業務主任者証交付申請書に交付の申請前６月以内に撮影した無帽、正面、上三分身、無背景の縦の長さ３センチメートル、横の長さ2.4センチメートルの写真でその裏面に氏名及び撮影年月日を記入したもの（以下「管理業務主任者証用写真」という。）を添えて、国土交通大臣に提出しなければならない。

一　申請者の氏名、生年月日及び住所

二　登録番号

三　マンション管理業者の業務に従事している場合にあっては、当該マンション管理業者の商号又は名称及び登録番号

四　試験に合格した後１年を経過しているか否かの別

2　管理業務主任者証の交付を申請しようとする者（試験に合格した後１年以内に交付を申請しようとする者を除く。）は、管理業務主任者証交付申請書に第75条において読み替えて準用する第42条の４第１項第５号の修了証明書又は第75条において準用する第42条の14の講習の課程を修了したこ

とを証する書面を添付しなければならない。

3　管理業務主任者証交付申請書の様式は、別記様式第21号によるものとする。

※　登録講習の課程を修了した者（登録講習修了者）に対して、修了証を交付すること（規則42条の4第5号）。

※　国土交通大臣は、その行う講習の課程を修了した者に対して、講習の課程を修了したことを証する書面を交付するものとする（規則42条の14）。

［別記様式第22号（第74条関係）］

表

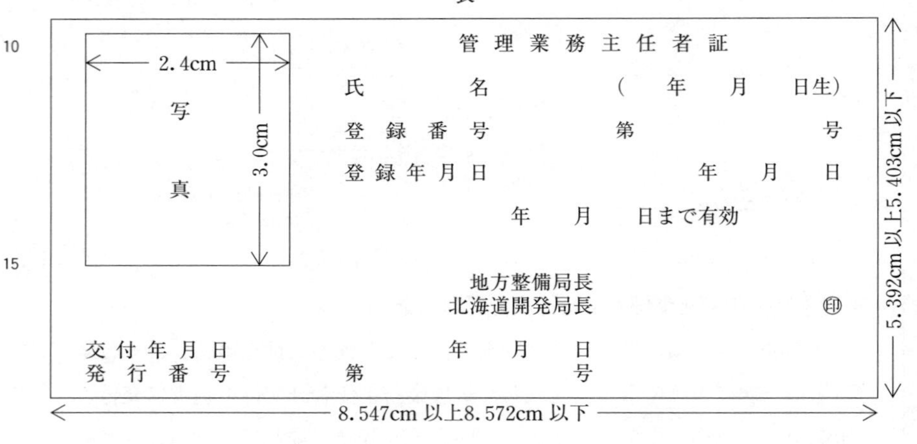

管理業務主任者証

写真（2.4cm × 3.0cm）

氏　　名　（　年　月　日生）
登録番号　第　　号
登録年月日　　年　月　日
年　月　日まで有効

地方整備局長
北海道開発局長　㊞

交付年月日　　年　月　日
発行番号　第　　号

裏

備　考

注意事項

1　マンションの区分所有者等その他の関係者から請求があったとき、重要事項説明のとき、又は管理事務の報告のときは、本証を提示すること。
2　登録が消除されたとき、又は本証が失効したときは、速やかに本証を返納すること。
3　事務禁止の処分を受けたときは、速やかに本証を提出すること。
4　本証は他人に貸与し、又は譲渡してはならない。
5　本証を更新する場合は、交付申請の日前6月以内に行われる国土交通大臣が指定する講習を受講すること。

④　管理業務主任者証の有効期間

管理業務主任者証の有効期間は、5年である（法60条3項）。この有効期間は、申請により更新することができる（法61条１項）。

管理業務主任者証の更新を受けようとする者は、国土交通大臣の登録を受けた者（登録講習機関）が行う講習で交付の申請の日前６カ月以内に行われるものを受けなければならない（法61条２項、60条２項）。また、更新後の管理業務主任者証の有効期間も５年である（法61条２項、60条３項）。

⑤　登録の効力・消除のとき

国土交通大臣は、管理業務主任者の登録が効力を失ったときは、その登録を消除しなければならない（法66条）。管理業務主任者は、登録が消除されたとき、又は管理業務主任者が管理業務主任者証の有効期間の更新を受けなかったため、管理業務主任者証がその効力を失ったときは、速やかに、管理業務主任者証を国土交通大臣に返納しなければならない（法60条４項）。

なお、管理業務主任者が、国土交通大臣から登録の取消しの通知を受けたときは、その通知を受けた日から起算して10日以内に、管理業務主任者証を国土交通大臣に返納しなければならない（規則78条２項）。

⑥　事務禁止処分のとき

管理業務主任者は、法64条２項（事務禁止処分）の規定による事務禁止の処分を受けたときは、速やかに、管理業務主任者証を国土交通大臣に提出しなければならない（法60条５項）。

※　事務禁止処分とは、一定期間、管理業務主任者としての仕事をしてはならないという処分である。

⑦　事務禁止処分の期間満了のとき

国土交通大臣は、上記⑥の禁止（事務禁止処分）の期間が満了した場合において、⑥の規定により管理業務主任者証を提出した者から返還の請求があったときは、直ちに、当該管理業務主任者証を返還しなければならない（法60条６項）。

⑧　登録事項の変更のとき

管理業務主任者の登録を受けた者は、登録を受けた事項に変更があったときは、遅滞なく、その旨を国土交通大臣に届け出なければならない（法62条１項）。なお、届出をする場合において、管理業務主任者証の記載事項に変更があったときは、当該届出に管理業務主任者証を添えて提出し、その訂正を受けなければならない（同条２項）。例えば、管理業務主任者の氏名が変わった場合には、登録事項の変更の届出をすると同時に管理業務主任者証(写しで差し支えない) を添えて提出し、訂正を受けることになる。

なお、旧姓使用を希望する者に対しては、国不参51号(令和3年3月1日)により、令和3年4月1日以降、管理業務主任者証に旧姓を併記することが適当と解され、併記されたものの交付を受けた日以降、書面の記名等において旧姓を使用することができるようになっている。

(4) 登録の拒否事由 (法59条)

管理業務主任者試験に合格し、2年以上の実務経験や、実務経験者と同等以上の能力があると認められる場合 (登録講習機関の講習修了者など) でも、以下の登録拒否事由に該当する場合には、管理業務主任者登録を受けることができない (1項)。

① 破産手続開始の決定を受けて復権を得ない者

② 禁錮以上の刑に処せられ、その執行を終わり、又は執行を受けることがなくなった日から2年を経過しない者

③ マンション管理適正化法の規定により罰金の刑に処せられ、その執行を終わり、又は執行を受けることがなくなった日から2年を経過しない者

④ マンション管理士が、かつて偽りその他不正の手段により管理士登録を受けたり、信用失墜行為の禁止、講習の受講義務、秘密保持義務のいずれかに違反したことを理由にマンション管理士の登録を取り消され、その取消しの日から2年を経過しない者

※ マンション管理士は、マンション管理士の信用を傷つけるような行為をしてはならない。また、マンション管理士は、5年ごとに講習を受けなければならない。さらに、マンション管理士は、正当な理由がないのに、その業務に関して知り得た秘密を漏らしてはならない。

⑤ (ア) 管理業務主任者が、以下の理由により国土交通大臣から管理業務主任者登録を取り消されたとき、その取消しの日から2年を経過しない者

㋐ 偽りその他不正の手段により管理業務主任者登録を受けたとき

㋑ 偽りその他不正の手段により管理業務主任者証の交付を受けたとき

㋒ 指示処分事由に該当し情状が特に重いとき、又は事務禁止処分に違反したとき

(イ) 管理業務主任者登録を受けた者で管理業務主任者証の交付を受けていないものが、以下の理由により管理業務主任者登録を取り消されたとき、

その取消しの日から２年を経過しない者

　㋐　偽りその他不正の手段により管理業務主任者登録を受けたとき

　㋑　管理業務主任者としてすべき事務を行い（法78条の規定による事務所を代表する者又はこれに準ずる地位にある者として行った場合を除く。）、情状が特に重いとき

⑥　(ア)　以下の理由によりマンション管理業者（個人）が、マンション管理業者の登録を取り消されたとき、その取消しの日から２年を経過しない者

　㋐　偽りその他不正の手段によりマンション管理業者の登録を受けたとき

　㋑　業務停止命令事由に該当し、情状が特に重いとき、又は業務停止命令に違反したとき

(イ)　以下の理由によりマンション管理業者（法人）が、マンション管理業者の登録を取り消されたとき、その取消しの日前30日以内にその法人の役員であった者で、当該取消しの日から２年を経過しないもの

　㋐　偽りその他不正の手段によりマンション管理業者の登録を受けたとき

　㋑　業務停止命令事由に該当し、情状が特に重いとき、又は業務停止命令に違反したとき

⑦　心身の故障により管理業務主任者の事務を適正に行うことができない者として国土交通省令で定めるもの

　なお、⑦については、規則69条の18において、「精神の機能の障害により管理業務主任者の事務を適正に行うに当たって必要な認知、判断及び意思疎通を適切に行うことができない者」とされている。

（５）登録の取消し（法65条）

①　管理業務主任者が、次の(ア)～(エ)の行為をしたとき、国土交通大臣から登録を取り消される（法65条１項）。

(ア)　法59条１項各号（５号を除く。）のいずれかに該当するに至ったとき

(イ)　管理業務主任者が偽りその他不正の手段により登録を受けたとき

(ウ)　管理業務主任者が偽りその他不正の手段により管理業務主任者証の交付を受けたとき

(エ) 管理業務主任者が法64条（指示及び事務の禁止）１項各号のいずれかに該当し情状が特に重いとき、又は同条２項の規定による事務の禁止の処分に違反したとき

② 国土交通大臣は、管理業務主任者資格者（法59条１項の登録を受けている者で管理業務主任者証の交付を受けていないもの）が、次の(ア)～(ウ)のいずれかに該当するときは、その登録を取り消さなければならない（法65条２項）。

(ア) 管理業務主任者資格者が、前記法59条１項各号（５号を除く。）のいずれかに該当するに至ったとき

(イ) 管理業務主任者資格者が、偽りその他不正の手段により登録を受けたとき

(ウ) 管理業務主任者資格者が、管理業務主任者としてすべき事務を行った場合（法78条の規定により事務所を代表する者又はこれに準ずる地位にある者として行った場合を除く。）であって、情状が特に重いとき

※ 管理業務主任者に対する監督処分としては、指示処分、事務禁止処分、登録の取消しがあるが、マンション管理士に対する監督処分としては、名称の使用停止処分、登録の取消しがある。

（６）指示及び事務の禁止（法64条）

① 指示処分

管理業務主任者が、次の行為をしたとき、国土交通大臣は、管理業務主任者に対し、必要な指示をすることができる（法64条１項）。

(ア) マンション管理業者に自己が専任の管理業務主任者として従事している事務所以外の事務所の専任の管理業務主任者である旨の表示をすることを許し、当該マンション管理業者がその旨の表示をしたとき

※ 専任の管理業務主任者は、事務所ごとに専属する常勤者であるため、２つの事務所の専任の管理業務主任者にはなれない。

(イ) 他人に自己の名義の使用を許し、当該他人がその名義を使用して管理業務主任者である旨の表示をしたとき

(ウ) 管理業務主任者として行う事務に関し、不正又は著しく不当な行為をしたとき

② 事務禁止処分

国土交通大臣は、管理業務主任者が前記①の指示処分事由のいずれかに該

当するとき、又は前記①の規定による指示に従わないときは、当該管理業務主任者に対し、１年以内の期間を定めて、管理業務主任者としてすべき事務を行うことを禁止することができる（法64条２項）。事務禁止処分を受けると、その禁止期間中、管理業務主任者は、重要事項の説明や重要事項説明書への記名、契約成立時に交付する書面への記名、管理事務の定期報告ができなくなる。

（７）管理業務主任者証の提示（法63条）・大臣への報告（法67条）

管理業務主任者は、その事務を行うに際し、マンションの区分所有者等その他の関係者から請求があったときは、管理業務主任者証を提示しなければならない（法63条）。

「その事務」とは、基幹事務を含む管理事務一般のことをいう。ただし、次の①～③の場合には、管理業務主任者は、マンションの区分所有者等関係者からの請求がなくても管理業務主任者証を自ら提示しなければならない（法72条４項、77条３項）。これに違反した者は、10万円以下の過料に処せられる（法113条２号）。

① 管理受託契約の内容及びその履行に関する重要事項について、マンションの区分所有者等及び管理組合の管理者等に対し、説明会において説明する場合（法72条１項）

② マンション管理業者が従前と同一の条件で管理受託契約を更新しようとする際に、管理組合の管理者等に対し、その履行に関する重要事項について書面を交付して説明する場合（法72条３項）

③ 管理組合の管理者等又はマンションの区分所有者等に対し、定期に、管理事務に関する報告をする場合（法77条１項・２項）

また、国土交通大臣は、管理業務主任者の事務の適正な遂行を確保するため必要があると認めるときは、その必要な限度で、管理業務主任者に対し、報告をさせることができる（法67条）。この報告は、国土交通大臣に対する報告である。

3 業務・義務

（1）業務処理の原則（法70条）

マンション管理業者は、信義を旨とし、誠実にその業務を行わなければならない。

これはマンション管理業者の業務処理の原則を宣言したものである。すなわち、マンション管理業者は、信義誠実を旨として、業務処理をしなさいとの趣旨である。この理念にのっとり、重要事項の説明や、契約成立時の書面の交付、財産の分別管理、情報開示などの業務規制を課しているのである。

（2）標識の掲示（法71条）

マンション管理業者は、その事務所ごとに、公衆の見やすい場所に、国土交通省令で定める標識を掲げなければならない。登録を受けたマンション管理業者であること等を委託者等に明らかにするため、登録番号、登録の有効期間、専任の管理業務主任者の氏名等を記載した標識を掲げることとされている（規則81条、別記様式26号）。

事務所ごとに掲示しなければならないということは、本店と事務所（国総動51号に定義される）ごとに標識を掲げなければならないということである。

〔別記様式第26号（第81条関係）〕

標　識

マンション管理業者票	
登録番号	国土交通大臣（　）第　　号
登録の有効期間	年　月　日から　年　月　日まで
商号、名称又は氏名	
代表者氏名	
この事務所に置かれている専任の管理業務主任者の氏名	
主たる事務所の所在地	電話番号　（　）

35cm以上（横）　30cm以上（縦）

※　令和６年６月30日に一部改正。改正概要は次のとおり。
・標識の記載事項から「この事務所に置かれている専任の管理業務主任者の氏名」を削除

・記載事項の減少に伴い、標識の縦の長さを「30cm 以上」から「25cm 以上」に変更
　なお、マンション管理業者においては、標識と同様の内容をウェブサイト上にも掲示することを推奨。

（3）重要事項の説明義務（法72条1項、規則84条）

マンション管理業者は、管理組合から管理事務の委託を受けることを内容とする契約（以下「管理受託契約」という。）を締結しようとするときは、あらかじめ、国土交通省令の定めるところにより説明会を開催し、当該管理組合を構成するマンションの区分所有者等及び当該管理組合の管理者等に対し、管理業務主任者をして、管理受託契約の内容及びその履行に関する事項であって国土交通省令で定めるもの（以下「重要事項」という。）について説明をさせなければならない。

※　重要事項説明についての詳細は、第3編「2　重要事項の説明（法72条）」を参照。

（4）契約成立時の書面の交付（法73条1項、規則85条）

マンション管理業者は、管理組合から管理事務の委託を受けることを内容とする契約を締結したときは、当該管理組合の管理者等に対し、遅滞なく、「管理事務の対象となるマンションの部分」等を記載した書面を交付しなければならない。

※　契約成立時の書面の交付についての詳細は、第3編「3　契約の成立時の書面の交付（法73条）」を参照。

（5）再委託の制限（法74条）

マンション管理業者は、管理組合から委託を受けた管理事務のうち基幹事務については、これを一括して他人に委託してはならない。管理事務のうち、管理組合の会計の収入及び支出の調定及び出納並びにマンション（専有部分を除く。）の維持又は修繕に関する企画又は実施の調整は、基幹事務である。この基幹事務を受託するマンション管理業者については、登録制度を設け、受託契約締結前の重要事項説明等の業務規制を課すこととしている。このため、登録制度を否定することにもつながりかねない基幹事務の他人への一括した委託を禁じているものである。ただし、一部再委託は可能である。

マンション管理業者が基幹事務を一括して他人に委託した場合には、国土交

通大臣は、1年以内の期間を定めて、その業務の全部又は一部の停止を命じることができる（法82条2号）。また、その情状が特に重いときは、国土交通大臣は、登録を取り消さなければならない。業務停止命令を無視して営業したときも登録を取り消さなければならない（法83条3号）。

（平成13年7月13日国総動51号）

通達第二　3　(2)再委託の制限（法第74条）

法第74条は、法第2条第6号に規定する基幹事務を全て一括で再委託することの禁止を規定したものであるが、基幹事務の全てを複数の者に分割して委託する場合についても再委託を禁止するものであること。

※　A管理業者が、管理組合から基幹事務の委託を受け、その後、会計事務はB管理業者、出納事務はC管理業者、維持修繕の企画・実施調整事務はD管理業者にそれぞれ再委託する場合は一括再委託に該当する。

（6）帳簿の作成等（法75条）

マンション管理業者は、管理組合から委託を受けた管理事務について、国土交通省令で定める帳簿を作成し、保存しなければならない。

【帳簿の記載事項等】施行規則86条

1　マンション管理業者は、管理受託契約を締結したつど、法第75条の帳簿に次に掲げる事項を記載し、その事務所ごとに、その業務に関する帳簿を備えなければならない。

一　管理受託契約を締結した年月日

二　管理受託契約を締結した管理組合の名称

三　契約の対象となるマンションの所在地及び管理事務の対象となるマンションの部分に関する事項

四　受託した管理事務の内容

五　管理事務に係る受託料の額

六　管理受託契約における特約その他参考となる事項

2　前項各号に掲げる事項が、電子計算機に備えられたファイル又は磁気ディスク等に記録され、必要に応じ当該事務所において電子計算機その他の機器を用いて明確に紙面に表示されるときは、当該記録をもって法第75条に規定する帳簿への記載に代えることができる。

3　マンション管理業者は、法第75条に規定する帳簿（前項の規定による記録が行われた同項のファイル又は磁気ディスク等を含む。）を各事業年度の末日をもって閉鎖するものとし、閉鎖後5年間当該帳簿を保存しなければならない。

※　管理受託契約帳簿の作成例として、1　物件別形式、2　一覧表形式を次に掲載してあるので、参考にすること。

管理受託契約帳簿　作成例１（物件別形式）

管理受託契約帳簿（マンション管理適正化法75条に基づく帳簿）

受付番号　○○年度―○○○

1．管理受託契約を締結した年月日

(1)　契約の締結日

○○年○○月○○日

(2)　契約の有効期限

○○年○○月○○日～○○年○○月○○日

2．管理受託契約を締結した管理組合の名称

○○○○○○○○○管理組合

3．契約の対象となるマンションの所在地及び管理事務の対象となるマンションの部分に関する事項

標準管理委託契約書第２条の部分(1)～(4)

(1)　マンションの所在地

○○○○○○○○○○○○○○○○○

(2)　敷地

面積　○○○.○○m²　　権利形態　　所有権の共有

(3)　建物

構造等　○○造　　地上　○○階建　地下　○階建

建築面積○○○.○○m²　　延床面積○,○○○.○○m²

専有部分　○○戸（住宅　○○戸・店舗　○戸）

(4)　管理対象部分

イ．敷地、ロ．専有部分に属さない建物の部分（規約共用部分を除く）、ハ．専有部分に属さない建物の附属物、ニ．規約共用部分、ホ．附属施設

4．受託した管理事務の内容

標準管理委託契約書第３条及び別表第１～第４

(1)　事務管理業務

基幹事務、基幹事務以外の事務管理業務

(2)　管理員業務

通勤方式

(3) 清掃業務

日常清掃、特別清掃

(4) 建物・設備等管理業務

建物点検・検査、エレベーター設備、給水設備、浄化槽・排水設備、電気設備、消防用設備等、機械式駐車場設備

(5) ○○業務

○○○業務、○○○業務

契約業務を適宜追加して記入

5．管理事務に係る受託料の額

定額委託業務費の月額　○,○○○,○○○円（消費税額等含む）

6．管理受託契約における特約その他参考となる事項

事例：①オプションとして該当年度に実施する業務（大規模修繕のコンサルティング、複数年に1回の排水管洗浄、その他）②一定期間、ある時期以降に仕様変更となる業務（大規模修繕期間の清掃業務、給水設備変更に伴う保守点検の見直し、その他）③会社の標準版委託契約書とは異なる部分がある場合のその内容、等

管理受託契約帳簿　作成例２（一覧表形式）

管理受託契約帳簿（マンション管理適正化法75条に基づく帳簿）

○○年度

受付番号	①契約の締結日	契約の有効期限		②管理受託契約を締結した管理組合の名称	③契約の対象となるマンションの所在地		管理事務の対象となるマンションの部分				④受託した管理事務の内容	⑤管理事務に係る受託料の額	⑥管理受託契約における特約その他参考となる事項
		開始	満了				敷地/m²	建物延面積/m²	戸数/戸	管理対象部分		月額/円（消費税を含む）	
101	2023/4/30	2023/5/1	2024/4/30	○○○マンション管理組合	○○県○○市	○○○1-1-1	○○○.○○	○○○○.○○	○○	イロハニホ	a b c d e f	○,○○○,○○○	
102	2023/5/30	2023/6/1	2024/5/31	△△△マンション管理組合	東京都世田谷区	○○○2-2-2	○○○.○○	○○○○.○○	○○	イロハニホ	a b c d e f	○○○,○○○	
103	2023/6/30	2023/7/1	2024/6/30	◎◎◎◎団地管理組合	○○県○○市	○○○3-3-3	○○○.○○	○○○○.○○	○○	イロハニホ	a b d e	○○○,○○○	

〈凡例〉③管理事務の対象となるマンションの部分―管理対象部分

イ　敷地
ロ　専有部分に属さない建物の部分（規約共用部分を除く）
ハ　専有部分に属さない建物の附属物
ニ　規約共用部分
ホ　附属施設

④受託した管理事務の内容

a　事務管理業務（基幹事務）
b　事務管理業務（基幹事務以外）
c　管理員業務
d　清掃業務
e　建物・設備等管理業務
f　緊急対応業務
g
・
・

（７）財産の分別管理（法76条、規則87条）

マンション管理業者は、管理組合から委託を受けて管理する修繕積立金その他国土交通省令で定める財産については、整然と管理する方法として国土交通省令で定める方法により、自己の固有財産及び他の管理組合の財産と分別して管理しなければならない（これを財産の分別管理という。）。

①　収納口座、保管口座、収納・保管口座とは

(a)　収納口座（規則87条６項１号）

区分所有者等から徴収された修繕積立金・管理費等を預け入れ、一時的に預貯金として管理するための口座。口座名義は、管理組合等、管理業者のいずれでも可。

ただし、翌月末日までに管理事務に要した費用を差し引いた残額を、次の(b)の保管口座に移し換えなければならない。

(b)　保管口座（同条６項２号）

区分所有者等から徴収された修繕積立金を預け入れ、又は収納口座から管理事務に要した費用を差し引いた残額を移し換え、これらを預貯金として管理するための口座。口座名義は管理組合等でなければならない。

(c)　収納・保管口座（同条６項３号）

区分所有者等から徴収された修繕積立金・管理費等を預け入れ、預貯金として管理するための口座。口座名義は管理組合等でなければならない。

②　規則87条２項１号イ、ロ、ハとは

収納口座と保管口座を設ける場合には、規則87条２項１号イ又はロの方法として、管理事務のために支払った残額（修繕積立金を含めて）を翌月末日までに収納口座から保管口座へ移し換えることを義務付けた。一方、収納口座や保管口座を設けない場合には、収納・保管口座において預貯金として管理する同号ハの方法とした。

(a)　財産の分別管理の方法（同条２項１号イ又はロ関係）

収納口座と保管口座との分離を明確にしたうえで、毎月、その月分としてマンションの区分所有者等から徴収された修繕積立金等金銭から当該月中に管理事務に要した費用を控除した残額を、翌月末日までに収納口座から保管口座へ移し換えることを義務付けた。

イとロの方法の違いは、イの場合は、修繕積立金が収納口座を経由して

保管口座に預入されるが、ロの場合は、修繕積立金は収納口座を経由せず保管口座に直接預入されることである。

イの方法

※　マンションの区分所有者等から徴収された修繕積立金等金銭を収納口座に預入し、毎月、その月分として徴収された修繕積立金等金銭から当該月中の管理事務に要した費用を控除した残額を、翌月末日までに収納口座から保管口座に移し換え、当該保管口座において預貯金として管理する方法

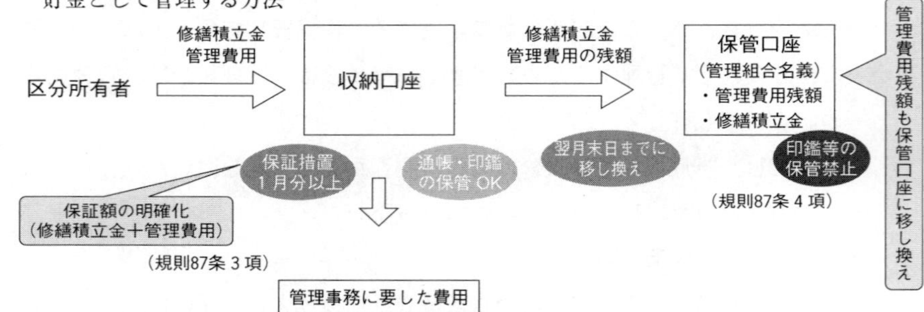

ロの方法

※　マンションの区分所有者等から徴収された修繕積立金を保管口座に預入し、当該保管口座において預貯金として管理するとともに、マンションの区分所有者等から徴収された財産を収納口座に預入し、毎月、その月分として徴収された規則87条1項に規定する財産から当該月中の管理事務に要した費用を控除した残額を、翌月末日までに収納口座から保管口座に移し換え、当該保管口座において預貯金として管理する方法

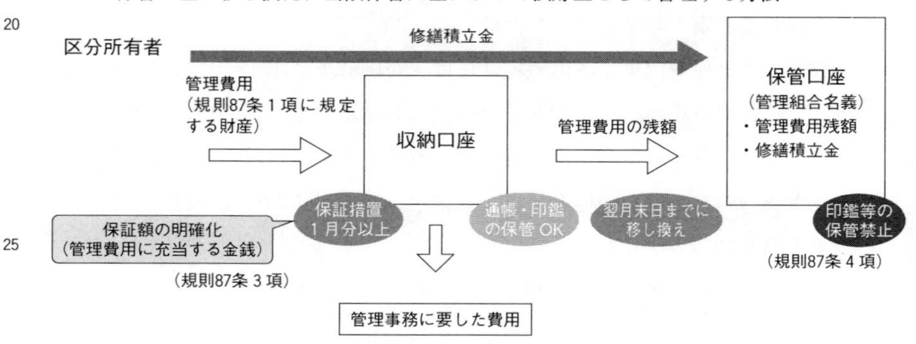

(b)　財産の分別管理の方法（同条2項1号ハ関係）

収納口座や保管口座を設けない場合には、収納・保管口座において預貯金として管理する方法とする（マンションの区分所有者等から徴収された修繕積立金等金銭を収納・保管口座に預入し、当該収納・保管口座におい

て預貯金として管理する方法)。

ハの方法

※　マンションの区分所有者等から徴収された修繕積立金等金銭を収納・保管口座に預入し、当該収納・保管口座において預貯金として管理する方法

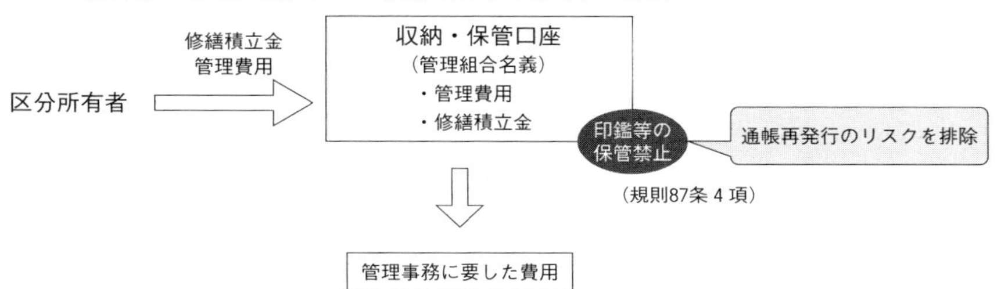

③　留意事項

なお、修繕積立金等金銭をマンション管理業者又はマンション管理業者から委託を受けた者がマンションの区分所有者等から徴収する場合の当該マンション管理業者又はマンション管理業者から委託を受けた者を名義人とする口座は、収納口座に該当する。

このことから、マンション管理業者又はマンション管理業者から委託を受けた者が保管口座又は収納・保管口座に預入するため、マンションの区分所有者等から修繕積立金又は修繕積立金等金銭を徴収する場合は、規則87条2項1号ロ又はハの方法には該当せず、同号イの方法により管理する必要がある。ただし、当該修繕積立金又は修繕積立金等金銭がマンションの区分所有者等からマンション管理業者が受託契約を締結した管理組合等の保管口座又は収納・保管口座に直接預入される場合は、この限りではない。

また、収納・保管口座と称していても、当該口座以外に収納口座や保管口座に相当する口座がある場合には、ハの方法とは認められず、イ又はロの方法により管理することになる。これは、管理事務に要した費用を控除した残額を収納口座から保管口座へ移し換える義務を逃れることを排除するためである。

（参考）規則87条２項に規定する財産の分別管理の方法

	イ	ロ	ハ
収納口座 （徴収された修繕積立金等金銭を預入し、一時的に預貯金として管理する口座）	①　保証契約を前提に、管理組合等名義又は管理業者名義のどちらでも可 ②　保証契約を前提に、管理業者による印鑑等の保管可 ③　管理業者による通帳の保管可	同左	
保管口座 （徴収された修繕積立金を預入し、又は修繕積立金等金銭の残額を〈収納口座〉から移し換え、これらを預貯金として管理する口座）	①　管理組合等名義のみ可 ②　管理業者による印鑑等の保管禁止 ③　管理業者による通帳の保管可	同左	
収納・保管口座 （徴収された修繕積立金等金銭を預入し、預貯金として管理する口座）			①　管理組合等名義のみ可 ②　管理業者による印鑑等の保管禁止 ③　管理業者による通帳の保管可
保証契約の額	１月分の修繕積立金等金銭の合計額以上	１月分の管理費用に充当する金銭の合計額以上	
収納口座から保管口座への移し換えの対象金銭	修繕積立金等金銭から管理事務に要した費用を控除した残額（修繕積立金十管理費用の残額）	管理費用に充当する金銭から管理事務に要した費用を控除した残額（管理費用の残額）	

※　修繕積立金等金銭とは、修繕積立金及び規則87条１項に規定する財産（管理組合又はマンションの区分所有者等から受領したもので、敷地及び共用部分等の管理に要する費用に充当する金銭）である。

※　イとロの方法の違いは、イの場合は修繕積立金が収納口座を経由して保管口座へ預入されるが、ロの場合は修繕積立金は収納口座を経由せず保管口座に直接預入される。このことから、規定上必要な保証契約の額及び収納口座から保管口座へ移し換える金銭が修繕積立金の分だけ少なくなるのがロの方法である。

④ 保証契約の締結（規則87条3項関係）

収納口座は、マンション管理業者が管理組合の出納業務を行ううえで日常的に関与する頻度が高いため、マンション管理業者に管理組合等の印鑑、預貯金の引出用のカードその他これらに類するものを管理することを認める一方、こうした場合の収納口座における毀損リスクを低減するため、イの方法による場合にあっては原則として、マンションの区分所有者等から徴収される1月分の修繕積立金等金銭の合計額以上の額につき有効な保証契約を締結することをマンション管理業者に義務付けた。

ロの方法による場合にあっては、1月分の管理費用に充当する金銭の額の合計額以上の額について有効な保証契約を締結することを義務付けた。

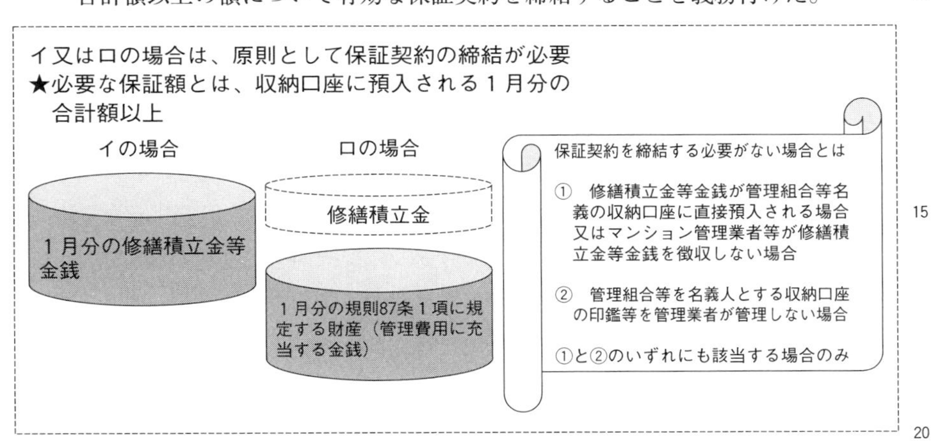

⑤ 印鑑等の管理の禁止（規則87条4項関係）

保管口座又は収納・保管口座は、主に修繕積立金を保管するための口座であるため、支払等は日常的には発生せず、口座残高も多額となる場合が多くなる。そのため、保管口座の名義は管理組合等を名義人とし、マンション管理業者が当該口座に係る印鑑及び預貯金の引出用のカードその他これらに類するものを管理することを禁止した。ただし、管理組合に管理者等が置かれていない場合において、管理者等が選任されるまでの比較的短い期間に限り保管することができる。

⑥ 会計の収支状況に関する書面の交付（規則87条5項関係）

管理組合財産の毀損リスクを低減するためには、管理組合が管理組合財産の状況をタイムリーにかつ正確に把握することが、上記の措置の実効性を確保するうえで必要である。そのため、マンション管理業者（管理業者が修繕積立金等金銭を管理する場合）に対し、毎月、会計の収入及び支出の状況に関する書面を作成させ、翌月末日までに、当該書面を管理組合の管理者等へ交付することを義務付けた（5項書面）。なお、会計の収入及び支出の状況に関する書面の管理組合への交付は、管理組合があらかじめ電磁的方法によることを承諾している場合には、電子メール等により交付することも可能である。

この場合、マンション管理業者による交付方法が書面での交付に併せ、電磁的方法による交付もできることを管理組合へ説明し、標準管理委託契約書別表第1　事務管理業務　1　基幹事務（1）管理組合の会計の収入及び支出の調停　③　収支状況の報告に、「あらかじめ管理組合が、5項書面の交付に代えて電磁的方法による交付を承諾した場合には、マンション管理業者は、電磁的方法による交付を行うことができる」ことを明記、管理組合とマンション管理業者とで合意が得られれば、対応することもできる。

なお、その後、管理者等から、電磁的方法による交付を受けない旨の申出があったときは、従前の書面交付が求められること、また、交付した電磁的方法による5項書面は、管理者等側でパソコン画面等で直ちに明瞭に表示でき、かつその書面を出力できるようにしておくことも必要である。

当該管理組合に管理者等が置かれていないときは、当該書面の交付に代えて、対象月の属する当該管理組合の事業年度の終了の日から2月を経過する日までの間、当該書面をその事務所ごとに備え置き、当該管理組合を構成するマンションの区分所有者等の求めに応じ、当該マンション管理業者の業務時間内において、これを閲覧させなければならない。

⑦　有価証券の管理（規則87条2項2号関係）

修繕積立金等が有価証券である場合、金融機関又は証券会社に、当該受託有価証券の保管場所を自己の固有財産及び他の管理組合の財産である有価証券の保管場所と明確に区分させ、かつ、当該受託有価証券が受託契約を締結した管理組合の有価証券であることを判別できる状態で管理させる方法によるものとする。

⑧　預貯金、有価証券の種類

預貯金とは、預金保険法2条2項に規定する預金等及び郵便貯金法7条1項に規定する郵便貯金（郵便貯金法は2007年10月に廃止、現在は㈱ゆうちょ銀行の通常貯金）をいい、有価証券とは、小切手、各種債権（国債証券、社債券等）、商品券等私法上の財産権を化体する証券で、その権利の行使が証券によってされるべきもの等をいうものであり、MMF及びマンション管理組合向け積立型火災保険に係る証券等もこれに含まれる。

（※　平成14年４月24日付国総動88号国土交通省総合政策局不動産業課長通達）

●一部改正省令についての通達

平成21年５月１日、マンション管理適正化法の施行規則の一部を改正する省令が公布され、財産の分別管理の方式が変更された。同省令は１年後の平成22年５月１日から施行されている。次はその改正省令の施行についての通達である。

（平成21年９月９日国総動47号）

マンションの管理の適正化の推進に関する法律施行規則の一部を改正する省令の施行等について

第一　一部改正省令関係

１　改正趣旨

平成13年８月１日に施行されたマンションの管理の適正化の推進に関する法律（平成12年法律第149号。以下「法」という。）により、マンション管理業者の登録制度を創設するなどマンションの管理の適正化を推進する措置が講じられたところであるが、マンション管理業者が管理組合から委託を受けて行う出納業務において、一部のマンション管理業者の横領事件等により管理組合の財産が毀損されるという事態が依然生じている。

こうしたことから、管理組合財産の毀損リスクを低減するため、

(1)　収納口座と保管口座との分離を明確にした上で、毎月、その月分として徴収された修繕積立金等金銭から当該月中に管理事務に要した費用を控除した残額を、翌月末日までに収納口座から保管口座へ移し換えることを義務付けること

(2)　収納口座は、マンション管理業者が管理組合の出納業務を行う上で日常的に関与する頻度が高いため、マンション管理業者に管理組合等の印鑑、預貯金の引出用のカードその他これらに類するものを管理することを認める一方、こうした場合の収納口座における毀損リスクを回避する

ため、マンションの区分所有者等から徴収される１月分の修繕積立金等金銭の合計額以上の額につき有効な保証契約を締結することをマンション管理業者に義務付けること

(3) 保管口座は、主に修繕積立金を保管するための口座であるため、支払等は日常的には発生せず、口座残高も多額となる場合が多いことから、保管口座の名義は管理組合等を名義人とし、マンション管理業者が当該口座に係る印鑑及び預貯金の引出用のカードその他これらに類するものを管理することを禁止すること

(4) 収納口座と保管口座を設けない場合には、収納・保管口座において預貯金として管理する方法とすること

(5) 上記の措置の実効性を確保するため、マンション管理業者に対し、毎月、会計の収入及び支出の状況に関する書面の作成及び管理組合等への交付を義務付けること

等の措置を講ずるものである。

2 財産の分別管理について

(1) 規則第87条第２項第１号関係

① 規則第87条第２項第１号イ又はロの管理の方法は、毎月、その月分として徴収された修繕積立金等金銭又は同条第１項に規定する財産（金銭に限る。以下「第１項に規定する財産」という。）から当該月中の管理事務に要した費用を控除した残額を、翌月末日までに収納口座から保管口座に移し換えることを規定している。ここでの「その月分として徴収された修繕積立金等金銭又は第１項に規定する財産」とは、「その月分」の該当月の末日までに、その月分として徴収された修繕積立金等金銭又は第１項に規定する財産をいう。ただし、同条第５項で規定する管理組合の会計の収入及び支出の状況に関する書面（以下「５項書面」という。）の内容を確定させる前までに、その月分の修繕積立金等金銭又は第１項に規定する財産として収納口座に預入された金銭を含めることを妨げない。なお、その月分及びその月分より前の分の修繕積立金等金銭又は第１項に規定する財産の滞納金が収納口座に預入されたときは、速やかに保管口座に移し換えること。

また、「当該月中の管理事務に要した費用」とは、当該月において

管理事務に要した費用として支出した金銭をいう。ただし、当該月に行った管理事務に要した費用であって翌月内に支出する金銭のうち5項書面の内容の確定時までにその支出額が確定したものを含めることを妨げない。当然この場合は、当該費用は翌月に行う管理事務に要した費用の算出には含めない。

② 修繕積立金等金銭又は第1項に規定する財産を収納口座に預入する場合において、規則第87条第3項各号のいずれにも該当し、かつ、その月分として徴収された修繕積立金等金銭又は第1項に規定する財産から当該月中の管理事務に要した費用を控除した残額を引き続き当該収納口座において管理することを管理組合等が承認している場合には、同条第2項第1号イ又はロに規定する方法としてその月分として徴収された修繕積立金等金銭又は第1項に規定する財産から当該月中の管理事務に要した費用を控除した残額を、翌月末日までに収納口座から保管口座に移し換え、当該保管口座において預貯金として管理しているものと解して差し支えない。

③ 一部改正省令の施行後に収納口座とする口座に管理組合等の剰余金がある場合には、その月分の修繕積立金等金銭が最初に収納口座に預入され次第、当該剰余金は、速やかに保管口座に移し換えるべきである。ただし、収納口座の名義人が管理組合等である場合には、各管理組合の実情に応じて、マンション管理業者が管理組合と協議をして、当該剰余金のうち管理組合が承認した必要最低限の額を収納口座に残すことは差し支えない。

④ 修繕積立金等金銭をマンション管理業者又はマンション管理業者から委託を受けた者がマンションの区分所有者等から徴収する場合の当該マンション管理業者又はマンション管理業者から委託を受けた者を名義人とする口座は、収納口座に該当するものであること。

このことから、マンション管理業者又はマンション管理業者から委託を受けた者が保管口座又は収納・保管口座に預入するためマンションの区分所有者等から修繕積立金又は修繕積立金等金銭を徴収する場合は、規則第87条第2項第1号ロ又はハに規定する方法には該当せず、同号イの方法により管理する必要があること。ただし、当該修繕積立金又は修繕積立金等金銭がマンションの区分所有者等からマンション管理業者が受託契約を締結した管理組合等の保管口座又は収納・保管口座に直接預入される場合は、この限りではない。

(2) 規則第87条第3項関係

① 規則第87条第3項に規定する保証契約とは、マンション管理業者が第三者との間で締結する契約であって、当該マンション管理業者が管理組合に対して修繕積立金等金銭の返還債務を負うこととなったときに当該第三者がその返還債務を保証することを内容とする契約であり、保証契約の対象となる「マンションの区分所有者等から徴収される1月分の修繕積立金等金銭又は第1項に規定する財産の合計額」とは、原則として、マンションの区分所有者等から毎月又はそれ以外で定期的に徴収されるべき修繕積立金等金銭又は第1項に規定する財産の額をいい、臨時に要する費用として特別に徴収される金銭は含まないものとする。

② 規則第87条第3項第1号において修繕積立金等金銭又は第1項に規定する財産がマンションの区分所有者等からマンション管理業者が受託契約を締結した管理組合等を名義人とする収納口座に直接預入される場合を規定しているが、これは、マンション管理業者と金融機関が預金口座振替契約を締結し、修繕積立金等金銭又は第1項に規定する財産をマンションの各区分所有者等の口座から管理組合等を名義人とする収納口座に振り替える場合などが該当するものであること。

③ 「有効な保証契約」とは、マンション管理業者が保証契約を締結していなければならないすべての期間にわたって、規則第87条第3項に規定する保証契約を締結していることが必要であるとの趣旨である。したがって、管理委託契約の契約期間の途中で保証契約の期間が満了する場合には、当該保証契約の更新等をしなければならない。

(3) 規則第87条第4項関係

規則第87条第4項においてマンション管理業者が保管口座又は収納・保管口座に係る管理組合等の印鑑、預貯金の引出用のカードその他これらに類するものは管理してはならないと規定されているが、これは、マンション管理業者が管理組合等の預貯金を自らの裁量で払い出すことを禁止する趣旨であり、インターネットバンキングに係るパスワードの保持等それをもってマンション管理業者が管理組合等の預貯金を自らの裁量で払い出すことができる方法も、当然のことながら、本規定により禁止されること。

なお、保管口座又は収納・保管口座に係る管理組合等が管理する印鑑とは別に当該口座に係る印鑑をマンション管理業者が管理する場合で、管理組合等が管理する印鑑とマンション管理業者が管理する印鑑が揃って初めて当該口座から修繕積立金等金銭が引き出せる方式となっている場合は、マンション管理業者が当該口座に係る印鑑を管理していないものとみなしても差し支えないこと。

(4) 規則第87条第5項関係

5項書面とは、一般会計、修繕積立金会計等委託者たる管理組合の会計区分ごとの収支状況及び収納状況が確認できる書面をいう。

なお、マンション管理業者が管理者等に選任された場合において、マンション管理業者以外の管理者等が存在するときは、当該者に対して5項書面を交付することが望ましいこと。

3 契約の成立時の書面の交付について（法第73条）

(1) 保証契約について

規則第87条第3項に規定する保証契約は、管理受託契約の内容に関わるものであるから、法第73条第1項第2号に該当し、同条に基づく契約成立時の書面に、a. 保証する第三者の名称、b. 保証契約の名称、c. 保証契約の額及び範囲、d. 保証契約の期間、e. 更新に関する事項、f. 解除に関する事項、g. 免責に関する事項、h. 保証額の支払に関する事項等保証契約の内容を記載すべきものである。また、原則として、当該契約の保証書や保証契約の締結を証する書面を添付すべきである。なお、fからhまでに関する項目は、この保証書等を添付することにより、これらが確認できる場合には、記載を省略することができること。

(2) 預貯金通帳等の保管について

預貯金通帳等の保管については、法第76条の規定により管理する財産の管理の方法として、収納口座、保管口座又は収納・保管口座ごとに、保管現物（預貯金通帳、印鑑等）の種類とその保管者（マンション管理業者、管理組合）を法第73条に規定する契約の成立時の書面に明記することが望ましいこと。

第二　関係通達の一部改正関係

1　「マンションの管理の適正化の推進に関する法律の施行について」（平成13年７月31日付け国総動第51号）を次のように改正する。

記第二３(3)イ）中「規則第87条第２項は、財産分別管理の方法として「管理組合又はその管理者等を名義人とする口座において預貯金として管理する方法」」を「規則第87条第６項第２号及び第３号は、保管口座又は収納・保管口座の名義人として「管理組合等を名義人とするものをいう」」に改める。

記第二３(3)ロ）中「規則第87条第２項」を「規則第87条第６項第２号に定める保管口座及び同項第３号に定める収納・保管口座」に改める。

2　「マンションの管理の適正化の推進に関する法律第72条に規定する重要事項の説明等について」（平成14年２月28日付け国総動第309号）を次のように改正する。

別添様式中第四面、第五面及び第六面を本通達の別添様式第四面、第五面及び第六面のように改める。

3　「マンションの管理の適正化の推進に関する法律に基づく財産の分別管理等について」（平成14年４月24日付け国総動第88号）を次のように改正する。

「第一　財産の分別管理について」を「第一　有価証券の保管について」に改める。

記第一１を削る。

記第一２中「２　有価証券の保管について」を削り、「法施行規則第87条第２項」を「法施行規則第87条第２項第２号」に改める。

（８）管理事務の報告（法77条）

マンション管理業者は、定期に管理者等に対し、管理業務主任者をして当該管理事務に関する報告をさせなければならない。

※　管理事務の報告についての詳細は、第３編「４　管理事務の報告（法77条）」を参照。

（9）管理業務主任者としてすべき事務の特例（法78条）

マンション管理業者は、居住の用に供する独立部分の数が5以下のマンションの管理業務（法56条1項ただし書に規定する管理事務以外の管理事務）については、管理業務主任者に代えて、当該事務所を代表する者又はこれに準ずる地位にある者をして、管理業務主任者としてすべき事務を行わせることができる。

例えば、大部分が事務所用で、居住用独立部分が5以下であるマンションのみの管理事務を行う事務所では管理業務主任者を設置する必要がない。この場合、重要事項の説明や、重要事項説明書への記名などの管理業務主任者がすべき事務を、事務所の代表者に行わせることができる。

（10）書類の閲覧（法79条）

マンション管理業者は、国土交通省令で定めるところにより、当該マンション管理業者の業務及び財産の状況を記載した書類をその事務所ごとに備え置き、その業務に係る関係者の求めに応じ、これを閲覧させなければならない。

> 【書類の閲覧】施行規則90条
>
> 1　法第79条に規定するマンション管理業者の業務及び財産の状況を記載した書類は、別記様式第27号による業務状況調書、貸借対照表及び損益計算書又はこれらに代わる書面（以下この条において「業務状況調書等」という。）とする。
>
> 2　業務状況調書等が、電子計算機に備えられたファイル又は電磁的記録媒体に記録され、必要に応じ事務所ごとに電子計算機その他の機器を用いて明確に紙面に表示されるときは、当該記録をもって法第79条に規定する書類への記載に代えることができる。この場合における法第79条の規定による閲覧は、当該業務状況調書等を紙面又は当該事務所に設置された入出力装置の映像面に表示する方法で行うものとする。
>
> 3　マンション管理業者は、第1項の書類（前項の規定による記録が行われた同項のファイル又は電磁的記録媒体を含む。次項において同じ。）を事業年度ごとに当該事業年度経過後3月以内に作成し、遅滞なく事務所ごとに備え置くものとする。

4　第１項の書類は、事務所に備え置かれた日から起算して３年を経過する日までの間、当該事務所に備え置くものとし、当該事務所の営業時間中、その業務に係る関係者の求めに応じて閲覧させるものとする。

〔別記様式第27号（第90条関係）〕

業務状況調書　　　　（Ａ４）

管理受託契約の実績

期間 ＼ 内容	年　月　日から　年　月　日までの１年間
受託契約件数	
受託契約額（千円）	
受託組合数	
受託棟数	
受託戸数	

備考　「期間」の欄には、事業年度を記入すること。

(11) 秘密保持義務（法80条、87条）

マンション管理業者は、正当な理由（例えば、裁判で証人として供述を求められた場合など）がないのに、その業務に関して知り得た秘密を漏らしてはならない。この秘密保持義務は、マンション管理業者でなくなった後においても、同様とする（法80条）。また、マンション管理業者の使用人その他の従業者は、正当な理由がなく、マンションの管理に関する事務を行ったことに関して知り得た秘密を漏らしてはならない。マンション管理業者の使用人その他の従業者でなくなった後においても、同様とする（法87条）。

マンション管理業者は、管理組合から基幹事務を含む管理事務の実施の委託を受ける者であるから、マンション管理業者及びその従業者は、管理組合の財産の内容、各区分所有者の私生活などの秘密に接する機会が多い。このため、マンション管理業者及びその従業者にその業務に関して知り得た秘密について保持義務を課すことにした。これに違反した場合、マンション管理業者は、国土交通大臣により、１年以内の業務の全部又は一部の停止命令を受ける場合があるほか、情状が特に重いとき、又は業務命令に違反したときは、登録の取消しを受けることとなる（法82条２号、83条３号）。また、マンション管理業者及びその従業者は、正当な理由がないのに秘密を漏らした場合には、30万円以下の罰金に処せられる（法109条１項８号）。ただし、告訴がなければ公訴を提起することができない（法109条２項）。

(12) 証明書の携帯等（法88条）

マンション管理業者は、国土交通省令で定めるところにより、使用人その他の従業者に、その従業者であることを証する証明書（別記様式29号）を携帯させなければ、その者をその業務に従事させてはならない（法88条１項）。また、マンション管理業者の使用人その他の従業者は、マンションの管理に関する事務を行うに際し、マンションの区分所有者等その他の関係者から請求があったときは、証明書を提示しなければならない（法88条２項）。

なお、令和３年３月１日付国不参51号に基づき、令和３年３月１日以降は、従業者の生年月日が削除された従業者証明書を携帯することになるが、従前の生年月日が記載された従業者証明書を引き続き、使用することは差し支えないものとする。

（平成13年７月31日国総動51号）

通達第二　３(5)　証明書の携帯等（法第88条、規則第93条）

法第88条に規定する「使用人その他の従業者」には、マンション管理業者が管理事務を委託した別の管理業者における当該管理事務の従業者も含むものとすることが望ましいこと。

〔別記様式第29号（第93条関係）〕

表

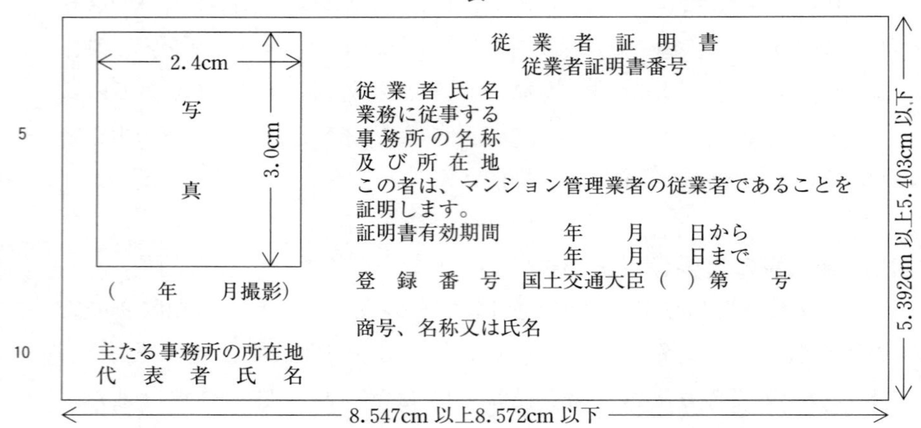

従　業　者　証　明　書
従業者証明書番号

2.4cm

3.0cm

写

真

（　　年　　月撮影）

従業者氏名
業務に従事する
事務所の名称
及び所在地

この者は、マンション管理業者の従業者であることを証明します。

証明書有効期間　　年　　月　　日から
　　　　　　　　　年　　月　　日まで

登録番号　国土交通大臣（　）第　　号

商号、名称又は氏名

主たる事務所の所在地
代表者氏名

8.547cm 以上8.572cm 以下

5.392cm 以上5.403cm 以下

裏

備　考

マンションの管理の適正化の推進に関する法律抜すい

第88条　マンション管理業者は、国土交通省令で定めるところにより、使用人その他の従業者に、その従業者であることを証する証明書を携帯させなければ、その者をその業務に従事させてはならない。

2　マンション管理業者の使用人その他の従業者は、マンションの管理に関する事務を行うに際し、マンションの区分所有者等その他の関係者から請求があったときは、前項の証明書を提示しなければならない。

備　考

1　従業者証明書番号の付し方は、次の方法によること。

(1)　第1けた及び第2けたには、当該従業者が雇用された年を西暦で表したときの西暦年の下2けたを記載するものとする。

(2)　第3けた及び第4けたには、当該従業者が雇用された月を記載するものとする。ただし、その月が1月から9月までである場合においては、第3けたは0とし、第4けたにその月を記載するものとする。

(3)　第5けた以下には、従業者ごとに、重複がないように付した番号を記載するものとする。

2　業務に従事する事務所に変更があったときは、裏面に変更後の内容を記入すること。

3　従業者の現住所等必要な事項がある場合には、裏面に記入すること。

4　用紙の色彩は青色以外とすること。

5　証明書の有効期間は5年以下とすること。

(13) 新築工事が完了した後において区分所有権の目的である部分を最初に分譲したマンションの設計図書の交付について（法103条１項、規則101条）

マンションの設計図書の交付は、マンション管理業者の義務ではない。マンションの管理を適正に行うようにするため国土交通省は、宅地建物取引業者がマンションを分譲した場合において、設計に関する図書を管理組合の管理者等に交付するよう定めたものである。なお、「分譲した」とは、新築工事が完了した後において区分所有権の目的である部分を最初に分譲したときである（平成13年７月31日国総動51号通達）。

① 設計図書の交付等

マンションの管理を適正に行っていくためには、建物等の維持・修繕に係る長期的な計画をあらかじめ作成、的確に実施することが必要である。そのためには、構造等に関する情報が所有者や管理組合に対して適切に提供されることが重要である。宅地建物取引業者（宅地建物取引業法（昭和27年法律176号）２条３号に規定する宅地建物取引業者をいい、同法77条２項の規定により宅地建物取引業者とみなされる者を含む。）は、自ら売主として人の居住の用に供する独立部分がある建物（新たに建設された建物で人の居住の用に供したことがないものに限る。）を分譲した場合においては、１年（規則101条）以内に当該建物又はその附属施設の管理を行う管理組合の管理者等が選任されたときは、速やかに、当該管理者等に対し、当該建物又はその附属施設の設計に関する図書で国土交通省令で定めるものを交付しなければならない（法103条１項）。

また、宅地建物取引業者は、自ら売主として独立した居住用部分を含むマンションを分譲する場合においては、当該建物の管理が管理組合に円滑に引き継がれるよう努めなければならないこととされている（法103条２項）。

横浜市のマンションで発生した基礎杭工事の問題をうけて、平成28年に国土交通省より関係業界団体宛ての通知で「地盤に関する情報は構造計算書に含まれる」とし、交付する11種類の設計図書を明確化した。さらに、確認の申請が不要な軽微な変更においても内容を明確にする措置を講ずることが必要であるとした。

【法第103条第１項の国土交通省令で定める図書】施行規則102条

法第103条第１項の国土交通省令で定める図書は、次の各号に掲げる、工事が完了した時点の同項の建物及びその附属施設（駐車場、公園、緑地及び広場並びに電気設備及び機械設備を含む。）に係る図書とする。

一　付近見取図

二　配置図

三　仕様書（仕上げ表を含む。）

四　各階平面図

五　二面以上の立面図

六　断面図又は矩計図

七　基礎伏図

八　各階床伏図

九　小屋伏図

十　構造詳細図

十一　構造計算書

※　日影図は、交付すべき図書等には含まれていない。

②　設計図書以外の書類で引き継ぐことが望ましいもの

マンションの管理が管理組合に円滑に引き継がれるよう、新築マンションの売主たる宅地建物取引業者に対しては、マンションの引渡し後速やかに、規則102条に定める設計図書のほか下記の資料等も交付するよう求めることが望ましい。

なお、マンションを分譲してから１年以内に管理者等が選任されないときは、管理業者が設計図書を代理受領しておくことが望ましい。

㈠　設計図書関係書類

数量調書、竣工地積測量図　ほか

㈡　特定行政庁関係書類

建築確認申請書（建物、昇降機）、建築確認通知書（建物、昇降機）、検査済証、給水設備申請書等、排水設備申請書等　ほか

㈢　消防関係書類

防火対象物設置届、防火対象物使用開始届　ほか

(エ) 機械設備施設竣工調書、取扱説明書

(オ) 専有・共用機器取扱説明書

(カ) 専有・共用機器類完成図書

(キ) 近隣協定書等

(ク) 共用部分鍵及び鍵リスト

(ケ) 売買契約書関係書類

売買契約書、重要事項説明書、管理規約原本(承諾書等を綴じたもの)、販売図面、パンフレット、管理に係る覚書、アフターサービス規準、住宅性能評価証明書　ほか

(コ) その他

電気室借室契約書、電柱等土地使用契約書（電力会社、NTT)、大規模建築廃棄物保管場所設置届、建築協定書、備品リスト　ほか

③ 新築工事が完了した後において区分所有権の目的である部分を最初に分譲したマンションの売買契約の際の書面記載事項等について

マンションの売主たる宅地建物取引業者には、法103条２項に基づき、マンションの管理が管理組合に円滑に引き継がれるよう、少なくとも次に掲げる事項を購入者に説明するよう求めることが望まれる。

(ア) 初年度管理組合収支予算案

(イ) 初年度管理組合役員指名の方法

(ウ) 修繕積立金基金を徴収している場合は、当該基金の管理組合への引渡しの時期

(エ) 長期修繕計画案及び資金計画案を作成しているときは、その内容

4 監　督

マンション管理業者に対する監督処分としては、指示処分、業務停止処分、登録の取消しがある。マンション管理士に対しては、指示処分、業務停止処分という名称の処分はない。マンション管理士に対する監督処分としては、名称の使用停止処分、登録の取消しがある。

（1）指示処分（法81条）

国土交通大臣は、マンション管理業者が次の①～④のいずれかに該当するとき、又はマンション管理適正化法の規定に違反したときは、当該マンション管理業者に対し、必要な指示をすることができる。

① 業務に関し、管理組合又はマンションの区分所有者等に損害を与えたとき、又は損害を与えるおそれが大であるとき

② 業務に関し、その公正を害する行為をしたとき、又はその公正を害するおそれが大であるとき

③ 業務に関し他の法令に違反し、マンション管理業者として不適当であると認められるとき

④ 管理業務主任者が指示処分、事務禁止処分、登録の取消処分を受けた場合において、マンション管理業者の責めに帰すべき理由があるとき

（2）業務停止命令（法82条）

国土交通大臣は、マンション管理業者が次の①～⑦のいずれかに該当するときは、当該マンション管理業者に対し、１年以内の期間を定めて、その業務の全部又は一部の停止を命ずることができる。

① 業務に関し、他の法令に違反し、マンション管理業者として不適当であると認められるとき、又は管理業務主任者が指示処分、事務禁止処分、登録の取消処分を受けた場合において、マンション管理業者の責めに帰すべき理由があるとき

② 登録事項に変更があったのに30日以内に変更の届出をしなかったとき、名義貸しの制限に違反したとき、専任の管理業務主任者を２週間以内に補充しなかったとき、標識の掲示義務に違反したとき、重要事項の説明をしなかったとき、契約成立時に交付する書面の交付をしなかったとき、基幹事務を一括して他人に委託したとき、帳簿を作成しなかったとき、財産の分別管理をしなかったとき、管理事務の定期的報告をしなかったとき、秘密保持義務に違反したとき等

③ 指示処分（法81条）に従わないとき

④ マンション管理適正化法の規定に基づく国土交通大臣の処分に違反したとき

⑤　マンション管理業に関し、不正又は著しく不当な行為をしたとき

⑥　営業に関し、成年者と同一の行為能力を有しない未成年者である場合において、その法定代理人（法定代理人が法人である場合においては、その役員を含む。）が業務の停止をしようとするとき以前２年以内に、マンション管理業に関し不正又は著しく不当な行為をしたとき

⑦　法人である場合において、役員のうちに業務の停止をしようとするとき以前２年以内に、マンション管理業に関し不正又は著しく不当な行為をした者があるに至ったとき

（３）登録の取消し（法83条）

国土交通大臣は、マンション管理業者が次の①～③のいずれかに該当するときは、その登録を取り消さなければならない。

①　法47条（登録の拒否）１号、３号又は５号から11号までのいずれかに該当するに至ったとき

※　法47条　国土交通大臣は、登録申請者が１号～13号の各号のいずれかに該当するとき、又は登録申請書若しくはその添付書類のうちに重要な事項についての虚偽の記載があり、若しくは重要な事実の記載が欠けているときは、その登録を拒否しなければならない。

②　偽りその他不正の手段により登録を受けたとき

③　前記（２）の業務停止命令事由（法82条各号）のいずれかに該当し、その情状が特に重いとき、又は前記（２）の規定による業務停止の命令に違反したとき

（４）監督処分の公告（法84条）

国土交通大臣は、前記（２）の業務停止命令、前記（３）の登録の取消処分をしたときは、国土交通省令で定めるところにより、その旨を公告しなければならない。なお、前記（１）の指示処分に関しては公告はしない。

（５）報告（法85条）

国土交通大臣は、マンション管理業の適正な運営を確保するため必要があると認めるときは、その必要な限度で、マンション管理業を営む者に対し、報告をさせることができる。

（6）立入検査（法86条）

① 国土交通大臣は、マンション管理業の適正な運営を確保するため必要があると認めるときは、その必要な限度で、その職員に、マンション管理業を営む者の事務所その他その業務を行う場所に立ち入り、帳簿、書類その他必要な物件を検査させ、又は関係者に質問させることができる。

② 上記①の規定により立入検査を行う職員は、その身分を示す証明書を携帯し、かつ、関係者の請求があるときは、これを提示しなければならない。

③ 上記①に規定する権限は、犯罪捜査のために認められたものと解釈してはならない。

※ マンション管理適正化法に基づくマンション管理業者に対する監督処分の一層の透明性の向上と、違反行為等の抑制を図る目的で、「マンション管理業者の違法行為に対する監督処分の基準について」という通達が、国土交通省総合政策局長から㈳高層住宅管理業協会（現：(一社)マンション管理業協会）理事長あてに提示された（平成18年12月19日国総動90号）。その後、マンションの管理の適正化の推進に関する法律施行規則の一部改正にともない、この基準も一部改正が行われた（「マンション管理業者の違反行為に対する監督処分の基準の改正について」（平成23年６月１日国総動指８号））。

※ 例えば事実関係を確認するための資料の事前提供や事業者からの任意の意見聴取などの立入検査に付随した行為について、情報収集の遠隔化等を図るため、電子メールやWeb会議システムといったデジタル技術の活用が可能であると考えられるとされた（令和５年３月31日国不参79号）。

5｜罰　則（法106条～113条）

① １年以下の懲役又は50万円以下の罰金（法106条）

㈠ 偽りその他不正の手段により国土交通省に備えるマンション管理業者登録簿に登録（更新を含む。）を受けたとき

㈡ 無登録営業を行ったとき

㈢ 名義貸しを行ったとき

㈣ 業務停止の命令に違反して、マンション管理業を営んだとき

② １年以下の懲役又は30万円以下の罰金（法107条）

秘密保持義務に違反したマンション管理士

③ 30万円以下の罰金（法109条）

㈠ 計画作成都道府県知事等が認定管理者等に対し、管理計画認定マンションの管理の状況について報告を求めたにもかかわらず、報告しない、又は

虚偽の報告をした認定管理者等、国土交通大臣が管理業務主任者に事務の適正な遂行を確保するため、又はマンション管理業者にマンション管理業の適正な運営を確保するため報告を求めたにもかかわらず報告をしない、又は虚偽の報告をした管理業務主任者、マンション管理業者

(イ) マンション管理士の名称の使用停止期間中に、マンション管理士の名称を使用した者

(ウ) マンション管理士でないにもかかわらず、マンション管理士の名称を使用した者

(エ) 登録事項の変更の届出を懈怠、又は虚偽の届出をしたマンション管理業者

(オ) 成年者である専任の管理業務主任者を設置すべき事務所の規定に抵触する事務所を開設したり、又は既存の事務所が法56条（管理業務主任者の設置）に抵触しているにもかかわらず必要な措置を講じないマンション管理業者

(カ) 従業者に証明書を携帯させないマンション管理業者

(キ) 契約成立時の書面不交付、必要な事項不記載の書面交付又は虚偽記載書面を交付、電子情報処理組織を使用する方法で提供する場合に規定される事項を欠いた提供若しくは虚偽事項の提供をしたマンション管理業者

(ク) 管理業務主任者の記名のない契約成立時の書面を交付したマンション管理業者

(ケ) 秘密保持義務に違反したマンション管理業者、マンション管理業者の使用人その他の従業者

(コ) 国土交通大臣による立入り若しくは検査を拒み、妨げ、若しくは忌避し、又は質問に対し陳述をせず、若しくは虚偽の陳述をしたマンション管理業者

(サ) 保証業務に係る契約の締結の制限（法98条）の規定に違反して契約を締結した者

(シ) 事業計画書、収支予算書、事業報告書、収支決算書の提出をせず、又は虚偽の記載をした事業計画書、収支予算書、事業報告書若しくは収支決算書を提出した指定法人

④ **両罰規定（法111条）**

法人の代表者又は法人若しくは人の代理人、使用人その他の従業者が、その法人又は人の業務に関して、法106条、109条１項（２号、３号及び８号を除く。）の違反行為をしたときは、その行為者を罰するほか、その法人又は人に対しても、各本条の罰金刑を科する。

⑤ **20万円以下の過料（法112条）**

財務諸表等の備付け及び閲覧等（法41条の10第１項）の規定に違反して財務諸表等を備えて置かず、財務諸表等に記載すべき事項を記載せず、若しくは虚偽の記載をし、又は正当な理由がないのに法41条の10第２項各号の規定による請求を拒んだ登録講習機関

⑥ **10万円以下の過料（法113条）**

(ア) 廃業等の届出を怠ったマンション管理業者

(イ) 管理業務主任者証が効力を失ったとき等に国土交通大臣に管理業務主任者証を返納しない、法64条２項の規定（指示及び事務の禁止）による事務禁止処分を受けたときに管理業務主任者証を国土交通大臣に提出しない、又は重要事項説明若しくは管理業務の報告をするとき、管理業務主任者証を提示しない管理業務主任者

(ウ) 事務所ごとに標識を掲げないマンション管理業者

第３節 マンション管理適正化推進センター（法91条）

1 指　定

マンション管理適正化推進センター（以下「センター」という。）とは、管理組合によるマンションの管理の適正化の推進に寄与することを目的として設立された一般財団法人である（一般社団法人及び一般財団法人に関する法律の規定により設立された一般財団法人）。

センターは、国土交通大臣が全国に１つだけ指定する。このセンターとしては公益財団法人マンション管理センターが指定されている。

2｜センターの管理適正化業務（法92条）

センターは、次に掲げる業務を行うものとする。

① マンションの管理に関する情報及び資料の収集及び整理をし、並びにこれらを管理組合の管理者等その他の関係者に対し提供すること

② マンションの管理の適正化に関し、管理組合の管理者等その他の関係者に対し技術的な支援を行うこと

③ マンションの管理の適正化に関し、管理組合の管理者等その他の関係者に対し講習を行うこと

④ マンションの管理に関する苦情の処理のために必要な指導及び助言を行うこと

⑤ マンションの管理に関する調査及び研究を行うこと

⑥ マンションの管理の適正化の推進に資する啓発活動及び広報活動を行うこと

⑦ 前記①～⑥に掲げるもののほか、マンションの管理の適正化の推進に資する業務を行うこと

3｜センターの都道府県知事又は市町村長による技術的援助への協力（法92条の２）

センターは、マンション建替え円滑化法101条２項、163条２項又は216条２項の規定により都道府県知事又は市町村長から協力を要請されたときは、当該要請に応じ、同法101条１項、163条１項又は216条１項に規定する技術的援助に関し協力するものとする。

4｜センターへの情報提供等（法93条）

国土交通大臣は、センターに対し、管理適正化業務の実施に関し必要な情報及び資料の提供又は指導及び助言を行うものとする。

第4節 マンション管理業者の団体（法95条）

マンション管理業者の団体とは、国土交通大臣が指定するマンション管理業者の業務の改善向上を図ることを目的とした団体であり、マンション管理業者を社員（構成員）とする一般社団法人である。国土交通大臣は次の①～⑤に規定される業務を適正かつ確実に行うことができると認められるものを、その申請により指定することができる（法95条1項）。

この指定法人として一般社団法人マンション管理業協会があり、次に掲げる業務を行うものとする（法95条2項）。

① 社員の営む業務に関し、社員に対し、マンション管理適正化法又はマンション管理適正化法に基づく命令を遵守させるための指導、勧告その他の業務を行うこと

② 社員の営む業務に関する管理組合等からの苦情の解決を行うこと

③ 管理業務主任者その他マンション管理業の業務に従事し、又は従事しようとする者に対し、研修を行うこと

④ マンション管理業の健全な発達を図るための調査及び研究を行うこと

⑤ 上記①～④に掲げるもののほか、マンション管理業者の業務の改善向上を図るために必要な業務を行うこと

指定法人は、前記の業務のほか、国土交通省令で定めるところにより、社員であるマンション管理業者との契約により、当該マンション管理業者が管理組合又はマンションの区分所有者等から受領した管理費、修繕積立金等の返還債務を負うこととなった場合において、その返還債務を保証する業務（保証業務）を行うことができる（法95条3項）。

なお、指定法人が保証業務を行う場合においては、あらかじめ、国土交通省令で定めるところにより、国土交通大臣の承認を受けなければならない（法97条1項）。

第5節 マンション管理業者の役割と使命

1 区分所有建物の管理の委託

（1）管理業務の委託

マンションの管理の主体は、区分所有者（組合員）全員で構成する管理組合である。

区分所有法3条では、「区分所有者は、全員で、建物並びにその敷地及び附属施設の管理を行うための団体を構成し、この法律の定めるところにより、集会を開き、規約を定め、及び管理者を置くことができる」と定め、区分所有者は区分所有関係が生ずると同時に当然その団体の構成員となり、共同してマンションの管理、運営にあたることになる。この団体は特に区分所有法で「管理組合」とは明示されてはいないが、一般的には管理組合が結成され、その集会が団体の意思決定機関であり、管理者（一般的には管理組合理事長）が業務執行者に位置付けられる。

管理の主体である管理組合が、集会の意思に基づいて業務を行うにあたっては、区分所有者から選出された数名の代表者が管理組合の役員となり、法律、規約、細則、集会決議等に基づいて実務を担当していくことになる。しかし、多くの場合、役員はマンションの管理について、知識や経験が豊富なわけではなく、組合役員自身もそれぞれ職業に就いていることが一般的なため、組合業務に専念することは困難である。

まして、各区分所有者等の共同生活に対する意識の相違、多様な価値観、利用形態の混在による複雑な権利・利用関係、それに建物構造上の技術的判断など、多岐にわたるソフト・ハード両面で、日常的に専門的知識を必要とする業務が増加しているため、マンションの規模、実情等に応じてそれらの全部、あるいは一部を組合集会の決議に基づいて専門家であるマンション管理業者に委託することが大部分である。

管理組合が、マンション管理業者に管理事務を委託する場合は、規約により総会（集会）の普通決議を要することが一般的であるが、その総会決議に先立ち、マンション管理適正化法の規定によりマンション管理業者から重要事項の説明を受け、委託業務の内容や価格等を十分理解したうえで、自分たちのマンションに合った適切な選択をする必要がある。

マンション管理業者の立場では、管理組合の執行機関である理事会、理事長（管理者）と十分な打合せをしながら、そのマンションに求められる業務とその仕様、執行体制等を検討し、適切な管理業務の仕様を提案する必要がある。

長引く不況の影響等から昨今の傾向として、マンション管理業者を選定する際に、いたずらに低価格を指向する管理組合もあり、その結果、本来は当然に求められる業務が除かれていたり、必要な業務量に満たない仕様に削られてしまったりということが起こっており、後々の苦情や混乱を発生させている場合がある。マンション管理業者として、求められる業務の質を適切に維持するために、ダンピング的な価格の提示や顧客を無視した価格競争（値引き競争）に陥ることは、厳に戒めなければならない。

（2）契約の特性

管理委託契約のうち、事務管理業務はその内容及び性格から民法で規定するところの「準委任契約」と解することができ、他方、事務管理業務以外の清掃や設備の保守点検等の業務は、仕事の完成を目的として行われている「請負契約」と解することができるといわれている。マンションの管理に係る管理委託契約の法的性質は、準委任契約と請負契約の混合した無名契約であると解されている。また、管理委託契約は双務・諾成契約であるため当事者の一方に継続する意思がなければ、契約は終了させることができるとされている。

平成13年８月に施行されたマンション管理適正化法により、マンション管理業者は、管理組合との契約締結にあたっては広く情報の開示と説明義務、説明責任を果たすように求められている。

管理組合側からは、「区分所有者の永住意識の高まり」から「建物の保全や住環境改善への意識の向上」があり、マンションの住替え経験者や管理意識の高い区分所有者から管理業務を委託するに際して、マンション管理業者を比較し選択することを推進しようとする動きが始まっている。一般社団法人マンション管理業協会では、管理会社が管理組合に対してサービスの仕様について詳しく説明をするツールとして「マンション管理業務共通見積書式」を作成、公表している。

マンション管理業者が、管理組合側のこのような傾向に対応していくためには、受託した管理業務をより的確、迅速に処理するように努めることは当然だが、管理組合との接触（理事会出席や定期的な業務報告）を密に実施し、その動向や要望を早め早めに吸い上げ、不満点の改善や不具合に対する迅速かつ適切な対応が求められている。

（3）マンション標準管理委託契約書の解説

マンションの管理委託契約に係る標準的な管理委託契約書の指針としては、昭和57年に住宅宅地審議会より答申された「中高層共同住宅標準管理委託契約書」及び「中高層共同住宅標準管理委託契約書コメント」が最初に作成されたものであり、建設省（現国土交通省）から同年５月に通知（昭和57年５月21日建設省計動発69号、建設省住民発31号）された。

その後、約20年の間、大幅な見直しが行われなかったが、

① 平成13年にマンション管理適正化法が施行され、消費者保護等の観点から管理委託契約に関する様々な規定が設けられたこと

② 中高層共同住宅標準管理委託契約書が通知されてから相当期間を経過し、その間に委託業務の範囲や処理方法等も多様化していること

などの状況を踏まえ、平成15年４月９日国土交通省総合政策局長通知により、表題を「マンション標準管理委託契約書」及び「マンション標準管理委託契約書コメント」と改め、自動更新条項の削除、財産の分別管理等マンション管理適正化法との整合性を踏まえた改訂が行われた。

さらに、財産の分別管理等に関する一部改正省令（マンションの管理の適正化の推進に関する法律施行規則の一部を改正する省令、平成21年国土交通省令35号）が平成21年５月１日に公布（別記様式関係の改正を除き平成22年５月１日施行）され、出納業務に係る財産の分別管理の方法が変更されたことから、本省令改正との整合性を図る必要があること、及び管理委託契約に関するトラブルの実態などを踏まえ、平成21年10月２日付国土交通省建設流通政策審議官通知により必要な見直しが行われた。そして、平成28年７月29日に「マンション標準管理委託契約書」が公表され、専有部分売買時の情報提供方法が改訂された。

さらに、平成30年３月に改正個人情報保護法に対応した見直し、反社会的勢力の排除条項の追加、管理業者と管理組合とのトラブル防止の観点から、理事

会及び総会支援業務の記載の明確化につき条文の見直し、コメントの充実がなされた。この「マンション標準管理委託契約書」は、法定事項が記載されており、全ての事項を漏れなく明記することで、マンション管理適正化法73条の書面として交付することができる。

なお、令和４年４月８日、マンション管理適正化法の改正に合わせて、別表第５の一部改訂が行われた。

③　令和５年９月11日、数次の検討会を経て、時代に即した条文の追加等の改訂版が公表された。

マンション標準管理委託契約書及び同コメントの改訂

改訂の主な内容

○書面の電子化及びＩＴ総会・理事会等 DX への対応

・書面の電子化やＩＴを活用した説明等を可能とする規定等の整備

・理事会・総会を WEB 会議で開催する場合の機器の調達、貸与及び設置に関する業務範囲や費用負担の明確化

○担い手確保・働き方改革に関する対応

（カスタマーハラスメント、管理員・清掃員の休暇取得等）

・カスタマーハラスメントへの対応に関する規定等の整備

・管理員・清掃員の計画的な休暇、やむを得ず勤務できない場合の休暇、勤務時間外の対応の明確化

○マンション管理業の事業環境の変化（居住者の高齢化、感染症のまん延等）への対応

・マンション内で、感染症の流行により組合員等の共同生活に影響を及ぼすおそれがある場合や、組合員等に認知症の兆候がみられ、管理事務の適正な遂行等に影響を及ぼすおそれがあると認められる場合等に、協議により相手方への通知事項の対象としうることや、通知を受けた際の対応をコメントに記載

・孤立死（孤独死）等、専有部分における事件・事故の際の対応についてコメントに記載

○その他

・（逗子のマンション法面崩落事案を踏まえ）管理業者の受託する管理業務の範囲が明確に規定されるよう、契約締結に際し、その内容を双方が明示

的に確認すべきことをコメントに記載

・個人情報保護等に関する規定の充実

・宅地建物取引業者等への提供・開示事項の拡充（長期修繕計画等の写しの提供、点検・検査・調査の有無、管理員業務や清掃の内容等の開示）

（4）善管注意義務

マンション標準管理委託契約書（以下「標準管理委託契約書」という。）の5条には次のような条項が定められている。

> （善管注意義務）
> 第5条　乙は、善良な管理者の注意をもって管理業務を行うものとする。

善管注意義務とは、委任契約における受任者の義務の一つであり、「受任者の職業、地位、能力等において一般的に要求される注意義務」のことをいう。マンション管理業者は、受託業務の履行に際しては、専門業者として一般的に普通に払うであろう注意、又は払うことができる注意をもって受託業務を処理しなければならないということである。

マンション管理業者はその経験や能力から、組合員等より比較的早期に建物の老朽化や危険性を知ることができるはずである。この場合、マンション管理業者は直ちにその状況を管理組合に通知し、その対策について何らかの意見を具申することは専門家として当然のことである。老朽化等により、建物の一部が剥離・落下しそうな事実を知りながら、その事実を管理組合に通知することなく放置していた場合、万一建物の一部が落下して損害を伴う事故が発生した場合は、マンション管理業者が善管注意義務を怠ったとして、管理責任を問われることもあるであろう。

特に最近は「企業は社会の中で活動し、その中で利潤を上げているので、企業には社会に対して責任がある」として企業の社会的責任を強く取り上げる傾向にある。さらに民法上、委任契約は、本来信頼関係に基づくもので、受任者はたとえ無報酬であっても善管注意義務を負うものとされており（民法644条）、学説では「報酬を得ている以上、無報酬の場合と比べて、より重い義務がある」という説が有力になっている。また、「企業が委任を受けることは特殊かつ専門的な能力や技術を提供することであり、その責任は重いはずである」という考えから、その善管注意義務に基づく責任を拡大して考える傾向にある。

善管注意義務及びそれに基づく管理責任の範囲はあいまい、かつ流動的ではあるが、管理委託契約で定めるその内容が基本となるので、契約書に定める業務内容及び範囲、責任の所在を明確にしておくことが望まれる。

善管注意義務があることで管理組合からの損害賠償請求を逃れられないととらえるのではなく、マンション管理業者自らが積極的にアカンタビリティ（説明責任）を果たすためと前向きにとらえるべきである。

（5）管理委託の種類と第三者への再委託、使用者責任

マンション管理業者が管理組合から管理業務の委託を受ける場合、通常「全部委託」といわれるすべての業務を一括して委託される方式と「一部委託」といわれる専門的な業務のみを委託される方式がある（管理組合からみると、この分類以外に「自主管理」といわれるほとんどすべての業務を自ら担当して行う方式と３種類ある。）。

国土交通省の「平成30年度マンション総合調査」での分布をみると、「全部委託」が全体の74.1％、「一部委託」が13.3％、「自主管理」が6.8％となっており、圧倒的に全部委託方式が契約形態の多くを占めている。

マンション管理業者が、管理組合から全部委託方式で業務を受託した場合であっても、マンション管理業務には高い専門性や法的な資格等、必要なものが多くあり、すべてを自社の従業員により実施することは現実的ではなく、実施できる会社があったとしても非効率的な対応とならざるを得ないであろう。当然、各種設備機器等の保守点検や清掃などは、それぞれの専門会社にマンション管理業者から再委託することによって、受託業務を履行している。

そこで、標準管理委託契約書の４条、16条には次のような条項が定められている。

（第三者への再委託）
第４条　乙は、前条第１号の管理事務の一部又は同条第２号、第３号若しくは第４号の管理事務の全部若しくは一部を、別紙１に従って第三者に再委託（再委託された者が更に委託を行う場合以降も含む。以下同じ。）することができる。
２　乙が前項の規定に基づき管理事務を第三者に再委託した場合において

は、乙は、再委託した管理事務の適正な処理について、甲に対して、責任を負う。

※　1号 事務管理業務、2号 管理員業務、3号 清掃業務、4号 建物・設備等管理業務

（乙の使用者責任）
第16条　乙は、乙の使用人等が、管理事務の遂行に関し、甲又は組合員等に損害を及ぼしたときは、甲又は組合員等に対し、使用者としての責任を負う。

（甲＝管理組合、乙＝マンション管理業者。以下同じ。）

マンション管理業者が自らの従業員により提供する業務はもちろんのこと、第三者に再委託して行った業務に対しても、当然に管理組合に対して業務上発生した問題について責任を負うことが、明確に定められている。

マンション管理業者としては再委託した業務についても、その適切な履行状況の確認や作業にあたっての安全や衛生、環境への影響等についても十分配慮し、業務の委託先と綿密な打合せのうえ実施しなければならず、そこには業務の丸投げといった姿勢があってはならないことはいうまでもない。

（6）管理委託契約の締結方式

マンションの管理委託契約の方式は、各分譲マンションの管理組合の組織によって次のように区分できる。

①　区分所有者の代表である理事長が管理者となる（理事長方式）

執行機関として理事会、監査機関として監事が設置され、区分所有者の中から選任された理事長が区分所有法に定める管理者となり、マンション管理業者に管理事務を委託するという最も一般的な方式である。

②　マンション管理業者などの第三者が管理者となる（管理者方式）

このケースは①とは異なり、マンション管理業者などの第三者が管理者に選任され、当該マンション管理業者等との間で管理委託契約を締結する形態である。こうした契約形態は新築マンションの管理開始初期を除いては少ないが、次のような特徴があり、リゾートマンションや投資型マンションでは継続的にこの形態を取るものもある。

(ア) 賃貸又は利用委託等のサービス機能が付加されているため、通常の管理業務以外のそれらのサービスの対応も行わざるを得ない（入居者への有料フロントサービスや賃借人の入退居対応など）。

(イ) マンションに居住していない区分所有者が多いため理事会等が設置しにくい。又は設置しても現実的に機能しない。

(ウ) 数年にわたって開発される団地のため、団地管理組合の設置までに相当の時間を要する。

マンション管理に精通したマンション管理業者などの第三者が管理者に就任する場合には、責任主体の明確化、管理水準の向上、管理の安定化等が期待され、また維持管理の委託先に対する専門的見地から監督やチェックが可能になるとともに、区分所有者にとって負担の軽減というメリットをもたらすことが期待できる。

一方で、管理者に大きな権能が集中するため、管理者に対する区分所有者によるチェック及び行為規制並びに管理者の適格性等についての課題に対する方策を検討する必要がある。

管理者方式の場合であっても、区分所有関係のある建物であれば、当然に区分所有法の適用を受け、マンション管理適正化法２条１号（マンション）に該当するものであれば、マンションとしてマンション管理適正化法の適用を受けることになる。

管理者方式での管理業務の委託を受ける場合には、標準管理規約や標準管理委託契約書の条項を、区分所有法、マンション管理適正化法に抵触することのないように、管理委託契約とは別に平成28年３月国土交通省公表の「外部専門家の活用ガイドライン」※を参考に業務委託契約を締結し、実際の運営を反映させた変更を加える必要があろう。

※　令和６年度中に、管理組合役員の担い手不足への対応を趣旨とした改訂が見込まれている。

2 マンション管理業者の使命

管理組合が、マンション管理業者に管理業務を委託する目的は、そのマンション管理業者の専門的能力を総合的に活用することで、居住者自らが行うよりも効率の高い管理を実現させることにある。もう少し詳しくいうと、管理組合がマンション管理業者に期待する役割として、「多岐にわたる専門的な業務の数々をマンション管理業者にまとめて一括委託することによる効率性と安心感（それにより役員や居住者の日常業務が軽減されることはもちろんのこと）、管理組合の自主性を重んじながら、快適な住環境創造のためにプロ集団として管理組合の合意形成作りをリードし、必要な知識や豊富な事例、新しい技術等の提供を行い、管理組合が適切な判断が下せる環境を提供してくれること」ということがいえる。
一般的には、次のような対応が考えられる。業務内容については管理委託契約が基となる。

（1）会計業務に関する報告及び財産保全の管理システム

マンション管理業者は、マンション管理適正化法76条に定める自己の固有財産と管理組合の財産の分別管理を行わなければならない。また、国土交通省令に定める修繕積立金等金銭の収納方法、修繕積立金等の保管口座の名義は「管理組合名義」とするなどを遵守するとともに、管理組合財産が毀損されることのないよう、社内の牽制体制が構築されていなければならない。また、管理組合が管理組合財産の状況をタイムリーにかつ正確に把握することを目的に、マンション管理業者が修繕積立金等を管理する場合にあっては、毎月、その月における管理組合の会計の収支状況に関する書面を作成して、翌月末日までに管理組合の管理者等に交付することを義務付けている（マンション管理適正化法施行規則87条５項）。

さらに、管理委託契約で定める管理費等（管理費、修繕積立金、専用使用料その他の金銭）の収納状況の報告や管理費等滞納者に対しての督促とその報告を行う。滞納の長期化が予想される場合は、それまでの督促状況の報告と今後の法的な対策等の提案を実施する。

管理組合の会計報告については、事業年度終了後、期間を定めて決算素案を提出し、理事会審議及び監査を受ける。そのうえで、通常総会議案として上程の用意をする。

標準管理委託契約書では管理事務の報告について、次のように規定されている。

（管理事務の報告等）

第10条　乙は、甲の事業年度終了後○月以内に、甲に対し、当該年度における管理事務の処理状況及び甲の会計の収支の結果を記載した書面を交付し、管理業務主任者をして、報告をさせなければならない。
2　乙は、毎月末日までに、甲に対し、前月における甲の会計の収支状況に関する書面を交付しなければならない。
3　乙は、甲から請求があるときは、管理事務の処理状況及び甲の会計の収支状況について報告を行わなければならない。
4　前3項の場合において、甲は、乙に対し、管理事務の処理状況及び甲の会計の収支に係る関係書類の提示を求めることができる。

(2) 定期的な業務報告、組合運営に対する的確な助言・提案

管理業者は管理組合の事業計画の素案の作成や円滑な事業推進、長期修繕計画案の作成など、そのための専門的なコンサルティング能力をもったパートナーであることが必要である。よって、管理員任せではなく、組織的に会計スタッフや技術スタッフなどとの連携が重要となる。

理事会に出席する際には、点検業務や会計業務等の業務報告は当然のこと、業務を通じて知り得た情報に基づいて、適切に管理組合の運営をリードするために、的確な助言・提案ができることが必要である。

管理組合運営上の問題等で、役員が迅速かつ適切に判断できるよう、必要に応じて他の管理組合事例や方法論等を紹介する。案件によっては、設備や建築スタッフ等の技術的支援や専門家の紹介等も必要である。

(3) 建物の資産保全等に対する取組み

長期修繕計画の見直しのため、日常業務上で把握したマンションの劣化等の状況に基づき長期的な視野に立った計画修繕に関する提案を行うとともに、役員をはじめ一般居住者に対しても計画修繕の理解や啓蒙を働きかけ、それに続く修繕資金の積立計画の立案等、改修工事に向けて円滑な合意形成等の環境整備を支援する。

また、日常の点検結果や長期修繕計画等を踏まえ、建物の劣化度等の調査を実施し、その結果報告とともに、修繕必要箇所に対する改修方法及び費用等の具体的な修繕実施計画を提案し、修繕積立金等の資金不足により必要な工事が実施できないといった事態を招かないよう、将来（30年程度先まで）を見据え

た長期修繕計画表及び資金計画の見直しは定期的に行う必要がある。

工事の実施検討にあたっては、建物の現状をよく把握し、施工予定業者と共に適切な改修工事の提案を行う。また、工事の資金計画立案や管理組合が有利な行政支援を選択できるための情報の整備等、資金手当ての面でも、しっかりと管理組合をサポートする。

（4）緊急体制の確立

各設備の法定点検、必要な任意点検を実施し、設備状況の確認・整備及び補修工事等の提案を通じて、日常生活機能の良好な維持管理に努める。また、諸設備の異常を知らせる自動通報装置等の設置により24時間365日遠隔監視を行い、異常発生時には、迅速な対応を実現し、被害の拡大を防止する（管理委託契約の内容による。）。この場合は警備会社などへ再委託しているケースが多い。

（5）スタッフ（現地勤務員）に対する教育の徹底

スタッフは、ある意味でマンション管理業者の顔である。言葉遣いや制服の着用等の身だしなみから立ち振舞いまでが、居住者にいつも見られているからである。一義的には、スタッフの対応いかんがマンション管理業者全体の評価に結びついてしまうので、居住者から良い評価を得るためには、まずスタッフの教育をしっかり行うことが不可欠である。定期的に、また理解力に合わせた段階的な指導教育をOJT及び集合研修等で行う必要がある。

スタッフの資質、適正によって、マンション居住者の快適な共同生活に影響するところが大きい。スタッフの資質の向上を図るためには、教育研修による業務処理能力の向上及び業務知識の習得等に努め、組合員等の期待にこたえる必要がある。当該マンションにふさわしいスタッフを配属することが、マンション管理業者が管理組合から受け入れられる第一条件である。

また、マンションにおいては今後居住者の高齢化が進むともいわれているので、認知症サポーターを養成する（厚生労働省が認知症サポーターの養成を進めている。）ことやAED（自動体外式除細動器）が設置されたマンションでは救命講習会への出席が求められることもある。さらに、台風接近やゲリラ豪雨、地震発生時等の一次対応として、例えば、機械式駐車場のインターロック解除

新たに分譲されたマンションの管理業務開始フロー例

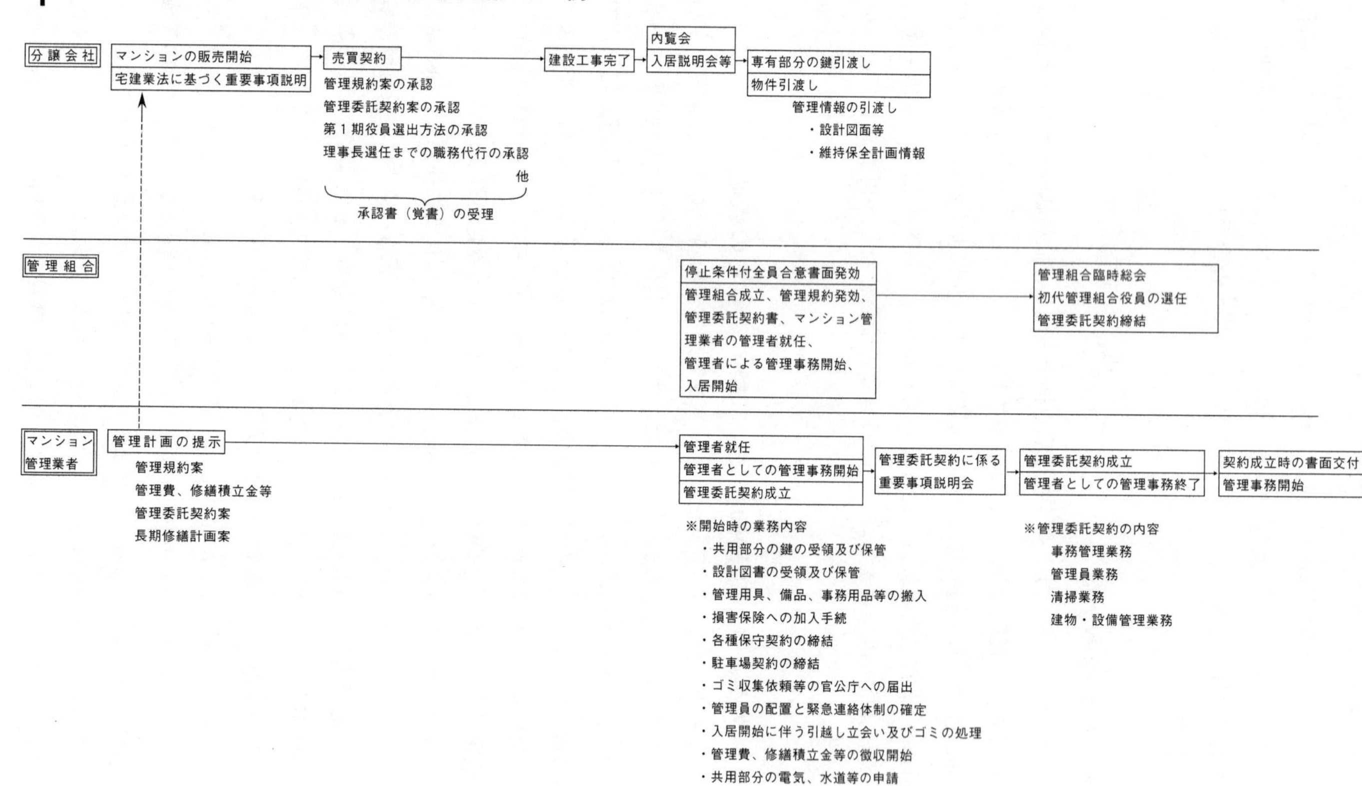

方法、マンションの館内放送の使用方法、警報発報時の処置、その他マンション特有の災害対策や管理組合内のルール等の把握、並びにそれらを実行できるよう日頃からの訓練も重要である。

特に単独勤務となるスタッフのうち管理員は、職場であるマンションの管理事務室にひとりでいることによって疎外感を感じやすいので、マンション担当者等が定期的に訪問し、勤務上の問題や難儀に感じていること等を聞き取り、ストレスをひとりで抱え込まないようにする配慮が必要である。

また、清掃員に対しては清掃仕様及び作業計画に基づいた業務を履行させ、定期的に作業内容をチェックし、不具合があればその場で改善指導を行い、またマンネリに陥らないようメリハリをつけることが効果的である。

(6) 快適な生活環境の創造に向けて、トータルなサービス提供

区分所有者一人ひとりの（ひいてはマンション一棟にとどまらず、地域を含めた社会資本としての）大切な財産を保全し、安全で快適な生活環境の創造に向けたトータルサービスの提供を目指す。

マンション管理業者も、管理委託契約書で定められた共用部分の維持管理だけではなく、専有部分も含めたサービスの提供（設備故障や不具合等への迅速かつ廉価な対応や、個々のライフスタイルに適したリフォームプラン、又はライフサイクルに合わせての不動産仲介など）の提案など、幅広く居住者の要望にこたえられ、より快適なマンションライフを支援する能力が問われている。

3 管理業務の受託

ディベロッパー等の新たなマンション分譲に際しては、完成引渡し後区分所有者（管理組合）が直ちに円滑な共同生活が始められるように、管理関係についても必要な事項についての「案」を作成し、売買契約締結前に次のような購入者の事前承認を得る方式が一般的である。

① マンション開発にあたって行政サイドからの指導による開発条件（例：公開空地、あるいは小公園の維持等に関する条件）、近隣又は自治会等の約束事項（例：駐車場設備及び使用方法など）等の承継事項

② マンションの専有部分、共用部分、専用使用権の設定、駐車場、集会施設

等、区分所有者相互の権利義務及び集会運営等、設計時の実態に合わせた管理規約

③ マンションの管理運営に係る管理費、修繕積立金及び諸費用等に関する初年度予算

④ 管理開始にあたっての管理業務委託先（管理委託契約）

これらの諸要件は、分譲主と事業計画時から打合せに参加したマンション管理業者が実情に即した「案」を作成し、分譲主と合意のうえで提示されるもので、管理組合発足時は、このマンション管理業者が管理受託業務を行うことが多い。なお、この管理規約は、当然のことながらその定めに則った総会の決議により変更が可能（ただし、分譲契約にあたっての継承事項及び特約事項を除く。）であり、管理委託契約についても、期間満了あるいは委託契約条項に照らして、解除を妨げるものではない。

マンション管理の業務開始手順について、各管理業者はそれぞれのノウハウに基づき実施しており、統一したルールはないが、開始手順の一例を記載する（前掲「新たに分譲されたマンションの管理業務開始フロー例」を参照）。

（1）新たに分譲されたマンションの管理の受託

① 受注確定時期

㈠ 社内受入れ体制の整備

マンション管理業者としては、管理開始を万全の体制で迎えなければならない。そのためには、できるだけ速やかに社内の管理体制を整えることが大切である。また、物件の概要・受注経緯・開発コンセプト等を事前に十分把握しなければならない。

㋐ 受注業務の確定、受入れの体制、外注業者の選定等

㋑ 管理員採用の準備、教育

㋒ マンション担当者の選出

㋓ 社内の決裁手続　等

㈡ 分譲主等との調整

新たに分譲されたマンションの受入れに際しては、分譲主や施工業者との連携が重要である。アフターサービスの窓口や代行、引渡しのスケジュール調整等を早めに準備する。

㋐ 購入者名簿の入手（個人情報保護法遵守）

㋑ 入居説明会の開催

㋒ 引継書類等リストの作成（規約承認書、共用鍵、竣工図書、保証書、取扱い説明書等）

㋓ 共用部分の点検及び各種届出事項の確認及び事務手続

② 準備時期

何事も始めが肝心である。プロのマンション管理業者として、遺漏のないように業務ごとにチェックリストを作り、業務に漏れがないか確認する。引越しが始まってからは、突発の事態が起きてしまうとそちらに時間を取られてしまって、本来の業務に時間を割けなくなることがあるからである。十分余裕を持った計画を立てて臨まなければならない。

㈠ 管理体制の整備

㋐ 清掃業務等各業務仕様書の作成

㋑ 管理委託契約書の作成

㋒ 緊急対応業務に関する登録と緊急連絡先等の掲示物の手配及び設置

㋓ 管理内容の管理員及び清掃員等のスタッフへの周知と教育・研修の実施

※ 管理開始時には、スタッフを配置できる体制としておくこと

㋔ 管理用什器備品（電話回線の手配を含む。）・清掃用具等の手配及び設置

㋕ 自動通報機器等の手配、設置確認及び作動確認

㋖ 損害保険契約の付保と保険料の支払

㋗ 管理物件情報の登録、各種契約者台帳等の作成

㋘ 精算業務がある場合の精算規定の確認

㋙ 清掃事務所との調整（ゴミ収集依頼書等の届出）、水道供給事業者への家事用申請等の必要有無の確認と届出

㋚ 協力会社、緊急連絡先等のリスト作成

㋛ 引越し日程の調整と建物の養生

㋜ 理事長印の調製

㈡ 会計業務の整備

㋐ 管理費等の口座振替等手続の案内及び振込依頼書等の回収

㋑ 管理組合名義の銀行口座の開設準備

㋒　管理費等負担明細の確認（特に駐車場契約者等の使用開始日に注意）
㋓　管理組合予算書の入手及び保管
㋔　修繕積立基金のある場合の受領及び保管
㋕　管理費等請求開始のお知らせ配付
㋖　未販売住戸がある場合の分譲主負担等の確認と請求等

③　管理開始時

マンションの完成、引渡しの時期は、マンションの購入者から区分所有者（居住者）に変わる時期であり、自身の転居に伴う細々した雑事に紛れて、管理組合としての活動や共用部分に関することは後回しにされてしまう。マンション暮らしを始めるにあたっては、大きな希望や喜びと同時に少なからず不安も抱えているものである。したがって、新居への引越しから新生活のスタートを円滑に切れるようにサポートすることは、その後の信頼関係を構築するうえで、大事な第一歩となる。マンション管理業者から適切なアドバイスや注意事項等をわかりやすく示していくことは、入居間もない居住者にとってはとても心強いことである。最大限の注意を払い、この大切な時期を乗り越えなければならない。

㈠　共用部分の点検実施と各種設備等の取扱いの確認（特に警報機器の取扱いに注意）
㈡　分譲主、施工会社からの引継ぎの実施（管理組合の代行として、引継ぎリストに基づいて受領）
※　共用部分の鍵の受領及び保管、マンション管理適正化法103条１項に基づく設計図書の受領及び保管
㈢　入居者へのあいさつ文と諸注意事項、お知らせの作成及び各戸配付・掲示
㈣　入居開始に伴う引越しの際の立会い、引越しゴミ・ダンボール等の処理
㈤　入居完了届け、緊急連絡先等の受領
㈥　引渡し日、各種契約者台帳から各戸負担区分の確認と精算業務がある場合の検針から按分等
㈦　共用部分の電気、水道等の申請（分譲会社からの名義変更の手続）
㈧　清掃仕様等受託契約の仕様の確認
㈨　各種保守契約の締結

(コ) 駐車場契約の締結

※ 駐車場契約者リストに基づく（分譲会社が管理開始前に抽選会で決めることが多い。）。

(サ) 各種使用箇所届等の受領（自転車置場、バイク置場、その他使用届等があるもの）

④ 初回理事会の開催まで

一般の組合員の方々は、初めは専有部分を中心とするアフターサービスへの対応と日常の清掃状況等やスタッフの応対に関心を持つ程度である。評価のポイントも、適切で素早いレスポンスが第一である。特にマンションに勤務する管理員や清掃員の目に見える動きについては、「管理員さんも感じが良さそうね」「清掃員も一生懸命働いている」といった声があがるように、要所をとらえた作業や指導等が求められる。

そのうえで、役員の入居後に速やかに、初回の理事会を設定する。初回は役員全員が出席できるような調整を図り、理事長以下、役職の決定をする必要がある。

(ア) スタッフの紹介

(イ) 分譲主からの引継状況を報告し、未受領品等があれば報告

(ウ) 管理組合あてに通帳等の預り証を提出

(エ) 管理開始からこれまでの導入状況を報告（損害保険の付保、届出事項等）

(オ) 管理委託契約の締結

(カ) 共用部分の点検結果、アフターサービスの進捗具合について報告

(キ) 管理運営計画案を提出し、今後の事業計画等について協議（特に理事会の開催予定については、次回の開催予定を含めて、年間の計画を立てておく。）

(ク) 各種設備等の取扱い説明（緊急通報システムの概要や警報機器の誤報時のベル停止の仕方等については、十分に説明する。）

(ケ) 修繕積立基金がある場合は、資金の保管・運用方法を提案

⑤ 管理組合運営の補助

マンション管理業者は、管理組合と“周辺環境を含めた建物の良好な維持管理”及び“そこに集う人々の健全なコミュニティ形成”を共通の目的として、共に歩むマンションライフのパートナーであることを役員はじめ居住者

に理解してもらうことが大切である。

確固たる信頼関係を築き上げるためにも、初年度の運営は特に重要な意味を持つことを自覚する必要があり、理事会運営のサポートや業務報告、それに続く提案等に全力であたる必要がある。

⑺ 円滑かつ充実した理事会運営支援

㋐ 理事会開催の定例化を提案し、積極的に参画

㋑ 物件特性・規模にかかわらず、初年度は月1回又は隔月の定例開催を提案

㋒ 役員の2年任期、半数改選等、必要に応じ運営の強化・継続性維持策を提案

㋓ 必要に応じ、担当役員（又は専門委員会）の設置を提案

㋔ 開催の通知等、連絡業務を確実に実行

㋕ 第1号議題に月次業務報告（会計・点検等）を位置付け、確実に実施

⑴ スタッフの現場指導及び履行確認

㋐ スタッフに対し、計画的に現地での業務研修及び指導を実施

㋑ 第三者の目によるスタッフの業務履行状況及び作業内容の確認

㋒ 管理事務室・管理用倉庫の整備状況（管理事務室には、管理組合の役員の入室もあるので、特に重要書類の保管や整理整頓に注意する。）を確認

※ 管理事務室内にある書類は、居住者の氏名、部屋番号等を記載している個人情報に関する書類がたくさんあるので、鍵のかかる場所に保管するなど十分に注意しなければならない。

㋓ スタッフへは定期的に訪問カウンセリングを実施

⑼ 建物資産保全に対する専門的取組み

㋐ 共用部分の点検における改善要望事項、アフターサービス対象事項については、早期に改修完了の確認まで実施

㋑ 長期修繕計画や資金計画の理事会への説明・報告にあたっては、必要に応じて、専門家も交えた設定もありうる。

㋒ 上記資料に基づいた、管理組合主催の「計画修繕に関する説明会」を提案

㋓ 修繕が必要な箇所については、早期に改修方法等を検討し、改修提案

を実施

㋔　緊急出動の実績や応急処置の履行等については、一般居住者にも広報を実施

㈐　効果的な清掃業務とゴミ置場の整理整頓

㋐　エントランスやエレベーター等、目に付く箇所を意識した清掃

㋑　ゴミ分別の徹底、ゴミ置場の夜間等の施錠等、そのマンションにおけるゴミ処理のルール化を早期に図り、取り決めたルールの周知徹底と、衛生的で整然としたゴミ置場の維持

㋒　ポリ容器等は分別の区別をし、注意事項等の案内をゴミ置場内にも掲出

㋓　仕様の追加や特別清掃の提案等も検討

㈑　組合運営面での提案事項（長期的な視野に立った項目も含む。）

㋐　規約原本の保管や現状に合わせた現に有効な管理規約への改正

㋑　施設利用細則等の未整備事項を洗い出し、設定の検討

㋒　防火管理者の選任、消防計画の作成、届出及び防災訓練の実施

㋓　会計の健全化（会計別区分、電気料・保険料等の経費節減等）

㋔　資金の保管・運用

㋕　必要に応じた専門委員会の設置

㈒　良好なコミュニティ形成のための支援

㋐　コミュニティ形成の重要性の啓蒙

㋑　居住者の要望、ライフスタイルに応じたコミュニティ形成活動の提案（イベントの開催、サークル活動、広報誌の発行等）

(2) 超高層マンション・複合用途型マンションの管理の受託

超高層マンションのほか、最近は「タワー型」と呼ばれるマンションも出現し、その供給も珍しくなくなってきた。

建物の高さだけでなく、共用空間の豪華さや施設の充実及びサービス（マンション内にコンシェルジュを配置し、クリーニングや荷物の取次ぎを行うサービスも増えている。）を競った販売も展開されている。また、従来に比べて所有形態も複雑なものが多く、多様なターゲット及びニーズにこたえるプランニングから、様々な購入者層の広がりもみられる。

このような超高層マンションの供給に伴う管理物件受託は、今後も予想されるところではあるが、これまでと同じ対応の仕方だけでは、円滑な業務推進及び組合運営サポート等に支障を来すことは明らかである。

また、複合用途型マンションは、全体共用部分と（複数の）一部共用部分とに区分されるため、管理受託及び業務推進の基本においての違いはないが、併せてマンションの特性をよくとらえた個別的対応が強く求められる。

4｜管理委託契約の内容と履行責任

マンション管理業者が、管理組合から受託する業務の範囲はその契約内容により異なるが、標準管理委託契約書では、次のように分類されている。

(1) 事務管理業務

事務管理業務は、受託業務の中でも最も重要な業務であり、この業務の充実いかんが、マンション管理業者の評価を決めるといっても過言ではない。

この事務管理業務は、まず、マンション管理適正化法２条６号に規定されている「基幹事務」とマンション管理適正化法には規定されていない「基幹事務以外の管理事務」に分けられる。

基幹事務は①「管理組合の会計の収入及び支出の調定」、②「出納」、③「マンション（専有部分を除く。）の維持又は修繕に関する企画又は実施の調整」の３つで構成される。

基幹事務以外の事務管理業務は、①「理事長・理事会支援業務」、②「総会支援業務」、③「その他」の業務の３つで構成される。

基幹事務の①「管理組合の会計の収入及び支出の調定」業務は、管理組合の財務内容を的確に把握する業務であり、具体的な業務としては、管理組合の収支予算案・決算案の素案作成、管理組合会計の収支状況の報告等がある。

②「出納」業務は、管理組合の財政を預かる業務であり、具体的な業務としては、管理費、修繕積立金、専用使用料、その他の金銭（以下「管理費等」という。）の徴収・保管及び諸費用の支払、管理費等の滞納者に対する督促、通帳等の保管者、帳簿等の管理、現金収納業務、管理組合の指示に基づく余裕資金の定期預金等への振替えなどがある。

③「マンション（専有部分を除く。）の維持又は修繕に関する企画又は実施の調整」業務は、長期修繕計画の修繕工事の内容、実施予定時期、工事の概算費用等に、改善の必要があると判断した場合における書面による助言、外注によるマンションの維持又は修繕（大規模修繕工事を除く。）の見積書の受理、発注補助、実施の確認などがある。なお、長期修繕計画案の作成業務及び建物・設備の劣化状況などを把握するための調査・診断を実施し、その結果に基づき行う当該計画の見直し業務を実施する場合は、本契約とは別個の契約とする。

基幹事務以外の事務管理業務の①「理事長・理事会支援業務」は、組合員等の名簿の整備、理事会の開催・運営支援、損害保険等の契約事務の処理があり、②「総会支援業務」は、総会開催の準備や総会議事録案の作成等、③「その他」の業務では各種点検・検査等に基づく助言等、各種検査等の報告・届出の補助、図書等の保管（マンションの設計図書等を含む。）などがある。

なお、昨今の新型コロナウイルス感染症への対策として、いわゆるＩＴを活用した理事会及び総会の提案・運営補助なども支援業務の一環といえ、管理組合として行う各種のイベントについてもＩＴを活用した取組みとして継続していくような提案もまた、重要な支援業務の一つといえるだろう。

（２）管理員業務

管理員業務は、日常的に居住者等と接しながら実施する業務であるため、業務の実施状況は直ちに良否が評価されることになる。このため、この業務の実施にあたっては的確で迅速な行動が最も要求される。

この業務は、主に①「受付等の業務」、②「点検業務」、③「立会業務」、④「報告連絡業務」で構成される。

①「受付等の業務」

居住者や外来者と応対しながら実施する業務であるため、第一印象が悪ければ、それだけの評価をされてしまう。このため、相手を問わず、丁寧な言葉遣いと、公平で真摯な態度での対応、清潔な身なり（制服の着用）に気を付けておく必要がある。

一般的には、㋐各種使用申込みの受理及び報告、㋑組合員等異動届出書の受理及び報告、㋒利害関係人に対する管理規約等の閲覧、㋓共用部分の鍵の管理及び貸出し、㋔管理用備品の在庫管理、㋕引越業者等に対する指示、等々がある。

特に、居住者等からのクレームは、一番最初に持ち込まれる場面が多く、相手が興奮しているときなどは、落ち着いて冷静に対応することが求められる。

②「点検業務」

(ア)建物、諸設備及び諸施設に異常がないかどうか外観目視点検、(イ)照明の点灯及び消灯並びに管球類等の点検、交換（高所等危険箇所は除く。）、(ウ)諸設備の運転及び作動状況の点検並びにその記録、(エ)無断駐車等の確認等の業務である。

鉄筋コンクリート等の堅牢な建物であっても、経年による劣化や、突発の事故等によって、その状態を放置していつのまにか危険な状態になっていることがある。

このような場合、早期発見から修繕の実施によって、被害の発生・拡大を防ぐことができるので、区分所有者の大切な財産を管理するうえで、外観目視点検業務は非常に重要な業務であるといえる。この業務は、定期的に実施することが原則で、あらかじめ点検リスト・点検項目・点検回数等を定めておくことが必要である。

③「立会業務」

外注業者の業務実施状況を確認する業務である。具体的な業務としては、(ア)管理事務の実施に係る外注業者の業務の着手・実施の立会い、(イ)ゴミ搬出時の立会い、(ウ)災害・事故等の処理の立会いがある。立会業務を行ううえで重要な心構えは、作業の実施を確実に見届けることはもちろんだが、作業の実施にあたっての居住者や周囲への安全確認・配慮を徹底して行うことである。

④「報告連絡業務」

日々の業務の実施結果を記録するとともに報告・連絡する業務である。具体的な業務としては、(ア)管理組合の文書の配付・掲示、(イ)各種届出・点検結果・立会結果等の報告、(ウ)災害・事故等発生時の連絡・報告がある。

報告は、迅速かつ適切に、また一度連絡したことでも、その後の進捗を確認し、結論や結果が遅れる場合は、進捗状況の中間報告を入れる等の配慮が必要になる。

管理員は、どの業務についても、フロント担当者との適切な連携のもとに実施することと、業務上発生した問題点等を、管理員がひとりで抱え込んでしまうことがないように、フロント担当者は管理員の業務を支援する必要がある。

〈緊急時の業務〉

緊急時の業務は、実務上、火災、爆発、台風、集中豪雨、停電及び地震発生時の対応業務がある（犯罪・孤立死（孤独死）等が含まれる場合もある。）。どの業務においても、自身の安全の確保と被害の拡大防止を考え、冷静な対応が求められる（前記③(ウ)及び④(ウ)の業務も関連）。

・火災、爆発時対応業務

発生区域の確認、全館へ通報、119番通報、自衛消防係へ通報、初期消火・避難誘導、理事長、スタッフへ通報等、ほとんど同時に多くの業務を的確に処理しなければならない。

・台風、集中豪雨時対応業務

台風対策として建物と周囲の状況を確認し、危険のない状態にしておくこと。台風、集中豪雨時は、特に機械式駐車装置のピットへの浸水による車の水没事故等が予想され、事前のチェックと時々刻々の点検が必要となる。また、各戸のバルコニードレンは居住者が管理する必要があり、詰まりによる溢水が起きないようこまめに清掃が必要なことを周知する必要がある。

・停電時対応業務

エレベーター内に人が閉じ込められていないか確認すること。また関係先と連絡をとり原因究明すること。

・地震時対応業務

自身の身の安全を確保したうえで、マニュアル等に従い行動し、冷静沈着な対応が要求される。

（3）清掃業務

清掃業務は、快適かつ衛生的な生活環境の維持・確保を目的に、それぞれのマンションの特性を反映した業務仕様に基づき、清掃作業を実施する業務で、日常清掃と定期清掃に分けることができる。業務仕様書に清掃部位や方法、回数（頻度）や作業時間の目安等を定め、それに基づいて計画的に実施する。日常清掃、定期清掃の具体的清掃作業はマンションの規模・立地条件・使用状況・必要とする清潔度・支出しうる経費などによって、その種類も作業の頻度も異なる。戸数が少ないマンションでは、日常清掃業務は管理員が兼務する場合もある。

また、清掃業務は仕事の成果・出来栄えが一目瞭然で、居住者や外来者から真っ先に評価されやすい業務の一つであるから、適切な方法で効果的に実施しなければならない。

(4) 建物・設備等管理業務

建物・設備等管理業務は、法令又は契約に基づいて、建物の劣化状況の確認やエレベーター、立体駐車場設備等の諸設備の保守点検・整備・調整等を行うもので、一般には建物又はそれぞれの設備ごとに専門の資格者・技術者等によって業務が実施されることが多い。当然、対象により点検の内容・頻度が異なるので、履行漏れなどが発生することのないように注意する必要がある(建物・設備等管理業務の具体的内容は、第6編第1章第2節「マンションの維持保全」を参照のこと)。

なお、清掃業務や点検業務の仕様は、マンション建築前に設定しており、設計図書から積算していることが多いため、管理開始後、実情に応じて、不足する業務の追加や、過剰となっている業務の削減もあり得る。

(5) 契約履行責任

マンション管理業者の契約履行責任は、前述の管理委託契約に定める業務提供を適切に処理することにある。通常、マンション管理業者は自ら提供するサービスの内容をあらかじめ選択し、その提供に伴う対価の額を管理組合に提示して、その了解のもとに管理業務の提供を開始するわけである。当然そこには、提供が不可能であったり、明らかに提供が困難なサービスが本来は含まれるはずはないが、現実的には管理組合と紛争に至っている場合がある。

受託業務を処理していない、又はその処理が遅延している、内容が不完全であるなどの指摘を顧客である管理組合から受けることは、“マンション管理のプロ”として国土交通省の登録を経て、管理業を営むマンション管理業者としてはあってはならないことと認識しなければならない。当然、同様のことが他の管理受託マンションで発生したり、繰り返したりということがないよう、社内体制の構築や個人に頼らない組織的チェックシステム等を整備する必要があることはいうまでもない（具体的トラブルの事例と分類は、第５編「マンションにまつわる苦情の発生と類型、対処方法」を参照のこと）。

5 管理員業務の履行

（１）管理員の立場

管理員はその職務を遂行するにあたって、自分が置かれている立場を十分認識しておくことが必要である。

マンションの管理業務については、管理組合（又は居住者）とマンション管理業者との間で管理委託契約が結ばれるが、管理員はその委託契約に基づいて、管理員業務を担当するためマンション管理業者から各マンションに配属される。したがって、その身分はマンション管理業者の職員であって、管理組合や居住者との間に雇用関係はない。

そして実際に業務を実施する場合には、マンション管理業者が管理組合から委任された所定の業務について、マンション管理業者の指示に従って行動することになる。

以上の関係を図示すれば次のとおりである。

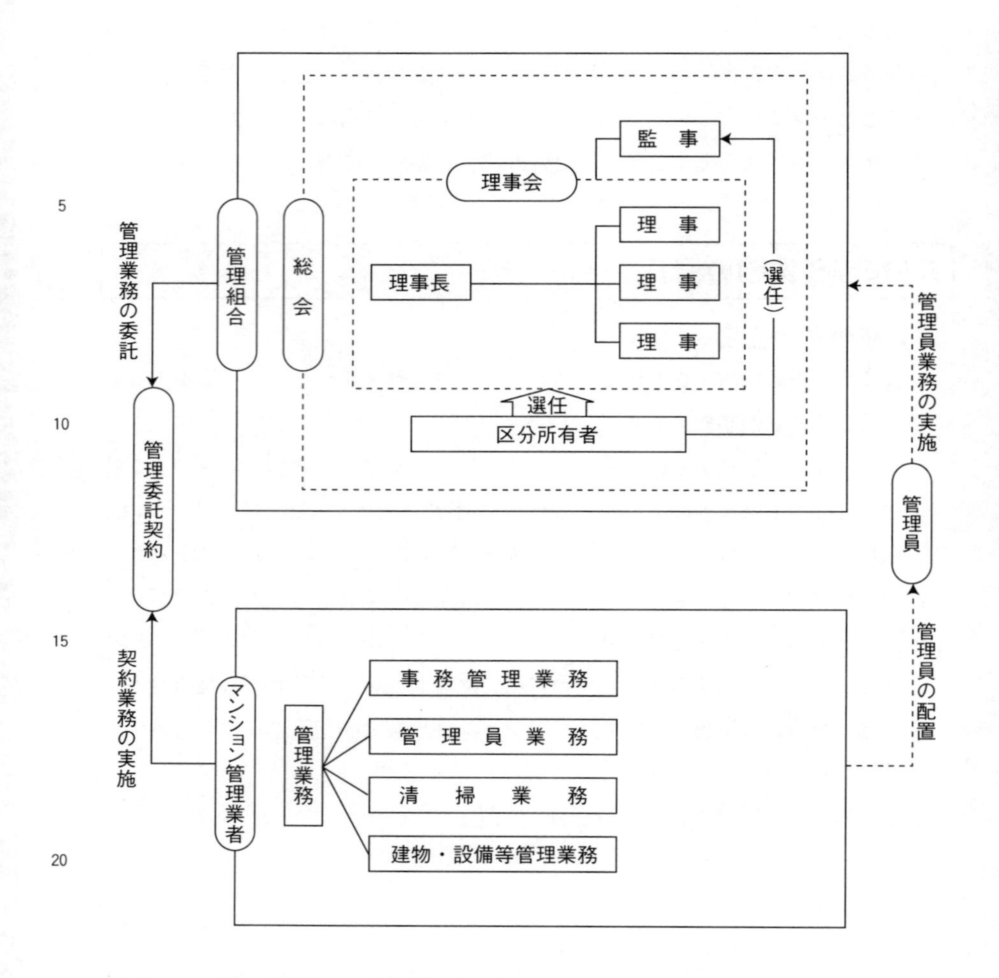

(2) 管理員の業務と実務上の留意点

管理員の業務は、住込、通勤、巡回、常駐等その勤務の形態によって違いはあるが、一般的に次のような内容に区分することができる。

業務区分	業務内容
1．受付等の業務	(1) 管理組合が定める各種使用申込の受理及び報告 (2) 管理組合が定める組合員等異動届出書の受理及び報告 (3) 利害関係人に対する管理規約等の閲覧 (4) 共用部分の鍵の管理及び貸出し (5) 管理用備品の在庫管理 (6) 引越業者等に対する指示
2．点検業務	(1) 建物、諸設備及び諸施設の外観目視点検 (2) 照明の点灯及び消灯並びに管球類等の点検、交換（高所等危険箇所は除く。） (3) 諸設備の運転及び作動状況の点検並びにその記録 (4) 無断駐車等の確認
3．立会業務	(1) 管理事務の実施に係る外注業者の業務の着手、実施の立会い (2) ゴミ搬出時の際の立会い (3) 災害、事故等の処理の立会い
4．報告連絡業務	(1) 管理組合の文書の配付又は掲示 (2) 各種届出、点検結果、立会結果等の報告 (3) 災害、事故等発生時の連絡、報告

（標準管理委託契約書別表第２から抜粋）

(3) 管理員としての心構え

マンションにおける管理業務は、一般的には、管理組合（又は居住者）とマンション管理業者との間で結ばれた管理委託契約に定められている。したがって、管理員はその内容を十分に理解、把握したうえで管理業務を遂行しなければならない。管理員業務の内容はもちろんのこと、それに付随する業務を迅速的確に処理するためには常に知識の向上に努め、管理組合とマンション管理業者の接点として日常発生する諸問題に誠意と信念を持って対処していく心構えが必要である。

例えば、管理運営上の問題の一つに、管理諸経費が年々上昇することに伴う管理費値上げ問題がある。居住者にとっては支出の増大になるわけであるから、これを容易に納得してはくれない。むしろこれを認めてもらうまでかなり時間がかかる。この難しい問題を円満に解決する要因の一つとして、管理員に対する居住者の満足度と信頼感が挙げられる。マンション管理の運営を左右するこのような問題に、管理員の日常の業務が大きく影響してくるということを常に念頭に置くことが望ましい。また管理員にも、マンション管理適正化法87条において、「正当な理由がなく、マンションの管理に関する事務を行ったことに関して知り得た秘密を漏らしてはならない」等が定められており、個人情報やプライバシーの漏洩によって管理員交替や損害賠償の要求をされることがある。

居住者が管理員に期待するものは「快適性」「機能性」「安全性」の維持に集約される。それぞれの期待感を具体的に取り上げれば、「快適性」とは管理員の礼儀正しさ（あいさつが特に大事である。)、誠実さ、又は清掃等を通じて館内を清潔に保つことから受ける満足感である。「機能性」とは各種設備が円滑に運転されているという安心感である。そして「安全性」とは単に防災という面のみならず、管理員の日常業務から受ける管理会社に対しての信頼感であり、管理員が誠意をもって迅速的確に管理業務を処理することに対する信頼度といえる。居住者からの依頼、相談事項で自分で対処できない場合には、すみやかにスタッフ（マンション担当者）に報告、連絡、相談して、迅速な対応をすることが、居住者からの信頼を得ることにつながるものである。

そこで管理員は、日常から個々の居住者と良好な人間関係を保つことに努め、管理組合とマンション管理業者との間に、信頼関係に基づく、強いきずなが生まれるよう側面から補助していく心構えを持つことが必要である。

6｜マンションの清掃業務

多数の者が使用又は利用する建築物の維持管理に関する基本法として「建築物における衛生的環境の確保に関する法律」（略称：ビル衛生管理法）が昭和45年に制定された。この法律はその目的を、「建築物における衛生的な環境の確保を図り、もって公衆衛生の向上及び増進に資すること」（同法１条）と定めている。

この法律の制定の背景から、建築物における衛生的環境を整えることは、その建築物を利用する人々のためにだけ行うのではなく、さらに一歩進めて社会のための“公衆衛生”という保健思想が入っていることがわかる。

マンションの維持管理を適切に行っていくうえで、衛生的環境整備を図ることの重要性を再認識し、この項では「マンションにおける清掃」について説明する。

（１）清掃の目的

清掃業務の目的には、次の３つが挙げられる。

①　良好な衛生的環境の確保……生理的やすらぎ

居住を基本とするマンションにおける清掃業務とは、建物の内外装や住設機器に付着する汚染物質を除去することとともに、日常生活から発生するゴミ等の異物を適切に処理することである。

この汚染物質やゴミの中には、健康上有害な物質を含んでいることもあり、それらを適切に処理・除去することは、そこに住む居住者に“生理的やすらぎ”を与えるものである。

②　建物の延命……物的やすらぎ

清掃の本来の意義は、汚染物質の除去を通じて、建物の延命化を図ることである。例えば、金属部分は、清掃されずに長期間放置されれば腐食が始まり、清掃されない床面は、土砂により磨耗し、表面の損傷が進み、清掃されている床面と比較すると、早いうちに改修等が必要になってしまう。したがって、一つ一つの作業では、必ず対象となる床や壁、附属の設備等の建材等の保護を念頭に置き、清掃作業の具体的実施方法を決定することが大切である。内外装材も一つ一つがいわば別の生き物であり、それぞれに適した清掃をすることが、それぞれの部材の延命化につながり、その結果、修繕工事等の軽減化や実施時期の遅延化が図られ、ひいては建物全体の寿命までが長くなることにまでつながる。内外装材の一つ一つに適した清掃を実施することにより、さらにそれらが生かされることになる。このことは居住者に“物的やすらぎ”を与えるものである。

③　美観の向上……心理的やすらぎ

ここでいう美観の向上とは、マンションに生活するごく普通の人の視覚や臭覚等の五感によって判断される、かなり主観に左右される領域のことである。居住者に、見た目に美しく、清潔であると感じさせることが“心理的やすらぎ”を与えるものである。

特に玄関ホールやそのアプローチ等は “マンション全体の顔”ともいえる部分で、そこの清掃状態が、マンション全体の資産価値にさえ影響を及ぼすともいえる。また、不衛生になりがちなゴミ置場の清掃が十分でないことは、そこを利用する居住者にゴミ搬出のつど、強い不快感を与えることとなる。逆にこの２箇所の清掃が徹底され、よく行き届いた管理状態が保たれていることは、居住者にアメニティー(快適さ)をもたらす大きな要素となる。

(2) 清掃業務のチェックポイント

清掃業務は、マンション管理業者が提供する業務の中でも、管理員業務と並んで、最も日常的に行われ、居住者からの認知度も高いものである。そして清掃業務は、その実施状況と出来栄えが、居住者からも一目瞭然であり、実施方法や仕上がりの状態によっては、最も苦情等の発生しやすい業務である。

清掃業務の品質を確保し、安全かつ効率的に実施していくための留意点を説明する。

〔清掃業務の留意点〕

① 清掃仕様の決定

清掃業務を実施していくうえで、仕様の適否は非常に重要な問題である。ディベロッパー等が、新築マンションの受注を競争入札等で行う場合は、日常清掃、定期清掃等の清掃範囲とその実施方法、頻度等を、ある程度共通的な仕様書を作成したうえで入札を行わないと、大きな仕様の違いが生じてしまい、結果として公正な競争原理が働かずに、求められる品質の確保ができない場合も想定される。

仕様の確定にあたっては、床等の材質や仕上げの確認を行い、マンションのグレードによって顧客から求められる清掃品質のレベルを考慮して、それらに適した実施方法や頻度まで、具体的に取り決める必要がある。

② 安全対策

災害を伴う事故の発生には、"ハインリッヒの法則"というのが成り立つといわれている。これは、1件の重い傷害を伴う事故の発生の影には、29件の軽い傷害事故が発生しており、29件の軽い傷害の裏には300件の傷害を伴わない災害が発生しているということである。傷害にまで至らずヒヤリ・ハットしたで済んでしまうと、すぐにそのことを忘れてしまいがちだが、300件のヒヤリ・ハットには1件の重大事故が隠されており、一度災害が起これば、本人の苦痛もさることながら、その家族や所属する企業、勤務地であるマンションの居住者にまで、諸々の影響を与えることになる。自分が被害者であるとともに、さらに他の人々までも被害者・加害者の立場に巻き込んでしまうこともあり、その解決には膨大なエネルギーと時間、また損害がかかることになる。

清掃作業に関わる事故は、清掃作業員自身に限らず、居住者や通行人等の第三者までも含めて、意外と多く発生している。

マンションで清掃作業中に発生しやすい事故例について、その予防策を含めて例示する。特に、厚生労働省の調査でも、転倒・墜落・転落事故が、全体の60%を超えているので、一層の注意喚起が必要である。

(ア) 床清掃時の転倒事故

床清掃には、Pタイルや長尺シート張り等の床面を、洗剤を用いてポリッシャー等で洗浄し、乾燥させた後、ワックスで仕上げる作業があるが、水や洗剤、ワックス等で濡れた状態の床面は、非常に滑りやすい状態となる。

清掃作業中は、必ず清掃作業員とは別に、見張り役を立たせて、また清掃作業中の表示等を目につきやすい所に掲示し、床面が滑りやすい状態であることを示すとともに、バリケード等を用いて作業箇所への進入を禁止し、迂回路等の案内を行う。特に玄関ホール等の人の通行が頻繁な場所を作業する場合は、作業効率は落ちても、通路となる部分を残して、床面を半分ずつ分割して作業することなどを考慮する。

古くなったワックスを剝離する作業のときは、非常に滑りやすい状態となるので、厳重な安全対策を講じる必要がある。

(イ) 高所作業からの転落・墜落事故

清掃作業員の事故で大きな災害となりやすいのが、転落・墜落事故である。脚立を用いた灯具清掃等の高所作業の際や階段の掃き清掃の際に、主に清掃作業員の不注意等から転落・墜落し、骨折等の大怪我を伴う事故になる場合が多くある。

高所作業でも、特にマンションの上階部分の、例えばルーフバルコニー先端の排水ドレン清掃などは、複数人により、さらに命綱やヘルメット着用等の安全対策を講じたうえで実施しなければならない。

(ウ) ゴミの分別作業に伴う事故

ゴミの分別作業中に、清掃作業員が仕分けの悪いゴミの中から、ガラス片や金属片等により、手などに裂傷を負うこともよくある。清掃作業員には、作業に適した制服の着用を勧め、滑りにくい靴や帽子、必要な保護具等を必要に応じて着用させるように指導する。

同時に各家庭にゴミの出し方について注意を促し、根本的な危険要因の排除を図っていく必要がある。

(エ)　漏電による停電事故

清掃作業の際、使用する清掃用具にはポリッシャーや掃除機、高圧洗浄器等の電気機器が多数あるが、湿気や水が多いところでそれら移動型の電気器具を使用する際には、漏電ブレーカーの使用が有効である。

これは機器の不良やコンセント周辺に水がかかったときの漏電事故による清掃作業員の感電事故を防止するとともに、マンションの共用電源が短絡事故を起こすことを防ぐことが目的である（マンション側の漏電遮断器が作動してしまうと、テレビ共聴視機器が作動せず、テレビ映りの不調をはじめ、いくつかの不具合の発生が予想される。）。

(オ)　小動物によるゴミの散乱や害虫の発生

事故とはいえないかもしれないが、小動物（野良犬・猫、カラス、ネズミなど）により、ゴミ置場やゴミ収集車の回収に合わせて搬出したゴミが荒らされることがある。また、ゴミ置場等が不衛生な状態が続くと、ゴキブリや蝶バエなどの害虫が大量に発生してしまうことがある。

ゴミ置場内への滞留はできるだけ短くなるようにし（例えば、ゴミ出しは回収日の朝に限る旨の掲示をしたり、ゴミ置場の開錠時間を設定するなど）、衛生面にも配慮して、必要に応じて定期的に殺虫・消毒等の処置が必要である。

（3）清掃業務の品質確保

①　清掃業務の特性

人が住んでいる状態のマンションを清掃するわけであるから、清掃の終わったすぐ後を、小さな子供たちが汚していくとか、ゴミの回収が終わった直後に、また家庭からゴミが搬出されたりと、労力をかけようと思えばマンションの清掃には終わりが訪れることがない。管理業全般にいえることだが、従来、清掃業務も“縁の下の力持ち”的存在で、事務所ビルの清掃作業であれば、そのビルに働く従業員が帰宅した後の無人のオフィスを、夜間等に清掃するのが普通であった。清掃作業の苦労は見せずに、清掃作業の存在を意識させることなく、いつもピカピカのオフィス環境を提供することが、良い清掃と思われてきた。

最近になって、「清掃作業そのものをもっと認知してもらおう。作業の苦労も評価してもらって、利用者にも清掃業務への理解と協力をしてもらおう」という動きが現れてきている。

清掃作業員のユニフォームは、従来の汚れの目立たない作業着的なものから随分カラフルな明るい色調のものに変わってきているし、ショッピングセンターでは、営業時間中に、常時各売り場を清掃作業員が巡回し、汚れた箇所を素早く清掃して回っている。レストランや駅等の公共トイレには、利用者の目につきやすいところに、何時間おきにその場所を、清掃作業員の誰が清掃したかを確認するチェックシートが置かれている。

今後マンションにおける清掃作業でも、居住者の方々に清掃に対する理解と協力を、マンション管理業者の側から積極的に働きかけていくことが重要となる。

清掃作業を効率よく実施するには、計画的業務の実施を図る必要がある。計画を作る段階では、作業の工程を考慮して“ムリ、ムラ、ムダ”の少ない作業の流れを考慮する。ホコリや汚水等は、環境対策上もなるべく発生を抑える工夫をしなければならないし、当然、上階から行うのか、下階から行うのか、作業の性質を理解して計画を立てなければならない。

㈠ 日常清掃

マンションにおける日常清掃とは、毎日若しくは主にゴミの収集日に合わせて週に数回、清掃作業員により実施する清掃である。小規模のマンションでは、管理員が兼務で実施する場合も多い。

日常清掃の計画を立てる段階では、ゴミの収集の曜日やその時間帯を把握し、それに合わせた週間単位の予定をまず作成し、その延長に月間の作業予定表を作成する。さらに、季節変動の要素を加味して、年間の工程予定をおおまかにとらえておく。

実際の作業は、計画を立てても計画どおり実施ができるかどうかは、天候に左右されるので、変更になった場合の記録を付けて、特定の作業が短期間に重複したり逆に間隔が空き過ぎてしまうことがないように、計画と実際の履行がどのように乖離したか、把握しておくことが必要である。

大規模なマンションになると、日常清掃でも数名でローテーションや役割分担を決めて、清掃業務を行うことになる。それぞれの要員が効率よく作業を進められる計画を立てる必要がある。

中規模（50戸程度）のマンションまでは、管理員が日常清掃を単独で実施する場合も多く、その場合、管理員は勤務時間の多くを清掃作業に費やすことになる。結果的に管理事務室に在席する時間は少なくなってしまうので、管理事務室の窓口に清掃作業でどこにいるのか、管理事務室には何時頃戻るのか等の表示をするなど、そのマンションに合った工夫が必要である。管理事務室不在時に、機器の異常を知らせるブザーが鳴ったときの対処についても、対策が必要な場合があると思われる。

中規模以上のマンションでは、清掃の業務量が管理員１人では負いきれなくなるため、管理員とは別に清掃作業員が必要になってくる。

管理員が配置されているマンションでは、管理員が、清掃作業員の出退勤管理から勤務時間や休暇の管理、作業着の着用から作業内容、作業中の立ち振舞いや居住者との会話（おしゃべり）などまで、監督することが必要である。この場合、管理員は、自ら率先して模範を示し、清掃作業員とは、協力し合って清掃業務にあたらなければならない。お互いがそのマンションを職場とする者として、よりよい環境提供のために、素直に協力し合える関係を築くことが大切である。

(イ)　定期清掃

マンションにおける定期清掃とは、毎月若しくは数カ月に何回と一定の期間ごとに実施する作業で、マンション管理業者から専門の清掃会社に再委託され、実施されている場合が多い。そもそも“清掃のプロ集団”であるから、すべて任せておけば安心のはずであるが、前述のとおり、定期清掃の作業中の転倒事故等が多いのも事実である。安全面への配慮は、清掃会社に対して任せきりにすることなく、清掃会社に対しても、居住者に対しても、折に触れ啓蒙を図る必要がある。

清掃作業についても、清掃作業中は、できる限りの立会いを行い、作業の完了時には、チェックシート等を用いて仕上がり状況を確認し、そのうえで万一不良箇所等がある場合は、その場で改善を求め、管理業者は清掃業務の元請としての責任を果たさなければならない。

(ウ)　特別清掃

マンションの清掃は、日常清掃と定期清掃の組合せによるものが大半であるが、それらの対象外（管理委託契約外）の部分やそれだけでは足りない部分に対して、臨時作業としての特別清掃を行うことがある。主なものとしては、外壁や高所の嵌殺しガラス、換気口等の洗浄や吹抜け部分等の高所作業を伴う煤払いや灯具清掃等がある。

② 清掃の出来栄え

清掃は、非常に日常的な作業であり、その良し悪しも人の感覚によって大きく左右されることがある。また、作業を続けていくことでのマンネリ感も起こりやすいものである。“四角い床を丸く拭く”的な作業が、いつの間にか身に付いていたり、清掃しなければいけない所が、抜け落ちていたりということが起こることがある。共用廊下の天井や、階段にクモが巣をはっているのを居住者が発見し、2～3日後に居住者から、マンションの館内巡回や清掃がされていないとクレームを言われることもある。

それらを是正するためには、第三者の目によるチェックが有効である。清掃状況の点検を、直接そのマンションの清掃業務に携わっていない人の目によって実施したり、また、清掃状況の満足度などを居住者からのアンケート調査の項目に加えて、その評価を反映させるなどの工夫を凝らしているマンション管理業者もある。

③ 作業回数一覧表の作成

日常清掃は、原則として毎日１回若しくは主にゴミの収集日に合わせて週に数回実施する作業であるから、マンションのクリーニング上の重要性が極めて高いことは当然である。しかし定期清掃も、頻度こそ少ないけれども、これなくしてマンションの高い清潔感を維持することはできないから、計画的に行わなければならない。そのためには「作業回数一覧表」を作成し、落度のないようにする必要がある。

日常清掃、定期清掃の具体的清掃作業は、マンションの規模・立地条件・使用状況・必要とする清潔度・支出しうる経費などによって、その種類も作業の頻度も異なるから、このような作業一覧表はマンションごとに違ってくるはずである。そこで注意すべきは、「作業回数一覧表」は“回数”の表であっても、作業の“質”を示すものではないことである。クリーニング作業は回数だけが問題ではなく、作業がよりよく行われるための“質”が重要である。したがって、“回数”プラス“質”をよく吟味することが「作業回数一覧表」に生命を吹き込むこととなる。

第６節 管理関連業務の対応

既存マンション売買時の対応

5 宅地建物取引業法35条の定めにより、宅地建物取引業者は、不動産の取引を行う場合は、契約が成立するまでの間に、一定の重要事項を書面に記載し、これを相手方に交付し、宅地建物取引士をして、説明をさせなければならないとされており、取引の対象がマンションである場合の固有の説明事項は、同法35条１項６号及び同法施行規則16条の２により、次の事項とされている。

10 ① 一棟の建物の敷地に関する権利の種類及び内容

② 共用部分に関する規約の定め（案を含む。）があるときは、その内容

③ 専有部分の用途その他の利用の制限に関する規約の定め（案を含む。）があるときは、その内容

④ 専用使用権に関する規約（これに類するものを含む。）の定め（案を含む。）
15 があるときは、その内容

⑤ 当該一棟の建物の計画的な維持修繕のための費用、通常の管理費用その他の当該建物の所有者が負担しなければならない費用を特定の者にのみ減免する旨の規約（これに類するものを含む。）の定め（案を含む。）があるときは、その内容

20 ⑥ 修繕積立金に関する規約（これに類するものを含む。）の定め（案を含む。）があるときは、その内容及び修繕積立金累積額

⑦ 通常の管理費用の額

⑧ 管理が委託されているときは、その委託先の氏名・住所(法人にあっては、その商号又は名称、主たる事務所の所在地)

25 ⑨ 当該一棟の建物の維持修繕の実施状況が記録されているときは、その内容

※ マンションの売買・交換契約の場合は、上記マンションに関する説明がすべて必要となるが、賃貸借契約の場合は③と⑧だけ説明すればよい。

宅地建物取引業者は、マンションの取引に当たってはこれらの事項を調査するとともに、これらを重要事項説明書に記載し、宅地建物取引士をして相手方に説
30 明させなければならないが、これらの調査依頼はおおむねマンション管理業者に寄せられることになる。このためマンション管理業者は、例えば、滞納管理費等

の承継問題等新しい区分所有者と管理組合の対立を避けるためにも、宅地建物取引業者からの調査依頼には積極的かつ的確に対応することが望まれる。この場合、具体的な対応は文書（後掲様式１～４参照）をもって行うことが望ましい。なお、標準管理委託契約書においては、宅地建物取引業者からの調査依頼対応を管理会社の業務として、次のように規定している。

標準管理委託契約書第15条（管理規約等の提供等）

1　乙は、甲の組合員から当該組合員が所有する専有部分の売却等の依頼を受けた宅地建物取引業者が、その媒介等の業務のために、理由を付した書面の提出又は当該書面を電子情報処理組織を使用する方法その他の情報通信の技術を利用する方法であって次の各号に定めるもの（以下「電磁的方法」という。）により提出することにより、甲の管理規約、甲が作成し保管する会計帳簿、什器備品台帳及びその他の帳票類並びに甲が保管する長期修繕計画書及び設計図書（本条及び別表第５において「管理規約等」という。）の提供又は別表第５に掲げる事項の開示を求めてきたときは、甲に代わって、当該宅地建物取引業者に対し、管理規約等の写しを提供し、別表第５に掲げる事項について書面をもって、又は電磁的方法により開示するものとする。甲の組合員が、当該組合員が所有する専有部分の売却等を目的とする情報収集のためにこれらの提供等を求めてきたときも、同様とする。

一　送信者の使用に係る電子計算機と受信者の使用に係る電子計算機とを電気通信回線で接続した電子情報処理組織を使用する方法であって、当該電気通信回線を通じて情報が送信され、受信者の使用に係る電子計算機に備えられたファイルに当該情報が記録されるもの

二　磁気ディスクその他これに準ずる方法により一定の情報を確実に記録しておくことができる物をもって調製するファイルに情報を記録したものを交付する方法

2　乙は、前項の業務に要する費用を管理規約等の提供又は別表第５に掲げる事項の開示を行う相手方から受領することができるものとする。

3　第１項の場合において、乙は、当該組合員が管理費等を滞納しているときは、甲に代わって、当該宅地建物取引業者に対し、その清算に関する必要な措置を求めることができるものとする。

（甲＝管理組合　乙＝マンション管理業者）

標準管理委託契約書コメント

第15条関係

① 本条は、宅地建物取引業者が、媒介等の業務のために、宅地建物取引業法施行規則（昭和32年建設省令第12号）第16条の2に定める事項等について、管理業者に当該事項の確認を求めてきた場合及び所有する専有部分の売却等を予定する組合員が同様の事項の確認を求めてきた場合の対応を定めたものである。

宅地建物取引業者又は売主たる組合員（以下「宅地建物取引業者等」という。）を通じて専有部分の購入等を予定する者に管理組合の財務・管理に関する情報を提供・開示することは、当該購入等予定者の利益の保護等に資するとともに、マンション内におけるトラブルの未然防止、組合運営の円滑化、マンションの資産価値の向上等の観点からも有意義であることを踏まえて、提供・開示する範囲等について定めた規定である。

② 本来、宅地建物取引業者等への管理組合の管理規約、管理組合が作成し保管する会計帳簿、什器備品台帳及びその他の帳票類並びに管理組合が保管する長期修繕計画書及び設計図書（コメント15及びコメント44において「管理規約等」という。）の提供及び別表第5に掲げる事項の開示は管理規約及び使用細則の規定に基づき管理組合が行うべきものであるため、これらの事務を管理業者が行う場合にあっては、管理規約及び使用細則において宅地建物取引業者等への提供・開示に関する根拠が明確に規定されるとともに、これと整合的に本契約書において、管理業者による提供・開示に関して規定されることが必要である。

また、管理業者が提供・開示できる範囲は、原則として本契約書に定める範囲となる。本契約書に定める範囲外の事項については、組合員又は管理組合に確認するよう求めるべきである。管理業者が受託した管理事務の実施を通じて知ることができない過去の修繕等の実施状況に関する事項等については、管理業者は管理組合から情報の提供を受けた範囲で、これらの事項を開示することとなる。

なお、本契約書に定める範囲内の事項であっても、「敷地及び共用部分における重大事故・事件」のように該当事項の個別性が高いと想定されるものについては、該当事項ごとに管理組合に開示の可否を確認し、承認を得て開示する事項とすることも考えられる。

③　提供・開示する事項に組合員等の個人情報やプライバシー情報が含まれる場合には、個人情報保護法の趣旨等を踏まえて適切に対応する必要がある。

なお、別表第5に記載する事項については、「敷地及び共用部分における重大事故・事件」に関する情報として特定の個人名等が含まれている場合を除き、個人情報保護法の趣旨等に照らしても、提供・開示に当たって、特段の配慮が必要となる情報ではない（売主たる組合員の管理費等の滞納額を含む。）。

④　管理業者が、管理組合の組合員から当該組合員が所有する専有部分の売却等の依頼を受けた宅地建物取引業者に対して総会等の議事録を閲覧させる業務を受託する場合は、本契約内容に追加を行うものとする。この場合において、当該議事録が電磁的記録で作成されているときは、当該議事録の保管場所において、当該電磁的記録に記録された情報の内容を書面又は出力装置の映像面に表示する方法により表示したものを閲覧させるものとする。なお、議事録には個人情報やプライバシー情報が含まれる場合も多いことから、発言者や審議内容から特定の個人が識別できないように加工するなど、個人情報保護法の趣旨等を踏まえて適切に対応することが必要である。

⑤　管理業者が第1項に基づいて提供・開示した件数、第2項に基づいて受領することとする金額等については、第10条第3項の報告の一環として管理組合に報告することとすることも考えられる。

⑥　第1項の「その他の帳票類」とは、領収書や請求書、本契約書、修繕工事請負契約書、駐車場使用契約書、保険証券などのことをいう。

⑦　第1項の「設計図書」とは、適正化法施行規則第102条に定める図書のことをいう。

(1) マンションの管理に係る情報等の開示について

宅地建物取引業者へ管理規約等を提供すること及び宅地建物取引業法35条並びに同法施行規則16条の2を踏まえたマンションの管理に係る情報（以下「管理情報」という。）を開示することは、本来、管理組合又は売主たる組合員が行うべきものなので、管理組合がマンション管理業者に委託してこれを行わせる場合は、管理規約等にその根拠を明確に規定していることが望ましいものと思われる。

（2）情報開示に関する責任等

管理情報の開示は、管理委託契約に基づく業務なので、善良な管理者の注意をもって行わなければならない。仮に、開示内容に重大な過誤があった場合、管理組合又は組合員若しくは宅地建物取引業者から損害賠償を請求される可能性がある。また、目的外利用の禁止やプライバシーポリシーを明確にしておく必要もある。

情報開示を的確に行うためには、情報の収集・蓄積・更新を一元的に、かつ専属的に行うことができる体制を整備しておくことが望まれる。担当者レベルでの収集・蓄積・更新もある場面までは可能だが、担当マンションの増加に伴って業務量が増大すれば、それに専念できないので情報のメンテナンスが困難になり、陳腐化し、誤った情報が開示される可能性を否定できない。

したがって、物件情報に関してシステム化し、最新の会計情報・工事に関する情報・規約やルールに関する情報など集約、メンテナンスできるようにすることが必要となる。

（3）情報開示に係る手数料

管理情報の収集・蓄積・更新にはコストを要するので、宅地建物取引業者に対し情報開示に係るコストを請求する根拠はある。

この場合、一般社団法人マンション管理業協会が統一した手数料額を設定することは、公正取引委員会が定めた「事業者団体の活動に関する独占禁止法上の指針」の価格制限行為に抵触するおそれがある。しかしながら、その額の目安等がわからなければ宅地建物取引業者に請求することができないので、手数料算出のための算式を以下に例示する。なお、管理規約等の写しを求められたときは、手数料とは別に実費を請求するものとする。また、手数料等の精算方法に関しては、宅地建物取引業者と協議のうえ決めるようにする。

〔管理に係る重要事項報告書作成手数料算式例〕

〔(担当職員時間当たり賃金単価×報告書作成所要時間
+作成実費)＋ 一般管理費〕＋ 消費税＝作成手数料

（4）管理組合の承諾

「管理に係る重要事項調査報告書作成に関するガイドライン」に基づき標準管理委託契約書15条の業務を行うときは、管理組合に対し、あらかじめ当該情報開示様式等を示しておくなどし、情報の提供について承諾を得ておく必要がある。

なお、令和３年10月、国土交通省による「宅地建物取引業者による人の死の告知に関するガイドライン」が策定されたが、そこでもマンション管理業者から提供される情報の範囲については、分譲マンションの場合は、管理受（委）託契約や管理規約等の定めに従う旨が述べられている。

（5）管理に係る重要事項報告作成時の注意事項

・　管理に係る重要事項報告書様式（以下「様式」という。）の項目について、記入スペースが足りない場合は、行を追加するなどして構いません。また、報告に係る住戸及びマンション・管理組合には該当がない項目については、その項目（欄）を削除せず「該当なし」「不明」「情報提供不可」などと記入して下さい。また、各社のシステム上支障等がある場合は別添資料などで対応して下さい。

・　14備考には、様式内に設けられていない事項（管理運営上のルール等）やその他特記事項（優良認定や修繕履歴等、購入者に有用な情報）があれば、適宜追加・変更して下さい。

・　利害関係人※は管理規約等の閲覧請求権があるので、管理規約等の規定については条文を記入する必要はなく「第○条参照」などの記載で足ります。また、現に有効な管理規約等に直近の変更が反映されていない場合は、その旨を記載して下さい。

・　宅地建物取引業者から管理物件の重要事項について情報提供等の依頼があった場合は、「管理に係る重要事項調査依頼書」を提供し必要事項を記入した上で提出してもらうものとします。また、上記依頼書の受領後にその内容を確認し、「管理に係る重要事項調査請書」を宅地建物取引業者宛てに交付又は送付するものとします。

※　利害関係人：敷地、専有部分に対する担保権者、差押え債権者、賃借人、組合員か

らの媒介を受けた宅地建物取引業者等法律上の利害関係がある者

①　マンション名称

項目	留意事項
①　物件名称、総戸数	・　管理規約等に記載されている物件の名称、総戸数及び総棟数並びに対象住戸の属する棟の戸数を記入。
②　物件所在地	・　管理規約等に記載されている所在地を記入。
③　対象住戸	・　売却依頼主が所有する住戸番号を記入。

②　管理計画認定の有無、認定取得日

項目	留意事項
①　管理計画認定	・　管理計画認定の１有、２無を記入
②　認定を行った都道府県知事等	・　①で１有の場合、認定を行った都道府県知事等を記入（○○市長・東京都特別区長、市長・東京都特別区以外の区域は、都道府県知事）
③　認定取得日	・　管理計画認定取得日を記入（認定取得日より５年間有効）

③　管理体制関係

項目	留意事項
①　管理組合名称	・　管理規約記載の名称を記入。なお、団地管理組合（又は街区管理組合）と売却依頼主が所有する建物の棟別管理組合が併存している場合は、その棟の管理組合の名称を記入すること。 ・　管理組合組織は、建物が１棟の場合は１を、建物が２棟以上の団地の場合は２を選択。
②　管理組合役員数	・　調査依頼時点で就任している管理組合役員（理事、監事）の数を記入。
③　管理組合役員の選任方法	・　立候補、輪番制、その他を記入。
④　通常総会の開催月・決算月	・　毎年開催される管理組合通常総会の開催月と決算月を記入。

⑤　理事会の年間の開催回数	・　調査の依頼時点の前年度の理事会開催回数を記入。
⑥　管理規約原本	・　管理規約の発効日は、調査依頼時点で保管されている管理規約原本が設定又は変更された直近の年月を記入。
⑦　共用部分に付保している損害保険の種類	・　調査依頼時点で管理組合が共用部分に付保している損害保険の種類を記入。 火災保険（マンション総合保険）、店舗総合保険、地震保険、個人賠償責任補償特約、施設賠償責任補償特約、その他
⑧　使用細則等の規程の名称	・　調査時点で規定されている使用細則等の規程を記入。 駐車場使用細則、自転車置場使用細則、ペット飼育細則、リフォーム細則、その他ルールについて決定されている内容

④　共用部分関係

（１）基本事項

項目	留意事項
①　建築年次（竣工年月）	・　売却依頼主が所有する区分所有建物の竣工年月を記入。
②　共用部分に関する規約等の定め	
・　共用部分の範囲の定め	・　規定している規約条項、別表名を記入。
・　共用部分の持分の定め	・　規定している規約条項、別表名を記入。 ・　１床面積割合による又は２その他を選択
③　専用使用に関する規約等の定め	・　専用使用に関する管理規約・使用細則　参照条文及び別表を記入。

（2）駐車場

項目	留意事項
①　駐車区画	・　敷地内・敷地外及びその形態（平面自走式台数、立体自走式台数、機械式台数等）ごとに台数を記入。 ・　区画種類が多い場合は行を増やして記入。
②　駐車場使用資格	・　管理規約・使用細則　参照条文を記入。 ・　賃借人の使用の可否　１可　又は２不可を選択
③　駐車場権利承継可否	・　駐車場の権利が専有部分と一体として承継できる場合は１を、できない場合は２を選択。
④　車種制限	・　駐車区画ごとに制限の内容が異なるので、管理規約・使用細則の参照条文及び別表と記入。※特に管理規約、使用細則に未規定であれば、駐車区画に対する車の規格（全長、全幅、全高、重量）を、行を増やし記入。
⑤　空き区画の有無	・　調査依頼時点の状況により、１有又は２無を選択。
⑥　空き区画の待機者数	・　調査依頼時点の人数等を記入。
⑦　空き区画補充方法	・　抽選・先着順（空き待ちリスト順）、又はその他の方法を記入。
⑧　駐車場使用料	・　１台当たりの月額使用料を記入。

（3）　自転車置場・バイク置場・ミニバイク置場

項目	留意事項
①　区画数	・　自転車置場、バイク置場、ミニバイク置場毎、区画数を記入。
②　空き区画の有無	・　自転車置場、バイク置場、ミニバイク置場毎。空き区画の有無を１有又は２無を選択。
③　使用料の有無と使用料	・　使用料又は登録料（月額又は年額を表示）は調査依頼時点の額を記入。

⑤　売主たる組合員が負担する管理費等関係

項目	留意事項
①　管理費 ②　修繕積立金 ③　修繕一時金 ④　駐車場使用料 ⑤　自転車置場使用料 ⑥　バイク置場使用料 ⑦　ミニバイク置場使用料 ⑧　専用庭使用料 ⑨　ルーフバルコニー使用料 ⑩　トランクルーム使用料 ⑪　組合費 ⑫　戸別水道使用料、冷暖房料、給湯料 ⑬　その他	・　売却依頼主が負担している管理費等の支払月額及び滞納額は調査依頼時点の額を記入。 ・　その他の費用や使用料があれば適宜追加すること。 ・　管理規約で規定する複合用途型の場合は、全体、一部、団地型の場合は、全体、各棟の管理費、修繕積立金等も適宜追加すること。 ・　各項目毎に金額を記載（滞納がある場合は滞納額も併せて記載）
⑭　遅延損害金の有無とその額	・　遅延損害金を請求する場合は売却依頼主の滞納管理費等の総額に対する額を記入。
⑮　管理費等の支払方法	・　１翌月分を当月○日に支払い、２当月分を当月○日に支払いのいずれかを選択。
⑯　管理費等支払手続き	・　管理規約等で規定されている支払方法（口座振替・自動送金・振込・集金代行会社委託）のいずれかを選択。 ・　口座振替・自動送金の場合で、支払い手続きを行う金融機関（営業店）が指定されている場合はその金融機関名、営業店名を記入すること。

⑥　管理組合収支関係

（1）収支及び予算の状況

収支の状況

<table>
<tr><th>項目</th><th>留意事項</th></tr>
<tr><td>①　管理費会計収入総額</td><td rowspan="11">・　管理費会計・修繕積立金会計の収入総額・支出総額・繰越額は、直近の総会で承認を受けた収支報告書から管理費会計及び修繕積立金会計の収入総額・支出総額・繰越額を千円単位（千円未満切捨）で転記して記入。
・　複合用途管理組合で全体と用途ごとの収支が区分されている場合は欄を追加して記入すること。
・　団地管理組合で団地全体と棟ごとの収支が区分されている場合は欄を追加して記入すること。
・　管理費会計・修繕積立金会計の資産総額・負債総額は、総会で承認を受けた直近の貸借対照表から管理費会計及び修繕積立金会計の資産総額・負債総額を千円単位（千円未満切捨）で転記して記入。
・　複合用途管理組合で全体と用途ごとの貸借が区分されている場合は欄を追加して記入すること。
・　団地管理組合で団地全体と棟ごとの貸借が区分されている場合は欄を追加して記入すること。</td></tr>
<tr><td>②　管理費会計支出総額</td></tr>
<tr><td>③　管理費会計繰越額</td></tr>
<tr><td>④　管理費会計資産総額</td></tr>
<tr><td>⑤　管理費会計負債総額</td></tr>
<tr><td>⑥　修繕積立金会計収入総額</td></tr>
<tr><td>⑦　修繕積立金会計支出総額</td></tr>
<tr><td>⑧　修繕積立金会計繰越額</td></tr>
<tr><td>⑨　修繕積立金会計資産総額</td></tr>
<tr><td>⑩　修繕積立金会計負債総額</td></tr>
<tr><td></td></tr>
</table>

予算の状況

項目	留意事項
①　管理費会計収入総額	・　管理費会計・修繕積立金会計の収入予定額は、調査依頼日が属する年度の管理費会計予算（総会で承認を受けたもの）における収入予定額を千円単位（千円未満切捨）で転記して記入。 ・　管理費会計・修繕積立金会計の支出予定額は、調査依頼日が属する年度の管理費会計予算（総会で承認を受けたもの）における支出予定額を千円単位（千円未満切捨）で転記して記入。 ・　管理費会計・修繕積立金会計の繰越予定額は、調査依頼日が属する年度の管理費会計及び修繕積立金会計の予算（総会で承認を受けたもの）における繰越予定額を千円単位（千円未満切捨）で転記して記入。 ・　複合用途管理組合で全体と用途ごとの予算が区分されている場合は欄を追加して記入すること。 ・　団地管理組合で団地全体と棟ごとの予算が区分されている場合は欄を追加して記入すること。
②　管理費会計支出総額	
③　管理費会計繰越額	
⑥　修繕積立金会計収入総額	
⑦　修繕積立金会計支出総額	
⑧　修繕積立金会計繰越額	

（2）管理費等滞納及び借入の状況

項目	留意事項
①　管理費滞納額	・　管理組合の直近の貸借対照表等を確認し記入。 ・　複合用途管理組合で全体と用途ごとの管理費等が区分されている場合は欄を追加して記入すること。 ・　団地管理組合で団地全体と棟ごとの管理費等が区分されている場合は欄を追加して記入すること。
②　修繕積立金滞納額	
③　借入金残高	

（3）管理費等の変更予定等

項目	留意事項
①　管理費	・　調査依頼時点で、値上げ等が総会で承認されている場合又は総会に上程されることが決定している場合は1、値上げ等が理事会で検討されている場合は3を選択。ただし、把握できているものに限る。 ・　調査依頼時点で、値上げ等が総会で承認されている場合又は総会に上程されることが決定している場合は、変更予定日を記入。 ・　複合用途管理組合で全体と用途ごとの管理費等が区分されている場合は欄を追加して記入すること。 ・　団地管理組合で団地全体と棟ごとの管理費等が区分されている場合は欄を追加して記入すること。
②　修繕積立金	
③　修繕一時金	
④　駐車場使用料	
⑤　自転車置場使用料	
⑥　バイク置場使用料	
⑦　ミニバイク置場使用料	
⑧　専用庭使用料	
⑨　ルーフバルコニー使用料	
⑩　トランクルーム使用料	
⑪　組合費	
⑫　戸別水道使用料、冷暖房料、給湯料	
⑬　その他	

（4）修繕積立金に関する規約等の定め

項目	留意事項
修繕積立金に関する規約等の定め	・　管理規約　参照条文及び別表名を記入。

（5）特定の区分所有者に対する管理費等の減免措置の有無

項目	留意事項
特定の区分所有者に対する管理費等の減免措置の有無	・　減免措置がある場合は1有、ない場合は2無を選択。ただし、把握できているものに限る。管理規約等に記載があれば、参照条文を記入。

⑦ 専有部分使用規制関係

項目	留意事項
① 専有部分の用途	・ 管理規約の規定により選択。
	・ 住宅専用(住宅宿泊事業は可)の場合は、1を選択。 ・家主居住型（同一建物内に居住）・家主同居型（同一専有部内に居住）の住宅宿泊事業に限り可能としている場合には、その態様について記入。
	・ 住宅専用（住宅宿泊事業は不可）の場合には、2を選択。 ・ 住宅以外も可の場合には、3を選択。 ・ 管理規約　参照条文を記入。
② 専有部分使用規制	・ 代表的な項目であるペット、専有部分内工事、楽器等音に関する制限の有無。それぞれ管理規約・使用細則　参照条文を記入。 ペットの飼育制限の有無 1有又は2無を選択 専有部分内工事の制限の有無 1有又は2無を選択 楽器等音に関する制限の有無 1有又は2無を選択 ・ その他規制項目が多い場合は行を増やして記入。
・ 一括受電方式による住戸別契約制限	・ マンション全体の契約等による規制で、当該マンション全体で一括して需給契約をしている（一括受電方式の導入）等がある場合は1、ない場合は2を選択し、1の場合は、その契約先、契約期間及び留意事項を記入。
③ 専有部分使用規制の制定・変更予定	・ 専有部分使用規制の1有、2無、を選択。 ・ 1有、2無の回答の場合、今後作成予定　1有、2無、今後変更予定　1有、2無を選択。

⑧　大規模修繕計画関係

項目	留意事項
①　長期修繕計画の有無	・　長期修繕計画がある場合は１有を、ない場合は２無を選択。 ・　１有の場合、総会で承認された年月、作成(見直し)を記入。 ・　調査依頼時点で、理事会で検討されている場合は、３検討中を選択。
②　共用部分等の修繕実施状況	・　本欄に記入すべき修繕工事は、管理組合が一定年数経過ごとに計画的に行った大規模修繕工事対象部位で、工事概要及び実施年月が把握できているものを記入。 ・「大規模修繕」とは、建物の全体又は複数の部位について、修繕積立金を充当して行う計画的な修繕又は特別な事情により必要となる修繕等をいう。(マンション標準管理委託契約書コメント28　別表第１　１（３）関係　④) 「大規模修繕」対象部位等 ・屋根、外壁、内壁、ベランダ、鉄部、給水管設備、排水管設備、電気幹線設備、ガス配管設備、エレベーター設備、その他 ・　原則として、調査依頼時点から遡及して10年間に実施したものとする。ただし、竣工当初から受託していない物件の修繕工事については、把握できているものを記入すれば足りる。
③　大規模修繕工事実施予定	・　調査依頼時点で、大規模修繕等対象部位の修繕工事の実施が総会で承認されている場合又は総会に上程されることが決定している場合は１、理事会で検討されている場合は３を選択。ただし、把握できているものに限る。また、大規模修繕の実施予定がある場合は、工事概要を記入。 　大規模修繕工事概要　工事内容、期間、工事費、一時金の予定など。 「大規模修繕」対象部位等 ・屋根、外壁、内壁、ベランダ、鉄部、給水管設備、排水管設備、電気幹線設備、ガス配管設備、エレベーター設備、その他

⑨　アスベスト使用調査の内容

項目	留意事項
①　調査結果の記録の有無	・　調査結果の記録がある場合は１有を、ない場合は２無を選択。 ・　調査実施日、調査機関、調査内容および調査結果を記入。 ・　取引対象のマンションについてアスベストの使用の有無の調査の結果が記録されているときは、その内容を記入するか調査結果の写しを添付することでも差し支えない。なお、管理組合の要請等に基づき提出した吹付けアスベスト（石綿）使用の有無に関する報告書等（別添様式例参照）も調査結果に該当する。
②　調査実施日	
③　調査機関名	
④　調査内容	
⑤　調査結果	

⑩　耐震診断の内容

項目	留意事項
①　耐震診断の有無	・　耐震診断を行っている場合は１を、行っていない場合は２を選択。
②　耐震診断の内容	・　取引対象のマンションが昭和56年５月31日以前に新築されたものであって、建築物の耐震改修の促進に関する法律第４条第２項第三号の技術上の指針となるべき事項に基づいて建築基準法第77条の21第１項に定める指定確認検査機関、建築士法第２条第１項に定める建築士、住宅の品質確保の促進等に関する法律第５条第１項に定める登録住宅性能評価機関、地方公共団体が行った耐震診断の結果を記入するか、次の書類を添付することでも差し支えない。 ア　住宅の品質確保の促進等に関する法律第５条第１項に定める住宅性能評価書の写し（平成13年国土交通省告示第1346号別表２－１の１－１の耐震等級（構造駆体の倒壊等防止）に係る評価を受けたものに限る。） イ　地方税法施行規則第７条の６の２第２項に規定する書類（耐震基準適合証明書の写し、住宅の品質確保の促進等に関する法律第５条第１項に定める住宅性能

	評価書の写し） ウ　租税特別措置法施行規則第18条の４第２項、第18条の21第１項、第23条の６第３項第２号に定める書類（耐震基準適合証明書の写し、住宅の品質確保の促進等に関する法律第５条第１項に定める住宅性能評価書の写し） エ　指定確認検査機関、建築士、登録住宅性能評価機関、地方公共団体が作成した耐震診断結果評価書の写し。

⑪　建替え等関係

項目	留意事項
①　建替え推進決議の有無	・　建替え推進決議を行っている場合は１、行っていない場合は２、検討中の場合は３を選択。 ・　１有の場合は、決議年月を記入。
②　要除却認定の有無	・　要除却認定を受けている場合は１、受けていない場合は２、申請中の場合は３、検討中は４を選択。 ・　１有の場合は認定年月を記入、３申請中の場合は、申請年月を記入。
③　建替え決議、マンション敷地売却決議の有無	・　建替え決議、マンション敷地売却決議を行っている場合は１、行っていない場合は２、検討中の場合は３を選択。 ・　１有の場合、総会で決議された年月を記入。

⑫　管理形態

項目	留意事項
①　マンション管理業者名	・マンション管理業者名、業登録番号、主たる事務所の所在地、委託（受託）形態（全部・一部）を記入。
②　業登録番号	【不動産取引上の定義】 ・　委託形態（全部） 管理業務のすべて（事務管理業務・管理員業務・清掃業務・建物設備等管理業務）をマンション管理会社に委託する方式 ・　委託形態（一部） 管理業務の一部、例えば清掃または設備保守だけをマンション管理会社に委託する方式
③　主たる事務所の所在地	
④　委託（受託）形態（全部、一部の別）	

⑬ 管理事務所関係

項目	留意事項
① 管理員勤務日	・ 管理員の勤務日・勤務時間、管理事務室の電話番号、物件担当事業所名、事業所電話番号及び担当者氏名を記入。
② 管理員勤務時間	
③ 管理事務所の電話番号	
④ 本物件担当事業所名	
⑤ 本物件担当事業所電話番号	
⑥ 本物件担当者名	

⑭ 備考

（1）建物の建築及び維持保全の状況に関する書類の保存の状況

項目	留意事項
① 確認の申請書および添付図書並びに確認済証（新築時の物）	・ 建築基準法第6条第1項の規定による確認の申請書および添付図書並びに同法第6条第1項及び同法第18条第3項の確認済証（新築時の物）の原本がある場合は1を、ない場合は2を選択。
② 検査済証（新築時の物）	・ 建築基準法第7条第5項及び同法第18条第18項の検査済証（新築時の物）の原本がある場合は1を、ない場合は2を選択。
増改築を行った物件である場合	
③ 確認の申請書および添付図書並びに確認済証（増改築時の物）	・ 増改築を行った物件である場合、確認の申請書および添付図書並びに確認済証（増改築時の物）の原本がある場合は1を、ない場合は2を選択。
④ 検査済証（増改築時の物）	・ 原本がある場合は1を、ない場合は2を選択。
既存住宅の建設住宅性能評価を受けた住宅である場合	
⑤ 建設住宅性能評価書	・ 既存住宅に係る住宅の品質確保の促進等に関する法律第6条第3項に規定する建設住宅性能評価書

	の原本がある場合は１を、ない場合は２を選択。
建築基準法12条の規定による定期調査報告書の対象である場合	
⑥　定期調査報告書・定期検査報告書（昇降機等）	・　定期調査報告の対象の物件について、直近の定期調査報告書（特定建築物の定期調査）・定期検査報告書（防火設備の定期検査・建築設備の定期検査・昇降機等の定期検査）のいずれかの原本がある場合は１を、ない場合は２を選択。
昭和56年５月31日以前に新築の工事に着手した住宅である場合（地震に対する安全性に関する書類）	
⑦　新耐震基準等に適合していることを証する書類	・　新耐震基準等に適合していることを証する次の書類がある場合は１を、ない場合は２を選択。（ア・イ・ウ・エのいずれか有効な書類がある場合は、新耐震基準等に適合するものとして「有」） ・　新耐震基準等に適合していることを証する書類がある場合は、書類名を記入。※記入は、ア～エのいずれか１種類で可。
ア　耐震診断結果報告書	・　建築物の耐震改修の促進に関する法律第４条第２項第三号の技術上の指針となるべき事項に基づいて、建築基準法第77条の21第１項に定める指定確認検査機関、建築士法第２条第１項に定める建築士、住宅の品質確保の促進等に関する法律第５条第１項に定める登録住宅性能評価機関、地方公共団体が行った耐震診断の結果についての報告書の原本で、建築士の登録番号、記名及び押印があるもの。

	イ　建設住宅性能評価書	・　住宅の品質確保の促進等に関する法律に基づき交付された既存住宅に係る建設住宅性能評価書のうち、日本住宅性能表示基準（平成13年国土交通省告示第1346号）別表２－１の１－１の耐震等級（構造躯体の倒壊等防止）に関して等級１、等級２または、等級３の評価を受けた建設住宅性能評価書の原本。等級０の評価を受けた評価書については、書類がある場合でも新耐震基準等に適合することが確認できる書類ではないため「無」となる。
	ウ　既存住宅売買瑕疵保険の付保証明書	・　既存住宅売買瑕疵保険の付保証明書（既存住宅の売買に係る特定住宅瑕疵担保責任の履行の確保等に関する法律第19条２号の保険契約が締結されていることを証する書類）の原本。新耐震基準等に適合することが確認できるため「有」となる。
	エ　耐震基準適合証明書	・　建物が現行の耐震基準を満たしていることを証明する耐震基準適合証明書の写し。発行は建築士事務所登録を行っている事務所に所属する建築士、又は指定性能評価機関等。耐震性を満たしている住宅（上部構造評点1.0以上）であれば証明書が発行される。
その他		
建物状況調査の結果の概要		・　重要事項調査依頼のあった住戸の１年以内のものが対象。 ・　宅地建物取引業法34条の２第１項第４号に規定する建物状況調査を１年以内に実施している場合は、14備考欄に、「建物状況調査

	（1年以内）の実施　有」と記入。ただし、把握できるものに限る。 ・　建物状況調査結果報告書（1年以内）がある場合で、建物状況調査結果報告書の写しを添付することが可能であれば添付する。
建物の建築及び維持保全の状況に関する書類の保存状況	・　重要事項調査依頼のあった住戸のものが対象。 ・　宅地建物取引業法34条の2第1項第4号に規定する建物状況調査を（1年以内に限らず）実施しており、建物状況調査の結果についての報告書の原本がある場合は、14備考欄に、「建物状況調査結果報告書有」と記入。

（2）コミュニティ関係

項目	留意事項
①　自治会等の活動	・　有の場合はその概要を記入。不明であれば不明を選択。
②　サークル・イベント活動	・　有の場合はその概要を記入。不明であれば不明を選択。

（3）その他、物件特有の共用部分のサービスや施設又は購入者に伝えるべき項目等

項目	留意事項
①　自治体や民間団体等が実施する耐震・防犯等優良認定を管理組合が独自に受けていること	・　認定制度名、認定者、認定日、認定期間等を記入。
〈参考記載例〉	
マンション管理適正評価制度	（一社）マンション管理業協会が実施するマンションの管理状態の評価に対する回答例は以下のとおり。
管理適正評価	・　1有、2無を記入。
評価	・　管理適正評価1有の場合、1五つ星、2四つ星、3三つ星、4二

	つ星、5一つ星、6星なしを記入。
登録年月日	・　管理適正評価1有の場合、登録完了日を記入。(評価結果登録日より1年間有効)
②　テレビ共聴について	・　CATV会社のサービスによる視聴などを記入。
③　インターネットサービスについて	・　インターネットサービスを供給している会社などを記入。
④　共用部分における重大事故・事件について	・　共用部分で起きた重大な事故・事件で購入者に影響があるものを記入。ただし、把握できているものに限る。 ・　対象住戸（専有部内）については、宅地建物取引業者から売却依頼主へ確認するよう求めるべきである。 ・　回答内容は、管理組合に要確認のこと。(特に心理的瑕疵については、注意のこと。)
⑤　鍵預かりサービスについて	・　警備会社などによる専有部鍵預かりサービスなどを記入。
⑥　設計図書等保管場所について	・　管理組合の保管すべき設計図書等の保管場所を記入。
⑦　その他	・　物件特有で買主に影響を与えるものを、管理組合に要確認のうえ具体的に記入。
・　物件特有の専有部分サービス内容。 ・　ゴミ出しに関する情報 ・　管理組合役員の選任方法が輪番制であれば、その輪番表を添付。 ・　実施済みの大規模修繕工事の記録があれば、その履歴（一覧表）などを添付。　等	

以　上

様式１

○○管理株式会社　御中

管理に係る重要事項調査依頼書

当社は、宅地建物取引業法第35条及び同法施行規則第16条の２及び第16条の４の３等により、下記物件の管理に係る重要事項について必要な費用を添えて、貴社に調査を依頼します。

年　　月　　日

免許番号（　　　　）第　　　　号
商　号　　　　　　　　　　　　印

担当者
所　属
住　所
電　話
ＦＡＸ

物件名称		所在地	
売却依頼主	印	住戸番号	棟　　号 室

調査依頼事項（○で囲んだ事項の調査を依頼します）
１　管理に係る重要事項報告書　　　　一式 ２　管理規約　写 ３　その他

様式２

御中

管理に係る重要事項調査請書

先にご依頼のあった○○マンションの管理に係る重要事項の調査をお引き受けいたします。つきましては、下記の事項について予めご留意下さい。

年　月　日

○○管理株式会社　㊞
担　当　○○○○
電　話　○○―○○○○―○○○○
ＦＡＸ　○○―○○○○―○○○○

記

1．調査報告書及び資料は手渡しまたは郵送とさせていただきます。ＦＡＸでの送付はいたしません。
2．当該マンションの管理規約及び使用細則並びに総会議事録等は○○○○に保管しております。平日午前○時から午後○時の間に閲覧することができます。なお、管理規約等を貸し出しすることはできません。
3．調査報告書の発行手数料は○○○○円です。なお、管理規約等の写しをご希望の場合は、別途実費を申し受けます。
4．手数料等はご持参いただくか、下記の口座にお振込み下さい。なお、請求書及び領収書が必要な場合は予めご連絡をお願いいたします。

（振込先）
○○管理株式会社
○○銀行○○支店　普通・当座
口座番号○○○○○○○○

以上

様式3

管理に係る重要事項調査報告書

1　マンションの名称

物件名称					
総戸数	戸	総棟数	棟	対象棟の戸数	戸
物件所在地				対象住戸	棟　号室

2　管理計画認定の有無、認定取得日

管理計画認定	1　有　　2　無
認定を行った都道府県知事等	
認定取得日（5年有効）	年　月　日

3　管理体制関係

管理組合名称	管理組合
管理組合組織	1　区分所有者全員で組織する管理組合 2　団地建物所有者全員で組織する団地管理組合（又は街区管理組合）
管理組合役員数	理事　名、監事　名
管理組合役員の選任方法	1　立候補　2　輪番制 3　その他（　）
総会・決算関係	通常総会開催月　月（決算月　月）
理事会活動状況	回開催（　年　月　～　年　月）
管理規約原本	発効　変更　年　月
共用部分に付保している損害保険の種類	□火災保険（マンション総合保険）□店舗総合保険 □地震保険　□個人賠償責任補償特約 □施設賠償責任補償特約　□その他（　）
使用細則等の規程	□駐車場使用細則　□自転車置場使用細則 □ペット飼育細則　□リフォーム細則 □その他（　）

4　共用部分関係

（1）基本事項

建　築　年　次	年　　月竣工
共用部分に関する規約等の定め	共用部分の範囲　参照条文　第　　条　及び　別表 共用部分の持分　1　床面積割合による　　2　その他 参照条文　第　　条　及び　別表 詳細は、管理規約、使用細則等を参照して下さい。
専用使用に関する規約等の定め	専用使用に関する管理規約・使用細則 参照条文　第　　条　及び　別表 詳細は、管理規約、使用細則等を参照して下さい。

（2）駐車場

駐車区画数	敷地内	平面自走式　　台　　機械式　　台
	敷地外	平面自走式　　台　立体自走式　　台 機械式　　台
駐車場使用資格	参照条文　管理規約第　　条　又は　使用細則第　　条 賃借人の使用の可否　1　可　　2　不可	
駐車場権利承継可否	1　可　　2　不可	
車種制限の内容	管理規約・使用細則　参照条文　第　　条　及び　別表	
空き区画の有無	1　有　　2　無（　　年　　月現在）	
空き待ち数（待機者数）	名（　　年　　月現在）	
空き区画補充方法等	□抽選　□先着順　□その他（　　　）	
駐車場使用料	円〜　　　円／台・月	

（3）自転車置場・バイク置場（ミニバイク置場）

自転車置場・バイク置場等区画数	自転車　　台　バイク　　台　ミニバイク　　台
空き区間の有無	自転車　　1　有　2　無　（　　年　　月現在） バイク　　1　有　2　無　（　　年　　月現在） ミニバイク　1　有　2　無　（　　年　　月現在）
使用料の有無	自転車　　1　有（　　　円／月・年）　2　無 バイク　　1　有（　　　円／月・年）　2　無 ミニバイク　1　有（　　　円／月・年）　2　無

5　売却依頼主負担管理費等関係（　　年　　月　　日現在）

管理費（全体）	円（滞納額　　　円）
管理費（棟別）	円（滞納額　　　円）
修繕積立金（全体）	円（滞納額　　　円）
修繕積立金（棟別）	円（滞納額　　　円）
修繕一時金	円（滞納額　　　円）
駐車場使用料	円（滞納額　　　円）
自転車置場使用料	円（滞納額　　　円）
バイク置場使用料	円（滞納額　　　円）
ミニバイク置場使用料	円（滞納額　　　円）
専用庭使用料	円（滞納額　　　円）
ルーフバルコニー使用料	円（滞納額　　　円）
トランクルーム使用料	円（滞納額　　　円）
組合費	円（滞納額　　　円）
戸別水道使用料・冷暖房料・給湯料	円（滞納額　　　円）
その他（　　　）	円（滞納額　　　円）
遅延損害金	1　有（　　　円）　2　無
管理費等支払方法	1　翌月分を当月　　日に支払い 2　当月分を当月　　日に支払い
管理費等支払手続き	1　口座振替（　　　銀行　　　支店） 2　自動送金（　　　銀行　　　支店） 3　振込 4　集金代行会社委託

6　管理組合収支関係

（1）収支及び予算の状況

	直近の収支報告（確定額）	当年度の収支予算（予定額）
管理費会計収入総額	千円	千円
管理費会計支出総額	千円	千円
管理費会計繰越額	千円	千円

管理費会計資産総額	千円	—
管理費会計負債総額	千円	—
修繕積立金会計収入総額	千円	千円
修繕積立金会計支出総額	千円	千円
修繕積立金会計繰越額 (修繕積立金累積額)	千円	千円
修繕積立金会計資産総額	千円	—
修繕積立金会計負債総額	千円	—
※　詳細は、第　期収支報告書及び収支予算案を参照して下さい。		

（2） 管理費等滞納及び借入の状況

管理費滞納額	円
修繕積立金滞納額	円
借入金残高	円
※　詳細は、第　期収支報告書（貸借対照表）を参照して下さい。	

（3）管理費等の変更予定等（　　年　　月現在）

管理費（全体）	1　変更予定有（　　年　　月から） 2　変更予定無　　3　検討中
管理費（棟別）	1　変更予定有（　　年　　月から） 2　変更予定無　　3　検討中
修繕積立金（全体）	1　変更予定有（　　年　　月から） 2　変更予定無　　3　検討中
修繕積立金（棟別）	1　変更予定有（　　年　　月から） 2　変更予定無　　3　検討中
修繕一時金	1　変更予定有（　　年　　月から） 2　変更予定無　　3　検討中
駐車場使用料	1　変更予定有（　　年　　月から） 2　変更予定無　　3　検討中
自転車置場使用料	1　変更予定有（　　年　　月から） 2　変更予定無　　3　検討中
バイク置場使用料	1　変更予定有（　　年　　月から） 2　変更予定無　　3　検討中
ミニバイク置場使用料	1　変更予定有（　　年　　月から） 2　変更予定無　　3　検討中

専用庭使用料	1　変更予定有（　　年　　月から） 2　変更予定無　　　3　検討中
ルーフバルコニー使用料	1　変更予定有（　　年　　月から） 2　変更予定無　　　3　検討中
トランクルーム使用料	1　変更予定有（　　年　　月から） 2　変更予定無　　　3　検討中
組合費	1　変更予定有（　　年　　月から） 2　変更予定無　　　3　検討中
戸別水道使用料・ 冷暖房料・給湯料	1　変更予定有（　　年　　月から） 2　変更予定無　　　3　検討中
その他 （　　　　　　）	1　変更予定有（　　年　　月から） 2　変更予定無　　　3　検討中
※　管理費等の変更予定有とは、総会で承認されている場合又は総会に上程されることが決定している場合を指し、検討中とは、理事会で検討されている場合を指します。ただし、それを弊社が把握している場合に限ります。	

（4）修繕積立金に関する規約等の定め

修繕積立金に関する規約等の定め	参照条文　第　　条　及び　別表 詳細は、管理規約を参照して下さい。

（5）特定の区分所有者に対する管理費等の減免措置の有無

特定の区分所有者に対する管理費等の減免措置	1　有　　　　2　無 参照条文　第　　条　及び　別表 詳細は、管理規約を参照して下さい。

7　専有部分使用規制関係

専有部分用途	1　住宅専用（住宅宿泊事業は可） □家主居住型に限り可　　□家主同居型に限り可 2　住宅専用（住宅宿泊事業は不可） 3　住宅以外も可 管理規約　参照条文　第　　条 詳細は、管理規約を参照して下さい。
専有部分使用規制	ペットの飼育制限　　1　有 2　無 3　変更予定有 使用細則　参照条文　第　条

	※１有、２無の回答の場合 　今後作成予定　　１　有　　２　無 　今後変更予定　　１　有　　２　無 専有部分内工事の制限　１　有 ２　無 ３　変更予定有 使用細則　参照条文　第　条 ※１有、２無の回答の場合 　今後作成予定　　１　有　　２　無 　今後変更予定　　１　有　　２　無 楽器等音に関する制限　１　有 ２　無 ３　変更予定有 使用細則　参照条文　第　条 ※１有、２無の回答の場合 　今後作成予定　　１　有　　２　無 　今後変更予定　　１　有　　２　無 詳細は、管理規約、使用細則等を参照して下さい。
マンション全体の契約等による規制	一括受電方式の導入　１　有　　２　無 導入有の場合（契約先　：　　　） （契約期間：　～　） 留意事項
※　導入有の場合とは、導入済みの場合だけでなく、導入決定後の手続き中である場合も含みます。	

8　大規模修繕計画関係

長期修繕計画の有無	１　有（　　年　　月作成（見直し）） ２　無　　　３　検討中
共用部分等の修繕実施状況	
修繕工事　　年　　月実施 修繕工事　　年　　月実施 修繕工事　　年　　月実施	
※　当修繕は管理組合が一定年数経過毎に計画的に行う大規模修繕工事をいい、弊社の情報提供可能な範囲といたします。	
※　売却依頼主の専有部分の修繕実施状況は、売却依頼主にご確認下さい。	

大規模修繕工事実施予定（　　年　　月現在）
修繕工事　1　実施予定有（　　年　　月予定） 2　実施予定無　　3　検討中 修繕工事　1　実施予定有（　　年　　月予定） 2　実施予定無　　3　検討中 修繕工事　1　実施予定有（　　年　　月予定） 2　実施予定無　　3　検討中
予定されている工事の概要
※　大規模修繕工事実施予定有とは、総会で承認されている場合又は総会に上程されることが決定している場合を指し、検討中とは、理事会で検討されている場合を指します。ただし、それを弊社が把握している場合に限ります。

9　アスベスト使用調査の内容

調査結果の記録の有無	1　有　　　　2　無
調査実施日	
調査機関	
調査内容	
調査結果	

10　耐震診断の内容

耐震診断の有無	1　有　　　　2　無
耐震診断の内容	□報告書添付（別添のとおり）

11　建替え等関係

建替え推進決議の有無	1　有（　　年　　月決議） 2　無　　　　3　検討中
要除却認定の有無	1　有（認定年月　　年　　月） 2　無 3　申請中（申請年月　年　月） 4　検討中

建替え決議、マンション敷地売却決議の有無	1　有（　年　月決議） 2　無　　　3　検討中

12　管理形態

マンション管理業者名	
業登録番号	国土交通大臣（　）第　　　号
主たる事務所の所在地	
委託（受託）形態	1　全部　　2　一部

13　管理事務所関係

管理員勤務日	
管理員勤務時間	午前　時　分～午後　時　分まで
管理事務所電話番号	
本物件担当事業所	
本物件担当事業所電話番号	
本物件担当者氏名	

14　備考

（1）建物の建築及び維持保全の状況に関する書類の保存の状況

確認の申請書および添付図書並びに確認済証（新築時の物）	1　有　　2　無
検査済証（新築時の物）	1　有　　2　無
増改築を行った物件である場合	
確認の申請書および添付図書並びに確認済証（増改築時の物）	1　有　　2　無
検査済証（増改築時の物）	1　有　　2　無
既存住宅の建設住宅性能評価を受けた住宅である場合	
建設住宅性能評価書	1　有　　2　無
建築基準法第12条の規定による定期調査報告の対象である場合	
定期調査報告書・定期検査報告書（昇降機等）	1　有　　2　無

昭和56年5月31日以前に新築の工事に着手した住宅である場合（地震に対する安全性に関する書類）	
新耐震基準等に適合していることを証する書類	1　有　　　　2　無 書類名：(　　　　　)

（2）コミュニティ関係

自治会・町内会等	1　有　　　2　無　　　3　不明 有の場合、その概要
サークル・イベント活動	1　有　　　2　無　　　3　不明 有の場合、その概要

（3）物件特有の共用部分のサービスや施設又は購入者に伝えるべき項目等
　※内容は管理組合に確認すること。（心理的瑕疵については注意）

○　自治体や民間団体等が実施する耐震・防犯等優良認定を管理組合が独自に受けていること。

〈参考記載例〉

（一社）マンション管理業協会　適正評価制度

管理適正評価制度	1　有　　　2　無
評価	1　五つ星　2　四つ星　3　三つ星、 4　二つ星　5　一つ星　6　星なし
登録年月日 （1年有効）	年　月　日

○　テレビ共聴について
○　インターネットサービスについて
○　共用部分における重大事故・事件について
○　鍵預かりサービスについて
○　設計図書等保管場所について
○　実施済みの大規模修繕工事の記録、その履歴（一覧表）
○　その他

本報告書は、○○マンション管理組合と弊社との間で締結した管理委託契約書第○○条に基づくものであり、記載事項以外の事項について弊社は責任を負いません。

本報告書及び本報告書に記載された情報の目的外利用を固く禁じます。また、弊社のプライバシーポリシーは弊社 HP（　　　　　　　　　　　）をご確認ください。

なお、建物の区分所有等に関する法律第33条、第42条及び第45条並びに第66条の規定により、利害関係人は当マンションの管理規約等の閲覧請求権があることを申し添えます。

年　　月　　日

商号又は名称　　　　　　　　　㊞
代表者氏名
担当部署
報告者

様式4

○○マンション管理組合　殿

○○管理株式会社

吹付けアスベスト（石綿）の使用状況に関する調査結果について

標記の件についてご報告いたします。

このたび、貴マンションの吹付けアスベスト（石綿）の使用状況等に関し調査を行いましたので、その結果を下記のとおりご報告します。

記

1　調査実施日
　○年○月○日

2　調査内容
　外観目視点検並びに設計図書による確認

3　調査者

○○支店マンションリフォーム課　○○○○（一級建築士）

4　調査結果

(1)　調査した結果、貴マンションに吹付けアスベスト（石綿）の使用は認められませんでした。なお、設計図書に具体的な製品名称が記載されていない場合もございますので、アスベスト（石綿）の含有について全てが確認できないことをご承知下さい。

(2)　今回の調査は吹付けアスベスト（石綿）の使用の有無を対象として行いましたので、非飛散性アスベスト（石綿含有建材）の使用の有無は調査しておりません。別途の調査が必要です。

5　本件担当窓口

標記調査に関するお問い合わせは、下記にお願いいたします。

○○管理株式会社○○支店マンションリフォーム課

電話　○○―○○○○―○○○○

以上

第3編

管理業務主任者

管理業務主任者

管理業務主任者の業務

1｜管理業務主任者の心得

（1）関連法規等の幅広い知識

「マンションの管理の適正化の推進に関する法律」（以下、本編において「法」「マンション管理適正化法」又は「適正化法」という。）においては、管理業務主任者による①重要事項説明、②重要事項を記載した書類及び契約の成立時の書面への記名、③管理事務の報告を義務付けて、適正な管理委託契約の締結等が図られている。管理業務主任者がこれらの職責を全うし、区分所有者及び管理組合の管理者（理事長）等の信頼に十分に応え得るには、管理業に関する幅広い専門的知識を有していなければならない。ここで要求される知識とは、マンション管理適正化法等の法令、管理委託契約の内容、重要事項を記載した書面の作成・説明、区分所有法、管理規約の内容、管理組合の運営方法、会計基準・管理組合の会計、建物・設備の維持保全、修繕計画の作成、苦情対応等幅広い知識である。また、管理業に関する関係法令等の法改正等の動きも、常時把握しておくことが必要である。

管理業務主任者は、マンション管理適正化法の義務を果たしているという自覚も必要である。専門家としての経験を積み重ね、多くの知識を習得し、区分所有者及び管理組合の管理者等からの要望に対して適切な助言をすることが必要である。

（2）秘密保持義務

マンション管理適正化法には、「管理業務主任者として行う事務に関し、不正又は著しく不当な行為をしてはならない」「マンション管理業者は、正当な理由がなく、その業務に関して知り得た秘密を漏らしてはならない」「マンション管理業者の使用人その他の従業者は、正当な理由がなく、マンションの管理に関する事務を行ったことに関して知り得た秘密を漏らしてはならない」と明記されている。マンション管理を行う管理業者及びその使用人、従業者は、入居届等を通じて居住者の家族関係や職業を知ることができ、また業務を通じてその交友関係を知る機会も多い。そのため、マンション管理適正化法は、これら業務上知り得た秘密を正当な理由がなく、漏らしてはならない義務を課している。秘密保持義務を軽視することは、マンション管理適正化法違反になると同時に、管理組合からの信頼を失うことにもなる。管理業務主任者も、業務を通じて知り得たことに関して守秘義務を遵守しなければならない。

(3) 管理委託契約内容の把握

管理委託契約（マンション管理適正化法では「管理受託契約」と表記されている。これは管理業者側からみた場合であり、管理組合側からみれば「管理委託契約」となる。両者は同義語である。以下「管理委託契約」と表記する。）は、マンション管理業者と管理組合との間の契約であるが、管理委託契約の内容等が管理組合にとって理解しづらい契約になっていることもある。そのため、後日契約内容についてトラブルとなり管理委託契約の解約につながることがある。また、管理組合及び区分所有者からの依頼事項への対応のまずさなどにより管理業者がその信頼を失うこともある。管理業者は管理委託業務を単にビジネスとわりきって履行していても、管理組合及び区分所有者は毎日の生活上の問題として追及してくる。管理業者が、管理委託契約を永続的に継続するには、管理組合からの信頼が得られなければならない。また、マンションを社会的資産としてできる限り保全し、かつ、快適な居住環境が確保できるように管理業務を行うことも求められる。管理組合及び区分所有者からの信頼は、管理業務主任者及び管理業務にたずさわっている従業者の努力から得られるものである。マンション管理業者は、従業者に対し、その個々の役割、心構え及びマンション管理業者として求められる職業倫理として自覚させる必要がある。

（4）適正化法72条（重要事項の説明等）、同法73条（契約の成立時の書面の交付）、同法77条（管理事務の報告）におけるＩＴを活用した説明・交付・報告の実施について

ＩＴを活用した適正化法に基づく説明・交付・報告については、改正法が令和２年６月24日に公布され、そのうち、「政令で定める」「国土交通省令で定める」とされた事項の省令（マンション管理適正化法施行規則（以下、「施行規則」という。））が、令和３年２月３日に公布、同年３月１日に施行された（令和３年３月１日国不参51号）。

1．ＩＴを活用した重要事項の説明等、契約の成立時の書面の交付、管理事務の報告における交付等について

重要事項の説明等、契約の成立時の書面の交付、管理事務の報告における説明等に関し、ＩＴを活用した提供（以下「ＩＴ提供」という。）を行うことができるようになった。

実施する場合、令和３年３月１日国不参51号及び一般社団法人マンション管理業協会が公表した「マンション管理委託契約における重要事項説明書・契約成立時の書面・管理事務報告書の電磁的方法による交付に係るガイドライン」に基づき、①相手方の承諾を得て、②電磁的方法の種類及び内容を示したうえで、③書面又は電磁的方法による承諾を得た後、④具体的な電磁的交付の方法、⑤相手方における一定の技術的基準への適合、⑥相手方に示す電磁的方法の種類・内容、承諾書の取得方法、⑦一定の技術的基準への適合、⑧中止の申し出（適正化法77条（管理事務の報告）のみ）に関し、以上①～⑦（同法77条（管理事務の報告）は⑧まで）、すべての条件を満たしたうえで、ＩＴ提供をすることとなる。

2．適正化法72条（重要事項の説明等）、同法73条（契約の成立時の書面の交付）、同法77条（管理事務の報告）における説明等について

重要事項の説明等、契約の成立時の書面の交付、管理事務の報告における説明等についてＩＴを活用した重要事項説明等（以下「ＩＴ説明」という。）を実施することができるようになった。

実施する場合、令和３年３月１日国不参51号で添付された一般社団法人マンション管理業協会が公表する「マンション管理委託契約におけるＩＴを活用した管理者等に対する重要事項説明・管理事務報告に係るガイドライン」「マン

ション管理委託契約におけるＩＴを活用した重要事項説明会・管理事務報告会に係るガイドライン」に基づき、①十分に理解できる程度に映像を視認でき、②双方が発する音声を十分に聞き取ることができ、③双方向でやりとりができる環境において実施していること、④説明を受ける者に、重要事項説明書又は管理事務報告書を法令に従って送付していること、⑤ＩＴ説明を受けようとするものが、関係書類を確認しながら説明を受けることができる状態にあること、⑥映像及び音声の状況について、管理業務主任者がＩＴ説明を開始する前に確認していること、⑦管理業務主任者が管理業務主任者証を提示した際、ＩＴ説明を受けようとする者が、当該管理業務主任者証を画面上で視認できたことを確認していることの、以上①～⑦すべての事項を満たしている場合に限り、対面による重要事項説明等と同様に取り扱うこととなった。

※　実務に即したQ&Aは、巻末資料１「マンションの管理の適正化の推進に関する法律実務Q&A」（抜粋）参照

2｜重要事項の説明（法72条）

（１）重要事項説明の趣旨

マンション管理適正化法72条の目的は、管理組合がマンション管理業者との管理委託契約締結の意思決定をする前に、マンション管理業者が、管理委託契約に係る重要な事項について、あらかじめ書面を交付して説明することによって、管理組合に管理委託契約の範囲や内容等についての検討と理解の機会を確保しようとするものである。

管理組合における管理委託契約の締結の意思決定とは、標準管理規約に準じていれば、管理組合の総会の決議を指すので、少なくとも、総会で管理委託契約の締結に関する議案の採決を行う前に、マンション管理業者は法72条に定める重要事項説明を行わなければならない。

つまり、総会での管理委託契約の締結に関する議案の採決を行った後に重要事項説明を行っても、法律上の義務を果たしたことにはならない。

重要事項説明の規定は、マンション管理業者と管理組合の間で発生する紛争の中で、管理委託契約の範囲及び内容に関するものが少なくないことなどがあり、こうしたトラブルを未然に防止するためには、管理組合の構成員である区

分所有者等が管理委託契約の範囲や内容を事前に十分に理解したうえで、契約を締結することが重要であることから設けられたものである。

したがって、管理組合が管理委託契約に不当な条項や不利な条項等がないことなどを確認し、契約上の管理組合の権利と義務やマンション管理業者の責任の範囲に関する事項等について、管理委託契約を締結する前に十分に検討したうえで、契約が締結できるようにするものである。

これは、管理委託契約の締結の相手方である管理組合の保護に寄与しようとする趣旨であるから、マンション管理業者は、管理事務の実施についての責任の範囲と管理組合の権利の範囲や限界等については、包み隠さずに開示して説明する必要がある。

また、当然のことながら、単に説明をするだけでなく、説明した内容等について管理組合から質問等を受けた場合には、その質問等に応じることにより、はじめて説明責任を果たしたといえることになる。

（2）説明すべき重要事項

重要事項として説明すべき事項は、施行規則84条及び通達に次のように規定されている。

〔施行規則84条の記載事項〕

① マンション管理業者の商号又は名称、住所、登録番号及び登録年月日
② 管理事務の対象となるマンションの所在地に関する事項
③ 管理事務の対象となるマンションの部分に関する事項
④ 管理事務の内容及び実施方法（法76条の規定により管理する財産の管理の方法を含む。）
⑤ 管理事務に要する費用並びにその支払の時期及び方法
⑥ 管理事務の一部の再委託に関する事項
⑦ 保証契約に関する事項（※１）
⑧ 免責に関する事項
⑨ 契約期間に関する事項
⑩ 契約の更新に関する事項
⑪ 契約の解除に関する事項

〔通達の記載事項〕

⑫　法79条に規定する書類の閲覧方法（※２）

※１　⑦の保証契約とは、マンション管理業者が施行規則87条２項第１号イ又はロに定める収納口座、保管口座により管理組合の財産（金銭又は有価証券）の管理を行う場合の要件として定めている保証契約の締結に関する事項を指している。管理委託契約が期間満了により消滅したり、管理委託契約が解除された場合、又はマンション管理業者が経営破綻した場合、マンション管理業者は、管理組合から預かっていた修繕積立金等金銭（管理費等と修繕積立金）を返還しなければならない。そこで、修繕積立金等が返還されない場合に備えて第三者に保証人になってもらう必要がある。これが、ここでいうところの保証契約である。また、法97条１項の規定による保証業務を行う指定法人として㈳高層住宅管理業協会（現：一般社団法人マンション管理業協会）が平成13年８月14日付で国土交通大臣の承認を受けている。

※２　⑫は、施行規則84条各号には記載されていないが、管理組合に説明することが望ましいとして、国土交通省から平成14年２月28日国総動309号で通達されている項目である。

（３）重要事項説明書への記名

マンション管理業者は、重要事項説明書を作成するときは、管理業務主任者をして、当該書面に記名させなければならない（法72条５項）。この場合において、「記名」されるべき管理業務主任者は、原則として、重要事項について十分に調査検討し、それらの事項が真実に合致し、誤り及び記載漏れがないかどうかなどを確認した者でなければならない。また、重要事項説明書をもって説明する管理業務主任者がその重要事項説明書に記名することになっている。

（参考：旧通達）

【重要事項説明について】通達第一　２　（平成14年２月28日国総動309号）

（最終改正：令和３年９月１日国不参57号）

⑵　重要事項説明書への「記名」

イ）法第72条第５項において、管理業務主任者は重要事項説明書に記名をすべきこととされているが、この場合において「記名」されるべき管理業務主任者は、原則として、重要事項について十分に調査検討し、それらの事項が真実に合致し誤り及び記載漏れがないかどうか等を確認した者であって、実際に当該重要事項説明書をもって重要事項説明を行う者であること。

ロ）また、「記名」については、署名と異なり、当該管理業務主任者以外の者によりなされ又は印刷によることができること。

ハ）管理者等及び区分所有者等に対して交付すべき書面については、その全てが管理業務主任者の「記名」をした書面である必要があること。

ニ）書面に代えて情報通信の技術を利用する方法により提供する場合も、上記イ）、ロ）及びハ）と同様の解釈によるものとすること。

第二 「契約成立時の書面の交付」について

3 法第73条第２項に規定する「記名」については、第一２(2)ロ）、ハ）及びニ）と同様の解釈によるものとすること。

※ 原本を交付した者の氏名は、新たな通達（令和３年９月１日国不参57号）により、不要とされた。

（４）重要事項説明の概要

重要事項の説明方法は、法72条の規定によれば次のようになる。

① マンション管理業者は、管理組合から管理事務の委託を受けることを内容とする契約（ただし、新たに建設されたマンションの分譲に通常要すると見込まれる期間その他の管理組合を構成するマンションの区分所有者等が変動することが見込まれる期間として国土交通省令で定める期間中に契約期間が満了するものを除く。）を締結しようとするときは、あらかじめ、法72条、施行規則83条、84条で定めるところにより説明会を開催し、当該管理組合を構成するマンションの区分所有者等及び当該管理組合の管理者等に対し、管理業務主任者をして、重要事項について説明をさせなければならない。この場合において、マンション管理業者は、当該説明会の日の１週間前までに、当該管理組合を構成するマンションの区分所有者等及び当該管理組合の管理者等の全員に対し、重要事項並びに説明会の日時及び場所を記載した書面を交付しなければならない。この重要事項の説明は、事務所ごとに置かれる成年者である「専任の」管理業務主任者が行うことが望ましいとされているが

（平成14年２月28日国総動309号第一３）、専任でない管理業務主任者が説明しても違法ではない。

② 管理業務主任者は、重要事項の説明をする場合には、説明の相手方に対し、管理業務主任者証を提示しなければならない（法72条４項）。提示しないで重要事項の説明をしたときは、10万円以下の過料に処せられる（法113条２号）。この重要事項の説明の場合と同様に、管理事務の報告の場合にも、相手方から請求がなくても、管理業務主任者証を提示しなければならず、違反の場合は同様に罰則が適用される。なお、管理業務主任者は、その事務を行うに際し、マンションの区分所有者等その他の関係者から請求があったときは、管理業務主任者証を提示しなければならない。ただし、これに違反しても罰則は適用されない。

③ 重要事項説明会を開催して重要事項説明を行う場合には、説明会の１週間前までに、重要事項説明書と説明会の日時及び場所を記載した書面（この案内書面にも管理業務主任者の記名が必要である。）を交付するとともに（法72条１項・５項）、マンションの掲示板などの区分所有者等及び管理者等の見やすい場所に、説明会の開催の日時及び場所について掲示※をする必要がある（施行規則83条２項）。

※ 令和５年３月31日国不参80号によりデジタルサイネージを活用することも可能とされた。

④ 管理委託契約の期間満了時に契約を更新するか否かについては、管理組合の総会の決議事項とされている（標準管理規約48条16号）ことが一般的であるため、管理組合の総会での管理委託契約の更新に関する議案の採決を行う前に、法72条の重要事項説明を行っておかなければならない。

⑤ この重要事項説明書の交付に関する実務面での対応としては、区分所有法35条の集会の招集の通知に関する規定を類推適用して、専有部分が数人の共有に属するときは共有者の１人に対して交付し、区分所有者が書面の交付を受けるべき場所の通知をしているときはその通知場所に、通知をしていないときは、その所有する専有部分あてに交付して差し支えないものと考えられる。

⑥ 重要事項説明書の交付時期については、説明会の１週間前までに交付することになっており、厳正に法律を遵守する考え方からいえば、民法の原則で

ある到達主義（民法97条）で交付することが望ましい。「1週間前まで」というのは、交付の日と説明会の日との間に中7日間が必要ということである。

⑦　マンション管理業者は、従前の管理委託契約と同一の条件で管理組合との管理委託契約を更新しようとするときは、あらかじめ、マンションの区分所有者等全員に対し、重要事項を記載した書面を交付しなければならない。当該管理組合に管理者等が置かれているときは、マンション管理業者は、当該管理者等に対し、管理業務主任者をして、これを記載した書面を交付して説明を行わせることとされているが、この同一条件による契約更新の場合には、説明会を開催することまでは求められていない。

⑧　重要事項説明の規定は、マンション管理業者が管理者に選任されている場合も適用されるので、区分所有者等全員に重要事項説明書を交付し、新たに契約締結しようとする場合や従前の契約条件を変更して契約更新をしようとする場合には説明会を開催しなければならない。この場合も同一条件による更新であれば、説明会の開催は不要となる。

⑨　複合用途型の分譲マンションで、全体共用部分を管理する管理組合のほかに一部共用部分を管理する複数の管理組合が併存している場合や、団地の管理組合のほかに各棟の管理組合が併存している場合で、それら管理組合との間で個別に管理委託契約を締結又は更新しようとするときは、重要事項説明は各管理組合ごとに行わなければならない。

【重要事項説明について】通達第一　　　　（平成14年2月28日国総動309号）

4　重要事項説明の相手方について

いわゆる「団地組合」が形成されており、その内部に複数の別の管理組合が存在している場合でこれらの組合からそれぞれ委託を受けて管理事務を行っている場合にあっては、重要事項説明は、それぞれの管理組合の管理者等及び区分所有者等に対して行わなければならないこと。

これを整理すると、次の表のようになる。

契約の態様		書面交付先	説明方法等	備考
新規契約（条件変更更新も同じ）	管理組合の理事長又は管理組合法人の理事（管理者等）が選任されている場合	説明会開催の１週間前までに管理者等及び区分所有者等全員に交付	説明会を開催し、管理業務主任者証を提示して、管理者等及び区分所有者等に対して説明	新たに建設されたマンションの分譲に通常要すると見込まれる期間その他の管理組合を構成するマンションの区分所有者等が変動することが見込まれる期間（１年）内に契約期間が満了するものは、重要事項説明の規定が適用されない。
	管理業者が管理者等に選任されている場合	説明会開催の１週間前までに区分所有者等全員に交付	説明会を開催し、管理業務主任者証を提示して、区分所有者全員に対して説明	同　上
	管理者等が選任されていない場合	同　上	同　上	同　上
更新（同一の条件）	管理組合の理事長又は管理組合法人の理事（管理者等）が選任されている場合	更新が成立するまでに管理者等及び区分所有者等全員に交付	管理業務主任者証を提示し、対面で管理者等に説明	
	管理業者が管理者等に選任されている場合	更新が成立するまでに区分所有者等全員に交付	不　要	
	管理者等が選任されていない場合	同　上	不　要	

※　従前と異なる条件で契約を更新する場合には、新規契約と同じ扱いになる。
（平成14年４月24日国総動88号）

（5）既存マンションにおける契約更新と重要事項説明

【重要事項説明フロー図（既存マンション契約更新例）後掲参照】

管理組合　事業年度　4月1日～翌年3月31日

通常総会開催月　5月

管理業者　管理委託契約期間　7月1日～翌年6月30日

①　同一条件で更新する場合

(ア)　既存契約と同一条件で委託契約の更新をしようとする場合、マンション管理適正化法は管理業者に重要事項説明会の開催までは求めていない。

(イ)　標準管理委託契約書23条1項によれば、管理業者は既存の管理委託契約書に基づき、3カ月前までに委託契約の更新を書面で管理組合に申し出ることになる。

(ウ)　管理業者は、当該管理組合を構成する区分所有者等及び管理者等に重要事項説明書を交付し、管理者等に対面して説明をする（一般的には、理事長（又は理事会）に説明をした後、区分所有者等に重要事項説明書を交付している例が多い。)。

(エ)　重要事項説明書には説明する管理業務主任者の記名が義務付けられている。

(オ)　説明するのは管理業務主任者に限られ、当該管理業務主任者は重要事項を説明する前に管理業務主任者証を自ら相手方に提示する義務がある。

(カ)　説明を受けた理事長（又は理事会）は管理業者と委託契約を同一条件で更新することを決議し、総会に委託契約を同一条件で更新する旨の議案を上程し、承認決議（普通決議）を得る。

②　暫定契約を同一条件で締結する場合

管理業者が重要事項説明をしたが、管理組合が説明された委託契約書の内容を承認しない場合がある。その場合、既存の契約期間は終了してしまい、新しい契約が締結されないことになる。しかし、マンションの管理事務が1日でも滞ることのないようにするため、管理業者と管理組合は、一定の期間、暫定契約を締結することによりマンションの管理事務の継続を実施することになる。標準管理委託契約書23条2項には「本契約の更新について申出があった場合において、その有効期間が満了する日までに更新に関する協議が調う見込みがないときは、甲（管理組合）及び乙（管理業者）は、本契約と同一の条件で、期間を定めて暫定契約を締結することができる」と規定されている。

(ア) 理事会が更新条件を不承認した場合

管理業者が更新契約を締結しようとするため、理事長（又は理事会）に重要事項説明をした後、理事会が不承認と決議することがある。この場合、契約期間満了前までに協議が調う見込みがないことになるため、既存契約と同一条件で、例えば、3カ月間という短い期間を定めて、暫定契約を締結することができる（標準管理委託契約書23条）。契約期間を3カ月間とする重要事項説明書を区分所有者全員に配付した後、総会で暫定契約の承認を得ることになるが、管理業者としては、この場合の暫定契約に係る重要事項説明の必要はない。管理業者は暫定契約期間終了前までに管理組合と契約条件などの協議を行い、合意された新しい仕様に基づき重要事項説明会を開催し、改めて総会決議により契約更新の承認を得ることになる。

(イ) 総会で委託契約更新が否決された場合

管理業者が更新契約を締結しようとするため、重要事項説明をした後、総会で否決され、協議のために期間を定めて暫定契約（従前と同一条件による。）を締結することになった場合は、すでに重要事項説明をしているので、改めて暫定契約に係る重要事項説明をする必要はない。

(ウ) 総会で条件変更にて承認された場合

管理業者が更新契約を締結しようとするため、重要事項説明をした後、管理委託契約を締結するまでの間に、契約内容を変更しようとするとき（例えば、総会で減額などの条件付きにて承認された場合など）は、改めて重要事項説明をする必要はない。管理業者がその条件を容認した後、契約内容の仕様書を変更することにより、契約が成立することになる。ただし、管理委託契約締結後（契約成立時の書面を交付後）に契約内容を変更する場合は、新しい管理委託契約の締結となるため、法72条に基づき、重要事項説明（同一の条件に該当しない場合は重要事項説明会）及び改めて開催される総会で承認が必要となることに留意する。

③ 条件変更（同一条件には該当しない）で更新する場合

(ア) 新規契約と同じこととなり、管理業者は法72条に基づく重要事項説明会を開催しなければならない。

(イ) 管理業者は、委託契約を締結する前（標準管理規約に準じれば管理組合の総会で契約更新の承認決議を得ることになるため、総会での議案審議の前）までに、重要事項説明会を開催し、区分所有者等及び管理者等に対し、管理業務主任者をして、重要事項説明をさせなければならない。

(ウ) 管理業者は、当該説明会の日の１週間前までに、管理業務主任者が記名した重要事項説明書及び説明会の日時や場所を記載した書面（この開催通知にも管理業務主任者の記名を忘れないよう留意すること）を交付しなければならない。

(エ) 管理組合の総会で、管理業者と管理委託契約を締結することを承認する決議（普通決議）を得る。

※　同一条件とは

国土交通省から出された通達（平成14年２月28日国総動309号）では、従前の管理委託契約と同一条件として取り扱うことができるケースとして、次の５つの場合が例示されている（通達第一５）。

(ア) 従前の管理委託契約と管理事務の内容及び実施方法（法76条の規定により管理する財産の管理の方法を含む。以下同じ。）を同一とし、管理事務に要する費用の額を減額しようとする場合

(イ) 従前の管理委託契約に比して管理事務の内容及び実施方法の範囲を拡大し、管理事務に要する費用の額を同一とし又は減額しようとする場合

(ウ) 従前の管理委託契約に比して管理事務に要する費用の支払いの時期を後に変更（前払いを当月払い若しくは後払い、又は当月払いを後払い）しようとする場合

(エ) 従前の管理委託契約に比して更新後の契約期間を短縮しようとする場合

(オ) 管理事務の対象となるマンションの所在地の名称が変更される場合

一般社団法人マンション管理業協会発行の「マンションの管理の適正化の推進に関する法律実務Q&A」（2022年１月発行）には、実務上における「同一条件」である場合、「同一条件でない」場合が例示されている。

変更事項	内容		区分
商号等	マンション管理業者の商号又は名称変更		同一の条件
	支店の名称変更		同一の条件
	マンション管理業者の代表者の変更		同一の条件
登録番号及び登録年月日	有効期間満了後の登録更新に伴う登録番号等の変更		同一の条件
住所	主たる事務所又は契約書に記載された従たる事務所の移転		同一の条件でない
	主たる事務所又は契約書に記載された従たる事務所の町村合併、地番から住居表示への変更等		同一の条件
	管理事務の対象となるマンションの所在地の名称の変更		同一の条件
管理事務の内容及び実施方法、並びに委託業務費の額	内容・実施方法が同一	委託業務費を減額	同一の条件
		委託業務費を増額	同一の条件でない
	内容・実施方法を拡大	委託業務費を減額	同一の条件
		委託業務費を同額	同一の条件
		委託業務費を増額	同一の条件でない
	内容・実施方法を縮小	委託業務費を減額	同一の条件でない
		委託業務費を同額	同一の条件でない
		委託業務費を増額	同一の条件でない
	消費税法等の税法の改定に伴い、増税分を委託業務費に加算する。		同一の条件
内容・実施方法が同一でないが、軽微な変更の範囲	清掃局のゴミ収集日変更に伴い、清掃員（管理員兼務も含む）の勤務日数及び勤務時間数を変更せず、勤務する曜日や時間帯を変更する（委託費は減額又は同額）。 ※なお、管理組合又はマンション管理業者の都合により、管理員の勤務する曜日や時間帯を変更する場合は、受付等の業務など直接マンション居住者の方への影響も考えられることから、「同一の条件でない」契約更新となる。		同一の条件
定額委託業務費の支払時期	支払時期を早める 例）支払時期を毎月25日から毎月15日に早める		同一の条件でない
	支払時期を後にする 例）支払時期を毎月15日から毎月25日に遅らせる		同一の条件

契約期間に関する事項	従前の契約より、更新後の契約期間を短縮するとき	同一の条件
	従前の契約より、更新後の契約期間を長くするとき(注)	同一の条件でない
	従前の契約と同じ契約期間で、契約の始期と終期を変更するとき 例）管理組合の会計期において、決算月を変更することに伴い、通常総会開催月翌月１日から１年の管理委託契約期間を、新会計期末後の通常総会開催月翌月１日から１年の管理委託契約期間に、従前と同内容での締結をする場合。	同一の条件

・(注) 例えば、１年間の従前と同一の条件による契約を更新しようとするときに、協議が調わず３カ月間の暫定契約を締結する場合は契約期間の短縮になるため「同一の条件」に該当する。その後協議が調い９カ月間（当初契約の満了日に合わせた場合）の契約を締結する場合は、契約内容が従前のものと同じでも暫定契約時の契約期間よりも長くなるため「同一の条件でない」に該当する。

管理事務のうち出納（収納）に関する事務は、マンション標準管理委託契約において極めて重要であるため、重要事項説明書第四面４－２における金銭の出納フロー図の変更等や管理委託契約書の記載事項の変更となる場合は、「同一の条件でない」に該当。

変更事項	内容	区分
修繕積立金等金銭の収納方法の変更	集金代行方式を導入するため、管理組合又はマンション管理業者が集金代行会社と契約	同一の条件でない
	管理組合が直接委託又はマンション管理業者が再委託している集金代行会社の変更	同一の条件でない
	集金代行会社と契約する者の変更 例）集金代行会社との契約者を、マンション管理業者から管理組合へ変更	同一の条件でない
	管理組合又はマンション管理業者名義の収納口座の変更 例）マンション管理業者から管理組合への名義変更又はマンション管理業者名義の口座を別の金融機関の口座に変更	同一の条件でない
	収納口座から毎月の移換をする先の保管口座を増減し、変更	同一の条件
	管理する管理組合名義の収納口座数の増減 例）２つある管理組合名義の収納口座を１つに変更	同一の条件でない
	保証契約の締結先の変更	同一の条件でない

変更事項	内容	区分
通帳等の保管	保管口座に係る保管現物（預貯金通帳、印鑑等）の種類と、その保管者の変更を伴わない保管現物の増減 例）保管口座の開設又は解約により、マンション管理業者が保管する通帳の増減（収納口座から定期的に移管される保管口座、管理組合が保管する保管口座をマンション管理業者が保管することに変更し、マンション管理業者の保管する通帳が増える場合を除く）	同一の条件
免責に関する事項	免責条項の項目を追加 例）従前の免責項目に加え、具体的な内容を記載	同一の条件でない

④　既存マンションにおける管理業者の変更について

既存マンションにおいて管理組合と管理業者との折り合いがつかないため、管理組合が管理業者を変更する場合がある。マンション管理委託契約は、準委任契約と請負契約との混合契約であるといわれており、その内容はどちらかというと準委任契約のほうが強い内容であると解釈されている。そのため委託契約書では、管理組合又は管理業者双方のどちらかが、少なくとも3カ月前までに「更新しない」旨の書面で申入れをすれば、当該委託契約をいつでも終了させることができる（標準管理委託契約書21条）とされている。

管理組合が、管理業者Aから管理業者Bに変更する場合の一般的流れは、次のとおりである。

【管理組合】（委託契約書が標準管理委託契約書に準じている例）

①　理事会にて決議の後、管理業者Aあてに「契約更新しない」旨の理事長名義の書面を発送する。委託契約書では少なくとも3カ月前までと定められている。国土交通省の標準管理委託契約書コメント21条関係によれば、民法651条の規定を踏まえ、契約当事者双方の任意解除権を規定したもので、解約の申入れ時期については、契約終了に伴う管理事務の引継ぎ等を合理的に行うのに通常必要な期間を考慮して設定したものである。

②　（臨時）総会にて、管理業者Aとの委託契約を解除する決議（普通決議）を得る。

③　理事会は、候補に挙げた他の管理業者数社と委託する管理事務について

協議を開始する。

④ そのため理事会は、候補の管理業者から委託する管理事務について説明を受ける。この説明は管理業者のプレゼンテーションであり、マンション管理適正化法で定める重要事項説明会ではないことに留意する。

⑤ 理事会は、管理業者Bと契約することを決議する。

⑥ （臨時）総会開催前に実施された管理業者Bの重要事項説明会による説明を受けた後、（臨時）総会を開催し、管理業者Bとの新たな管理委託契約の締結の承認決議（普通決議）を得る。

⑦ 管理業者Bから法73条書面（契約の成立時の書面）を管理者等は、受領する。

【管理業者A】

① 管理組合と委託契約の実施について不具合事項を解消して、契約の解除とならないよう真摯に理事長（理事会）と話し合う。管理業者の社内体制の見直しなどを提案する場合もあり、委託契約の続行を協議する。

② 管理組合と契約続行について話合いが決裂した場合、管理組合の指示により、管理事務に関する各種資料を、契約期間終了と同時に管理組合に返却する。

③ 管理委託契約解約後、遅滞なく、管理業務主任者による管理事務報告を行うことが望まれる。

【管理業者B】

① プレゼンテーション後、さらに管理組合の要望を確認しながら協議打合せを行う。

② 新規の管理委託契約締結となるので、法72条の重要事項説明会開催の準備に入る（詳細は前述の「③ 条件変更（同一条件には該当しない）で更新する場合」を参照）。

③ （臨時）総会での委託契約締結承認決議を受けて、法73条規定の契約成立時の書面交付を行う（詳細は後述する「3 契約の成立時の書面の交付(法73条)」を参照）。

⑤ 期間満了による契約の終了について

標準管理委託契約書に準じている場合、管理組合からも管理会社からも、契約更新について3カ月前までに書面による更新の申入れがなされなかった

重要事項説明フロー（既存マンション契約更新例）

（会計年度　4月1日～翌年3月31日、通常総会開催月は5月）
（管理委託契約期間　毎年7月1日～翌年6月30日）

【同一条件】

	3月	4月	5月	6月	7月	8月	9月	10月
管理組合	事業年度終了 既存契約 更新協議	事業年度開始	通常総会 更新契約締結	既存契約満了	更新契約開始	→	→	→（以降継続）
管理会社	契約更新申入 既存契約 更新協議	更新に係る重要事項説明 管理事務報告	更新契約締結 契約成立時の書面交付	既存契約満了	更新契約開始 管理事務開始	→	→	→（以降継続）

【暫定契約・契約内容の変更】

	3月	4月	5月	6月	7月	8月	9月	10月
管理組合	事業年度終了 既存契約 更新協議	事業年度開始	通常総会 暫定契約締結	既存契約満了	暫定契約開始	→	臨時総会 暫定契約満了 変更契約締結	変更契約開始
管理会社	契約更新申入 既存契約 更新協議	暫定契約に係る重要事項説明 管理事務報告	暫定契約締結 契約成立時の書面交付	既存契約満了	暫定契約開始 管理事務開始	→	暫定契約満了 変更契約に係る重要事項説明会 変更契約締結 契約成立時の書面交付	変更契約開始 変更契約の管理事務開始

【契約内容の変更】

	3月	4月	5月	6月	7月	8月	9月	10月
管理組合	事業年度終了 既存契約 更新協議	事業年度開始	通常総会 変更契約締結	既存契約満了	変更契約開始	→	→	→（以降継続）
管理会社	契約更新申入 既存契約 更新協議	変更契約に係る重要事項説明会 管理事務報告	変更契約締結 契約成立時の書面交付	既存契約満了	変更契約開始 管理事務開始	→	→	→（以降継続）

場合、更新の意思がないものと解される。したがって、期間満了日をもって契約は終了となる（標準管理委託契約書23条３項）。管理会社として、更新の意向がある場合は、申入れの期日管理に細心の注意を払う必要がある。

（6）新たに分譲されたマンションにおける契約と重要事項説明

【重要事項説明フロー図（新たに分譲されたマンションの新規契約例）後掲参照】

新たに分譲されたマンションは、売買契約後の売主から購入者への引渡しは、新築マンションのように一斉引渡しの場合もあれば、既存建物を一棟リノベーションし、各住戸毎にバラバラに引渡しされることもある。マンション管理組合は、売主から購入者への引渡しを経て区分所有者が２名以上となったときから成立するが、実質的には機能していない状況である。一方、マンションの管理事務は、建設会社から売主に引渡し後から直ちに必要となることからも、売主から購入者へ引渡しされ、区分所有者が２名以上となりマンション管理組合が成立してから、１年以内に契約期間が満了するものは、重要事項の説明がなくても、管理委託契約を締結できる旨の規定が設けられている（令和３年３月１日施行）。

> マンションの管理の適正化の推進に関する法律施行規則
> （法第72条第１項の国土交通省令で定める期間）
> 第82条　法第72条第１項の国土交通省令で定める期間は、次の各号に掲げる場合に応じ、当該各号に定める期間とする。
> 一　新たに建設されたマンションを分譲した場合　当該マンションの人の居住の用に供する独立部分（区分所有法第１条に規定する建物の部分をいう。次号において同じ。）の引渡しの日のうち最も早い日から１年
> 二　既存のマンションの区分所有権の全部を一又は複数の者が買い取り、当該マンションを分譲した場合　当該買取り後における当該マンションの人の居住の用に供する独立部分の引渡しの日のうち最も早い日から１年

> （令和３年３月１日国不参51号）
> ３　重要事項説明を不要とする管理委託契約について
> 一部改正法第72条第１項の重要事項説明を不要とする管理委託契約の満了

期間として、一部改正規則第82条第２号が規定されたが、当該条項の解釈については、例えば建物全てを一人が所有する賃貸マンションや社宅等の既存の建物を買い取り、当該建物をマンションとして分譲した場合も含まれると解される。

【重要事項説明について】通達第一　（平成14年２月28日国総動309号）

６　その他

都市再開発法（昭和44年法律第38号）に基づき新たに建設された再開発ビル（同法第２条第６号に規定する施設建築物をいう。以下同じ。）が法第２条第１号に規定するマンションである場合においては、第一種市街地再開発事業については都市再開発法に規定する権利変換期日以降、第二種市街地再開発事業については任意買収又は収用がなされた時点以降再開発ビルの建築工事完了日前までに当該再開発ビルの区分所有者等となる予定の者に対して行った重要事項説明に相当するものについては、本法第72条に基づく重要事項説明とみなすことができること。

新たに分譲されたマンションにおいては、売主と購入者が取り交わす売買契約の際に、購入者から、管理組合成立後の維持管理に関する事項について承諾を得る方法を採用している。この承諾事項には、「管理規約の案や使用細則の案の承認に関する事項」と、「売主から購入者へ引渡し直後における短い期間におけるマンションの管理規約についての事項」が含まれていることが一般的である。これらの書面は、新たに分譲されたマンションで、区分所有関係が成立した時点で法律上の効果が生じる「停止条件付きの総会決議に代わる全員合意書面」と解されている。よって、管理組合成立日時点で１名に１戸のみ購入者に引渡しした場合、残戸の区分所有者は売主となり、売主より管理組合成立後の維持管理に関する事項について承諾を得ることとなる。

購入者から管理に関する承諾を得る方法は、売主と購入者との合意によることが原則であるが、一般的には次の方法をとる例が多い。

(A)　役員の選任については、売主が選任した区分所有者を新規の役員として承認し、後日、臨時総会にて委託契約締結を承認する方法

(B)　役員の選任は、管理組合成立時には行わず、ある一定期間、管理業者に管理者となることを承認して管理事務を委託、その後の臨時総会で新役員を選任し、管理業者から重要事項説明会での説明を受けて、新理事長と管理業者が管理委託契約を締結する方法

【新規契約(A)方式】

- 竣工日：令和６年２月１日
- 専有部分鍵引渡しをし、マンション（区分所有）となった日：令和６年４月１日
- 法72条１項かっこ書の重要事項説明を要しない期間の終期：令和７年４月１日
- 事業年度（会計年度）：令和６年２月１日～令和７年１月31日
- 通常総会開催月：会計年度終了後２カ月以内
- 役員の選任：承諾書により、売主が役員を選任済み、理事長が臨時総会を招集開催する。
- 暫定管理委託契約①の期間：竣工日から臨時総会で承認決議する管理委託契約②の開始日の前日まで
- 管理委託契約②の期間：臨時総会で承認した管理委託契約（終期は通常総会開催月の末日とすることが一般的である。）
- 重要事項説明書の交付期限：臨時総会の開催１週間前まで
- 重要事項説明会：臨時総会開催日の総会決議前まで

【新規契約(B)方式】

- 専有部分鍵引渡しをし、マンション（区分所有者）となった日：令和６年４月１日
- 法72条１項かっこ書の重要事項説明を要しない期間の終期：令和７年４月１日
- 事業年度（会計年度）：令和６年２月１日～令和７年１月31日
- 通常総会開催月：会計年度終了後２カ月以内
- 役員の選任：管理業者（管理者）が臨時総会を招集開催し、臨時総会で区分所有者のうちから新役員を選任する。
- 暫定管理委託契約①の期間：引渡日から臨時総会で承認決議する管理委託契約②の開始日の前日まで
- 管理委託契約②の期間：臨時総会で承認した管理委託契約（終期は通常総会開催月の末日とすることができる。）
- 重要事項説明書の交付期限：臨時総会の開催１週間前まで

重要事項説明フロー（新たに分譲されたマンションとの新規契約例）

新規契約A

	1月	2月	3月	4月	5月				1月	2月	3月	4月
法72条1項かっこ書の重要事項説明を要しない期間				4／1～翌年4／1								
会計期		2／1～翌年1／31										
建設会社		2／1　竣工 ↓										
売主	入居説明会等 購入者全員から書面で、暫定管理委託契約①の締結、初代管理組合役員の選任等に関する同意取得	2／1　引取り		専有部分鍵引渡し								
管理組合				管理組合成立 停止条件付全員合意書面発効 管理規約発効 暫定管理委託契約①成立 入居開始	理事会開催 （一般的には第1回理事会等）	理事会開催	臨時総会 管理委託契約②締結決議	理事会開催	理事会開催	理事会開催 監査実施	通常総会 管理委託契約締結	理事会開催 契約成立時の書面交付
管理業者		2／1暫定管理		暫定管理委託契約①成立 管理事務開始	契約成立時の書面交付	管理委託契約②に係る重要事項説明会	暫定管理委託契約①満了 管理委託契約②成立			管理事務報告	重要事項説明	契約成立時の書面交付

新規契約B

	1月	2月	3月	4月	5月				1月	2月	3月	4月
法72条1項かっこ書の重要事項説明を要しない期間				4／1～翌年4／1								
会計期		2／1～翌年1／31										
建設会社		2／1　竣工 ↓										
売主	入居説明会等 購入者全員から、売買契約に附随する書面で、管理業者の管理者選任、管理業者による管理執行等に関する同意取得	2／1　引取り		専有部分鍵引渡し								
管理組合				管理組合成立 停止条件付全員合意書面発効 管理規約発効 管理業者の管理者選任 暫定管理委託契約①成立 入居開始	理事会開催 （一般的には第1回理事会等）	理事会開催	臨時総会 管理委託契約②締結決議 初代管理組合役員選任	理事会開催	理事会開催	理事会開催 監査実施	通常総会 管理委託契約締結	理事会開催
管理業者		2／1暫定管理		暫定管理委託契約①成立 管理事務開始 管理者就任	契約成立時の書面交付	管理委託契約②に係る重要事項説明会	暫定管理委託契約①満了 管理委託契約②成立 管理者による管理事務終了	契約成立時の書面交付 管理事務開始		管理事務報告	重要事項説明	契約成立時の書面交付

・重要事項説明会　　　　　　：臨時総会開催日の総会決議前まで

※暫定管理委託契約①とは、購入者が承認書によりマンション管理業者に管理事務の委託を承認している管理委託契約で、期間は引渡日から管理委託契約②の開始日の前日までである。

※管理委託契約②とは、管理業者から重要事項説明会で説明を受けた後、管理組合の臨時総会で承認決議された管理委託契約で、期間は重要事項説明書に記載されている期間。

※管理業者が暫定管理委託契約①及び管理委託契約②を受託した場合、後述する法73条に定める「契約成立時の書面の交付」は必要であることに留意する必要がある。

（7）重要事項説明書の作成要領

①　商号又は名称、代表者の氏名

マンション管理業者の「商号又は名称」及び「代表者の氏名」を記入することとするが、商号又は名称は、管理委託契約の締結に関する権限を有する使用人を置く事務所（支店や営業所等）の名称を記載しても差し支えない。この場合において、代表者の氏名を記載するときは、その権限を有する使用人等の当該事務所を代表する者の氏名を記載することとしても構わない。

②　説明する管理業務主任者の氏名、登録番号及び業務に従事する事務所

管理業務主任者の記名とともに「登録番号」及び「業務に従事する事務所」の名称を記載する。なお、記名されるべき管理業務主任者は、重要事項について十分に調査検討し、それらの事項が真実に合致し、誤り及び記載漏れがないかどうか等を確認した者であって、実際に当該重要事項説明書をもって重要事項説明を行う者であることが望ましい。

③　説明に係る契約の別

管理委託契約の締結の態様を表示するもので、「新規」「更新（同一条件でない場合）」又は「更新（同一条件である場合）」のいずれかを○で囲む。

④　施行規則84条に掲げる事項〈11項目〉

㈠　マンション管理業者の商号又は名称、住所、登録番号及び登録年月日

「商号又は名称」のほか、主たる事務所の所在地として本店の所在地を記載する。なお、管理事務を管轄する事務所の名称及び住所を記載する欄

を別途設けても差し支えない。また、「登録番号」及び「登録年月日」は、法44条に規定する登録を受けなければ記載することができない。

(イ) 管理事務の対象となるマンションの所在地に関する事項

管理規約の記載を確認したうえで「マンションの名称」及び「所在地」を記載する。

(ウ) 管理事務の対象となるマンションの部分に関する事項

管理規約の記載を確認したうえで対象となるマンションの部分を記載する。なお、「建物」については標準管理規約（単棟型）別表第2共用部分の範囲にならって記載し、「附属施設」については標準管理規約（単棟型）別表第1対象物件の表示の附属施設欄にならって記載する。また、マンションが団地である場合には、建物ごとに記載できるように欄を設けるか、別紙に記載のうえで添付することが望ましい。

なお、敷地には専用庭その他専用使用部分を、建物には専有部分及び専用使用部分を含まないこととされている。

(エ)―1 管理事務の内容及び実施方法

標準管理委託契約書に基づいて、「基幹事務」として記載すべき項目は以下のとおりである。

㋐ 「管理組合の会計の収入及び支出の調定」として……

(a) 管理組合の収支予算案の素案の作成

(b) 管理組合の収支決算案の素案の作成

(c) 管理組合の収支状況の報告

㋑ 「出納」として……

(a) 組合員が納入する管理費等の収納

(b) 管理費等滞納者に対する督促

(c) 通帳等の保管者

(d) 管理組合の経費の支払い

(e) 管理組合の会計に係る帳簿等の管理

(f) 現金収納業務

㋒ 「マンション（専有部分を除く。）の維持又は修繕に関する企画又は実施の調整」として……

(a) 長期修繕計画における修繕積立金の額が著しく低額である場合若し

くは設定額に対して実際の積立額が不足している場合又は管理事務を実施する上で把握したマンションの劣化等の状況に基づき、当該計画の修繕工事の内容、実施予定時期、工事の概算費用等若しくは修繕積立金の見直しが必要であると判断した場合における書面による助言。

なお、長期修繕計画案の作成業務並びに建物・設備の劣化状況などを把握するための調査・診断の実施及びその結果に基づき行う当該計画の見直し業務を実施する場合は、本契約とは別個の契約とする。

(b) マンションの維持又は修繕（大規模修繕を除く修繕又は保守点検等）を外注により管理委託会社以外で行わせる場合には、見積書の受理、管理組合と受注業者との取次ぎ、実施の確認　等

なお、「実施の確認」とは、管理員が外注業務の完了の立会いにより確認できる内容のもののほか、別表第2　2(3)一に定める管理員業務に含まれていない場合又は管理員が配置されていない場合には、管理委託会社の使用人等が完了の立会いを行うことにより確認できる内容のものをいう。使用人等が立会う場合における必要な費用負担については、協議して定めるものとする。ただし、協議により、施工を行った者から提出された作業報告書等の確認をもって「実施の確認」とすることを妨げるものではない。また、本マンションの維持又は修繕を自ら実施する場合は、本契約とは別個の契約とする。

また、「基幹事務以外の事務管理業務」として記載すべき項目については、「理事長・理事会支援業務」「総会支援業務」「その他」の業務がある。事務管理業務以外については、「管理員業務」「清掃業務」「建物・設備等管理業務」「その他の管理事務」等を記載することが考えられるので、それぞれの実施内容及び実施時期を記載する。

なお、管理事務には、警備業法2条1項に規定する警備業務及び消防法8条の規定により防火管理者が行う業務は含まれないこととされている。

(エ)－2　法76条の規定により管理する財産の管理の方法

㋐「修繕積立金等の種類」

修繕積立金等が金銭の場合には「金銭」を、有価証券の場合には「有価証券」を○で囲む。「金銭」と「有価証券」両方で管理している場合には両方を○で囲む。

㋑　金銭の「管理方法」

修繕積立金等が金銭である場合に、施行規則87条２項１号のイ・ロ・ハのうち該当するものを○で囲む。

㋒　「口座名義」

かっこ内に具体の名義者名（理事長）等を記入のうえ、「収納口座」「保管口座」「収納・保管口座」のうち、該当箇所に○を付ける。

㋓　「預貯金通帳・印鑑等の保管者」

当該項目に対応する保管者を当該箇所に記入する。保管口座が複数ある場合で通帳の保管者が異なる場合は、保管者の欄に併記し、その旨を備考欄に記載する。

㋔　「修繕積立金等金銭の収納方法」

期日及び手段（振込、引落又は集金の別）等を記載する。

㋕　「収納に関する再委託先」

該当がある場合、会社名等を記載する。

㋖　「修繕積立金等金銭の保管及び管理の方法」

各区分所有者等から徴収した修繕積立金等金銭の具体的な保管及び管理の方法を記載することとし、出納の流れがわかる図も併せて記載する。

(オ)　管理事務に要する費用並びにその支払の時期及び方法

管理事務に要する費用とは、委託業務を行うため必要とする一切の費用をいい、負担方法が定額で、かつ精算を伴わない費用であって、毎月、管理組合がマンション管理業者に支払う標準管理委託契約書６条２項、別紙２・３にいう委託業務費（いわゆる「定額委託業務費」と呼ばれる費用）と、委託業務費以外の費用ごとに、その額や支払時期、支払方法を記載する。

(カ)　管理事務の一部の再委託に関する事項

基幹事務については、マンション管理業者は一括再委託することはできないが、管理組合から委託を受けた基幹事務の一部や基幹事務以外の管理事務を再委託する場合について、その内容等を記載する。

(キ)　保証契約に関する事項

施行規則87条に規定する「収納口座、保管口座」により財産の管理を行う場合には、保証契約を締結することが要件として求められるため、一般社団法人マンション管理業協会の保証機構に加入すること等により管理費等保証委託契約を締結するなどの保証措置を講ずる必要がある。「保証契約の内容」としては、区分所有者等から収納した修繕積立金等金銭の１カ月分相当額を限度として、管理組合に金銭的な保証をすることなどを記載する（財産の分別管理等に関する省令では、マンション管理業者が施行規則87条２項１号イ又はロの方法により修繕積立金等金銭を管理する場合にあっては、原則として、当該方法により区分所有者等から徴収される１カ月分の修繕積立金等金銭（ロの方法による場合にあっては、管理費用に充当する金銭）の額の合計額以上の額につき有効な保証契約を締結しなければならない旨が定められている。)。

(ク) 免責に関する事項

マンション管理業者が、受託した管理事務の履行に関して免責となる事項等を具体的に記載する。

(ケ) 契約期間に関する事項

契約の始期と終期を記載する。

(コ) 契約の更新に関する事項

契約の更新の申出の方法や期限、契約の満了する日までに契約の更新に関する協議が調わない場合の暫定的な措置などについて記載する。

(サ) 契約の解除に関する事項

債務不履行の場合などの契約解除に関する内容を記載する。

⑤ 通達により追加されている事項

(ア) 法79条に規定する書類の閲覧方法

法79条に定める書面の閲覧場所、閲覧方法等を記入する。

※ 原本を交付した者の氏名は、新たな通達（令和３年９月１日国不参57号）により、不要とされた。

3 契約の成立時の書面の交付（法73条）

（１）契約の成立時の書面の交付（管理委託契約書の締結手続）

法73条（契約成立時の書面の交付）により、マンション管理業者は、管理組合から管理事務の委託を受けることを内容とする契約（管理委託契約）を締結したときは、遅滞なく、一定の事項について記載した書面を当該管理組合の管理者等に交付しなければならないと規定されている（管理者等とは、区分所有者によって選任された管理者又は管理組合法人の理事を指す（法２条４号）。法律上、管理者は区分所有者でなければならないという制限はない。マンション管理業者が管理者になることもある。）。

これは、管理組合がマンション管理業者からの重要事項説明を受け、主体的に委託先や委託業務の内容について十分検討し、そのうえで決定した事項について、マンション管理業者と管理事務の委託契約を締結する際に、後日両者及び区分所有者の間にも齟齬（そご）を生じさせないよう、あらかじめ重要な事項については必ず書面により確認を取っておくことを定めたものである。

当該管理組合に管理者等が定められていない場合又はマンション管理業者が当該管理組合の管理者等の場合は、当該管理組合を構成するマンションの区分所有者等の全員に、遅滞なく、同様の書面を交付することと定められている。

また、マンション管理業者は、交付すべき書面を作成するときは、管理業務主任者に当該書面に記名させることにより、正確を期するとともに、責任の所在を明らかにすることとしている。

記載しなければならない一定の事項は、次の８項目である。

① 管理事務の対象となるマンションの部分

② 管理事務の内容及び実施方法（管理業者の財産と管理組合の財産の分別管理の方法を含む。）

③ 管理事務に要する費用並びにその支払の時期及び方法

④ 管理事務の一部の再委託に関する定めがあるときは、その内容

※ 基幹事務の一括再委託は禁止されている。ただし、例えば、マンションの会計業務については他の会社に再委託するというように、一部の再委託であれば許される。

⑤ 契約期間に関する事項

⑥ 契約の更新に関する定めがあるときは、その内容

⑦ 契約の解除に関する定めがあるときは、その内容

⑧ その他国土交通省令で定める事項（その他事項については、施行規則85条により次の８項目が定められている。）

㋐ 管理受託契約の当事者の名称及び住所並びに法人である場合においては、その代表者の氏名

㋑ マンション管理業者による管理事務の実施のため必要となる、マンショ

ンの区分所有者等の行為制限又はマンション管理業者によるマンションの区分所有者等の専有部分への立入り若しくはマンションの共用部分（区分所有法２条４項に規定する共用部分をいう。）の使用に関する定めがあるときは、その内容

(ウ) 法77条に規定する管理事務の報告に関する事項

(エ) マンションの滅失し又は毀損した場合において、管理組合及びマンション管理業者が当該滅失又は毀損の事実を知ったときはその状況を契約の相手方に通知すべき旨の定めがあるときは、その内容

(オ) 宅地建物取引業者からその行う業務の用に供する目的でマンションに関する情報の提供を要求された場合の対応に関する定めがあるときは、その内容

(カ) 毎事業年度開始前に行う当該年度の管理事務に要する費用の見通しに関する定めがあるときは、その内容

(キ) 管理事務として行う管理事務に要する費用の収納に関する事項

(ク) 免責に関する事項

●管理委託契約書を73条書面として交付してよい

前記①～⑧の８項目を盛り込んだ内容の管理委託契約書（国土交通省の標準管理委託契約書は、全項目を網羅している。）を締結し、取り交わす場合は、この管理委託契約書に管理業務主任者をして記名させることによって、交付書面とすることができる。記名は、当該管理業務主任者以外の者も行うことができるし、印刷でもかまわない。

（２）契約更新の際の取扱い等

「契約成立時の書面の交付」についても、通達（平成14年２月28日国総動309号及び令和３年９月１日国不参57号）で以下の項目についての対応が示されている。

① マンションの管理委託契約は、管理組合からもマンション管理業者からも契約の更新・継続を前提に考えられていることが圧倒的大部分だと思われるが、更新にあたってはマンション管理業者から重要事項の説明が必要なのと同様に、法73条に規定する書面の交付も、当初契約と同様に管理委託契約を更新する際にも行う必要があること。

② 更新契約の際には、当初契約又は前回更新契約（以下「当初契約等」という。）から、今回の契約更新に際して変更した部分以外の部分について、当初契約等において交付した書面の当該部分のコピーを貼り付けることにより、当該更新契約において交付すべき契約成立時の書面として差し支えないこととされた。言い換えると更新契約の際に、全く新しい契約成立時の書面の交付を都度行わなくてもよいが、変更のない部分についてもコピーの貼付け等により、原契約の内容を表示して一体とした書面として交付することを義務付けているわけである。

更新契約の際に、期間の延長や管理委託費の改定、管理仕様の変更等、その変更点だけを抜き出して覚書等を取り交わす対応をとってきたマンション管理業者も多いと思われるが、それだけでは契約成立時の書面としての要件は満たしていないということになる。

③ 管理者等及び区分所有者等に対して交付すべき書面については、その全てが管理業務主任者の「記名」をした書面である必要があること。

（3）書面記載事項8項目の記載要領

標準管理委託契約書※を例に記載要領を対比すると、次表のようになる。

※ 令和5年9月11日に改訂。

マンション管理適正化法73条1項		標準管理委託契約書※	
①	管理事務の対象となるマンションの部分	2条	本マンションの表示及び管理対象部分
②	管理事務の内容及び実施方法 法76条の規定により管理する財産の管理の方法	3条	管理事務の内容及び実施方法 別表第1 事務管理業務 第2 管理員業務 第3 清掃業務 第4 建物・設備等管理業務
③	管理事務に要する費用並びにその支払の時期及び方法	6条	管理事務に要する費用の負担及び支払方法
④	管理事務の一部の再委託に関する定めがあるときは、その内容	4条	第三者への再委託
⑤	契約期間に関する事項	22条	本契約の有効期間
⑥	契約の更新に関する定めがあるときは、その内容	23条	契約の更新等

⑦	契約の解除に関する定めがあるときは、その内容	20条	契約の解除
⑧	その他国土交通省令で定める事項		
	マンション管理適正化法施行規則85条		
㈠	管理受託契約の当事者の名称及び住所並びに法人である場合においては、その代表者の氏名		甲 住 所 名 称 代表者 ㊞ 乙 住 所 商 号 代表者 ㊞ 管理業務主任者
㈡	区分所有者等の行為制限又は専有部分への立入り若しくは共用部分の使用に関する定めがあるときは、その内容	7条 12条 14条	管理事務室等の使用 有害行為の中止要求 専有部分等への立入り
㈢	管理事務の報告に関する事項	10条	管理事務の報告等
㈣	マンションの滅失又は毀損の事実を知ったときはその状況を契約の相手方に通知すべき旨の定めがあるときは、その内容	13条	通知義務
㈤	宅地建物取引業者からその行う業務の用に供する目的でマンションに関する情報の提供を要求された場合の対応に関する定めがあるときは、その内容	15条	管理規約等の提供等 別表第5 宅地建物取引業者等の求めに応じて開示する事項
㈥	毎事業年度開始前に行う当該年度の管理事務に要する費用の見通しに関する定めがあるときは、その内容	3条	管理事務の内容及び実施方法 別表第1 事務管理業務1(1)管理組合の会計の収入及び支出の調定
㈦	管理事務として行う管理事務に要する費用の収納に関する事項	11条	管理費等滞納者に対する督促 別表第1 事務管理業務1(2)出納
㈧	免責に関する事項	19条	免責事項

4 | 管理事務の報告（法77条）

（1）管理事務の報告の趣旨

管理委託契約は、業務の内容によっては請負業務としての性質を有するものもあるが、契約全体として判断すれば、仕事の完成を目的とする請負契約というよりは、委任又は準委任としての契約の性質を有していると考えられる。

したがって、原則として、受任者の善管注意義務、報告義務、費用前払請求権、立替費用償還請求権等の民法の委任に関する規定が適用されることになる。

このうち、報告義務については、民法645条において、受任者は委任者の請求があるときはいつでも委任事務の処理状況について報告し、また、委任が終了した後は、遅滞なくその経過及び結果を報告しなければならないと規定されている。

もっとも、委任者の請求がなくとも、委任者の利益のために必要があるときは、委任事務の処理の状況を報告すべきものと解されているようである。

ところで、この受任者の報告義務に関する民法の規定は強行規定ではないので、契約などで軽減又は免除することもできるが、区分所有法43条の規定により、管理者は、集会において、毎年１回一定の時期に事務の報告をすべき義務を負っており、集会で管理者が事務の報告をするため、マンション管理業者と管理委託契約を締結して管理事務の処理を委託している場合には、少なくともマンション管理業者が行った管理事務の処理の状況を十分に知っておくことがどうしても欠かせなくなる。

また、標準管理規約42条において、総会は、管理者である理事長が毎年１回新会計年度開始以後２カ月以内に招集し、収支決算及び事業報告について総会の決議を経るべきことが規定されている。

こうした関係からも、管理組合からの請求の有無にかかわらず、管理組合の事業年度終了後、遅滞なく、マンション管理業者が管理組合に対し、管理事務の報告を行うよう義務付けた法77条の規定は、その意味するところが大きいといえる。

法77条の管理事務の報告とは別に、管理組合が管理組合財産の状況をタイムリーに、かつ正確に把握するために、マンション管理業者は、施行規則87条５項において、毎月、管理事務の委託を受けた管理組合のその月における会計の収入及び支出の状況に関する書面を作成し、翌月末日までに、当該書面を管理組合の管理者等に交付しなければならないと定められている（第４編第１節「５　財産の分別管理」を参照）。

（２）管理事務の報告

管理事務の報告は、管理組合に管理者等が置かれている場合と置かれていない場合では方法がやや異なるので注意が必要である。

①　管理組合に管理者等が置かれている場合（法77条１項、施行規則88条）

マンション管理業者は、管理事務の委託を受けた管理組合に管理者等が置かれているときは、国土交通省令で定めるところにより、定期に、当該管理者等に対し、管理業務主任者をして、当該管理事務に関する報告をさせなければならない（法77条１項）。管理組合の会計の収入及び支出の状況などを報告する。

マンション管理業者は、法77条１項の規定により管理事務に関する報告を行うときは、管理事務を委託した管理組合の事業年度終了後、遅滞なく、当該期間における管理委託契約に係るマンションの管理状況について次に掲げる事項を記載した管理事務報告書を作成し、管理業務主任者をして、これを管理者等に交付して説明させなければならない。これに違反した者は、国土交通大臣により、１年以内の業務の全部又は一部の停止処分を受ける場合があるほか、情状が特に重いとき、又は業務停止命令に違反したときは、登録の取消しを受けることがある（法82条、83条）。

報告すべき事項は、施行規則88条に次のように規定されている。

1　報告の対象となる期間
2　管理組合の会計の収入及び支出の状況
3　１、２に掲げるもののほか、管理委託契約の内容に関する事項

１の対象期間は、管理組合の事業年度を報告期間とする必要がある。

２の管理組合の会計の状況の報告については、少なくとも貸借対照表及び収支報告書をもって報告することが望ましい。

３の管理委託契約の内容に関する事項とは、法73条の規定による契約の成立時に交付すべき書面に記載すべき内容を含む管理委託契約の内容そのものを指しているわけではなく、管理事務の処理の状況を指しているものと考えられる。

②　管理組合に管理者等が置かれていない場合（法77条２項、施行規則89条）

マンション管理業者は、管理事務の委託を受けた管理組合に管理者等が置かれていないときは、国土交通省令で定めるところにより、定期に説明会を開催し、当該管理組合を構成するマンションの区分所有者等に対し、管理業務主任者をして、当該管理事務に関する報告をさせなければならない。マンション管理業者は、法77条２項の規定により管理事務に関する報告を行うと

きは、管理事務を委託した管理組合の事業年度の終了後、遅滞なく、当該期間における管理委託契約に係るマンションの管理の状況について記載した管理事務報告書を作成して、説明会を開催し、管理業務主任者をして、当該管理組合を構成するマンションの区分所有者等に交付したうえで、説明をさせなければならない。

この場合には、説明会は、できる限り参加者の参集の便を考慮して開催の日時及び場所を定めることが求められており、また、説明会の開催日の１週間前までに開催の日時及び場所について、マンションの掲示板などの区分所有者等の見やすい場所に掲示※する必要がある（施行規則89条３項）。なお、管理事務報告書の概要を掲示する必要はない。

※　令和５年３月31日国不参80号により、デジタルサイネージの活用も可能とされた。

管理業務主任者は、管理事務の説明をするときは、説明の相手方に対し、管理業務主任者証を提示しなければならない（法77条３項）。提示しないで説明したときは、10万円以下の過料に処せられる（法113条２号）。

③　管理事務の報告の規定の適用

管理事務の報告の規定は、マンション管理業者が管理者等に選任されている場合にも適用されるので、管理事務報告書を作成し、説明会を開催して区分所有者等に交付しなければならない。

また、複合用途型の分譲マンションで、全体共用部分を管理する管理組合のほかに一部共用部分を管理する複数の管理組合が併存している場合や、団地の管理組合のほかに各棟の管理組合が併存している場合で、それら管理組合との間で個別に管理委託契約を締結しているときは、重要事項の説明と同様に、管理事務の報告は各管理組合に対して行わなければならない。

④　会計の収入及び支出の状況に関する書面の交付（法76条、施行規則87条５項）

マンション管理業者は、毎月、管理事務の委託を受けた管理組合のその月における会計の収入及び支出の状況に関する書面を作成し、翌月末日までに、当該書面を当該管理組合の管理者等に交付しなければならない。この場合において、当該管理組合に管理者等が置かれていないときは、当該書面の交付に代えて、対象月の属する当該管理組合の事業年度の終了の日から２カ月を経過する日までの間、当該書面をその事務所ごとに備え置き、当該管理組合を構成するマンションの区分所有者等の求めに応じ、当該マンション管理業者の業務時間内において、これを閲覧させなければならない。

(3) 区分所有法43条の事務の報告と法77条の管理事務の報告との関係

区分所有法43条は、集会において、毎年1回一定の時期に事務の報告を行うべき義務を管理者に課しているが、同条においては書面をもって報告することまでは要求していない。また、集会において事務の報告をするにつき、区分所有法35条では会議の目的たる事項を示して、区分所有者全員に通知を発すれば足りるため、結局のところ、区分所有法上は事務の報告内容を書面化すべき旨の規定は見当たらないことになる。

しかし、総会の招集の通知を行う場合には、議案の要領まで通知する義務を負う議題（区分所有法35条5項）以外の議題についても、議案書にその議案の要領等を記載して添付することが重要であると思われる。

一方、法77条は、管理事務の報告は、管理組合の事業年度終了後、遅滞なく、管理事務報告書を作成して管理者等に、管理者等が置かれていないときは説明会を開催して区分所有者等に、マンション管理業者が管理事務報告書を交付し、管理業務主任者をして報告する義務を負い、管理業務主任者がこの報告を行うときは、管理業務主任者証を提示すべきことが規定されている。

そして、この管理事務報告書の交付時期については、管理組合の定期総会での管理者等による事務の報告との関係から、少なくとも、総会の招集通知を発する前で、総会の議案書に事務の報告に関する議案の要領の記載の検討を行う期間が確保できるよう、できるだけ早い時期に報告することが望ましい。

なお、管理事務報告書は、重要事項説明書とは異なり、管理業務主任者の記名までは求められておらず、管理組合に管理者等が置かれているときは、区分所有者等の全員に交付する義務はないが、管理組合に管理者等が置かれていないときは、少なくとも説明会において、管理事務報告書を当該管理組合を構成するマンションの区分所有者等に交付して説明しなければならない。

これを整理すると、次の表のようになる。

管理組合の態様		報告先	報告方法等	備考
法77条	管理組合の理事長又は管理組合法人の理事（管理者等）が選任されている場合	管理者等	事業年度終了後、遅滞なく、報告書を作成し、管理業務主任者をして管理者等に交付して説明する	
	管理業者が管理者等に選任されている場合	当該管理組合を構成するマンションの区分所有者等	事業年度終了後、遅滞なく、報告書を作成し、管理者等として保管する（注）	
	管理者等が選任されていない場合	当該管理組合を構成するマンションの区分所有者等	事業年度終了後、遅滞なく、報告書を作成し、説明会を開催し、管理業務主任者をして区分所有者等に交付して説明する	説明会の日の１週間前までに開催日時及び場所を掲示
区分所有法43条	管理組合の理事長又は管理組合法人の理事（管理者等）が選任されている場合	集会に出席した区分所有者等	毎年１回一定の時期に集会を開催し、管理者等が報告	集会の日の１週間前までに会議の目的たる事項を通知
	管理業者が管理者等に選任されている場合	集会に出席した区分所有者等	毎年１回一定の時期に集会を開催し、管理者等が報告	集会の日の１週間前までに会議の目的たる事項を通知
	管理者等が選任されていない場合	不要		

（注）平成13年７月31日国総動51号【第二３（４）管理事務の報告】によれば、「マンション管理業者が管理者等に選任された場合においても法第77条の規定は適用され、管理業者以外の管理者等が存在するときは、当該者に対して管理事務の報告をすることが望ましいこと」とされている。

（４）管理事務報告書の作成要領

①　報告の対象期間

管理組合の事業年度を管理規約などを確認して記載する。ただし、管理組合の事業年度の対象期間に管理委託契約の締結前の期間が含まれる場合は、管理事務を開始した日を報告対象期間の始期とする。

②　管理組合の会計の収入及び支出の状況

管理事務報告書に貸借対照表、収支報告書及び証憑（ひょう）類等の会計報告書を添付する。

③　管理委託契約の内容に関する事項

基幹事務として記載すべき項目については、下記のとおりである。

(ア)「管理組合の会計の収入及び支出の調定」として……

　㋐　管理組合の収支予算案の素案の作成
　㋑　管理組合の収支決算案の素案の作成
　㋒　管理組合の収支状況の報告

(イ)　「出納」として……
　㋐　組合員が納入する管理費等の収納
　㋑　管理費等滞納者に対する督促
　㋒　通帳等の保管者
　㋓　管理組合の経費の支払い
　㋔　管理組合の会計に係る帳簿等の管理
　㋕　現金収納業務

(ウ)　「マンション（専有部分を除く。）の維持又は修繕に関する企画又は実施の調整」として……
　㋐　長期修繕計画における修繕積立金の額が著しく低額である場合若しくは設定額に対して実際の積立額が不足している場合又は管理事務を実施する上で把握したマンションの劣化等の状況に基づき、当該計画の修繕工事の内容、実施予定時期、工事の概算費用等若しくは修繕積立金の見直しが必要であると判断した場合における書面による助言
　㋑　マンションの維持又は修繕（大規模修繕工事を除く修繕又は保守点検等）を外注により管理委託会社以外で実施した場合には、見積書の受理、管理組合と受注業者との取次ぎ、実施の確認　等

　また、基幹事務以外の事務管理業務として記載すべき項目については、「理事長・理事会支援業務」「総会支援業務」「その他」の業務がある。事務管理業務以外については、「管理員業務」「清掃業務」「建物・設備等管理業務」を記載することが考えられるので、それぞれの実施内容及び実施時期を記載する。

④　特記事項

　報告の対象期間内に管理事務として行った業務で特筆すべき重要な事項、マンション管理業者が管理委託契約書の定めに基づき行った有害行為の中止要求、マンション管理業者の申出にかかわらず報告対象期間内には管理組合が承認しなかった事項で、実施の必要性が高いと判断されるもの等を記載す

ることが考えられるので、こうした事項を記載するときはその内容及び実施時期等が把握できるように記載する（管理事務報告書の作成例として、２つのパターン及び受領書の作成例を次に記載したので参考にすること）。

管理事務報告書　作成例１（その１）

（交付日）令和〇〇年〇〇月〇〇日

管理事務報告書（その１）

〇〇〇〇〇〇〇〇〇管理組合
理事長　〇〇　〇〇　殿

当該契約の管理受託者名 → 株式会社〇〇〇〇〇〇〇〇〇
取締役社長　〇〇　〇〇　印
（印は必須ではない）

マンションの管理の適正化の推進に関する法律第77条に基づき、管理委託契約に係る貴マンション管理の状況について、次のとおりご報告いたします。

報告者　管理業務主任者　　〇〇　〇〇　　（登録番号〇〇〇〇〇〇〇〇号）

１．報告の対象となる期間（管理組合事業年度）

令和〇〇年〇〇月〇〇日～令和〇〇年〇〇月〇〇日

２．管理組合の会計の収入及び支出の状況

別添の以下の会計報告書等をご覧ください。

①第〇〇期　貸借対照表
②第〇〇期　収支報告書
③証憑書類　貯金残高証明書原本・領収書・請求書等

← １の期間に係る会計報告書等

３．管理委託契約の内容に関する事項

対象となる期間に実施した主な業務は次のとおりです。

(1) 事務管理業務

基幹業務

①管理組合の会計の収入及び支出の調定

・収支予算案の素案の作成　令和○○年○○月提出

・収支決算案の素案の作成　令和○○年○○月提出

・収支状況の報告　毎月報告

②出納

・組合員が納入する管理費等の収納　毎月実施

収納状況を毎月報告

・管理費等滞納者に対する督促　滞納状況を毎月報告

滞納者への督促を適宜実施

・通帳等の保管者　収納口座と保管口座の通帳を各1通保管

（通帳以外に掛け捨ての損害保険証券を含む。保管物が多数ある場合には、保管物一覧を別に添付することが望ましい。）

・管理組合の経費の支払い　予算書及び承認に基づき実施

・管理組合の会計に係る帳簿等の管理

第○○期分を令和○○年○○月引渡し

・現金収納業務

③維持又は修繕に関する企画又は実施の調整

・長期修繕計画の修繕工事の内容、実施予定時期、工事の概算費用等若しくは修繕積立金の見直しが必要であると判断した場合における書面による助言　令和○○年○○月提出

・維持又は修繕を第三者に外注する場合の見積書の受理、受注業者との取次ぎ、実施の確認　適宜実施

基幹事務以外の事務管理業務

①理事長・理事会支援業務

・組合員等の名簿の整備　適宜実施

・理事会の開催、運営支援

延べ○○回開催された理事会の支援業務を実施

・管理組合の契約事務の処理　適宜実施

②総会支援業務

第○○回定期総会の事業計画案の素案・議事録案作成、その他支援業務を実施

③その他

・各種点検、検査等に基づく助言等

保守点検報告書により結果報告、適宜助言実施

・各種検査等の報告、届出の補助

○○○○の結果報告の補助業務を実施

・図書等の保管等 保管物一覧を別に添付することが望ましい。 ──▶管理事務所で保管

(2) 管理員業務

原則として毎週○曜日から○曜日（所定の休日を除く）、○○時から○○時まで勤務し、管理委託契約書別表第2の業務を実施。

(3) 清掃業務

日常清掃	管理委託契約書別表第3－1に基づき実施
特別清掃	（管理事務報告書（その2）をご覧ください）

(4) 建物・設備等管理業務

保守点検報告書及び各設備点検結果報告書等により都度報告いたしました。

(管理事務報告書（その2）をご覧ください)

以上

管理事務報告書　作成例１（その２）

管理事務報告書（その２）

（管理組合事業年度が４月～３月の場合）

業務内容	頻度等	令和〇〇年 4月	5月	6月	7月	8月	9月	10月	11月	12月	令和〇〇年 1月	2月	3月
〔清掃業務〕 1．日常清掃　管理委託契約書別表第３−１に基づき実施	（頻度等の事例）	＊実施月の欄の数字（〇〇）は業務の実施日です。 （毎月実施いたしました）											
2．特別清掃　管理委託契約書別表第３−２に基づき実施	〇回／〇		〇〇		〇〇		〇〇		〇〇		〇〇		〇〇
〔建物・設備等管理業務〕 1．管理委託契約書第２条第５号に記載する管理対象部分の外観目視点検	〇回／年	〇〇		〇〇		〇〇		〇〇		〇〇		〇〇	
2．電気設備の内、自家用電気工作物（電気事業法第42条、第43条に基づく自主検査）													
①定期点検	１回／月	〇〇	〇〇	〇〇	〇〇	〇〇	〇〇	〇〇	〇〇	〇〇	〇〇	〇〇	〇〇
②定期検査	〇回／年												〇〇
3．建築基準法第12条に規定する特定建築物定期調査	１回／３年	（該当年度ではありません）											
4．建築基準法第12条に規定する建築設備等定期検査	１回／年							〇〇					
5．エレベータ設備（フルメンテナンス契約）													
①定期点検（遠隔監視含む）	〇回／〇月	〇〇			〇〇			〇〇			〇〇		
②建築基準法第12条に規定する昇降機等定期検査	１回／年											〇〇	
6．給水設備の内、簡易専用水道													
①水道法施行規則に規定する貯水槽の清掃	１回／年										〇〇		
②水質検査	１回／年										〇〇		
③水道法施行規則に規定する検査	１回／年											〇〇	
7．消防用設備等 消防法第17条の３の３に規定する消防用設備等の点検													
①機器点検	１回／６月					〇〇						〇〇	
②総合点検	１回／年											〇〇	
8．機械式駐車場設備													
①定期保守点検	〇回／〇		〇〇		〇〇		〇〇		〇〇		〇〇		〇〇

管理事務報告書　作成例２（その１）

（交付日）令和○○年○○月○○日

管理事務報告書（その１）

○○○○○○○○○○管理組合
理事長　○○　○○　殿

株式会社　○○○○○○○○○○
取締役社長　○○　○○　印
（印は必須ではない）
報告者
管理業務主任者　○○　○○
登録番号○○○○○○○○○号

マンションの管理の適正化の推進に関する法律第77条に基づき、管理委託契約に係る貴マンションの管理に状況について、下記のとおりご報告いたします。

記

１．報告の対象となる期間（管理組合事業年度）

令和○○年○○月○○日～令和○○年○○月○○日

２．管理組合の会計の収入及び支出の状況
別添の以下の会計報告書等をご覧ください。

①第○○期　貸借対照表 ②第○○期　収支報告書 ③証憑書類　貯金残高証明書原本・領収書・請求書等

３．管理委託契約の内容に関する事項
管理事務報告書（その２）をご覧ください。

以上

管理事務報告書　作成例２（その２）

管理事務報告書（その２）

（管理組合事業年度が４月～３月の場合）

業務内容	頻度等	令和○○年									令和○○年		
		４月	５月	６月	７月	８月	９月	10月	11月	12月	１月	２月	３月
〔事務管理業務〕 基幹事務 １．収支予算案の素案の作成、提出	（頻度等の事例） １回／年	＊実施月の欄の数字（○○）は業務の実施日です。									○○		
２．収支決算案の素案の作成、提出	１回／年		○○										
３．組合員別管理費等負担額一覧表の提出	都度	○○		○○									
４．管理費等の収納状況の報告	毎月	○○	○○	○○	○○	○○	○○	○○	○○	○○	○○	○○	○○
５．管理費等の滞納状況の報告	毎月	○○	○○	○○	○○	○○	○○	○○	○○	○○	○○	○○	○○
６．組合会計帳簿等の引渡し	通常総会終了後			○○									
７．長期修繕計画案の見直し、提出	○年毎	（該当年度ではありません）											
基幹事務以外 １．理事長・理事会支援業務	理事会開催の都度	○○		○○		○○		○○		○○		○○	
２．総会支援業務	総会開催の都度		○○										
〔管理員業務〕 原則として毎週○曜日から○曜日、○○時から○○まで勤務し、管理委託契約書別表第２の業務を実施		（毎月実施いたしました）											
〔清掃業務〕 １．日常清掃　管理委託契約書別表第３－１に基づき実施		（毎月実施いたしました）											
２．特別清掃　管理委託契約書別表第３－２に基づき実施	○回／○		○○		○○		○○		○○		○○		○○
〔建物・設備等管理業務〕 １．管理委託契約書第２条第５号に記載する管理対象部分の外観目視点検	○回／年	○○		○○		○○		○○		○○		○○	
２．電気設備の内、自家用電気工作物（電気事業法第42条、第43条に基づく自主検査） ①定期点検	１回／月	○○	○○	○○	○○	○○	○○	○○	○○	○○	○○	○○	○○
②定期検査	○回／年												○○
３．建築基準法第12条に規定する特定建築物定期調査	１回／３年	（該当年度ではありません）											
４．建築基準法第12条に規定する建築設備等定期検査	１回／年				○○								
５．エレベータ設備（フルメンテナンス契約） ①定期点検（遠隔監視含む）	○回／○月	○○			○○			○○			○○		
②建築基準法第12条に規定する昇降機等定期検査	１回／年											○○	
６．給水設備の内、簡易専用水道 ①水道法施行規則に規定する貯水槽の清掃	１回／年										○○		
②水質検査	１回／年										○○		
③水道法施行規則に規定する検査	１回／年											○○	
７．消防用設備等 消防法第17条の３の３に規定する消防用設備等の点検 ①機器点検	１回／６月					○○						○○	
②総合点検	１回／年											○○	
８．機械式駐車場設備 ①定期保守点検	○回／○		○○		○○		○○		○○		○○		○○

受領書　作成例

○○年○○月○○日

株式会社○○○○○○○○○○
取締役社長　○○　○○

○○○○○○○○○○管理組合
理事長　○○　○○　　印

管理事務報告書に係る受領書

　マンションの管理の適正化の推進に関する法律第77条に基づき、管理委託契約に係る当マンションの管理の状況について、以下のとおり、令和○○年○○月○○日に管理事務報告書を受領し、管理業務主任者による説明を受けました。

1．報告の対象となる期間（管理組合事業年度）

○○年○○月○○日～○○年○○月○○日

2．管理組合の会計の収入及び支出の状況

3．管理委託契約の内容に関する事項

以上

※　管理事務報告書に係る受領書については、マンション管理適正化法上、求められていないが、管理業者として適法に実施したことを証明するためにも作成し、受領することが望ましい。

第4編

管理組合の会計の
収入及び支出の調定
並びに出納関係

管理組合の会計の収入及び支出の調定並びに出納関係

第1節 管理組合の収入、支出

1 管理組合の収入

管理組合会計の収入は、標準管理規約（単棟型）57条によると、25条に定める管理費、修繕積立金、及び29条に定める使用料によるものとする、とされている。

（1）管理費、修繕積立金

① 目的

標準管理規約（単棟型）によれば、管理組合は、建物共用部分、敷地及び附属施設の通常の管理を行うための諸費用に充てるための管理費を組合員から徴収（管理費収入）するとともに、周期的かつ計画的に行う大規模な修繕や「建替え」に備える等、特別に必要となる管理のための修繕積立金を徴収（修繕積立金収入）し、実際に支出するまで積み立てるものとされている。管理費は経常的な管理のための費用、修繕積立金は周期的かつ計画的な支出に備えるために積み立てられる将来の費用であり、広義の管理費とみられるが、標準管理規約（単棟型）ではこれらは区分して経理をしなければならないとされている。

② 負担義務、負担割合、算出方法、徴収方法

(ア) 負担義務

区分所有法19条（共用部分の負担及び利益収取）では、「各共有者は、規約に別段の定めがない限りその持分に応じて、共用部分の負担に任じ、共用部分から生ずる利益を収取する」と規定し、組合員の負担義務を明確にしている。管理費及び修繕積立金（以下「管理費等」という。）も建物共用部分、敷地及び附属施設の管理を行うための諸費用であり、この規定により組合員はこれらを負担する法律上の義務がある（売れ残り住戸の管理費等については、売主である不動産会社も組合員の地位にあるので、これらを負担する法律上の義務がある。）。なお、賃借人が管理費等を支払っている場合は、その賃借人が居住するマンションの管理組合において、賃借人が組合員に代わって管理費等を支払うことを便宜的に認めているにすぎない。ただし、賃借人が管理費等を滞納したときは、当然にその専有部分を有する組合員に請求することができる。負担についてのトラブルを避けるためにも、管理費等の請求先は組合員にすることが望ましい。

⑴ 負担割合

管理費等の負担割合は、区分所有法19条の定めにより、管理規約で別段の定めをしている場合を除いて、その所有する専有部分の床面積の割合であり、大規模修繕工事のために一時的に徴収される修繕一時金等の負担割合もこれによる。なお、管理費等を全住戸について「均一割合」又は「同額」で負担させることもできるが、この場合は、管理規約でその旨を定めなければ法律上の効力がないことに留意しなければならない。

⑵ 算出方法

管理費の算出方法は、一般に、一定期間（1年又は2年）に経常的な維持管理に支出される諸費用を積算のうえ、これを12等分（1カ月分）し、それを専有部分の総床面積で除して1平方メートル当たりの単価を算出し、これに各住戸の床面積を乗じて月当たりの負担額を算出している。修繕積立金については、長期修繕計画の対象期間や対象工事等に基づいて一定期間内に必要とされる修繕工事総費用を賄うために、最初の引渡し時に「修繕積立基金」等の名称で一時金を徴収し、かつ、月額修繕積立金を徴収している事例が一般的となっている。なお、1棟の建物で一部共用部分があるもの、建物が2棟以上の団地の管理費等の負担者区分は次表のとおりであり、その算出に際しては注意が必要である。

管理対象部分		権利関係	費用負担者区分
建物が1棟	建物共用部分	全体共用部分	区分所有者全員で負担
		一部共用部分	一部の区分所有者で負担
	敷地	区分所有者全員の共有	区分所有者全員で負担
	附属施設	区分所有者全員の共有	区分所有者全員で負担
建物が2棟以上の団地	各建物共用部分	全体共用部分	各建物の区分所有者全員で負担
		一部共用部分	各建物の一部の区分所有者で負担
	敷地	団地建物所有者全員共有	団地建物所有者全員で負担
		一部の建物の区分所有者全員共有	一部の建物の区分所有者全員で負担
	附属施設	団地建物所有者全員共有	団地建物所有者全員で負担
		一部の建物の区分所有者全員共有	一部の建物の区分所有者全員で負担

(エ) 徴収方法

管理費等の徴収方法には、振込、預金口座自動振替、定額送金等の方法があるが、滞納の防止や利便性の観点から、預金口座自動振替が最も多く採用されている。預金口座自動振替には大まかに「直接収納方式」と「集金代行方式」の2種類があるが、「直接収納方式」では収納先の管理組合の預金口座と同じ金融機関の預金口座を組合員が開設する必要があるのに対し、集金代行会社を活用する「集金代行方式」ではそのような制約がほとんどなく、大多数の金融機関の預金口座からの自動振替が可能である。このため、最近では「集金代行方式」の採用が拡大している。

なお、各マンションで管理費等の徴収方法をどうするかは管理規約又は総会決議で任意で定めることができ、いったん定められると組合員はこの方法に従わなければならない。

(2) 専用使用料

専用使用料収入とは、特定の組合員が敷地や建物共用部分を独占的、排他的に使用することの対価として徴収するものであり、駐車場使用料、専用庭使用料、ルーフバルコニー使用料、屋上又は外壁使用料等がある。このうち、駐車場使用料、屋上又は外壁使用料は使用することによって対価が発生するものであり、専用庭又はルーフバルコニーの使用料はそれに面する専有部分を所有することにより、使用のいかんにかかわらず発生するものである。

なお、専用使用料を徴収するか否かは管理規約の定めあるいは総会決議によって効力が生ずるものだが、実態面では専用使用料の額、賦課・徴収方法等について、管理規約、使用細則等で定めていることが一般的である。

(3) その他の収入

管理組合のその他の収入には、預金利息、保険の受取配当金、管理費等の遅延損害金収入、雑収入等がある。

2 管理組合の支出

管理組合から支出される諸費用には次のようなものがあり、これらについては管理規約でその範囲を定めていることが通常である。

(1) 管理費収入の使途

① 事務管理業務費

② 管理員業務費

③ 清掃業務費

④ 建物・設備等管理業務費

(ア) 建物、設備等定期点検費
(イ) エレベーター保守料（昇降機設備定期検査料を含む。）
(ウ) 受水槽・高置水槽清掃費、貯水槽定期検査料
(エ) 雑排水管清掃費
(オ) 消防用設備等保守点検料
(カ) 電気設備保安保守料
(キ) 給水設備点検料
(ク) 水質検査料
(ケ) 特定建築物定期調査費・建築設備定期検査料
(コ) 管球取替費（共用）
(サ) 浄化槽点検保守料（汚泥引抜料を含む。）
(シ) ボイラー保守料
(ス) 植栽維持管理費

(セ) 修繕費

(ソ) 機械式駐車場保守料

(タ) 近隣電波障害対策費

⑤ 管理報酬

⑥ 水道光熱費

(ア) 水道料

(イ) 電気料

(ウ) ガス料

⑦ 損害保険料

(ア) 火災保険料

(イ) 施設賠償責任保険料

(ウ) 個人賠償責任保険料

(エ) ガラス保険料

(オ) 機械保険料

⑧ 諸印刷費

⑨ 会場費

⑩ 通信費

⑪ その他

(ア) 備品費（共用）

(イ) 消耗品費（共用）

(ウ) 諸雑費

(エ) ケーブルテレビ（ＣＡＴＶ）共同受信料

(オ) リース料

このうち、①の「**事務管理業務費**」とは、マンション管理業者が「マンション標準管理委託契約書・別表第１」の事務管理業務仕様書に記載する出納業務、会計業務、管理運営業務を行うための、マンション管理業者の担当社員の人件費及びそれらの業務に関係する諸費用である。また、②の「**管理員業務費**」とは、管理員直接人件費のほか、管理事務所関係の諸経費、すなわち管理事務所の消耗品費（事務用）、電話料（業務用）等が含まれる。さらに、⑤の「**管理報酬**」は、マンション管理業者が企業経営を継続し、運営していくために不可欠な一般管理費及び付加利益である。

なお、マンション管理業者が管理業務を総合的に受託している場合は、前記の①、②、⑤の費用を合算して「定額管理委託費」又は「管理委託料」等という名目で収受していることが通常である（定額管理委託費に建物・設備等管理業務費の一部や清掃業務費を含めるケースもある。）。

（2）専用使用料収入の使途

駐車場使用料等の専用使用料収入の使途についても各マンションの管理規約等で任意に定めることができるが、修繕積立金会計の一層の充実を図る観点からは、極力、同会計へ繰り入れることが望ましいとされている。

なお、これらの専用使用料収入は、標準管理規約（単棟型）29条によれば、専用使用料の収受の元となったものの管理に要する費用に充てるほか、修繕積立金として積み立てるものとなっている。

3 修繕積立金

修繕積立金はおおむね次のような費用に充てられるものである。具体的な使途は、管理費と同様に、各マンションの管理規約等で任意に定めていることが一般的である。

① 一定年数の経過ごとに計画的に行う修繕費

⑺ 外壁改修工事費

⑴ 鉄部塗装工事費

⑹ 屋根防水工事費

⑴ 給水管更生、取替工事費

⑴ 雑排水管取替工事費

⑴ 受水槽、高置水槽の取替費用

⑴ エレベーター取替費用

⑴ 機械式駐車場取替費用

② 不測の事故その他特別の事由により必要となる修繕費

自然災害又は火災、爆発等による復旧費等

③ 敷地及び共用部分等の変更

駐車場又は駐輪場の増設費、新設費等

④　建物の建替え及びマンション敷地売却（「建替え等」という。）に係る合意形成に必要となる事項の調査

⑤　その他敷地及び共用部分等の管理に関し、区分所有者全体の利益のために特別に必要となる管理に係る費用

4 資金計画

マンションの維持保全を行うには、資金が必要である。長期修繕計画書は、こうした修繕積立金の算出根拠となるものであり、組合員の合意を得るためには不可欠なものである。

表１の平成30年度の調査結果によれば、長期修繕計画を作成しているマンションは90.9%となっている。

表１　長期修繕計画の作成状況

合計	作成	非作成	不明
100.0%	90.9%	7.0%	2.1%

（平成30年度マンション総合調査）

また、同調査で、直近の大規模修繕を実施する際の工事費に占める修繕積立金、一時徴収金、借入金の割合をみたものが表２である。

表２　工事費に占める修繕積立金、一時徴収金、借入金の割合

	0%	1～20%	21～40%	41～60%	61～80%	81～99%	100%
修繕積立金	1.0%	1.7%	1.8%	2.9%	3.6%	1.0%	72.3%
一時徴収金	82.3%	0.7%	0.7%	0.2%	0.1%	0.2%	0.2%
公的金融借入金	79.0%	0.7%	1.7%	1.9%	1.0%	0.2%	—
民間金融借入金	79.7%	0.8%	1.7%	1.0%	0.7%	0.2%	0.3%

（平成30年度マンション総合調査）

これをみると、３割弱のマンションで修繕積立金では賄えず、不足分を一時金徴収又は借入れにより工事を実施していることがわかる。

（1）近年の修繕積立金適正化への動向

新築分譲マンションの修繕積立金は、以前は月額管理費の15%～20%程度に設定されるケースが多かったが、平成６年に当時の住宅金融公庫（現独立行政法人住宅金融支援機構）が修繕積立金等の一定の条件を満たした中古マンションに融資条件を緩和する措置として「優良中古マンション融資制度」を創設し、１住戸当たりの修繕積立金月額が経過年数により６千円～１万円としたこと（平成14年４月より「リ・ユースプラスマンション融資制度」に変更し、平成20年４月に廃止）、平成７年には、公庫の建設前の審査（長期修繕計画があること等）に適合した物件に割増融資する「優良分譲住宅融資制度」と合わせて、ディベロッパーの団体である社団法人日本高層住宅協会（現在は、一般社団法人不動産協会と統合）が新築分譲マンションにおける長期修繕計画の作成及び修繕積立金の設定に関するガイドラインを作成し、傘下の会員に対して、同年11月以降に分譲するマンションに適用するよう通知したことなどを受けて、新築マンションにおいては、修繕積立基金等の徴収を含め、修繕積立金の増額が図られてきた。

こうしたことから、先の平成30年度マンション総合調査によれば、修繕積立金の戸当たり平均額は12,268円／月となっており、前回調査（平成25年度）の11,800円／月から468円（4.0%）増加する結果となった。

なお、平成20年６月に作成された長期修繕計画作成ガイドライン、平成23年４月に作成された修繕積立金ガイドラインの２つのガイドラインは、令和２年６月のマンション管理適正化法の改正に伴い、令和３年９月に改訂された。

特に修繕積立金ガイドラインでは、新築マンションの購入予定者に加え、既存マンションの区分所有者においても、修繕積立金に関する基本的な知識や修繕積立金の額の目安について、より最近の傾向を反映したガイドラインとして改訂・公表されている。

（2）修繕積立金の運用

修繕積立金は、管理費と違い毎月消費する費用ではないので一定期間相当の資金が積み増しされていく。マンション管理会社は、この資金を安全に保管するとともに、その効率的な運用を図るよう管理組合に助言することが必要である。

その場合に投機的な商品は選択肢から除くことはもちろん、ペイオフ対策として金融機関の経営状態についても注意を払う必要がある。

現在、利用されている修繕積立金運用商品の例を次に挙げる。

①　マンションすまい・る債（2024.4.15～10.11）（詳しくは、住宅金融支援機構ホームページへ）

㋐	名義人	管理組合の代表者（理事長など）
㋑	対　象	分譲マンション（沖縄県内に所在するマンションは対象外）
㋒	主な要件	①　管理規約が定められていること。 ②　長期修繕計画の計画期間が20年以上であること。 ③　反社会的勢力と関係がないこと。
㋓	募集要項	①募集期間　年１回 ②募集金額　１口50万円（複数口可）
㋔	積立方法	①機構が発行する債券（利付10年債）を年１回購入 ②最大10回連続して積立可能
㋕	利　率	市場金利の水準等を勘案し設定（2024年度は、0.500％（税引前）） ※　管理計画認定を受けたマンション向けの利率は0.550％（税引前）
㋖	課　税	利息に対して所得税及び復興特別所得税15.315％の源泉課税
㋗	積立金の保全（安全性）	

積立金（マンションすまい・る債）は、住宅金融支援機構の総資産から優先的に弁済される。

政府保証は付されていないが、住宅金融支援機構の資本金は全額を政府が出資しており、債券の発行には独立行政法人住宅金融支援機構法に基づき国の認可を受けている。

②　マンション管理組合向け積立型火災保険

平成10年の保険の自由化とともに、現在ではオールリスク型として対応できるような新しいマンション管理組合向けの総合保険がある。掛捨型と積立型の選択が可能（一部の保険会社を除く。）で、積立型は契約金額の一定割合が満期に返戻される。

ペイオフ対策商品として、保険会社が破綻した場合は、損害保険契約者保護機構により保険金支払の補償について80％、積立保険料部分について80％

が補償される（1,000万円の上限なし）。

ただし、満期返戻金の予定利率が下回る場合もあるので、資金計画に見込む際には注意が必要である。

なお、最近は、市場における低金利の影響により、各保険会社では新規の販売を停止している状況にもある。

（3）修繕資金の借入れ

長期修繕計画に基づく資金計画がきちんと立てられず大規模修繕工事時に必要な資金が不足している場合や、修繕費が計画より予想外に大きくなった場合などには、一時金の徴収や借入れを検討することになるが、一時金徴収は組合員の同意が得られにくく修繕そのものを見送ることになりかねないため、借入れを選択するケースがみられる。借入れをした場合は、修繕実施後に修繕積立金から返済する場合が多く、次回の大規模修繕工事を踏まえて資金計画を見直す必要がある。また、一時金徴収方式で、管理組合が融資機関を紹介し、各区分所有者が個々に費用を借り入れるケースもある。

こうした借入先には、民間融資機関として銀行や信用金庫、信販会社、信用組合などが出しているマンション共用部分のリフォーム用商品があり、公的融資機関としては住宅金融支援機構のマンション共用部分リフォーム融資がある。ここでは、住宅金融支援機構のマンション共用部分リフォーム融資の概要を紹介する。

住宅金融支援機構　マンション共用部分リフォーム融資の主な融資条件（詳しくは、住宅金融支援機構ホームページへ）

条件	
条件	1．次の事項が管理規約又は総会の決議で定められていることが必要。 ①マンションの共用部分工事を実施すること ②管理組合が住宅金融支援機構から資金を借り入れること（借入金額、返済期間、借入予定利率等） ③本返済には修繕積立金を充当すること ④管理組合が（公財）マンション管理センターに保証委託すること ⑤管理組合の組合員、業務、役員、総会、理事会及び会計に関する事項 2．管理費又は組合費から支出すべき経費に修繕積立金を充当できることが管理規約で決められていないこと。 3．修繕積立金が、1年以上定期的に積み立てられており、管理費や組合費と区分して経理されていること。また、修繕積立金が適正に保管されており、滞納割合が原

	則10%以内であること。 4．管理組合の管理者（又は管理組合法人の代表理事）が、原則としてマンションの区分所有者（自然人）の中から選任されていること。 5．毎月の返済額（すでに他の借入れがある場合は、当該借入れにかかる返済額を含む）が毎月徴収する修繕積立金の額（返済額に充当するために返済期間中一定額を徴収する場合には、その徴収額を加えた額）の80%以内となること。 6．反社会的勢力と関係がないこと。
融資額	①②までのいずれか少ない額が上限 ①融資対象工事費（補助金等差引後） ②毎月徴収する修繕積立金×80%以内÷毎月の返済額×100万円
返済	1～10年（年単位） ※工事内容により、11～20年にすることもできる。
担保	（公財）マンション管理センターが保証人となり、担保が不要。

(4) マンション共用部分の修繕・改良工事等の助成制度

国や地方公共団体では、マンション共用部分の修繕・改良工事や調査・診断費などに対して、費用の助成や前述の借入れに対しての利子補給など種々の支援策を設けている。特に耐震性能に関しては、平成18年度施行の改正耐震改修促進法を受け、耐震診断・耐震改修等、新たな耐震化の支援制度の充実が図られている。資金計画を立てる際に、支援制度の利用を検討することで修繕に掛かる費用負担の軽減を図りたい。

※ 参考：（公財）マンション管理センターホームページ https://www.mankan.or.jp/
「地方公共団体の支援制度」

5 財産の分別管理

平成13年８月１日に施行されたマンション管理適正化法によって、マンション管理業者が行っている収納から支払に至るまでの方式について財産の分別管理の観点から次の規定がなされた。

すなわち、「マンション管理業者は、管理組合から委託を受けて管理する修繕積立金その他国土交通省令で定める財産については、整然と管理する方法として国土交通省令で定める方法により、自己の固有財産及び他の管理組合の財産と分別して管理しなければならない」（法76条）と規定されており、これに係る具体的な処理方法がマンション管理適正化法施行規則に明記されている。

6｜マンション管理適正化法の改正と修繕積立金

マンションは私有財産であるため、これまでは管理組合の自主的な管理に委ねられている状況だったが、管理の適正化に関する取り組みを計画的に進めていくため、地方公共団体が積極的に関与できる制度が創設され、令和４年４月に施行された。

また、これらの制度により、管理組合は自らのマンションの価値の向上や、区分所有者の管理への関心・理解を向上させることができると期待される。

改正のポイントは、以下の３点となる。

改正内容①　地方公共団体による管理適正化推進計画の作成
改正内容②　マンションの管理計画の認定制度
改正内容③　地方公共団体による助言・指導等

改正内容①　地方公共団体による管理適正化推進計画の作成

地方公共団体は、マンション管理適正化の推進を図るための施策等を含む、マンションの管理の適正化の推進を図るための計画を作成することができる。

改正内容②　マンションの管理計画の認定制度

管理適正化推進計画を作成した地域において、マンションの管理計画が一定の基準を満たす場合に、管理組合は、地方公共団体から適切な管理計画を持つマンションとして認定を受けることができる。

認定基準については、長期修繕計画の計画期間が一定の年数以上であること、長期修繕計画に基づき修繕積立金を設定していること、集会（総会）を定期的に開催していることなどを基準としている。

管理計画認定基準における修繕積立金に関連する事項の抜粋は以下のとおり。

○管理組合の経理

・管理費と修繕積立金の区分経理がされている。
・修繕積立金会計から他の会計への充当がされていない。
・修繕積立金の滞納に適切に対処している（修繕積立金の３カ月以上の滞納額が

全体の１割以内であること）。

○長期修繕計画の作成及び見直し等

・長期修繕計画（標準様式準拠）の内容及びこれに基づき算定された修繕積立金が集会（総会）で決議されている。

・長期修繕計画が７年以内に作成又は見直しがされている。

・長期修繕計画の計画期間が30年以上かつ残存期間内に大規模修繕工事が２回以上含まれている。

・長期修繕計画において将来の一時金の徴収を予定していない。

・長期修繕計画の計画期間全体での修繕積立金の総額から算定された修繕積立金の平均額が著しく低額でない。

・計画期間の最終年度において、借入金の残高のない計画となっている。

※　下線部：長期修繕計画ガイドライン、修繕積立金ガイドラインと紐づけている内容

国土交通省より、平成20年６月策定の「長期修繕計画標準様式、長期修繕計画作成ガイドライン・同コメント（長期修繕計画ガイドライン）」と平成23年４月策定の「マンションの修繕積立金に関するガイドライン（修繕積立金ガイドライン）」の内容について、管理計画の認定基準に連動するよう見直しが図られ、令和３年９月に公表された。これにより、適正な修繕工事等の実施に向けた環境が整備された。改訂については、後述する。

改正内容③　地方公共団体による助言・指導等

地方公共団体は、管理適正化のために、管理組合の管理者等に対し、必要に応じて助言や指導等を行うことができる。

ここで、長期修繕計画ガイドラインと修繕積立金ガイドラインの改訂についてのポイントを以下に示す。

長期修繕計画ガイドラインの改訂について

■ガイドラインの概要

・長期修繕計画の作成又は見直しにあたっての指針を示すもの（主に管理組合向け）。

・長期修繕計画に必要な要素（※１）を示したうえで、修繕工事項目（※２）等について様式を設けることで、適切な大規模修繕工事が行われる長期修繕計

画の策定を促すもの。

※1　①建物・設備の概要、②調査診断の概要、③長期修繕計画の内容（計画期間、修繕項目・周期・工事費、収支計画等）④修繕積立金の額など

※2　修繕工事項目として、屋根防水、床防水、外壁塗装等、給排水設備、立体駐車場設備など19項目を列挙

■主な見直しの内容

① 望ましい長期修繕の計画期間として、現行のガイドラインでは25年以上としていた既存マンションの長期修繕計画期間を、新築マンションと同様、大規模修繕工事2回を含む30年以上とする。

② 大規模修繕工事の修繕周期の目安について、工事事例等を踏まえ一定の幅を持たせた記載とする。

※　現行のガイドラインの参考例：外壁の塗装塗替え：12年→　12～15年
空調・換気設備の取換：15年→　13～17年など

③ 社会的な要請を踏まえて、修繕工事を行うにあたっての有効性などを追記。

・マンションの省エネ性能を向上させる改修工事（壁や屋上の外断熱改修工事や窓の断熱改修工事等）の有効性。

・エレベーターの点検にあたり、国土交通省が平成28年2月に策定した「昇降機の適切な維持管理に関する指針」に沿って定期的に点検を行うことの重要性。

修繕積立金ガイドラインの改訂について

■ガイドラインの概要

・修繕積立金額の目安を㎡単価で示すとともに、積立方法（均等積立方式と段階増額積立方式）について解説することで、適切な修繕積立金額の設定や理解を促すもの（主に新築マンションの購入予定者向け）。

・事例に基づいて修繕積立金の額の目安を示すとともに、修繕積立金の積立方法について解説を行っているもの。

■主な見直しの内容

① 適切な長期修繕計画に基づく修繕積立金の事例を踏まえ、目安とする修繕積立金の㎡単価を更新。

② ガイドラインのターゲットとして、既存マンションも対象に追加し、修繕積立金額の目安に係る計算式を見直し。

※　計算式の変更点：既存マンションにおける長期修繕計画の見直し等に用いられること

を想定し、すでに積み立てられた修繕積立金の残高をもとに修繕積立金の目安額を算出する計算式に変更

③ マンション長寿命化促進税制について、追記（令和５年４月追補版）

マンション管理業者には、国の認定基準と照らして適切な修繕積立金の設定や管理がなされているか確認し、必要な提案をすることが求められる。

7 管理組合資金の運用と管理

組合員から徴収した管理費等は、管理組合名義の預金口座に収納・保管されることが一般的である。この場合、長期的な計画修繕で利用される修繕積立金や、一般（管理費）会計の多額の残高を金利の低い普通預金で運用することは得策ではない。管理組合としても効率的な資金運用が必要であるが、投機的でハイリスク・ハイリターンの性格の強い株や先物取引等の元本割れの危険がある商品は選択せず、元本保証の商品を選ぶことが大前提である。

一般的には、資金の使用時期を考慮して商品を決めるが、定期預金や「マンションすまい・る債」、マンション管理組合向け積立型火災保険等によって運用されることが多い。

資金の管理においては、金額が多額になるため、その管理には十分注意しなければならない。特に不正防止の面からも、管理組合では、①預金通帳と銀行取引印等の印鑑の保管や取扱いについては、通帳と印鑑を別々に保管する、あるいは、一部の金融機関で採用されている「通帳不発行制度」を活用することや、払出しに関する金融機関の電子決済サービスを採用するなど、管理組合と金融機関との連携で、不正な払出しの防止策を講じる、②多額の現金を持ち運ぶことのないよう金融機関の送金システムを活用するなどの対策が必要である。また、理事長印、銀行取引印等の印鑑を押す場合には、押印簿を作成し使用目的を明確にして管理するなど、内部の牽制体制をつくる必要がある。

預金保険制度

管理組合の金銭による財産は、通常預貯金として金融機関に預けられているが、万が一金融機関が破綻した場合の管理組合の預金などの保護に関して、預金保険制度に触れておく。

預金は預金保険制度により保護されている。これは、預金保険制度の加盟金融機関に預金すると、預金者と金融機関と預金保険機構との間で自動的に保険関係が成立し、万一、取扱金融機関が破綻しても預金者は預金保険制度によって保護されることになる。

しかし、平成14年３月末まではすべての預金等が全額保護されていたが、それ以降は預金等が保護されない場合が発生することとなった。具体的には対象となる預金の種類によって次表のとおりとなる。

これにより、預金保険制度の保護範囲を限度として複数の金融機関に分散して定期預金を預け入れる管理組合が増加したが、昨今の低金利により、決算時の残高証明書発行手数料を利息が下回る状況が散見される。

①　預金保険制度

預金保険制度は、加盟金融機関から徴収する保険料を原資に、加盟金融機関の経営が破綻して預金者の払戻しができなくなった場合などに預金者を保護する制度で、政府・日銀・民間金融機関の出資により設立された預金保険機構によって運営されている。

預金等保護の範囲

		現在	備考
預金保険の対象預金等（付保預金）	当座預金 別段預金	全額保護	（注３）
	決済用普通預金		
	普通預金	元本1,000万円までとその利息等を保護	
	定期預金 貯蓄預金 通知預金 （注１）		
預金保険の対象外の預金等	外貨預金 譲渡性預金 （注２）	保護対象外	

（注１）　その他、定期積金、納税準備預金、掛金、元本補てん契約のある金銭信託金融債（保護預かり専用商品に限る。）、預金保険対象預金等を用いた積立・財形商品

（注２）　その他、元本補てん契約のない金銭信託金融債（保護預かり専用商品以外のもの）

（注３）「無利息・要求払い・決済サービスを提供できること」の３条件を満たす預金であり、各金融機関では主に決済用普通預金と当座預金を「決済用預金」として取り扱っている。

② 加盟金融機関

日本国内に本店のある銀行、信用金庫、信用組合、労働金庫、信金中央金庫、全国信用協同組合連合会、労働金庫連合会（農協、漁協、水産加工協等は別の貯金保険制度に加入している。）

③ ペイオフについて

ペイオフとは、金融機関が破綻した場合、預金保険機構から預金者に対して保険金が直接支払われることをいう。ただし実際には、金融機関の破綻に伴う混乱を最小限にとどめるため、破綻した金融機関の営業を引き継ぐ金融機関に預金保険機構が資金を援助する方式（資金援助方式）が、ペイオフよりも優先し実行される。

資金援助方式

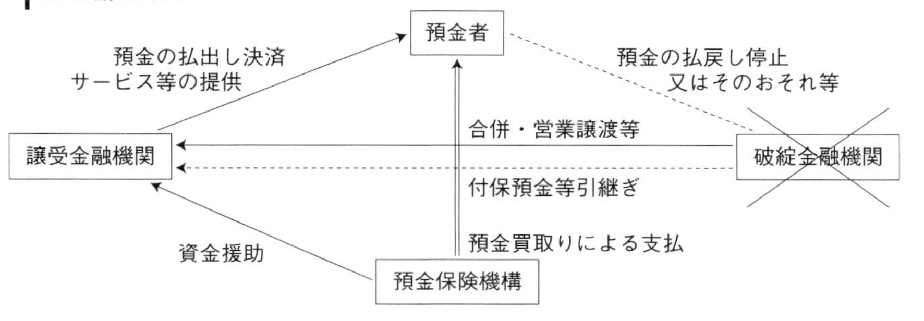

ペイオフ方式

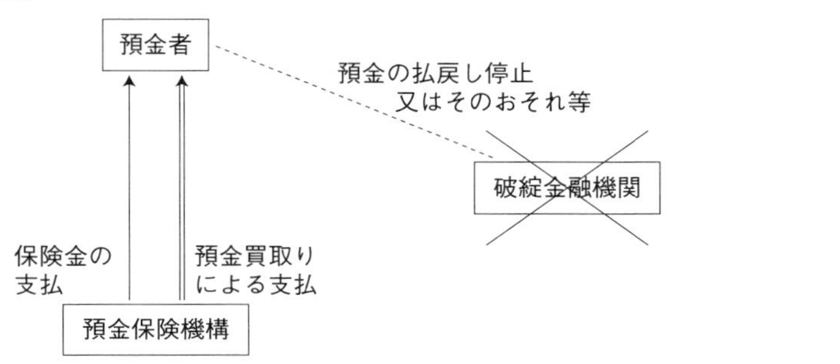

この資金援助方式では、破綻金融機関が持っていた金融機能が、付保預金と一緒に譲受金融機関に引き継がれることになる。したがって、預金者が破綻金融機関から受けていた預金の支払・受入れ・貸付け、決済サービスなど

は引き続き譲受金融機関から提供されることになる。

8 滞納管理費等の督促

（1）滞納管理費等の督促

管理費等は建物共用部分、敷地及び附属施設の管理を行う諸費用に充てるために徴収される費用であり、当初必要な諸経費を根拠に算出されており、余裕を見込んでいないことが通常である。したがって、一部の組合員がこれを滞納すると管理の実施に支障を来してくることはいうまでもない。

本来管理費等の滞納はあってはならないことだが、現実には発生している。この場合、誤解されがちなのが「滞納はマンション管理業者の責任」ということである。しかし、滞納は組合員個々の事情によるものであり、マンション管理業者に直接の責任はない。マンション管理業者が果たすべき責任は、管理委託契約に基づく「督促」を行うことである。

マンション管理業者が実施する督促業務の内容は管理委託契約に定めてあることが通常で、マンション管理業者はその定めの範囲で督促業務を行うことに責任を負う。このため、契約当事者が共通して理解できるよう、督促業務の内容（督促方法、督促期間、免責事項等）をより明確に定めておかなければ管理組合の誤解を招くことになる。督促業務に関して最低限定めるべき基本項目は、国土交通省の標準管理委託契約書の記載を参考にしつつ、各マンション管理業者が自社の組織体制等も勘案し、効果的かつ実際に遂行可能な督促内容を考え、管理委託契約書に明記することが肝要である。

なお、滞納者に対する法的手続（支払督促、少額訴訟等）は管理組合又は管理者である理事長が、原告となって行うことになる。

（2）滞納督促の基本

①　滞納督促時の留意点

滞納督促業務は、担当者もなかなか意欲がわかないというふうになりがちである。しかし、考えてみれば滞納管理費等を督促し回収につなげるということはマンション管理業者の評価に直結することであり、また、管理組合に不利益をもたらさないようにすることもマンション管理業者の大切な任務である。ただし、マンション管理業者は、管理組合との契約に基づき督促の代行業務を行っている点、つまり、滞納者と直接に債権者・債務者の関係にはないことを常に念頭に置く必要がある。なぜなら、管理組合という他者の債権の回収を目的に行う「滞納解消の期間短縮交渉」や、「マンション管理業者主導で法的手続きを進めると受け取られるような発言」などは、非弁行為として弁護士法に抵触すると判断されるおそれがあるからである。督促業務においては、滞納が発生している事実の「連絡（お知らせ）」を基本に、滞納解消見込み時期などを「聞き取る」姿勢に徹するべきである。

また、担当者はマンション管理業者の代表として滞納者に接することを自覚し、品格、マナー、言葉遣い、身なり等に相当程度注意を払うように意識することも大切である。

滞納者は基本的に、滞納して恥ずかしい、又は後ろめたいという気持ちを持っている。訪問する場合には、きちんと丁寧に訪問の趣旨を告げ、滞納者に恥ずかしいと思わせない雰囲気を作って、滞納の事情等を聞いていくことが必要である。

② 滞納者の分類

滞納者は、(ア)支払意思はあるが支払能力のない人、(イ)支払能力はあるが支払意思のない人、(ウ)支払能力はあるが不注意で支払わなかった人、(エ)支払能力、支払意思がともにない人、に分類できる。

滞納者をこのように分類することにより、それに応じた効果的な督促が実施できる。なぜならば、支払能力のない者にいくら督促をしても支払ってもらえないのは当然であり、一方、支払意思のない者に対しては何が支払拒否の原因となっているかを確認することにより、その回収が可能になるからである。

この意味で、滞納者が上記(ア)から(エ)の分類のどれに属するのかを早めに判断すべきである。また、具体的な滞納理由は次表に記載したが、複数の理由が重なっているケースもあり、状況を的確に判断して対応しなければならない。

滞　納　理　由	対　応　等
預金口座振替契約手続の失念	預金口座振替契約手続の督促
勤務先の倒産・リストラ等による生活困窮	手順に従った督促又は分割払いの検討
行方不明	本人の所在調査 住宅ローン等の抵当権の登記の調査
管理組合への不満	管理組合役員による説得等
分譲会社への不満	管理費用の性格の説明
マンション管理業者への不満	管理委託契約の性格の説明 理事会への申出の勧め
分譲会社の未売却住戸の管理費等未払	区分所有法・宅地建物取引業法の重要事項の説明
競落人の支払拒否	区分所有法７条、８条の説明
その他（意図的な支払拒否等）	機械的な督促、法的手続の実施

（３）既存マンションの転売

組合員の一部には、管理費等を滞納したままマンションを転売する者もいる。こうした場合、転売者から滞納分を回収できればよいが、転居先を通知しないケースが多く、回収が困難になっているのが実情である。しかし、これを放置しておけば管理組合の運営に支障を来すことは明らかである。そこで、区分所有法では滞納管理費等の確保を図るため、「共用部分、建物の敷地若しくは共用部分以外の建物の附属施設につき他の区分所有者に対して有する債権」「規約若しくは集会の決議に基づき他の区分所有者に対して有する債権」については広く先取特権で担保している。「管理者又は管理組合法人がその職務又は業務を行うにつき区分所有者に対して有する債権」についても同様である（区分所有法７条）。ちなみに、先取特権とは、他の一般債権者より優先して弁済を受けることができる権利をいう。

また、滞納管理費等の先取特権で担保された債権については、組合員の特定承継人（既存マンションの購入者、競落人等）に対しても行うことができると定めている（区分所有法８条）。このことは、仮に組合員が管理費等を滞納したまま転売しても、それを購入した者に前所有者の滞納額を請求できるということである。その場合、滞納していた組合員と特定承継人との間にどのような約定があっても、管理組合の請求権は影響を受けない。

なお、宅地建物取引業法の定めにより、宅地建物取引業者は既存マンションの売買を仲介する場合は、一定の重要事項を調査し、その内容を書面で購入者に説明しなければならないとされている。この一定の重要事項には、購入者が負担すべき管理費等の月額のほか、滞納額があればその額も調査し明示することとされている。

(4) 時効

① 消滅時効

令和2年4月1日からの改正民法施行により、それまでに定められていた職業別の短期消滅時効や定期給付債権の短期消滅時効は廃止され、権利を行使することができることを知った時から5年、権利を行使することができる時から10年、いずれか早い方の経過によって時効が完成することとなった(民法166条1項)。

> 第166条 (債権等の消滅時効)
> 債権は、次に掲げる場合には、時効によって消滅する。
> 一 債権者が権利を行使することができることを知った時から5年間行使しないとき。
> 二 権利を行使することができる時から10年間行使しないとき。
> 2 (略)
> 3 (略)

権利を行使することができることを知った時と権利を行使することができる時とが基本的に同一時点であるケースがある。売買代金債権、飲食料債権、宿泊料債権など、契約上の債権は、この具体例として、5年で消滅時効にかかることになる。

管理費等の支払時期・金額は区分所有者相互間の約束事として規約や総会決議で定まっていることなので、やはり、上記と同様、5年で消滅時効にかかることになる。

マンション管理業者としては、消滅時効にかからないよう管理組合にアドバイスを行うことが肝要である。

② 時効の完成猶予、更新

上記の改正民法施行により、時効の「中断」の概念がなくなり、時効の「完成猶予」「更新」（新たに時効が進行）の語が使われることになった。

(ア) 時効の完成猶予

・裁判上の請求、支払督促、裁判上の和解、破産手続参加等は、その事由が終了するまでの間は、時効は、完成しない（民法147条１項）。

・催告は、その時から６箇月を経過するまでの間は、時効は、完成しない（民法150条１項）。

(イ) 時効の更新

時効は権利の承認があったときは、その時から新たにその進行を始める（民法152条１項）。

再度の催告は、時効の完成猶予の効力を有しない（民法150条２項）。時効期間満了前に催告すれば時効の完成が猶予されるので、その猶予期間内に裁判上の請求をすれば訴え提起による時効の完成が猶予され、判決が確定したときは、その時から新たに時効が進行する（民法147条２項）ということにも留意すべきである。

管理組合としては、管理費等の滞納者から滞納していることの承認書を出してもらう方法が簡便である。

具体的には、区分所有者が管理組合あてに、滞納管理費等の合計金額、支払時期等の内訳とこれを滞納している事実を認める内容の承認書を、署名押印のうえ差し出せばそれでよい。管理組合でその様式を用意しておくのも一つの方法である。

承認のもう一つのケースは、例えば管理費等を50万円滞納しているとき、50万円は払えないが10万円だけ支払われたという場合である。一部の支払も、一部としての弁済であれば、残額についての承認となる。ただし、受け取るときに一部であるということを明確に書面化したうえで受領することが必要である。

なお、滞納管理費等が一部弁済された場合の充当順序については、規約の定めによる充当順序が優先する（民法490条）。規約に定めがないときは、滞納者が管理組合に対する意思表示で指定した充当順序により、滞納者の意思表示がないときは管理組合が滞納者に対する意思表示により指定した順序による（民法488条１項・２項）。

（5）遅延損害金の付加

管理費等を滞納した組合員に対するペナルティとして、遅延損害金を課す場合がある。

遅延損害金とは、債務の履行が遅れた場合に支払われる損害賠償金のことをいい、いわゆる利息ではない。遅延損害金の利率は法定利率（改正民法により年３％。ただし、３年ごとに見直す）によるが、約定利率がこれを超えるときは、約定利率による（民法419条１項、404条１項～３項）。

滞納者に約定利率による遅延損害金を課すかどうかは管理規約又は総会決議で定めることができるが、管理規約で定めていることが多い。この場合、注意しなければならないのは遅延損害金に関する管理規約の規定内容である。すなわち、「組合員が前項の期日までに第○条に定める管理費等を支払わない場合においては、管理組合は、その未払金額について年利○％の遅延損害金を加算してその組合員に対して請求する」とある場合は、滞納期間がたとえ１日でも、遅延損害金を加算して請求しなければならないと考えられることである。そこで規約の定めは、文末の「……請求する」を「……請求することができる」としておくことが望ましい。

（6）債権の放棄

いつまでも滞納管理費等を放置できないということで、債権を放棄することが管理組合で検討される場合がある。

この場合の考え方は次のとおりなので、管理組合役員に対して適切なアドバイスをする必要がある。

①　法人でない管理組合の場合

法人でない管理組合の場合には、滞納管理費等の債権は区分所有者全員の総有又は合有と解釈されている。この解釈によれば、滞納管理費等の放棄は区分所有者全員の合意が必要ということになる。なお、現場での取扱い例としては、５年経過後に総会の決議で債権放棄、又は未払い金の消却等で処理しているケースが多いようである。

②　管理組合法人の場合

滞納管理費等の債権をどのように処理するかは管理組合法人の事務処理に関するものであるので、区分所有法52条により、集会の決議を経れば法人として放棄することができると考えられる。

(7) 法的手続等

① 配当要求

配当要求は、強制執行等の執行手続において、差押債権者以外の債権者が執行手続に参加して、その債権の満足を得る方法であり、区分所有法7条の先取特権に基づき行うこととなる。

配当要求をする債権者は、管理費等の支払請求権者であるから、管理組合が法人化されている場合は管理組合法人、管理組合が管理組合法人でなく権利能力なき社団の場合は管理組合又は管理者、管理組合法人でなく権利能力なき社団でもない場合は他の区分所有者全員ということになろう。

実際に配当を受領できることはまれであるが、競売の進捗状況もわかるので、提出するべきであろう。

裁判所への提出に際しては、添付書類として、支払請求権者であることを証する書面、先取特権が存することを証する書面、管理費等の額を証明する管理規約及び集会議事録などが必要である。なお、この配当要求の手続を行わなかった場合でも、区分所有法8条により、滞納管理費等の債権について特定承継人である競落人に対しても行うことができる。

② 先取特権の実行

滞納区分所有者に対する先取特権は、区分所有法7条に規定されている。この先取特権は債務名義（判決等の強制執行を行うことができる民事執行法22条に定める文書）がなくても、動産、不動産に対して競売を申し立てることができる。これを、民事執行手続（民事執行法180条以下、民事執行規則170条以下）により行うことが、先取特権の実行である。

この場合、専有部分等又はその区分所有建物に備え付けた滞納区分所有者の財産について、次の要領で競売の申立てを行う。

(ア) 動産の先取特権が実行できるときは、これにより弁済を受ける。
（ただし、目的動産の特定が困難等の理由で、実行は困難）

(イ) 上記(ア)で足りない場合は、不動産に対し先取特権を実行する。

(ウ) 動産だけで明らかに弁済を受けるに足らないときは、不動産の先取特権から実行することができる。

先取特権の実行としての競売の申立て管轄裁判所等は以下の区分となっている。

(ア) 専有部分等については、マンションの所在地を管轄する地方裁判所

(イ) 動産については、マンションの所在地を管轄する地方裁判所に所属する執行官

競売の申立てに際しては、先取特権の存在を証する文書として、管理費等について定めた管理規約又は総会の議事録を提出する。

競売の申立債権者は、次のそれぞれのケースによる。

(ア) 管理組合法人の場合……管理組合法人

(イ) 法人格のない管理組合で管理者を定めている場合……区分所有法26条4項による当該管理者又は民事執行法20条及び民事訴訟法29条により管理組合

(ウ) 法人格のない管理組合で管理者を定めていない場合……管理者を選任してこれに充てるか、又は他の区分所有者全員

先取特権の実行は、対象不動産の価額以上の残債権がある抵当権が設定されている場合などには、実効性がないことになる。

③ 民事調停

民事調停は、裁判所の調停委員会の調停によって、金銭の貸借等、相手方との話合いでトラブルを解決する手続である。当事者が互いに譲歩して、円満な解決をすることができる（民事調停法1条～23条）。訴訟によらず、当事者の自由意思によって紛争を解決する点が特徴である。

調停は、紛争を円満に解決させる手段であるが、解決のために申し立てた側にも譲歩や妥協が求められるので、すぐには未払分を回収できることにはならないのが現実である。

④ 支払督促

支払督促の制度（民事訴訟法上「督促手続」という（同法382条～396条）。）は、「金銭その他の代替物又は有価証券の一定の数量の給付」を目的とする請求について、簡易裁判所書記官が、債権者の申立てにより、その申立てに理由があると認めるときには、債務者の言い分を調べることなしに債務の支払を命ずることができる制度である。

この制度は、債権者が簡単に、しかも少ない費用（印紙代は、通常の訴訟

を起こす際の訴状に貼る印紙代の半額）で、時間をかけずに、裁判所書記官から支払督促をしてもらうことができる。相手方が支払に応じなければ、さらに裁判所書記官に申立てをして支払督促に仮執行宣言を付けてもらい、強制執行ができることから、管理組合にとっては比較的利用しやすい制度である。

支払督促は、相手方が支払わない場合に、申立人の申立てだけに基づいてなされる略式の手続であり、書類の審査だけで発付されるので、訴訟のように申立人が裁判所の法廷に出頭する必要はない。

ただし、債務者から支払督促に対する異議（督促異議という。）の申立てがなされると、通常の訴訟に移行する。この場合、請求債権額が140万円を超えていると、地方裁判所に訴えの提起があったものとみなされる（民事訴訟法395条、裁判所法33条１項１号）。

そのため、督促異議がなされた場合に備えて、あらかじめ管理組合又は管理者が原告となることについて、集会の決議を経ておくべきであろう。なお、標準管理規約（単棟型）60条４項では、「理事長は、未納の管理費等及び使用料の請求に関して、理事会の決議により、管理組合を代表して、訴訟その他法的措置を追行することができる」としている。

⑤　少額訴訟制度

少額訴訟手続は、特に少額で、しかも複雑困難でないものについて、少しでも一般市民が訴額に見合った経済的負担で、迅速かつ効果的に解決することを目的として創設された制度である。

原則として１回の期日で判決が言い渡されるので、何度も裁判所に足を運ぶことがないという利点がある。また、対象となる60万円以下の金銭請求事件では、弁護士を代理人に選任して訴訟を行うことは費用の面からみて合理性を欠くため、当事者が自分で訴訟を追行することが多いであろうという配慮がなされている。

すなわち、訴訟に関する知識が乏しい一般市民が、訴訟代理人を付けずに自分で手続を行うことを前提に、１回の期日で審理を完了させるよう、裁判所書記官による事前の書面による教示と裁判官による期日の冒頭における教示が定められている。ただし、内容が複雑であったり、調べる証人が多く、１回の審理で終了しないことが予想される事件は、裁判所の判断で通常の手

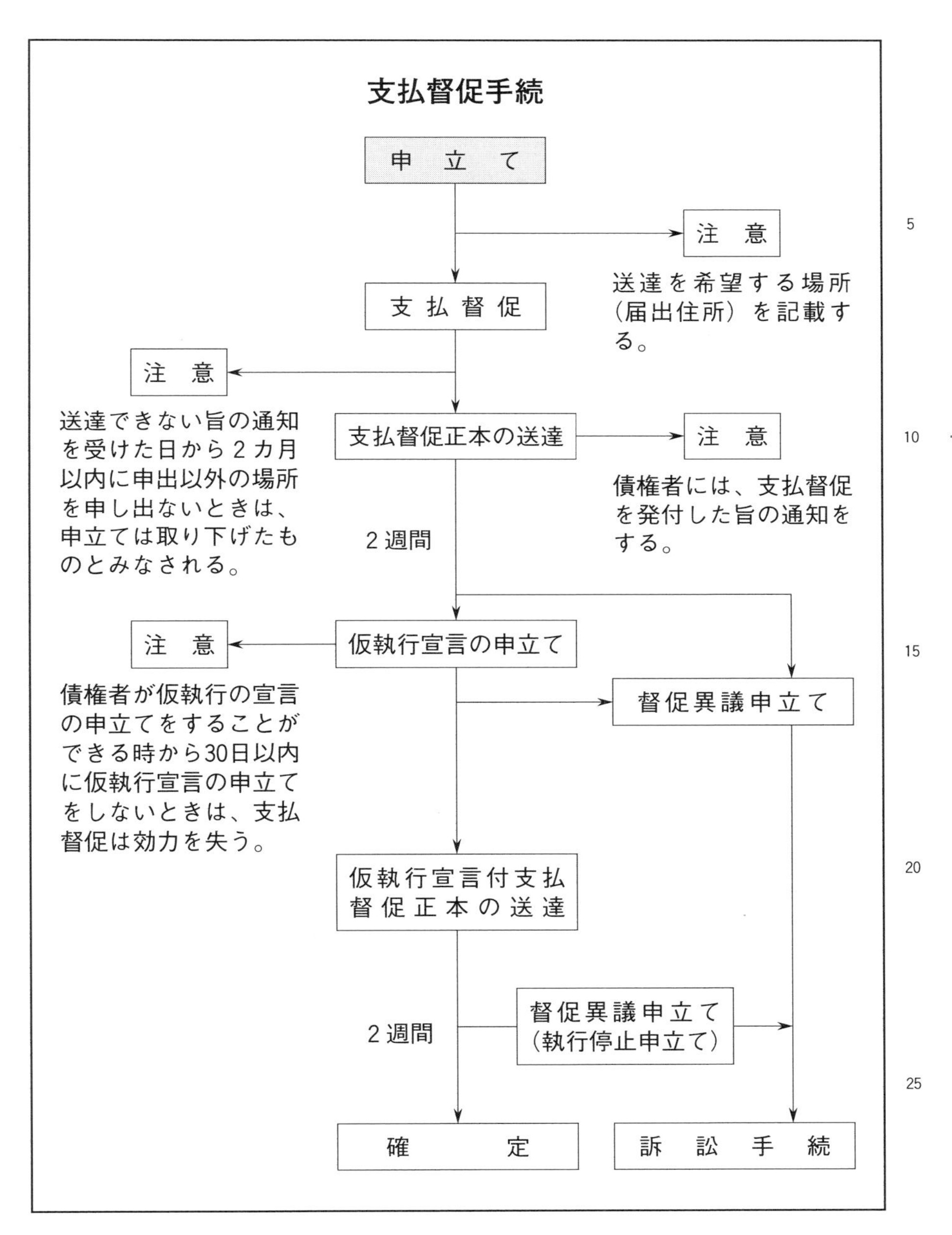

5
10
15
20
25
30

続で審理される場合がある。なお、少額訴訟制度の特徴は次のとおりである。

(ア) 訴額が60万円以下の金銭支払請求事件について利用することができる。

(イ) 特別の事情がある場合を除き、原則として１回の期日で審理を終了する。

(ウ) １回の期日だけで審理を終了させるために、訴訟代理人が選定されている場合であっても、裁判所は当事者本人（又は法定代理人）の出頭を命じることができる。

(エ) 訴えを提起する際に、原告が少額訴訟による審理及び裁判を希望し、相手方（被告）がそれに異議を申し出ないときに審理が進められる。相手方（被告）は、原告が少額訴訟手続による審理を求めてきても、被告が最初にすべき口頭弁論の期日に弁論をし、又はその期日が終了するまでは、通常の訴訟手続に移行させることができる。

(オ) 当事者は、口頭弁論が続行された場合を除き、第１回口頭弁論期日前又はその期日において、すべての言い分と証拠（攻撃防御方法）を提出しなければならない。

(カ) 証拠調べは、即時に取調べができる証拠に限られる。

(キ) 裁判所は、少額訴訟の要件を満たさないなどの場合には、職権で訴訟を通常の手続によって行う旨の決定をする。

(ク) １人の原告による同一簡易裁判所における同一年内の少額訴訟手続利用回数は、10回以内に制限される。

(ケ) 少額訴訟においては、反訴を提起することはできない。

(コ) 判決の言渡しは、原則として、口頭弁論の終結後、直ちにする。

(サ) 裁判所は、判決言渡しの日から３年を超えない範囲内で、分割払い又は期限の許与ができるものとし、この場合には、約定どおりの支払いがなされたときは、訴訟提起後の遅延損害金の支払義務を免除する旨を定めることができる。この場合も「勝訴」ということになり、不服の申立てはできない。

(シ) 判決に対しては、同じ簡易裁判所に異議の申立てをすることはできるが、地方裁判所に控訴をすることはできない。また、異議申立て後の判決に対しては、原則として不服を申し立てることはできない。

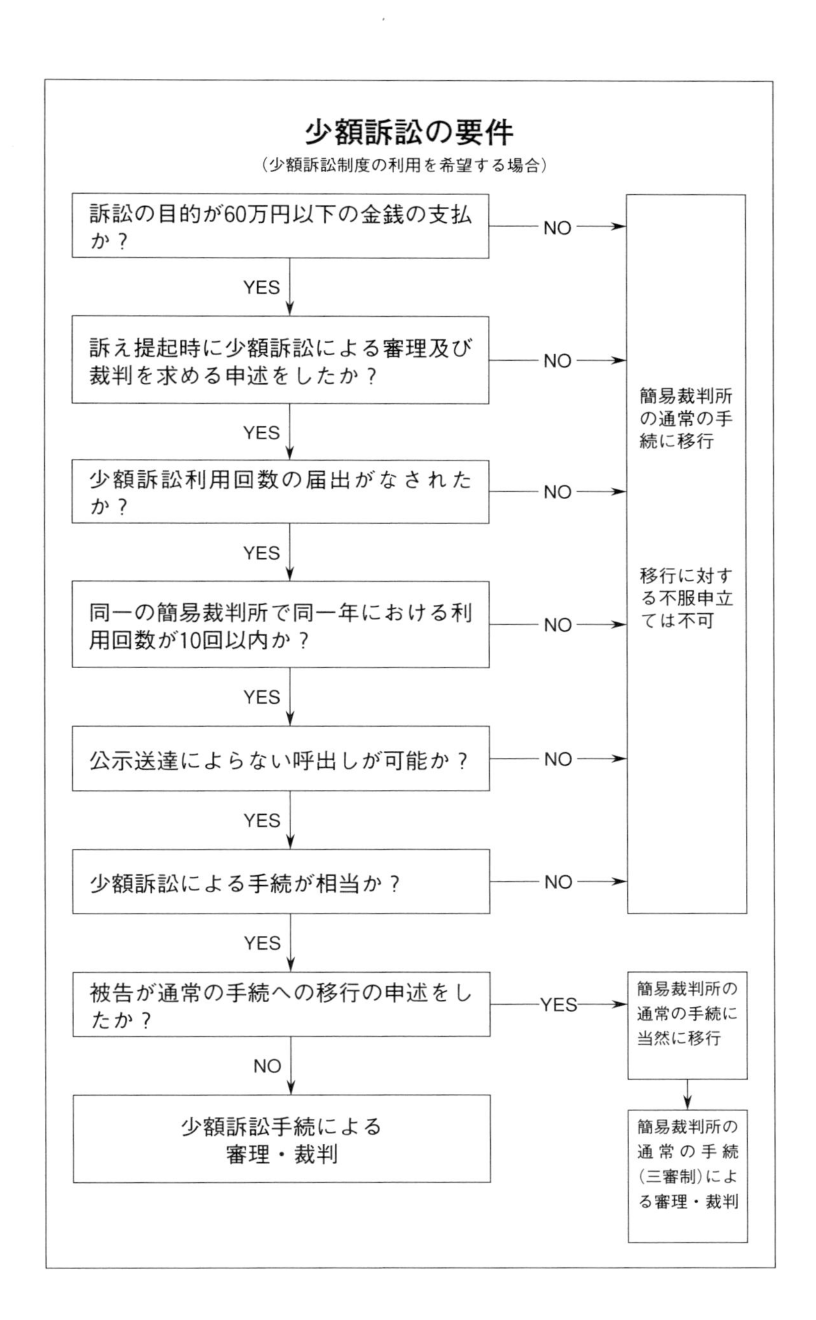

5
10
15
20
25
30

第4編 管理組合の会計の収入及び支出の調定並びに出納関係

第2節 管理組合会計の処理

1 管理組合会計の性格

(1) 管理組合会計の目的

管理組合会計の目的は、以下のとおりである。

① 管理組合の活動の枠組み（予算）を、組合の目的や組合員の総意に従って定め、役員に財務に関する一定の権限を付与すること（予算管理目的）。

② 管理組合の活動状況や財政状態を組合員に対して説明するため、財務内容を開示・報告すること（報告目的）。

③ マンションの建物等の維持保全のために最少の費用（限られた予算）で最大の効果を上げるなど、管理組合の合理的、効率的運営に資すること（内部管理目的）。

④ 管理組合の活動状況を評価し、その後の活動内容を合理化、効率化すること（評価目的）。

(2) 管理組合会計の性格

管理組合会計は、営利を目的とした企業会計（損益会計）とは異なり、予算が大きな比重を占める。予算による統制、すなわち、予算と決算を対比し差異を分析することによって、予算執行の良否、責任等を遡及することができ、それによって予算執行の評価、次期予算編成の参考とし、収支の均衡・合理化を図ることができるからである。健全な会計であるためには、当然ながら予算と決算の差異が少ないものほどよいとされる。ある時点での勘定科目の残高を常に予算と対比しながら執行することで、予算残高を指針にして無駄のない、全体として効果的な収支管理が行える。

管理組合会計は、目的に応じ区分して経理を行うべきである。管理費は経常的な費用に充てるために、修繕積立金は周期的かつ計画的な大規模修繕に充てるための準備金として徴収されているものであり、この目的に沿って区分経理を行わないと過不足が生じて安易に費用を流用することになり、予算の適正な管理が望めなくなるからである。その意味では、管理規約等において、管理組合の会計処理規則において目的別の区分経理を明確に定めておくことが必要である。

目的別会計においては、その目的とされた収入はその目的にのみ支出するというのが原則であるので、例えば、一般会計（若しくは管理費会計）又は修繕積立金会計（若しくは特別会計）において赤字が生じた場合は、それぞれの会計において、無駄なものはないか、節約できるものはないかなどをまず検討しなければならない。検討の結果、節約できる費用がなければ管理費（又は修繕積立金）の改定（値上げ）を行うことになる。

2 管理組合会計に係る各機関の役割

「マンション標準管理規約」が定めている管理組合会計に関する各機関の役割は以下のとおりである。

なお、マンション管理業者は（3）理事長の業務及び（4）会計担当理事の業務の一部を管理委託契約に基づいて実施している。

（1）総会決議

① 収支決算（48条3号）

② 収支予算（48条4号）

③ 管理費等の額及び使用料等の額並びに賦課徴収方法（48条6号）

④ 借入れ（48条10号）

⑤ 修繕積立金の取崩し（48条10号・15号）

⑥ 修繕積立金の保管及び運用方法（48条7号）

⑦ 役員活動費の額及び支払方法（48条2号）

（2）理事会決議

① 収支決算案（54条1項1号）

② 収支予算案（54条1項1号）

③ 滞納管理費等に対する訴訟その他法的措置（60条4項）

（3）理事長の業務

① 収支予算案を総会へ提出し、その承認を得る（58条1項）

② 収支決算案を監事の会計監査を経て総会へ報告し、その承認を得る（59条）
③ 管理費等及び使用料の徴収（60条1項）
④ 滞納管理費等に対する訴訟その他法的措置の追行（60条4項）
⑤ 管理費等に不足が生じた場合の組合員への請求（61条2項）
⑥ 管理組合の預金口座の開設（62条）
⑦ 借入決議の実行（63条）
⑧ 会計帳簿の作成及び保管並びに閲覧対応（64条）

（4）会計担当理事の業務

① 管理費等の収納、保管、運用、支出等（40条3項）

（5）監事の業務

① 財産の状況の監査及びその結果を総会に報告（41条1項）
② 収支決算案の会計監査（59条）
監査の目的、監査の役割、監査の内容等は、後掲「6　管理組合監査について」参照

3 収支予算案の作成

（1）収支推移表の作成

次期収支予算案を作成するに際しては、まず、当期会計年度の収支状況を確認することが必要である。収支の均衡がとれているか、赤字となっていないかどうか各項目別の予算・決算の執行状況はどうかを点検するためである。

そのためには、各会計年度ごとに「収支推移表」（次ページ「様式例」参照）を毎月作成し、収支状況及び各項目ごとの予算残高の確認が必要である。

（2）収支予算案の作成

① 支出予算案の作成

収支予算案の作成に際しては、次期会計年度の支出予算案から作成する。

この場合、第1節の2の⑴及び⑵の管理費等の支出項目ごとに次の事項に留

（様式例）

令和　　年度○○管理組合収支推移表

令和　　年　　月　　日 作成

○○管理組合

（単位：円）

項目		令和　年度 予算	実績												令和　年度 予算対比	備考
			月	月	月	月	月	月	月	月	月	月	月	月		
収入の部																
小計																
支出の部																
小計																
収支差額																

意して予算額を算出するものとする。そのうえで、改定が不可欠な項目、修繕又は取替えが明らかな項目について改定を想定した予算額を計上するものとする。各支出項目について改定の必要がない場合は前年度と同一の予算額とする。

㈠ 定例的な契約に基づく支出
- ㋐ 契約更新の時期か
- ㋑ 契約金額の改定の必要があるか
- ㋒ 契約内容を見直す必要があるか
- ㋓ 公共料金に改定の予定があるか

㈡ ㈠以外の支出
- ㋐ 新規に予定している事業があるか（修繕を含む。）
- ㋑ 従来行っていた事業で、次期事業年度に実施しないものがあるか

② 収支予算案の作成

次期会計年度の支出予算額を確定後、現行の収入予算とこれを対比する。この場合、次期会計年度の支出予算額が現行の収入予算額を超えるときは、再度支出項目を見直し、支出項目が削減でき現行収入の範囲内に収まる場合は収入予算額は現行と同一とし、原則、管理費収入及び修繕積立金収入の12

カ月分を計上するものとする。一方、支出項目の削減が不可能な場合は、それに対応する収入を確保するものとし、管理費等の改定案を作成しなければならない。この場合、各タイプ別の住戸に応じた管理費等の改定月額をあらかじめ算出し、年度内における稼働月分を収入額として計上するものとする。

5

収支予算案例

令和６年度一般会計予算案
（自　令和６年４月１日
至　令和７年３月31日）

○○○管理組合

単位：円

科　　目	令和６年度予算	令和５年度実績	対　　比	備　　考
（収入の部合計）	28,571,000	28,498,588	72,412	
管理費収入	22,641,000	22,641,000	0	
駐車場使用料収入	5,580,000	5,487,000	93,000	
専用庭使用料収入	330,000	330,000	0	
雑収入	18,000	33,177	−15,177	
受取利息	2,000	7,411	−5,411	
（支出の部合計）	26,700,133	27,901,503	−1,201,370	
管理委託費	18,030,000	18,030,000	0	
水道光熱費	1,660,000	1,498,295	161,705	
電気料	1,500,000	1,345,754	154,246	
水道料	130,000	125,760	4,240	
ガス料	30,000	26,781	3,219	
損害保険料	1,334,133	1,334,133	0	
植栽保守費	1,776,000	1,776,000	0	
排水管洗浄等	2,100,000	2,090,000	10,000	
什器備品等	280,000	294,600	−14,600	
小修繕費	1,300,000	198,000	1,102,000	
組合運営費	100,000	128,400	−28,400	
雑費	20,000	38,110	−18,110	
修繕積立金	0	2,513,965	−2,513,965	
予備費	100,000	0	100,000	
（次期繰越金）	5,756,897	3,886,030	1,870,867	
当期繰越金	1,870,867	597,085	1,273,782	
前期繰越金	3,886,030	3,288,945	597,085	

（注）支出の部の管理委託費の内訳は事務管理業務費、管理員業務費、清掃業務費、建物・設備等管理業務費、管理手数料である。

30

（3）収支予算案の提出時期

収支予算案は管理組合の次期会計年度開始前に提出することが望ましいものの、管理組合の多くは、次期会計年度開始後に定期総会を開催し、そこで前期の収支報告及び当期の収支予算案について承認を諮ることが一般的であるため、管理組合理事会が定期総会開催前までに十分審議できる時間的余裕を考慮して作成するものとする。

収支予算案例

令和6年度修繕積立金会計予算案

（自　令和6年4月1日
至　令和7年3月31日）

○○○管理組合

単位：円

科目	令和6年度予算	令和5年度実績	対比	備考
（収入の部合計）	14,505,080	11,712,863	2,792,217	
修繕積立金収入	11,875,080	6,785,760	5,089,320	
駐車場使用料収入	1,980,000	1,947,000	33,000	
受取利息	650,000	466,138	183,862	
一般会計より繰入	0	2,513,965	−2,513,965	
（支出の部合計）	0	7,500,000	−7,500,000	
鉄部塗装	0	7,500,000	−7,500,000	
（次期繰越金）	46,314,289	31,809,209	14,505,080	
当期繰越金	14,505,080	4,212,863	10,292,217	
前期繰越金	31,809,209	27,596,346	4,212,863	

（4）収支予算の変更

管理組合会計は、予算主義に基づくが、不測の事態により予算の変更をせざるを得ないという場合がある。

この場合は、管理規約において予算変更手続がどのように定められているかがポイントとなる。この場合の管理規約の規定としては、「変更行為を除く保存行為や管理行為の場合、予算執行決定権を任せられた理事長が行う」「理事会が行う」「総会の決議による」等が考えられる。ちなみに、標準管理規約（単棟型）58条２項では「収支予算を変更しようとするときは、理事長は、その案を臨時総会に提出し、その承認を得なければならない」としている。

不測の事態といっても、軽微な場合であって予算の変更までには至らずに予備費による支出により対応できる場合が少なくない。このような場合にも、管理規約に基本的な定めを置き、予備費による支出や費目間からの流用についても、あらかじめ会計規則や経理細則等に定めておくことが望ましい。

4 | 会計処理

（1） 会計処理の方法

管理組合会計処理方法には、企業会計によるものと公益法人会計によるものとがある。管理組合会計は営利を目的としないため、公益法人会計に基づく会計処理が望ましいものの、企業会計に基づく処理が広く行われている。

（2） 会計処理の原則

企業会計原則における一般会計原則は、会計に関する基本的な事項であるため、管理組合会計においても程度の差はあれ、これを適用している。

〈一般会計原則〉

① 真実性の原則

「会計上の真実とは何か」という議論もあるが、事実と異なる虚偽の報告書を作成してはならないという当然の理念と考える。

② 正規の簿記の原則

整然、正確な記録としての会計帳簿を作成することで、正確な会計帳簿であれば特に形式にはとらわれないが、複式簿記によることが適している。

③ 明瞭性の原則

財務諸表によって企業の状況を利害関係者に明瞭に表示すること。

④ 継続性の原則

財務諸表を数年度にわたって比較するときに、処理基準や勘定科目が変更していると比較することができないので、処理の原則や手続に継続性を持たせ、正当な理由なく変更してはいけない。

⑤　保守主義の原則

不利益な影響を及ぼす可能性がある場合は、これに備えて適当に健全な会計処理を実施する（例えば、未収となる可能性がある管理費等は見込まず、支出・損失をあらかじめ想定することにより健全な体質を保持する。）。

⑥　単一性の原則

会計報告は、会計帳簿に基づいて作成されるものであり、目的に応じ異なる形式の財務諸表の作成は認められるが、政策等により事実の真実な表示をゆがめてはならない。一般的にいう二重帳簿の禁止である。

（3）勘定科目の区分

各勘定科目は、以下に従って区分するものとする。

①　資産・負債勘定

㈠ 資産科目	現金、普通預金、定期預金、保険積立金（積立部分）、預け金、立替金、未収入金、前払金、仮払金、什器備品、電話加入権ほか
㈡ 負債科目	借入金、未払金、預り金、前受金、仮受金ほか
㈢ 繰越金科目	当期繰越金、前期繰越金、次期繰越金

②　収支勘定

㈠ 収入科目	管理費収入、修繕積立金収入、専用使用料収入、受取利息、積立保険料配当、雑収入ほか
㈡ 支出科目	管理報酬（又は管理手数料等）、事務管理業務費、管理員業務費、設備管理費（日常、法定）、清掃費（日常、定期）、損害保険料、共用部分水道光熱費、修繕費（大規模修繕工事費を含む。）、植栽管理費、訴訟費用、備品消耗品費、支払利息、通信費、会場費、印刷費、雑費ほか
㈢ 繰越金科目	当期繰越金、前期繰越金、次期繰越金

収支報告書と貸借対照表の関連

収支報告書	
1．収入の部	14,000
2．支出の部	13,200
3．当期繰越金	800
前期繰越金	9,200
次期繰越金	10,000

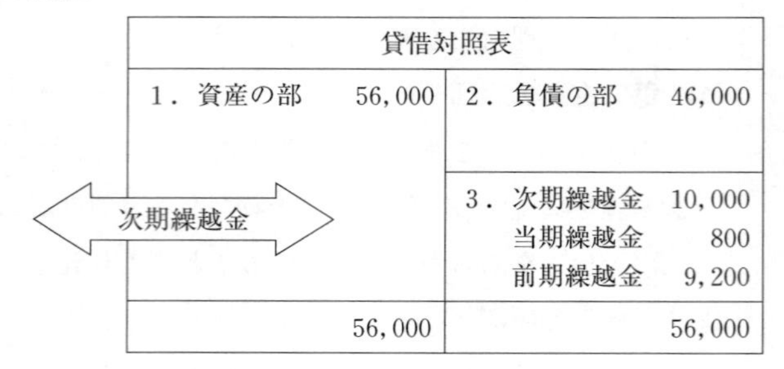

貸借対照表			
1．資産の部	56,000	2．負債の部	46,000
		3．次期繰越金	10,000
		当期繰越金	800
		前期繰越金	9,200
	56,000		56,000

（4）月次の会計処理

管理組合会計については、毎月、次の仕訳に基づいて会計の処理を行うものとする。なお、本仕訳は企業会計に基づくものである。

勘定科目の種別		勘定科目名	借方	貸方
貸借対照表	資産	現金、預金、保険積立金(積立部分)、損害保険料（未経過保険料)、預け金、立替金、未収入金、前払金、仮払金、什器備品、電話加入権ほか	増加	減少
貸借対照表	負債・繰越金	未払金、預り金、前受金、仮受金、借入金、繰越金ほか	減少	増加
収支報告書	収入	管理費収入、修繕積立金収入、駐車場使用料収入、倉庫使用料収入、専用庭使用料収入、看板掲出料収入、自転車置場使用料収入、受取利息、受取配当金、雑収入ほか		発生（増加）
収支報告書	費用	管理委託費、事務管理業務費、管理員業務費、設備管理費、清掃費、水道光熱費、損害保険料（経過部分)、修繕費、植栽管理費、備品消耗品費、管理組合運営費、支払利息、通信費、会場費、印刷費、訴訟費用、雑費ほか	発生（増加）	

5 収支報告書案、貸借対照表案の作成

（1）収支報告書案、貸借対照表案作成上の留意事項

収支報告書は、会計年度内の収支の状況を示すもので、予算に対する決算として作成されるものである。一方、貸借対照表は、会計年度末における財産(資

産・負債・繰越金）の状況を示すものである。

収支報告書及び貸借対照表は、収入、費用、資産、負債、繰越金の各勘定科目ごとに、以下の点に留意して作成すること。収支報告書及び貸借対照表は、受託先の管理組合の管理規約において会計区分の定めがない場合を除いて、一般会計（管理費会計）と修繕積立金会計（特別会計）の別に作成するものとする。

なお、収支報告書の各勘定科目は「発生主義の原則」に基づいて作成するものとする。

> 発生主義の原則：すべての費用及び収益は、その支出及び収入に基づいて計上し、その発生した期間に正しく割り当てられるように処理しなければならない（企業会計原則）。

① 収支報告書案関係

(ア) 収入科目

㋐ 管理費収入、修繕積立金収入

所定月額×12カ月分を計上すること（売れ残り住戸の管理費等について、特約等により売主の負担額が決まっている場合は当該額を計上すること）

㋑ 駐車場使用料収入

会計年度内に利用された区画に係る駐車場使用料の合計を計上すること

㋒ 自転車置場使用料収入

会計年度内に申し込まれた自転車台数に係る使用料の合計を計上すること

㋓ 専用庭使用料収入、ルーフバルコニー使用料収入

所定月額×12カ月分を計上すること

㋔ 受取利息、受取配当金

会計年度内に発生した受取利息・受取配当金の額を計上すること

㋕ 雑収入

会計年度内に発生した雑収入の額を計上すること

(イ) 費用科目の計上

会計年度内に発生したすべての費用を計上すること

② **貸借対照表案関係**

(ア) 資産科目

㋐ 現　金

会計年度末における現金の残高を計上すること

㋑ 普通預金、定期預金

会計年度末における普通預金、定期預金の残高を計上すること

㋒ 保険積立金（積立部分）

マンション修繕積立保険料のうち、会計年度末における積立部分の残高を計上すること

㋓ 未収入金

当月分の管理費等を当月に収納している場合は、会計年度末における未収入金の残高を計上すること

翌月分の管理費等を当月に収納している場合（前払）は、当期会計年度収入に対する未収入金残高を計上すること

㋔ 預け金

管理費等の収納を集金代行会社等に委託している場合で、組合員の口座から引き落とした管理費等で管理組合口座にまだ振り替えていない額（実入金額）を計上すること

㋕ 前払金

次期会計年度に計上すべき費用で、当期会計年度内に支払った額を計上すること

(イ) 負債科目

㋐ 未払金

当期会計年度に支払うべき費用で、未払の費用の額を計上すること

㋑ 借入金

会計年度末における借入金残高（元本部分）を計上すること

㋒ 前受金

次期会計年度に計上すべき収入（翌月分の管理費等を当月に収納している場合等）で、当期会計年度内に収納した額（実入金額）を計上すること

㊁　預り金

将来返還することが確定している費用（駐車場敷金等）の会計年度末残高を計上すること

③　勘定科目の仕訳例

(ア)　当月分の管理費、修繕積立金を当月に徴収している場合で、所定月額が全額管理組合口座に入金されたとき

（単位：円）

借方	貸方
普通預金　1,000,000（資産の増加）	管理費収入　900,000（収入の発生）
	修繕積立金収入　100,000（収入の発生）

(イ)　当月分の管理費、修繕積立金を当月に徴収している場合で、所定月額のうち一部が未収になったとき

（単位：円）

借方	貸方
普通預金　900,000（資産の増加）	管理費収入　900,000（収入の発生）
未収入金　100,000（資産の増加）	修繕積立金収入　100,000（収入の発生）

(ウ)　翌月分の管理費、修繕積立金を当月に徴収している場合で、所定月額が全額管理組合口座に入金されたとき

（単位：円）

借方	貸方
普通預金　1,000,000（資産の増加）	前受金　1,000,000（負債の増加）

(エ)　管理費、修繕積立金の徴収を集金代行会社に委託している場合で、同会社が徴収した管理費等がまだ管理組合口座に入金されていないとき

（単位：円）

借方	貸方
預け金　1,000,000（資産の増加）	管理費収入　900,000（収入の発生）
	修繕積立金収入　100,000（収入の発生）

(オ)　管理費、修繕積立金の未収入金が回収され、管理組合口座に入金されたとき

（単位：円）

借方	貸方
普通預金　100,000（資産の増加）	未収入金　100,000（資産の減少）

(カ) 普通預金の一部を定期預金に振り替えたとき

（単位：円）

定期預金　1,000,000（資産の増加）	普通預金　1,000,000（資産の減少）

(キ) 普通預金に利息が付されたとき

（単位：円）

普通預金　6,217（資産の増加）	受取利息　6,217（収入の発生）

(ク) 当月分の管理委託費等の諸費用を、当月に普通預金から引き出し支払ったとき

（単位：円）

管理委託費　300,000（費用の発生）	普通預金　300,000（資産の減少）
エレベーター保守点検料　70,000（費用の発生）	普通預金　70,000（資産の減少）
清掃費　100,000（費用の発生）	普通預金　100,000（資産の減少）

(ケ) 翌月分の管理委託費等の諸費用を、当月に普通預金から引き出し支払ったとき

（単位：円）

前払金　300,000（資産の増加）	普通預金　300,000（資産の減少）

(コ) 当期会計年度に支払うべき損害保険料を、当期に普通預金から引き出し支払ったとき

（単位：円）

損害保険料　100,000（費用の発生）	普通預金　100,000（資産の減少）

※　管理組合が積立型マンション損害保険に加入している場合の支払保険料は、次のとおり経理処理して計上すること（内訳は損害保険会社より提示がある。）

- 支払保険料
  - 保険積立金（積立部分　資産計上）
  - 損害保険料（掛捨部分）
    - 支払保険料（経過保険料　費用計上）
    - 前払保険料（未経過保険料　資産計上）

⒮ 大規模修繕に充てるため資金を借り入れたとき

（単位：円）

借方	貸方
普通預金　50,000,000　(資産の増加)	借入金　50,000,000 (負債の増加)

⒯ 借入金の一部を返済したとき

（単位：円）

借方	貸方
借入金(元本) 950,000 (負債の減少) 支払利息　　　50,000 (費用の発生)	普通預金　1,000,000 (資産の減少)

⒰ 敷地内駐車場使用者から敷金を預かったとき

（単位：円）

借方	貸方
普通預金　50,000 (資産の増加)	預り金　50,000 (負債の増加)

（2） 提出書類の範囲、提出時期

マンション管理業者が管理組合に提出する会計書類の範囲は、管理規約、管理委託契約書等で別段の定めがある場合を除いて、収支報告書素案及び貸借対照表素案、預金残高証明書で足りるものとし、その他の書類については特に制限しないものとする。なお、これらの書類には請求書、領収書等の証憑（しょうひょう）書類を添付し、監事の監査を受けるものとする。

収支報告書素案等の提出時期は、管理組合の定期総会開催時期を考慮し、遅くとも管理組合の会計年度終了後2カ月以内には提出するものとする。

収支報告書案例

令和5年度一般会計収支報告書案

（自　令和5年4月1日
至　令和6年3月31日）

○○○管理組合

単位：円

科目	予算	決算	差額	備考
（収入の部計）	28,478,000	28,498,588	20,588	
管理費収入	22,641,000	22,641,000	0	1,886,750×12
敷地内駐車場使用料収入	5,487,000	5,487,000	0	
専用庭使用料収入	330,000	330,000	0	27,500×12
雑収入	18,000	33,177	15,177	
受取利息	2,000	7,411	5,411	
（支出の部計）	29,755,773	27,901,503	−1,854,270	
管理委託費	18,030,000	18,030,000	0	1,502,500×12
水道光熱費	1,725,000	1,498,295	−226,705	
電気料	1,560,000	1,345,754	−214,246	
水道料	135,000	125,760	−9,240	
ガス料	30,000	26,781	−3,219	
損害保険料	1,334,133	1,334,133	0	
植栽保守費	1,828,000	1,776,000	−52,000	
排水管洗浄費	2,100,000	2,090,000	−10,000	
小修繕費	500,000	198,000	−302,000	
什器備品費	280,000	294,600	14,600	
組合運営費	100,000	128,400	28,400	
特別会計へ繰入	2,513,965	2,513,965	0	
雑費	20,000	38,110	18,110	
予備費	1,324,675	0	−1,324,675	
（次期繰越金）	2,011,172	3,886,030	1,874,858	
当期繰越金	−1,277,773	597,085	1,874,858	
前期繰越金	3,288,945	3,288,945	0	

（注）支出の部の管理委託費の内訳は、事務管理業務費、管理員業務費、清掃業務費、建物・設備等管理業務費、管理手数料である。

貸借対照表案例

令和５年度一般会計貸借対照表案
（令和６年３月31日現在）

○○○管理組合

単位：円

資産の部			負債・繰越金の部		
科目	金額	備考	科目	金額	備考
現金預金	2,810,033		未払金	66,000	
現金	35,682	管理組合保管分	什器備品費	66,000	××商店
普通預金	2,774,351	○○銀行新橋支店			
預け金	526,864		前受金	2,296,500	
４月15日振替予定	526,864	○○○集金代行会社保管分	管理費収入	1,821,750	４月分
			敷地内駐車場使用料収入	447,250	〃
未収入金	75,000		専用庭使用料収入	27,500	〃
管理費収入	65,000				
敷地内駐車場使用料収入	10,000				
前払金	2,836,633				
管理委託費	1,502,500	翌月分			
前払保険料	1,334,133	次年度分			
			次期繰越金	3,886,030	
			当期繰越金	597,085	
			前期繰越金	3,288,945	
合計	6,248,530		合計	6,248,530	

収支報告書案例

令和５年度修繕積立金会計収支報告書案
（自　令和５年４月１日
至　令和６年３月31日）

○○○管理組合

単位：円

科目	予算	決算	差額	備考
（収入の部計）	11,746,725	11,712,863	−33,862	
修繕積立金収入	6,785,760	6,785,760	0	565,480×12
駐車場使用料収入	1,947,000	1,947,000	0	
一般会計より繰入	2,513,965	2,513,965	0	
受取利息	500,000	466,138	−33,862	
（支出の部計）	7,500,000	7,500,000	0	
鉄部塗装工事費	7,500,000	7,500,000	0	
（次期繰越金）	31,843,071	31,809,209	−33,862	
当期繰越金	4,246,725	4,212,863	−33,862	
前期繰越金	27,596,346	27,596,346	0	

貸借対照表案例

令和５年度修繕積立金会計貸借対照表案
（令和６年３月31日現在）

○○○管理組合　　　　　　　　　　　　　　　　　　　　　　　　単位：円

資　産　の　部			負債・繰越金の部		
科　目	金　額	備　考	科　目	金　額	備　考
預　金	27,589,274		未払金	7,500,000	
普通預金	7,265,730	○○銀行新橋支店	鉄部塗装工事費	7,500,000	○○塗装工業
金銭信託	2,323,544	××××銀行新橋支店			
貸付信託	18,000,000	××××銀行新橋支店	前受金	714,280	
			修繕積立金収入	549,280	４月分
預け金	735,480		駐車場使用料収入	165,000	〃
４月15日振替予定	735,480	○○○集金代行会社保管分			
未収入金	6,960				
修繕積立金収入	1,960				
駐車場使用料収入	5,000				
損害保険料(積立部分)	11,691,775				
保険積立金	11,691,775	○○火災海上保険	次期繰越金	31,809,209	
			当期繰越金	4,212,863	
			前期繰越金	27,596,346	
合　　計	40,023,489		合　　計	40,023,489	

（３）会計帳票の保管

監査の終了した決算書類は、年度別に整理して保管し、組合員等からの請求があった場合には閲覧に供せられるようにしておく必要がある。通常、企業会計の場合では、文書等の法定保存期間があり管理されているが、組合会計の場合には特段の定めはない。したがって、管理組合それぞれの状況により、会社法、税法等の法定保存期間を参考にしながら、帳簿・文書の保存期間を管理規約等に定めておくことが望ましい。

〈参考〉企業会計における文書等の法定保存期間

保存期間	文　書　名	起　算　日
10年	①株主総会議事録 ②取締役会議事録 ③商業帳簿及び営業に関する重要書類（貸借対照表、損益計算書、営業報告書、総勘定元帳、各種補助簿等）	①・② 議事録作成日 ③帳簿閉鎖の時
7年	④取引に関する帳簿（仕訳帳、現金出納帳、固定資産台帳、売掛帳、買掛帳等） ⑤決算に関して作成された書類 ⑥現金の収受・払出し、預貯金の預入れ・引出しに際して作成された取引証憑（しょうひょう）書類（領収書、預金通帳、借入証、小切手・手形控、振込通知書等） ⑦有価証券の取引に際して作成された証憑書類（有価証券受渡計算書、有価証券預り証、売買報告書、社債申込書等） ⑧棚卸資産の引渡し・受入れに際して作成された書類以外の取引証憑書類（請求書、注文請書、契約書、見積書、仕入伝票等）	④～⑧ 帳簿閉鎖時及び書類作成日・受領日の属する事業年度終了の日の翌日から２カ月を経過した日

6 管理組合監査について

（１）目的

管理組合監査の目的は、標準管理規約（単棟型）41条（監事）によると監事が管理組合の業務を監査するためのものであり、その業務の定めは以下のとおりである。

（監事）
第41条　監事は、管理組合の業務の執行及び財産の状況を監査し、その結果を総会に報告しなければならない。
2　監事は、いつでも、理事及び第38条第１項第２号に規定する職員に対して業務の報告を求め、又は業務及び財産の状況の調査をすることができる。
3　監事は、管理組合の業務の執行及び財産の状況について不正があると認めるときは、臨時総会を招集することができる。
4　監事は、理事会に出席し、必要があると認めるときは、意見を述べなければならない。

5　監事は、理事が不正の行為をし、若しくは当該行為をするおそれがあると認めるとき、又は法令、規約、使用細則等、総会の決議若しくは理事会の決議に違反する事実若しくは著しく不当な事実があると認めるときは、遅滞なく、その旨を理事会に報告しなければならない。

6　監事は、前項に規定する場合において、必要があると認めるときは、理事長に対し、理事会の招集を請求することができる。

7　前項の規定による請求があった日から5日以内に、その請求があった日から2週間以内の日を理事会の日とする理事会の招集の通知が発せられない場合は、その請求をした監事は、理事会を招集することができる。

なお、管理組合法人においては、区分所有法50条(監事)に規定されている。

(2) 監事の役割

管理組合の監査を担当するのは、監事であり、監事は、管理組合の業務の執行や財産状況を監査し、その結果を管理組合総会に報告することになっている。なお、監事はその立場上理事を兼任できない。

(3) 監査の内容

監事による監査は、管理組合の業務の執行及び財産の状況を監査（標準管理規約41条1項）し、次の2つに分類される。

①　業務監査

監事は総会議案の適否をはじめ、管理規約や使用細則並びに総会決議に従い管理組合が運営されているかどうか、年度当初に計画された点検・清掃及び改修工事等が適切に行われているかどうか等、管理組合の業務の執行を監査するため業務監査を行う必要があるが、理事会への出席や議事録・各種報告書等により確認する。

②　会計監査

監事は、管理組合の財産の状況を監査するため会計監査を行う必要がある。会計監査では、前年度の総会で決議された予算に基づいて適正に執行され、支払等に関する帳票等に従って適正に処理されているかどうか、各戸の管理費等の額及び未収納金の督促状況等を確かめ、総会に提出される収支報告書（案）及び貸借対照表（案）が適正に作成されているかどうか等を確認する。

(4) 監査項目

監事による監査は、標準管理規約32条（業務）に規定されている管理組合の業務を対象とし、以下に留意して監査を実施する。なお、参考として管理組合監査主要項目チェックリスト※（後掲様式例１）を添付する。

① 標準管理規約32条に規定されている管理組合の業務

標準管理規約32条には、管理組合の業務として15項目が記載されている。監事は、これらの業務が適切に実施されているかどうかを、管理組合監査主要項目チェックリストの該当項目に留意して監査を実施する。

※チェックリストは、一つの例示であり、チェックする項目については、マンションの規模等管理組合の個々の状況を勘案して決定する必要がある。

② 区分所有法に規定されている管理者の業務

区分所有法に規定されている管理者の業務については、通常、理事長が行う。監事は、区分所有法26条（権限）記載の管理者の権限、総会の招集、規約・総会の議事録の保管・閲覧及び事務の報告などに留意して、監査を実施する。

(5) 監査の実施、報告及び監査資料

① 監査の実施及び監査報告等

(ア) 業務監査

監事は、管理組合監査主要項目チェックリストの業務監査に記載されている事項等を参考にし、管理組合の業務の執行状況を理事会への出席や事業計画と実施報告書を照合し管理規約等に照らして管理組合の業務が適正に執行されているかどうかを確認する。

(イ) 会計監査

監事は、管理組合監査主要項目チェックリストの会計項目に記載されている事項等を参考にし、前年度の総会で決議された予算に基づいて適正に執行され、支払等に関する帳票等に従って適正に処理されているかどうか、各戸の管理費等の額及び未収納金の督促状況等を確かめ、総会に提出され

る収支報告書（案）及び貸借対照表（案）が適正に作成されているかどうかを確認する。

(ウ) 監査報告

監事は、監査の結果、管理組合の業務に関して理事の職務につき不正行為や管理規約等に違反する重大な事実がないと認める場合並びに管理組合の収支及び財産の状況を正しく示していると認める場合は、監査報告書を作成し管理組合理事長宛提出し、通常総会に報告する（標準管理規約41条１項)。

なお、参考として監査報告書（案）＊（後掲様式例２）を添付する。

(エ) 是正処置

監査の結果、管理組合の業務の執行及び財産の状況に関して不正があると認められた場合、監事は、理事長や理事に対してこれらを指摘し、是正を要請する。これらの指摘事項が是正されない場合など必要と認めた場合には、監事は臨時総会を招集することができる（標準管理規約41条３項)。

また、監事は、理事会に出席し、必要があると認めるときは、意見を述べなければならない（同条４項)。

理事が不正の行為をし、若しくは当該行為をするおそれがあると認めるとき、又は法令、規約、使用細則等、総会の決議若しくは理事会の決議に違反する事実若しくは著しく不当な事実があると認めるときは、監事は遅滞なく、その旨を理事会に報告しなければならない（同条５項)。

また、上記の場合において、必要があると認めるときは、理事長に対し、理事会の招集を請求することができる（同条６項)。

さらに、上記請求があった日から５日以内に、その請求があった日から２週間以内の日を理事会の日とする理事会の招集の通知が発せられない場合は、監事は自ら理事会を招集することができる（同条７項)。

② 監査資料

監事は、監査を実施するに当たって、理事長及びその他理事並びに理事長が採用する職員に対して必要な証憑・書類や資料を提出するよう要請する（標準管理規約41条２項)。監査に当たって必要な証憑・書類や資料は、以下のとおりである。

(ア) 前年度の総会議事録

⑷ 理事会議事録

⑸ 管理組合理事長名で発信した書類がある場合はその書類

⑹ 収支決算及び事業報告に関する資料（帳票を含む。）

⑺ 収支予算及び事業計画に関する資料

⑻ 管理費等及び使用料の額の一覧表

⑼ 管理規約及び使用細則

⑽ 長期修繕計画書

⑾ 資金の借入れがある場合は借入れの残高を証する書類

⑿ 預金残高（管理費会計・修繕積立金会計）を証する書類

⒀ 各種設備点検報告書

⒁ 保険契約等を証する書類

⒂ 管理委託契約書

⒃ その他必要と認める資料

なお、臨時の監査を行うに当たっては、監事は、監査に必要な証憑・書類や資料の提出を担当理事に要請する。

（６）様式例（別添参照）

（様式例１）管理組合監査　主要項目チェックリスト

（様式例２）監査報告書（案）

（様式例１）　管理組合監査主要項目チェックリスト

監査実施日：令和○○年○○月○○日

項目			着眼点		確認	監事所見
業務監査	1	管理規約関係	①	管理規約の改正が行われている場合．最新の管理規約が保管されている	□	
			②	管理規約の保管場所が建物の見やすい場所に掲示されている	□	
	2	管理会社との管理委託契約関係	①	管理会社との委託契約及び適正化法上提出される書類等が管理されている	□	
			②	管理費、修繕積立金等１カ月相当分の保証に関する書面がある（管理会社へ委託していて保証が必要な場合）	□	
	3	総会関係	①	総会の開催期日及び招集通知は管理規約に基づいた期間内に発信されている	□	
			②	総会の議事録は議長及び出席した２名の区分所有者が署名押印している	□	
			③	総会の議事録の保管場所が建物の見やすい場所に掲示されている	□	
	4	理事会関係	①	業務の執行は適切に行われている	□	
			②	理事会の議事録は議長及び出席した２名の理事が署名押印している	□	
	5	建物・設備等の維持管理関係	①	総会で承認された事業計画に基づき共用施設等の維持管理が行われている（建物・設備などの点検、法定の届出等）	□	
			②	修繕工事は管理組合総会で承認された事業計画に基づき実施され、報告書等履歴は担当理事等で保管、管理されている	□	
	6	長期修繕計画関係		長期修繕計画が作成されており、適宜見直しがされている計画期間は25年以上	□	
	7	図書の保管状況		適正化法103条に定める、宅地建物取引業者から交付を受けた設計図書（竣工図面等）が担当理事又は管理事務室等で管理されている	□	
	8	帳票類の作成・保管		什器備品台帳、組合員名簿等が適切に作成、保管・更新されている	□	
	9	損害保険の付保関係		総会で承認された予算に基づき共用部分等に火災保険、損害保険等が付保されている（満期に伴い更新されている）	□	
	10	防災関係	①	防火管理者の選任届及び消防計画が所轄の消防署に届出されている（消防法関係の指摘事項が改善されている） 災害対策マニュアルを作成している	□	
			②	消防計画に基づき消防避難訓練等を実施している	□	
	11	その他		防犯、安全、コミュニティ形成などにかかる業務を適切に実施している	□	
会計監査	12	会計関係	①	管理費、修繕積立金等は総会で承認された予算に基づき徴収及び支出が行われており、未達成の科目は妥当な理由がある	□	
			②	修繕積立金等は総会の承認に基づき運用されている	□	
			③	会計期末における現預金の残高は貸借対照表の計上額と金融機関が発行する残高証明書の額と一致している	□	
			④	管理に要する費用の支払は請求書等に基づき処理されており、領収書が発行された場合は当該領収書が保管されている 現金収入がある場合、当該領収書控などが保管されている	□	
			⑤	理事長が改選された場合は、銀行預金等の名義変更が行われている	□	
			⑥	保管口座又は収納・保管口座の印鑑（キャッシュカードその他これらに類するものを含む）は管理組合が保管している	□	
			⑦	管理組合が管理している通帳・有価証券がある場合、それらと印鑑は理事等で別々に保管している	□	
			⑧	管理費等の滞納がある場合は、滞納者に督促等の請求が行われている。滞納が長期となった場合、所定の手続きにより回収を行っている	□	

※　本チェックリスト内の「押印」については、区分所有法及び標準管理規約の改正により不要となったので、留意されたい。

管理組合監査主要項目チェックリストコメント

【留意事項】

① 本チェックリストは、法人化していない管理組合の監査報告書作成に向けた手元資料、次期監事への引き継ぎの参考資料を想定しています。

② 本チェックリストのチェック項目は主要とされる項目としています。各マンションの特性や使用する時期にあわせて加除・変更の上、使用してください。

③ 会計監査の実施時期は、通常総会に向けて管理組合の決算月後から総会の開催通知発信までが一般的です。
業務監査は、会計監査と同時に実施するのが一般的ですが、臨時に行う場合は適宜必要な項目をチェックしてください。

④ 会計監査及び業務監査は、第三者による公正な検証の実施の観点から、公認会計士又はマンション管理士等一定の能力を有する専門家を活用する方法もあります。

⑤ 区分所有法等の関連法令やマンション標準管理規約に記載されている関連条文は以下のとおりです。
法：区分所有法＝区、マンション管理適正化法＝適、消防法＝消、規約：マンション標準管理規約（単棟型）

項目			チェック項目		コメント（注意ポイント）	法	規約
業務監査	1	管理規約関係	①	規約原本の保管・改正更新状況	規約改正は特別決議、改正議案書・議事録の保管	区33条（規約の保管及び閲覧）	72条３項（規約原本等）
			②	保管場所の見やすい場所への掲示	１階ロビーや出入り口、掲示板等への掲示	区33条３項	72条６項
	2	管理会社との管理委託契約関係	①	管理会社との委託契約にて受領・保管する書類等の管理	重要事項説明書、管理委託契約書、５項書面、管理事務報告書、その他管理会社から提出されている書類の管理	適72条（重要事項の説明等）、73条（契約の成立時の書面の交付）、77条（管理事務の報告）、適施行規則87条５項（財産の分別管理）	33条（業務の委託等）
			②	管理費等１カ月相当分の保証に関する書面がある（管理会社へ委託していて保証が必要な場合）	管理会社に委託し、かつ、保証契約を締結する必要がある管理方法の場合は、その契約を証する書面を確認	適施行規則87条３項	33条
	3	総会関係	①	総会の開催と招集通知の期間内発信	規約に記載された期日との整合	区35条（招集の通知）	42条３項、43条１項（招集手続）
			②	議事録は議長及び出席した２名の区分所有者が署名押印		区42条３項（議事録）	49条２項（議事録の作成、保管等）
			③	議事録の保管場所を所定の掲示場所に掲示		区42条５項	49条４項
	4	理事会関係	①	業務の適切な執行	総会決議の付託事項の実施、規約規定項目の実施、保存行為等、役員の利益相反取引の規制、理事長からの定期報告受理等 総会・理事会等決定事項の適切な広報	区26条（権限）	32条（業務）、37条（役員の誠実義務等）、37条の２（利益相反取引の防止）、38条（理事長）、52条（招集）、53条（理事会の会議及び議事）、54条（議決事項）
			②	議事録は議長及び出席した２名の理事が署名押印			53条４項
	5	建物・設備等の維持管理関係	①	共用施設の維持管理（諸設備の点検、法定点検届け出等）	結果報告書、届け出書類の提出記録やその写しの確認	区26条１項	32条、34条（専門的知識を有する者の活用）、38条、54条
			②	修繕工事の実施、報告書等履歴の保管、管理	工事実施の都度、結果の確認、報告書の受領・保管	区26条１項	32条、34条、38条、54条
	6	長期修繕計画関係		長期修繕計画は作成済み、適宜見直しがされている	５年程度ごとに見直し 既存マンションの計画期間は25年以上		32条、34条、38条、54条
	7	図書の保管状況		設計図書（竣工図面等）の管理	竣工図、構造計算書等	適103条（設計図書の交付等）	32条５号、38条、54条
	8	帳票類等の作成・保管		什器備品台帳、組合員名簿及びその他の帳票類の作成・保管	什器備品台帳、組合員名簿等が作成され、適切に保管及び更新しているか確認		64条（帳票類等の作成、保管）
	9	損害保険の付保関係		共用部分等の火災保険、損害保険等の付保（満期に伴い更新されている）	満期日の確認、事前払い込みの実施、保険対象範囲	区18条４項（共用部分の管理）	24条（損害保険）、32条７号、38条、54条
	10	防災関係	①	防火管理者の選任届、消防計画の届出（消防法関係指摘の改善） 災害対策マニュアルの策定	消防計画、防火管理者の変更、統括防火管理者の届出など消防法関係指摘事項が改善されているかを確認、災害対策マニュアルの策定	消８条	32条12号、38条、54条
			②	消防避難訓練等の実施	実施の確認	消８条	32条12号、38条、54条
	11	その他		防犯、安全、コミュニティ形成などにかかる業務	実施の確認		32条、38条、54条
会計監査	12	会計関係	①	管理費等は予算に基づき徴収・支出され、未達成には理由がある	予算と決算の金額相違の理由を確認、共用施設使用料にも注意	区19条（共用部分の負担及び利益収取）、区43条（事務の報告）	57条（管理組合の収入及び支出） 59条（会計報告）
			②	修繕積立金等は総会承認に基づき運用されている	定期預金、国債等資金運用状況の確認	区43条	32条10号、48条８号（議決事項）、59条
			③	期末の現預金残高は貸借対照表の計上額と残高証明書の額と一致	金額の整合を残高証明書・預金通帳等の原本で確認	区43条	59条
			④	費用の支払は請求書等に基づき、当該領収書が保管されている 現金収入がある場合はその領収書控等が保管されている	支払につき領収書のないものについては、請求書と当該支払実績を確認 現金収入については、領収書控、出納帳等を確認	区43条	59条、64条
			⑤	理事長が改選された場合は、銀行預金等の名義変更が行われている	名義変更の漏れがないか通帳、預金証書等を確認		
			⑥	保管口座又は収納・保管口座のキャッシュカード、印鑑等は管理組合が保管している	管理会社に委託している場合は、保管口座又は収納・保管口座のキャッシュカード、印鑑等の保管者は管理組合であることを確認	適施行規則87条４項	
			⑦	管理組合が管理する通帳、有価証券がある場合、それらと印鑑は理事等で別々に保管している	不正予防の観点から通帳等と印鑑を別々に保管する方法として、貸金庫が利用されている例もある		
			⑧	滞納者に督促等請求の実施。長期滞納の場合、所定の手続により回収を行っている	滞納理由、督促記録、時効の中断を確認	区７条（先取特権）、区８条（特定承継人の責任）、区26条４項、区57条（共同の利益に反する行為の停止等の請求）、区58条（使用禁止の請求）、区59条（区分所有権の競売の請求）	60条（管理費等の徴収）、66条（義務違反者に対する措置）、67条（理事長の勧告及び指示等）

（様式例２）

令和○○年○○月○○日

＿＿＿＿＿＿＿＿＿管理組合

理事長＿＿＿＿＿＿＿＿＿殿

監査報告書（案）

監事＿＿＿＿＿＿＿＿＿印

第○○期（令和○○年○○月○○日～令和○○年○○月○○日）管理組合の業務並びに会計の監査を行った結果、次のとおり報告します。

１．監査の方法の概要

① 業務監査について、理事会等に出席し、理事から業務の報告を聴取し、関係書類など必要と思われる資料の閲覧により業務執行の妥当性を検討しました。

② 会計監査について、帳簿並びに関係書類の閲覧により会計報告書の正確性を検討しました。

２．監査結果

① 事業は適切に実施されており、理事の職務執行に関して不正行為や規約に違反する重大な事実はないことを認めます。

② 収支計算書、貸借対照表は、会計記録に基づいて作成されており、管理組合の収支および財産の状況を正しく示しているものと認めます。

以　上

7 管理組合の税務

（1）管理組合と法人税、所得税、地方税

法人の税金には、法人税、所得税、地方税などがあり、地方税には都道府県民税、市町村民税及び事業税、事業所税などがある。

法人税法上は、法人格のない通常の管理組合は「人格のない社団等」として、公益法人等と同様の取扱いがされ、非収益事業の所得に対しては課税されない。一方、管理組合法人についても法人格のない通常の管理組合より不利になることを避けるために、区分所有法47条13項の規定により、法人税法及びその他法人税に関する法令の適用については公益法人等と同じ扱いをすると定めている。これにより、法人税法において管理組合法人は、寄附金の損金算入額の計算や収益事業所得に対する税率を除き公益法人等並みとされ、非収益事業所得に対しては非課税とされている。

次に、地方税のうち都道府県民税、市町村民税については、収益事業を行っていない場合、非法人は法人税割及び均等割ともに非課税で、法人は均等割のみ課税される。この均等割については、条例の規定による減免申請を行うことにより、免除されることがある。また、収益事業を行っている場合、非法人、法人ともに法人税割及び均等割が課税される。法人税割は非収益事業の所得に対して非課税となる（地方税法24条５項・６項、52条１項１号、294条７項・８項、312条１項１号）。事業税、事業所税については、非法人、法人ともに収益事業を行う場合についてのみ課税される（地方税法72条の５第１項８号・２項、701条の34第２項）。

しかし、所得税については、所得税法11条１項の「公共法人等」としての適用はないので、預金利息や配当による所得には普通法人と同様に課税される。

（2）管理組合と消費税

昭和63年12月30日に消費税法が公布・施行され、平成元年４月１日から適用されている。また、平成９年４月１日以降の取引から税率が３％から５％（消費税４％、地方消費税１％）に引き上げられた。平成26年４月１日以降の取引から税率が５％から８％（消費税6.3％、地方消費税1.7％）に引き上げられ、さらに令和元年10月１日以降の取引から税率が原則10％（消費税7.8％、地方

消費税2.2%）となった。マンション管理に係る取引も例外ではない。

マンション管理組合に係る消費税の取扱いは次のとおりである。

① 納税義務者

消費税の納税義務者は事業者（法人又は個人事業者）とされており、人格のない社団等は消費税法上、法人とみなされる（消費税法３条）。したがって、非法人管理組合及び管理組合法人は、事業者として納税義務者となる。

ただし、課税期間（原則として、法人の場合は事業年度）に係る基準期間（前々事業年度）の課税売上高（原則として当該課税期間中に行った課税資産の譲渡等の対価の合計額をいい、課せられるべき消費税に相当する額を除く。）が1,000万円（平成16年４月１日改正）以下の場合は、消費税の納税義務は免除される（消費税法９条。小規模事業者に係る納税義務の免除）。なお、平成25年１月１日以後に開始する事業年度から、基準期間における課税売上高が1,000万円以下であっても、前事業年度開始の日から６カ月間（以下「特定期間」という。）の「課税売上高」が1,000万円を超えた場合、当課税期間においては課税事業者となる。また、課税売上高に代えて、特定期間の「給与等支払額」が1,000万円を超えるかにより判定することもできる（消費税法９条の２）。例えば、特定期間の「課税売上高」が1,000万円を超えていても、特定期間の「給与等支払額」が1,000万円を超えていなければ「給与等支払額」により免税事業者と判定することができる。

② 管理組合の収入に係る消費税の取扱い

管理組合の収入となる管理費等（管理費、修繕積立金、組合費等）及び借入金は不課税（課税対象外）とされる。また、組合員がマンション敷地内の駐車場・専用庭・自転車置場等若しくは建物共用部分であるルーフバルコニー等を使用している場合に管理組合に支払う使用料（専用使用料）についても不課税収入（課税対象外）となる。なお、預貯金利息は非課税となる。これにより、管理組合の収入の大半は不課税収入又は非課税収入となるため、ほとんどの管理組合は課税売上高が1,000万円以下となり、納税義務が免除される免税事業者になるものと思われる。

ただし、管理組合がマンションの敷地又は建物共用部分を組合員以外の第三者に使用させている場合には、当該第三者が管理組合に支払う使用料は課税対象となり、これら課税対象となる収入の合計額が1,000万円を超える場合は、管理組合に納税義務が生じる。いわゆる外部貸しによる駐車場使用料収入や携帯電話基地局の設置場所貸付による設置料収入等が、これに該当する。

不課税……対価性がなく、資産の譲渡等に該当せず課税されないもの。
非課税……資産の譲渡等のうち、課税しないこととされているもの。

③ 管理組合の支出に係る消費税の取扱い

管理組合の支出面では、ほぼすべての費用が課税対象となる。その例示は次のとおりである。

(課税取引)
管理委託費(及び管理手数料等)、諸設備保守点検費・検査料ほか、清掃費、植栽管理費、水道光熱費、電話料、郵便料、請負工事料、弁護士等報酬、設計監理報酬・工事監理料・調査診断料、物品購入費、印刷費、会場使用料、振込手数料
(非課税取引)
借入金利子、損害保険料
(不課税取引)
会費又は入会金(対価性のない場合)、従業員人件費(管理組合が雇用している場合)

なお、標準管理委託契約書では、定額委託業務費(委託業務費のうち、その負担方法が定額でかつ精算を要しない費用)の額について、以下のように記載している。

(管理事務に要する費用の負担及び支払方法)
第6条 甲は、管理事務として乙に委託する事務(別表第1から別表第4までに定める事務)のため、乙に委託業務費を支払うものとする。
2 甲は、前項の委託業務費のうち、その負担方法が定額でかつ精算を要しない費用(以下「定額委託業務費」という。)を、乙に対し、毎月、次のとおり支払うものとする。
一 定額委託業務費の額
合計月額○○円
消費税及び地方消費税抜き価格 ○○円
消費税額及び地方消費税額(以下、本契約において「消費税額等」という。) ○○円
内訳は、別紙2(略)のとおりとする。

(甲:管理組合、乙:マンション管理業者)

④ インボイス制度の登録

令和５年10月１日から、消費税に関し、インボイス制度が開始されたが、その概要は、以下のとおりである。登録は事業者の任意であるが、管理会社等と協議して、メリット・デメリットを考え、登録をするかどうかを決定する必要がある。

・インボイス（適格請求書）とは、

売手が買手に対して、正確な適用税率や消費税額等を伝えるもの。

具体的には、現行の「区分記載請求書」に「登録番号」「適用税率」及び税率ごとに区分した「消費税額等」の記載が追加された書類やデータをいう。

・インボイス制度とは、

〈売手側〉

売手である登録事業者は、買手である取引相手（課税事業者）から求められたときは、インボイスを交付しなければならない（また、交付したインボイスの写しを保存しておく必要がある。）。

なお、免税取引、非課税取引及び不課税取引のみを行った場合については、適格請求書の交付義務は課されない。

〈買手側〉

買手は仕入税額控除の適用を受けるために、原則として、取引相手（売手）である登録事業者から交付を受けたインボイス（※）の保存等が必要となる。

※　買手は、自らが作成した仕入明細書等のうち、一定の事項（インボイスに記載が必要な事項）が記載され取引相手の確認を受けたものを保存することで、仕入税額控除の適用を受けることもできる。

⑤ インボイス制度の立替金精算書

電気・水道など事業者からの請求を管理組合が立替え、按分して組合員等（区分所有者や店舗のテナントなど）に請求している場合は、管理組合がインボイスに立替金清算書を発行することで、組合員等は仕入税額控除を受けることができる。

立替金精算書は管理組合が自ら適格請求書発行事業者として登録を行わない場合でも発行することができるが、事業者への支払金額と組合員等への請求金額に乖離があると立替とは認められない可能性があり注意が必要である。

【参考】 区分所有者に課される固定資産税額の減額制度(国土交通省公表資料より抜粋)

長寿命化に資する大規模修繕工事を行ったマンションに対する特例措置の創設（固定資産税）

一定の要件を満たすマンションにおいて、長寿命化に資する大規模修繕工事が実施された場合に、当該マンションに係る固定資産税額を減額する特例処置を創設する。

施策の背景

○ 多くの高経年マンションにおいては、高齢化や工事費の急激な上昇により、長寿命化工事に必要な積立金が不足。

○ 長寿命化工事が適切に行われないと、外壁剥落・廃墟化を招き、周囲への大きな悪影響や除却の行政代執行に伴う多額の行政負担が生じる。建替えのハードルも高く、マンションの長期使用を促す必要。

○ このため、必要な積立金の確保や適切な長寿命化工事の実施に向けた管理組合の合意形成を後押しすることが必要。

要望の結果

特例措置の内容

○ 一定の要件を満たすマンションにおいて、長寿命化に資する大規模修繕工事（※1）が実施された場合に、その翌年度に課される建物部分の固定資産税額を減額する。

○ 減額割合は、1/6～1/2の範囲内（参酌基準：1/3）で市町村の条例で定める。

（※1）屋根防水工事、床防水工事、外壁塗装等工事

【対象となるマンションの要件】

築後20年以上が経過している10戸以上のマンション

長寿命化工事を過去に１回以上適切に実施

長寿命化工事の実施に必要な積立金を確保
積立金を一定以上に引き上げ、
「管理計画の認定」を受けていること等（※2）

長寿命化工事の実施

○ マンションの各区分所有者に課される工事完了翌年度の固定資産税額（建物部分：100m²分まで）を減額する。

○ 減額割合は、1/6～1/2の範囲内（参酌基準：1/3）で市町村の条例で定める。

○ 工事完了日から３か月以内に当該マンションが所在する市町村の窓口へ申告

（※2）地方公共団体の助言・指導を受けて適切に長期修繕計画の見直し等をした場合も対象

結果

○ 上記について、２年間（令和５年４月１日～令和７年３月31日）の特例措置を創設する。

第5編

マンションにまつわる苦情の発生と類型、対処方法

マンション管理業務における苦情の類型及びトラブル対応

1 苦情の傾向

マンションが普及するにつれて、マンションにまつわる様々な苦情（「苦情」とは受け手である企業側の捉え方であるため、「ご指摘」や「お申し出」などと言い換えている管理会社もある。）が発生している。

苦情は大きく3つの領域に分類できる。

（1）売買契約に起因する苦情

売買契約に起因する苦情としては、マンション入居後に発生する漏水や結露、上下階の騒音、地盤沈下など住宅性能に関するものや、マンションの建物や附属施設がその設計図や仕様書と違う、仕上がりが違う、設置された機器がパンフレット記載の性能を発揮できない、すぐ故障することでトラブルになるものなどがあり、これらは契約不適合責任やアフターサービスに起因するものと、もう一つは売買契約時の営業担当者の販売話法に起因する苦情がある。

新築マンションの売買契約は、最近では、現場現物販売もみられるが、大部分は建物が完成する前に売買契約を締結する販売方法がとられているために、分譲会社が販売物件の説明を十分に行わなかったり、また購入者がその説明をよく理解していなかったりすると、苦情の原因となる。

（2）管理委託契約に起因する苦情

管理委託契約に起因する苦情としては、契約業務の範囲（管理業務の処理）について委託者側と受託者側との間で理解、認識が食い違うケースが多い。

（3）管理組合の運営や居住者の管理意識・生活意識に起因する苦情

マンション生活をしていくためには一定のルールに従うとともに、他人へ配慮することが必要とされるが、これらをよく認識していないために様々なトラブルが生じる。居住者が管理規約や管理委託契約書の内容を十分把握しておらず、自分の考えのみで苦情を持ち込むなどである。最も多いのは居住者の管理意識、生活意識に起因するものであるが、子供の飛び跳ねる生活騒音やピアノ等の騒音、ペット飼育、居室の事務所の変更、子供の悪質ないたずら、無断駐車、指定日以外のゴミ出しなどはその最たるものである。

2｜苦情発生の状況

分譲マンションの苦情はいろいろであるが、一般社団法人マンション管理業協会の会員を対象にした調査によれば、苦情発生の状況として以下の事項が挙げられている。

（1）売買契約に起因する事例

①　アフターサービス関係

(ア)　アフターサービス遅延

(イ)　アフターサービス未実施（分譲会社の倒産を含む。）

(ウ)　アフターサービス期間内の不具合等

㋐　漏水

㋑　設備騒音、外壁剥落

㋒　設備不良、水回り不具合、機械式駐車場不良

㋓　結露

㋔　植栽枯れ（枯れ保証）、鉄部腐食

㋕　照明絶縁不良、外壁亀裂

㋖　地盤沈下

(エ)　購入者の理解不足

㋐　期間経過後のアフターサービス請求

㋑　管理会社への責任転嫁

㋒　一方的な解釈

②　あいまいな説明（説明不足を含む。）関係

(ア)　駐車場を優先使用できる旨の説明

(イ)　未販売住戸の管理費負担に関する説明不足

(ウ) 滞納管理費、滞納修繕積立金等の継承に関する説明不足

(エ) ペット飼育禁止のマンションにおける飼育できる旨の説明

(オ) 未販売住戸を賃貸に供することに関する説明不足

(カ) 管理方法、管理内容の説明不足

(キ) 建物に重大な影響を与える室内のリフォームができる旨の説明

(ク) 専有部分の用途違反の容認

(ケ) 近隣協定の未告知

(コ) 設備、施設の利用方法の説明不足（リゾートの場合など）

(サ) 数次にわたる団地開発において、当初提示された設備等がグレードダウンしたことに関する説明不足

(シ) 管理規約規定内容の説明不足

(ス) 未販売住戸の値引き販売

(セ) 隣地に建物が建設されることに関する未告知

③ その他

(ア) 効果が期待できない防犯機器の設置

(イ) 設計図書の保管

(ウ) 使い勝手の悪い設備の設置

(エ) 修繕積立金不足

(2) 管理委託契約に起因する事例

① 契約不履行関係

(ア) 収支報告書の提出遅延

(イ) 総会開催の遅延

(ウ) 収支予算案の提出遅延

(エ) 総会資料の作成ミス

(オ) 契約業務の未実施

② 管理委託契約の解釈関係

(ア) 契約業務の範囲、内容

(イ) 管理委託費等の額、算定根拠

(ウ) 滞納者督促の範囲、内容

(エ) 共用部分の補修責任

(オ) 分譲会社の対応の範囲、内容（分譲会社に対する要請等）

(カ) 漏水事故の対応内容

(キ) 大規模修繕工事の対応内容

(ク) 修繕積立金の設定根拠

(ケ) 修繕積立金の運用

(コ) 長期修繕計画の作成

(サ) 敷地外駐車場の管理責任

(シ) 管理事務室の補修費及び水道光熱費の負担範囲

(ス) 振替手数料の負担

(セ) 緊急対応の範囲、内容

(ソ) 管理員業務の範囲、内容

(タ) 管理員の休日、勤務時間

(チ) 清掃員の休日、勤務時間

(ツ) 管理員代替要員の派遣

(テ) 清掃業務の範囲、内容

(ト) 除草業務の範囲、内容

(ナ) 管理日報の検閲

(ニ) 附属備品の盗難責任

③ 管理委託契約の変更の説明・周知関係

(ア) 管理員勤務時間の短縮

(イ) 管理員勤務形態の変更

(ウ) 管理組合口座の名義変更

(エ) 通帳等の保管

④ その他

(ア) 管理費等支払者の変更

(イ) 口座振替の拒否

(ウ) 口座振替日の変更

(エ) 複合用途型マンションにおける店舗部分、住居部分における管理方法の不明確（管理規約内容、管理費・修繕積立金の設定等）

(3)−1 管理組合の運営方法に起因する事例

① 管理組合役員関係

(ア) 役員の選任、解任

(イ) 役員の資格

(ウ) 役員の定数削減

(エ) 消極的役員の増加（居住者の高齢化、賃借人増加マンションでの問題）

(オ) 役員の横領

② 理事会、総会運営関係

(ア) 理事会

㋐ 理事会の独断専行

㋑ 大規模修繕の実施

㋒ 賃借人（外国人居住者を含む。）の増加

㋓ 理事会の招集手続

㋔ 修繕積立金の増額

㋕ 修繕積立金の運用

㋖ 防火管理者の選任

㋗ 附属備品の盗難

㋘ 出席者の減少

㋙ 理事会の内紛・分裂

㋚ 役員報酬の支払

㋛ 管理規約の変更

㋜ 収支の不足（赤字）

㋝ 広告塔の設置

㋞ 共用部分の漏水

㋟ 子供の遊び（駐車場内）

㋠ 電波障害

㋡ 専有部分の境界区分

㋢ 劣化診断の実施

㋣ 長期修繕計画の作成

㋤ 利益相反

(イ) 総会

㋐　総会決議要件
㋑　総会の招集手続
㋒　総会出席者の減少
㋓　稚拙な議事運営
㋔　無資格者の総会招集
㋕　総会招集権者の不在
㋖　開催場所の確保
㋗　利益相反

③　駐車場、駐輪場運営関係

(ア)　駐車場

㋐　駐車場の使用方法
㋑　駐車場区画の不足
㋒　料金設定、変更
㋓　駐車場の増設
㋔　専用使用権の内容
㋕　使用者の決定方法
㋖　来客用スペースの確保
㋗　敷地外駐車場の確保
㋘　機械式駐車場の用法違反（高さ・重量・寸法、駐車場車止め位置の移動）
㋙　盗難、追突事故
㋚　使用者不足による空区画対策

(イ)　駐輪場、バイク置場

㋐　駐輪場の不足
㋑　駐輪場の確保
㋒　駐輪場の使用方法
㋓　駐輪場の整備
㋔　不用自転車の廃棄処分方法
㋕　バイク置場の確保

④　義務違反者対策関係

(ア)　管理費等の滞納

(イ) 義務違反者の是正策

(ウ) 共用部分の無断使用

(エ) 専有部分の用途違反

(3)－2 管理意識、生活意識に起因する事例

① ペット飼育関係

② 騒音関係

(ア) フローリングの騒音

(イ) 生活騒音（子供の飛び跳ねる音など）

(ウ) ピアノ騒音

(エ) 夜間騒音

(オ) 専有部分のリフォームの騒音

(カ) カラオケの騒音

(キ) 給水・排水の騒音

(ク) 近隣騒音

(ケ) ドア開閉音

③ ゴミの出し方関係

④ 無断駐車、無断駐輪関係

⑤ いたずら、盗難関係

(ア) いたずら

(イ) 子供のいたずら、廊下、階段への落書き

(ウ) 煙草の投げ捨て

(エ) 子供の遊び（駐車場内）

(オ) 自転車、バイク盗難

⑥ 共用部分の使用関係

(ア) 共用部分の無断使用

(イ) ベランダへの物置設置、花壇設置

(ウ) ベランダの使用法（アンテナ取付け、洗濯物・布団干しなど）

(エ) 駐車場、専用庭使用権

(オ) 無断での看板の取付け

(カ) 無断での有線ケーブルの引込み

(キ)　ベランダでの喫煙

⑦　専有部分の使用関係

(ア)　専有部分のリフォーム

(イ)　専有部分の漏水

(ウ)　専有部分の用途違反

(エ)　専有部分からの悪臭

⑧　その他

(ア)　暴力団関係者の居住

(イ)　居住者の認知症

(ウ)　居住者の孤独死（孤立死）

(エ)　外国人所有者（居住）への対応

(オ)　管理組合・管理会社等をかたる特殊詐欺

また、平成30年度マンション総合調査によるマンショントラブルの発生の状況は、次の表のとおりであった。

トラブル発生の状況（重複回答）

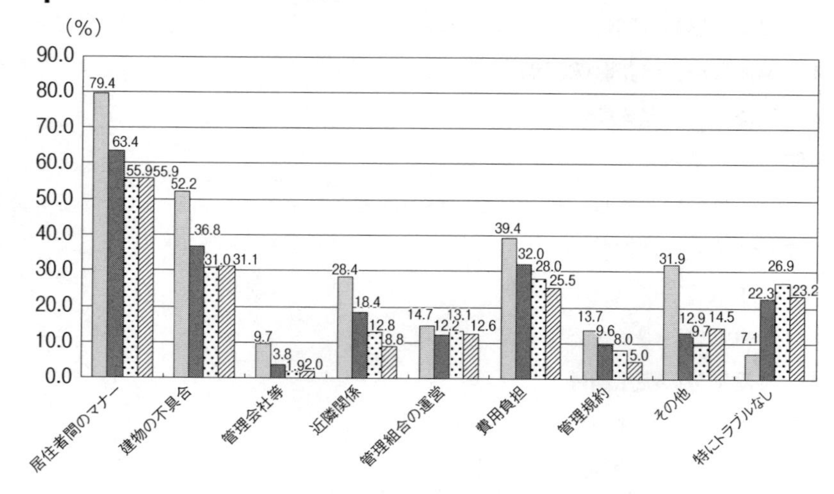

平成15年度：N=1,058　平成20年度：N=2,167　平成25年度：N=2,324　平成30年度：N=1,688

平成15年度　平成20年度　平成25年度　平成30年度　（重複回答）

（上段：回答数、下段：%）

	合計	居住者間の行為、マナーをめぐるもの	建物の不具合に係るもの	マンション管理業者に係るもの	近隣関係に係るもの	管理組合の運営に係るもの	費用負担に係るもの	管理規約に係るもの	その他	特にトラブルは発生していない	不明
全体	1,688	944	525	33	149	212	431	84	244	391	106
		55.9	31.1	2.0	8.8	12.6	25.5	5.0	14.5	23.2	6.3

（平成30年度マンション総合調査）

なお、一般社団法人マンション管理業協会の苦情相談内容等（令和４年４月～令和５年３月）は、おおむね次のとおりである。

○相談内容等

1）相談内容

	件数
管理組合関係	4,445
管理会社関係（相談レベル）	1,265
法令関係	1,462
協会関係	541
その他	306
管理会社関係（苦情レベル）	0

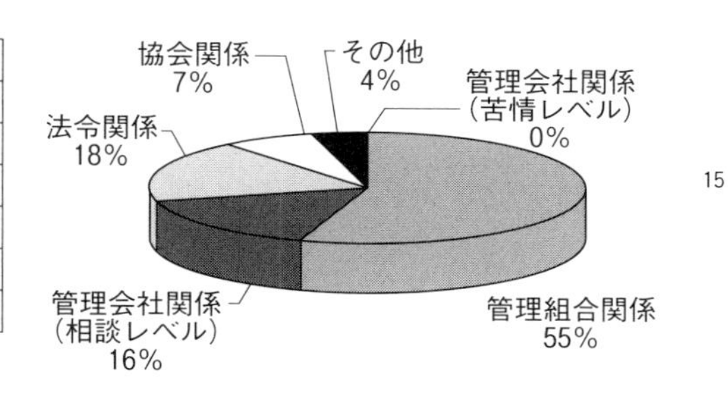

2）相談項目

項目	件数
管理規約・使用細則等に関する事項	2,482
総会・理事会に関する事項	740
管理組合の財務・会計に関する事項	219
管理費等の滞納に関する事項	32
義務違反者の対応に関する事項	62
事件・事故対応に関する事項	74
駐車場・駐輪場・バイク置場に関する事項	25
維持管理・大規模修繕に関する事項	297
管理組合関係その他	514
管理会社の対応に関する事項	0
管理委託契約の内容に関する事項	783
管理会社の変更に関する事項	24
管理会社関係その他	69

項目	件数
マンション管理適正化法に関する事項	1,154
建替円滑化法に関する事項	2
個人情報保護法に関する事項	78
その他の法令に関する事項	69
保証機構関係	41
資格試験・研修・説明会等に関する事項	13
その他	306
管理会社の不法行為・脱法行為	8
管理会社への不信感	377
契約上の苦情一般	4
消費税に関する事項	15
協会への意見・苦情	54
マンション管理適正評価制度関係	433

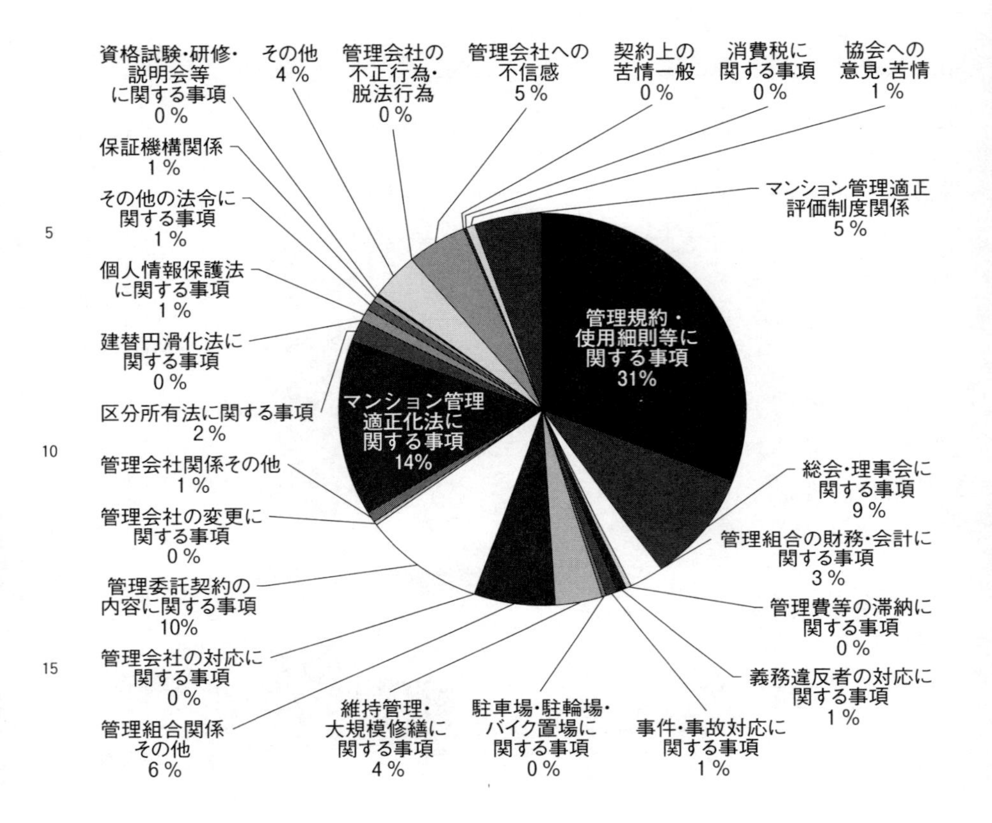

3 苦情対応の留意点

苦情発生の共通性　苦情の原因の大半は意思の疎通を欠いたこと（コミュニケーションギャップ）にあるが、その内容を分析すると次のようにパターン化することができる。

① **技術的な要因**

設計図や仕様書と実際の機器が違う、仕上がりが違う、設置された機器がパンフレット記載の性能を発揮できない、すぐ故障するなど。

② **価格的な要因**

管理費等の金額が高いような気がする、追加費用に関する説明がなかったなど。

③ **時間的な要因**

管理会社の社員が約束しても来なかった、連絡なしで来た、約束した時間を過ぎて来たなど。

④　コミュニケーションに関する要因

管理会社の社員が十分説明してくれない、お互いの論点が伝わらない、約束したことと違うことをしたなど。

⑤　マナーに関する要因

管理会社の社員や管理員の態度が横柄、言葉が乱暴、最初から逃げ腰、居留守を使われたなど。

⑥　理解不足

居住者が管理規約や管理委託契約書等の内容を十分把握しておらず、自分の考えのみで苦情を申し入れるなど。

組合員等から受け付ける苦情に対しては、まずその苦情の内容を的確に把握しなければならない。というのは、苦情の内容によってその対応が異なってくるからである。

苦情は、前記のとおり3つの領域に分類することができるが、その領域により対応体制が異なる。売買契約に起因する苦情は、分譲会社の苦情受付窓口で対応してもらうことになるし、また管理に関する苦情には、それが管理会社の業務執行に関するものであれば管理会社が、組合員等の行為に関するものであれば管理会社と管理組合とで、その対応を行うことになる。いずれにせよ、苦情の第一報は管理会社に寄せられるので、その際によくその内容を確認して対応するようにしなければならない。

苦情を申し出る者は一様に、ある種の期待感を抱きがちである。ところが管理会社の社員に困っていることを相談したが十分な説明をしてくれない、約束したことと違うことをしたなど、それを受け付ける者のちょっとした言葉遣いや応対の態度により組合員等の反感を買い、結果的には管理会社への不信感につながることもある。苦情を受け付ける際の管理会社の社員の態度が横柄で高圧的、言葉が乱暴、最初から逃げ腰、居留守を使われたり、また誠意がないような印象を与えたりすると、こうした結果を招くことになる。このため、苦情を受け付ける際の基本的な心構えを平素から心がけておく必要がある。具体的には次のようなことである。

（1）対応ルートを理解しておく

第1に、苦情の対応ルートに通じておくことである。苦情の種類によってその対応ルートが異なるため、どのような苦情をどのような対応ルートに乗せたらいいかを常に把握しておかなければならない。例えば、アフターサービスの実施方法などである。

（2）逃げない、最後まで聞く

第2には、苦情を受け付ける際の応接態度である。組合員等は、ある種の期待感を抱いて管理会社に電話をしたり訪問したりする。その際もっとも気を付けなければならないことは、相手に「逃げ腰」と受け取られるような態度をとらないことである。少しでもこうした素振りが感じられれば、相手の態度が硬化することは間違いない。相談者が期待感を抱いていることを念頭に、そのペースに巻き込まれないよう冷静な態度で、そして相手の言い分を最後まで十分聞くことが大切である。相談者は、自分の言い分を聞いてもらったことで一安心するからである。

（3）迅速な対応と結果の報告

第3には、依頼された事項にすばやく対応することである。苦情を申し出る者は苦情を快く受け付けてもらい、ある種の安心感を抱いたとしても、その結果を早く知りたがる。しかし、その対応が遅々として進まなければ、時間の経過とともに不満が増幅する。このため、管理会社は依頼された事項は速やかに関係先に連絡し、その対応を行うよう依頼する。そして、苦情の対応結果については必ず組合員等に報告するようにする。また、苦情の申出に対し、期日を相手方と合意のうえで約束し、この約束の日までに完了させる。遅れる場合は、事前に中間報告を入れ、新たに期日を設定して実行することが必要である。いつ、誰が、どのように、対処してくれるかなどを正確に報告することによって、苦情を受け付けた者の役割は一応の終了をみる。この場合、苦情の対応結果が不調であっても、ありのままを報告する。管理会社の社員が約束しても来なかった、連絡なしで来られた、約束した時間を過ぎて来たなどの行為は、信頼関係を欠くことになるので注意しなければならない。

苦情対応時は、時間とエネルギーが相当費やされる。しかし、その大変さは対応した人間にしかわからない。一般的に苦情の対応は管理会社が行っているが、管理会社が苦情に対応していることを理解している組合員は少なく、それがために、管理会社は何もしてくれないと誤解されている面が少なくないということである。

（4）理事会と緊密に連絡をとること

第4には、苦情の大半は管理会社に直接起因しないものであっても、積極的に管理組合理事会と連携することも必要である。それが相互信頼のきっかけになるからである。

（5）管理規約、使用細則、管理委託契約、区分所有法、マンション管理適正化法等の関連法規等を理解しておくこと

第5には、管理組合の運営や組合員等の間の苦情対応については管理規約や使用細則、区分所有法、マンション管理適正化法等、関連法規に従って対応することが基本である。また、マンションの建替えや増改築、各種設備等の維持管理、建物や設備の瑕疵の範囲等においても、マンション建替え円滑化法、被災マンション法、建築物の耐震改修の促進に関する法律、建築基準法、住宅品質確保法、民法等の法律に定められており、管理担当者としてはこれら諸法規の内容は十分理解しておかなければならない。

一次的な対応で「管理規約の第○条の規定ではこれは可能です」などの回答ができれば、信頼されるし、以後の折衝が円滑に行えるからである。

管理規約や使用細則は机の中にしまい込んでおかず、常に目に見える場所に置いておくとともに、わからないところは社内の法務担当者や弁護士に聞いたり、調べたりする努力も必要である。

苦情の受付は、地味で忍耐のいることだが、これに正しく対応することにより新たな信頼関係を結ぶことにもなり、その意味でこの業務も極めて重要であるといえる。

4｜苦情の内容とその対処法

（1）売買契約に起因する苦情とその対策

裁判例で見る限り、マンションをめぐる広い意味での紛争は、建築にあたり隣地所有者ないし周辺住民との日照・通風・環境・隣地境界線に関するものが多い。こうした種類の紛争とは別に、分譲に関し、売主としての立場で購入者とトラブルになるケースは裁判例としては必ずしも多くはないが、実務のうえではかなり多い。その態様を大別すると、「物件の欠陥についての担保責任をめぐるもの」「権利設定に関するもの」「規約、細則に関するもの」「重要事項説明の内容と事実とのくい違いに関するもの」などがある。

この種のトラブルは契約当事者間におけるものといっても、事実上その契約を仲介した宅地建物取引業者（以下、本編において「宅建業者」という。）に苦情が持ち込まれ、宅建業者がトラブル解決に尽力しなければならないというケースが圧倒的に多い。

さらに、マンションの設計、施工上に起因するものとしては、柱の鉄筋が設計図より不足しているなどの構造上の欠陥、建築士による耐震強度の偽装により、マンション建替え紛争が発生した事例などもある。

① 施工等に関する苦情

分譲マンションの品質について不適合が存在するときは、売主として契約不適合責任を負わなければならない(民法562条、563条、415条、541条、542条)。その責任内容は、修補、代金の減額、売主に帰責原因があるときの損害賠償、不適合が軽微なとき以外の解除である。また、売買契約上、売主としてアフターサービスを行う旨を特約しているときは、契約上の義務として約定の期間内は、約定のアフターサービスを行う義務がある。

施工に関する苦情としては、マンション入居後に発生する漏水（給排水管の腐食、施工ミスから生ずる漏水等）や勾配不足による給排水の流れ不良、結露、電気・ガス工事の欠陥、壁面の亀裂、上下階の騒音等の住宅性能に関する苦情などが多く、分譲会社は契約不適合責任期間あるいはアフターサービス期間中はこれらに対処しなければならず、管理会社はその責めを負わない。しかし、管理会社は管理委託契約の範囲内で対処する必要がある。例えば、苦情の発生部位が共用部分で、管理業務上支障を来すおそれのある場合は、アフターサービス期間中は分譲会社に対応を申し入れるようにし、期間経過後であるならば、管理組合に対して改善対策について助言することが必要となる。

なお、この場合、苦情の発生が設計、施工上に起因するのか、管理上に起因するのか不明確な場合があるので注意が必要である。この苦情対応については無償で行ってもらえるものや有償でないと改善できないもの、また建物の構造や敷地の形状等によりその改善が物理的に可能であるものとないものとがあるので、必ずしも以下に述べる方法で解決できるとはいい難い面もある。したがって、この種の苦情が発生した場合は、管理組合、分譲会社、建設会社等の関係先と十分協議を行い対処することが必要である。

② 契約不適合責任とアフターサービス

㈠ 契約不適合責任とは

㋐ 民法の原則

令和２年４月１日施行の民法改正により、従来の「瑕疵担保責任」の概念が廃止され、「契約不適合責任」という概念にとって代わった。それは、まず売主は、種類、品質又は数量に関して契約の内容に適合する目的物を引き渡す義務があるという前提で、もし目的物がそれらに適合しないときは、売主は債務不履行としての契約不適合責任を負うというものである。すなわち、従来の瑕疵担保責任が債務不履行とは異なる法定責任であると一般に解されていたのに対し、債務不履行の一種であるとして、その法的性格を転換するとともに、そこから生ずる効果、売主の責任内容も後述のとおり、大きく変更された。しかし、マンションについて品質の契約不適合責任が問題となる事象は、これまで瑕疵担保責任の問題として裁判になったものと同じと考えられるので、改正前の民法下での裁判例をいくつか紹介する。

専用庭に温室を設置して園芸を行うことを目的としたマンションの売買において、契約後に南側隣接地に予想外の高い建物が建築され、日照が阻害されたこと（大阪地方裁判所昭和61年12月12日判決）、売買の目的であるマンションで過去に縊首（いしゅ）自殺（首吊り自殺）があったという建物にまつわる嫌悪すべき歴史的事実（横浜地方裁判所平成元年９月７日判決）も瑕疵と解された事例がある。ただ、中古マンションの売買の場合、設備の経年劣化による自然な損耗による欠陥等は瑕疵とはいえず、結局のところ、瑕疵があるかないかは、売買価格との関係なども考慮され、総合的に判断されてきた。なお、令和３年10月、国土交通省策定の「宅地建物取引業者による人の死の告知に関するガイドライン」により、いわゆる心理的瑕疵への一般的な基準が示されている。

また、騒音の激しい地域に位置する新築マンションを、遮音性及び機密性に優れた高性能防音サッシを使用し、外界の騒音が入ってこないという営業担当者の説明を信じてマンションを購入したが、購入後激しい騒音に悩まされている事例において、平成３年12月26日福岡地方裁判所は、騒音の激しい地域に位置する新築マンションの分譲に当たって、遮音性及び機密性に優れた高性能防音サッシの使用をうたいながら、実際には遮音性能の不十分なサッシを使用したため、窓を閉めても近くの鉄道線路を通過する列車と踏切警報機の騒音に悩まされ、睡眠障害等の被害が認められる場合、このマンションには瑕疵があり、マンションの売主には、マンションが十分な防音性能を欠くことによって下落した価格相当額の損害を賠償する責任がある、と判示し、さらに、このようなマンションを販売した会社には故意又は過失があり不法行為に当たるとして、慰謝料を認めた。ただし、この事案は、価格の下落額の証明がないため財産的損害賠償請求が認められなかった事案なので、もしそれが認められていたら慰謝料は認められなかったかもしれない。

改正民法の契約不適合責任の内容は、次の４種である。

(i) 追完（修補）請求（民法562条）

(ii) 上記ｉの修補請求に売主が応じないとき、修補が不能なときなどは、代金減額請求（民法563条）

(iii) 損害賠償請求（民法415条）ただし、売主の責めに帰すべき事由のあるときに限る。

(iv) 契約解除（民法541条、542条）ただし、その不適合が軽微なときはできない。

買主の有するこれらの権利は、買主がその不適合を知った時から１年以内にその旨を売主に通知しなければ、行使ができなくなる（民法566条）。正式な権利行使でなく１年以内に「通知」をすればよい。もっとも、売主がその不適合を知っていたとき、又は重大な過失により知らなかったときは、1年以内という期間制限は受けず、通常の時効期間（5年又は10年）の適用を受けることになる。

なお、以上の民法の規定は、あくまでも任意規定であり、当事者の特約により、修正・変更ができる。

㋑　売主が宅建業者のとき

前記㋐で述べた民法の規定は、前記のとおり、任意規定、すなわち当事者間で合意すれば自由に修正・変更できる規定と解されているため、当事者間の特約で売主の責任を軽減することは民法上は有効である。しかし、これを自由に許すと、特約の内容いかんによっては、買主に著しく不利となることが考えられる。そこで、宅地建物取引業法（以下、本編において「宅建業法」という。）は買主保護の見地から、宅建業者が売主となる売買契約においては、瑕疵担保責任についての特約に一定の制限を設けていたが、改正民法施行により、その規定も改正された。その内容は、次のとおりである。

宅建業者は自ら売主となる宅地又は建物の売買契約において、目的物が種類又は品質に関して契約の内容に適合しない場合におけるその不適合を担保すべき責任に関し、民法566条に規定する期間について、目的物の引渡しの日から2年以上となる特約をする場合を除き、同条に規定するものより買主に不利となる特約をしてはならない（宅建業法40条1項）。なお、この規定は宅建業者が自ら売主となる場合にだけ適用される規制なので、売主が宅建業者でない場合や売主も買主も宅建業者である場合は、適用されない（同法78条2項）。

本条により、民法が規定する原則よりも買主に不利とはなるが、例外として許されるのは「契約不適合を担保すべき期間について、目的物の引渡しの日から2年以上とする」場合のみである。ここで注意しなければならないのは、民法の「担保すべき期間」は、買主が知った時から1年以内の「通知」となったので、例えば「契約不適合責任は、引渡しの日から2年以内に不適合がある旨の通知をした場合にのみ負う」という規定は有効であるが、従来のように「引渡しの日から2年間は契約不適合責任を負う」という規定は無効になるということである。後者の規定は、民法より買主に不利な特約だからである。この期間以外の点においては、買主に不利な特約はどのようなものでも、宅建業法40条2項の規定により無効となる。例えば、責任の範囲を限定したり、損害賠償請求はできず修補請求に限るという特約は、もちろん無効である。

また、前記のとおり、責任期間を「引渡しの日から2年」とした場合は無効であるから、この場合は取決めがないのと同じで、民法の原則に戻って買主は不適合を知った時から1年以内に通知すればよいことになる。

㋒ 「住宅の品質確保の促進等に関する法律」による規制（新築住宅の契約に関する特例）

宅建業法の規定は、新築住宅か中古住宅かを問わず、宅建業者が売主となるすべての契約に適用されるが、そのうち新築住宅に関しては、欠陥住宅に関するトラブルを防止して取得者を保護するため「住宅の品質確保の促進等に関する法律」（以下、本編において「品確法」という。）が制定（平成12年4月1日から施行）され、瑕疵担保責任についての特例が設けられている（同法では、民法改正後も「瑕疵」という用語を残し、「この法律において「瑕疵」とは、種類又は品質に関して契約の内容に適合しない状態をいう。」としている。）。品確法では、新築住宅について、請負、売買のいずれの契約においても、民法の特則として、請負人、売主の瑕疵担保（契約不適合）責任を強化し、注文者又は買主を保護している。

(a) 新築住宅の契約に関する瑕疵担保責任の強化

新築住宅の取得契約（請負・売買）において、基本構造部分（柱やはりなど住宅の構造耐力上主要な部分、屋根、外壁など雨水の浸入を防止する部分）について10年間の瑕疵担保責任が義務付けられている。

また、新築住宅の取得契約（請負・売買）において特約を結べば、基本構造部分以外も含めた瑕疵担保責任の期間を最長20年まで伸長することができる。

(i) 対象となる契約

新築住宅の取得契約（売買契約のみならず、請負契約も含まれる。）

※　新築住宅とは新たに建設された住宅で、まだ人の居住の用に供したことのないものをいう。新築住宅には、一戸建住宅だけでなく、マンションも含まれる。なお、住宅店舗複合用途マンションである場合には、住居部分のみに適用があり、店舗としてのみ使用する専有部分等については除外される。また、建設工事の完了の日から起算して１年を経過したものは除かれる（品確法２条２項）。

(ii)　対象となる部分

柱やはりなど住宅の構造耐力上主要な部分(基礎、柱、はり、床、耐力壁、屋根等)、雨水の浸入を防止する部分（屋根、外壁、開口部、外部貫通雨水配管等）

(iii)　請求できる内容（品確法95条）

ⓐ　瑕疵修補請求

ⓑ　代金減額請求

ⓒ　損害賠償請求

ⓓ　契約解除

これらに反し、住宅取得者に不利な特約は無効となる。

(iv)　瑕疵担保期間

住宅を新築する建設工事の請負契約においては、請負人は、注文者に引き渡した時から10年間、住宅のうち構造耐力上主要な部分又は雨水の浸入を防止する部分として政令で定めるものの瑕疵について、瑕疵担保責任を負わなければならない（品確法94条）。

特約により買主又は注文者に引き渡した時から20年以内とすることができる（同法97条）。

新築住宅の売買契約においては、売主は、買主に引き渡した時(当該新築住宅が住宅新築請負契約に基づき請負人から当該売主に引き渡されたものである場合にあっては、その引渡しの時)から10年間、住宅の構造耐力上主要な部分等の隠れた瑕疵について、瑕疵担保責任を負わなければならない（同法95条）。

この責任期間を短縮する特約をしても無効である（強行規定)。

品確法においても、売主の瑕疵担保責任に関する特例の責任は、直接の買主に対してのみ生じる。したがって、売主は、直接の買主の転売による第三取得者に直接責任を負うものではない。

※ 「引渡しの時」とは、①建売住宅のように、売主甲が自分で建築して買主乙に売却した場合は、売主甲から買主乙に住宅を引き渡した時から期間を計算する。②売主甲が建設会社丙に注文して住宅を建築してもらい、その後、売主甲が買主乙に売却した場合は、売主甲から買主乙への引渡しの前に、建設会社（請負人）丙から、売主甲への引渡しが行われているので、その引渡しの時から計算することになり、売主甲から買主乙に引き渡した時から期間を計算するのではない。

(v) 買主の請求権行使期間

品確法95条１項の規定による瑕疵修補、代金減額請求、損害賠償請求、契約解除は、買主がその不適合の事実を知った時から１年以内に売主に通知しなければならない(品確法95条３項、民法566条)。

(b) 住宅性能表示制度

品確法においては、瑕疵担保責任の特例のほか、住宅性能表示制度についても定められている。

住宅性能表示制度は、国土交通大臣が構造耐力、遮音性、火災時の安全性、省エネルギー性、高齢者への配慮等、住宅の性能を表示するための共通ルールである「日本住宅性能表示基準」を定め、購入者が契約等の前に住宅の性能を容易に比較できるようにしたものである。

また、国土交通大臣は、その日本住宅性能表示基準に従って表示すべき住宅の性能を評価する場合の「評価方法基準」を定めている。この基準は、住宅の性能に関し、「構造の安全に関すること」「火災時の安全に関すること」などの項目について、等級や数値等で表示される。この住宅性能表示制度は、新築住宅に限らず、既存（中古）住宅にも適用される。

また、住宅の性能評価を行う第三者機関（登録住宅性能評価機関）は、申請により住宅性能評価を行い、標章を付した評価書（住宅性能評価書）を交付することができる。評価書を引き渡した場合は、その評価書に記載されている性能を持つ住宅を引き渡すという契約をしたことになる（住宅供給者が契約書面に住宅性能評価書やその写しを添付した場合や、消費者に住宅性能評価書やその写しを交付した場合には、住宅性能評価書に表示された性能を有する住宅の建設を行う、又はそのような住宅を引き渡すことを契約したものとみなされる。）。この住宅性能評価書には、設計時に交付する「設計住宅性能評価書」と工事完成時に交付する「建設住宅性能評価書」の２種類がある。

さらに、性能評価を受けた住宅にかかわるトラブルに対しては、裁判外の紛争処理体制「指定住宅紛争処理機関」を整備し、万一のトラブルの場合にも紛争処理の円滑化、迅速化を図ることとしている。指定住宅紛争処理機関は、建設住宅性能評価書が交付された住宅の建設工事の請負契約又は売買契約に関する紛争の当事者の双方又は一方からの申請により、当該紛争のあっせん、調停及び仲裁の業務を行うものとされている。なお、個々の案件を担当する住宅の紛争処理委員のうち少なくとも１人は、弁護士が指名されることになっている。

住宅性能表示制度は任意の制度であり、利用するかどうかは住宅取得者や住宅供給者の意思に任されている。

㊟ 特定住宅瑕疵担保責任の履行の確保等に関する法律

特定住宅瑕疵担保責任の履行の確保等に関する法律（以下、本編において「住宅瑕疵担保履行法」という。）の施行により品確法で定められた瑕疵担保責任（構造耐力上主要な部分と雨水の浸入を防止する部分にかかる瑕疵について10年間無償で修理等を行う責任）を果たすために、住宅を供給する事業者は、そのための資金をあらかじめ「供託」又は「保険」によって確保することが義務付けられている（住宅瑕疵担保履行法でも、民法改正後も「瑕疵」という用語を残し、「この法律において「瑕疵」とは、種類又は品質に関して契約の内容に適合しない状態をいう。」としている。）。

住宅瑕疵担保履行法は、国民の健康で文化的な生活にとって不可欠な基盤である住宅の備えるべき安全性その他の品質又は性能を確保するためには、住宅の瑕疵の発生の防止が図られるとともに、住宅に瑕疵があった場合においてはその瑕疵担保責任が履行されることが重要であることにかんがみ、建設業者による住宅建設瑕疵担保保証金の供託、宅建業者による住宅販売瑕疵担保保証金の供託、住宅瑕疵担保責任保険法人の指定及び住宅瑕疵担保責任保険契約に係る新築住宅に関する紛争の処理体制等について定めることにより、品確法と相まって、住宅を新築する建設工事の発注者及び新築住宅の買主の利益の保護並びに円滑な住宅の供給を図り、もって国民生活の安定向上と国民経済の健全な発展に寄与することを目的とする（住宅瑕疵担保履行法１条）。

㋔　宅建業法と品確法との関係

宅建業法においては、前述のとおり、宅建業者が自ら売主となる宅地・建物の売買契約における売主の契約不適合責任について、その責任期間を民法566条に規定する期間について物件の引渡しの日から２年以上となる特約をする場合を除き、民法の規定より買主に不利な特約をしてはならないと定め（宅建業法40条１項）、この規定に反する特約は無効とされている（同条２項）。

この宅建業法の規定と品確法の規定との大きな相違は、品確法の対象が新築住宅であるのに対し、宅建業法は、宅地・建物のすべてであること、しかも建物は中古のものも含まれること、契約類型が品確法では、請負と売買双方であるのに対し、宅建業法は売買のみであること、及び責任を負うべき部位について品確法では、基本構造部分等の限定があるのに対し、宅建業法は目的物全体であること、及び責任を負うべき期間が全く異なることである。

しかし、双方の規定は、買主、注文者を保護する方向においては、強行規定であって、当事者の自由な修正合意を許さない点では同じである。

したがって、具体的なケースにおいて両方の適用要件に該当するものであれば、両方の法律が競合的に、言い換えればダブって適用されるのであって、一方の適用がもう一方の適用を排除するという関係には立たない。

※　新築住宅で、品確法の瑕疵担保責任の規定が適用される場合でも、民法及び宅建業法における契約不適合責任に関する規定は適用される。例えば、宅建業者が自ら売主になって、マンションの売買を行った場合、その基本構造部分については品確法による責任を負い、基本構造以外の部分については、民法及び宅建業法による契約不適合責任を負うことになる。

㋕　消費者契約法における契約不適合責任の特例

売主が事業者で買主が消費者である売買契約は、消費者契約法の適用があり、同法では、契約不適合責任に関して民法の特則を設けている。

ここで「事業者」とは、会社等の法人その他の団体及び事業として又は事業のために契約の当事者となる場合の個人をいい、「消費者」とは、前記の事業者に該当しない個人をいう（消費者契約法２条１項・２項）。

消費者契約法では、売主である事業者が負うべき契約不適合による損害賠償責任の全部を免除する条項は、たとえ合意をしたとしても無効であるとしている（同法８条１項１号・２項本文）。もっとも、契約不適合を補修する責任を負う等、一定の責任を負う場合には、例外として有効とされる（同法８条２項１号）。

また、民法の原則的規定に比べ、信義誠実の原則に照らし、消費者の利益を一方的に害する約定は無効である（同法10条）。

・　消費者契約法の概要

(a)「消費者契約」は、「消費者」と「事業者」の間で締結されるすべての契約に適用され、売買契約、サービス提供契約、賃貸借契約など契約の種類や不動産、動産、サービスなどの対象を問わない。

(b)　契約締結において、事業者に一定の不当な行為があり、それによって消費者が誤認又は困惑して契約を締結した場合、消費者はその契約を取り消すことができる。

(c)　事業者が一定の消費者の利益を一方的に害する条項を契約に規定した場合、その条項の全部又は一部は無効となる。

・　消費者契約法の目的（同法１条）

消費者契約法は、消費者と事業者との間の情報の質及び量並びに交渉力の格差にかんがみ、事業者の一定の行為により消費者が誤認し、又は困惑した場合等について契約の申込み又はその承諾の意思表示を取り消すことができることとするとともに、事業者の損害賠償の責任を免除する条項その他の消費者の利益を不当に害することとなる条項の全部又は一部を無効とするほか、消費者の被害の発生又は拡大を防止するため適格消費者団体が事業者等に対し差止請求をすることができることとすることにより、消費者の利益の擁護を図り、もって国民生活の安定向上と国民経済の健全な発展に寄与することを目的とする。

(イ)　アフターサービスとは

アフターサービスとは、売買や請負等の契約において、当該契約に基づいて物件の欠陥箇所の修補を無償で行うというもので、売主や請負人が営業政策上又は消費者サービスの観点から行うものである。したがって、前記の契約不適合責任とは全く異なるものであり、アフターサービス規準によりアフターサービスの特約をしても、契約不適合責任を免れるものではない。

アフターサービスについては、昭和40年代後半頃より、消費者の意識の高まり、あるいは不動産業界自らの社会的役割の認識などを背景に、同48年、主要業界団体により、「アフターサービス規準」が制定された。その後、数次にわたる改正がなされたが、それらは従来の定めをより購入者保護に資するものにしようという方向付けのものである。

現行の「アフターサービス規準」は、品確法による瑕疵担保責任の特例に基づき改正されたものであり、平成12年4月1日以降の工事発注分から適用されているもので、その内容は次のとおりである。なお、様式Aは工事種目別、様式Bは部位・設備別の区分によるものである。

契約不適合責任とアフターサービス

	契約不適合責任	アフターサービス
根拠	民法562条、563条、415条、541条、542条による債務不履行責任	売買契約に基づいて負う売主の契約上の責任
対象範囲	種類、品質についての不適合に限る。	不適合に限らない。
責任の内容	修補請求 代金減額請求 損害賠償 契約解除	瑕疵又は欠陥の修補
帰責理由	売主が無過失でも適用される。ただし、損害賠償は売主に帰責事由があるときに限る。	売買契約で定めた内容による（天災地変等の不可抗力、使用ミス、修補責任を売主に帰しえない場合を除く）。
原因の発生時期	引渡しの時の契約不適合	売買契約で定めた期間内に発生した欠陥又は瑕疵
期間とその起算日	1．買主が不適合を知った時から1年以内に通知 2．宅建業法40条により、目的物件の引渡しの日から2年以内に通知することが必要という期間とすることができる。	部位や欠陥の種類等により期間と起算日が異なる。 〈期間〉 1年間から10年間 〈起算日〉 1．屋上、外壁等の雨漏り、内外壁・基礎等構造耐力上主要な部

	3．新築住宅については、品確法により、構造耐力上主要な部分及び雨水の浸入を防止する部分についての瑕疵担保責任期間は、目的物件の引渡しから10年間義務付けられる。	分の亀裂・破損については、施工会社から売主に目的物件が引き渡された日 2．共用部分については、最初に使用を開始した日 3．その他の部分については、目的物件の引渡し日

※　契約不適合責任とアフターサービスとの相違は、前者が法律の規定に基づく債務不履行責任であるのに対し、後者は売買等の契約に基づく、いわば約定の責任であるということができる。分譲会社は、両者の責任を重ねて負うことになる。

中高層住宅アフターサービス規準（様式A）〈工事種目別〉

(1)　建築Ⅰ（構造耐力上主要な部分及び雨水の浸入を防止する部分）

工事種目	箇　所	部　位	状　態	サービス期間					備　考
				1年	2年	5年	7年	10年	
コンクリート工事	外壁	躯体	雨漏り					○	屋内への雨水の浸入
	基礎・柱・梁・耐力壁・内部床・屋上・屋根	躯体	亀裂・破損					○	構造耐力上影響のあるもの（鉄筋のさび汁を伴った亀裂・破損及びこれに準じるものとし、毛細亀裂及び軽微な破損は除く）に限ります。
	外階段の床はね出し式のバルコニー、外廊下の床	躯体	亀裂・破損					○	上記と同様とします。尚、はね出し式のバルコニー、外廊下の床については、先端部の亀裂・破損や短辺方向（主筋に平行方向）の亀裂は構造耐力上の影響が少ないので原則として除きます。
防水工事等	屋上・屋根・ルーフバルコニー	アスファルト防水等	雨漏り					○	屋内への雨水の浸入
	外壁		雨漏り					○	屋内への雨水の浸入
	屋上・屋根・外壁の開口部	戸、わくその他の建具	雨漏り					○	屋内への雨水の浸入
	屋上・屋根・外壁・屋内	外部貫通（雨水排水）管	屋内への漏水					○	

(2) 建築Ⅱ（建築Ⅰ以外の部分）

工事種目	箇所	部位	状態	サービス期間					備考
				1年	2年	5年	7年	10年	
コンクリート工事	非耐力壁・雑壁（外廊下、外階段、バルコニーの壁を含む）・パラペット・庇	躯体	亀裂・破損		○				毛細亀裂及び軽微な破損を除きます。
	屋上・屋根・バルコニー・外階段・外廊下・玄関ホール・ピロティ	躯体	排水不良		○				
防水工事	屋上・屋根・ルーフバルコニー	防水層	ふくれ		○				軽微なふくれは除きます。
	浴室	アスファルト防水等	漏水					○	ユニットバスは浴室設備に掲載。
木工事	構造材	床組・天井	変形・破損		○				
	〃	柱・間仕切り	〃		○				
	造作材	鴨居・敷居	〃		○				
タイル工事	内外壁	タイル	亀裂・浮き・はがれ		○				毛細亀裂及び軽微な浮き、はがれを除きます。
	床	タイル	〃		○				
石工事	内外装・壁	石	亀裂・浮き・はがれ		○				毛細亀裂及び軽微な浮き、はがれを除きます。
	床	石	〃		○				
左官工事	内外壁	モルタル塗り	亀裂・浮き・はがれ		○				毛細亀裂及び軽微な浮き、はがれを除きます。浮きは小規模なもので、はがれ及び亀裂を誘引しないものは除きます。
		プラスター塗り	〃		○				
	床・バルコニー	モルタル塗り	〃		○				
	床・その他	人造石塗り	〃		○				
	〃	テラゾーブロック	はがれ・破損		○				
金属工事	屋上・バルコニー	手摺	取付不良		○				
	廊下	面格子	〃		○				
	階段	ノンスリップ	〃		○				
	バルコニー	物干金具	〃		○				
	屋上	TVアンテナ支持金物	〃		○				
	〃	吊り環	〃		○				
	〃	マンホール	がたつき・作動不良		○				
	外部開口部	窓・玄関扉	変形・破損・作動不良		○				
建具工事	外部	鋼製・アルミ製	取付・作動不良・変形・破損		○				
		付属金物・網戸	〃		○				網の破れは引渡時の確認のみ。

工事種目	箇所	部位	状態	サービス期間					備考
				1年	2年	5年	7年	10年	
	内部	木製・造付家具	〃		○				
		付属金物	取付・作動不良		○				
		襖・戸	建付不良・変形・破損		○				襖紙は引渡時の確認のみ。
		障子	〃		○				障子紙は引渡時の確認のみ。
	内外部	ガラス	破損						引渡時の確認のみ。
		ビード	はがれ・すきま		○				
塗装工事	内外部	鉄部	錆・ひびわれ・はがれ		○				外階段の踏面を除く。引渡後の褪色、傷は含みません。
		木部	はがれ・ひびわれ		○				
		コンクリート面・モルタル面	はがれ・変色		○				
吹付け工事	内外部	リシン・スタッコ等	はがれ		○				
内装工事	床	たたみ表（縁も含む）	きず・色むら						引渡時の確認のみ。傷及び日焼けは引渡時の確認のみとします。
		たたみ床	変形・きず		○				
		ジュータン	はがれ		○				
		フローリングボード	そり・浮き		○				
		合成樹脂系タイル張りフロアー	はがれ・浮き		○				
		合成樹脂系塗床	〃		○				
	壁	合成樹脂系タイル張り	はがれ		○				
		紙張り	〃		○				
		クロス張り	〃		○				
		下地ボード張り	〃		○				
	天井	紙張り・クロス張り	〃		○				
		ボード張り	〃		○				
その他	外部	スリーブ・とい	変形・破損		○				
			取付不良・排水不良		○				
		貯塵設備	取付・作動不良		○				
		天井換気パイプ	取付不良		○				
		アンテナ引込パイプ	〃		○				
	塔屋・受水槽床	タラップ	〃		○				
		目地金物	〃		○				
	エントランスホール・その他	集合郵便受	取付・作動不良		○				
		掲示板	取付不良		○				
		室名札	〃		○				
	居室・台所・その他	カーテンレール	〃		○				
	受水槽室・電気室・ポンプ室・機械室	グラスウール	はがれ・脱落		○				

(3) 施設・設備

工事種目	箇　所	部　位	状　態	サービス期間					備　考
				1年	2年	5年	7年	10年	
屋外工作物	遊戯施設	基礎・構造物	不等沈下・亀裂		○				
	休息施設	〃	〃		○				
	囲障	〃	〃		○				
	土留擁壁	〃	〃		○				
	法面	防護施設	崩壊		○				
	その他	縁石等	不等沈下・亀裂		○				
コンクリートブロック工事	境界塀	ブロック塀	笠木・目地の脱落		○				
		万代（年）塀	笠木・目地の脱落		○				
いんぺい配管・配線	コンクリート埋込・天井・壁内等		破損・つまり・結線不良			○			
露出配管・配線	見え掛り部分		破損・つまり・結線不良			○			
地中管路・配線	地中埋設		破損・つまり・結線不良			○			
配線器具類		コンセント・ベル・タンブラースイッチ等	取付不良・機能不良		○				
住宅情報盤等		インターホン・オートロック等	取付不良・機能不良		○				機器本体は保証書の期間によります。
情報通信設備		ISDN・電話線・LAN 等	取付不良・機能不良		○				機器本体は保証書の期間によります。
照明器具		管球は除く	取付不良・機能不良		○				機器本体は保証書の期間によります。
分電盤・端子盤			取付不良・結線不良		○				
開閉器類		主開閉器・引込用開閉器等	取付不良・結線不良		○				
放送設備		拡声器・増幅器・マイク・分岐器・整合器	機能不良		○				
テレビ共聴設備		アンテナ・増幅器・分配器	機能不良・結線不良		○				
自動火災報知設備		感知器・受信機・発信機等	機能不良・結線不良		○				
動力制御盤		本体・付属機器	機能不良・結線不良		○				
受変電設備		受配電盤・同付属品・変圧器・コンデンサー	機能不良・結線不良		○				

工事種目	箇所	部位	状態	サービス期間					備考
				1年	2年	5年	7年	10年	
発電設備		発電機・関係機器・ディーゼル機関・関係機器	機能不良・結線不良		○				
エレベーター設備	機械室・乗場・かご・昇降路	構造・意匠・制御関係	機能不良・結線不良		○				
機械式駐車場	機械装置		機能不良		○				
避雷針設備		突針・接地	取付不良・接地不良		○				
接地	地中埋設	接地極	接地不良		○				
給水設備	機械装置	ポンプ・モーター	据付不良等		○				パッキン等消耗品は除きます。
		予備エンジン	〃		○				
		滅菌機	〃		○				
	水槽	（本体）							
		合成樹脂	破損・漏水			○			
		鋼板製	〃			○			
		コンクリート製	〃			○			
		内面塗装	はがれ		○				
	配水管	隠ぺい配管	漏水・破損・防露の破損			○			
		見え掛り配管	漏水・破損・保温及び防露の破損			○			
		屋外配管	漏水・破損			○			
	給水器具	水栓フラッシュ弁・給水栓	漏水・取付不良		○				
排水設備（雑排水施設も含む）	機械装置	ポンプ・モーター・滅菌機・脱水機・汚泥掻寄機	据付不良		○				
	処理槽施設	散気装置	据付不良		○				
	排水管	隠ぺい配管	漏水・破損・防露の破損			○			
		見え掛り配管	〃			○			
	排水管	屋外配管	漏水・破損			○			
	排水器具	トラップ・通気管	破損・漏水・取付不良		○				
衛生設備	衛生器具等	衛生陶器・洗面機器	漏水・破損・取付不良・排水不良		○				
ガス設備	ガス配管	隠ぺい配管	破損			○			
		見え掛り配管	〃			○			
		屋外配管	〃			○			
	ガス栓	ガスカラン	破損・取付不良		○				
		埋込ボックス	〃		○				
	ガス機器類	バランス釜・湯沸器・TES	破損・取付不良・作動不良		○				機器本体は保証書の期間によります。

工事種目	箇　所	部　位	状　態	サービス期間					備　考
				1年	2年	5年	7年	10年	
厨房設備	台所	流し	取付・作動不良・漏水		○				機器本体は保証書の期間によります。
		レンジ	取付・作動不良		○				
		吊り戸棚	取付・作動不良		○				
		水切棚	取付不良		○				
給排気設備		換気扇・換気口	破損・取付不良・作動不良		○				機器本体は保証書の期間によります。
		レンジフード	〃		○				〃
		ダクト	破損・変形・取付不良		○				
暖冷房設備	機器		漏水・排水不良・変形・破損・取付不良・作動不良		○				機器本体は保証書の期間によります。
	配管		漏水・排水不良		○				
浴室設備	浴槽本体	ホーロー浴槽	漏水・破損・取付不良		○				
		合成樹脂製	〃		○				
		ユニットバス	漏水			○			
			破損・取付不良		○				
	付属設備	シャワー等	〃		○				
各種メーター類		ガス・水道・電気	計測不良・破損		○				私設メーターに限ります。
防災設備		消火栓箱・消火管	漏水・破損・保温の破損		○				
		防災機器等	〃		○				
		消火栓排泥弁等	漏水・破損・取付不良		○				

※　機器本体について保証書の期間による場合には、アフターサービス期間が引渡しから1年間以上となるよう保証書の起算日の記入等に注意を要する。

(4) 土木造園

工事種目	箇　所	部　位	状　態	サービス期間					備　考
				1年	2年	5年	7年	10年	
通路	車道	路床・路盤・表層	陥没・不等沈下・亀裂・剝離		○				
	歩道	〃	〃		○				
	アプローチ	〃	〃		○				
	側溝	基礎・構造物	不等沈下・亀裂		○				
	排水管及び桝	〃	〃		○				
園地広場の舗装		路盤・表層	陥没・不等沈下・亀裂・剝離		○				
植栽	樹木		枯損・倒木・病虫害・取付不良(結束等)	○					管理が不十分な場合は除きます。
	地被類		枯損	○					〃

5
10
15
20
25
30

●アフターサービス規準適用上の留意事項●

1．本アフターサービス期間の始期（起算日）については、次に定める通りとし、具体的な適用については、アフターサービス規準に基づいて行う。

① 建築Ⅰ（構造耐力上主要な部分及び雨水の浸入を防止する部分）において、10年間のアフターサービスを行う部分については、建設会社から分譲会社（売主）に引き渡された日

② ①以外の共用部分については、供用を開始した日（区分所有者の一人が最初に使用した日）

③ その他の部分については、当該物件の引渡し日

2．本アフターサービス規準は、次の場合を適用除外とする。

① 天災地変（地震・火災・風・水・雪害）等、不可抗力による場合。

② 経年変化、使用材料の自然特性による場合。

③ 管理不十分、使用上の不注意による場合。

④ 増改築等により、形状変更が行われた場合。

⑤ 地域特性による場合。

⑥ 第三者の故意又は過失に起因する場合。

⑦ 建物等の通常の維持・保全に必要となる場合。

3．具体的認定及び修補方法等

不具合が本アフターサービス規準に該当するか否かの具体的認定及び修補方法は、売主（及び施工会社）が現地調査（目視を基本とする比較的簡易な調査）により、専門的・経験的見地から総合的に判断し、実施するものである。

修補は、構造耐力上又は機能上の観点から必要な範囲内で行うので、部分修補となる場合があり、その際仕上げ面の色合いの相違が生じることがある。

中高層住宅アフターサービス規準（様式 B）〈部位・設備別〉

(1) 建築／共用部分 1（構造耐力上主要な部分及び雨水の浸入を防止する部分）

部位・設備	現象例	期間（年）	備考
基礎・柱・梁・耐力壁・内部床・屋上・屋根	コンクリート躯体の亀裂・破損	10	構造耐力上影響のあるもの（鉄筋のさび汁を伴った亀裂・破損及びこれに準じるものとし、毛細亀裂及び軽微な破損は除く）に限ります。
外階段の床 はね出し式のバルコニー、外廊下の床	コンクリート躯体の亀裂・破損	10	上記と同様とします。尚、はね出し式のバルコニー、外廊下の床については、先端部の亀裂・破損や短辺方向（主筋に平行方向）の亀裂は構造耐力上の影響が少ないので原則として除きます。
屋上・屋根・ルーフバルコニー	雨漏り	10	屋内への雨水の浸入
外壁	雨漏り	10	屋内への雨水の浸入
屋上・屋根・外壁の開口部に設ける戸、わくその他の建具	雨漏り	10	屋内への雨水の浸入
外部貫通（雨水排水）管	屋内への漏水	10	

(2) 建築／共用部分 2

	部位・設備	現象例	期間（年）	備考
建物外周・共用部	基礎・柱・梁・耐力壁・床・屋上・屋根・ルーフバルコニー	モルタル面、タイル張、石張、レンガ張、屋根瓦等の亀裂・浮き・はがれ	2	毛細亀裂及び軽微な浮き、はがれを除きます。
		塗装のはがれ	2	引渡後の褪色、傷は含みません。
	非耐力壁・雑壁（外廊下、外階段、バルコニーの壁を含む）・パラペット・庇	コンクリート躯体の亀裂・破損	2	毛細亀裂及び軽微な破損を除きます。
		モルタル面、タイル張、石張、レンガ張等の亀裂・浮き・はがれ	2	毛細亀裂及び軽微な浮き、はがれを除きます。
		塗装のはがれ	2	踏面を除きます。引渡後の褪色、傷は含みません。
	屋上・屋根・ルーフバルコニー	排水不良 ふくれ	2	〈ふくれ〉軽微なふくれは除きます。
	外廊下・外階段・バルコニー	排水不良	2	
	玄関ホール・ピロティ等の床仕上	排水不良	2	

	部位・設備	現　象　例	期間（年）	備　　考
	雨樋・ルーフドレイン	変形・破損 排水不良・取付不良	2 2	
		塗装のはがれ	2	引渡後の褪色、傷は含みません。
	外部手摺・面格子	破損 塗装のはがれ	2 2	〈破損〉取付不良・取付部分腐食 引渡後の褪色、傷は含みません。
	窓・玄関扉	変形・破損 作動不良	2 2	〈破損〉ガラスは引渡時の確認のみとします。
		塗装のはがれ	2	通常の摺動部を除く。引渡後の褪色、傷は含みません。
	外部金物・網戸	変形・破損 取付不良・作動不良	2	〈破損〉網の破れは引渡時の確認のみとします。
	オートロック	作動不良	2	

(3)　建築／専有部分等

	部位・設備	現　象　例	期間（年）	備　　考
内部壁	非耐力壁	亀裂・破損	2	毛細亀裂及び軽微な破損を除きます。
	間仕切（木造）	変形・破損	2	〈変形〉そり
	下地材	破損	2	
	モルタル塗り タイル張 ボード張り	破損	2	
	クロス張り・紙張り 塗装吹付	破損	2 2	〈破損〉はがれ・浮き等 但し、傷及び日焼けは引渡時の確認のみとします。
内部床	防水床（浴室）	漏水	10	
	下地材	変形・破損	2	〈変形〉そり、さがり
	タイル張・石張	亀裂・破損	2	〈破損〉はがれ、割れ
	板張・寄木張・Pタイル張 ジュータン敷き・畳敷	破損	2	〈破損〉浮き、へこみ、はがれ 但し、傷及び日焼けは引渡時の確認のみとします。
天井仕上	下地材	変形・破損	2	〈変形〉そり、さがり
	板張・Pボード張	破損	2	〈破損〉はがれ
	クロス張り 塗装吹付	破損	2 2	〈破損〉はがれ・浮き等 但し、傷及び日焼けは引渡時の確認のみとします。

部位・設備	現象例	期間（年）	備考
敷居・鴨居・柱	変形・破損	2	〈変形〉きしみ、そり、ねじれ
内部扉・襖・障子	変形・破損・作動不良・取付不良	2	〈破損〉襖紙、障子紙は引渡時の確認のみとします。
建具金物・カーテンレール	変形・破損・作動不良・取付不良	2	
造付家具（押入を含む）	変形・破損・作動不良・取付不良	2	

(4)　設備・機器

部位・設備		現象例	期間（年）	備考
電気設備	各戸専用分電盤	取付不良・機能不良	2	
	配線	破損・結線不良	5	
	スイッチ・コンセント・ブザー	取付不良・機能不良	2	
	照明器具（管球を除く） インターホン 住宅情報盤 情報通信設備	取付不良・機能不良	2	但し、機器本体は保証書の期間によります。
給排水	給水管・排水管	漏水・破損	5	
	トラップ・通気管	漏水・取付不良・破損	2	
	給水栓	漏水・取付不良	2	
給排気	給排気ダクト	変形・破損・取付不良	2	
	換気扇・換気口 レンジフード	破損・作動不良・取付不良	2	但し、機器本体は保証書の期間によります。
ガス設備	ガス配管	破損	5	
	ガス栓	破損・取付不良	2	
	バランス釜・湯沸器・TES等	破損・作動不良・取付不良	2	但し、機器本体は保証書の期間によります。
各種メーター（私設のものに限る）		破損・計測不良	2	
厨房設備		漏水・作動不良・取付不良	2	※流し、オーブン、レンジ、吊戸棚、水切棚。但し、レンジの機器本体は保証書の期間によります。
衛生設備		漏水・排水不良・破損・作動不良・取付不良	2	※洗面機器、便器、タンク
エレベーター設備		機能不良・結線不良	2	
機械式駐車場設備		機能不良	2	

部位・設備		現　象　例	期間（年）	備　　　考
浴室設備		破損・作動不良・取付不良	2	※浴槽、シャワー
		漏水	5	※ユニットバス
各戸専用暖冷房設備	配管	漏水・排水不良	2	
	機器	漏水・排水不良・変形・破損・作動不良・取付不良	2	但し、機器本体は保証書の期間によります。
植栽		枯損	1	〈枯損〉管理不十分によるものを除きます。

※　機器本体について保証書の期間による場合には、アフターサービス期間が引渡しから１年間以上となるよう保証書の起算日の記入等に注意を要する。

●アフターサービス規準適用上の留意事項●

１．本アフターサービス期間の始期（起算日）については、次に定める通りとし、具体的な適用については、アフターサービス規準に基づいて行う。

①　共用部分１（構造耐力上主要な部分及び雨水の浸入を防止する部分）において、10年間のアフターサービスを行う部分については、建設会社から分譲会社（売主）に引き渡された日

②　①以外の共用部分については、供用を開始した日（区分所有者の一人が最初に使用した日）

③　その他の部分については、当該物件の引渡し日

２．本アフターサービス規準は、次の場合を適用除外とする。

①　天災地変（地震・火災・風・水・雪害）等、不可抗力による場合。

②　経年変化、使用材料の自然特性による場合。

③　管理不十分、使用上の不注意による場合。

④　増改築等により、形状変更が行われた場合。

⑤　地域特性による場合。

⑥　第三者の故意又は過失に起因する場合。

⑦　建物等の通常の維持・保全に必要となる場合。

３．具体的認定及び修補方法等

不具合が本アフターサービス規準に該当するか否かの具体的認定及び修補方法は、売主（及び施工会社）が現地調査（目視を基本とする比較的簡易な調査）により、専門的・経験的見地から総合的に判断し、実施するものである。

修補は、構造耐力上又は機能上の観点から必要な範囲内で行うので、部分修補となる場合があり、その際仕上げ面の色合いの相違が生じることがある。

③ 販売に起因する苦情

マンションの販売は、購入者が、その完成の数カ月前に分譲会社から説明を聞き、現地でモデルルームを見るなどして売買契約を締結するのが一般的であるが、最近では現物現場販売も行われている。その際、宅建業者である分譲会社は、宅建業法の定めにより、一定の重要事項について購入者に説明しなければならないとされている。しかし、分譲会社の説明が不十分だったり、また購入者がその説明を十分に理解していなかったりすることにより、入居後に苦情が発生することが多い。

こうした苦情発生の背景を分析してみると、①分譲会社が十分な説明を行っていない、②分譲会社の契約内容が違法でないにしても若干妥当性に欠ける面がある、③分譲会社の行為が明らかに不当である、④購入者の誤解又は無理解がその原因となっている。

これらに共通している特徴は、入居後相当期間を過ぎてから苦情となって出てくることである。これは入居当初は何もわからなかったけれども、そのうち事情がわかってくるにつれ、条件やその内容等に対する不満が徐々に高まってくることによるものである。

この種の苦情が発生した場合も、ともかく迅速な対応が望まれる。したがって、管理会社は事実関係をよく把握したうえで、管理組合及び分譲会社とよく協議し、早めにその結論が出るよう側面から補助することが必要である。

● 購入前に説明すべき事項〔宅建業法35条、重要事項説明〕

マンション購入後の管理に係る事項について、購入者がよくわからないままで入居することは、トラブルを発生させる原因となり、購入者保護の見地からも適切ではない。そこで、宅建業法においてはマンションの管理にまつわる事項、あるいは居住するに際して避けて通ることのできない共同生活上のルールについて、購入者が売買契約を締結するより前に、十分に説明するよう求めている。

㋐ 重要事項の説明

宅建業者は、

(i) 宅地・建物の売買、交換、貸借の相手方あるいは代理を依頼した者又は媒介にかかる売買、交換、貸借の各当事者に対して、

(ii) その者が取得したり、又は借りようとしている宅地・建物に関し、

(iii) その売買、交換、貸借の契約が成立するまでの間に、

(iv) 宅地建物取引士をして、取引しようとする物件や取引条件に関する一定の重要な事項について、

(v) これらの事項を記載した書面を交付して説明をさせなければならない（宅建業法35条）。

㋑ 説明すべき重要事項

(i) 当該宅地、建物に関し登記された所有権、抵当権等権利の種類、内容、登記名義人又は登記簿の表題部に記録された所有者の氏名（法人にあっては、その名称）

(ii) 都市計画法、建築基準法、その他の法令に基づく制限で契約内容の別（宅地か建物かの別及び契約が売買・交換か貸借かの別）に応じて政令で定める事項の概要

(iii) 当該契約が建物の貸借の契約以外のものであるときは、私道の負担に関する事項

(iv) 飲用水、電気、ガスの供給施設並びに排水施設の整備の状況（整備されていない場合は、その整備の見通し及び整備についての特別負担事項）

(v) 宅地又は建物が、宅地の造成又は建物の建築に関する工事の完了前のものであるときは、その完了時における形状、構造その他国土交通省令・内閣府令で定める事項

具体的には、宅地の場合は宅地造成工事完了時における当該宅地に接する道路の構造・幅員、建物の場合は建築工事完了時における

当該建物の主要構造部、内装・外装の構造又は仕上げ、設備の設置・構造である（宅建業法施行規則16条）。

※　必要なときは図面を交付して説明する。

(vi)　区分所有建物である場合（宅建業法施行規則16条の２）

ⓐ　その建物の敷地に関する権利の種類・内容

ⓑ　共用部分に関する規約の定め（その案を含む。）があるときは、その内容

ⓒ　専有部分の用途その他の利用の制限に関する規約の定めがあるときは、その内容

ⓓ　専用使用権の規約の定め（その案を含む。）があるときは、その内容

ⓔ　計画的な維持修繕費、通常の管理費用等につき特定の者にのみ減免する旨の規約の定め（その案を含む。）があるときは、その内容

ⓕ　計画的な維持修繕積立金の定め（その案を含む。）があるときは、その内容及び積立額

ⓖ　通常の管理費

ⓗ　管理の委託先（氏名及び住所（法人にあっては、その商号又は名称、主たる事務所の所在地））

ⓘ　維持修繕の実施状況が記録されているときは、その内容

(vii)　当該建物が既存の建物である場合

ⓐ　建物状況調査（実施後国土交通省で定める期間を経過していないものに限る。）を実施しているかどうか、及びこれを実施している場合におけるその結果の概要

ⓑ　設計図書、点検記録その他の建物の建築及び維持保全の状況に関する書類で国土交通省令で定めるものの保存の状況

(viii)　代金、交換差金、借賃以外に授受される金銭の額及び授受の目的

※　手付金、敷金、権利金、礼金、保証金など。

(ix)　契約の解除の原因、方法、効果等、契約の解除に関する事項

(x)　損害賠償額の予定又は違約金に関する事項

(xi)　手付金等を受領しようとする場合の手付金等の保全措置の概要

(xii)　支払金又は預り金を受領しようとする場合（(xi)の保全措置が講じられている手付金等は除く。）において、保全措置を講ずるかどうか、及びその措置を講ずる場合におけるその措置の概要

(xiii)　代金等に関するローン等のあっせんの内容及びあっせん不成立のときの措置の概要

(xiv)　担保責任の履行に関し、保証保険契約の締結その他の措置で国土交通省令・内閣府令で定めるものを講ずるかどうか、及びその措置を講ずる場合におけるその措置の概要

（担保責任の履行に関する措置）

宅地建物取引業法施行規則16条の４の２

法第35条第１項第13号の国土交通省令・内閣府令で定める措置は、次の各号のいずれかに掲げるものとする。

一　当該宅地又は建物が種類又は品質に関して契約の内容に適合しない場合におけるその不適合を担保すべき責任の履行に関する保証保険契約又は責任保険契約の締結

二　当該宅地又は建物が種類又は品質に関して契約の内容に適合しない場合におけるその不適合を担保すべき責任の履行に関する保証保険又は責任保険を付保することを委託する契約の締結

三　当該宅地又は建物が種類又は品質に関して契約の内容に適合しない場合におけるその不適合を担保すべき責任の履行に関する債務について銀行等が連帯して保証することを委託する契約の締結

四　特定住宅瑕疵担保責任の履行の確保等に関する法律第11条第１項に規定する住宅販売瑕疵担保保証金の供託

(xv)　その他宅建業者の相手方等の利益の保護の必要性及び契約内容の別を勘案して、次のイ又はロに掲げる場合の区分に応じ、それぞれ当該イ又はロに定める命令で定める事項

イ　事業を営む場合以外の場合において宅地又は建物を買い、又は借りようとする個人である宅建業者の相手方等の利益の保護に資

する事項を定める場合　国土交通省令・内閣府令
ロ　イに規定する事項以外の事項を定める場合　国土交通省令

(法第35条第１項第14号イの国土交通省令・内閣府令及び同号ロの国土交通省令で定める事項)

宅地建物取引業法施行規則16条の４の３

法第35条第１項第14号イの国土交通省令・内閣府令及び同号ロの国土交通省令で定める事項は、宅地の売買又は交換の契約にあつては第１号から第３号の２までに掲げるもの、建物の売買又は交換の契約にあつては第１号から第６号までに掲げるもの、宅地の貸借の契約にあつては第１号から第３号の２まで及び第８号から第13号までに掲げるもの、建物の貸借の契約にあつては第１号から第５号まで及び第７号から第12号までに掲げるものとする。

一　当該宅地又は建物が宅地造成及び特定盛土等規制法（昭和36年法律第191号）第45条第１項により指定された造成宅地防災区域内にあるときは、その旨

二　当該宅地又は建物が土砂災害警戒区域等における土砂災害防止対策の推進に関する法律（平成12年法律第57号）第７条第１項により指定された土砂災害警戒区域内にあるときは、その旨

三　当該宅地又は建物が津波防災地域づくりに関する法律（平成23年法律第123号）第53条第１項により指定された津波災害警戒区域内にあるときは、その旨

三の二　水防法施行規則（平成12年建設省令第44号）第11条第１号の規定により当該宅地又は建物が所在する市町村の長が提供する図面に当該宅地又は建物の位置が表示されているときは、当該図面における当該宅地又は建物の所在地

四　当該建物について、石綿の使用の有無の調査の結果が記録されているときは、その内容

五　当該建物（昭和56年６月１日以降に新築の工事に着手したものを除く。）が建築物の耐震改修の促進に関する法律第４条第１項に規定する基本方針のうち同条第２項第３号の技術上の指

針となるべき事項に基づいて次に掲げる者が行う耐震診断を受けたものであるときは、その内容
イ　建築基準法第77条の21第１項に規定する指定確認検査機関
ロ　建築士
ハ　住宅の品質確保の促進等に関する法律第５条第１項に規定する登録住宅性能評価機関
ニ　地方公共団体
六　当該建物が住宅の品質確保の促進等に関する法律第５条第１項に規定する住宅性能評価を受けた新築住宅であるときは、その旨
七～十三　（略）

㋒　中古マンション売買時の対応

マンションについては、敷地の権利関係や管理の問題について紛争が発生することも多く、前述のとおり宅建業法35条の定めにより、宅建業者は、不動産の取引を行う場合は、契約が成立するまでの間に、一定の重要事項を書面に記載し、これを相手方に交付し、宅地建物取引士をして、説明をさせなければならないとされており、取引の対象がマンションである場合の固有の説明事項は、同法35条１項６号及び同法施行規則16条の２により、次の事項とされている。

(i)　当該建物を所有するための一棟の建物の敷地に関する権利の種類及び内容

(ii)　区分所有法２条４項に規定する共用部分に関する規約の定め（その案を含む。）があるときは、その内容

(iii)　区分所有法２条３項に規定する専有部分の用途その他の利用の制限に関する規約の定め（その案を含む。）があるときは、その内容

(iv)　当該一棟の建物又はその敷地の一部を特定の者にのみ使用を許す旨の規約の定め（その案を含む。）があるときは、その内容

(v)　当該一棟の建物の計画的な維持修繕費、通常の管理費等を特定の者にのみ減免する旨の規約の定め（その案を含む。）があるときは、その内容

(vi) 当該一棟の建物の計画的な維持修繕積立金の定め（その案を含む。）があるときは、その内容及びすでに積み立てられている額

(vii) 建物所有者が負担しなければならない通常の管理費用の額

いわゆる「管理費」のことであるが、直近の数値を記載する必要がある。

(viii) マンション等の管理が委託されているときは、その委託を受けている者の氏名（法人にあっては、その商号又は名称）及び住所（法人にあっては、その主たる事務所の所在地）

(ix) 当該一棟の建物の維持修繕の実施状況が記録されているときは、その内容

※ マンションの売買・交換契約の場合は、上記マンションに関する説明がすべて必要となるが、建物の賃貸借契約の場合は、(iii)と(viii)だけ説明すればよい。

以下は、国土交通省「宅地建物取引業法の解釈・運用の考え方について」（第35条第１項第６号関係）より抜粋したものである。

ⓐ「敷地に関する権利の種類及び内容」について（宅建業法施行規則第16条の２第１号関係）

i 「敷地」に関しては、総面積として実測面積、登記簿上の面積、建築確認の対象とされた面積を記載することとする。なお、やむを得ない理由により、これらのうちいずれかが判明しない場合にあっては、その旨を記載すれば足りるものとする。また、中古物件の代理、媒介の場合にあっては、実測面積、建築確認の対象とされた面積が特に判明している場合のほかは、登記簿上の面積を記載することをもって足りるものとする。

ii 「権利の種類」に関しては、所有権、地上権、賃借権等に区別して記載することとする。

iii 「権利の内容」に関しては、所有権の場合は対象面積を記載することをもって足りるものとするが、地上権、賃借権等の場合は対象面積及びその存続期間もあわせて記載することとする。なお、地代、賃借料等についても記載することを要するものとするが、これについては区分所有者の負担する額を記載することとする。

ⓑ「共用部分に関する規約の定め」について（宅建業法施行規則第16条の

2第2号関係)

i 「共用部分に関する規約の定め」には、いわゆる規約共用部分に関する規約の定めのほか、いわゆる法定共用部分であっても規約で確認的に共用部分とする旨の定めがあるときにはその旨を含むものである。

ii かっこ書で「その案を含む」としたのは、新規分譲等の場合には、買主に提示されるものが規約の案であることを考慮したものである。

iii 共用部分に関する規約が長文にわたる場合においては、その要点を記載すれば足りるものとする。

ⓒ 「専有部分の利用制限に関する規約」について(宅建業法施行規則第16条の2第3号関係)

i 本号には、例えば、居住用に限り事業用としての利用の禁止、フローリングへの貼替工事、ペット飼育、ピアノ使用等の禁止又は制限に関する規約上の定めが該当する。

ii ここでいう規約には、新規分譲等の場合に買主に示されるものが規約の案であることを考慮して、その案も含むこととされている。

iii 専有部分の利用制限について規約の細則等において定められた場合においても、その名称の如何に関わらず、規約の一部と認められるものを含めて説明事項としたものである。

iv 当該規約の定めが長文にわたる場合においては、重要事項説明書にはその要点を記載すれば足りるものとする。その際、要点の記載に代えて、規約等の写しを添付することとしても差し支えないものであるが、該当箇所を明示する等により相手方に理解がなされるよう配慮することとする。

ⓓ 「専用使用権」について(宅建業法施行規則第16条の2第4号関係)

i 本号は、いわゆる専用使用権の設定がなされているものに関するものである。

ii 専用使用権は、通常、専用庭、バルコニー等に設定されるものであるが、これらについては、その項目を記載するとともに専用使用料を徴収している場合にあってはその旨及びその帰属先を記載することとする。

iii 駐車場については特に紛争が多発していることにかんがみ、その「内容」としては、使用し得る者の範囲、使用料の有無、使用料を徴収している場合にあってはその帰属先等を記載することとする。

ⓔ 「マンション管理規約に定められる金銭的な負担を特定の者にのみ減免する条項」について（宅建業法施行規則第16条の２第５号関係）

i　マンション管理規約とは、分譲マンションの区分所有者が組織する管理組合が定めるマンションの管理又は使用に関する基本ルールであるが、新築分譲マンションの場合は、分譲開始時点で管理組合が実質的に機能していないため、宅建業者が管理規約の案を策定し、これを管理組合が承認する方法で定められる方法が多い。そのため、購入者にとって不利な金銭的負担が定められている規約も存在し、その旨が「中高層分譲共同住宅の管理等に関する行政監察報告書」（平成11年11月）においても指摘されているところである。このような内容の規約を定めること自体望ましいものではない場合もあるが、契約自由の原則を踏まえつつ、購入者の利益の保護を図るため、管理規約中に標記に該当する内容の条項が存在する場合は、その内容の説明義務を宅建業者に義務付けるものである。

ii　本規定は、中古マンションの売買についてもその適用を排除するものではなく、その場合、当該売買の際に存在する管理規約について調査・説明を行うこととなる。

ⓕ 「修繕積立金等」について（宅建業法施行規則第16条の２第６号関係）

i　本号は、いわゆる大規模修繕積立金、計画修繕積立金等の定めに関するものであり、一般の管理費でまかなわれる通常の維持修繕はその対象とはされないこととする。

ii　当該区分所有建物に関し修繕積立金等についての滞納があるときはその額を告げることとする。ここでいう修繕積立金等については、当該一棟の建物に係る修繕積立金積立総額及び売買の対象となる専有部分に係る修繕積立金等を指すものとする。

iii　この積立て額は時間の経緯とともに変動するので、できる限り直近の数値（直前の決算期における額等）を時点を明示して記載することとする。

ⓖ 「管理費用」について（宅建業法施行規則第16条の２第７号関係）

i　「通常の管理費用」とは、共用部分に係る共益費等に充当するため区分所有者が月々負担する経常的経費をいい、宅建業法施行規則第16条の2第6号の修繕積立金等に充当される経費は含まれないものとする。

ii　管理費用についての滞納があればその額を告げることとする。

iii　この「管理費用の額」も人件費、諸物価等の変動に伴い変動するものと考えられるので、できる限り直近の数値を時点を明示して記載することとする。

ⓗ「管理が委託されている場合」について（宅建業法施行規則第16条の2第8号関係）

i　本号においては、管理の委託を受けている者の氏名及び住所を説明すべき事項としているが、管理を受託している者が、「マンションの管理の適正化の推進に関する法律」第44条の登録を受けている者である場合には、重要事項説明書に氏名（法人にあっては、その商号又は名称）とその者の登録番号、及び住所（法人にあっては、その主たる事務所の所在地）を記載し、その旨説明することとする。

ii　管理の委託先のほか、管理委託契約の主たる内容もあわせて説明することが望ましい。

ⓘ「マンション修繕の過去の実施状況」について（宅建業法施行規則第16条の2第9号関係）

i　本号の維持修繕は、第6号と同様に共用部分における大規模修繕、計画修繕を想定しているが、通常の維持修繕や専有部分の維持修繕を排除するものではない。専有部分に係る維持修繕の実施状況の記録が存在する場合は、売買等の対象となる専有部分に係る記録についてのみ説明すれば足りるものとする。

ii　本説明義務は、維持修繕の実施状況の記録が保存されている場合に限って課されるものであり、管理組合、マンション管理業者又は売主に当該記録の有無を照会の上、存在しないことが確認された場合は、その照会をもって調査義務を果たしたことになる。

ⓙ「規約等の内容の記載及びその説明」について

i　マンション等の規約その他の定めは、相当な量に達するのが通例であるため重要事項としては共用部分に関する規約の定め、専有部分に関する規約等の定め、専用使用権に関する規約等の定め、修繕積立金等に関する規約等の定め及び金銭的な負担を特定の者にのみ減免する規約の定めについてに限って説明義務を課すこととし、重要事項説明書にはその要点を記載すれば足りることとしているが、この場合、規約等の記載に代えて規約等を別添することとしても差し支えない。

ⅱ　規約等を別添する場合には、宅建業法施行規則第16条の２第２号から第６号までに該当する規約等の定めの該当箇所を明示する等により相手方に理解がなされるよう配慮するものとする。

ⓚ　「数棟の建物の共有に属する土地」について

一棟の建物が一団地内に所在し、その団地内の土地又はこれに関する権利が当該一棟の建物を含む数棟の建物の所有者の共有に属する場合にあっては、その共有に属する土地等についても区分所有者が共有持分を有するものであるので、必要に応じ、共有の対象とされている土地の範囲、当該建物の区分所有者が有する共有持分の割合及びその共有に属する土地の使途等についても重要事項説明書に記載し、適宜、その内容を説明するものとする。

ⓛ　その他の留意すべき事項５（「マンションの管理の適正化の推進に関する法律関係について」）

宅地建物取引業者は、新築マンションの分譲に際し、マンションの管理の適正化の推進に関する法律（平成12年法律第149号）第103条第１項の規定により、同法施行規則第102条に定める11種類の図書を当該マンションの管理者等に対し交付することとされている。この場合において、図書の内容は次のとおりであるので留意すること。

ⅰ　11種類の図書は、建築基準法第７条第１項又は第７条の２第１項の規定による完了検査に要した付近見取図、配置図、各階平面図、二面以上の立面図、断面図又は矩計図、基礎伏図、各階床伏図、小屋伏図、構造詳細図及び構造計算書と同一の内容のもの並びに同法第２条第12号に規定する設計図書の一部として作成する仕様書とする。

ⅱ　建築基準法施行規則第３条の２に規定する計画の変更に係る確認を要しない軽微な変更があった場合には、当該変更内容を明確にする措置を講じるものとする。

宅建業者は、マンションの取引にあたってはこれらの事項を調査するとともに、これらを重要事項説明書に記載し、宅地建物取引士をして相手方に説明させなければならないが、これらの調査依頼はおおむねマンション管理業者に寄せられることになる。このため管理会社は、例えば、滞納管理費等の承継問題など新しい区分所有者（組合員）と管理組合の対立を避けるためにも、宅建業者からの調査依頼には積極的かつ的確に対応することが望まれる。

なお、中古マンション売買時における、管理会社の対応については、第２編第２章第６節「管理関連業務の対応」において解説している。

㊓　重要な事項の告知義務

宅建業法は、先に説明した重要事項の説明義務とは別に、宅建業者に対し、その業務に関して、重要な事項について、故意に事実を告げず、又は不実のことを告げる行為をしてはならない、と定めている。

ここでいう「重要な事項」とは、取引の当事者にとって契約の締結の判断に重要な影響を及ぼす事項をいい、重要事項の説明義務の対象として宅建業法35条に定める事項以外の事柄も含まれるので、注意が必要である。

例えば、対象の宅地・建物において過去に起こった事件事故など、宅建業法35条に定める事項以外であっても、買主にとって契約の締結の判断に重要な影響を及ぼす事項を、故意に黙っていたり、ウソをついてごまかしたりしたような場合は、この告知義務違反になる。

これに違反した場合は、業務停止処分又は免許取消処分を下されるほか、２年以下の懲役若しくは300万円以下の罰金又はその両方が科されるおそれがある。

また、このように重要な事実を故意に告げなかったり、不実のことを告げたりした場合で、例えば、売主が宅建業者、買主が消費者のときは、消費者契約法に基づき、買主から契約の取消しを請求されるおそれもある。

※　令和３年10月、国土交通省策定「宅地建物取引業者による人の死の告知に関するガイドライン」により、いわゆる心理的瑕疵への一般的な基準が示された。

(2) 管理委託契約に起因する苦情とその対策

マンションの管理は、それが専有部分であればそこを所有する組合員個人が、また、共用部分であれば組合員が共同して行うことになる。しかし、共同して管理することは、設備の維持管理やマンション管理の法律等の専門的知識が要求されることから、管理会社と管理委託契約を締結することが多い。

① 管理委託契約に起因する苦情は、契約業務範囲の理解齟齬によるものと、マンション管理会社の業務不履行にその原因があるものとがある。

契約業務範囲の理解齟齬によるものにおいては、委託者側（管理組合）と受託者側（マンション管理業者：法令上の規定等で引用する場合は「業者」）との間で、契約業務の範囲についての理解が食い違うことから苦情が生じてくる。また、組合員の側に、管理会社に対して過大な期待をする傾向があることも否定できないところである。

この種の苦情の例としては、長期にわたって管理費等を滞納している組合員の問題がある。こうした組合員に対する支払の督促は管理会社の業務であるが、契約の範囲内で督促しても支払ってくれない場合は、管理会社は、「善管注意義務」を果たしたことになるのでそれ以上のことは行わないことになり、その後の処置は委託者側に委ねられる。しかし、契約業務の範囲があいまいだと、委託者側は、それ以上のことを管理会社に望むことが一般的であるので、結果として管理会社に対する不満が生じてくることになる。こうした不満に対しては意を尽くして管理会社の業務範囲を説明し、その理解を求めることがその解決策といえるが、同様の件で以後苦情としないためには管理委託契約書に管理会社の実施する業務の範囲を明示するとともに、委託者側からも本来担当すべき業務についても十分説明を行い、相互に理解を得ておく必要がある。もちろん、業務の範囲だけでなく、費用の負担区分についても同様である。これについては、すでに国土交通省から「マンション標準管理委託契約書」が公表されているので、これを参考に契約内容を改めて契約書を作成することが必要である。

なお、「マンションの管理の適正化の推進に関する法律」により、管理会社は、管理委託契約成立前に重要事項を相手方に説明することが義務付けられている。

一方、管理会社の契約業務不履行に関する苦情については言うまでもない。

管理会社が、「善管注意義務」を果たしていないばかりか、結果的に委託者側に経済的損失を与えることにもなりかねないからである。

この苦情の主なものでは、㋐管理費等の収支決算書（収支報告書及び貸借対照表）の素案を作成・提出していない、㋑設備の保守点検を契約書どおり実施していない、㋒管理員が定められた業務を実施していないなどがある。

㋐の管理費等の収支決算書の素案を作成・提出していないことについては、管理会社の受託する業務の最も重要な部分が管理費等の金銭の出納代行や保管、報告であり、他人の財産を一定期間管理する権限を委ねられているわけであるので、その取扱いには万全の注意を払うとともに定期的に正確な報告を行わなければならない。これを行わないときは、管理会社の資質を問われても弁解の余地はない。また、委託者側からの再三の要請にも応じない場合はなおさらのことで、最終的に委託契約の解除ということにもなりかねない。

この種の苦情発生の際には、非が当該管理会社にある場合には、まず管理組合等によく事情を説明し謝罪することが先決である。また、マンション会計の処理、報告に関する管理会社内の体制をよく検討し、無理のない経理処理ができる体制を整えるとともに、マンションごとの会計報告提出期限をスケジュール化し、遅滞なく行っていくことが改善への道といえる。

㋑の各設備の保守点検が行われていないことに対する苦情が発生した場合も、まず検討してみることは管理会社内の連絡体制である。(a)点検業者と保守契約が締結されているかどうか、(b)契約がなされていれば、なぜ点検が行われなかったのか、(c)管理会社内の担当者はこうした経過を知っていたのかなどである。もちろん、委託者側にその事実を報告しなければならないし、非が管理会社にあれば当然謝罪もしなければならない。

㋒の管理員については、マンションの現場にいるので、特に業務内容を明確に定めておく必要がある。また、巡回方式の場合のマンションでの勤務時間や、年休取得時の交替要員、清掃内容等の契約内容、管理員の役割などについて、管理会社は常時管理員を指導することにより、苦情の要因を減らすことができる。

以上のように管理会社の業務不履行による苦情は、往々にして管理会社側の業務処理体制に何らかの問題があることにその原因があることが多い。したがって、この種の苦情の発生の際には、まず先方に謝罪することが先決だが、二度と同じ過ちを犯さないよう管理会社の業務処理体制の早急な見直しと整備が望まれる。

② マンション管理会社の責任

㈠ 受託業務履行責任

管理会社の基本的な責任は、管理委託契約に基づいて受託業務を適切に処理することにある。管理会社は受託業務を処理する対価として管理組合から管理委託費等を収受している。しかし、管理会社側の事情により受託業務を処理していなかったり、又はその処理が遅延して、管理組合との間で紛争となっている事例もある。外注会社が契約業務を実施していなかったり、又は遅延している場合もこれに該当する。

継続的かつ反復的に行う事務管理業務は「履行遅滞」を生じやすく、業務の完全な履行を目的とする清掃業務や建物・設備等管理業務は「不完全履行」を生じやすいので、管理会社として十分な注意が必要である。特に最近は、管理会社が、本来の委託業務に関連する各種のサービスを受注するケースが増加している。例えば、建物の補修、設備の修理、建物等の劣化診断や大規模修繕工事を管理会社が自ら受注するなどである。これらの周辺業務に不手際があり、本来業務である事務管理業務などに関する管理委託契約が継続できなくなるような事態は避けなければならない。

受託業務の不履行には、履行遅滞、履行不能、不完全履行があるが、管理会社の業務不履行の多くは履行遅滞か不完全履行である。

㋐ 履行遅滞

履行遅滞とは、受託業務を処理する期限が定められているにもかかわらず、その時期を過ぎても処理をしないことをいい、具体的には次のようなケースがこれに該当する。

(a) 管理組合の事業年度開始の○カ月前までに、次年度の収支予算案の素案を作成し提出することになっているのに提出しなかった。また、管理組合の事業年度終了後○カ月以内に、前年度の収支決算案（収支報告書及び貸借対照表）の素案を提出することになっているのに、期日までに提出しなかった。

(b) 毎月、管理費等の滞納状況を報告することになっているのに、これを報告しなかった。

(c) 2カ月ごとに各住戸の水道メーターを検針し、各住戸の水道料金を計算・請求することになっているのに、これを行わなかった。

(d) 総会決議により共用部分に係る火災保険を継続して付保することになっていたが、契約満了日を過ぎても付保の手続を行わなかった。

(e) 毎年1回、貯水槽の清掃を行うことになっているのに、これを行わなかった。

㋑ 不完全履行

不完全履行とは、受託業務を一応は処理したが、処理の内容が契約の本旨に従った完全なものではないことをいい、具体的には次のケースがこれに該当する。

(a) 収支決算案を期日までに提出したが、計算ミスや重要な科目の記載漏れがあった。

(b) 滞納者に督促状を送付し滞納額を振り込んでもらったが、督促状に記載した滞納額を実際の額より少なく計算していた。

(c) 値上げした管理費を請求する際に、値上げ開始時期を1カ月間違えて請求してしまった。

(d) 建物の内外を週5回清掃することになっていたが、週3回しか清掃していなかった。

(e) 補修会社に値引きした工事代金を支払うことになっていたが、値引以前の額を支払ってしまった。

受託業務の不履行を指摘されることは、専門家集団である管理会社としては極めて不名誉なことであり、契約不履行により管理組合に損害を生じさせた場合は損害賠償を請求されることもある。さらに不履行を指摘されてもそれを改善しなければ、管理委託費等の支払拒否や最悪の場合には契約の解除もあり得ることを念頭に置いておかなければならない。

受託業務不履行の原因のほとんどは管理会社側にある。担当者が受託業務の範囲や内容を十分理解していない、事前・事後の確認を怠っている、報告・連絡・相談がよくなされていないなどが原因の主なものだが、不履行を指摘された場合は速やかにその原因を調査し、改善に努めることが必要である。

債務不履行の態様と要件・効果

態 様	要 件	効 果
履行遅滞	① 債務者に責任があること ② 履行が可能なのに履行が遅れていること ③ 履行遅滞が違法なこと	① 損害賠償（遅延賠償・塡補賠償） ② 契約解除権 ③ 強制履行
不完全履行	① 債務者に責任があること ② 履行が不完全であること ③ 不完全な履行が違法なこと	① 履行の請求（追完可能なとき） ② 損害賠償（遅延賠償・塡補賠償） ③ 契約解除権
履行不能	① 債務者に責任があること ② 債務発生後に履行ができなくなったこと ③ 履行不能が違法なこと	① 損害賠償（塡補賠償） ② 契約解除権 ③ 代償請求権

㋒ 法律等違反

管理会社は、各種法律を遵守することは当然であるが、違反した場合、マンション管理適正化法には監督処分及び罰則が定められている。また、管理会社が不正な行為をした場合、国土交通大臣は業務停止命令を出したり、登録取消しができることとなっており、法律遵守に基づいたマンション管理業務を遂行していかなければならない。

(イ) 善管注意義務

管理委託契約はその内容から、準委任契約と請負契約の混合無名契約と解されており、管理会社は単に受託業務を処理すればよいというだけではなく、業務受託者として「善管注意義務」をもって、それに当たらなければならないことは当然である。受任者は、委任の本旨に従い、善良な管理者の注意をもって、委任事務を処理する義務を負う（民法644条)。「委任の本旨に従う」とは、委任契約の目的と委任された事務の性質に応じて最も合理的に処理することであり、したがって、受任者は、委任者の指図のみに頼ることなく、ある程度の自由裁量をもって委託された事務を目的に応じて、最も合理的に処理する義務を負うものである。また、管理会社は商法上の商人であるため、商法505条の適用を受け、委任の本旨に反しない範囲内において、委任を受けていない行為をすることができる。

善管注意義務は、委任契約における受任者の義務の一つであり、「受任者の職業、地位、能力等において一般的に要求される平均人としての注意義務」のことをいう。管理会社は、一般的に管理会社が普通に払うであろう注意、又は払うことができる注意をもって受託業務を処理しなければならないということである。

管理会社はその経験や能力から、組合員等より比較的早期に建物の老朽化や危険性を知ることができる。この場合、管理会社は直ちにその状況を管理組合に通知し、その対策について何らかの意見の具申をすることは専門家として当然のことである。老朽化等により、建物の一部が剝離・落下しそうな事実を知りながらその事実を管理組合に通知していなかった場合に、建物の一部が落下して組合員等又は第三者に損害・損傷を与えたときは、管理会社が善管注意義務を怠ったとして、管理責任を問われることにもなりかねない（善管注意義務を尽くさなかったことによる民法415条以下の債務不履行責任の場合、加害者が自己に故意過失がないことを証明しない限り、賠償義務を負う。）。

委任契約は本来信頼関係に基づくものであり、報酬の有無にかかわらず受任者には善管注意義務がある。さらに、「報酬を得ている以上、無報酬の場合と比べて、より重い義務がある」という考え方が一般的であり、また、「企業が委任を受けることは特殊かつ専門的な能力や技術を提供することであり、その責任は重いはずである」という考えから、その善管注意義務に基づく管理責任を拡大して考える傾向にある。

善管注意義務及びそれに基づく管理責任の範囲は個別具体的に判断されなければならず、また流動的ではあるが、契約の内容がその基本となるので、管理委託契約書においては業務内容及び範囲、責任の所在を具体的かつ明確に定めておくことが望まれる（第２編第２章第５節「マンション管理業者の役割と使命」を参照）。

⑼　重要事項の説明義務

マンション管理業者は、管理組合と管理業務に関する管理委託契約を締結するときは、事前に管理組合ごとに説明会を開催し、マンションの区分所有者及び管理組合の理事長に対し、管理業務主任者をして、国土交通省令で定める重要事項について説明させなければならない（第３編「管理業務主任者の業務」を参照）。

(エ) 秘密保持義務

マンション管理業者は、正当な理由がなく、その業務に関して知り得た秘密を漏らしてはならないし、マンション管理業者の使用人その他の従業者は、正当な理由がなく、マンションの管理に関する事務を行ったことに関して知り得た秘密を漏らしてはならない（第２編第２章第２節３「(11) 秘密保持義務」を参照）。

(オ) 個人情報保護法の遵守

個人情報の不正利用を防止するため、「個人情報の保護に関する法律」が平成15年に成立、平成17年４月に完全施行された。マンションにおいては、管理組合において組合員名簿や入居者名簿、駐車場使用契約書、管理費・修繕積立金等滞納状況表、専有部分修繕工事等の各種の申請書や届出書など個人情報が含まれる多数の書類があり、また管理を受託しているマンション管理業者も区分所有者及び入居者の個人情報が含まれる多数の書類を保有している。

こうした個人情報をどう守っていくべきかについては、平成17年３月に社団法人高層住宅管理業協会（現・一般社団法人マンション管理業協会）がガイドライン（正式名称「マンション管理業における個人情報保護ガイドライン」）を策定、平成19年６月、平成25年12月に改訂を行った。その後平成29年９月に同協会が「個人情報保護法関係法令集（平成29年５月30日施行版）」及び「マンション管理における個人情報保護法適用の考え方」を発行し、解説を行っている。

※　同書籍については、令和４年４月１日施行の改正法を踏まえた改訂が行われた（令和５年１月）。

(カ) 不法行為責任

㋐ 一般的不法行為

故意又は過失により、他人の権利又は法律上保護される利益を侵害することにより、損害を生じさせる行為を不法行為といい、後に述べる使用者責任や工作物責任のような特殊なものを除く原則的な場合のことを一般的不法行為という（民法709条）。この不法行為が成立するためには、加害行為と損害との間に相当因果関係があること、加害者に責任能力があることが求められる。

不法行為は、マンションの取引や管理においても生じ、前述の債務不履行責任と競合して成立すると解されている（例えば、自転車事故を起こして他人にケガをさせた場合や、管理会社がマンションの設備を誤って破壊したような場合である。管理会社がマンションの設備を誤って破壊した場合には、管理委託契約上の善管注意義務違反として債務不履行責任も同時に生ずる。）。

不法行為が成立するためには、加害者自身の故意又は過失ある行為があったことが必要である。不可抗力で他人に損害を与えても、不法行為責任は発生しない。また、不法行為を行った者が責任能力がない場合も、不法行為責任は発生しない。責任能力とは、行為の結果を理解して、責任を負うことができる能力をいう。故意とは、その行為をすることにより権利侵害の結果が発生するであろうことを認識しながら、あえてその行為をする意思のことをいう。過失とは、自分の不注意によりその結果の発生を予測しないで行為をする心理状態のことをいう。

この故意又は過失が存在することについては、損害賠償を請求する被害者側が立証（証明）しなければならないのが原則である。

また、不法行為が成立するためにはその行為に違法性が存在することが必要であり、例えば、ガス漏れの可能性がある場合、緊急のためやむを得ず区分所有者の承諾なく、その区分所有者の専有部分に立ち入ったというような一定の場合には、違法性がないとされる。

なお、たとえ権利のある者でも、法の手続を経ないで、勝手に自らの権利を保護するため、実力でこれを実現すること（「自力救済」という。）は、解釈上認められておらず、不法行為となる。例えば、マンション敷地内の駐車場に違法に駐車している車でも、警察の行為とは無関係にレッカー車で強制移動することはできない。

㋑　使用者責任

使用者責任とは、不法行為責任の一種で、ある事業のために他人を使用する者（使用者）、又は使用者に代わって事業を監督する者が、被用者（従業員）がその事業の執行を行うに際して第三者に損害を加えたときに負うべき責任のことをいう（民法715条）。

管理会社は、自ら雇用している職員（フロント担当者、管理員、技術員、清掃員等）が、その業務の処理に際して第三者に損害を与えたときは、使用者である管理会社が使用者責任を負う。マンション管理会社の職員は、履行補助者としての地位にあり、履行補助者の不法行為によって第三者に損害を与えた場合は、管理会社は使用者としてその損害について責任を免れることはできない。

(a) 使用者責任の成立要件

(i) ある事業のために被用者を使用していること（使用者と被用者との間に使用関係がある。）

(ii) 被用者が事業の執行、いわば業務の遂行について行ったものであること

(iii) 被用者自身に一般的不法行為の要件が備わっていること

もっとも、使用者（会社）が被用者（従業員）の選任及びその事業の監督について相当の注意をしていたこと、又は相当の注意をしても損害が発生したことを証明した場合は、使用者責任を免れることになっている（民法715条１項ただし書）。しかし、現実にはこの免責は認められないことが多い。

(b) 使用者責任の効果

(i) 使用者と使用者に代わって被用者を選任・監督する者が損害賠償責任を負う。

(ii) 被用者も独立して一般的な不法行為責任を負う。

(iii) 被害者は、使用者と被用者の両方に損害賠償を請求できるが、両者の責任は（不真正）連帯債務の関係になる。つまり、被害者は、使用者と被用者の両方に対して、全額賠償請求できる。使用者等が、被害者に損害賠償をしたときは、被用者に求償することができる（民法715条条３項）。もっとも、常に全額の求償ができるわけではなく、判例においては、信義則上妥当と認められる限度に制限されている。これに対して被用者が損害賠償金を支払ったときは、諸般の事情に照らし、損害の公平な分担という見地から相当と認められる額について、使用者に求償することができる（最高裁判所令和２年２月28日判決）。

※ 管理会社といえども、すべての業務分野にわたって自己の雇用する社員

で業務を執行することは難しい。特に専門的な業務であるエレベーターの保守や機械式駐車装置の保守等については、それぞれの管理専門会社に再委託するか、管理組合とその管理専門会社との直接契約とするのが普通である。再委託をしていれば、一般的には管理会社は、管理専門会社に求償することができる。

※　使用者責任については、標準管理委託契約書16条に規定されている。

㋒　請負契約の注文者の責任

注文者は、請負人がその仕事について第三者に加えた損害（例えば、注文者が請負人に建物の建築を依頼したとき、工事中に建築資材を落として、通行人にケガをさせたなど）を賠償する責任は、原則として負わない（民法716条本文）。しかし、注文者が請負人に対して行った注文（仕事の目的物の瑕疵が注文者の供した材料の性質）又は注文者の与えた指図に過失があったために、他人に損害を与えた場合には責任を負う（民法716条ただし書）。

㋓　工作物責任

建物その他土地の工作物の設置又は保存に瑕疵があり、その瑕疵によって、他人に損害を生じさせたときは、その工作物の占有者が被害者に対して、その賠償責任を負う（民法717条１項本文）。この場合、第一次的には占有者が責任を負うが、占有者は損害の発生を防止するのに必要な措置を講じていたことを証明すれば責任を免れ、第二次的に所有者がその責任を負う（同項ただし書）。所有者は、自らに過失がなかったことを証明しても責任を免れないので、この責任は無過失責任である。

※　例えば、Ａマンションの501号室（ｘ所有）をｙが賃借して居住していたが、501号室の「設置又は保存の瑕疵」によって漏水が発生し、それが原因で下階の401号室（ｚ所有）に損害が生じた場合、その原因がｙの故意・過失にあるときは、ｙが当該損害の賠償責任を負う。しかし、ｙに故意・過失がないときは、所有者ｘが当該損害の賠償責任（無過失責任）を負う。

なお、被害者であるｚは、瑕疵が専有部分と共用部分のいずれにあるかを立証しなければならないが、分譲マンションではその特定が難しいこともある。そこで区分所有法では、瑕疵がどこにあるかわからない場合、その原因は共用部分の設置又は保存にあると推定され（区分所有法９条）、共用部分の共有者である区分所有者全員で責任を負うことになる。

なお、損害賠償をした占有者又は所有者は、損害の原因について責任のある者（例えば、その工作物を築造した請負人）がいるときは、その者に求償することができる（民法717条３項）。

㋔　動物の占有者等の責任

動物の占有者は、その動物が他人に加えた損害を賠償する責任を負う。ただし、動物の種類及び性質に従い相当の注意をもってその管理をしたときは、その責任は負わない（民法718条１項）。また、占有者に代わって動物を管理する者も、同様の責任を負う（同条２項）。

㋕　共同不法行為

数人が共同の不法行為によって他人に損害を加えたとき（例えば、居住者の過失と管理会社の過失の２つが重なって事故が起きたような場合のように、複数の加害者がいるケース）は、各自が連帯して、発生した全損害を賠償する責任を負わなければならない（民法719条１項）。要するに、共同で不法行為をした者は、被害者に対して連帯債務的に賠償責任を負う。この場合、加害者の１人が全額賠償すれば、その加害者は残りの加害者に対し、その過失相当分の求償ができる。

また、他人への加害行為を直接実行していなくても、他人をそそのかして不法行為を実行させた者（教唆（きょうさ）者）や見張り等で不法行為の実行を補助した者（幇助（ほうじょ）者）も、共同不法行為者と同様に、連帯して全損害を賠償する責任を負う（同条２項）。

㋖　失火責任法

火災による不法行為責任は、類焼被害などによって莫大な損害を賠償する責任を負うことがある。そこで、不法行為責任を軽減するため、失火の場合は、加害者に重大な過失がある場合にのみ不法行為責任が生じ、軽過失しかない場合は責任を負わなくてよいとされている。ただし、失火責任法による責任軽減は、あくまで不法行為責任についてのみ認められるものであるから、専有部分の賃借人の不注意により、その専有部分に火災を発生させた場合に、賃貸人に対して負う損害賠償責任は、賃貸借契約上の債務不履行責任なので、軽過失でも責任を免れることはできない。

㋗　意見の表明と名誉毀損

人の名誉を毀損する行為をした場合も、不法行為責任が成立する。しかし、名誉毀損については、報道や意見の表明などの表現の自由にも配慮する必要がある。そこで、当該行為が公共の利害に関する事実であって、かつ、もっぱら公益を図る目的の場合には、示された事実が真実であることが証明されたときは、その行為には違法性がなく、不法行為は成立しないとされている。また、もし、示された事実が真実であることが証明されなくても、その行為者においてその事実を真実と信じる相当の理由があるときは、その行為には故意又は過失がなく、結局、不法行為は成立しない。

㋘ 不法行為の効果

不法行為の成立により、被害者から不法行為者に対する損害賠償請求ができることになる。賠償額は、その不法行為と相当因果関係に立つ損害である。すなわち、常識的にみて、そのような行為があれば同じような損害が発生するであろうと考えられる範囲の損害について賠償責任がある。その損害には、財産的損害のみならず精神的損害も含まれることがある。

不法行為による損害賠償債務は、期限の定めのない債務である。期限の定めのない債務は、債権者が請求した時から履行遅滞になるのが原則である。しかし、不法行為においては、被害者保護の観点から、不法行為が発生した時点から履行期が到来していたという扱いをする。遅延利息のカウントは、不法行為が発生した時から始まる。

不法行為による損害賠償請求権は、被害者又はその法定代理人が損害及び加害者を知った時から３年を経過すると時効により消滅する（民法724条１号）。ただし、人の生命又は身体を害する不法行為による損害賠償請求権は、それらを知った時から５年を経過すると時効により消滅する（民法724条の２）。あるいは、被害者が損害や加害者を知らなくても、不法行為の時から20年を経過すれば時効により消滅する（民法724条２号）。

３年（又は５年）の時効と20年の時効期間は、どちらかが先に到来すれば、その時点で損害賠償債務が消滅する。

損害の発生について被害者側にも過失があった場合（例えば、不法行為が原因でケガをした被害者が、病院での治療を怠って被害が大きくなったなど）は、損害賠償額をその分、差し引くほうが公平である。これを過失相殺という（民法722条２項）。なお、過失相殺するかどうかは裁判所の裁量に任されている。被害者に過失があっても、あえて過失相殺しないこともできるし、当事者から過失相殺の主張がなくても過失相殺することもできる。

不法行為による損害賠償義務を負う加害者が、たまたま被害者に対して債権を有していた場合でも、原則として、加害者の側から、その両債権を相殺することはできない（民法509条）。被害者の側からあえて相殺を主張することは認められる。

(キ) 危険負担

管理委託契約は双務契約である。双務契約の各債務が履行される前に、一方の債務が債務者の責めに帰すことのできない事由により、履行不能となって消滅した場合、他方の債務は依然として存続するのか、あるいは消滅するのかという危険負担の問題がある。

標準管理委託契約書では、19条に免責事項の規定があり、天災地変等の不可抗力、火災等の事故発生や管理会社が善管注意をもって委託業務を行ったにもかかわらず生じた諸設備の故障など、その他マンション管理会社の責めに帰すことができない事由によって管理組合又は区分所有者に損害が発生したときは、管理会社は、その損害を賠償する責任を負わなくてもよいことになっている。

上記のような事由で管理会社に責任はないが、管理組合にも責任がない事由により、管理会社が業務を執行することができなくなってしまったときは、民法536条１項の危険負担における債務者主義（管理組合からの履行拒否）により、管理会社は、管理委託費等を受けられなくなる。

③ 管理担当者の業務対応の原則

管理会社は、フロント担当者及び管理員に担当業務を行わせるについては、次の基本事項を遵守させなければならない。

(ア) すべての居住者等に公平であること

マンションには多くの人が居住しているだけに、その中には様々な生活様態が存在する。共同生活についての理解が深く、ルールをよく守る人もあれば、自分のこと以外は考えない人もいる。管理担当者としてはどうしても、協力的な人には好感を持ち、非協力的な人には反感を抱きがちである。また、特に理由がなくても「なんとなく親しみを感じる」組合員等がいる反面、いわゆる「虫が好かない」タイプの人もいる。管理担当者も人間であるから一人ひとりの組合員等にそれぞれ異なった感情を抱くことは十分あり得ることである。しかし、だからといって、こうした好き嫌いの感情を仕事の上に表すことは許されない。

共同生活がスムーズに行われるかどうか、よいコミュニティが成り立つかどうかは「人間の感情」に依存しているといっても過言ではない。すべての組合員等に公平に接し、公平なサービスの提供に努めることは、良好なコミュニティ形成の助けとなり、結果的に（管理）担当者の業務が円滑に進むことにもなる。気難しい人、なんとなく快く思わない人にこそ、積極的に話しかけるくらいの姿勢を持ちたいものである。

(イ) プライバシーを尊重すること

管理担当者は入居届等を通じて、組合員等の家族構成や職業（個人情報）を知ることができる。また、業務を通じてその交友関係を知る機会も多い。現代の都市生活者の暮らし方は多様であり、従来の社会通念の枠におさまらない部分も少なくなく、理解に苦しむ暮らしぶりもあれば、興味を引かれる生活もあるかもしれない。

しかし、管理担当者の職分は、原則として共用部分の管理に関する業務を行うことであり、組合員等がどのような生活をしているのかは、関知する必要はない。このことを改めて確認しておく必要がある。組合員等のプライバシーに関する不用意な一言（個人情報の漏えい）がトラブルの原因になることや、極端な場合には誘拐等の犯罪につながることも皆無とはいえないからである。

身元調査などの名目で組合員等の生活状況や交友関係を尋ねられた場合でも、一切応ずることなく、断ることが必要である。電話番号も教えるべきではない。

個人情報保護法で、本人の同意なく例外的に個人データの第三者提供が認められている主な場合は、法令に基づく場合（例：警察、裁判所、税務署等からの照会）や人の生命・身体・財産の保護に必要な場合（本人の同意取得が困難）であり、「正当な理由」に該当するかどうかの判断を個別にする必要がある。

マンション管理適正化法87条においても、使用人等の秘密保持義務として「マンション管理業者の使用人その他の従業者は、正当な理由がなく、マンションの管理に関する事務を行ったことに関して知り得た秘密を漏らしてはならない。マンション管理業者の使用人その他の従業者でなくなった後においても、同様とする」と定められており、これに違反した場合は、30万円以下の罰金に処せられることもある（同法109条１項８号）。

(ウ) 連絡と報告は迅速にすること、結果も迅速に伝えること

管理担当者は、「管理組合や組合員等とマンション管理業者の間」の、あるいは「諸官庁と管理組合の間」の、また、時には「組合員等相互の間」のパイプ役でもある。このパイプの中での情報の伝達役としての立場を自覚して、迅速に、しかも正しい連絡・報告ができるように努めたいものである。

組合員等や管理組合から依頼された事項は、迅速に処理することが必要である。もし依頼された事項の処理について判断に迷うときには、迅速に関係部署に連絡を取り、相談することも必要である。最も避けるべきことは、判断がつきかねるときに、自分一人で問題を抱え込み、そのために依頼者に対する回答が遅れることである。なかでもクレームに類する問題が生じた場合には、迅速に対処することが問題をこじらせないための秘訣でもある。優柔不断な気持ちを抱いたまま連絡や報告をできずにいると、「怠慢」と誤解されたり、不信感を生む原因となる。迅速な連絡や報告が最も基本的なことであることを理解しておかなければならない。

(エ) 管理組合役員との連絡を密接にすること

区分所有法３条の規定により、すべての分譲マンションには管理組合が法律上成立し、管理の主体となることがはっきりしているが、このことを正しく理解している組合員等は決して多くはない。「管理は管理会社に任せておけばよい」と考えている者もいる。管理担当者は組合員等との様々な接触の機会を通じて、管理の仕組みと管理組合の意義を正しく理解してもらうように努めることが必要である。組合員等が管理の重要性を理解し、管理組合が正しく機能することは管理会社にとっても最も望ましい状態だからである。

そのためには、管理組合の役員（理事会メンバー）とはいろいろな問題について容易に連絡・報告できるようにしておく必要がある。どんなささいなことでも報告・連絡を受けることは、役員にとっても多くの場合、悪

い気分ではないはずであるし、管理組合役員に管理業務についての実態を知ってもらうことは、業務を円滑に進めるうえでも効果があるからである。

(オ) 自己啓発に努めること

受託業務の処理には、区分所有法をはじめとして各種の法律の知識が必要である。また、組合員間で紛争があった場合は、管理規約や使用細則を十分理解していないと的確に対応できない。さらに、受託業務の範囲や内容を理解していなければ、契約不履行を指摘されることもある。

その意味では、管理担当者は積極的に関連知識の習得に努めるとともに、少なくとも担当物件の管理委託契約書や管理規約等には十分に目を通し、その内容を把握しておくことが望まれる。

また、現場に常駐していない管理担当者は、自己の担当している分譲マンションの状況についても定期的に自らの目でチェックしておくことも必要である。管理組合理事会に共用部分等の改善提案をする場合、担当物件の状況を把握しておかなければ的確な助言や提案ができないからである。

(3) 管理組合の運営、組合員等に起因する苦情とその対策

① 共同生活における苦情

組合員等の相互間の苦情はマンションであるために起こる問題といえる。つまり、マンションは共同生活を余儀なくされる場であるだけに、そこで生活していくためには、まず「他人への配慮」が望まれ、管理規約や使用細則等の一定のルールに従った行動が求められることになるからである。

ところが、マンションに居住する人たちが共同生活を円滑に営んでいくためのルールにあまり慣れていない場合には、様々な苦情が発生する。原因は組合員等の「他人への配慮の不足」や「居住ルールを知らなかった」ためであることがほとんどだが、なかにはルールを知っていながらそれを守らない者や、「自分さえよければ……」という者もいる。

区分所有法において組合員等は「建物の保存に有害な行為」や「建物の管理又は使用に関し共同の利益に反する行為」をすることが禁止されている(区分所有法6条1項・3項)。ここでいう建物には共用部分はもちろん専有部分も含まれるが、このうち「共同の利益に反する行為」は、単に財産的観点からの共同の利益にとどまらず、共同生活的観点からの共同の利益も当然に

含まれていると解釈されている。そしてこれら「共同の利益に反する行為」には、次のような行為が挙げられる。

(ア) 不当毀損行為

(a) 隣接する専有部分の間の耐力壁を撤去する

(b) 専有部分に面する外壁に穴を開けて窓を取り付ける

(c) 1階の専有部分の下に地下室を設置する

(イ) 不当使用行為

(a) 廊下などの共用部分に私物を置くなど勝手に使用する

(b) 敷地内に勝手に車を駐車する

(c) 専用庭を駐車場に改造する

(d) 専有部分内に爆発物やガソリン等の可燃物や極端な重量物を持ち込む

(ウ) プライバシーの侵害、ニューサンス

(a) 専有部分内から他の組合員又は占有者に迷惑を及ぼすような異常な騒音・振動・悪臭を発散させる

(b) 専有部分内で他人に迷惑を及ぼすような動物を飼育する

(c) 他人に迷惑をかけるおそれがある営業を行う

※ ニューサンス
音、振動、においなどで他人の財産上の利益や健康、安楽な生活などを侵害する行為

(エ) 不当外観変更行為

(a) 勝手に屋上に広告塔を設置する

(b) バルコニーや外壁に看板を取り付けたりする

区分所有法では個別具体の禁止行為を規定していないので、通常は管理規約や使用細則で決めることが多い。

組合員等が管理規約や使用細則で禁止されている行為をしている場合は、一次的には管理会社が当事者にその是正を申し入れることになる。なぜなら、管理会社は、通常管理委託契約において、管理組合から、管理規約に違反する組合員等に対してその是正を申し入れるよう委託されているからである。申入れを行う場合、高圧的な態度は相手を感情的にするので、丁寧に是正申入れの根拠（管理規約等の定め等）について説明し、理解を求めることが望ましい。

なお、標準管理委託契約書では、管理会社の有害行為中止要求について、次のように規定している。

> 標準管理委託契約書第12条（有害行為の中止要求）
>
> 1　乙は、管理事務を行うため必要なときは、甲の組合員及びその所有する専有部分の占有者（以下「組合員等」という。）に対し、甲に代わって、次の各号に掲げる行為の中止を求めることができる。
>
> 一　法令、管理規約、使用細則又は総会決議等に違反する行為
>
> 二　建物の保存に有害な行為
>
> 三　所轄官庁の指示事項等に違反する行為又は所轄官庁の改善命令を受けるとみられる違法若しくは著しく不当な行為
>
> 四　管理事務の適正な遂行に著しく有害な行為（カスタマーハラスメントに該当する行為を含む）
>
> 五　組合員の共同の利益に反する行為
>
> 六　前各号に掲げるもののほか、共同生活秩序を乱す行為
>
> 2　前項の規定に基づき、乙が組合員等に行為の中止を求めた場合は、速やかに、その旨を甲に報告することとする。
>
> 3　乙は、第1項の規定に基づき中止を求めても、なお組合員等がその行為を中止しないときは、書面をもって甲にその内容を報告しなければならない。
>
> 4　前項の報告を行った場合、乙はさらなる中止要求の責務を免れるものとし、その後の中止等の要求は甲が行うものとする。
>
> 5　甲は、前項の場合において、第1項第4号に該当する行為については、その是正のために必要な措置を講じるよう努めなければならない。

管理会社が是正を申し入れても違反者がこれを改めない場合は、管理会社は、管理組合理事会に対して、勧告・指示・警告又は法的措置を講じるよう申し入れる。管理組合が法的措置を講じる場合は、管理者である理事長が当事者になる。そのため、総会の普通決議又は管理規約の定めがなければ訴訟を提起することができないこと、また法的措置の内容が「専有部分の使用禁止請求」「区分所有権及び敷地利用権の競売請求」「賃貸借契約などの解除及

び専有部分の引渡し請求」である場合には、総会特別決議が要件であることについて、管理組合に十分説明しておく必要がある。

なお、義務違反行為の再発を防止するためには、管理組合と協議し、文書や掲示などにより積極的に周知することが望ましい。これを行うことにより、組合員等が改めて管理規約や使用細則の内容を理解するからである。

一方、組合員等が意図的でないにしても結果的に他の組合員等に迷惑をかけたような場合（漏水事故や騒音、悪臭等）も、本来加害者・被害者の間で解決すべき事項であるが、一次的には管理会社がその窓口となることがある。この場合、注意しなければならないのは、加害者の行為が管理規約や使用細則に照らして違反しているかどうかであって、被害者の一方的な申入れのみを鵜呑みにしないことである。また、当然のことながら、管理会社はその当事者間の問題を直接解決する立場にはない。

② 生じやすい苦情

㈠ ペット問題

ペット問題は機械的に飼育の可否を議論しても、必ずしも、うまくいかない。

以前多くの細則で定められた「他の組合員等に、迷惑又は危害を及ぼすおそれのある動物を飼育すること」という規則そのものが抽象的であり、解釈に混乱が生じる。これを解決するためには、ペット飼育のルールを確立し、それを使用細則等の規則の改正という形で明確にしておくことが望ましい（ペットの全面禁止も一つの方法である。）。

なお、ペット飼育に関する規定の設定については、国土交通省公表の標準管理規約のコメント（下記）を参照のこと。

> 標準管理規約（単棟型）コメント第18条関係
>
> ① （略）
>
> ② 犬、猫等のペットの飼育に関しては、それを認める、認めない等の規定は規約で定めるべき事項である。基本的な事項を規約で定め、手続等の細部の規定を使用細則等に委ねることは可能である。
>
> なお、飼育を認める場合には、動物等の種類及び数等の限定、管理組合への届出又は登録等による飼育動物の把握、専有部分における飼育

方法並びに共用部分の利用方法及びふん尿の処理等の飼育者の守るべき事項、飼育に起因する被害等に対する責任、違反者に対する措置等の規定を定める必要がある。

③ ペット飼育を禁止する場合、容認する場合の規約の例は、次のとおりである。

ペットの飼育を禁止する場合

(ペット飼育の禁止)

第○条 区分所有者及び占有者は、専有部分、共用部分の如何を問わず、犬・猫等の動物を飼育してはならない。ただし、専ら専有部分内で、かつ、かご・水槽等内のみで飼育する小鳥・観賞用魚類(金魚・熱帯魚等)等を、使用細則に定める飼育方法により飼育する場合、及び身体障害者補助犬法に規定する身体障害者補助犬(盲導犬、介助犬及び聴導犬)を使用する場合は、この限りではない。

ペットの飼育を容認する場合

(ペットの飼育)

第○条 ペット飼育を希望する区分所有者及び占有者は、使用細則及びペット飼育に関する細則を遵守しなければならない。ただし、他の区分所有者又は占有者からの苦情の申し出があり、改善勧告に従わない場合には、理事会は、飼育禁止を含む措置をとることができる。

ペット問題は、居住者間の価値意識により発生(ペットの好きな人と嫌いな人は正反対の認識を持つ。)するため、ペットを認められた場合でも嫌いな人の立場を十分考慮して飼育すべきである。また、ペット飼育の状況が使用細則等の違反に当たり、共同の利益に反する行為に当たる場合は、飼育の禁止等を請求することができる。

【参考判例】

ペット飼育を制限・禁止する新規約は有効であるとされた事例〔東京高判平6.8.4(判時1509号71頁、判タ855号301頁)〕

(判決要旨)

マンション内での犬の飼育禁止を定めた規約に改正される以前から犬を飼育していた区分所有者に対しても、当該規約の改正が特別の影響を及ぼす場合に該(あた)らず、マンション内での動物の飼育について、具体的な被害の発生を問わずに一律に禁止する規約が当然には無効であるとは言えない。

(イ) 駐車場問題

駐車場を管理するうえで、最も重要なことは施設の利用者と非利用者との対立を招かないように注意することである。駐車場は、区分所有者全員の共有敷地の一部を特定の区分所有者が専用使用（一般的には管理組合と利用者の使用契約によることが多い。）するものであるから、一定の基準で秩序正しく利用しないと、非利用者から不満や苦情が出てくる。また、マンション敷地内に駐車できず敷地外駐車場を賃借している人との間で不公平感が生じないよう使用料の設定を考慮しなければならない。

駐車場については、機械式駐車場が増えているため、車種によっては、大きすぎて駐車場に駐車できず、トラブルになることもある。また、車輌の寸法は満たしているが、「車止め」位置により駐車できず、車止めの移動を求めてトラブルになることもある。契約を締結するときは、車種を確認する必要がある。

敷地内駐車場契約については、順番待ちになっているマンションで、解約が生じたときは、ルールに従い、直ちに、次の申込者と契約を締結し、未締結期間が生じないようにしなければならない。

標準管理規約（単棟型）コメント第15条関係（一部抜粋）

③　使用者の選定方法をはじめとした具体的な手続、使用者の遵守すべき事項等駐車場の使用に関する事項の詳細については、「駐車場使用細則」を別途定めるものとする。

⑧　駐車場使用者の選定は、最初に使用者を選定する場合には抽選、２回目以降の場合には抽選又は申込順にする等、公平な方法により行うものとする。

また、マンションの状況等によっては、契約期間終了時に入れ替えるという方法又は契約の更新を認めるという方法等について定めることも可能である。例えば、駐車場使用契約に使用期間を設け、期間終了時に公平な方法により入替えを行うこと（定期的な入替え制）が考えられる。

なお、駐車場が全戸分ある場合であっても、平置きか機械式か、屋根付きの区画があるかなど駐車場区画の位置等により利便性・機能性に差異があるような場合には、マンションの具体的な事情に鑑みて、上述の方法による入替えを行うことも考えられる。

駐車場の入替えの実施に当たっては、実施の日時に、各区分所有者が都合を合わせることが必要であるが、それが困難なため実施が難しいという場合については、外部の駐車場等に車を移動させておく等の対策が考えられる。

(ウ) 集会室の運営に関する問題

集会室の運営に関しては、使用機会の均等に関して問題が生じてくる場合が多い。一部の人たちが反復して継続的に使用する場合が多く、客観的なルール作りが必要である。

そこには、使用の目的・要領・使用できる者の資格、使用に係る負担金(使用料)、ルールを守らない場合の対処方法などについて、具体的に明示しておくことが必要である。集会室は、居住者の誰もが参加可能なオープンスペースとしてコミュニティ形成の場となり得ることから、管理組合等が居住者と協力して、イベントを企画することなども、有効な方策といえよう。

(エ) ゴミ置き場の利用問題

ゴミ置き場の利用方法は、モラルの確立の問題である。問題を解決するためには、居住者の自覚はもちろんであるが、管理組合が指定日以外にゴミを捨てないよう広報活動を強化し（ゴミに放火される危険がある、生ゴミのにおいが発生するなど)、清掃キャンペーンなどを行い、居住環境の美化に積極的に取り組む必要がある。

ゴミ置き場も共有財産であり、自分の台所の一部という意識を持って生活を送るべきである。汚れたゴミ置き場は、近隣に対しマンションの評価を落としかねない。

清掃局によっては、ゴミの収集に来た際に、ゴミが分別されていない(燃えるゴミ、燃えないゴミ、プラスチックなどが同一のゴミ袋に入っている）場合、収集しないこともあるので、ゴミを出すときは、分別して出すよう、管理組合の取組みが必要である。

㈭ 音に関する問題

マンションにおいては、生活音が発生することは避けることができない。そして同音同質の音であっても、人により受け取り方も異なっている。そのため、相隣関係を気遣う共同生活への配慮が必要である。同じ音でも、全く顔を合わせていない人の出す音は「うるさい」と感じ、ふだんから付き合っている人の出す音は「うるさい」の程度が低くなる。音は気になりだしたらなんでも騒音になるが、日頃のコミュニケーションをよくし、良好なコミュニティを形成していると、相手への思いやりも生まれ、クレームとならないこともある。

生活騒音の問題が、音の被害を受けているという居住者と発生源者（加害者）との間で解決されない場合には、管理組合・管理会社に相談が寄せられることもある。また、騒音がひどいという場合には、関係住戸の音量測定をするなど、具体的な対策も必要となり、受忍限度を超えたときは、違法性を帯び不法行為となることもある。

なお、当然のことながら、管理組合・管理会社はその当事者間の問題を直接解決する立場にはないことに留意し、マンションにおける生活ルールの一つとして、他人に迷惑をかける行為を禁止しており、生活騒音もその一つであるため、居住者の意見を十分踏まえたルールを設定する必要があるといえる。

㈮ 駐輪場問題

駐輪場の収容能力以上の自転車が保有、使用されていることにより、様々な問題が発生する。駐輪場の拡張を検討することは一つの解決方法ではあるが、ここではむしろ自転車所有者の使用マナーの向上、居住者全員での不要自転車の一斉整理等を勧めてみたい。それでも解決できない場合には、登録制による所有自転車の制限、駐輪場使用料による規制となる。自転車の一斉整理後、廃棄する方法については、所有者の同意を求めることや廃棄する旨の掲示を一定の期間行うなどルールを定めておくことも大事である。

最近のマンションの中には、共用の自転車（自転車シェアリング）を導入し成功しているところも出てきているが、この方法で成功する条件として、日常の中での良好なコミュニケーションの存在が不可欠である。

③　区分所有者の工作物責任と損害保険

㈦　工作物責任と損害賠償責任

建物その他土地に接着して築造された物（例えば、建物、塀等）を「土地の工作物」といい、民法は、土地の工作物の設置又は保存に瑕疵があることにより他人に損害を生じたときは、一次的にはその占有者が損害賠償責任を負い、占有者が損害の発生を防止するのに必要な注意をしたことが証明されたときは、二次的に所有者が損害賠償責任を負うとしている（民法717条１項）。所有者は自分に過失がなかったことを立証しても免責されないのである（無過失責任）。これを「土地工作物責任」という。

区分所有建物も「土地工作物」であるから、その設置又は保存上の瑕疵により他人に損害を生じたときは、占有者又は区分所有者が損害賠償責任を負うが、区分所有建物の場合は、その瑕疵が専有部分の設置又は保存にあるのか、共用部分のそれにあるのかによって損害賠償義務者が異なる。専有部分の瑕疵によって損害が生じたときは、当該専有部分の占有者又は区分所有者が賠償責任を負い、共用部分の瑕疵により損害が生じたときは、当該共用部分を共有する区分所有者全員が共同して賠償責任を負うことになる（専有部分の占有者は、共用部分の占有者ではないので、共用部分の瑕疵により生じた損害については、責任を負わない。）。したがって、被害者は、損害賠償を請求するに当たって、賠償義務者を特定するために瑕疵の存在した場所を特定しなければならない。しかし、建築業者などの専門家ならいざしらず、一般の人が外部から建物の内部に存在する瑕疵の存在場所を特定することは容易なことではなく、例えば、ガス漏れを原因とする爆発によって建物が滅失した場合、漏水による被害が発生した場合などでは、瑕疵の存在場所を特定することは難しいことが多い。

瑕疵が専有部分にあるのか共用部分にあるのかを明らかにすることが難しい場合において、被害者は、その欠陥が専有部分についてあるのか、共用部分についてあるのかを主張、立証しなければならないが、それが不明であるときは、損害賠償責任を負う者を特定することができないということになる。このため、区分所有法９条は、被害者の立証責任を軽減するために、「建物の設置又は保存に瑕疵があることにより他人に損害を生じたときは、その瑕疵は、共用部分の設置又は保存にあるものと推定する」とし、その欠陥が特定の専有部分の設置又は保存にあることが証明されない限り、区分所有者全員が共同して賠償責任を負うべきこととしている。

分譲マンションで漏水事故が発生した場合の賠償責任は、次に従って対処するものとする。

㋐　事故の原因が特定の組合員等の不法行為（不注意、過失）にある場合
賠償責任は当該原因者が負う。

㋑　事故の原因が、故障、不具合等にある場合

(a)　事故が契約不適合責任期間内又はアフターサービス期間内に発生した場合
売主である不動産会社に対し、売買契約書に基づく修補又はアフターサービスを請求する。

(b)　事故が契約不適合責任期間又はアフターサービス期間を過ぎて発生した場合

(i)　原因箇所が専有部分に属する場合は、そこを使用する占有者に過失がある場合を除いて、その所有者（組合員）が賠償責任を負う。

(ii)　原因箇所が共用部分である場合は、管理組合で賠償責任を負う。

(iii)　「原因箇所が特定できない場合」又は「原因箇所を特定することはできたが専有部分又は共用部分のいずれに属するのか判断できない場合」は、その責任は区分所有法９条により共用部分にあるとみなされるので管理組合で賠償責任を負う。

このような漏水事故が発生すると、加害者と被害者でトラブルが生じることが多く、解決までに時間を要することがあるので、これらの事故に対応するため、賠償責任保険を付保していることが多い。このようにマンションにおいては、共用部分に対する火災・爆発・漏水などの災害に対する備え、及び共用部分の事故により他人に損害を与えた場合の賠償問題に対応するために各種の保険に加入している。

(イ)　マンションを取り巻く危険

㋐　火災・爆発

建物に大きな損害をもたらすのは火災と爆発である。特に爆発は、コンクリートの壁や床スラブまでも破壊し、場合によっては隣接建物にまで被害を与え、多くの死傷者さえ出す恐ろしい災害である。

㋑ 電気的・機械的事故

マンションを維持するために陰で活躍している多くの機械設備は、建物にとって心臓のような役割を果たしている。諸機械が高精度化した今日では、壊れた機械の修理費も意外にかさむものである（例えば、避雷針への落雷で管理室の配電盤に強電流が流れ、インターホンが通じなくなったなど）。

㋒ 管理責任

分譲マンションでは、一般的に理事長が管理者であるが、管理者は、管理する建物・設備に起因する事故や仕事の遂行上、居住者や第三者の身体や財物に損害を与えた場合、被害者に対して賠償責任を負うことがある（例えば、看板が倒れたり落ちたりして通行人にケガをさせたとき、エレベーターの管理不良により乗客がケガをした場合、共用廊下の天井がはがれ落ちて居住者にケガをさせた場合、マンションの外壁のタイルがはがれ落ちて隣家の屋根を破損させた場合、共用部分の給排水設備の整備不良で水漏れ事故が発生して居住者の部屋に損害を与えた場合など）。

㋓ ガラスの破損

マンションの玄関ロビー部分には、大きなガラスを使用していることが多いが、何者かの衝突やいたずらなどにより破損させられることも少なくない。また、外部から石が飛んできてエントランスのガラスなどを破損させることもある。

㋔ 区分所有者（居住者）責任

全自動洗濯機を回したまま外出して、何かのはずみで給水ホースがはずれ長時間放水状態による、階下の部屋の水損、電気温水器の事故による漏水、専有部分の給排水管（床配管）の亀裂からの漏水などによる水損、バルコニーで遊んでいた子供が不注意でおもちゃを階下に落とし、通行人に大ケガをさせたなどにより賠償責任を負うことがある。

(ウ) 管理組合と損害保険

区分所有の形態であるマンションは、権利関係上は専有部分と共用部分で構成され、利用上では住宅に対する考え方の違いや生活様式の異なる様々な人々が共同居住するという特質がある。マンションは壁、天井、床を境界として高密度に集積された住宅であり、多数の人々が日常生活を行っていることから、漏水、火災、ガス爆発、附属設備の事故など多様な事故が発生し、また、自然災害による影響を受ける。そして、いったん事故などにより建物に損害が発生すると原状回復のためには多大な費用を必要とするため、このような事故等に備えた対策が必要となり、その一つの方法として保険がある。

マンションの特質を前提として、区分所有法は、マンションの共用部分、区分所有者の共有に属する建物の敷地及び附属施設について、損害保険契約をすることは共用部分等の管理に関する事項とみなすと定めている（区分所有法18条４項、21条）。

共用部分等について損害保険契約をすることとは、一般的に、共用部分等が損傷又は滅失した場合に、管理組合の損害を回復することである。

損害を回復するには、保険金を受領することであるが、区分所有関係の解消に至る場合を除いて、一般的には、むしろ、その保険金を修復・復旧の費用に充当することを目的としているといえる。

換言すれば、損害保険の付保は、マンション管理組合の運営を継続的に維持するための措置であるともいえる（損害保険の付保及び種類と内容の詳細については、第２編第１章第２節「７　管理組合と損害保険」を参照）。

（４）管理組合と訴訟

①　組合が訴訟を提起するとき

管理組合が訴訟を提起するのには様々なケースがある。区分所有法に基づく訴訟のほか、民法や建築基準法といった法規に基づくものもあり、管理に携わる者にとって幅広い知識が必要とされるとともに弁護士への依頼も事前に考慮する必要がある。訴訟の提起は規約又は総会の決議事項（区分所有法26条４項、57条～60条等）となるので（管理者が原告となるには、規約又は集会の決議による。）、総会を事前に招集し、その訴訟の内容、理事長が原告となる旨及び弁護士費用も含めた訴訟費用の概算を予算化し、承認を受けなければならない。

(ア) 民事訴訟の当事者能力の確認

管理組合法人は法律上の権利義務の帰属主体となるので、民事訴訟法上の当事者能力（民事訴訟の原告又は被告となることのできる資格）が認められる。法人でない管理組合は管理規約が定められ、理事長等の代表者が選出され、その運営方法などが明確になっている場合には一般的に「権利能力なき社団」とされ、民事訴訟法上の当事者能力があるとみなされる。

民事訴訟法第29条（法人でない社団等の当事者能力）

法人でない社団又は財団で代表者又は管理人の定めがあるものは、その名において訴え、又は訴えられることができる。

【参考判例】

最判昭39.10.15（判時393号28頁、判タ169号117頁）

「権利能力のない社団といい得るためには、団体としての組織を備え、多数決の原理が行われ、構成員の変更にもかかわらず団体そのものが存続し、その組織において代表の方法、総会の運営、財産の管理その他団体としての主要な点が確定していることを要す」

(イ) 誰が原告となるか

管理組合法人又は権利能力なき社団とされる管理組合は、民事訴訟法上の当事者能力があるので、管理組合法人又は管理組合自体が原告になり被告になることができる。もっとも、法人格のない管理組合が訴訟を提起する、あるいは提起される場合について、区分所有法26条4項では「管理者は、規約又は集会の決議により、その職務（第2項後段に規定する事項を含む。）に関し、区分所有者のために、原告又は被告となることができる」と規定している。つまり、管理者はその職務権限に属する事項について、規約又は集会の決議により訴訟追行権が与えられているときは、管理者は裁判の原告又は被告になることができるのである。したがって、管理組合自体が民事訴訟の当事者とならなくても、管理者を当事者として訴訟を追行することも可能である。なお、規約により訴訟追行権を与えられている管理者が原告となって訴えを提起し、又は自己を被告とする訴えが提起されたときは、遅滞なく、その旨を区分所有者に通知しなければならない(区分所有法26条５項)。

管理者が原告又は被告となった裁判の判決の効力は、区分所有者全員に及ぶものであり、管理者が敗訴した場合において、区分所有者が再度訴えを起こすことはできない。また、その訴訟に要した費用は区分所有者全員が負担しなければならない。

(ウ) 訴訟の基準をどこにおくか

㋐ 法的な裏付けがあるか

管理組合が訴訟を提起しようと考えた場合に、まず検討しなければならないことは、「何を根拠とする訴訟なのか」「根拠（裏付け）となる法律・規約はあるのか」「どの条文に基づくものなのか」といったことである。訴訟の内容、相手方によって裏付けとなる法規は当然変わるものであるし、また、管理組合の訴訟戦略として、法的な裏付けをどれにするかといった検討も必要となるが、最初にやるべきことは法的な裏付けを明確にしておくことである。

多くの場合は、管理組合の訴訟相手となるのは、区分所有者や占有者である。当然、その法的な裏付けの中心となるものは区分所有法と管理規約であり、組合運営に携わる者は基本的な知識としてこれらを熟知しておくべきである。また、訴訟の相手方が施主（売主）・施工者や近隣住民等の場合は、民法や建築基準法といった法規に基づく事例が多くなってくるので、それらの基礎知識は習得しておく必要がある。

㋑ 組合の不利益は何か

次に検討すべきことは、相手方の行為により生じる管理組合にとっての不利益は何か、その不利益が現に生じているのか、又は予測されるのかといった点を明確にしておくことである。

区分所有法では６条１項・３項において「区分所有者（及び占有者）は、建物の保存に有害な行為その他建物の管理又は使用に関し区分所有者の共同の利益に反する行為をしてはならない」と規定しており、標準管理規約においても同様の規定がある。キーワードは「建物の保存に有害な行為」「共同の利益に反する行為」である。

㋒ 不利益の度合い

管理組合が受ける不利益の度合いを客観的に測ることも重要である。いくら管理規約に違反し、共同の利益に反する行為があったとしても、何でも訴訟を提起すればよいというものではない。その不利益の度合いが社会通念上、受忍限度を超えるものかどうかの判断をする必要がある。逆に、訴訟において勝訴するためには、これだけの不利益を管理組合が被っている、あるいは被りそうだということを具体的な事実の積み上げにより主張することである。

共同生活関係が営まれるマンションにおいては、これらの民法上の権利行使のみでは不十分な場合がある。そこで区分所有法では、次のような義務違反者に対する措置を別途定めている。

㈣ 区分所有法における法的措置

㋐ 義務違反者に対する措置

区分所有者及び占有者は、建物の保存に有害な行為その他建物の管理又は使用に関し、共同の利益に反する行為をしてはならない義務を負っているにもかかわらず、管理費等を長期にわたって滞納したり、専有部分に危険物を持ち込んだり、異常な騒音・振動を発するような人が現れることがある。このような場合、区分所有者は、民法上、その義務違反者に対して損害賠償を請求したり、行為の差止めを請求することができる。その根拠は「不法行為による損害賠償（民法709条）」と「区分所有権及び共用部分の共有持分に基づく物権的請求権」によるものである。しかし、区分所有建物における円滑な共同生活を保障するために、区分所有法（以下「法」という。）は、(i)共同の利益に反する行為の停止等の請求（法57条）、(ii)専有部分の使用禁止の請求（法58条）、(iii)区分所有権・敷地利用権の競売の請求（法59条）、(iv)占有者に対する契約解除・引渡し請求（法60条）を規定している。

(a) 共同の利益に反する行為の停止等の請求（法57条）

区分所有者又は占有者が建物の保存に有害な行為その他建物の管理又は使用に関し区分所有者の共同の利益に反する行為をした場合、又はその行為をするおそれがある場合には、他の区分所有者の全員又は管理組合法人は、その行為を停止し、その行為の結果を除去し、又はその行為を予防するため必要な措置をとることを請求することができる。

差止めの形態には、次のようなものがある。

(i) 違反行為の停止を求めるもの

行為そのものをやめさせることで、例えば、夜間の楽器の演奏音がうるさい場合に、その演奏の停止を請求するなど

(ii) 違反行為により生じた結果の除去を求めるもの

違反行為が行われる前の状態に回復させることで、例えば、共用部分である廊下を荷物置場として使っている区分所有者に対し、荷物を取り除くように請求するなど（ただし、置き配が認められている場合には注意が必要）

(iii) 違反行為を予防するための必要な措置をとることを求めるもの

違反行為を未然に防ぐために、例えば、騒音が生じるおそれがある場合に、防音装置の設置を請求するなど

この差止め請求は裁判外でも裁判上でも行使できるが、訴訟により差止めを請求するには、まず集会を開催し、差止め訴訟を起こすことについて区分所有者及び議決権の各過半数の決議を得なければならない。

次に、訴えを提起できるのは、義務違反者以外の区分所有者全員又は管理組合法人である。各区分所有者が単独で訴えを起こすことはできない。管理組合が法人化されているときは、理事が法人を代表して行うが、非法人である管理組合の場合、原則として、他の区分所有者全員が共同で行うことになる。しかし、必ず全員で訴えを起こさなければならないとすると大変不便なことになるので、集会の決議により（あらかじめ規約で定めておくことはできない。）、管理者（標準管理規約上では管理者である理事長）又は集会において指名した特定の区分所有者に訴訟追行権を与えることができる。訴訟追行権を与えられた者は、義務違反者以外の区分所有者全員の利益のために訴訟を提起しなければならない。この訴訟追行による判決の効力は、区分所有者全員に及ぶ。

(b) 専有部分の使用禁止の請求（法58条）

区分所有者が共同の利益に反する行為を行った場合、又はその行為を行うおそれがある場合において、その行為により他の区分所有者の共同生活に著しい障害を来し、差止め請求をしてもその障害を取り除

いて共用部分の利用の確保、その他共同生活の維持を図ることが困難であるようなとき（例えば、騒音の発生の程度がひどく再三警告しても行為を停止しないような場合など）には、訴訟により、その専有部分の使用の禁止を請求することができる。悪質な義務違反者に対する強力な制裁措置の一つである。一時的にせよ、区分所有者から専有部分の使用権を強制的に奪う措置であるので、差止め請求の場合よりも厳しい要件と手続が必要とされている。

第１に、義務違反の程度が著しいために、差止め請求では共同生活を維持することが困難な場合にのみ、使用禁止請求ができる。その程度に至らない場合には、差止め請求によることになる。

第２に、区分所有者及び議決権の各４分の３以上の多数による集会の決議が必要である。その際、義務違反者にあらかじめ弁明の機会を与えなければならない。

第３に、必ず訴訟によらなければならない。裁判外で使用禁止を請求しても、法律上の効果はない。

第４に、訴訟は義務違反者以外の区分所有者全員（管理組合）又は管理組合法人（理事が法人を代表して行う。）が提起しなければならない。ただし、非法人である管理組合の場合には、集会の決議で管理者又は集会で指定した区分所有者に訴訟追行権を与えることができる。

裁判において原告勝訴の判決が下された場合、被告である区分所有者は、相当な期間にわたって専有部分を使用できなくなる。相当な期間とは、事情によってその長さが異なるが、一般的には共同生活の円滑な維持を図るため、その使用を禁止することが相当と認められる期間であると解されている。

条文上は「専有部分」の使用禁止となっているが、共用部分並びに敷地及び附属施設も使用できない。区分所有者のほか、その家族も使用することができない。しかし、他人に賃貸することは許される。

(c)　区分所有権・敷地利用権の競売の請求（法59条）

最も悪質な義務違反者に対しては、最後の手段として、訴えをもって区分所有権及び敷地利用権を本人の意思にかかわらず、強制的に競売することを請求することができる。競売、すなわち強制的な売却により義務違反者から区分所有権及び敷地利用権を奪い、その者を区分所有関係から完全に排除してしまう最も強力な制裁措置である。

それゆえ、競売請求が認められるのは、義務違反行為による区分所有者の共同生活上の障害が著しく、差止め請求及び使用禁止請求をもってしても、他の区分所有者の共同生活の維持を図ることが困難な場合に限られる。区分所有者間でトラブルが生じた場合の最終的解決手段である。したがって、区分所有者の共同の利益に反する行為の態様によっては、差止め請求又は使用禁止請求をしないで、いきなり競売請求をすることができる場合があると解される。

その他の要件・手続は、前記(b)使用禁止請求の場合と同じである。

原告勝訴の判決が確定すると、原告は民事執行法の定めるところに従い、裁判所に区分所有権及び敷地利用権の競売を申し立てることができる。訴えが認められても、自動的に競売手続が始まるわけではないので、管理者等は競売の申立てを、判決が確定した日から６カ月以内にしなければならない。

競売により、誰かが区分所有権と敷地利用権を買い受けることになるが、義務違反者本人又はその者の計算において買い受けようとする者（区分所有者が実際にはお金を出すのだが、名義上は他の者が買受人となる場合）は、買受けの申出をすることができない。なぜなら、これらの者の買受けを許すと、義務違反者の排除を目的としてされた競売の意義がなくなるからである。

(d)　占有者に対する契約解除・引渡し請求（法60条）

専有部分の賃借人などの占有者も、区分所有者の共同の利益に反する行為をしてはならない義務を負っているので、占有者がこの義務に違反した場合、区分所有者全員又は管理組合法人は、まず、その違反行為の差止めを請求することができる。

しかし、占有者の義務違反の程度が著しくて、差止め請求によるだけでは区分所有者の共同生活の維持を図ることが困難な場合には、訴えをもって（集会の特別決議）、賃貸借などの契約を解除し、専有部分を引き渡すように請求することができる。義務違反者である占有者を区分所有建物から排除してしまう強力な制裁措置である。共同の利益に反する行為をした区分所有者に対する使用禁止請求、及び競売請求が認められているので、占有者から専有部分の利用権を奪う請求権が認められるのも当然のことといえる。

専有部分の引渡し等の請求の要件・手続は、前記(b)使用禁止請求の場合と同じである。ただし、占有者に対しては、あらかじめ弁明する機会を与えなければならないが、賃貸人である区分所有者に対しては、弁明の機会を与える必要はないとしている。

この引渡し請求訴訟は、占有者と賃貸人である区分所有者を共同被告として提起される。そして、判決が認められた場合、占有者は原告である管理者等に対して専有部分を引き渡すことになるので、引渡しを受けた管理者等は、その後遅滞なく、当該専有部分を賃貸人である区分所有者に引き渡さなければならない。

【参考判例】

占有者に対する引渡し請求をするための集会決議で、その区分所有者に弁明の機会が不要とされた事例〔最判昭62.7.17（判時1243号28頁、判タ644号97頁）〕

（判決要旨）

区分所有法第60条に基づき占有者に対する引渡し請求をするため集会決議において、共同の利益に反した場合の賃貸借契約解除等の訴訟提起に当たり、当該区分所有者に弁明の機会を与える必要はない。

㋑　管理費等の滞納者に対する措置

(a)　法的手続等

管理組合が建物の共用部分、敷地及び附属施設の管理を行うために必要な経費として各区分所有者から徴収する管理費、修繕積立金等について、区分所有法は19条において「各共有者は、規約に別段の定めがない限りその持分に応じて、共用部分の負担に任じ、共用部分から生ずる利益を収取する」と規定している。この規定により、各区分所有者は管理費等を負担する法的義務がある。これが、任意に支払われていれば全く問題はないが、支払わない者に対しては、法的手続等を行うことになる（滞納管理費等の法的手続等の詳細については、第４編第１節「８　滞納管理費等の督促」を参照）。

(b)　特定承継人の責任（法８条）

管理費等が滞納されたまま、区分所有権が譲渡されるケースはよくあることだが、そういう場合、誰に対してその滞納分の管理費等を請求すればよいのか。

結論からいうと、譲渡人（売主）と譲受人（買主）の双方に対して請求することができる。区分所有法８条において、区分所有者が共用部分、建物の敷地若しくは共用部分以外の建物の附属施設につき他の区分所有者に対して有する債権又は規約若しくは集会の決議に基づき他の区分所有者に対して有する債権、管理者がその職務を行うについて区分所有者に対して有する債権、管理組合法人がその業務を行うにつき区分所有者に対して有する債権は、債務者たる区分所有者の特定承継人（譲受人）に対しても行うことができると定められている。

相続や合併のような包括承継によって区分所有権の移転が生じた場合には、前の区分所有者は死亡や解散によって消滅し、その権利義務一切が承継人に引き継がれるので、前者に対する請求権が残る余地はない。

これに対し、譲渡のような特定承継の場合には、いったん発生した前区分所有者に対する管理費等の支払請求権（その支払義務）は、消滅することはない。したがって、管理費等が滞納されたまま区分所有権が譲渡された場合でも、譲渡人と譲受人の双方に対して請求することができることには、疑いがない。

譲渡人の債務と譲受人の債務は、どちらか一方が履行すれば、それで他方の債務も消滅することになる。ただ、その両者の負担関係は、譲渡人と譲受人の当事者間の契約によって決まるもので、どちらが負担するものとしても差し支えない。ただし、当事者間の約束は管理組合の請求権とは関係がないので、その内部関係にかかわらず、管理組合はどちらに対しても請求することができる。

(オ) 弁護士への法律相談

弁護士へ依頼する、しないにかかわらず、訴訟を提起する前に、弁護士や自治体、民間機関等の関係窓口に相談することも重要である。管理組合側が正しいと信じていることが、過去の判例を調べてみると否定されていたり、社会通念から考えたときに管理組合側にも非があるとされるケースもある。こういう相談結果を無視して訴訟を提起しなければならない場合もあるかもしれないが、多額の費用と労力を費やすことを考えれば、慎重な対応と戦略の策定が望まれる。

訴訟の内容や裁判の長期化によっては多額の費用を要する場合がある。当然その裁判にかかる費用は管理組合で用意しなければならないものであるから、費用の事前確認は重要な業務の一つである。

管理組合が訴訟を提起するときに、通常、原告となるのは管理組合の代表者である理事長であるが、理事長が訴訟に関してすべてを一人で行うことは難しいことであろう。一般的には訴訟代理人ということで弁護士に依頼するケースが多く、そういった弁護士費用のほか、印紙代、切手代なども含め裁判諸費用がどの程度かかるのか、また、訴訟の内容によっては高額の供託金が必要となる場合もあるので、弁護士への事前確認を忘れてはならない。

訴訟の提起は、規約又は総会の決議事項となるので（管理者が原告となるには、規約又は総会の決議による。）、総会を事前に招集し、その訴訟の内容、理事長が原告となる旨及び弁護士費用も含めた訴訟費用の概算を予算化し、承認を受けなければならない。

② 管理組合が訴えられたとき

管理組合が訴えられたときには、どういう対応をとるべきであろうか。管理組合が訴えられるケースとしては、総会の決議に対するもの、規約の適用に関するものが圧倒的に多い。訴える側であれば事前に検討する時間は十分とれるが、訴えられたときには、それに対応するための時間的余裕がないのが通常である。短い時間で的確に対応し、成果を収めるためには次のような流れを頭に入れておくべきである。また、理事長（管理者）は、遅滞なく、組合員に訴えられた旨を通知する義務がある（区分所有法26条５項）。

〔対応する手続〕

(ア) 理事会の招集

通常、被告となるのは管理組合の代表者であるので、理事長は訴状を受け取った段階で、速やかに理事会を招集する。理事会の招集が難しいときには、役員の数名でも集めて今後の対応を検討すべきであり、これらが遅れることは管理組合にとってのちのち不利となってくるので、速やかな対応を心掛けねばならない。

㋐ 訴えの内容確認

理事会においては訴状を基に、その内容確認をまず行う必要がある。訴えの内容を十分に把握するには、訴状に書かれている内容を一つひとつ整理し、相手方が主張している事実関係を確認する作業を行い、事実関係の違う箇所や、相手方の主張の矛盾する点などを整理しておくようにすることが重要である。

㋑ 理事会方針の決定

次に行うべきことは、管理組合としてどういう対応をとるのか、理事会方針を決定することである。最終的な理事会方針を決定するまでには、過去の同一ケースと思われる判例を確認したり、弁護士などへ相談するといったことも重要なポイントである。また、裁判の推移によっては重要な節目ごとに理事会を招集し、今後の方針を決定することが必要である。

(イ) 総会の招集

理事会の方針が決定したら次は総会の開催である。管理組合全体の問題として総会の場において、区分所有者全員に対して訴えの内容、理事会で決定した方針及び判決が出た場合の効力などについて詳しく説明したうえで、理事長が管理組合の代表者として被告となること、また、弁護士に依頼する場合はその旨の決議を併せて得ておく必要がある。ほかに、弁護士費用などの裁判費用の概算も明示しておくべきであるが、裁判の推移によってはどの程度の費用がかかるかわからないケースも多いので、それらの件も説明をし、同意を得ておくことである。

裁判が長期化する場合は、その経過を適宜、区分所有者全員に通知しておくことも重要である。通知を怠ると、何も知らされない区分所有者は裁判の行方を心配するだけでなく、理事長は何か隠しているといったような不信感を抱きかねない。ひいては、訴訟をきっかけに管理組合自体の対応にまとまりが欠けることになりかねないので、十分留意すべきポイントである。

③ マンションに関する訴訟例

区分所有法にかかわる最近の最高裁判例は「第２編　区分所有法とマンションに関する事項」に記載されているが、そのほかにも訴訟としては、次のようなものが提起されている。

㋐　ペットの飼育禁止、㋑　暴力団事務所としての使用、㋒　管理会社名義の預金口座からの支払請求、㋓　特定の専有部分のために利用される排水管の枝管の帰属、㋔　議案の要領の通知を欠いた集会決議の効力、㋕　議決権の計算方法に誤りのある決議の効力、㋖　義務違反者に対する措置における弁明の機会の付与、㋗　共用部分に設置した壁の撤去請求、㋘　管理組合法人の訴訟追行権、㋙　管理費等の債権の消滅時効期間、㋚　管理組合法人の理事の権限の委任　等

※　上記の訴訟を参考として管理組合が対応することになるが、必ずしも同じパターンとは限らないので、事例ごとに詳細な差異について注意する必要がある。

第6編

建物及び附属設備の維持
又は修繕に関する企画
又は実施の調整関係

第1章 建物及びこれに附属する設備の維持保全関係

第1節 マンションの建築・設備の基礎知識

1 建築構造

（1）建物の高さ

① 低層住宅

1～2階の住宅をいう。

② 中層住宅

3～5階の住宅をいう。壁式構造は5階建てまでで採用される。

③ 高層住宅

主に6～19階程度までの広い範囲の住宅をいう。31m（おおよそ11階建て）を超えると建築基準法や消防法の適用が変わる。

④ 超高層住宅

高さが60mを超える集合住宅を超高層と呼んでいる。平成19年の建築基準法施行令の改正まで、60mを超える建築物は、「超高層建築物」と規定されていた。改正で、高さが60mを超える建築物に係る規定を建築基準法20条に位置付ける際に「超高層建築物」という定義は外された。しかし、便宜上の呼称として使われている。

（2）建物の材料

① 鉄筋コンクリート造（RC 造：Reinforced-Concrete）

鉄筋を組み上げた後、周囲に型枠を組み立て、コンクリートを打設し硬化した後、脱型して作り上げる。鉄筋とコンクリートの長所を互いに生かした構造で強さとねばり（靱性（じんせい））がある。

構造形式はラーメン構造（図１）や壁式構造（図２）が主であるが、工業化したプレキャストコンクリート（PCa）パネルを用いた工法もある。

従来は、20m 以下の建物に多く用いられ、中層又は８階程度までのマンションで最も一般的な構造であったが、耐震設計法の改正などにより20m以上の高層建築物でも RC 造で設計される例がみられるようになった。超高層マンションについては、従来は後述する SRC 造で造られていたが、近年は高強度コンクリートの技術開発が進み、高強度コンクリートを用いた RC 造も増えている。

② 鉄骨鉄筋コンクリート造（SRC 造：Steel-Reinforced-Concrete）

鉄骨造を鉄筋コンクリートで被覆したもの（図３）。外見では SRC 造、RC 造の区別はつかない。

③ プレキャストコンクリート工法

プレキャストコンクリート工法（PCa : Precast-Concrete）は、現場で型枠を作ってコンクリートを打設する工法に対して、工場や現場構内で製造した鉄筋コンクリート版（壁・床）や柱・梁などを現場で組み立て構築する工法である。マンションではプランの多様化による部材点数の増大や交通事情の悪化等により、現場内で製造する場合もある。また、PCa コンクリートと現場打ちコンクリートを併用する、ハーフ PCa（図４）等も多く用いられている。

具体的な例としては手すり壁を PCa コンクリートで製造し、床版を現場で打設する工法や、床を PCa コンクリートで成型された型枠材を敷き並べ、その上に現場で配筋しコンクリートを打設する工法などがある。

④ その他

鉄骨造（S 造）、木造（W 造）がある。

図１　鉄筋コンクリート造・ラーメン構造　出典：(一社)日本建築学会「構造用教材」

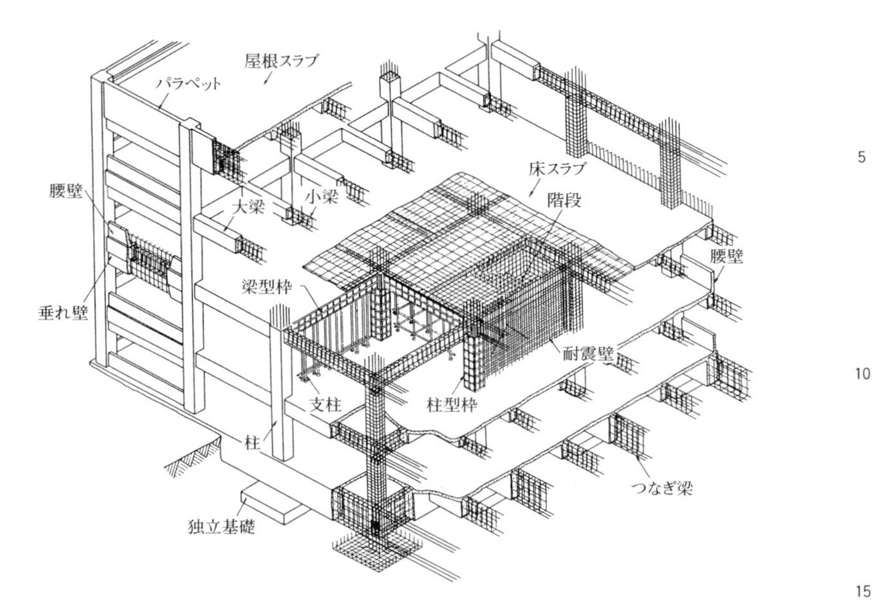

図２　鉄筋コンクリート造・壁式構造　出典：(一社)日本建築学会「構造用教材」

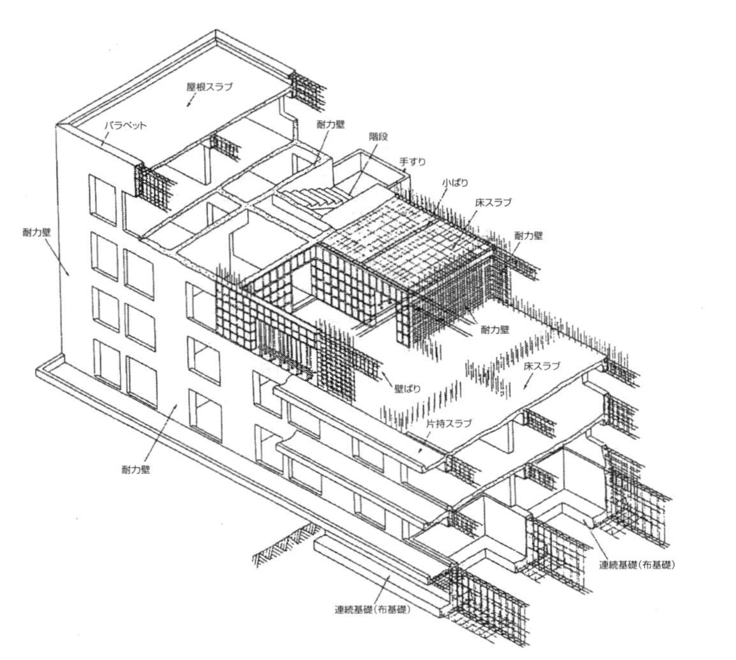

図 3　鉄骨鉄筋コンクリート造　出典：(一社) 日本建築学会「構造用教材」

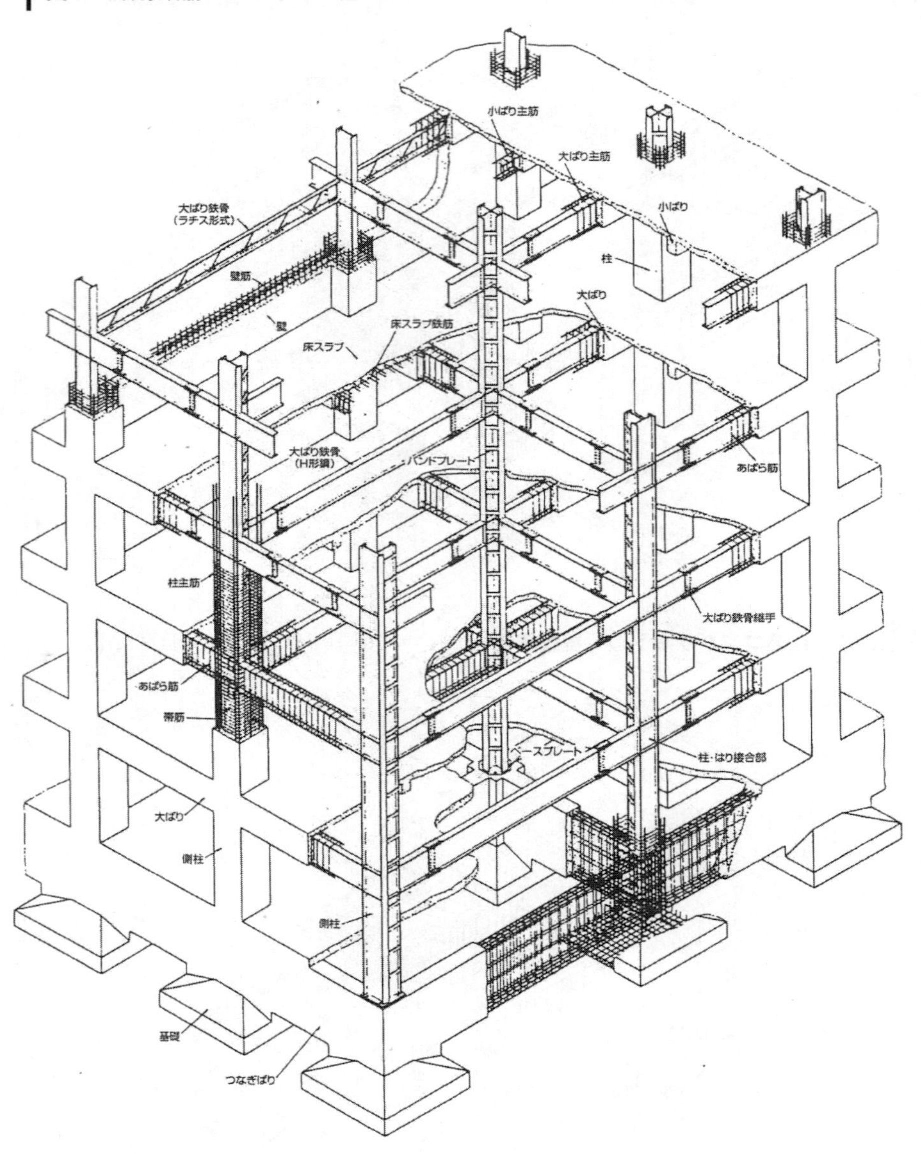

図４　プレキャストコンクリート工法（ハーフPCa）

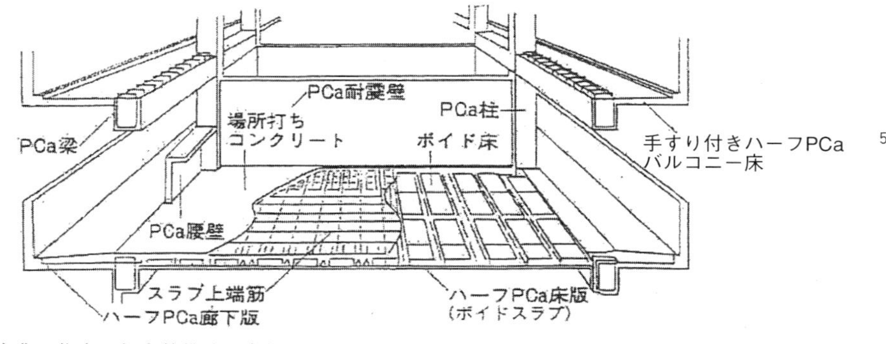

出典：住宅・都市整備公団資料

（３）建物の構造

①　ラーメン構造（剛接合構造）

柱と梁の接点を剛に接合して建物の骨組を構成し、荷重や外力に対応する構造形式である。低層住宅から高層住宅まで幅広く採用される。鉄骨造、鉄筋コンクリート造、鉄骨鉄筋コンクリート造等に用いられる。マンションでは、耐震壁（戸境壁）をラーメンフレーム面内に配置した、耐震壁付きラーメン構造が最も多く見られる。一方、耐震壁を持たないものは、純ラーメン構造と呼ばれる。

室内に柱型や梁型が生じるが、戸境以外の壁が少ないため間取りのプランがしやすい。アウトフレーム工法や逆梁工法などを採用することで、室内の柱型や梁型をバルコニー側に配置することも可能である。

②　壁式構造

鉄筋コンクリート造の壁によって荷重や外力に対応する構造である。主に５階建てまでのマンションで採用される。

壁の厚さは15～25cm 程度で、梁や柱型による凹凸がない室内空間を得ることができる。ただし、原則、上下階の外壁や間仕切壁を同じ位置にする必要があることから１階～５階まで同じ間取のプランの住宅に適する。

また、洋室と和室などの部屋の間仕切も鉄筋コンクリート造となる場合もあって、間仕切壁を撤去するようなリフォームは困難となる。

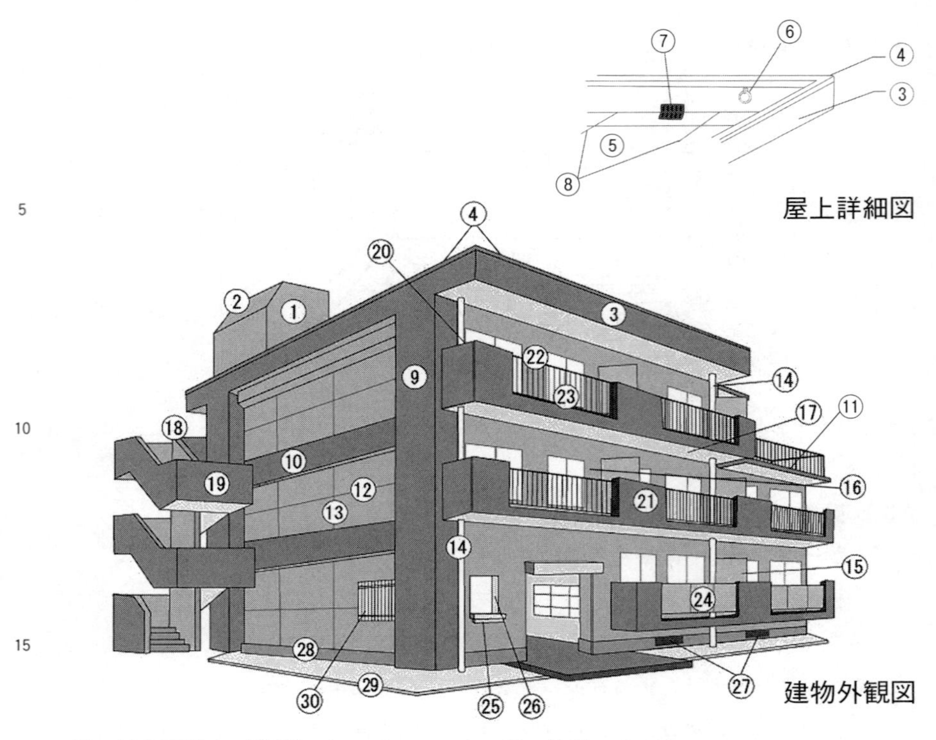

①	屋上機械室（塔屋）（ペントハウス）＝おくじょうきかいしつ（とうや）	⑯	袖壁＝そでかべ
②	斜壁＝ななめかべ	⑰	上裏＝あげうら
③	パラペット	⑱	階段手すり笠木＝かいだんてすりかさぎ
④	パラペット笠木＝かさぎ	⑲	階段手すり壁＝かいだんてすりかべ
⑤	屋根（保護防水）＝やね（ほごぼうすい）	⑳	バルコニー（ベランダ）手すり笠木＝てすりかさぎ
⑥	吊環（丸環）＝つりかん（まるかん）	㉑	手すり壁＝てすりかべ
⑦	ルーフドレン（横型）	㉒	トップレール（手すり笠木）
⑧	伸縮目地＝しんしゅくめじ	㉓	手すり子＝てすりこ
⑨	柱型＝はしらがた	㉔	パネル手すり
⑩	はり型＝はりがた	㉕	面台＝めんだい
⑪	ルーフバルコニー	㉖	抱＝だき
⑫	よこ目地＝めじ	㉗	床下換気孔＝ゆかしたかんきこう
⑬	たて目地＝めじ	㉘	巾木＝はばき
⑭	竪樋＝たてとい	㉙	犬走り＝いぬばしり
⑮	隔板＝へだていた	㉚	面格子＝めんごうし

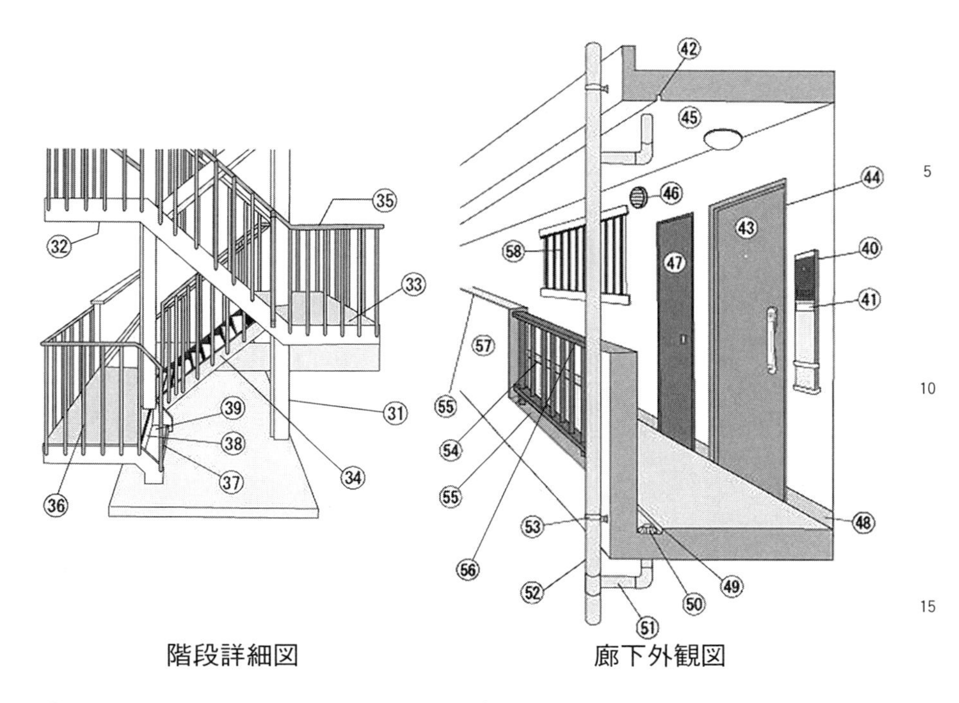

階段詳細図　　廊下外観図

㉛　階段柱＝かいだんばしら
㉜　上裏＝あげうら
㉝　踊り場＝おどりば
㉞　ささら
㉟　手すり笠木＝てすりかさぎ
㊱　手すり子＝てすりこ
㊲　ノンスリップ
㊳　蹴上＝けあげ
㊴　踏面＝ふみづら
㊵　玄関パネルユニット
㊶　室名板＝しつめいばん
㊷　水切り＝みずきり
㊸　玄関ドア
㊹　玄関枠＝げんかんわく
㊺　天井、上裏＝てんじょう、あげうら
㊻　換気ガラリ
㊼　PS 扉、MB 扉
㊽　巾木＝はばき
㊾　側溝、排水溝＝そっこう、はいすいこう
㊿　ドレン、排水口＝はいすいこう
51　呼び樋＝よびどい
52　竪樋＝たてどい
53　樋支持金具（でんでん）＝といしじかなぐ
54　金物手すり＝かなものてすり
55　笠木＝かさぎ
56　手すり笠木＝てすりかさぎ
57　手すり壁＝てすりかべ
58　面格子＝めんごうし

③　その他

マンションでの採用は少ないが、ブレース構造、トラス構造がある。

2｜部材

建築基準法2条（用語の定義）5号において、「主要構造部」とは、主に防火の見地からみて「壁、柱、床、はり、屋根又は階段をいい、建築物の構造上重要でない間仕切壁、間柱、付け柱、揚げ床、最下階の床、回り舞台の床、小ばり、ひさし、局部的な小階段、屋外階段その他これらに類する建築物の部分を除くものとする」とされている。

また、構造耐力上の見地からは、建築基準法施行令1条（用語の定義）3号において、「構造耐力上主要な部分」として「基礎、基礎ぐい、壁、柱、小屋組、土台、斜材(筋かい、方づえ、火打材その他これらに類するものをいう。)、床版、屋根版又は横架材（はり、けたその他これらに類するものをいう。）で、建築物の自重若しくは積載荷重、積雪荷重、風圧、土圧若しくは水圧又は地震その他の震動若しくは衝撃を支えるものをいう」とされている。

①　柱

屋根や床の荷重を支え、基礎に伝える役目を果たす垂直部材をいう。梁とともに構造上最も重要な部材である。ラーメン構造の場合は鉛直荷重のほか、地震時や風圧による水平力に対して、梁との接合部を剛にして柱で曲げモーメントを受け抵抗する。単独に立つ柱を独立柱、壁体と一体になっているものを壁付き柱という。

②　はり（梁）

梁には大梁と小梁がある。大梁は常時、床荷重による曲げモーメントとせん断力を受けているが、地震時には地震力の曲げモーメントとせん断力も受けることとなる。大梁は、これらの応力に関して安全である必要がある。小梁は地震力を負担せず、常時にかかる床荷重を大梁に伝達している。

③　壁（耐力壁・耐震壁）

構造物が地震力を受けた場合に、その構造物が持っている壁の中で耐震的に効果のある壁体。間仕切壁とは区別される。

④ 床（屋根）

床はスラブともいい、建築物の中で人や物の鉛直方向の面荷重を直接支える部分である。

⑤ 階段

高さの異なる床を、段状につなぐ構造物で昇降のために設けられる。足がかりとなる水平面の踏面と垂直面の蹴上で構成される。中間に踊り場を設けるのが一般的である。階段を設けるために造られた部屋を階段室という。

⑥ 非耐力壁（外壁・内壁）

非構造部材であっても、外壁に用いられる場合は屋根・床とともに空間の構成部材であり、雨・風・日射などの遮断性、風荷重・衝撃などからの安全性、耐久性、耐火性、意匠性などの機能が要求される。

内壁は内部空間を構成する。外壁と床・屋根で囲まれた空間を必要な大きさに区切るものが内壁である。音・光・熱などの遮断性、衝撃に耐える強度・耐久性、防火性とともに法的な要求も満たさなければならない。

3 マンションの建築物に使われる主な建築材料・工法

（1）コンクリート

コンクリートとは、セメント、水、細骨材（砂）、粗骨材（砂利）及び必要に応じて混和材料を材料としてこれらを練り混ぜたもの、又は硬化させたものである。モルタルは、コンクリートから粗骨材を除いたもので、セメント、水、細骨材（砂）を材料とする。

建築工事に用いられるコンクリートは、そのほとんどが工場で生産され、まだ固まらない状態のまま現場にトラックアジテータ車（コンクリートミキサー車）などで運搬される。このようなコンクリートをレディーミクストコンクリート（ready mixed concrete）といい、品質が日本産業規格（JIS A 5308）で規定されている。

コンクリートの特徴としては、1）引張強度に比べて圧縮強度が高い、2）剛性が高い、3）成形性がよい、4）経済性に優れる、5）材料を得やすい、6）水により簡単に硬化する、7）耐火性がある、8）鋼材との相性がよい（強アルカリ性、熱膨張率がほぼ同じ）、などがある。一方で、短所として、1）

引張強度が低い、２）ひび割れが生じやすい、３）重量が大きい、４）解体・廃棄が困難、５）まだ固まらない状態の性質が施工性に大きく影響する、などがある。これらの中の長所をいかし、鉄筋の発錆、引張強度の低いコンクリートの短所を補ったものが、鉄筋コンクリートである。

また、鉄筋コンクリート造建築物では、建設当初に本来コンクリートが持つpH12～13程度の強アルカリ性により内部の鉄筋が錆びることを抑制しているが、空気中の二酸化炭素などの影響により、このアルカリ性が徐々に失われていき中性に近づくことをコンクリートの中性化（pH10以下）と称している。これにより内部鉄筋が錆びやすい環境となる。鉄筋が錆びると錆びが膨張する圧力で外側のコンクリートを押し出す劣化現象も発生する（図５）。

図５　鉄筋コンクリートの劣化（鉄筋露出現象の例）

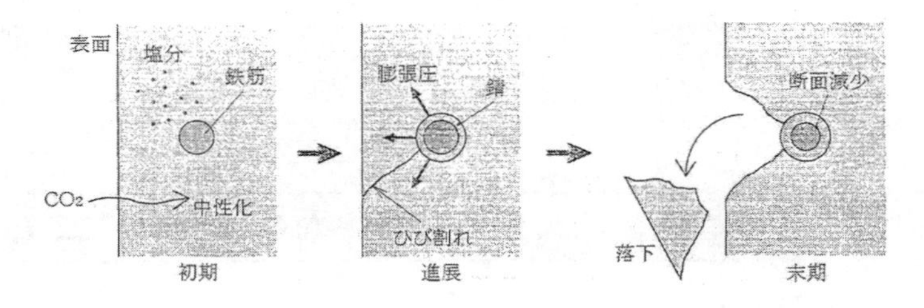

中性化深さの測定は、小径コアを採取しフェノールフタレイン溶液（１%濃度）を試薬として噴霧する。強アルカリ性の部位は赤紫色に呈色され、中性化（ph10以下）が進んでいる部位は着色しない。表面から赤紫色に呈色した部位の距離を中性化深さとして測定する。

この時の実測値と経過年数（築年数）を基準として、$\sqrt{t}$則（ルートティそく）を利用することにより今後の中性化の進行を予測することができる。（式１）

中性化深さが鉄筋（かぶり厚さ）まで進行する前に、適切な補修を行うことが必要となる。

式１　$C = A\sqrt{t}$

C；中性化深さ（mm）

A；中性化速度計数（簡便な方法として実測値、経過年数から逆算して求める）

t ；経過年数（築年数）

かぶり厚さとは、鉄筋を覆うコンクリート層の厚さのことをいう。正しくは、「鉄筋に対するコンクリートのかぶり厚さ」であるが、単に「かぶり厚さ」ともいい、最も外側に配置された鉄筋との距離を指す（図６）。

鉄筋コンクリート部材の耐久性、耐火性、および構造性能に重大な影響を及ぼす数値である。

その数値は、建築基準法施行令79条で規定されているが、（一社）日本建築学会「建築工事標準仕様書 JASS 5」では、耐久性、耐火性、構造性能を考慮した値が定められている。

図６

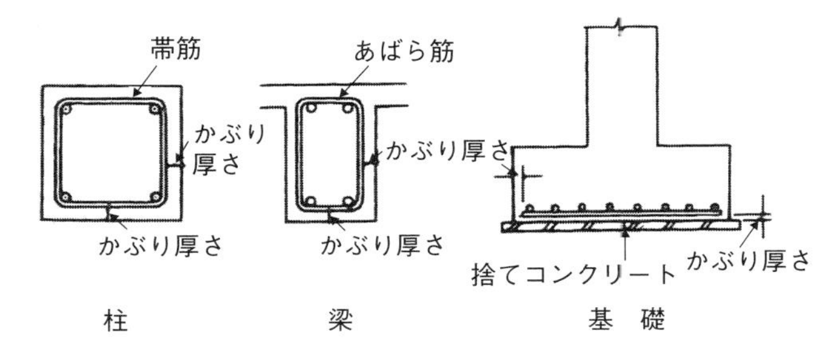

出典：（一社）日本建築学会「建築工事標準仕様書 JASS 5」

骨材中への塩分の混入に関しては、JASS（（一社）日本建築学会　建築工事標準仕様書）制定当初より「鉄筋コンクリートに用いる骨材は有害量の塩分を含まないとする」とされていた。しかし、関西以西の地域における海砂の使用が急増し種々の問題をもたらしたため、昭和50年には塩化物イオン濃度の制限が設けられ、昭和61年には塩分量総量規制である「コンクリートの耐久性確保に係る措置について」が建設省通達として規制された。また、さらにアルカリ骨材反応による被害（コンクリートのアルカリ性に対して化学反応を起こす骨材で、膨張し、ひび割れなどを発生させる。）も報告され、反応性骨材の使用可否及び抑制対策も盛り込まれた。

（２）外装仕上げ材（タイル）

①　タイルの種類

意匠性に優れるタイルは、耐候性に優れ、汚れにくい材料としてマンション外壁に多く使用されている。タイルの規格は、JIS A 5209（セラミックタイル）で定められており、用途、大きさ、素地等により区分される。主に外壁に使用されるタイルを表１に示す。

表１　外壁に使用される主なタイルの種類

分類	概要	材質		一般的な呼称と寸法	
		素地の質	吸水率	呼称	寸法（mm）
外装タイル	外壁に使用される平物の表面積が$50cm^2$を超える大きさのタイル	Ⅰ類 Ⅱ類 Ⅲ類	3.0％以下 10.0％以下 50.0％以下	小口 二丁掛 三丁掛 四丁掛 ボーダー	108×60 227×60 227×90 227×120 227×40等
モザイクタイル	内外壁、床に使用される平物の表面積が$50cm^2$以下のタイル			50角 50二丁	45×45 95×45

②　タイル下地

マンションにおける外装タイルの下地としては、主としてモルタルとコンクリートがある。コンクリートには、現場打ちコンクリートとプレキャストコンクリートがあり、プレキャストコンクリートは、バルコニー・開放廊下・階段室の手すり壁や、建物の外壁などに使用され、工場での生産時にタイルが先付けされる。また、現場打ちコンクリートでは、壁面全体に下地としてモルタルを施すものと型枠の継ぎ目部分など段差が生じた場合に部分的にモルタルによる補修が施される場合がある。このコンクリート下地に直接タイルを張る工法は直張りと呼ばれており、近年マンションでは、この直張りが多くなっている。

③　タイル施工法

外壁に対する主な施工法を図７に示す。マンションでは手張り工法が主流であるため、手張りの各工法について紹介する。

図７　タイル施工法

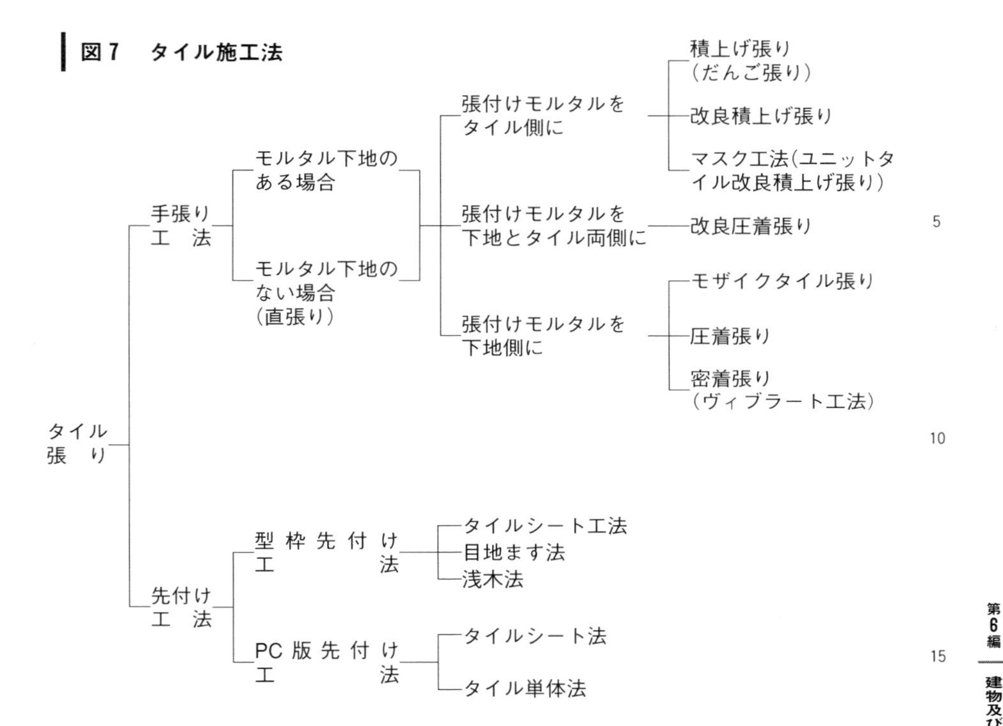

(ア)　積上げ張り

タイル裏面に貧調合の張付けモルタルをだんご状に載せ、壁面の下部から上部へ、面調整を行いながら積み上げていくようにしてタイルを張り付ける工法である。外壁では白華現象が生じやすく、施工能率も悪いことから、現在では採用されていない。昭和30年代以前の建物に多く採用されていた。

(イ)　改良積上げ張り

密着張りなどに比べて施工能率が悪いため、密着張りや改良圧着張りでは施工しづらい三丁掛以上の大形タイルに採用されるケースが多い。タイル裏面全面に張付けモルタルを平滑に塗り付けて、壁面の下部から上部へ積み上げるようにしてタイルを張り付ける工法である。この工法は、積上げ張りの欠点とされる白華を防止するために開発された工法で、積上げ張りは不陸調整のための下地を造らないが、改良積上げ張りでは精度のよい下地を作製する。

(ウ)　マスク工法

モザイクタイルに適用される。ユニットタイルの裏面に専用のマスクをかぶせて張付けモルタルを塗り付け、下地にユニットタイルをたたき板で張り付ける工法である。この工法は、モザイクタイル張りの塗り置き時間の問題を解決するために開発され、昭和50年代以降の建物に採用されている。

(エ)　改良圧着張り

下地に張付けモルタルを塗り付けるとともに、タイル裏面にも張付けモルタルを塗り付け、タイルを張り付ける工法である。圧着張りの塗り置き時間の管理不足によるタイル陶片の浮きを防止するために開発された工法である。

(オ)　モザイクタイル張り

下地に張付けモルタルを塗り付け、ユニットタイルをたたき板でたたいて張り付ける工法である。施工能率がよく、採用が多い。

(カ)　圧着張り

下地に張付けモルタルを塗り付け、カナヅチの柄などでタイルを張り付ける工法である。張付けモルタルの塗り付けからタイル張りまでのモルタルの塗り置き時間が長くなると、接着力が低下して浮きの原因となる。昭和30～50年代の建物に多い。

(キ)　密着張り

下地に張付けモルタルを塗り付け、専用の振動工具（ヴィブラート）を用い、タイル面に振動を与えながら張付けモルタルにタイルをもみ込むように張り付ける工法である。タイルを通してモルタルに振動を与えて接着させるため、圧着張りに比べてモルタルの塗り置き時間が長く取れるのが特徴である。目地は、タイルをもみ込んだときに目地部に盛り上がったモルタルを目地ごてで押さえて仕上げる方法と、他の工法と同様に張付けモルタルが硬化した後に目地詰めを行う方法とがあるが、前者の方法は深目地になりやすいため、現在では後者の目地詰めを行うケースが多くなっている。昭和50年代後半以降の建物で採用され、現在では外装タイルの施工法での採用割合が高い。

（３）外装仕上げ材（塗装）

マンションの歴史とともに塗装材料の開発も活発化し、マンションの内外壁には様々な材料、工法が使われてきた。表２は、建築工法の変化に伴う外壁仕上げ塗材の開発の流れを見たものである。

表２　建築工法の変化と外壁仕上げ塗材の開発の流れ

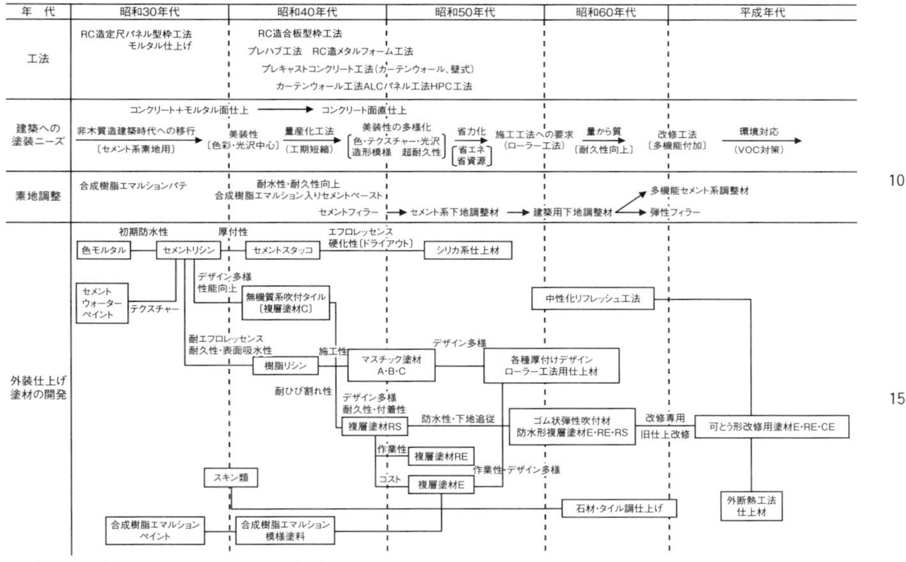

①　建築用仕上げ塗材の種類

マンション外壁の仕上げに用いられる塗装材料は、「コンクリート壁体＋モルタル等面」への仕上げから「コンクリート面に直接仕上げる」というニーズの変化に対して、塗料のように単に薄膜の色・光沢のみの美装性ではなく、立体模様によるテクスチャーを持ち厚膜に仕上げる「建築用仕上塗材」としての開発がなされ、急速に発展した。

建築用仕上げ塗材の品質はJIS A 6909（建築用仕上塗材）により規定されており、以下に各塗材の特徴を述べる。

㈠　薄付け仕上げ塗材

薄付け仕上げ塗材は「セメントリシン」の通称で代表される古くからある吹付け仕上げによる材料で、砂壁状の仕上げができるものとして、上裏などに多く用いられた。しかし、セメントが主成分であるためエフロレッセンスが発生するなどの不具合が生じ、それらの解決と品質向上の目的で、合成樹脂エマルションを結合材として用いた「樹脂リシン」と通称される薄付け仕上げ塗材がその主流となった。

その施工は吹付けのみであったが、施工の合理化を図るために塗装用ローラーにより施工ができる「マスチック塗材」が開発され、公団住宅などを中心として普及するようになった。現在では塗膜に可とう性があり、素地の微細なひび割れを隠蔽する能力のあるタイプや、骨材の色彩をそのまま表現しながらコテやローラーで厚膜に仕上げ、タイルや石材調のテクスチャーを表現できるタイプの塗材が開発されている。

(イ) 厚付け仕上げ塗材

古くからの左官工法の意匠仕上げとして、ドイツ壁、スタッコ壁と通称されるものがある。これらはモルタルを用いて自然石の風合いを持たせる重量感のある石材調の仕上げ工法であるが、工場調合されたセメントスタッコとして急速に普及し、塗厚4～10mm程度の厚膜タイプ仕上げ塗材の代表として使われた。現在ではセメントばかりでなく、合成樹脂エマルションやシリカ系結合材を用いたタイプなどが使用されている。

(ウ) 複層仕上げ塗材

1965年頃ドイツから輸入された工法で、高級感のあるセラミック調の仕上げとして、まずセメント系の「吹付けタイル」の通称で呼ばれる複層仕上げ塗材が登場し、マンションのコンクリート打ち放し外壁面に直接仕上げる代表的な仕上げ材として、最も多く用いられてきた。

その種類は、主材塗りの工程に用いる材料の結合材により　C：セメント系、CE：ポリマーセメント系、Si：シリカ系、E：合成樹脂エマルション系、RE：反応硬化形合成樹脂エマルション系、R：反応硬化形合成樹脂溶液系に分かれ、また塗膜の柔軟性により防水形・可とう形に分類される。

塗膜は下塗材・主材・上塗材の3層により構成され、工程の違いによりそれらの組み合わせ方が異なる。

[ゆず肌仕上げローラー塗り工程]：下塗り・主材塗り・上塗り

[凹凸吹付け塗り工程]：下塗り・主材塗り〔基層塗り・模様塗り・凸部処理〕・上塗り

[防水形複層塗り工程]：下塗り・増塗り・主材塗り〔基層塗り・模様塗り・凸部処理〕・上塗り

また、JIS A 6909では耐候形として上塗りに用いる材料により耐候形1種、耐候形2種、耐候形3種、耐候表示なしに区別している。

これら複層仕上げ塗材は、（一社）日本建築学会「建築工事標準仕様書JASS 23」に基づき設計や施工がなされているものがほとんどである。

(エ) 可とう形改修用仕上げ塗材

可とう形改修用仕上げ塗材は、改修工事専用の下塗材で、一般には微弾性フィラーと通称されている。複層仕上げ塗材等の劣化で生じた微細なひび割れを隠蔽し、変形に追従できる微弾性とシーラー機能を備えた下地調整機能が特徴である。

この材料は、通常は既存塗材の劣化に応じて塗装した後、つや有り合成樹脂エマルション塗料（ウレタン系・アクリルシリコン系など）の2回塗りで仕上げる。可とう形改修用仕上げ塗材にはCE・E・REの3種類があり、このうちEタイプの使用頻度が高い。

② 建築用下地調整塗材

コンクリート壁面を、直接仕上げ塗材などで仕上げる場合、コンクリートを修正し平滑にすることを目的とする下地調整塗材であるが、一方、改修工事における既存塗装の上に施す下地調整塗材としても用いられる。

建築用下地調整塗材はJIS A 6916に品質が規定されている。

③ 金属用上塗り塗料の種類

建築には多種類の金属が用いられ、それらには種々の塗料が目的に応じて活用される。以下に塗料の種類と主な適用箇所を示す。

(ア) 油性調合ペイント

鉛系錆び止めペイントと組み合わせる、ボイル油を展色剤としたペイント

（JIS K 5511　油性調合ペイント）

主な適用箇所：一般鉄部（最近はほとんど使用されていない。）

(イ) 合成樹脂調合ペイント

油性調合ペイントの改良品として乾燥性・光沢性能を向上させたアルキド樹脂を用いた塗料

（JIS K 5516　合成樹脂調合ペイント）

主な適用箇所：一般鉄部（鉄部塗装の主流の材料）

マンションでは構造鉄部・鉄扉・バルコニー、開放廊下手すり・鋼製建具等

(ウ) フタル酸樹脂エナメル

フタル酸樹脂を用いた内部用の高級仕上げに用いる上塗り

(JIS K 5572　フタル酸樹脂エナメル)

主な適用箇所：鋼製建具・設備機器

(エ) 塩化ビニル樹脂エナメル

耐薬品性、耐水性に優れた速乾性の上塗り

(JIS K 5582　1種・2種塩化ビニル樹脂エナメル)

主な適用箇所：耐薬品性が要求される鋼製設備等

(オ) 塩化ゴム系エナメル

速乾性、腐食条件下の耐久性向上の塗膜として開発

(JIS K 5639　塩化ゴム系エナメル)

主な適用箇所：海洋雰囲気・排気ガス等の腐食雰囲気における鋼製建具・鋼構造物

(カ) 重防食耐久性塗膜系

中塗り：エポキシ樹脂エナメル中塗り

付着性・耐水性・耐薬品性が優れ、高性能塗膜として用いられるが、チョーキング（粉末状になる現象）や変色を生じやすい。

(JIS K 5551　エポキシ樹脂エナメル)

上塗り：ア．ウレタン樹脂エナメル　無黄変で耐久性の優れた上塗り

(JIS K 5657　ポリウレタン樹脂塗料鋼構造物用)

イ．超耐久性塗膜　a) アクリルシリコン樹脂塗料

b) 常温乾燥形フッ素樹脂エナメル

主な適用箇所：あらゆる条件下において長期耐久性を要求する部位

集合住宅では超高層住宅等における外壁（金属製カーテンウォール部材）・各種金属製建材

（4）防水・シーリング

① メンブレンとシーリング

マンションに採用される防水は、メンブレン防水とシーリング防水に大別

される。メンブレン防水はコンクリート躯体の上に皮膜（メンブレン）を施して防水する工法の総称である。

シーリング防水は、建築物の部材と部材との接合目地に、主として止水を目的としてシーリング材を専用のガンなどにより充填することである。

② メンブレン防水（屋上、バルコニー、廊下等）

メンブレン防水の主な種類としては、近代建築が始まる1900年代初期の頃から使われているアスファルト防水と、1960年代に合成高分子系材料を使い台頭してきたシート防水や塗膜防水が挙げられる。現在使用されている防水材料の日本産業規格（JIS）は1970年前後に制定されたものがほとんどであり、また、（一社）日本建築学会「建築工事標準仕様書 JASS 8」の制定や、防水施工技能士が国家検定制度に組み込まれたのも1970年代である。現在では防水工法の種類は多岐にわたっているが、それぞれの防水工法の特徴を生かした適材適所の考え方で、屋根・バルコニー・庇・開放廊下などに適用されている。

各種類・仕様と適用箇所を表3に、現在の市場で使用されている主なメンブレン防水工法の特徴を表4に示す。

③ シーリング

現在の主な材料については、JIS A 5758（建築用シーリング材）に規定されている。

また、このシーリング材を充填する目地の設計に関しては、（一社）日本建築学会「建築工事標準仕様書 JASS 8　4節シーリング工事」に示されている。これによると、大きな挙動（ムーブメント）のある目地をワーキングジョイント、挙動が小さいか又は生じない目地をノンワーキングジョイントとして区分している。ムーブメントの種類と主な目地をまとめると、表5に示すとおりであり、鉄筋コンクリートの外壁は挙動が小さいので目的の区分としては、ほとんどがノンワーキングジョイントに該当すると考えられる。

「JASS 8　4節シーリング工事」から、シーリング材の種類並びに適用目地などに関する概略を抜粋すると、表6に示すとおりである。

表 3　メンブレン防水層の種類・仕様と適用箇所

防水層の種類	防水層の種別（記号）	保護・仕上げの種類
アスファルト防水層	・アスファルト防水工法・密着保護仕様（AC-PF）	現場打ちコンクリート断熱工法**
	・アスファルト防水工法・密着保護仕様（AM-PF）	
	・アスファルト防水工法・絶縁保護仕様（AM-PS）	アスファルトコンクリート
		コンクリート平板類
		現場打ちコンクリート断熱工法**
	・アスファルト防水工法・絶縁露出仕様（AM-MS）	仕上塗料
	・アスファルト防水工法・断熱露出仕様（AM-MT）	なし
	・アスファルト防水工法・室内密着仕様（AC-IF）	現場打ちコンクリート
		モルタル
		アスファルトコンクリート
改質アスファルトシート防水層（トーチ工法・常温粘着工法）	・トーチ防水工法・密着保護仕様（AT-PF）	現場打ちコンクリート断熱工法**
		アスファルトコンクリート
		コンクリート平板類
		モルタル
	・トーチ防水工法・密着保護仕様（地下外壁）（AT-PF）	現場打ちコンクリート
		コンクリートブロック類
		保護緩衝材
	・トーチ防水工法・密着露出仕様（AT-MF）	仕上塗料
	・トーチ防水工法・断熱露出仕様（AT-MT）	なし
	・常温粘着防水工法・密着保護仕様（AS-PF）	現場打ちコンクリート断熱工法**
		コンクリート平板類
		モルタル
	・常温粘着防水工法・絶縁露出仕様（AS-MS）	仕上塗料
	・常温粘着防水工法・断熱露出仕様（AS-MT）	なし
合成高分子系シート防水層	・加硫ゴム系シート防水工法・接着仕様（S-RF）	仕上塗料
	・加硫ゴム系シート防水工法・断熱接着仕様（S-RFT）	仕上塗料
	・加硫ゴム系シート防水工法・機械的固定仕様（S-RM）	仕上塗料
	・加硫ゴム系シート防水工法・断熱機械的固定仕様（S-RMT）	仕上塗料
	・塩化ビニル樹脂系シート防水工法・接着仕様（S-PF）	なし
	・塩化ビニル樹脂系シート防水工法・断熱接着仕様（S-PFT）	なし
	・塩化ビニル樹脂系シート防水工法・機械的固定仕様（S-PM）	なし
	・塩化ビニル樹脂系シート防水工法・断熱機械的固定仕様　(S-PMT)	なし
	・エチレン酢酸ビニル樹脂系シート防水工法・密着仕様（S-PC）	ポリマーセメントモルタル
塗膜防水層	・ウレタンゴム系高伸長形塗膜防水工法・密着仕様（L-UFS）	軽歩行用仕上塗料
	・ウレタンゴム系高強度形塗膜防水工法・密着仕様（L-UFH）	軽歩行用仕上塗料
	・ウレタンゴム系高伸長形塗膜防水工法・絶縁仕様（L-USS）	軽歩行用仕上塗料
	・ウレタンゴム系高強度形塗膜防水工法・絶縁仕様（L-USH）	軽歩行用仕上塗料
	・アクリルゴム系塗膜防水工法・外壁仕様（L-AW）	化粧材
	・ゴムアスファルト系塗膜防水工法・室内仕様（L-GI）	現場打ちコンクリート
		モルタル
	・ゴムアスファルト系塗膜防水工法・地下外壁仕様（L-GU）	現場打ちコンクリート
		コンクリートブロック類
		保護緩衝材
	・FRP 系塗膜防水工法・密着仕様（L-FF）	歩行用仕上塗料
		軽歩行用仕上塗料

［注］　RC：現場打ち鉄筋コンクリート、PCa：プレキャスト鉄筋コンクリート部材、ALC：ALC パネル
［凡例］　○：適用可、—：適用外、※：一般的ではないが適用可または過剰品質となるもの
　　*：ALC パネルを下地とするのは表中の○*の記された仕様のみ
　　**：断熱工法とは、断熱材の上に現場打ちコンクリートを設置した保護・仕上げの種類を示す。
出典：(一社) 日本建築学会「建築工事標準仕様書・同解説　JASS 8 防水工事2014」

適用部位・用途（（ ）内は適用下地）																	
屋根（RC, PCa, ALC*）					ひさし	開放廊下	ベランダ	外壁	地下外壁外部側	室内			水槽類	水泳プール	人工池	庭園	外構
通常の歩行	軽歩行	非歩行	駐車場	運動場						浴場・厨房など	駐車場	便所・機械室など					
					（RC）（PCa）	（RC）（PCa）	（RC）（PCa）	（RC）（PCa）（ALC）	（RC）	（RC）	（RC）	（RC）	（RC）	（RC）	（RC）	（RC）	（RC）
○	※	※	○	○	—	※	※	—	—	※	※	※	—	○	○	○	※
※	※	※	○	○	—	—	—	—	—	—	※	—	—	—	—	—	※
—	○	※	—	—	—	—	—	—	—	—	—	—	—	—	—	—	—
○	※	※	○	○	—	※	※	—	—	※	※	※	—	○	○	○	※
—	—	○*	—	—	—	—	—	—	—	—	—	—	—	—	—	—	—
—	—	○*	—	—	—	—	—	—	—	—	—	—	—	—	—	—	—
—	—	—	—	—	—	—	—	—	—	○	○	○	—	—	—	—	○
—	—	—	—	—	—	—	—	—	—	○	—	—	—	—	—	—	—
—	—	—	—	—	—	—	—	—	—	—	○	—	—	—	—	—	—
○	※	※	○	○	—	※	※	—	—	※	※	※	—	○	○	○	○
※	※	※	○	○	—	—	—	—	—	—	※	—	—	—	—	—	※
—	○	※	—	—	—	—	—	—	—	—	—	—	—	—	—	—	—
—	—	—	—	—	—	—	—	—	—	○	—	—	—	—	—	—	—
—	—	—	—	—	—	—	—	—	○	—	—	—	—	—	—	—	—
—	—	—	—	—	—	—	—	—	○	—	—	—	—	—	—	—	—
—	—	—	—	—	—	—	—	—	○	—	—	—	—	—	—	—	—
—	—	○*	—	—	—	—	—	—	—	—	—	—	—	—	—	—	—
—	—	○*	—	—	—	—	—	—	—	—	—	—	—	—	—	—	—
○	※	※	○	○	—	※	※	—	—	※	※	※	—	○	○	○	○
—	○	※	—	—	—	—	—	—	—	—	—	—	—	—	—	—	—
—	—	—	—	—	—	—	—	—	—	○	—	○	—	—	—	—	—
—	—	○*	—	—	—	—	—	—	—	—	—	—	—	—	—	—	—
—	—	○*	—	—	—	—	—	—	—	—	—	—	—	—	—	—	—
—	—	○*	—	—	※	—	—	—	—	—	—	—	—	—	—	—	—
—	—	○*	—	—	—	—	—	—	—	—	—	—	—	—	—	—	—
—	—	○	—	—	—	—	—	—	—	—	—	—	—	—	—	—	—
—	—	○	—	—	—	—	—	—	—	—	—	—	—	—	—	—	—
—	—	○*	—	—	○	—	○	—	—	—	—	—	—	—	—	—	—
—	—	○*	—	—	—	—	—	—	—	—	—	—	—	—	—	—	—
—	—	○	—	—	○	—	—	—	—	—	—	—	○	○	—	—	—
—	—	○	—	—	—	—	—	—	—	—	—	—	—	—	—	—	—
—	—	○	—	—	○	—	—	—	○	—	—	—	○	—	—	—	—
—	○	○	—	—	○	—	○	—	—	—	—	○	—	—	—	—	—
—	○	○	—	—	○	○	○	—	—	—	—	○	—	—	—	—	—
—	○	○*	—	—	※	—	—	—	—	—	—	—	—	—	—	—	—
—	○	○*	—	—	※	—	—	—	—	—	—	—	—	—	—	—	—
—	—	—	—	—	—	—	—	○*	—	—	—	—	—	—	—	—	—
—	—	—	—	—	—	—	—	—	—	○	○	○	—	—	—	—	—
—	—	—	—	—	—	—	—	—	—	○	○	○	—	—	—	—	—
—	—	—	—	—	—	—	—	—	○	—	—	—	—	—	—	—	—
—	—	—	—	—	—	—	—	—	○	—	—	—	—	—	—	—	—
—	—	—	—	—	—	—	—	—	○	—	—	—	—	—	—	—	—
○	○	※	—	—	※	○	○	—	—	—	—	—	—	—	—	—	—
—	○	※	—	—	○	—	○	—	—	—	—	—	—	—	—	—	—

5
10
15
20
25
30

表4　主なメンブレン防水工法の特徴

防水工法の名称	施工方法の概要	長所	短所
アスファルト防水	数枚のアスファルトルーフィング類を熱溶融したアスファルトで接着し順次重ね合わせ、防水層を形成する。	1）溶融アスファルトが冷えれば短時間で防水層になる。 2）ルーフィングの種類・枚数など構成次第で要求性能に対応した各種防水仕様が可能である。 3）水密信頼性が高く、コンクリートで保護すれば歩行可能であり、また長寿命が期待できる。 4）断熱仕様が確立している。	1）防水層は温度に敏感で、夏は垂れ、冬は破断しやすい。 2）溶融アスファルトの煙や臭気が施工現場周辺の環境問題に発展することが多い。 3）300度近い高温アスファルトを扱うこと自体による作業者の減少等、現代社会に適合しなくなってきた。
改質アスファルトシート防水（トーチ工法）	厚さ（4mm程度）の改質アスファルト シートの裏面をプロパンガストーチバーナーであぶり、溶融した改質アスファルトで下地に固定して防水層を形成する。	1）溶融改質アスファルトが冷えれば短時間で防水層になる。 2）改質アスファルトのため防水層の性能は気温の変動に左右されにくい。	1）他の工法より歴史が浅く、防水技能の普及が遅れている。 2）厚手のシートのため、シート相互接合部（特に、3枚重ね部）の水密性に不安が残る。
シート防水	厚さ1～2mmの合成ゴムシートを接着剤で下地へ接着及びシート相互を張り合わせ防水層を形成する。	1）合成ゴムシート自身の耐候性は非常に良好である。 2）伸張性に富み、下地ひび割れ追従性に優れる。 3）接着施工完了と同時に防水層となる。	1）下地の平滑性や清浄性を特に必要とする。 2）シートが薄く、飛来物や鳥類のくちばし等で傷が付きやすい。 3）シート相互接合部の水密耐久性に対する信頼性が低い。
	厚さ2mm程度の塩化ビニル樹脂シートを接着剤で下地に固定し防水層を形成する。	1）カラフルな仕上げになる。 2）軽歩行可能である。 3）シート相互接合部の水密信頼性は合成ゴムシートより高い。	1）塩化ビニル樹脂という素材は低温焼却するとダイオキシンを発生し環境汚染になる可能性がある。 2）熱収縮が大きいため、入隅部で下地から剥離したりシート相互接合部で剥離が生じることがある。 3）機械的固定工法では万一漏水した場合は、広範囲に広がりやすい。
	厚さ2mm程度の塩化ビニル樹脂シートを金物で機械的に下地に固定し防水層を形成する。	1）カラフルな仕上げになる。 2）軽歩行可能である。 3）改修時の回収が簡単である。	
ウレタン塗膜防水	液状の反応硬化（2成分形）ウレタン材料を施工時に混合・攪拌し下地に塗布し、所定の厚さの防水層を形成する。標準仕様は通気緩衝シート又は補強材を挿入する。	1）液状材料のため、複雑な形状の下地にも施工可能である。 2）機械施工できる。 3）超速硬化タイプもあり、改修時の通行止めは短時間です む。	1）常時湿潤状態の部位には適用できない。 2）2成分形のため、材料の混合・攪拌にミスを生じやすい。 3）現場における塗膜厚さの施工管理に対する信頼性が低い。
	改質アスファルトシート系の通気緩衝シートを下地に固定し、その上にウレタン塗膜を積層して防水層を形成する。 （標準仕様の高級化版）	1）シートは改質アスファルト系で気温変動に対して安定している。 2）防水層として伸張性に富み、下地ひび割れ追従性に優れる。 3）機械施工でき、かつ現場における塗膜厚さ管理が可能である。	1）表層はウレタン塗膜であるため耐候性はそのトップコートに依存する。 2）表層のウレタン塗膜は、材料の混合・攪拌にミスを生じやすい。 3）シート相互の接合部を適切に処理しないと、塗膜に影響を与える。

表５　ムーブメントの種類と主な目地の種類

目地の区分	ムーブメントの種類	主な目地の種類
ワーキングジョイント	温度ムーブメント	金属部材の部材間目地 ・メタルカーテンウォールの各種目地 ・金属外装パネルのパネル間目地｛塗装鋼板　ほうろう鋼板　アルミニウム　パネルなど ・金属笠木の目地 ・金属建具の目地｛サッシ回り目地　水切・皿板などの目地 プレキャストコンクリートカーテンウォール部材間目地 ガラス回り目地
	層間変位ムーブメント	金属部材の部材間目地 多孔質部材の部材間目地（セメント系部材） ・プレキャストコンクリートカーテンウォール部材間目地 ・ALC パネル構法のパネル間目地｛ロッキング構法　アンカー構法（横目地） ・プレキャスト鉄筋コンクリート笠木の目地 ・GRC パネル、押出成形セメント板の板間目地 ガラス回り目地
	風による部材のたわみ	ガラス回り目地
	湿気ムーブメント	セメント系ボード類のボード間目地（押出成形セメント板を含む） 窯業系サイディングのパネル間目地
	硬化収縮ムーブメント	窯業系サイディングのパネル間目地
ノンワーキングジョイント	[ムーブメントが小さいか、又は生じない]	コンクリート外壁の各種目地 ・鉄筋コンクリート造のサッシ回り目地 ・鉄筋コンクリート造の打継ぎ目地 ・鉄筋コンクリート造の収縮目地（ひび割れ誘発目地） ・プレキャスト鉄筋コンクリートパネルの打込みサッシ回り目地 ・タイル張り面の伸縮目地 ・プレキャスト鉄筋コンクリート工法の躯体の目地

出典：（一社）日本建築学会「建築工事標準仕様書・同解説　JASS 8 防水工事2014」

表 6　構法・部位・構成材とシーリング材の適切な組合せ

目地の区分	主な構法・部位・構成材				シリコーン系[4]			変成シリコーン系		ポリサルファイド系		アクリルウレタン系	ポリウレタン系		アクリル系
					2成分形低モジュラス	1成分形 高・中モジュラス	1成分形 低モジュラス	2成分形[6]	1成分形	2成分形	1成分形	2成分形	2成分形	1成分形	1成分形
ワーキングジョイント	カーテンウォール	ガラス・マリオン方式	ガラス回り目地		○		○								
			方立無目ジョイント		○										
		メタルカーテンウォール	ガラス回り目地		○		○								
			部材間目地		○[5]			○							
		プレキャストコンクリートカーテンウォール（石打込み／タイル打込み／吹付塗装）	部材間目地					○		○					
			窓枠回り目地					○		○					
			ガラス回り目地		○[5]		○[5]			○					
	各種外装パネル	ALC パネル（ロッキング構法、アンカー構法）[1]	ALC パネル間目地 窓枠回り目地	塗装あり[2]								○	○	○	○[7]
				塗装なし				○	○	○					
		塗装アルミニウムパネル（強制乾燥・焼付塗装）	パネル間目地		○[5]		○[5]	○							
		塗装鋼板、ほうろう鋼板パネル	パネル間目地・窓枠回り目地					○		○					
		GRC パネル、押出成形セメント板	パネル間目地 窓枠回り目地	塗装あり[2]								○	○		
				塗装なし				○		○					
		窯業系サイディング	パネル間目地 窓枠回り目地	塗装あり[2]										○[9]	
				塗装なし				○[8]	○		○			○[9]	
	金属建具	ガラス回り	ガラス回り目地		○	○	○			○					
		建具回り	水切・皿板目地		○[5]			○							
			建具間目地					○							
		工場シール	シーリング材受け[3]							○					
	笠木	金属笠木	笠木間目地		○[5]			○							
		石材笠木	笠木間目地					○[10]		○[10]					
		プレキャスト鉄筋コンクリート笠木	笠木間目地					○		○					
ノンワーキングジョイント	コンクリート壁	現場打ち鉄筋コンクリート壁、壁式プレキャスト鉄筋コンクリート	打継ぎ目地・ひび割れ誘発目地・窓枠回り目地	塗装あり[2]								○	○	○	
				塗装なし				○	○	○					
		湿式石張り（石打込みプレキャストコンクリート、石目地を含む）	石目地							○[10]	○[10]				
			窓枠回り目地					○[10]	○[10]	○[10]					
		タイル張り（タイル打ち込みプレキャスト鉄筋コンクリートを含む）	タイル目地					○	○	○	○				
			タイル下躯体目地										○	○	
			窓枠回り目地					○	○	○					

［注］　この表は一般的目安であり、実際の適用にはシーリング材製造所に問合せを行い、十分に確認することが必要である。
表中で○印を付していないものでも事前検討すれば適用可能なものもあるため、「外壁接合部の水密設計および施工に関する技術指針・同解説」を参照されたい。

（1）　経年時の50%引張応力が0.3N/mm²以下となる材料を目安とする。
（2）　シーリング材への表面塗装については事前確認（4．4（5）「塗装・仕上塗材とシーリング材の適合性」を参照）することが必要である。
（3）　後打ちシーリング材との打継接着性の確認ができている材料を使用する。
（4）　SSG 構法に適用される構造シーラントは、対象外とする。
（5）　外装材表面の付着汚染が生ずる可能性がある。
（6）　シーリング材の厚さが薄いと硬化が阻害される場合があるので、薄層部が生じないよう注意する。
（7）　経時でシーリング材が硬くなり、柔軟性が低下するものもあるので事前検討を十分に行う。また、窓枠回り目地には適用できない。
（8）　窯業系サイディングを用途とする応力緩和型を使用する。
（9）　窯業系サイディングを用途とした専用材料を使用する。
（10）　石材によっては内部浸透汚染が生ずる可能性があるため、事前確認することが必要である。

出典：（一社）日本建築学会「建築工事標準仕様書・同解説　JASS 8 防水工事2014」

(5) 鋼製建具・手すり

① 鋼製建具の法的基準

鋼製建具のうち、玄関扉はマンションにおいて共用部分(標準管理規約(単棟型) 22条) 扱いとされている。また、階段室出入口扉と同様に、建築基準法の特定防火設備(防火戸)に該当し、詳細は平成12年建設省告示1369号(最終改正:平成27年国土交通省告示251号)(特定防火設備の構造方法を定める件)に定められている。

② アルミニウム製建具の概要

マンションに使われるアルミニウム製建具は、主に窓などの開口部であり、採光、通風、換気などの目的で建築物の壁面に設置される。

建物の高層化、高級化など、多様なニーズの増大に伴い、耐風圧性、気密性、水密性などの基本性能のほかに、遮音性、断熱性、防火性が求められるようになり、性能規定が、JIS A 4702(ドアセット)又はJIS A 4706(サッシ)に定められている。

③ 手すりの概要

手すりは、人間の墜落防止や歩行機能の補助・促進をするために建築物に設置されるものである。

(ア) 手すりの素材別種類

既設の集合住宅に設置されている手すりの素材は、アルミニウム合金製が主流であり、一部にステンレス鋼製や鋼製がある。

(イ) 素材による特徴

鋼製手すりは、コンクリート躯体に埋め込む工法で施工が容易であり、コンクリートと鋼材の線膨張係数がほぼ同じであるため、熱膨張による問題が生じないなどの長所がある反面、経年によって腐食するといった短所がある。

鋼製手すりの腐食に対して、昭和50年代後半からアルミニウム合金製手すりが導入され、現在の主流となっている。

（6）内装（専有部分各部位の種類と特徴）

① 床

㈠ 床の構成

床の下地の種類には、直床、木造床組、置床などがある。

・直床は、一般的にコンクリートスラブにモルタル塗りコテ仕上げのことをいい、その上に直接仕上げ材を張る。

・木造床組は、コンクリートスラブの上に木造の大引き＋根太＋合板で構成する床組であり、その上に仕上材を張る。

・置床は、コンクリートスラブの上に各メーカー仕様に従い、緩衝材付きベース金物、床パネル、防水マットなどで構成するものをいい、その上に仕上げ材を張る。仕上げ材としては、木質系張り床材、カーペット、畳、その他の床材がある。

　その他の床仕上げ材としてはコルクタイル・ビニル床タイル・ビニル床シートなどがあるが、マンションで多く使用されるものとしては、クッションフロア、ホモジニアスビニル床タイルなどが挙げられる。玄関床材として、石材が使用される場合もある。

㈡ 床暖房設備

マンションで使用される床暖房設備の使用に際しての留意点としては、床材の選定（床暖房システムに適した床材や接着剤の使用）、配管時には既存床が置床下地か直張りかの工法の確認が必要となる。また床材施工時の留意点としては、配管・配線へ釘を打ちこまないようにするなどの注意が必要である。

② 壁

壁の下地には、間仕切壁下地と外壁又は界壁下地がある。間仕切壁下地は、木造軸組下地と軽量鉄骨下地があり、外壁と界壁下地には、直壁と木胴縁、GL工法（GLボンドを団子状に塗り付け、石膏ボードを張る工法）などがある。それぞれに費用面や使い勝手などの長所と短所があり、木造軸組下地の場合は、壁に設備機器、照明器具、手すりなどを取り付けるための下地補強材が必要であったり、コンクリート直壁の場合、画鋲が刺さらないなどの短所がある。

また、外壁に面した壁の部分には、結露対策が不可欠である。

(ア) 断熱

断熱材には、発泡ポリウレタン、ポリスチレン、グラスウール等の種類があり、断熱工事には、木胴縁工法、断熱ボード直張り工法などがある(図8)。また新築工事では、GL工法も用いられている。リフォームでは木胴縁工法が一般的で、既存が木造軸組下地の場合は、それが利用できれば乾燥時間などがいらないので工程が読みやすい。

図8　直張り、木胴縁工法

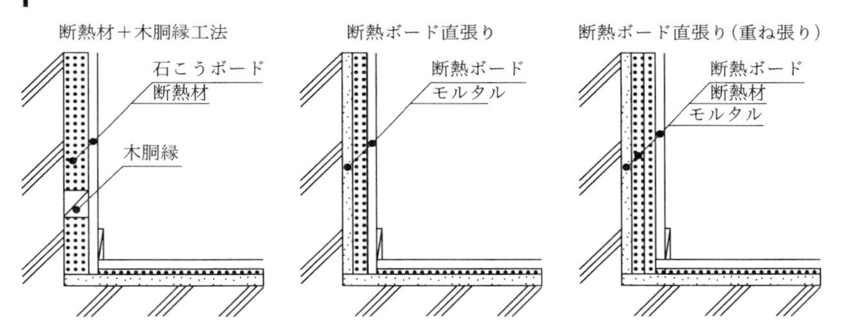

出典：マンションリフォーム推進協議会「マンションリフォーム専有部分施工マニュアル」

(イ) 仕上げ

仕上げ材としては、クロス、化粧ボードなどの仕上げ材がある。

クロスは、ビニルクロス・織物クロス・オレフィンクロス・非木材紙(ニューパピオール) クロス・珪藻土クロス・紙クロスなどがあり、ビニルクロスが主流である。

化粧ボードには、突き板張り・化粧シート張りなどの木質系及び無機質系の化粧ボードがある。

③ 天井

天井の下地には、直天井、木造下地、軽量鉄骨下地などがある。

直天井とは、天井面をモルタルでならした後に仕上げるもので、照明器具の移設が困難などの短所がある。

木造下地は、インサート又はアンカーに吊木を釘止めし、野縁を格子に組む下地である。

軽量鉄骨下地は、溶解亜鉛めっき鋼板等をコンクリート天井より下げられたつりボルトに留めた野縁受けに野縁をクリップ等で固定した下地である（図９）。

図９　天井の下地

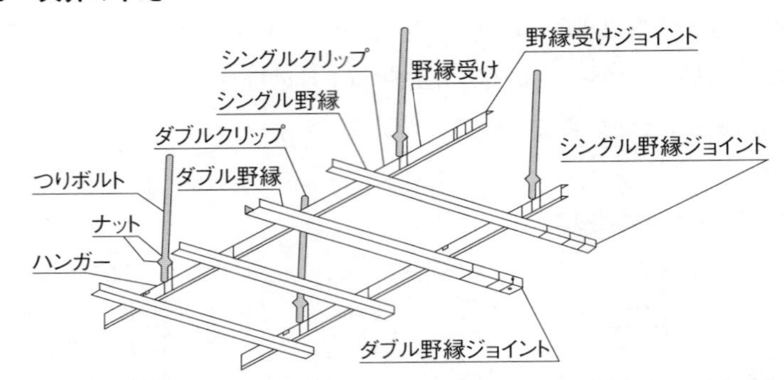

参考：国土交通省大臣官房庁営繕部監修　建築改修工事監理指針　平成25年版

また、東日本大震災による非構造部材の被害を踏まえ、天井脱落対策の基準が規定された（建築基準法施行令39条、平成25年国土交通省告示771号）。これにより、一定規模を超える吊り天井対策が必要となる。

仕上げ材としては、クロス、化粧ボードなどがある。

④　遮音対策

音の伝わり方には固体伝搬音と空気伝搬音の２種類がある。

固体伝搬音の代表的なものは、上下階床衝撃音であり、足音・軽量物の落下音などの軽量床衝撃音と子供が飛び跳ねたときなどの重量床衝撃音がある。

軽量床衝撃音対策としては、カーペットや木質フロアでもクッション性のある材料（防音直床）を敷くことなどが有効である。重量床衝撃音対策としては、新築の場合はコンクリートスラブを厚くしたり小梁等を設けるなどスラブの剛性を高めるが、一般的には二重床にして制振効果のある材料や防振効果に優れた材料を用いるのが有効である。

集合住宅の遮音性能等に関する基準類としては、（一社）日本建築学会編「建築物の遮音性能基準と設計指針」に詳しく定められている（表11）。以下に主な遮断性能の指標について示す。

(a)　床衝撃音（L値）遮断性能

(i)　重量床衝撃音（LH値）遮断性能の遮音等級

子供の飛び跳ねなどの重量衝撃源に対する遮音の数値指標（L値が大きいほど遮断性能が低い。）。

(ii) 軽量床衝撃音（LL値）遮断性能の遮音等級

食器の落下、椅子の引きずりなど軽量衝撃源に対する遮音の数値指標（L値が大きいほど遮断性能が低い。）。

床衝撃音遮断性能の遮音等級の目安を表7、10に示す。

販売パンフレットなどにも記載され広く用いられてるL値は、実験室で測定された床衝撃音レベル低減量から標準的な建築条件（床面積15㎡、コンクリート床の厚さ150mm、直張り）での、床衝撃音遮断性能を推定したものである。そのため、「推定L等級（値）」と呼ぶ場合もある。床仕上げ工法も多様化し、性能表示と実測値の差異が生じてきた。そこで、床材そのものの床衝撃音レベル低減等級である、ΔL（デルタ・エル）等級を基準とする場合がある。重量・軽量床衝撃音に対する等級を示すものである。ΔL等級では数字が大きいほど床衝撃音低減性能が高いことを表すので注意すること。

(b) 界壁の遮音等級（D値）

隣住戸の楽器音、話し声などの空気音に対し、室間平均音圧レベル差を遮音等級の指標としている。界壁の遮音等級は、主に壁の密度と厚さによって決まり、透過損失量が大きいほど性能が高まる（D値が大きいほど遮音性能が高い。）（表8、10）。

(c) 室内の騒音等級（N値）

室内騒音に関する騒音レベルの騒音等級を1級から3級までランク付けしている（N値が小さいほど水準が高い。）（表9、10）。

表7　集合住宅における床衝撃音レベルに関する適用等級

室用途	部位	衝撃源	適用等級			
			特級	1級	2級	3級
居室	隣戸間界床	重量衝撃源	LH−45	LH−50	LH−55	LH−60
		軽量衝撃源	LL−40	LL−45	LL−55	LL−60

表8　集合住宅における界壁（室間平均音圧レベル差）レベルに関する適用等級

室用途	部位	衝撃源	適用等級			
			特級	1級	2級	3級
居室	隣戸間界床	隣戸間界壁 隣戸間界床	D−55	D−50	D−45	D−40

表9　集合住宅における室内騒音に関する適用等級

室用途	騒音レベル（db（A））			騒音等級		
	1級	2級	3級	1級	2級	3級
居室	35	40	45	N−35	N−40	N−45

表10　適用等級の意味

適用等級	遮音性能の水準	性能水準の説明
特　級	遮音性能上とくにすぐれている	特別に高い性能が要求された場合の性能水準
1　級	遮音性能上すぐれている	建築学会が推奨する好ましい性能水準
2　級	遮音性能上標準的である	一般的な性能水準
3　級	遮音性能上やや劣る	やむを得ない場合に許容される性能水準

⑤　室内空気汚染対策

室内空気汚染対策上、建材・仕上げ材の選択については、建築基準法によりクロルピリホスの使用禁止、ホルムアルデヒドなどを発散する建築材料の使用制限及び換気設備の設置などについて規定されている。

建材などから発生する化学物質汚染対策としては、吸着材や空気清浄機などで吸着・除去する方法もあるが、汚染物質の発生量が少ない建材を用いること、換気量を確保することなどが重要である。

また、建材の選択にあたっては制限なしで使用できるホルムアルデヒド放散量が「F☆☆☆☆」の等級のものを使用することが好ましい。

表11　表示尺度と住宅における生活実感との対応の例

	遮音等級	D-65	D-60	D-55	D-50	D-45	D-40	D-35	D-30	D-25	D-20	D-15	備考
空気音	ピアノ、ステレオなどの大きい音	・通常では聞こえない	・ほとんど聞こえない	・かすかに聞こえる	・小さく聞こえる	・かなり聞こえる	・曲がはっきりわかる	・よく聞こえる	・大変よく聞こえる	・うるさい	・かなりうるさい	・大変うるさい	音源から1mで90dBA前後を想定
空気音	テレビ、ラジオ、会話などの一般の発生音	・聞こえない	・聞こえない	・通常では聞こえない	・ほとんど聞こえない	・かすかに聞こえる	・小さく聞こえる	・かなり聞こえる	・話の内容がわかる	・はっきり内容がわかる	・よく聞こえる	・つつぬけ状態	音源から1mで75dBA前後を想定
空気音	生活実感、プライバシーの確保	・ピアノやステレオを楽しめる ＊機器類の防振は不可欠	・カラオケパーティなどを行っても問題ない ＊機器類の防振が必要	・隣戸の気配を感じない	・日常生活で気兼ねなく生活できる ・隣戸をほとんど意識しない	・隣戸住宅の有無がわかるがあまり気にならない	・隣戸の生活がある程度わかる	・隣戸の生活行為がかなりわかる	・隣戸の生活行為がよくわかる	・隣戸の生活行為が大変よくわかる	・行動がすべてわかる	・遮音されているという状態ではない ・小さな物音までわかる	・生活行為、気配での例
	遮音等級	L-30	L-35	L-40	L-45	L-50	L-55	L-60	L-65	L-70	L-75	L-80	備考
床衝撃音	人の走り回り、飛び跳ねなど	・通常ではまず聞こえない	・ほとんど聞こえない	・かすかに聞こえるが、遠くから聞こえる感じ	・聞こえるが、意識することはあまりない	・小さく聞こえる	・聞こえる	・よく聞こえる	・発生音がかなり気になる	・うるさい	・かなりうるさい	・うるさくて我慢できない	低音域の音、重量・柔衝撃源
床衝撃音	椅子の移動音、物の落下音など	・聞こえない	・通常ではまず聞こえない	・ほとんど聞こえない	・小さく聞こえる	・聞こえる	・発生音が気になる	・発生音がかなり気になる	・うるさい	・かなりうるさい	・大変うるさい	・うるさくて我慢できない	高音域の音、軽量・硬衝撃源
床衝撃音	生活実感、プライバシーの確保	・上階の気配を全く感じない	・上階の気配を感じることがある	・上階で物音がかすかにする程度 ・気配は感じるが気にはならない	・上階の生活が多少意識される状態 ・スプーンを落とすとかすかに聞こえる ・大きな動きはわかる	・上階の生活状況が意識される ・椅子を引きずる音は聞こえる ・歩行などがわかる	・上階の生活行為がある程度わかる ・椅子を引きずる音はうるさく感じる ・スリッパ歩行音が聞こえる	・上階住戸の生活行為がわかる ・スリッパ歩行音がよく聞こえる	・上階住戸の生活行為がよくわかる	・たいていの落下音ははっきり聞こえる ・素足でも聞こえる	・生活行為が大変よくわかる ・人の位置がわかる ・すべての落下音が気になる ・大変うるさい	・同左	生活行為、気配での例

(注) 本表は室内の暗騒音を30dBA程度と想定してまとめたものである。暗騒音が20～25dBAの場合には、1ランク左に寄ると考えたほうがよい。特に、遮音等級がD-65～D-50、L-30～L-45の高性能の範囲では、暗騒音の影響が大きく、2ランク程度左に寄る場合もある。

出典：技報堂出版㈱「建築物の遮音性能基準と設計指針」((一社) 日本建築学会編)

騒音レベル		25dBA	30dBA	35dBA	40dBA	45dBA	50dBA	55dBA	60dBA	65dBA	70dBA	75dBA	
騒音等級		N - 25	N - 30	N - 35	N - 40	N - 45	N - 50	N - 55	N - 60	N - 65	N - 70	N - 75	備　考
外部騒音	道路騒音などの不規則変動音	・通常では聞こえない	・ほとんど聞こえない	・非常に小さく聞こえる	・小さく聞こえる	・聞こえるがほとんど気にならない	・多少大きく聞こえる	・大きく聞こえ少しうるさい	・かなり大きく聞こえややうるさい	・非常に大きく聞こえうるさい	・かなりうるさい	・非常にうるさい	道路騒音など
	工場騒音などの定常的な音	・ほとんど聞こえない	・非常に小さく聞こえる	・小さく聞こえる	・聞こえる	・多少大きく聞こえる	・大きく聞こえ少しうるさい	・かなり大きく聞こえややうるさい	・非常に大きく聞こえうるさい	・かなりうるさい	・非常にうるさい	・うるさくて我慢できない	工場騒音など
内部騒音	自室内の機器騒音	・ほとんど聞こえない	・非常に小さく聞こえる	・小さく聞こえる	・聞こえる ・会話には支障なし	・多少大きく聞こえる ・通常の会話は十分可能	・大きく聞こえる ・通常の会話が可能	・かなり大きく聞こえる ・多少注意すれば通常の会話が可能	・非常に大きく聞こえうるさい ・声を大きくすれば会話ができる	・かなりうるさい ・かなり大きな声を出さないと会話ができない	・非常にうるさい	・うるさくて我慢できない	空調騒音、給排水音など
	共用設備からの騒音	・非常に小さく聞こえる	・小さく聞こえる	・聞こえる	・多少大きく聞こえる	・大きく聞こえる	・かなり大きく聞こえる	・非常に大きく聞こえうるさい	・非常に大きく聞こえうるさい	・非常にうるさい	・非常にうるさくて我慢できない	・うるさくて我慢できない	エレベータ、ポンプなど

出典：技報堂出版㈱「建築物の遮音性能基準と設計指針」（(一社) 日本建築学会編）

4 設備

（1）給水方式の概要

マンションの給水方式には様々な方式があり、建物の規模・設置環境・立地環境等により選定されている。給水方式は、大きく直結方式と受水槽方式に区分される。さらに、直結方式は直結直圧方式と直結増圧方式に、受水槽方式は高置水槽方式（重力給水方式）と加圧給水方式に分けられる。

① 直結方式

(ア) 直結直圧方式

水道本管（配水管）から給水管を直接分岐して建物内に引き込み、各住戸に給水する方式で、受水槽を必要としない。給水圧力は水道本管の圧力に応じて変動する（図10）。

なお、この方式は、戸建住宅が一般的であるが、水道事業体によっては水道本管の圧力を高めて3～5階程度までのマンションに供給している。

図10　直結直圧方式

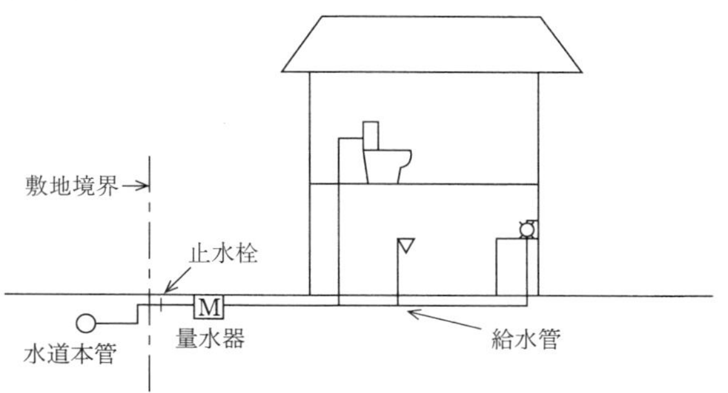

(イ) 直結増圧方式

水道本管から分岐して引き込んだ水を、増圧ポンプユニット（増圧給水設備ともいう。）を経て各住戸に給水する方式である。受水槽・高置水槽が不要である。

採用の可否については、地域の水道事業体への確認が必要である。マンションでは、小中規模程度の建物での採用が多い（図11）。

図11　直結増圧方式

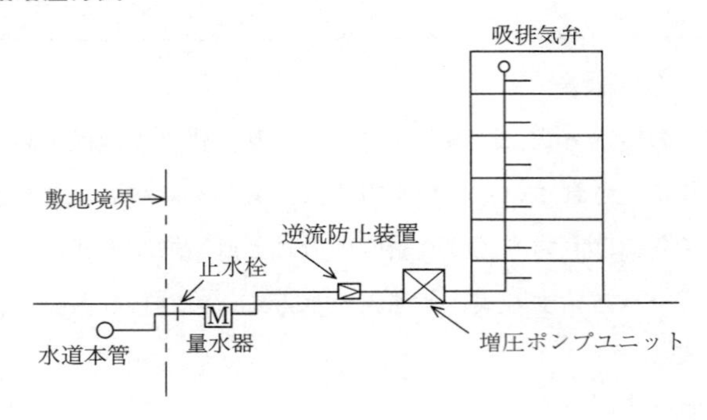

②　受水槽方式

㈠　高置水槽（重力給水）方式

従来、マンションでは一般的に用いられてきた方式である。水道本管から分岐して引き込んだ水を受水槽に貯水した後、揚水ポンプでマンションの屋上や高架塔に設置された高置水槽に揚水し、高置水槽からは重力で各住戸へ給水する。

高置水槽方式の給水圧力は、変動が少なく安定しているが、最上階の給水圧力を確保するため、最上階のシャワー等の位置より7～10m程度高い位置に設置する必要があるため、塔屋の2階以上に設置したり、又は高架塔を設け、高い位置に高置水槽を設置する。停電時でも高置水槽にたまっている水は利用できる（図12）。

図12　高置水槽方式

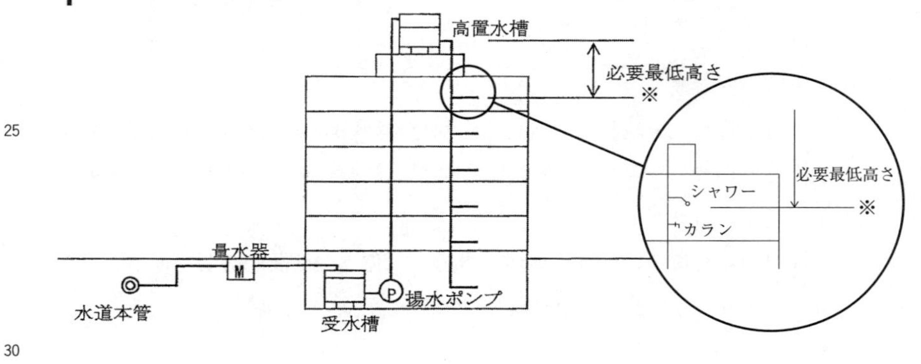

(イ) 加圧給水方式（ポンプ直送方式、タンクレスブースター方式）

受水槽から加圧ポンプユニットで直接加圧した水を各住戸に給水する方式である。ポンプは、一般に配管や制御装置を組み込んだユニットとして供給される。ポンプの吐出側に取り付けた圧力スイッチや流量計などによりポンプの台数制御を行う定速ポンプ方式と、吐出側圧力や流量を検知してポンプの回転数制御を行う可変速ポンプ方式、及びそれらを組み合わせたものがある。高置水槽方式に比べ、ポンプの駆動時間が長くなる。また、停電時は断水となる（図13）。

これによって、圧力タンク方式の採用は少なくなっている。

図13　加圧給水方式

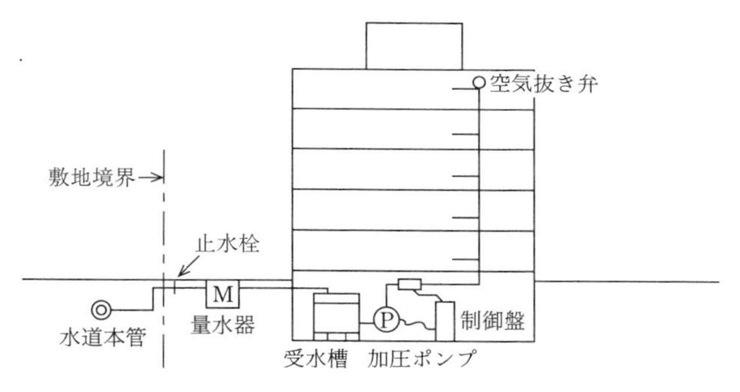

③　給水方式の比較

各々の給水方式は、特徴を有しており、建築物の特性に合った ものを採用する。選定する場合の目安を表12に示す。

表12　各種給水方式の特徴

項目＼方式	直結方式		受水槽方式	
	直結直圧方式	直結増圧方式	高置水槽方式	加圧給水方式
適用建物	一般住宅、小規模建築物で、最大５階まで	・小～中規模の建築物で、10階程度 ・メータ口径50～75mm以下	小～大規模建築物、３階～超高層まで	小～大規模建築物、３階～超高層まで
水質汚染	ほとんどない	ほとんどない	受水槽、高置水槽で可能性あり	受水槽で可能性あり
圧力の安定性	水道本管の圧力により左右される	ポンプの制御により、ほぼ一定	ほぼ一定	ポンプの制御により、ほぼ一定
断水時の給水	不可能	不可能	受水槽、高置水槽の残量が給水可能	受水槽の残量が給水可能
停電時の給水	可能	不可能、低層階のみ直圧により給水可	高置水槽の残量のみ給水可能	不可能
機器設置スペース	不要	増圧ポンプユニットのスペースが必要	受水槽、高置水槽、揚水ポンプ、制御盤のスペースが必要	受水槽、直送ポンプ、制御盤のスペースが必要
水道引込み管径	・ピーク給水量で決定 ・一般には20mm 程度	・ピーク給水量で決定 ・給水主管と同径以下（一般には２サイズ下程度）（高置水槽方式より太くなる）	・一般には時間平均給水量で決定	・一般には時間平均給水量で決定
維持管理	不要	増圧ポンプユニット及び逆流防止装置の維持管理	受水槽と高置水槽の維持管理・清掃、揚水ポンプの維持管理	受水槽の維持管理・清掃、直送ポンプの維持管理
設備費	安価	増圧ポンプユニットの設備費（受水槽方式より一般に安価）	受水槽、高置水槽、揚水ポンプの設備費（一般に高価）	受水槽、直送ポンプの設備費（やや高価）
備考	給水装置の適用を受ける	・給水装置の適用を受ける ・ポンプ・配管による騒音、振動に留意	・最上階での器具必要圧力を確保するため、高置水槽の高さが必要 ・受水槽までは、給水装置の適用を受ける	・受水槽までは、給水装置の適用を受ける ・ポンプ・配管による騒音、振動に留意

④　最近の傾向

最近新築される中高層マンションでは、高置水槽がなく、給水を下階から上階に押し上げる加圧給水方式の採用が多い。また、小中規模のマンションでは高置水槽だけでなく、受水槽も不要な直結増圧方式も多くなってきており直結増圧方式の適用範囲を拡大している自治体もある。

一方、既存マンションの改修工事においては、給水管の改修だけでなく、給水システムを変更して高置水槽や受水槽を撤去するケースもある。

その場合、水道引込み管のサイズがピーク給水量に合っているかの確認をする必要がある。

⑤　給水方式とゾーニング

給水設備でのゾーニングとは、一般に高層建築物において下層階の給水圧力が大きくなり、使用上の不都合、過大な流速、ウォーターハンマーの発生などを避けるために、高さ方向に区域を分け、給水圧力の調整を行うことをいい、マンションでは0.1～0.4MPa 以内の給水圧力となるようにゾーニングを行う。一般的には12～13階建て以上になるとゾーニングを行う場合が多い。

高層・超高層マンションでは、加圧給水方式の採用が多いが、高置水槽方式も採用されており、加圧給水方式のゾーニングの方法を図14に、高置水槽方式のゾーニングの方法を図15に示す。さらに、給水の騒音対策も兼ねて各住戸に減圧弁を設け、各住戸内を0.1～0.15MPa 程度に圧力調整する例も増えている。

図14　加圧給水方式のゾーニング

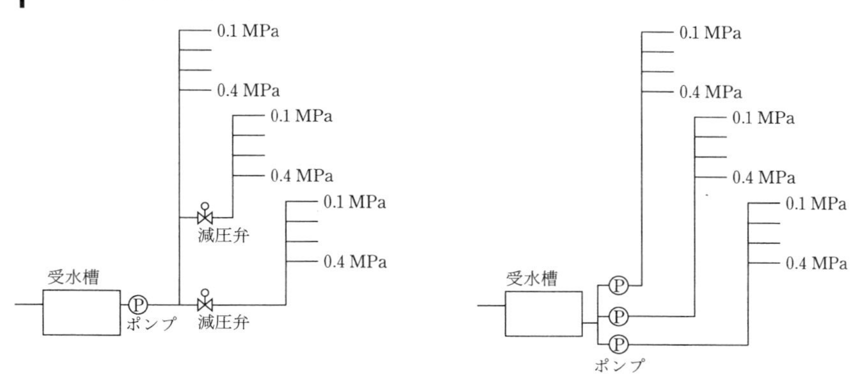

図15　高置水槽方式のゾーニング

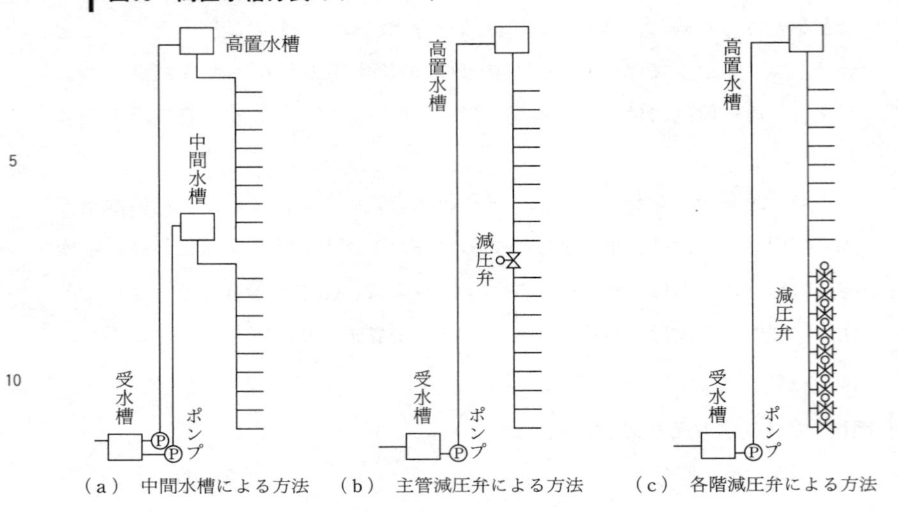

（a）　中間水槽による方法　（b）　主管減圧弁による方法　（c）　各階減圧弁による方法

（2）高置水槽・受水槽の概要

①　飲料用水槽の設置

飲料用水槽は、建築基準法施行令129条の2の4第2項5号で「給水タンク及び貯水タンクは、ほこりその他衛生上有害なものが入らない構造とし、金属製のものにあつては、衛生上支障のないように有効なさび止めのための措置を講ずること」とされ、昭和50年建設省告示1597号（最終改正：平成22年国土交通省告示243号）で詳細な構造と設置について規定されている。この規定により、従来行われていた地中梁など建物の躯体を利用した地下式受水槽は告示に示す6面点検ができず、水質汚染の可能性が高いため、以降は新規に採用されていない。

飲料用水槽の材質については、平成12年建設省告示1390号に「配管設備の材質は、不浸透質の耐水材料その他、水が汚染されるおそれのないものとすること」とされ、配管設備に飲料用水槽も含んでいる。

また、貯水槽の耐力等については、平成12年建設省告示1388号（平成24年国土交通省告示1447号）に「風圧、土圧及び水圧並びに地震その他の震動及び衝撃に対して安全上支障のない構造とすること」とされ、さらに平成12年建設省告示1389号に屋上から突出する水槽の構造計算方法が示されている。

飲料用水槽に関する上記の法規に示す主な構造及び設置と一般構造要件を図16、表13、表14に示す。

図16　飲料用水槽の設置と構造

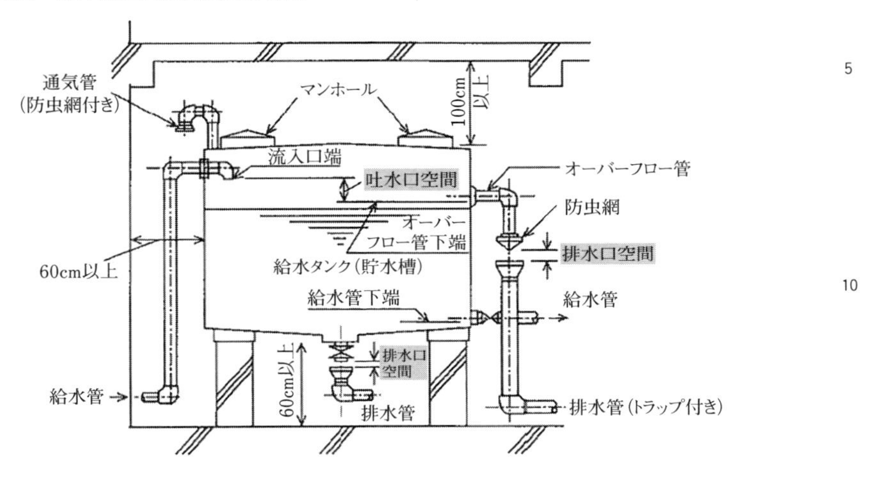

表13　飲料用水槽の一般構造要件

項　目		構　造　要　件
材質		○　材質は水質に影響を及ぼさないものであること。
耐震等		○　耐震構造で、かつ風圧、水圧及び必要により土圧、積雪に耐える構造とする。
点検・清掃の容易性	マンホール	○　有効内径60cm 以上のマンホールを設け、マンホール面は10cm 以上立ち上げ、マンホールふたは防水密閉型とする。
	はしご	○　マンホール付近の槽内外に耐食性の内はしご、外はしごを設ける。
	付属品	○　先端に防虫網を付けたオーバーフロー管及び通気管を設ける。
	水はけ	○　貯水槽のふたは、水が入らないように、1/100以上のこう配を設ける。 ○　貯水槽の底部は、1/100以上のこう配を設け、最低部にピット又は溝を設け、そこへ水抜き管を設置する。
	分割	●　貯水槽は、清掃時に断水しないように、2基設けるか、又は2槽式とする。
	補強	●　槽内部の補強部材は、清掃の妨げにならないように設ける。
滞留防止		●　流入・出口は対角線上に配置し、大型の貯水槽には迂回壁を設ける。

注）○は法令による要件又は法令上必要と解釈できる要件
●は維持管理上望ましい要件

表14　飲料用水槽の設置要件

設　置　要　件	備　考
○　６面点検が容易にできること。	①　周壁、底60cm、天井100cm 以上のスペースを確保する。 ②　高置水槽には階段で上がれ、必要により柵を設ける。
○　建築物の他の部分と兼用しないこと。	・原則として床上設置とする。
○　水槽内に飲料用配管以外の配管を設けないこと。	
○　水槽の上にポンプ、空調機などを設けないこと。	・設ける場合は、排水受け皿などをつける。
○　最下階の床下に設ける場合は、漏水検知器などを設けて通報すること。	・管理員に通知できるようにする。
●　水槽は過大となって停滞水が生じないように設ける。	①　過大となる場合は、水位調整を行う。 ②　２基のうち、１基の使用を取り止め、水を抜く。

注）○は法令による要件又は法令上必要と解釈できる要件
　　●は維持管理上望ましい要件

②　飲料用水槽の耐震

飲料用水槽は、非常時の飲料水を確保する重要な使命があり、特に耐震強度が要求される。1978（昭和53）年の宮城県沖地震では、飲料用水槽の被害が多く見られた。そこで、建築設備の耐震強化策が官民合同で検討され、1982（昭和57）年に建築設備耐震設計施工指針（建設省住宅局建築指導課監修）が刊行され、水槽の耐震が大幅に強化された。

その後、1995（平成７）年の阪神・淡路大震災の結果により耐震設計基準の見直しがなされ、スロッシング（タンクのような液体を入れた容器に周期的な振動を与えた場合に、タンク内の液面が大きくうねる現象）対策を施した大地震時に耐えることができる水槽も規定された。1997（平成９）年に刊行された建築設備耐震設計施工指針には、一般的な耐震設計法（局部震度法）で使用される飲料用水槽の設計用標準震度が表15のように示されている。貯水槽の構造設計は、この基準に基づいてなされ、最近では耐震クラスＡが標準となって現場に納入されている。

なお、震災時に受水槽の水を確保する目的で、給水配管などの折損で漏水して水が消失することを防止するために、給水口端に緊急遮断弁を設け、また、受水槽に直接水を採取できる弁（水栓）を設けると震災時に有効である。

表15　飲料用水槽の設計用標準震度

設置場所	耐震クラスS	耐震クラスA	耐震クラスB
上層階及び屋上塔屋	2.0	1.5	1.0
中間階	1.5	1.0	0.6
1階及び地下	1.5	1.0	0.6

備考1：上層階とは、2～6階建ては最上階、7～9階建ては上層2階、10～12階建ては上層3階、13階以上は上層4階

備考2：防災拠点建築物や重要度の高い水槽は耐震クラスSを適用する。

③　飲料用水槽の材質

(ア)　鋼板製水槽

鋼板は加工性・強度などに優れ、価格も手ごろなので従来から水槽の材料として長く使われてきており、1960年代半ば頃までは水槽の材質の主流を占めていたが、しだいにFRP製のものに取って代わられてきた。

(イ)　FRP製水槽

FRPとは、プラスチックをガラス繊維で補強したもので、樹脂としては不飽和ポリエステル樹脂が大半を占めているが、構造材として使用されるプラスチックの中では最も強靭で安定した材料である。我が国ではFRP製水槽は1962年に開発され、使用され始めた。

FRP製水槽を構造別に分類すると、FRP単板構造のもの、FRPを表面材としてウレタンフォーム、アクリルフォームなどの硬質で独立発泡の合成樹脂発泡体あるいは合板などを芯材とした複合板構造のもの、及びこれらを組み合わせた構造のものなどに分類される。単板構造のものは板厚2～10mm程度と薄いが、複合板構造のものは10～40mm程度のものが多く、単板構造に比べて断熱性能及び機械的強度に優れ、凍結や結露するおそれが少ない。

(ウ)　ステンレス鋼板製水槽

ステンレス鋼板製水槽は、パネルを溶接で組み立てるものと、ボルトで組み立てるものがある。パネルの材質は、当初はSUS304、SUS316が使用されたが、水面上部の気相部が塩素で腐食劣化した。そこで、SUS444に替えられたが十分でなく、現在気相部では耐塩素性の高いSUS329J4L、液相部ではSUS444が使われているのが一般的である。

溶接組立て型は、補強のためにパネルの接合部ごとに水平及び垂直の内部補強が必要であり、また溶接部の仕上げの酸洗い後に生じる排水は強酸性なので、消石灰などで中和してから放流しなければならない。

(エ) その他

その他飲料用水槽の材質として、木製の受水槽があるが、マンションでの使用はほとんどない。また、一部ではコンクリート製の受水槽も使用されているが、コンクリート製受水槽では、6面点検のできる水槽となっていないことが多い。告示制定前の昭和50年以前に設置の躯体利用の既設受水槽は認められているが、大規模な改修工事や模様替えを行うときに、床上設置の6面点検できる水槽に替えることが望ましい。

④ 水槽の水位制御方式

受水槽の水位は、定水位弁で制御される。定水位弁は、主弁と副弁で構成され、小流量は副弁のボールタップ又は電磁弁で供給され、大流量を主弁で給水する。受水槽が満水になると満水警報が鳴り、一定水位以下になると減水警報が鳴る。図17に定水位弁と電極棒の設置例を示す。

高置水槽は、電極による起動水位と停止水位で揚水ポンプが発停し、それに満水警報水位、減水警報水位、ニュートラル水位があるのが基本で、最低5本の電極を必要とする。

ゴミ等が弁に詰まると満水、減水を誤認識し、正常な水位が保てなくなる。

図17 受水槽の定水位弁と電極棒の例

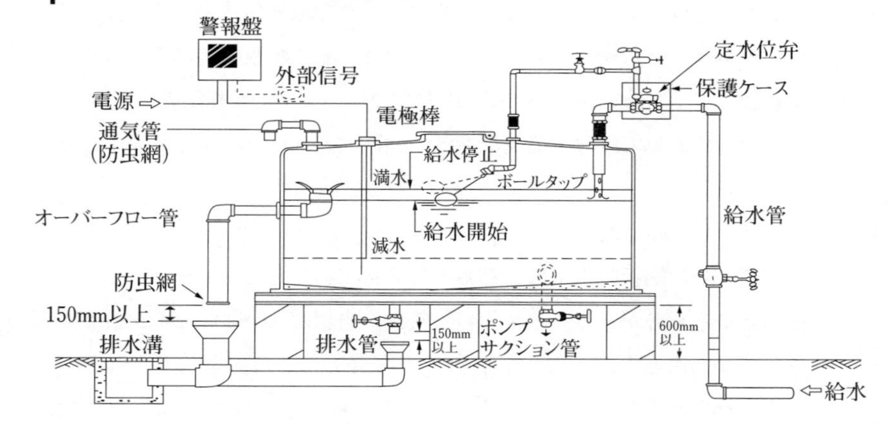

⑤　水槽の管理・点検のポイント

水槽類の管理のポイントは、水面制御、漏水及び飲料水であるため異物の混入や害虫の侵入を防止することに留意する。

水槽回りは、漏水の有無やマンホールの施錠、オーバーフロー管の防虫網、定水位弁のゴミ詰まりなどの点検を行う。

（3）給水ポンプの種類、耐震・振動・騒音対策

①　給水用渦巻ポンプ

給水ポンプには渦巻ポンプが使用され、揚程が高くなると多段渦巻ポンプが使用される。

設置形式から横軸、立軸及び水中型がある。従来は主に横軸が使用されていたが、最近では設置スペースの節約を図れる立軸や受水槽内に組み込みの水中型も増えている。

ポンプにはポンプ本体のポンプ軸とモータ軸をカップリングで接続する直結型と、ポンプ軸とモータ軸を一体化した直動型がある。直動型は、回転数を早くした2極式を用いて、4極式の直結型に比べて半分以下の大きさにしており、設置スペースの節約も図ることができる。ステンレス鋼製ポンプの大半がこのタイプである。

給水ポンプ本体の材質には、主に鋳鉄製鋳物とステンレス鋼製プレス加工のものがある。

鋳鉄製は、接水部をナイロンコーティングして赤水を防止している。ステンレス鋼製ポンプは、プレス加工でかつ直動型で大きさが小さいため、比較的経済的である。

高置水槽方式の揚水ポンプは、通常2台設置して自動交互運転されるが、片方のポンプは故障時の予備の役割を果たす。横軸ポンプ又は立軸ポンプを使用する場合は、独立した基礎の上に設置され、水中型は受水槽内に設けられる。

②　加圧ポンプユニット

加圧給水方式は、給水量の変化に伴い、ポンプの回転数又は運転台数を変化させることにより、吐出圧力又は末端圧力を一定にして給水する。加圧ポンプは、通常ユニットで市販され、ポンプ、ポンプ回り配管、制御装置及び

制御盤が一体となっている。

その制御方式は、給水管内の圧力又は流量を感知・推定し、ポンプの台数及び回転数を制御する方式や、これらの組合せで制御する方式がある。ポンプの回転数制御方式では、吐出圧力を感知してポンプの回転数制御を行う方式（吐出圧力一定制御）と使用水量の変化に応じ自動的に回転数を変化させる方式（推定末端圧力一定制御）がある。直結増圧方式に使用されるポンプも同類である。

加圧ポンプは、小流量で運転されるとポンプ内が加熱焼損のおそれがあるので、圧力タンクを内蔵し、小流量時にはポンプは停止して圧力タンク内の水が吐出される。

③　ポンプの騒音・振動対策

マンションのポンプ室が住棟内にある場合は、騒音・振動対策を確実に実施していないと入居後クレームが発生する場合がある。一般的な防音・防振対策を下記に示す。

◇ポンプ室は、居室とは直接隣接させず、かつポンプ室周りの遮音対策を行う。

◇ポンプは、防振架台上に設置する。

◇ポンプの吸込管、吐出管には防振継手を設ける。

◇吐出管以降の揚水管（加圧給水方式では給水管）の躯体からの支持は、防振支持とする。

◇揚水管（加圧給水方式では給水管）は躯体貫通などの場合、防振ゴムなどを介し躯体と直接接触させないようにして固体伝搬音の防止を図る。

◇ポンプには、圧力脈動吸収装置（パイプサイレンサーなど）を設ける。

◇ウォーターハンマー及び流水音の低減のため、給水管内の流速は1.5～2m/sec 以下とする。

なお、ポンプ室が住棟以外の場所にある場合でも、揚水管や加圧給水方式の給水管の支持、躯体貫通箇所などの扱いは前記による。

④　ポンプの管理・点検のポイント

ポンプ回りも漏水や衛生面に留意するほか、点検の際の異音、振動、過熱などの異常に留意する。

給水ポンプに空気が入るとポンプが空転して送水しなくなり、電流計の値及び圧力計器の値が正常値より低くなるので、正常稼動時に印をつけておくとよい。

ポンプの空気抜きは、ポンプの空気抜きコックを開放し、呼び水カップから水を注入して空気抜きコックから水があふれたら、空気抜きコックと呼び水カップのコックを閉止してポンプを始動させる。 5

⑤ ポンプの耐震対策

ポンプを直接基礎に固定する場合は、ポンプと配管の接続部において無理な力が作用するので、可とう継手などで変位を吸収する。

ポンプを防振架台に設置する場合は、地震時にポンプが飛び出さないように耐震ストッパーで支持を行う。 10

(4) 配管材料の種類と変遷

① 給水配管材料の変遷

給水管は1970年頃まで亜鉛めっき鋼管が使用されていた。この管材は通称、白ガス管ともいわれ、迷走電流等で錆びやすい欠点があるため赤水問題が多く発生した。その後、硬質塩化ビニルライニング鋼管が開発され使用され始めた。この管材は鋼管の内部に硬質塩化ビニル管が挿入されたもので、塩化ビニルの耐食性と鋼管の剛性という長所を併せ持っており、現在、最も多く使用されている。しかし、1985年頃まで使用された樹脂コーティング継手では、継手の鉄露出部分及び鋼管のネジ部分が錆びやすい弱点があった。その後、継手接合部分の防食処理を十分に考慮した管端防食継手が開発されて一般に普及し、管の耐久性は大幅に向上することとなった（図18）。 15 20

また、2000年頃から硬質塩化ビニルライニング鋼管に比べ、より耐久性のあるステンレス管を給水管に採用する新築マンションも出てきている。一方、専有部分で使用される給水管は、共用部分と同じ硬質塩化ビニルライニング鋼管や塩化ビニル管・銅管が多かったが、1990年頃から樹脂管である架橋ポリエチレン管やポリブテン管の採用も増えてきている。 25

マンションにおける管材の変遷を表16に示す。

30

図18　水道用ライニング鋼管と管端防食継手の経緯

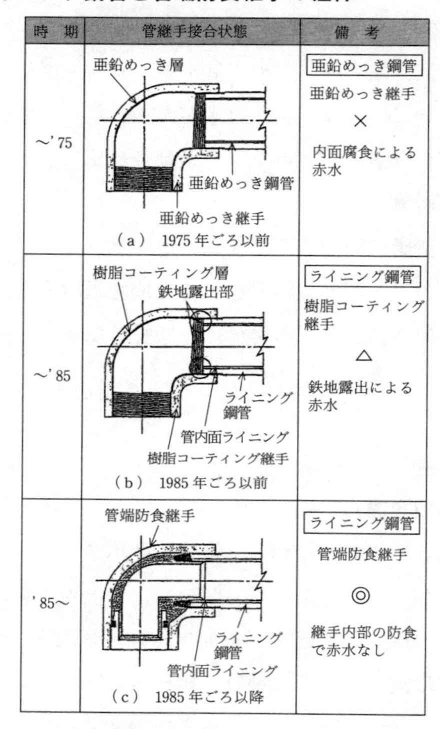

時　期	管継手接合状態	備　考
～'75	亜鉛めっき層 亜鉛めっき鋼管 亜鉛めっき継手 （a）1975年ごろ以前	亜鉛めっき鋼管 亜鉛めっき継手 × 内面腐食による赤水
～'85	樹脂コーティング層 鉄地露出部 ライニング鋼管 管内面ライニング 樹脂コーティング継手 （b）1985年ごろ以前	ライニング鋼管 樹脂コーティング継手 △ 鉄地露出による赤水
'85～	管端防食継手 ライニング鋼管 管内面ライニング （c）1985年ごろ以降	ライニング鋼管 管端防食継手 ◎ 継手内部の防食で赤水なし

出典：日本水道鋼管協会「パンフレット」

表16　給水配管材料の変遷（住宅）

主な管種（給水）	1955	1960	1965	1970	1975	1980	1985	1990	1995	2000	2005	備　考
	30	35	40	45	50	55	60	2	7	12	17	
水道用亜鉛めっき鋼管（SGPW）（白ガス管）	◇JIS制定								◆JIS改正（水道用途より除外）			JIS改正（1997年）で「水配管用亜鉛めっき鋼管」となる
水道用硬質塩化ビニルライニング鋼管（SGP-V）				◇JWWA制定（管）		○管端コア	○管端防食継手 ◇JPF制定（継手）		◇JWWA制定（継手）			左表の下段のJPF・JWWA制定の（継手）は「管端防食継手」をいう
水道用ポリエチレン粉体ライニング鋼管（SGP-P）						◇JWWA制定						「管端防食継手」は「硬質塩化ビニルライニング鋼管」に同じ
水道用ステンレス鋼管（SUP）						◇JWWA制定（水道用）						「水道用波状ステンレス鋼管」は1997年にJWWA制定
水道用銅管（CUP）	◇JWWA制定			◇JIS制定								
水道用硬質ポリ塩化ビニル管（VP、HIVP）	◇JIS制定			◇HIVP：JWWA制定				◇JIS改正				JIS改正（1993年）で「HIVP（耐衝撃性硬質塩化ビニル管）」を統合
水道用ポリエチレン二層管（PP）	◇JIS制定							◇JIS改正				JIS改正（1993年）で「水道用ポリエチレン二層管」になる
水道用架橋ポリエチレン管（PEX）									◇JIS制定（水道用）			住戸内:主にさや管ヘッダー工法等に採用
水道用ポリブテン管（PBP）									◇JIS制定（水道用）			住戸内:主にさや管ヘッダー工法等に採用

② 給水用配管材料

現在、マンションの給水に使用されている主な配管材料の特徴を表17に示す。

表17　主な給水管材の特徴

管種	規格名称	略称	使用個所	特　徴
鋼管	水道用亜鉛めっき鋼管（白ガス管）	SGPW	屋内	内外面亜鉛めっき。残留塩素の多い水質では赤水・発錆等の問題あり。酸・アルカリに弱い。現在規格はなく、新規には使用されない。
	水道用硬質塩化ビニルライニング鋼管注1)	VA VB VD	屋内 屋内 屋外	VDは外面硬質塩化ビニル被覆で屋外用。管端が露出すると錆びるので、管端防食継手を使用する。ねじ込み接合であるが、100mm以上ではフランジ接合が多い。住宅用給水管として最も一般的に使用される。
ステンレス鋼管	一般配管用ステンレス鋼管	SUS	屋内・外	SUS304とSUS316があり、通常SUS304が使用される。耐食性は高い。メカニカル接合が主であり、施工不良でスッポ抜けのおそれがある。近年、共用部分の給水管に使用される例が多い。
	水道用ステンレス鋼管	SUP		
銅管	銅及び銅合金継目無管	CUP	屋内	M、L（Mより厚い）が使用され、一般にはMの使用が多い。ろう接合で技術を要する。耐食性は高い。主に、住戸内給水、給湯用に被覆銅管として使用される。
	水道用銅管			
合成樹脂管	水道用硬質塩化ビニル管	VP HIVP	屋内・外	耐食性、耐電食性が高い。接着接合で施工が容易である。直射日光、衝撃、凍結には弱い。耐火性がないので、屋外埋設の使用が多く、屋内は耐火区画内の住戸部分の使用が多い。
	水道用ポリエチレン二層管	PP (PE)	屋外	耐食性高く、柔軟性があり、凍結破壊に強い。接合はメカニカル継手による。傷がつきやすく、有機溶剤・ガソリンに侵される。
	水道用ポリブテン管	PBP	屋内	耐熱性、耐食性に優れ、比較的高温でも内圧強度が高い。熱による膨張破壊のおそれがある。融着接合が多い。近年住戸部分の給水・給湯管に使用されることが多い。温泉配管にも利用される。
	水道用架橋ポリエチレン管	PEP (PEX)	屋内	耐熱性、耐寒性、耐食性に優れ、柔軟性がある。直射日光、溶剤に弱く、傷がつきやすい。メカニカル接合、融着接合が用いられる。近年住戸部分の給水・給湯管に使用されることが多い。

注1）水道用ポリエチレン粉体ライニング鋼管JWWA K 132もPA、PB、PDがあり、同様の特徴がある。

③　さや管ヘッダー方式

さや管ヘッダー方式とは、給水配管自体は軟質の管材（架橋ポリエチレン管、ポリブテン管、軟質銅管など）を使用するもので、施工時にあらかじめ樹脂製のさや管（CD 管）を敷設した後にそれら軟質の給水管を通し込み、給水器具とヘッダーをその管で接続するものである（図19）。配管の更新に有効であることから、品確法（住宅の品質確保の促進等に関する法律）の専用配管の「維持管理対策」として多く採用されている。最近の集合住宅では、ヘッダーを使用せず継手で順次分岐し、配管更新を前提としない「先分岐工法」が多く採用される傾向にある。

図19　さや管ヘッダー方式の例

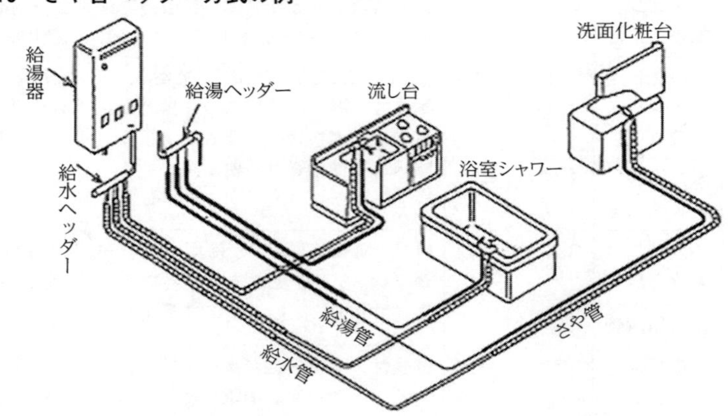

出典：下田邦雄「空気調和・衛生工学、64.8」(公社)空気調和・衛生工学会(一部修正)

④　クロスコネクション

クロスコネクションとは、飲料水の給水・給湯系統とその他の系統が、配管・装置により接続されている状態をいう。つまり、管理されている水（上水）が、一度吐出された水と混ざるような接続をいう。

水栓（蛇口）にホースを付けてその先端がバケツなどの一度吐出された水（汚染された水）に浸っている場合、逆サイフォン作用が起こればバケツの水が上水や飲料水に混ざる可能性があるので、このような接続も広義のクロスコネクションといえる。クロスコネクションは、建築基準法施行令129条の２の４第２項の規定で禁止されている。クロスコネクションにならないようにするためにも、適切な吐水口空間が必要となる（図20）。また、直接配管を接続していなくてもバルブや逆止弁を介して接続をしていれば、クロスコネクションの状態である。

図20　排水口空間と吐水口空間

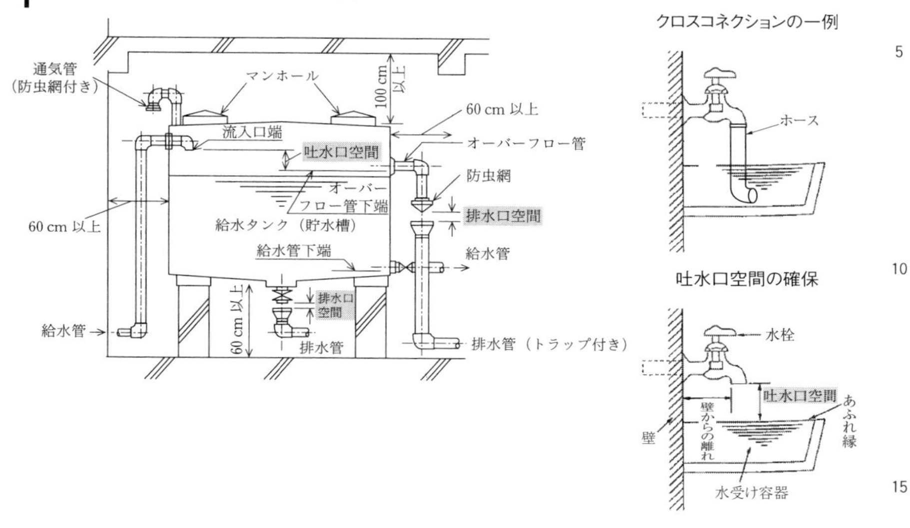

⑤　その他給水設備の管理・点検のポイント

給水配管で最も腐食しやすい場所は、水道メーターやバルブなどの砲金製部材との異種金属接触部である。これらは各戸のPS（パイプスペース）内にあり、漏水が発生しやすい場所でもあるので留意したい。

(5) 給湯方式の概要

①　給湯方式

マンションで採用されている給湯方式は、おおむね局所給湯方式、住戸セントラル給湯方式及び住棟セントラル給湯方式の3タイプに大別される。

㈠　局所給湯方式

「局所給湯方式」は、給湯の必要箇所にそれぞれ給湯器を設ける方式である。

㈡　住戸セントラル給湯方式

「住戸セントラル給湯方式」は、住戸ごとに設けた給湯器から各給湯箇所（風呂・洗面・キッチンなど）へ配管で給湯する方式で、マンションで一般的に採用されている方式である。

ガス給湯器では能力表示に「号」を用い、1号は流量1ℓ/minの水の温度を25℃上昇させる能力を表している。居住者が4人程度のファミリータイプの場合、同時給湯を考慮して24号が一般的に採用されている。

最近では、省エネや環境に配慮した、ヒートポンプ式給湯器(エコキュート)も採用されている。この機器は自然冷媒(CO_2)を用いて、コンプレッサーで大気中の熱を効率よく集めて給湯のエネルギーを作り出す仕組みで、電気に対して約3倍の熱エネルギーを作るといわれている。貯湯槽(タンク)と組み合わせて使い、蓄熱することにより電気容量を削減するとともに深夜電力の利用が可能となる。

潜熱回収型ガス給湯器(エコジョーズ)とは、従来の給湯器で空気中に排気していた高熱の燃焼排気ガスを加熱に再利用する給湯器である。熱効率は、従来約80%だったものが90〜95%にまで向上し、CO_2排出量も約13%削減できるようになった(図21)。潜熱の回収時に酸性の凝縮水が発生するため、中和器を通して中和させてから排水する。

図21　潜熱回収型ガス給湯器の構造とメカニズム

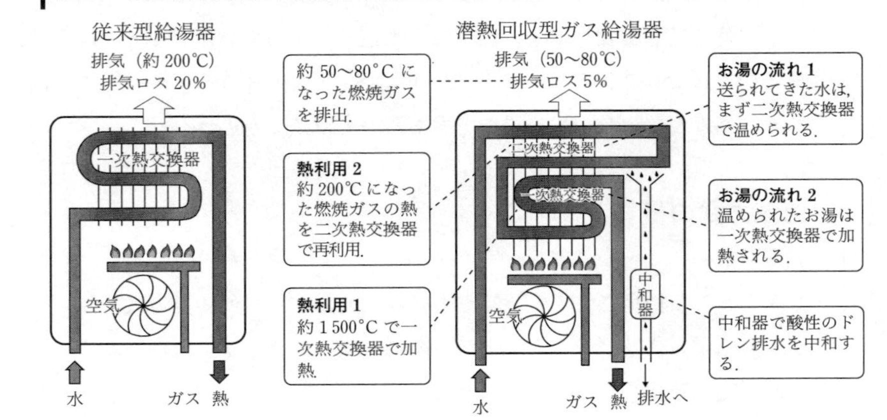

(ウ)　住棟セントラル給湯方式

「住棟セントラル給湯方式」には、マンションの屋上などに熱源機や貯湯槽を設けて給湯箇所へ配管で給湯する方式や、地域暖房などから蒸気や温水の供給を受けて熱交換器を介して供給される方式がある。

住棟セントラル方式では、配管距離が長いので即湯システムとするために返湯管を設けた複管式とし、給湯使用量の計測は住戸に給湯メーターを設けるのが一般である。また、高層マンションでは、給水と同じように圧力が過大とならないように給湯についてもゾーニングを行う。ただし、住戸に減圧弁を使用する場合は2次側から返湯管を設けることができないので、住戸内の給湯管が長い場合は、給湯管に電熱ヒータを巻いて熱損失を防止するか、住戸内に返湯管と循環ポンプを設ける方式も採用されている。

住棟セントラル方式は、入居者が機器などに関与せずに必要なときにすぐお湯が出てくる利便性があり、また、設置スペースもほとんど要しないが、一般的にランニングコストが高く、システム、機器などの維持管理体制が整備されていることが前提である。

② 給湯管

㈠ 給湯管の変遷

亜鉛めっき鋼管（白ガス管）は、過去に給湯に用いられたが赤水・配管腐食が問題で、1960年代半ば頃から銅管、1970年代半ば頃からステンレス鋼管が使われ始めた。銅管は1975年頃から腐食対策としてりん脱酸銅が採用され、以後最近まで発泡ポリエチレンなどで被覆された被覆銅管が給湯用配管材料として一般的に使われてきた。しかし、近年新築のマンションの専有部分内配管は、耐熱性のある樹脂管の採用が多くなり、架橋ポリエチレン管やポリブテン管が給水・給湯管として使用されている。表18に給湯管の使用の変遷を示す。

表18　給湯配管材料の変遷（住宅）

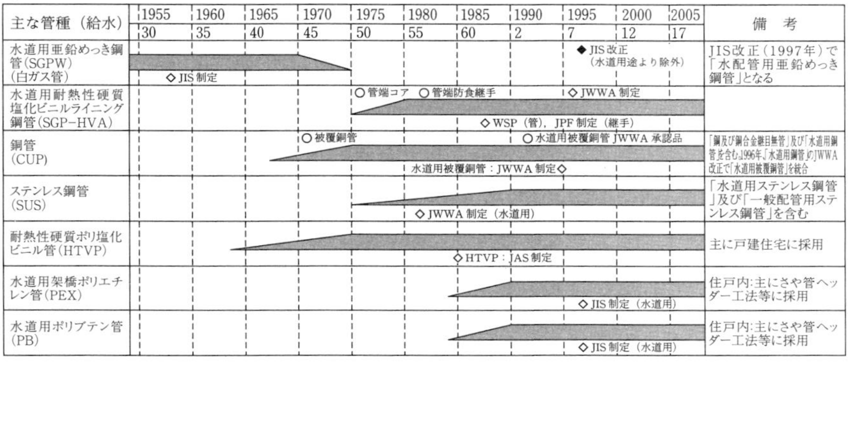

主な管種（給水）	1955 30	1960 35	1965 40	1970 45	1975 50	1980 55	1985 60	1990 2	1995 7	2000 12	2005 17	備　考
水道用亜鉛めっき鋼管(SGPW)(白ガス管)	◇JIS制定								◆JIS改正（水道用途より除外）			JIS改正（1997年）で「水配管用亜鉛めっき鋼管」となる
水道用耐熱性硬質塩化ビニルライニング鋼管(SGP−HVA)					○管端コア	○管端防食継手	◇WSP（管），JPF制定（継手）		◇JWWA制定			
銅管(CUP)				○被覆銅管		水道用被覆銅管：JWWA制定◇		○水道用被覆銅管 JWWA承認品				「銅及び銅合金継目無管」及び「水道用銅管」を含む。1996年、「水道用銅管」のJWWA改正で「水道用被覆銅管」を統合
ステンレス鋼管(SUS)						◇JWWA制定（水道用）						「水道用ステンレス鋼管」及び「一般配管用ステンレス鋼管」を含む
耐熱性硬質ポリ塩化ビニル管(HTVP)							◇HTVP：JAS制定					主に戸建住宅に採用
水道用架橋ポリエチレン管(PEX)									◇JIS制定（水道用）			住戸内:主にさや管ヘッダー工法等に採用
水道用ポリブテン管(PB)									◇JIS制定（水道用）			住戸内:主にさや管ヘッダー工法等に採用

(イ) 給湯に使用される配管材料

マンションの給湯管に使用される主な配管材料の特徴を表19に示す。

表19　主な給湯管材の特徴

管種	規格名称	略称	特　徴
銅管	銅及び銅合金継目無管	CUP	Mタイプ、Lタイプ（Mタイプより厚い。）が使用され、一般にはMタイプの使用が多い。 ろう接合で技術を要する。一過式配管では耐食性は高い。住戸内給湯用には被覆銅管として使用される。
鋼管	水道用耐熱性硬質塩化ビニルライニング鋼管	HTLP	管端が露出すると錆びるので、管端防食継手を使用する。ねじ込み接合で100mm 以上ではフランジ接合が多い。マンションでは、主にセントラル方式の主管、給湯器周りに使用される。 なお、水道用亜鉛めっき鋼管は腐食するため、現在使用されていない。
ステンレス鋼管	一般配管用ステンレス鋼管	SUS	SUS304とSUS316があり、通常SUS304が使用される。耐食性は高い。メカニカル接合が主であり、施工不良でスッポ抜けのおそれがある。共用部分の給湯管に使用される。
	水道用ステンレス鋼管	SUP	
合成樹脂管	耐熱性硬質塩化ビニル管	HTVP	耐食性、耐電食性が高い。接着接合で施工が容易である。直射日光、衝撃、凍結には弱い。可とう性がなく、温度伸縮量が多いので、給湯器周りなどの配管に使用される。
	水道用ポリブテン管	PBP	耐熱性、耐食性に優れ、比較的高温でも内圧強度が高い。熱による膨張破壊のおそれがある。融着接合が多い。近年住戸部分の給湯管に使用されることが多い。温泉配管にも利用される。
	水道用架橋ポリエチレン管	PEP（PEX）	耐熱性、耐寒性、耐食性に優れ、柔軟性がある。直射日光、溶剤に弱く、傷がつきやすい。メカニカル接合、融着接合が用いられる。近年住戸部分の給湯管に使用されることが多い。

（6）地中埋設管の種類・地盤沈下・耐震処置

地中埋設管として主に使用されている管種は、硬質塩化ビニル管、水道用ポリエチレン二層管及び樹脂ライニング鋼管の外面被覆したものであるが、主に水道用としてステンレス鋼管のSUS316及びダクタイル鋳鉄管も使用されている。その他の管を使用する場合は、防食被覆を施す。

地盤沈下・耐震措置で重要な箇所は、建物導入部の配管であり、建物と地盤の変位によって配管が折損しないような措置が講じられる。また、長い埋設配管の対策としては、水道用ポリエチレン二層管、ステンレス鋼管で伸縮可とう式継手の使用、ダクタイル鋳鉄管の離脱防止付伸縮形の採用などが有効とされている。ただし、水道用ポリエチレン二層管以外は、水道引込管に使用されている方法であり、イニシャルコストが増大するので一部の軟弱地盤などに用いられている。

(7) 排水・通気設備

① 排水・通気設備の概要

(ア) 排水の種類と排水・通気設備

マンションの各住戸からの排水は、

㋐ 便器からの汚水

㋑ 洗面所・洗濯機・浴室・台所などからの雑排水

㋒ 屋上・バルコニー・開放廊下・屋外敷地などからの雨水

に分けられる。

汚水と雑排水は、自然流下(重力式)により、衛生器具・排水トラップ・排水管・排水立て管・排水横主管を経て、屋外の敷地排水管から下水道に放流される。排水立て管には通気管が設けられ、通気管は排水管内の流れを円滑にするなどの補完的役割を果たしている。また、雨水は、排水ドレン、雨水立て管、雨水横主管を経て屋外に排出される。

図23にマンションの排水・通気設備の一例を示す。

建物内の排水・通気設備は、一般には汚水系統・雑排水系統・雨水系統に分けられるが、汚水系統と雑排水系統を一緒に排水することを合流式といい、別系統とすることを分流式という。厨房排水系統は、建築計画上の制約や詰まりなどが発生しやすいので単独系統とする場合もあるが、管の清掃の便を十分検討して位置、掃除口などを決定する。

(イ) 排水トラップ（図22）

図22　排水トラップ各部の名称

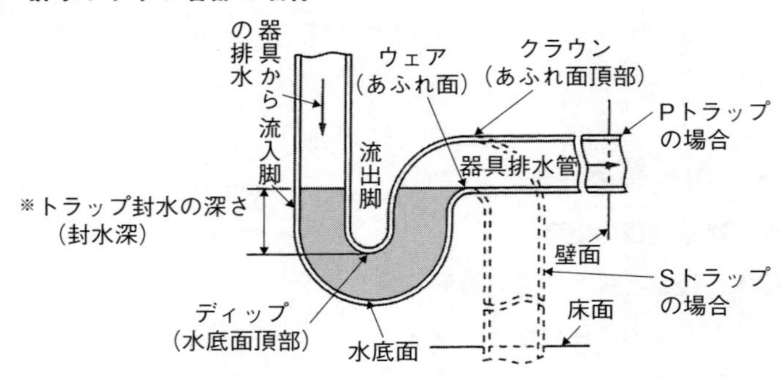

出典：空気調和・衛生工学会編「給排水衛生設備計画設計の実務の知識（改訂４版）」

排水トラップの目的は、トラップ内の封水により排水管から臭気や害虫が衛生器具を通して室内に侵入することを防止することである。マンションでは、台所流し・浴室洗い場・洗濯機用防水パンにわんトラップが、洗面台にはＳトラップが使われることが多い（図24）。

排水トラップの深さは昭和50年建設省告示1597号（最終改正：平成22年国土交通省告示243号）により５cm以上10cm以下と定められており、常時封水が保持されていることが必要である。しかし、排水立て管の通気性能不足に起因する吸い出し・はね出し現象や自己サイフォン・毛細管現象・蒸発などにより封水が破れる現象が発生する場合があり、これを破封という（図25）。

※二重トラップ

衛生器具には１つのトラップを設置する。２つのトラップを直列に接続させると、トラップとトラップの間の配管部分は閉塞状態になり、空気の逃げ場がなくなる。その状態になると管内の過剰な圧力変動が生じ、トラップが破封したり排水の流れを阻害するので禁止されている。

ただし、トラップが二重になっていても、その間に通気管があれば、二重トラップにはならない。

図23　マンションの排水・通気系統の例

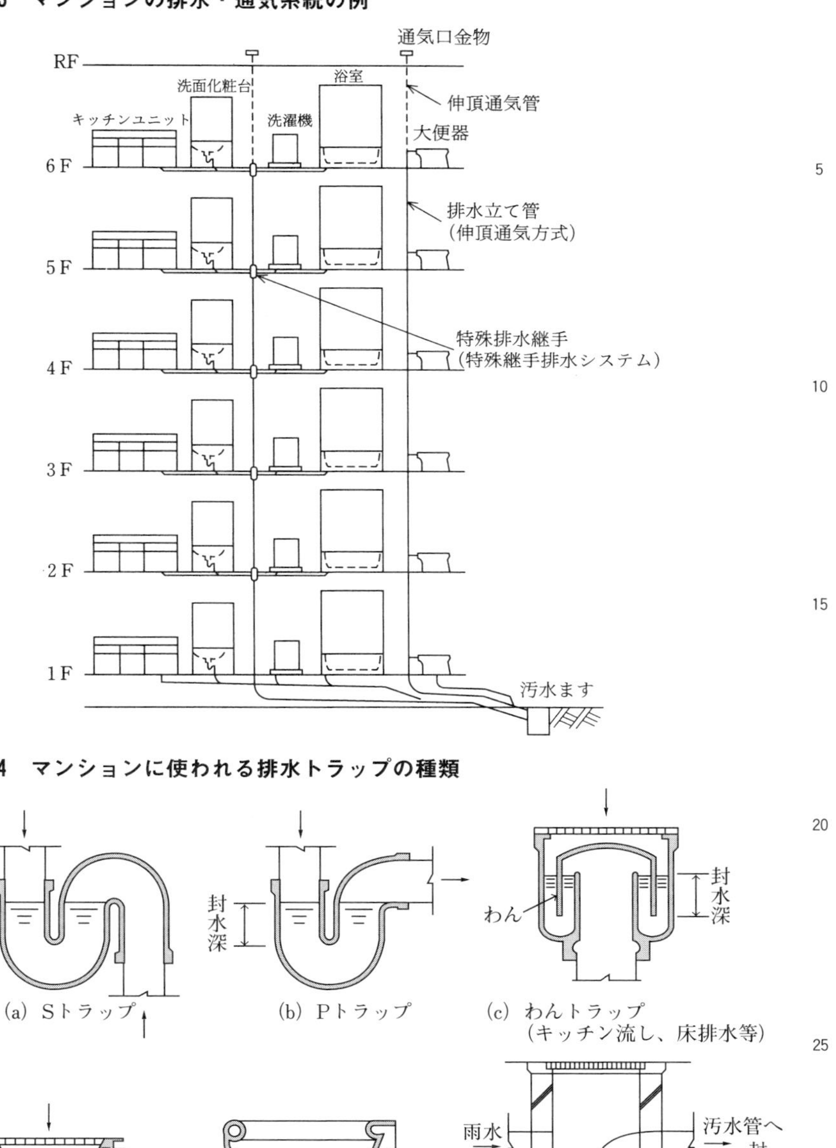

図24　マンションに使われる排水トラップの種類

(a) Sトラップ　(b) Pトラップ　(c) わんトラップ（キッチン流し、床排水等）

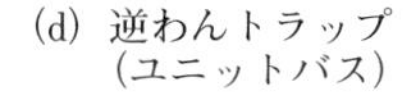
(d) 逆わんトラップ（ユニットバス）　(e) 造り付けトラップ（便器）　(f) トラップます（屋外雨水ます等）

図25　排水トラップの破封の例

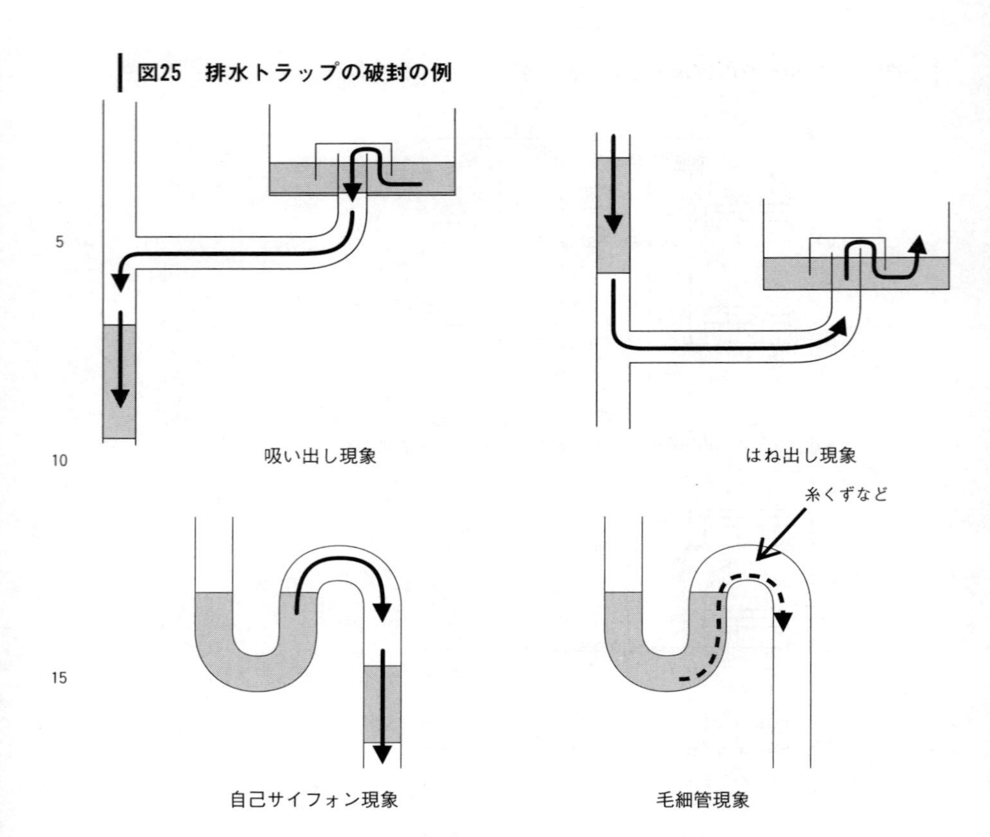

②　排水方式

㈠　敷地外への排除方式

建物から敷地外への排除方式は、公共側の受け入れ方式によって異なり、公共下水道が完備していれば直接下水道に放流でき、公共下水道が完備していなければ敷地内に設置した浄化槽を経由して都市下水路に放流することになる。

また、公共下水道などへの敷地外排除方式としては、敷地内設備と同じように合流式・分流式があるが、次のように意味が異なる。

合流式：汚水・雑排水・雨水を同一の下水管で排除する方式

分流式：汚水・雑排水と雨水をそれぞれ別の下水管で排除する方式

である。過去には合流式が多く採用されてきたが、近年の下水道は分流式が原則となっている。

排水設備と下水道

方　式	敷地内排水系統	下　水　道
合流式	汚水＋雑排水	汚水＋雑排水＋雨水
	雨　　水	
分流式	汚　　水	汚水＋雑排水
	雑　排　水	
	雨　　水	雨　　水

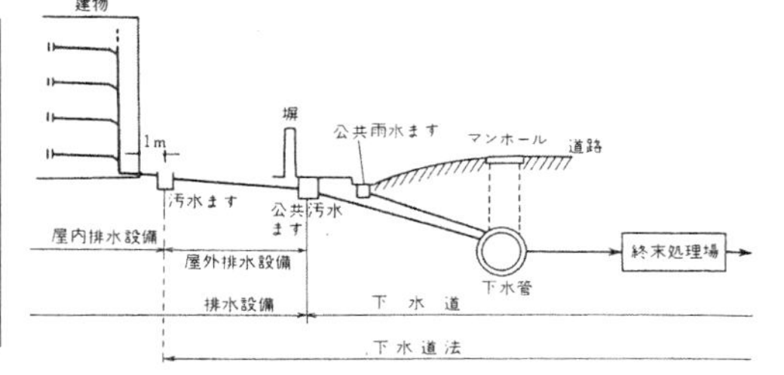

(イ)　重力式と加圧（機械）式

1階以上の階の排水は、重力で排水するので排水横管にこう配が必要である。排水横管のこう配は、流速が遅くて汚物やスケールが付着しやすくなったり、流速が速くて汚物が取り残されたりすることのないように、0.6～1.5m/secの流速となるよう排水管のこう配を表20のように設ける。

表20　排水横管のこう配（SHASE-S206）

管径（mm）	こう配（最小）
65以下	1/50
75、100	1/100
125	1/150
150	1/200
200	1/200
250	1/200
300	1/200

出典：（公社）空気調和・衛生工学会編：SHASE-S206-2009、P.104、表9.2

なお、1階の排水は、2階以上の上階の排水の影響を受けないように、上階からの排水管にはつなげずに、単独の排水管で屋外の敷地排水管へ排出するようにする（前出図23参照）。地下階の排水は、下水道より低い位置にあって直接放流できないので、排水槽を設けて排水をいったん貯留し、排水ポンプで加圧して排除する。

(ウ)　ディスポーザ設置の排水方式

近年、生ごみを発生箇所で処理し、蓄積しないディスポーザ排水処理システムがマンションを中心に設置されるようになった。このシステムは、ディスポーザ（生ごみ破砕機）を流しに取り付け、生ごみを破砕し、水とともに排水して排水処理システムに導き、公共下水道の排除基準に合致するように処理して放流するものである（図26）。

ディスポーザ排水は、そのまま下水道に流すと下水管路や下水処理場に悪影響を与えるため、ディスポーザ、排水配管、及び排水処理槽を組み合わせたシステムとして設置する必要がある。下水道未整備地域では、ディスポーザ対応型合併処理浄化槽を設けるか、ディスポーザ排水専用処理槽を設けて合併処理浄化槽に排水する方法がとられている。

ディスポーザ排水処理システムを設置する場合には、台所流し排水管は専用配管として、排水処理槽に接続する。

また、ディスポーザ排水処理システムの設置に当たっては、下水道事業体の認可が必要であり、その書類の届出の際に配管、処理槽などの維持管理計画書を提出するが、その計画書に基づいた維持管理を行うことが必要である。

図26　ディスポーザ排水処理システムの例

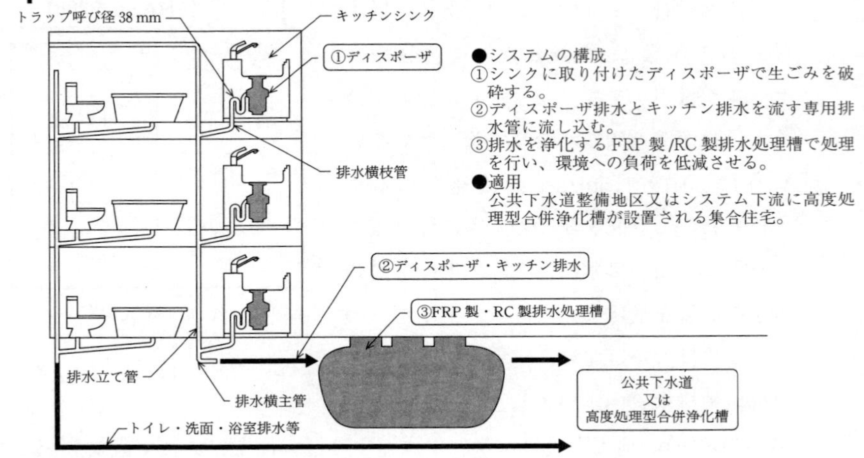

出典：(NPO) ディスポーザ生ごみ処理システム協会パンフレット

(エ)　排水ヘッダー方式

排水ヘッダー方式とは、排水立て管を専有部分内に入れず、パイプスペースにヘッダーを設置して、排水器具からヘッダーまでを１対１でつなぐことによって、排水器具相互の影響を防ぎ、SI（スケルトン・インフィル）住宅など、インフィル部分の可変性に対応するものとして採用され始めている。ヘッダー自体に１系統ごとの掃除口が設けられていて、共用スペースから維持管理ができることが特徴である（写真１）。

排水横枝管は、最小こう配を１/100とし、配管長さによって曲がり数に制限が定められている。

写真２は共用パイプスペースに排水ヘッダーを設置した例である。汚水

写真１　排水ヘッダー

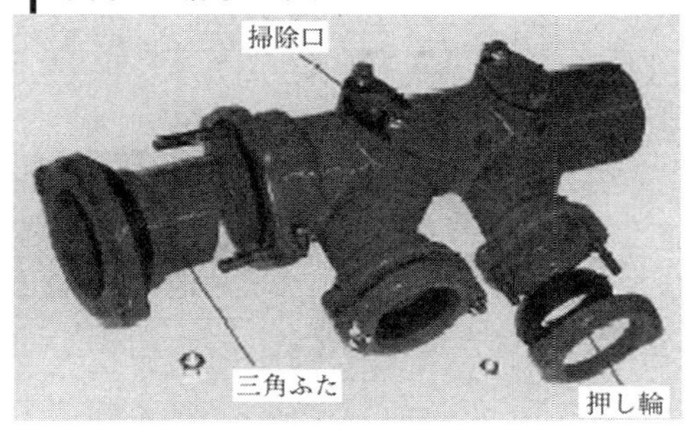

出典：排水ヘッダ開発コンソーシアム
「SI 住宅用排水ヘッダ設計技術ガイド　2005年版」

写真２　排水ヘッダー

出典：排水ヘッダ開発コンソーシアム「SI 住宅用排水ヘッダ設計技術ガイド　2005年版」

排水は、汚水排水継手に直接接続される。

③　配管材料の種類と変遷

㈠　排水管

マンションの排水管には、現在、主に排水用硬質塩化ビニルライニング鋼管、排水用タールエポキシ塗装鋼管、硬質塩化ビニル管、配管用炭素鋼鋼管（白）、排水用鋳鉄管、排水・通気用耐火二層管などが使われ、鉛管、遠心力鉄筋コンクリート管（ヒューム管）の使用は少なくなっている。

通気管には、配管用炭素鋼鋼管、硬質塩化ビニル管、排水・通気用耐火二層管などが使われている。マンションで過去に使用されてきた排水管材料の年代別変遷を表21に示す。

表21　排水配管材料の変遷（住宅）

主な管種（排水）	1955 30	1960 35	1965 40	1970 45	1975 50	1980 55	1985 60	1990 2	1995 7	2000 12	2005	備　考
亜鉛めっき鋼管 (SGPW)	○ドレネージ接合 ◇JIS 制定											「配管用炭素鋼鋼管」及び「給水配管用亜鉛めっき鋼管」を含む
排水用硬質塩化ビニルライニング鋼管 (D−VA)						○MD 継手	◇WSP 制定			◇JWWA 制定(継手)		
排水用タールエポキシ塗装鋼管 (SGP−TA)						○MD 継手 ◇WSP 制定						
排水用鋳鉄管 (CIP)	○鉛コーキング接合 ◇JIS 制定			○ゴムリング接合		○メカニカル接合 ◇HASS 制定（メカニカル型）				◇JIS 改正		JIS 改正（2003 年 3 月）により「メカニカル型」を統合
硬質ポリ塩化ビニル管（VP）				◇排水用塩ビ管継手：JIS 制定						○リサイクル塩ビ管		「建物排水用リサイクル発泡三層硬質塩化ビニル管」使用され始める（2000 年：都市再生機構）
排水・通気用耐火二層管						◇消防評定						

出典：(一社) マンション管理業協会編「マンションの維持修繕技術＝設備・法律編＝ 3 版」オーム社

(イ)　継手

排水管の継手は、鋼管ではねじ込み式・メカニカル式（ユニオン式・ハウジング式）が使われており、鋳鉄管ではメカニカル接合・ゴムリング接合が使われている。排水用硬質塩化ビニルライニング鋼管では、特殊薄肉鋼管を原管としているため、接合にはねじ継手が使用できず、メカニカル接合形の継手が用いられる。一般には MD 継手（排水鋼管用可とう継手）が使われていたが、MD 継手のパッキンを改良した継手や、MD 継手本体内面をエポキシ樹脂でコーティングし、管端部の保護のための防食シールパッキンを装着して防食性を高めたものも使われている（図27）。

硬質塩化ビニル管や耐火二層管は接着接合が多いが、接着剤にも使用条件や管種によって種類があり、間違った使い方がされていれば漏水の原因となる。

図27　MD 継手のパッキン改良タイプ

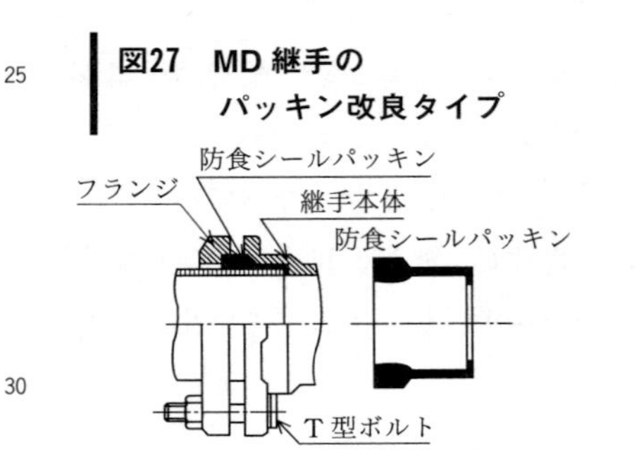

また、継手の形状は、合流する場合に自然に流れるよう直角ではなく、大曲りエルボや Y 字型の Y 継手、TY 継手などが用いられている。

④　排水設備の管理・点検のポイント

(ア)　屋内排水管

屋内排水管は、共用 PS にあればにじみなどの漏水の痕跡を確認できるが、図28に示したパイプスペースA～Cのように共用立て管が専有部分内に配置されているケースも多く、日常で点検することができない場合もある。こうした排水立て管がどこに配置されているか確認をしておく必要がある。

図28　専有部分内共用PS配置の例

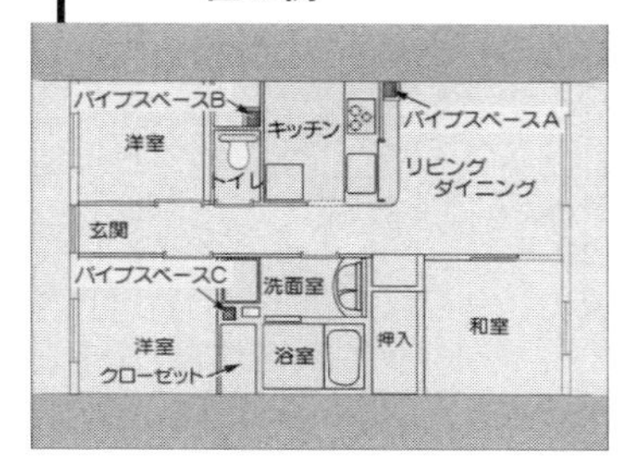

屋内排水管は、専有部分では雑排水配管と汚水配管に分かれている。雑排水配管は油脂分などの付着による詰まりを防止するために定期的（約1、2年ごと）な洗浄が必要とされているが、汚水配管については管径も太く油脂分の付着なども少なく、また、汚水配管の掃除口がなければ便器を外さなければならないこともあり、管内状況に不具合がある場合などに実施されているのが実態である。

参考；マンション標準管理規約　21条2項

> 専有部分である設備のうち共用部分と構造上一体となった部分の管理を共用部分の管理と一体として行う必要があるときは、管理組合がこれを行うことができる。

排水管の洗浄作業に用いられる洗浄方法は、管内の付着・堆積・閉塞物を取り除く手法として、主に物理的に剥離・粉砕する機械的洗浄方法と、化学的に溶解する化学的洗浄方法に大別される。

㋐　機械的洗浄方法

(a)　高圧洗浄法（高圧水法）

高圧洗浄機又は高圧洗浄車からホースで導水し、ホースの先端に取り付けられたノズルから噴射する高速噴流により管内付着・堆積物などを除去する方法である。噴射孔の角度により、前方噴射、後方噴射、横噴射の各タイプ及びそれらの組合せが採用されている。

後方噴射タイプは、洗浄とともに自走機能がある。

(b)　スネークワイヤー法

スネークワイヤー法はスクリュー形、ブラシ形などのヘッドが先端に取り付けられたワイヤーを排水管内に回転させながら挿入し、押し引きを繰り返しながら、管内停滞・付着物などを除去する。トーラー法とも呼ばれている。

ワイヤーにより、塩ビ管の曲がり部分を削ってしまうという短所もある。

(c) ロッド法

ロッド法は1.0〜1.8m 程度のロッド（長い棒）をつなぎ合わせて、手動で排水管内に挿入するものである。この方法は敷地排水管や雨水敷地排水管に適用され、排水ますから挿入して作業する。ロッドの最大つなぎ長さは30m 程度である。

(d) ウォーターラム法

閉塞した排水管内に水を送り込み、空気ポンプを用いて圧搾空気を管内に一気に放出し、その衝撃波により閉塞物を破壊・離脱させて除去する。その空気圧力は0.2〜0.3MPa 程度で使用され、最大空気圧力は1.0MPa 程度である。

㋑ 化学的洗浄方法

化学的洗浄方法は、機械的洗浄方法が適用しにくい場合など、非常手段的に用いられる。アルカリ性洗浄剤は、苛性ソーダ又は苛性カリを主剤とし、台所・洗面所・浴室排水などの排水横枝管に適用される。器具の排水管内にフレーク状の洗浄剤を投入し、続いて温水を流入すると発熱して高温の苛性液となり、有機性の閉塞物・付着物などを溶解する。酸性洗浄剤は、硫酸、塩酸、スルファミン酸など、小便器の器具排水管や排水横枝管における尿固形物の除去に適用される。排水管が金属管であれば、いずれの洗浄剤においても腐食が生じる。取扱いは作業者の安全性に関わり、下水道の終末処理場や浄化槽の機能を損なうおそれがあるので注意が必要である。

(イ) 屋外排水ます

定期的にますの蓋を開けてゴミ、堆積物の点検をする。また、目安としては約３年から５年ごとに屋外排水管清掃を行う。清掃は、高圧洗浄車、汚泥吸引車、補給水タンク車により実施し、ゴミ堆積物は各々の排水ますで引き上げ、汚泥は吸引させるようにし、下水道、し尿浄化槽に流さないように作業させなければならない。

(ウ) 排水ポンプ

排水用のポンプとしては、水中モーターポンプの使用が一般的である。水中モーターポンプは、ポンプ自体の構造は渦巻きポンプで、汚水排水用として用いる場合は汚物やトイレットペーパーなどの固形物が混じっている関係上、固形物がポンプの羽根車で閉塞しないように工夫されている。

排水ポンプは、平時の最大排水量を十分に排水できる容量のものを予備用を含めて２台設置し、通常は１台ずつ交互に自動運転できるようにするのが望ましい。１台のみ常に運転し、他の１台を常時休止させることは避ける。ポンプを長期間休止しておくとポンプやモーターのシャフトが錆びついてしまい、稼動しなくなるからである。したがって、２台設置しても必ず交互に自動運転させる。また、排水流入量が多くなった場合の対策として、２台同時運転にすることも必要である。

(エ) 排水槽の種類と構造

排水槽は、貯留する排水の種類に応じて、汚水のみ、あるいは汚水と雑排水の両方を貯留する汚水槽、雑排水のみを貯留する雑排水槽、地下での湧水を貯留する湧水槽と雨水を貯留する雨水槽などがある。どの排水槽を設けるかは、その地域の公共下水道の有無、方式によって異なる。

排水槽の清掃は、共同住宅では法では除外されているが（建築物における衛生的環境の確保に関する法律施行規則４条の３）、定期的な清掃をすることが望ましい。これらの槽内に入る場合は、事前に酸素欠乏・硫化水素危険作業主任者が酸素濃度18%以上、硫化水素濃度10ppm 以下であることを測定・確認するとともに、作業開始前、作業中、休憩時間中も十分に換気を行い、また、空気呼吸器、安全帯などを使用し、非常時の避難器具なども備えておくことが必要である。

これらの注意を怠っていると、酸素欠乏症や硫化水素中毒などにより死亡又は重体に陥る（注：酸素欠乏症、一酸化炭素中毒・硫化水素中毒などで死亡者が出ているので十分注意すること）。

また、地下ピットを利用したものが多く、出入口マンホールを開けた時に居住者の転落事故の恐れもある。作業時を含めて安全管理を徹底する必要がある。

⑤ 通気方式

㈠ 通気方式の種類

通気管は、排水管内の気圧と外気との気圧差をできるだけ生じさせないようにしてトラップ内の封水を保持し、また排水の流れを円滑にするために設けられる。通気の取り方により、下記の通気方式がある。

㋐ 各個通気方式（２管式）

㋑ ループ通気方式（２管式）

㋒ 伸頂通気方式

㋓ 特殊継手排水システム（単管式排水システムともいう。）

マンションでは、伸頂通気方式を採用することが多い。

また、特殊継手排水システムは、一般には伸頂通気方式の一種とみられている。

㈡ 特殊継手排水システム

㋐ 特殊継手排水システムの特徴

特殊継手排水システムに使用する特殊継手は、一般に排水立て管内の流れと排水横枝管内の流れの交差を円滑にし、また排水立て管内の流速を減じる工夫をしており、排水管内の圧力変動を小さくして伸頂通気方式よりも性能の向上を図っている（図29）。

図29　特殊排水継手の例（旋回型）

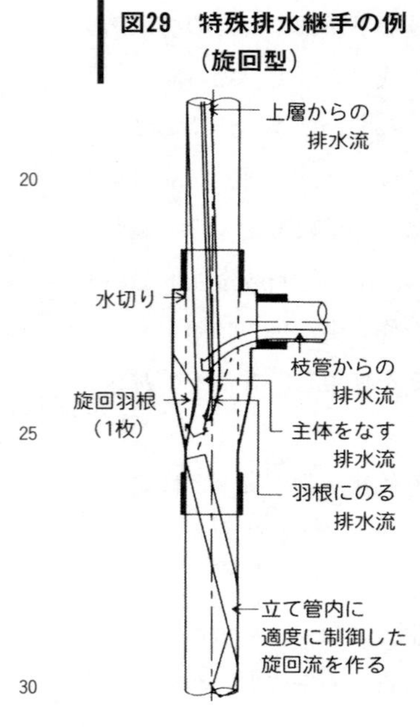

出典：㈱クボタ技術資料

⑥ 通気管の末端

通気管の末端は通気口といい、直接大気に開放し、排水管内の圧力変動に応じて空気の出し入れを行っている。排水がある程度流れると末端は負圧となって空気の吸入を行うが、ほとんど排水されていないと上昇気流によって通気口から排水管内の悪臭ガスが排出される。

通気管を大気に開放する場合は、屋上に出す場合が多く、一般的に行われているのは、図30に示すようないわゆる鳩小屋を設ける例

図30　鳩小屋回りの構造

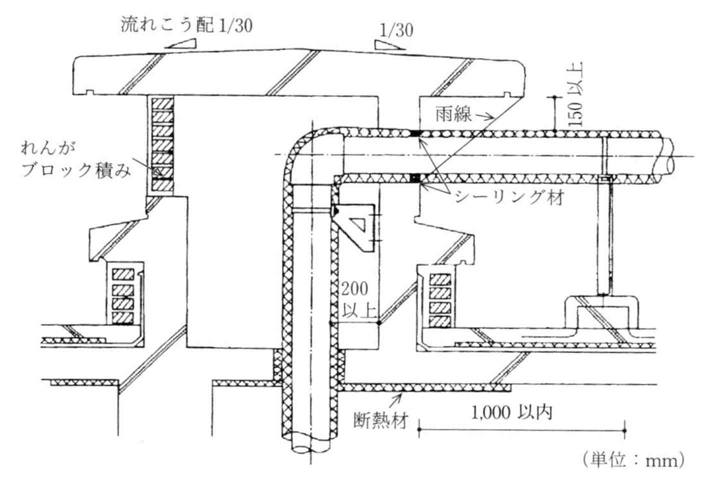

出典：（一社）建築設備技術者協会編「建築設備施工要領図集」技術書院

図31　屋上に設けられたベントキャップ（通気口）の例

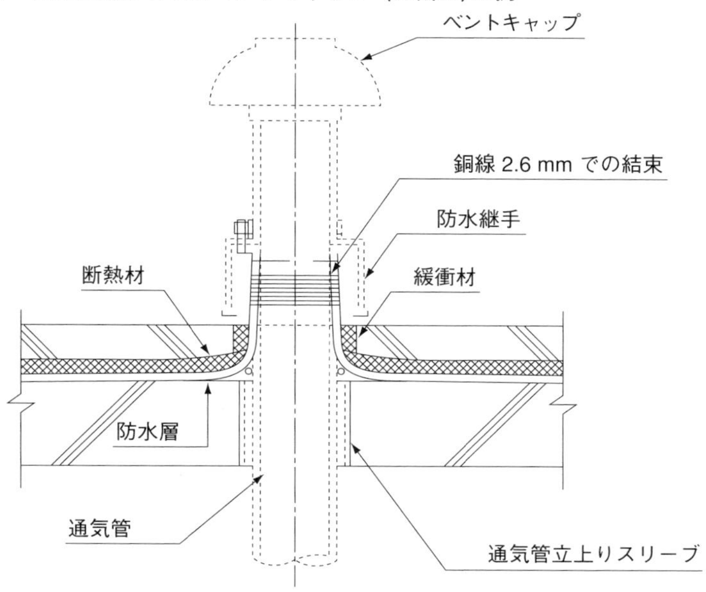

が多い。また、直接伸頂通気管を延長して屋根及び防水層を貫通し、開放する場合もある（図31）。

（8）浄化槽

①　浄化槽の性能

都市下水路の終末処理場が完備されていない地域では、公共用水域の水質汚染にならないよう汚水と雑排水を併せて処理をして放流しなければならない。その処理施設が浄化槽（合併処理浄化槽）である。

浄化槽の性能については、建築基準法施行令32条によって定められている。

②　合併処理浄化槽の機能

浄化槽は、物理的処理・生物化学的処理の機能を持つ。物理的処理では、汚水流入部でスクリーンや沈殿・浮上などの物理的な処理操作によって排水中の汚濁物質を分離除去する。生物化学的処理では、ばっ気槽や散水ろ床などで汚水と空気を接触させて化学的酸化作用を促進させ、好気性微生物により汚水を分解させたり、腐敗室で嫌気性微生物により汚水を分解させたりする。

浄化槽の処理方法は、大別して生物膜法と活性汚泥法の２種類がある。

（9）ガス設備

ガスには都市ガスと液化石油ガス（LPG）があるが、ここでは都市ガスについて記す。

①　供給方式・資産区分

㋐　供給方式

ガスには、低圧・中圧・高圧供給方式があるが、高圧供給方式では一般の家庭には供給されない。

㋐　低圧供給方式

比較的ガス使用量の少ない家庭用・業務用・空気調和用のガス機器などを対象とする。

㋑　中圧供給方式

一般にガス使用量が300m^3/h を超える大規模商業施設の空調等ガス機器などを対象としている。中圧で供給されたガスをガバナ（整圧器）で減圧して、低圧として使用する。

(イ) ガス種

供給されるガスの種類には表22のような種類がある。ガス事業者及び地域によって異なる。

表22 都市ガスの種類（ガス種）

表示*	13A	12A	6A	5C	L1	L2	L3
旧表示	13A	12A	6A	5C	7C 6B 6C	5A 5B 5AN	4A 4B 4C

＊：平成7年より新表示とし、7種別となった。
左から右の記載順に一般に発熱量は低くなる。

② 配管材料の変遷

ガス配管としては、亜鉛めっき鋼管が現在まで広く使用されている。しかし、埋設管では腐食によって管に穴があき、ガス漏れ事故などが多発したため樹脂管や外面樹脂ライニング鋼管が使用されるようになった。表23に埋設ガス配管材料の変遷を示す。

埋設配管の取替え時期は、使用されている配管材料・環境・埋設後の経過年数によるが、亜鉛めっき鋼管の場合「およそ20年が取替えの目安」といわれている。

一方、建物のメーターボックス内などに露出で配管されているガス管は、常に水に濡れたりするような特殊なケースを除き、腐食によるガス漏洩はほとんどなく、仮に腐食が発生していれば目視で確認することができる。

埋設後おおむね20年を経過した亜鉛めっき鋼管は、取替えの対象として改修計画を立てる時期に来ていると思われる。ガス管の改修工事では腐食・地震に強いポリエチレン被覆鋼管（PLP鋼管・PLS鋼管）や硬質塩化ビニル被覆鋼管・ポリエチレン管（PE管）などが使用される。

表23 埋設ガス配管材料の変遷

年代 / 管種	昭和 10	50	元	平成 10		備考
亜鉛めっき鋼管（白ガス管）						・鋼管の外面に亜鉛めっきを施したもの（JIS G 3452）
ポリエチレン被覆鋼管（PLP 鋼管）						・鋼管にポリエチレンを 2 層に外面被覆を施したもの（JIS G 3452 又は JIS G 3457）
ポリエチレン被覆鋼管（PLS 鋼管）						・鋼管にポリエチレン外面被覆を施したもの（JIS G 3452）
ポリエチレン管（PE 管）						・ガス用ポリエチレン管（JIS K 6774）

注意：材料の採用時期は、ガス事業者、あるいは、建物の設計・施工の時期や内容等によって多少異なる場合もありますので、ガス事業者に確認してください。

図32 ガス配管の資産区分

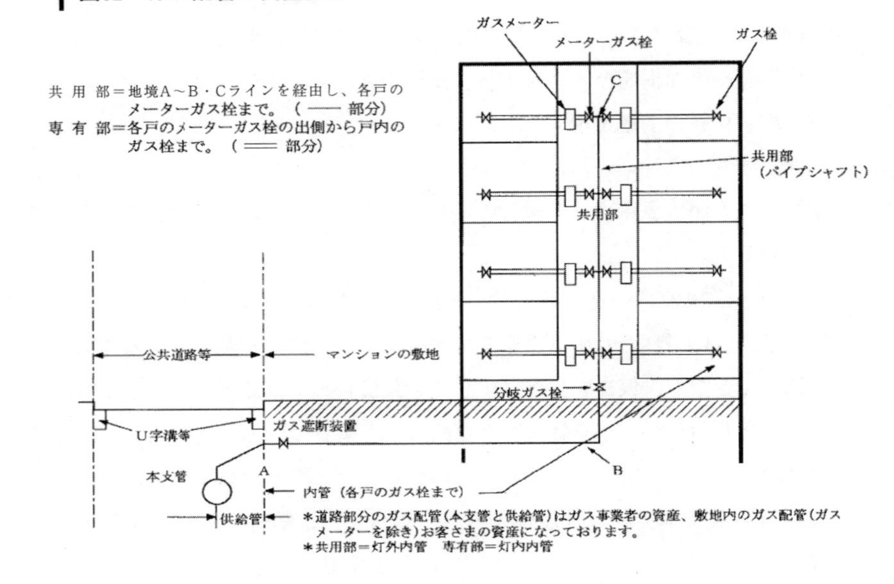

③ ガス会社との資産区分、共用部分と専有部分の区分

ガス配管は、一般的に道路に埋設された本支管から敷地内に引き込まれ、建物のパイプシャフトなどから各戸へと配管されている。ガス配管の資産区分は水道管と異なり、原則は「地境」によって分かれており、道路側の配管（本支管及び供給管）がガス事業者、敷地の内側（内管）はガスメーターを除き区分所有者の資産になる（図32）。

ガス配管の共用部分は地境からパイプシャフト内のメーターガス栓まで、専有部分はメーターガス栓の出側から住戸内のガス栓までをいう（メーター以降でもパイプシャフト内配管は共用部分とする場合もある。）。

④ SEダクト方式・Uダクト方式の換気法

マンションの集合ガス換気方式として、建物躯体で造られた自然換気法のSEダクト・Uダクトがある。

(10) 換気設備

① 概要

㈠ 換気の目的

換気とは、室内空気が臭気、有害ガス、粉じん及び発生熱などにより汚染され、人間の居住などに障害を生ずる場合、汚染空気を室外に除去し、清浄な外気と入れ換えることである。

㈡ 有効開口部

居室には換気に有効な開口部の面積が、当該居室床面積の20分の１以上なければならない（建築基準法28条２項）。つまり、開口部の面積が20分の１未満の場合は換気設備を設けなければならない。

㈢ 換気方式（図33）

㋐ 第１種換気法（機械給気＋機械排気）

例：機械室

給排気とも機械で行う方式。最も安全な換気法であり、給排気ファンの調節により室内の圧力は任意に変えられる。

㋑ 第２種換気法（機械給気＋自然排気）

例：手術室、ボイラー室

給気ファンによって外気を供給し、自然排気口から排出する。室内の圧力は正圧となる。

図33 換気方式

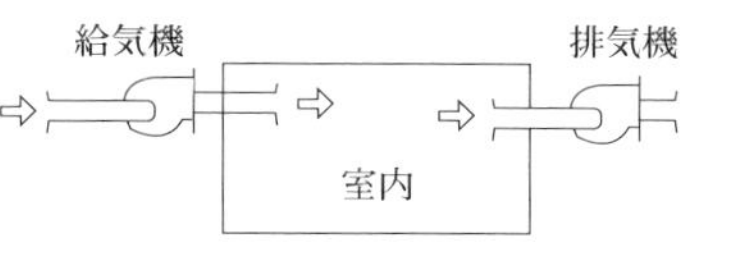

第１種換気の基本形

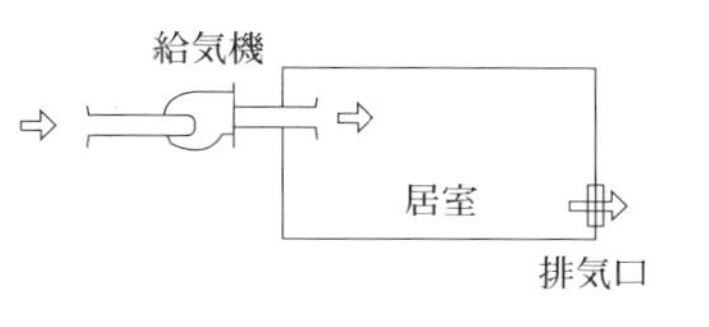

第２種換気の基本形

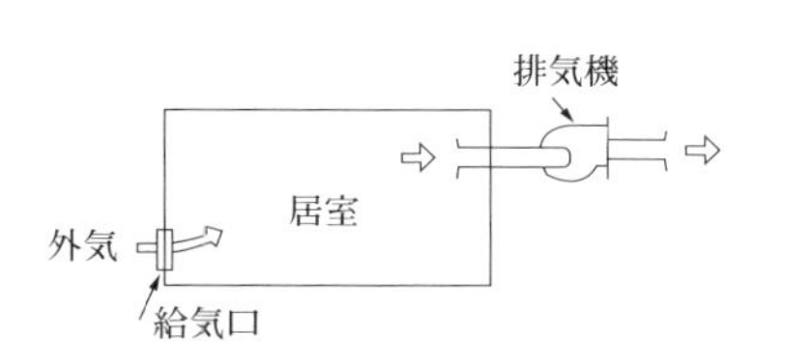

第３種換気の基本形

㋒　第３種換気法（自然給気＋機械排気）

例：台所、トイレ、浴室

室内空気を排気ファンによって排出し、自然給気口から外気を供給する。室内の圧力は負圧になる。

(エ)　給気の重要性

換気が有効に行われるためには、給気が重要である。特にマンションで多く採用されている第３種換気方式では留意が必要で、給気の確保が不十分であると換気扇の能力を大きくしても必要換気量を確保することはできない。逆に室内外差圧の増大によりドアや窓の開閉が困難となったり、風切り音が発生するなど不具合が生じる。

(オ)　住戸換気（戸別換気方式）

マンションでは各住戸単独で換気を行うのが一般的で、バルコニー側又は廊下側に給排気口を設ける。

㋐　換気系統

室　名	換気方式	
居　室	自　然	各室換気口
台　所	第３種	レンジフード＋給気口
便所・浴室	第３種	中間ファン・天井扇＋給気口

㋑　高層住宅の換気

高層建築物の場合は、そこで使われるサッシの気密性能等が高いため、一般に比較し、気密性が向上している。また、高層部の外風圧が高いことから、種々の問題が生じてくる。対策としては、

(a)　レンジフードは強制給排気型（第１種換気）とする。

(b)　レンジフードは差圧感応式給排気システムとする。

(c)　換気扇は高静圧機器を採用する。

(d)　24時間換気として全熱交換型空調換気扇を設ける。

などである。

②　維持管理

(ア)　屋上ルーフファン

屋上のルーフファンについては、異常振動、異常騒音、軸受の点検、Ｖベルトのたわみ、電動機の電流値などの点検を行い、異常のある場合は修

理することになる。

屋上の排気ガラリも腐食により損傷することがある。運転についてはタイマーによる間欠運転法と省エネルギーを考慮してインバーターを使用する方法などがある。

(イ) 機械室などの換気扇

マンション管理会社又は管理組合の自主管理となる。また、天井換気扇などは汚れるので、少なくとも１年に数回の清掃が必要となる。

(ウ) シックハウス対策

新築やリフォームした住宅において化学物質の発散によるとみられる、めまい、吐き気、頭痛、目・鼻・喉の痛み等の健康影響が指摘され「シックハウス症候群」と呼ばれている。

そこで、居室内における化学物質の発散に対する衛生上の措置（シックハウス対策）に関する規制を導入するため、平成14年に建築基準法の一部が改正された。

共同住宅の住戸において、ホルムアルデヒドに関する規制の対応方法の例を図34に示す。

図34　ホルムアルデヒド対策例

共同住宅の住戸

対策Ⅰ～対策Ⅲのすべてが必要

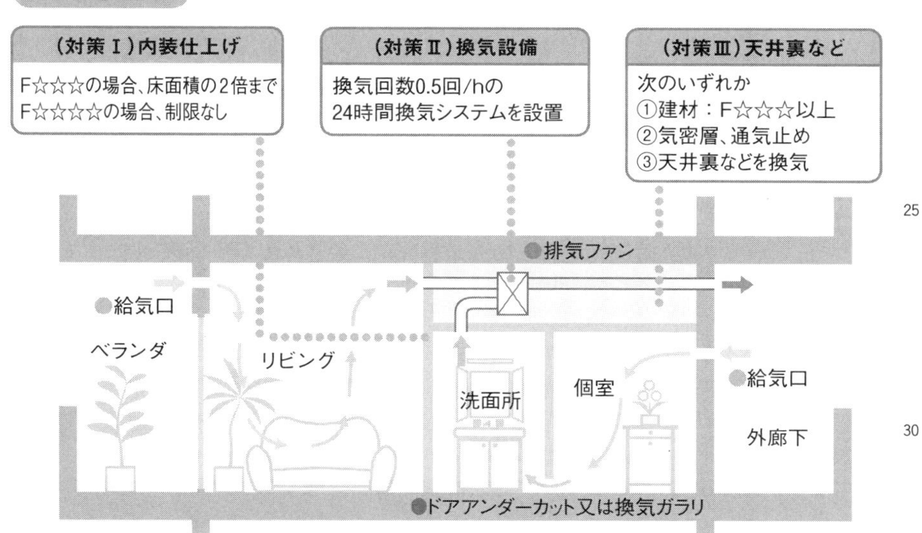

(11) 防災・防犯設備

① 防災・防犯設備とは

防災設備とは、「消防法」と「建築基準法」により、火災・地震などの災害時に火災の拡大を防止し、人命の安全を確保するためのものである。警報・避難・消火・防火などに使用される設備を総称している。防犯設備とは、共用部分、外周部の防犯監視、出入口管理と専有部分（住居）への侵入警報などのことをいう。防災設備のうち、消防法で規定されているものは消防法17条1項に「消防用設備等」として消防法施行令7条で定めらる技術上の基準に従って設置し、維持しなければならない。（表24）

また、建築基準法施行令第5章「避難施設等」において、第3節「排煙設備」（建築基準法施行令126条の2、126条の3）及び第4節「非常用の照明装置」（建築基準法施行令126条の4、126条の5）が規定されている。建築基準法関連の防災設備の種類を一覧表にすると表25となる。

② 防災設備の法令根拠

防火対象物としての共同住宅（マンション）に設置すべき消防用設備等は、消防法施行令に記載されている。

防火対象物に設置及び維持すべき消防用設備等は、「消火設備」「警報設備」

表24 消防用設備等の種類

設備の名称		主な消防用設備
消防の用に供する設備	消火設備	消火器、簡易消火用具（水バケツ、水槽、乾燥砂、膨張ひる石又は膨張真珠岩） 屋内消火栓設備、スプリンクラー設備、水噴霧消火設備、泡消火設備、不活性ガス消火設備、ハロゲン化物消火設備、粉末消火設備、屋外消火栓設備、動力消防ポンプ設備
	警報設備	自動火災報知設備、ガス漏れ火災警報設備、漏電火災警報器、消防機関へ通報する火災報知設備、非常警報器具（警鐘、携帯用拡声器、手動式サイレン、その他の非常警報器具）、非常警報設備（非常ベル、自動式サイレン、放送設備）
	避難設備	すべり台、避難はしご、救助袋、緩降機、避難橋その他の避難器具 誘導灯、誘導標識
消防用水		防火水槽又はこれに代わる貯水池その他の用水
消火活動上必要な施設		排煙設備、連結散水設備、連結送水管、非常コンセント設備、無線通信補助設備

表25　建築基準法関連防災設備の種類

設備の役割	主な防災・避難設備
火災予防、災害の拡大防止設備	防火戸、防火区画などの火災拡大防止のための構造設備、内装制限、避難施設、防火区画貫通措置、耐震措置、避雷設備
避難設備	避難階段、特別避難階段、非常用の照明装置、排煙設備
消火活動上必要な施設	非常用エレベーター、非常用進入口、中央管理室、（防災センター）

「避難設備」「消防用水」及び「消火活動上必要な施設」があり、消防法施行令７条で規定している。

共同住宅の消防用設備等の設置基準を表26に示す。

③　共同住宅における特例基準

共同住宅で一定の要件を満たすものについては消防法施行令32条（消防署が認める場合の適用除外）を適用し、消防用設備等について特例が認められる。共同住宅等の消防用設備等の技術上の特例基準としては、昭和50年消防庁安全救急課長通知49号（以下「49号通知」という。）と昭和61年消防庁予防課長通知（以下「消防予」という。）170号（以下「170号通知」という。）があり、これらを一本化するために消防予220号（以下「220号通知」という。）が平成７年10月５日に通知され運用されていたが、220号通知が廃止されるとともに、「特定共同住宅等における必要とされる防火安全性能を有する消防の用に供する設備等に関する省令」（平成17年総務省令40号（最終改正：平成30年総務省令34号））及び告示基準が定められ、平成19年４月１日より施行されている。

特定共同住宅とは、消防法施行令別表第１⑸項ロに掲げる防火対象物（複合用途でない共同住宅等）であって、火災の発生又は延焼のおそれが少ないものとして、その位置、構造及び設備について消防庁長官が定める基準に適合するものである。この特定共同住宅等において火災の拡大を初期に抑制する性能（以下「初期拡大抑制性能」という。）を有する消防用設備等に代えて次の設備を用いることとされている。その消防の用に供する設備等は、表28の左欄に掲げる特定共同住宅等の種類及び中欄に掲げる消防用設備等の区

表26　共同住宅における消防用設備等の設置基準

種類	設置規模			その他の適用	その他の設置基準	備考
	条文	延床面積（m²）	床面積（m²）			
消火器	令10	150以上	地階、無窓階、3階以上の部分50以上		規6 電気設備設置場所	規8 緩和規定
屋内消火栓設備	令11	700以上 （1,400以上） 〔2,100以上〕	地階、無窓階、4階以上の部分150以上 （300以上） 〔450以上〕		（　）耐火構造又は準耐火溝造で内装制限〔　〕耐火構造で内装制限	令11 設置免除
スプリンクラー設備	令12			11階以上（規則に定める部分を除く）	31mを超える階（都条令）	
水噴霧消火 泡消火 不活性ガス消火 ハロゲン化物 粉末消火設備	令13 ～ 令18		地階、2階以上200以上 1階　500以上 屋上　300以上			屋内 駐車場
連結送水管	令29	5階以上で6,000以上（地階を除く）	7階以上（地階除く）			
自動火災報知設備	令21	500以上	地階、無窓階、3階以上の階300以上 地階、2階以上の駐車部分200以上 11階以上全部			
ガス漏れ火災警報設備	令21の2		地階部分1,000以上		3階以上共同住宅（建設省告示）	
漏電火災警報器	令22	150以上		契約電流50Aを超えるもの		鉄網入り壁構造
消防機関へ通報する火災報知設備	令23	1,000以上		令23条3項常時通報できる電話がある場合を除く		
非常警報器具 非常警報設備	令24			800人以上	自動火災報知設備又は放送設備のあるとき緩和規定	
誘導灯 誘導標識	令26			地階、無窓階及び11階以上		
非常コンセント設備	令29の2			11階以上（地階を除く）		
避難器具	令25			2階以上又は地階で、収容人員が30人以上	3階以上のうち避難階又は地上直通階段が2つ以上設けられていない階で収容人員が10人以上のもの	
住宅用防災機器	令5の7					

（注）「令」は消防法施行令、「規」は消防法施行規則

表27　消防用設備等の特例の変遷

特例措置	1975（昭和50）年	1986（昭和61）年	1996（平成８）年	2007（平成19）年	現在
昭和50年消防安49号			廃止		
昭和61年消防予170号			廃止		
平成７年消防予220号				廃止	
平成17年総務省令第40号					

表28　特定共同住宅に必要な消防用設備等（その１）
火災の拡大を初期に抑制する性能を主として有する通常用いられる消防用設備等に代えて用いることができる必要とされる初期拡大抑制性能を主として有する消防の用に供する設備等

特定共同住宅等の種類		通常用いられる消防用設備等	必要とされる防火安全性能を有する消防の用に供する設備等
構造類型	階数		
２方向避難型特定共同住宅等	地階を除く階数が５以下のもの	消火器具 自動火災報知設備 屋外消火栓設備 動力消防ポンプ設備	住宅用消火器及び消火器具 共同住宅用自動火災報知設備 又は住戸用自動火災報知設備 及び共同住宅用非常警報設備
	地階を除く階数が10以下のもの	消火器具 自動火災報知設備 屋外消火栓設備 動力消防ポンプ設備	住宅用消火器及び消火器具 共同住宅用自動火災報知設備
	地階を除く階数が11以上のもの	消火器具 屋内消火栓設備（11階以上の階に設置するものに限る。） スプリンクラー設備 自動火災報知設備 屋外消火栓設備 動力消防ポンプ設備	住宅用消火器及び消火器具 共同住宅用スプリンクラー設備 共同住宅用自動火災報知設備
開放型特定共同住宅等	地階を除く階数が５以下のもの	消火器具 屋内消火栓設備 自動火災報知設備 屋外消火栓設備 動力消防ポンプ設備	住宅用消火器及び消火器具 共同住宅用自動火災報知設備 又は住戸用自動火災報知設備 及び共同住宅用非常警報設備
	地階を除く階数が10以下のもの	消火器具 屋内消火栓設備 自動火災報知設備 屋外消火栓設備 動力消防ポンプ設備	住宅用消火器及び消火器具 共同住宅用自動火災報知設備
	地階を除く階数が11以上のもの	消火器具 屋内消火栓設備 スプリンクラー設備 自動火災報知設備 屋外消火栓設備 動力消防ポンプ設備	住宅用消火器及び消火器具 共同住宅用スプリンクラー設備 共同住宅用自動火災報知設備

2方向避難・開放型特定 共同住宅等	地階を除く階数が10以下のもの	消火器具 屋内消火栓設備 自動火災報知設備 屋外消火栓設備 動力消防ポンプ設備	住宅用消火器及び消火器具 共同住宅用自動火災報知設備 又は住戸用自動火災報知設備 及び共同住宅用非常警報設備
	地階を除く階数が11以上のもの	消火器具 屋内消火栓設備 スプリンクラー設備 自動火災報知設備 屋外消火栓設備 動力消防ポンプ設備	住宅用消火器及び消火器具 共同住宅用スプリンクラー設備 共同住宅用自動火災報知設備
その他の特定 共同住宅等	地階を除く階数が10以下のもの	消火器具 自動火災報知設備 屋外消火栓設備 動力消防ポンプ設備	住宅用消火器及び消火器具 共同住宅用自動火災報知設備
	地階を除く階数が11以上のもの	消火器具 屋内消火栓設備（11階以上の階に設置するものに限る。） スプリンクラー設備 自動火災報知設備 屋外消火栓設備 動力消防ポンプ設備	住宅用消火器及び消火器具 共同住宅用スプリンクラー設備 共同住宅用自動火災報知設備

注１）駐車場、電気室等消防法に該当する場合は、駐車場消火設備、不活性ガス設備等が必要である。

注２）住戸内の居室・階段等には、住宅用火災警報器（又は住宅用火災報知設備）を取り付ける。ただし、自動火災報知設備、共同住宅用スプリンクラー設備等が設置されている場合は除く。

表29　特定共同住宅に必要な消防用設備等（その２）
火災時に安全に避難することを支援する性能を主として有する通常用いられる消防用設備等に代えて用いることができる必要とされる避難安全支援性能を主として有する消防の用に供する設備等

特定共同住宅等の種類		通常用いられる消防用設備等	必要とされる防火安全性能を有する消防の用に供する設備等
構造類型	階数		
2方向避難型特定共同住宅等	地階を除く階数が5以下のもの	自動火災報知設備 非常警報器具又は非常警報設備 避難器具	共同住宅用自動火災報知設備 又は住戸用自動火災報知設備 及び共同住宅用非常警報設備
	地階を除く階数が6以上のもの	自動火災報知設備 非常警報器具又は非常警報設備 避難器具	共同住宅用自動火災報知設備
開放型特定 共同住宅等	地階を除く階数が5以下のもの	自動火災報知設備 非常警報器具又は非常警報設備 避難器具 誘導灯及び誘導標識	共同住宅用自動火災報知設備 又は住戸用自動火災報知設備及び 共同住宅用非常警報設備
	地階を除く階数が6以上のもの	自動火災報知設備 非常警報器具又は非常警報設備 避難器具 誘導灯及び誘導標識	共同住宅用自動火災報知設備

2方向避難・開放型特定共同住宅等	地階を除く階数が10以下のもの	自動火災報知設備 非常警報器具又は非常警報設備 避難器具 誘導灯及び誘導標識	共同住宅用自動火災報知設備又は住戸用自動火災報知設備及び共同住宅用非常警報設備
	地階を除く階数が11以上のもの	自動火災報知設備 非常警報器具又は非常警報設備 避難器具 誘導灯及び誘導標識	共同住宅用自動火災報知設備
その他の特定共同住宅等	すべてのもの	自動火災報知設備 非常警報器具又は非常警報設備 避難器具	共同住宅用自動火災報知設備

注）ガス設備がある場合は、ガス漏れ等報知器が必要である。

分に応じて定められている（平成30年総務省令34号3条1項）。

同様に、火災時の避難の支援に通常用いられる消防用設備等に代えて用いることができる避難安全支援性能を主として有する消防の用に供する設備等は表29による（同省令34号4条1項）。

④　火災の種類と消火方法

㋐　消火器・簡易消火用具（「消火器具」という。）

マンションにおける火災は、一般的に次のA〜C火災に大別される。

A火災（普通火災）：木材、紙、布などの可燃物による火災…共用部分一般、住戸内

B火災（油火災）：ガソリンや動植物油による火災…屋内駐車場、ボイラー室（油焚）

C火災（電気火災）：感電のおそれがある電気機器の火災…変電室

また、このほかにもマンションでの可能性は低いが、D火災（金属火災：マグネシウム、カリウム、ナトリウムなどの火災）やガス火災（都市ガス・プロパンガスなどの可燃性ガスでの火災）がある。

これらの火災を消火するには、次の方法がある。

㋐　可燃物を除去する消火法

㋑　酸素の供給を断つ窒息消火法

㋒　酸素濃度を希釈する消火法

㋓　燃焼熱を奪う冷却消火法

㋔　酸化反応を抑制する負触媒効果による消火法

消火設備は、㋑〜㋔の消火方法の一部又は複数の効果により消火するものである。

⑤ 消火設備

㈠ 消火用具（消火器・簡易消火用具）

㋐ 消火器

消火器は、初期消火に有効であって拡大した火災には不適である。消火器には適応火災の種類（A、B、C）と能力単位が表示してあり、防火対象物の区分に応じて適切な種類と能力のあるものを選定する。共同住宅における設置個数の算出方法を表30に示す。

消火器には、水消火器、強化液消火器、泡消火器、粉末消火器、ハロゲン化物消火器、二酸化炭素消火器などがあり、適応する防火対象物に設置する。

㋑ 簡易消火用具

簡易消火用具として、水バケツ、水槽、乾燥砂、膨張ひる石又は膨張真珠岩があり、一定の容量があると能力単位として数えられる。

表30 消火器具の設置数算出法

防火対象物の区分	共同住宅〔消防法施行令別表1(5)項ロ〕
一般のもの	$\frac{延べ面積又は床面積}{100m^2}$ ≦能力単位の数値の合計数
主要構造部を耐火構造で内装制限したもの	$\frac{延べ面積又は床面積}{200m^2}$ ≦能力単位の数値の合計数
電気設備	床面積100m²以下ごとに1個以上
多量の火気使用場所	$\frac{当該場所の床面積}{25m^2}$ ≦能力単位の数値の合計数
少量危険物	$\frac{少量危険物の数量}{危険物の指定数量}$ ≦能力単位の数値の合計数

出典：(一社) 建築設備技術者協会編「集合住宅の建築設備設計マニュアル」オーム社

㈡ 屋内消火栓設備

屋内消火栓設備は、水源、加圧送水装置、屋内消火栓(起動装置含む)、補助水槽及び配管等で構成され、消火栓は消火栓ボックスにホース、ノズル等と一緒に格納されている。加圧送水装置（消火栓ポンプ）は、消火専用のポンプユニットで、ポンプ、呼び水槽、性能試験装置、付属弁類及び制御盤から構成される。

屋内消火栓設備には次の４種類がある。１号消火栓は２人以上で操作するものであるが、ノズルの機能やホースの収納機能が改良されて１人でも操作できる消火栓の技術基準が示された。主な特徴の比較を表31に示す。

㋐ １号消火栓

従来設置されているもので、２人以上で操作する。

㋑ ２号消火栓

1987（昭和62）年の消防法施行令・施行規則の改正で技術基準が示された。１号消火栓に比べて操作性が向上し、１人で操作する。

㋒ 易操作性１号消火栓

1997（平成９）年の消防法施行規則の改正で技術基準が示された。ノズルの開閉操作や放水の切り替え等の操作性が向上し、１人で操作できる１号消火栓である。１号消火栓から置き換える場合は、ポンプの増強、消火栓箱の大型化が必要である。

㋓ 広範囲型２号消火栓

2013（平成25）年の消防庁告示に技術基準が示された。１号消火栓の設置と同じ水平距離、ポンプ・消火栓ボックスの転用が可能で、２号消火栓と同等に、１人で操作できる易操作性となっている。

表31　屋内消火栓の比較

	１号消火栓	易操作性 １号消火栓	広範囲型 ２号消火栓	２号消火栓 （広範囲型以外）
操作人数	2人以上	１人		
警戒区域半径	25m以下			15m以下
ノズル必要圧力	0.17～0.7MPa			0.25～0.7MPa
放水量	130ℓ/分以上		80ℓ/分以上	60ℓ/分以上
ホースの径×長さ	40mm×（15m×２本）	30mm×30m	25mm×30m	25mm×20m
ホースの種類	平ホース	保形ホース（ホース全てを延伸しなくても放水可能）		
ポンプの起動方法	ポンプ起動装置等	消火栓弁の開放等で起動		

出典：「建築消防 advice」新日本法規出版

(ウ) スプリンクラー設備

スプリンクラー設備は、火災の初期消火に有効で、火災の感知から消火まで自動で行う消火設備であり、閉鎖型（湿式・乾式・予作動式）と開放型があるが、マンションには通常湿式閉鎖型が用いられる。

スプリンクラー設備は、水源、加圧送水装置（ポンプ）、流水検知装置

（自動警報弁（アラーム弁）ともいう。）、スプリンクラーヘッド、補助水槽、送水口及び配管で構成される。火災の発生を感知する流水検知装置は各階に設ける。マンションに設けるスプリンクラーヘッドは小区画型ヘッドが用いられ、放水圧0.1MPa で放水量50ℓ/min 以上のものとなる。

(エ) 駐車場消火設備

屋内及び屋上駐車場の消火設備として、水噴霧消火設備、泡消火設備、不活性ガス消火設備、ハロゲン化物消火設備及び粉末消火設備がある。

㋐ 水噴霧消火設備

水噴霧消火設備は噴霧ヘッドから水を噴霧状に放射して、火点一帯を包み、主に冷却作用と水蒸気による酸素の遮断で消火する。

㋑ 泡消火設備

泡消火設備は駐車場の消火用に広く用いられ、固定式と移動式がある。消火薬剤は水と泡原液を混合させて作る。この泡で燃焼物を覆い、窒息・冷却作用で消火する。固定式泡消火設備の構成は、一般には感知用スプリンクラーヘッドの放水感知により一斉開放弁が開放して減圧され、アラーム弁が警報を発してポンプが起動する。

㋒ 不活性ガス消火設備及びハロゲン化物消火設備

不活性ガス消火設備には、炭酸ガス消火設備、窒素消火設備、IG−55（アルゴナイト）消火設備、IG−541（イナージェン）消火設備がある。いずれも酸素濃度の希釈作用により消火するもので、屋内駐車場など密閉できる空間に用いられる。

ハロゲン化物消火設備では、従来使用されていたハロン1301、1211、2402はオゾン層破壊物質であるため、使用が限定されている。最近開発されたHFC−23、HFC−227ea は、オゾン層破壊係数が 0 である。

設置にあたっては、安全についての配慮が必要となる。

㋓ 粉末消火設備

粉末消火設備は、炭酸水素ナトリウムなどの消火薬剤を使用して、負触媒作用及び窒息作用により消火する設備である。消火剤が粉末のため凍結しないので、寒冷地の駐車場などに用いられる。

⑥ 警報設備

(ア) 自動火災報知設備

自動火災報知設備は、消防法上で消防用設備等の警報設備として規定されており、火災時に発生する煙・炎、異常な温度上昇をとらえて警報を発し、火災の早期発見に役立てるために設置する設備である。

自動火災報知設備を構成する主な機器は、次のとおりである。

㋐ 感知器

感知器は、火災に伴って発生する熱、煙、炎を感知し、信号を受信機に送信する。また感知器には、熱感知器、煙感知器、炎感知器などがある。

共同住宅に使用される主な感知器は、スポット型熱感知器及び煙感知器で、表32により選定する。

表32 感知器の種別

設置場所	感知器の種別
居室、一般事務室、下記以外の場所	差動式スポット型（2種）
厨房、湯沸室、ボイラー室、発電機室、多量に蒸気を発生する場所	定温式スポット型（1種）*1
押入れ、寒冷地の倉庫及び車庫	定温式スポット型（特種）
階段、傾斜路、廊下、通路、エレベーターの昇降路*2、パイプシャフト*3、地階、無窓階及び11階以上の居室など	煙式（2種）

〔注〕＊1　腐食性ガスなどが発生するおそれのある場所には、耐酸型又は耐アルカリ型、可燃性ガスなどの滞留するおそれのある場所には防爆型、多量の蒸気を発生する場所には防水型の感知器を設置する。

＊2　エレベーター昇降路の頂部とエレベーター機械室との間に開口部がある場合、エレベーター機械室の上部に煙感知機を設置すれば省略できる。

＊3　水平断面積が1 m^2未満の場合は省略できる。

㋑ 感知器の設置場所

(a) 住戸内の台所、居室、収納室、階段

(b) 共用室、管理事務所、倉庫、電気室、機械室、その他これに類する部屋

(c) 直接外気に開放されていない共用部分

住戸内の感知器は、遠隔試験機能対応型感知器とする。ただし、住戸以外の場所に設ける感知器は一般型感知器とする。

㋒　受信機

受信機は感知器・発信機からの信号を受信し、火災の発生を知らせる火災表示を行うとともに受信機及び地区音響装置を鳴動させることにより火災の発生を知らせる。種類は建物の規模や表示方法、信号伝送方法の違いによりＰ型１級、２級、３級、Ｒ型に区別され、ガス漏れ警報との兼用型でGP型１級、２級、３級、GR型がある。

受信機では、警戒区域*という単位で火災発生を表示する。

＊：警戒区域：火災の発生した区域を他の区域と区別して識別することのできる最小単位の区域で、消防法施行令21条及び同法施行規則23条に詳細が示されているが、消防法上の警戒区域が600m²以下と規定されており、建築基準法上の防火区画500m²以下と異なった面積規定になっている。また、次のような基準がある。

(a)　警戒区域は、防火対象物の２つ以上の階にわたらないこと。

(b)　１つの警戒区域の面積は600m²以下とし、その１辺の長さは50m以下とする。

㋓　発信機・地区音響装置

発信機は、火災の発生を手動で受信機に通報し、ベルを鳴動させることにより火災を報知する。Ｐ型１級発信機（回線数が１のものを除く。）は、受信機が受信したことを確認できる表示灯を有しており、また携帯用電話機を用い、受信機との間で通話連絡を取ることができる。

㋔　受信機の電源

受信機の常用電源としては、商用電源が用いられる。この回路は、共用部分電盤分岐回路から単独回路とし、当該回路には火災報知設備の専用回路である旨の表示をする。また、停電時においてもその動作を確保するため、常用電源のほかに非常電源（蓄電池など）を付置しなければならない。

(イ)　住宅用防災警報器

平成18年６月１日の消防法の改正により、「住宅用防災機器」の設置が義務付けられ（消防法９条の２、令５条の６、５条の７、平成16年総務省令138号、最終改正：平成31年総務省令11号「住宅用防災機器の設置及び維持に関する条例の制定に関する基準を定める省令」）、既存住宅でも平成20年６月１日から平成23年６月１日の間の各市町村条例により、設置義務化の期日が定められた。

㋐　設置場所

(a)　就寝の用に供する居室

(b)　同居室（避難階を除く。）から直下階へ通ずる階段（屋外を除く。）

(c)　上記(a)、(b)の規程により住宅用防災警報器又は感知器が設置される階以外のうち、床面積が7 m²以上である居室が5以上存する階の廊下など

このほか、各地の条例により台所に設置する場合がある。

設置方法は図35による。

マンションにおいては、廊下、階段、エレベーター、エレベーターホール、機械室、管理事務所、その他入居者の共同の福祉のために必要な共用部分は対象とならない。

㋑　警報器

住宅用防災警報器は、光電式住宅用防災警報器を用いること。

図35　住宅用防災警報器の設置方法

天井に取付けの場合

防災警報器の中心を壁やはりから60cm 以上離す

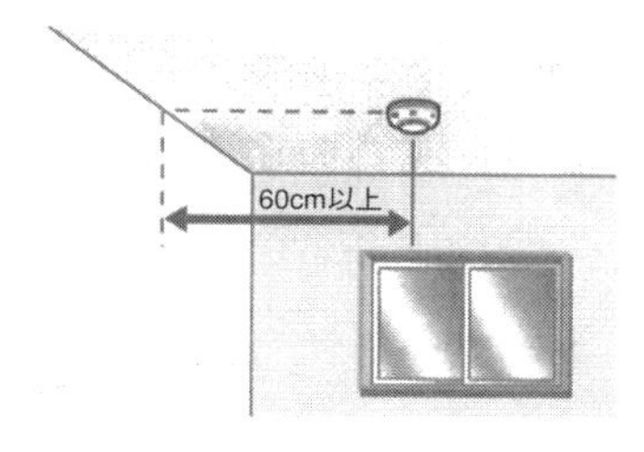

壁に取付けの場合

天井から15～50cm以内に防災警報器の中心がくるようにする

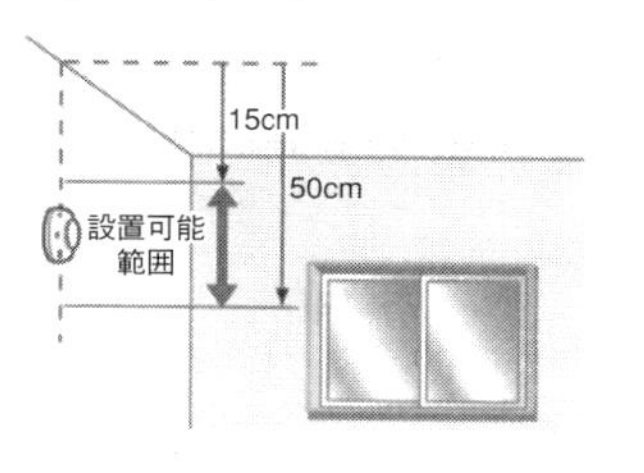

エアコンなどの吹出し口付近の取付け方は…
換気扇やエアコンなどの吹出し口から1.5m 以上離す

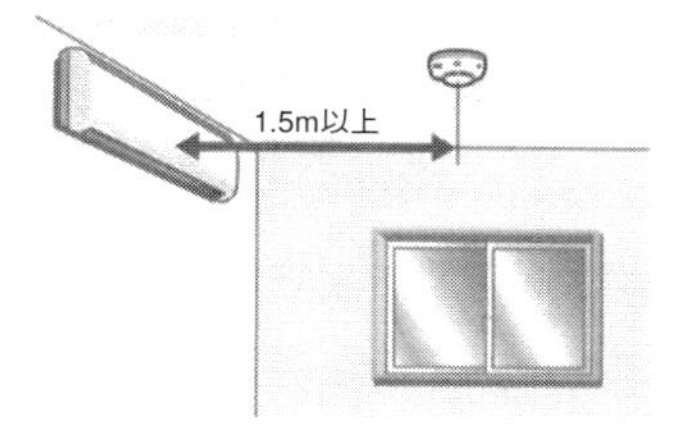

㋒　維持管理

電池切れの警報又は表示があった場合は、適切に電池を交換すること。また、住宅用防災警報器には交換期限があり、最大10年と規定されている（平成17年消防安16号第８第４項）。

(ウ)　非常警報設備

㋐　非常警報設備の設置基準

非常警報設備は、火災の発生を報知する機械器具又は設備として、消防法施行令７条、24条に定められている。マンションにおいては、収容人員50人以上（地階、無窓階では20人以上）で非常ベル、自動式サイレン、放送設備のいずれか、800人以上で放送設備＋非常ベル又は自動式サイレンの設置が義務付けられているが、自動火災報知設備のベルが非常警報設備であることから、自動火災報知設備が設置されている部分については（設置されていれば）、非常ベル又は自動式サイレンの設置を省略することができる。

以上のように、放送設備以外の警報設備については、自動火災報知設備で代替することが一般的であるため、以降は非常放送設備について記述する。

㋑　非常放送設備の構成機器

非常放送設備が集合住宅に設置されることは少ないが、設置を要する場合は大規模な建物や地下街などであり、かつ収容人員も多数であることから、音響基準について消防法施行規則25条の２に詳細に述べられている。その概要は下記のとおりである。

㋒　スピーカーの音圧

スピーカーの種類は１m 離れた位置での音圧により、下記のようにL級、M 級、S 級の３種類に分類される。

１）L 級にあっては92dB 以上

２）M 級にあっては87dB 以上92dB 未満

３）S 級にあっては84dB 以上87dB 未満

㋓　スピーカーの選定（階段・傾斜路以外の場所に設置する場合）

居室に設置するスピーカーの種類は、設置場所の面積により下記のとおり選定する。

(a) 100m²を超える放送区域に使用するスピーカーは、L級

(b) 50m²を超え100m²以下の放送区域に設置するスピーカーは、L級又はM級

(c) 50m²以下の放送区域に設置するスピーカーは、L級、M級又はS級

㋔ スピーカーの設置場所と間隔

スピーカーの設置場所と間隔については、下記のとおりとする。

(a) 当該放送区域の各部分からスピーカーまでの水平距離が10m以下となるように設ける。

(b) 居室及び廊下で6m²以下、その他の部分では30m²以下の放送区域については、隣接の放送区域のスピーカーまでの水平距離が8m以下となるように設けられている場合はスピーカーを省略できる。

(c) 階段又は傾斜路に設置する場合は、垂直距離15mにつきL級を1個以上設ける。

(d) エレベーターのかご内・特別避難階段にも設置する。

㋕ 放送架操作部及び遠隔操作器の設置

管理事務室などに設置する放送架や遠隔操作器は、下記の基準で設置する。

(a) 操作スイッチは、床面から0.8m(いすに座って操作するものは、0.6m)以上1.5m以下とする。

(b) 起動装置又は自動火災報知設備の作動と連動して、当該作動階又は区域を表示できること。

(c) 警報は、出火階が2階以上の場合は出火階及びその直上階、出火階が1階の場合は出火階その直上階及び地階、出火階が地階の場合は出火階その直上階及びその他の地階とすることができるものとする。

㋖ スピーカーに音量調整器を設ける場合

一般放送と兼用する非常放送設備は、3線式配線とし、非常放送時には音量調整器を通さずに放送できるようにする。

⑦ 避難設備

(ア) 誘導灯

㋐ 誘導灯

誘導灯は、火災や震災時に建物内にいる人員を安全・敏速に避難させることを目的とする。

したがって、集合住宅では、消防法施行令26条の定めにより地階、無窓階、11階以上の部分に設置することとされている。

㋑ 誘導灯の種類

誘導灯の種類は、その設置目的により、避難口誘導灯、通路誘導灯、客席誘導灯などに分類され、各誘導灯は防火対象物の種類、設置場所の延べ面積、設置場所によって、大きさの区分をA級、B級、C級と3種類に分けているが、共同住宅においてはC級以上を設置することとされている。

㋒ 避難口誘導灯の設置場所

避難口を示す目的で設置する誘導灯で、その設置場所は消防法施行規則28条の3で規定されている。次の(a)から(d)に揚げる避難口の上部又はその直近の避難上有効な箇所に設けること。

(a) 屋内から直接地上に通ずる出入口及びその附室の出入口

(b) 直通階段の出入口及びその附室の出入口

(c) (a)、(b)に掲げる避難口に通ずる廊下又は通路に通ずる出入口

(d) (a)、(b)に掲げる避難口に通ずる廊下又は通路に設ける防火戸で、直接手で開くことができるもの（くぐり戸付き防火シャッターを含む。）がある場所

㋓ 避難口誘導灯及び通路誘導灯の有効範囲

各誘導灯までの歩行距離が、次の(a)及び(b)で定める距離以下となる範囲。ただし、当該誘導灯を容易に見通せない場合は、歩行距離10m以下となる範囲

(a) 表33の右欄の距離で設置する。

(b) 次式で算出した距離（D）

D＝kh

D：歩行距離（単位：m）

h：誘導灯表示面の縦寸法（単位：m）

k：表の区分に応じた係数（表34参照）

表33　誘導灯までの歩行距離

区　　分			距離（m）
避難口誘導灯	A級	避難の方向を示すシンボルのないもの	60
		避難の方向を示すシンボルのあるもの	40
	B級	避難の方向を示すシンボルのないもの	30
		避難の方向を示すシンボルのあるもの	20
	C級		15
通路誘導灯	A級		20
	B級		15
	C級		10

表34　区分に応じたｋの値

区　　分		kの値
避難口誘導灯	避難の方向を示すシンボルのないもの	150
	避難の方向を示すシンボルのあるもの	100
通路誘導灯		50

最近の誘導灯は、コンパクトスクエアの高輝度誘導灯（冷陰極ランプ、LED ランプ）の採用により、大きさは従来の１／３、ランプ寿命は約10倍となり、消費電力は60～85％もの省エネルギーとなっている。

また、停電時には、内蔵する蓄電池（又は別置きの蓄電池）に切り替わり、20分間以上（大規模・高層マンション（地上15階以上延べ面積３万 m²以上）の場合は60分間以上）点灯できなければならない。

(イ)　避難器具

避難器具は、階段、廊下などが火災で使用できなくなったときに外部に避難させる設備で、避難はしご、緩降機、滑り台、滑り棒、避難橋、避難用タラップ及び救助袋、避難ロープがある。

避難器具の設置基準は、消防法施行令25条に定められており、マンションでは設置階によって表35のように設けられる器具の種類が異なる。マンションで最も用いられているのが、避難ハッチ又は非常用避難口といわれるハッチ付きの避難はしごである。

表35　マンションに設けられる避難器具の種類

地階	2階	3階	4階又は5階	6階以上の階
避難はしご	滑り台	滑り台	滑り台	滑り台
避難用タラップ	避難はしご	避難はしご	避難はしご	避難はしご
	救助袋	救助袋	救助袋	救助袋
	緩降機	緩降機	緩降機	緩降機
	避難橋	避難橋	避難橋	避難橋
	滑り棒	避難用タラップ		
	避難ロープ			
	避難用タラップ			

※　消防法施行令25条2項による。

㈬　非常用照明設備

㋐　非常用照明設備の設置基準

非常用照明設備は、集合住宅において、火災や地震、その他の災害による停電時に、避難通路などの照度を確保して安全に避難が行えることを目的に設置する。この設備は、特殊建築物にその設置を義務付けられているが、建築基準法施行令126条の4で「一戸建の住宅又は長屋若しくは共同住宅の住戸」は設置義務が免除されている。

したがって、マンションの住戸部分は設置が免除されるが、共用部分については、階数3以上で延べ面積500m²を超える建築物には設置義務があるので、採光上有効に直接外気に解放された部分を除き、居室から地上に通ずる廊下、階段、その他の通路に非常用の照明装置を設けなければならない。

㋑　非常用照明器具の種類

非常用照明器具には、白熱灯と蛍光灯器具及び国土交通大臣認定を受けたLED照明器具がある。また、器具を単独で設置するものと一般照明器具に組み込んで設置するものがある。

㋒　床面照度の確保

非常用照明器具は、停電時にも避難通路などの明かりが確保できるように照度が規定されている。床面照度は、白熱灯器具では1lx、蛍光灯器具では2lx以上を確保しなければならない。

⑧　消火活動上必要な施設

(ア)　連結送水管

消防隊専用の設備であり、地上部に設ける送水口と３階以上の各階に設ける放水口及び配管から構成される。寒冷地では配管に水のない乾式が用いられる。11階以上に設ける放水口は、ホース、ノズルと共に格納箱に収納される。

また、集合住宅に設ける非常用照明器具は、停電時の予備電源として蓄電池を内蔵したものが多く、その容量は停電後30分間以上点灯できるものでなければならない（昭和45年建設省告示1830号、最終改正：平成29年建設省告示600号「非常用の照明装置の構造方法を定める件」）。

(イ)　非常コンセント設備

㋐　非常コンセント設備の設置基準

非常コンセント設備は、11階以上の高層建物にあって、火災時に消防隊が消火活動のため使用するもので、集合住宅にあっても11階以上の各階ごとに水平距離50m 以内に１箇所、階段室又はその付近で有効に消火活動を行うことができる位置に、非常コンセントを設けることとなっている（消防法施行令29条の２）。

㋑　非常コンセント設備の設置方法

電源は、配電盤の非常電源より専用回線の単相２線100V で配線し、接地極付きコンセント（JIS C 8303）を取り付ける。

回路構成は、配線用遮断器15A 以上で各階において２系統（非常コンセントが各階１個の場合は１系統で可）以上となるように設ける。１回路当たりの個数は、10個以下となるようにする。各非常コンセントは鉄箱に収め、プラグの脱落防止のためフックを設ける。配線は耐火配線で敷設する。

非常コンセント盤は、保護箱の表面に「非常コンセント」と表示し、上部に赤色の灯火を設ける（消防法施行規則31条の２）。

(ウ)　防災用電源設備（非常用電源設備）

㋐　防災用電源設備の種別

消防法、建築基準法に定める防災設備には、停電時にも設備が機能できるように、建築基準法でいう「予備電源」、消防法でいう「非常電源」

を備えることが義務付けられている。

非常用電源には、自家発電設備、蓄電池設備、その両者の併用及び非常電源専用受電設備がある。表36に防災設備別非常用電源の適用可否を示す。

㋑ 防災用電源設備の設置方法

防災用電源設備は、不燃専用室に設置しなければならない。ただし、キュービクル式のものは、耐火区画室、不燃材料で区画された機械室など、屋外又は建築物の屋上に設置することができる。

自家発電設備は、(一社) 日本内燃力発電設備協会、蓄電池設備は、(一社) 電池工業会、キュービクル式非常電源専用受電設備は、(一社) 日本電気協会がそれぞれの防災電源に対して、認定制度によって試験を行い、この認定に合格したものには認定証票が貼付されている。

防災電源として使用する場合は、これら認定に合格したものを使用するのが望ましい。

防災設備への配線は、電源用の配線と、各種制御通報用の配線があり、これらの配線には、耐火性能、耐熱性能を必要とする。詳細は「防災設備に関する指針」((一社)日本電設工業協会)を参照されたい。

㋒ 器具内蔵蓄電池

防災用機器には非常用電源として、ニッケルカドミウム電池(以下「ニカド蓄電池」という。) が内蔵されていることが多い。ニカド蓄電池は、小型で充放電の繰り返しに耐えられることから自動火災報知設備受信機、誘導灯、非常用照明器具などに多数使われているが、機器の種類や放電持続時間により電圧、容量が異なる。下記に誘導灯、非常用照明器具などに内蔵するニカド蓄電池の概要を示す。

(a) 消防法に定める誘導灯の点灯時間は20分間 (長時間型は60分間)

(b) 建築基準法に定める非常用照明器具の点灯時間は30分間

(c) 電池は周囲温度により容量が大きく変化するため、点検時の温度に注意する。

⑨ 避雷設備

㋐ 避雷設備の設置基準

建築基準法33条及び同法施行令129条の14によれば、「避雷設備は、建築

表36　防災設備別非常用電源適用一覧

<table>
<tr><th colspan="2">非常用電源
法規及び設備名</th><th>非常電源専用受電設備</th><th>自家発電設備</th><th>蓄電池設備</th><th>自家発電・蓄電池併用</th><th>容　量</th></tr>
<tr><td rowspan="5">建築基準法</td><td>排煙設備</td><td>―</td><td>○</td><td>○</td><td>―</td><td rowspan="4">30分間以上</td></tr>
<tr><td>非常照明及び進入口</td><td>―</td><td>○(注2)</td><td>○</td><td>○(注3)</td></tr>
<tr><td>非常用排水設備</td><td>―</td><td>○</td><td>○</td><td></td></tr>
<tr><td>防火扉、防火ダンパーなど</td><td>―</td><td>○</td><td>○</td><td>―</td></tr>
<tr><td>非常用エレベーター</td><td>―</td><td>○</td><td>―</td><td>―</td><td>60分間以上</td></tr>
<tr><td rowspan="7">消防法</td><td>屋内・屋外消火栓、スプリンクラー、泡消火設備他、排煙設備、非常コンセント</td><td>△</td><td rowspan="2">○</td><td rowspan="7">○</td><td>―</td><td>30分間以上</td></tr>
<tr><td>CO_2消火設備、ハロゲン化物消火設備、粉末消火設備</td><td>―</td><td>―</td><td>60分間以上</td></tr>
<tr><td>自動火災報知設備、非常警報設備</td><td>△</td><td>―</td><td>―</td><td rowspan="2">10分間以上</td></tr>
<tr><td>ガス漏れ火災警報設備</td><td>―</td><td>―</td><td>○(注4)</td></tr>
<tr><td>誘導灯(注5)</td><td>―</td><td>○</td><td>―</td><td>20分間以上</td></tr>
<tr><td>無線通信補助設備</td><td rowspan="2">△</td><td>―</td><td>―</td><td>30分間以上</td></tr>
<tr><td>連結送水管</td><td>○</td><td>―</td><td>120分間以上</td></tr>
</table>

○：適用できる。
△：特定防火対象物以外又は1,000m²未満の特定防火対象物には適用できる。
－：適用できない。
（注２）　10秒始動のもの　非常用の進入口には適用不可
（注３）　10分間容量蓄電池＋40秒始動自家発電
（注４）　１分間容量蓄電池＋40秒始動自家発電
（注５）　延べ床面積５万m²以上、地上15階＋３万m²以上、地下街1,000m²以上は容量60分間以上（ただし、20分間＋自家発電の対応可）
出典：（一社）日本電設工業協会「防災設備に関する指針」

物の高さ20mをこえる部分を雷撃から保護するように設けなければならない」と定められている。

⑩　防犯設備

マンションにおける防犯設備は、共用部分、外周部の防犯監視と専有部分（住居部分）の侵入警報、防犯センサーによる監視がある。一般的に共用部分の防犯監視は、ITV[※1]設備や外周の赤外線警報が設置され、不審者の侵入防止には、出入口扉の電気錠システム（インターホン設備に組み込み）で行われる。住居部分の警備はホームセキュリティ設備として、防災・防犯を一つのシステムで構成する例が多い。ここでは、最近、数多く使われているITV設備とホームオートメーション設備の一部で導入されているホームセキュリティについて記述する。

(ア) ITV設備の概要

マンションにおけるITV設備（CCTV[※2]分野の一つ）は、防犯カメラや監視カメラの役割で、エントランスホール、駐車場、自転車置場、集合郵便受けブース、エレベーターホール及びかご内など、共用部分で常時監視が困難な箇所、盗難やいたずらが予見される場所、密室となる部位などにセキュリティの一翼を担う設備として備え付けられる。

㋐ ITV設備の構成

基本的な構成は、下記の5部分で構成される。

(a) 撮像部：カメラで被写体を撮像して映像信号に変換する。

(b) 信号伝送部：映像信号を増幅して受像部に伝送する。

(c) 受像部：伝送された映像信号を受けモニターに映す。

(d) 制御部：映像切換制御など撮像部、受像部のシステムを制御する。

(e) 記録部：受像信号を記録保管する。

㋑ ITV設備の監視体制

監視体制は、(a) 住民による自主的な監視、(b)管理事務室で管理員による監視、(c) マンション管理会社に転送されて監視、(d)警備会社に転送されて監視など多様な方式が挙げられる。

※1 ITV：工業用テレビジョン（Industrial Television）の略。遠方監視、防犯監視、生産ライン監視など各種産業で広く利用されている。

※2 CCTV：閉回路テレビジョン（Closed Circuit Television）の略。ITVのほかに、教育用テレビ、医療用テレビ、会議用テレビ、有線テレビなどが含まれる。

(イ) ホームセキュリティ設備の概要

最近のマンションには、安全性・快適性・利便性・経済性の高い生活を実現するために、ホームオートメーション（HA）設備が導入されている。

マンションのHAシステムには、①ホームセキュリティ、②ホームコントローラ、③コミュニケーションツール、④マルチメディア利用ツールの

4つの要素がある。このうち、防災・防犯機能を主体にホームセキュリティが構成されている（図36）。

㋐　ホームセキュリティ

(a)　センサーが火災やガス漏れを感知すると、住戸内の住宅情報盤（インターホン親機）から警報が出され、火災が確定すると住宅情報盤とインターホン子機から警報が発せられる。同時に管理事務室の警報監視盤に火災信号が入り、共用部分のスピーカーと出火階・直上階の住宅情報盤から出火場所を知らせる警報が鳴動する。

(b)　防犯センサーは、バルコニーサッシや玄関扉に取り付けられ、窓や扉がこじ開けられたときに、住宅情報盤で信号を受信し警報監視盤に通報する。外出・帰宅時に、侵入監視警戒のセットと解除が、住戸玄関のインターホン子機で操作できるタイプもある。

㋑　生活異常通報機能

マンション居住者の高齢化に対応して、生活異常通報機能を備えたシステムも用意されている。非常用コールボタン、水量センサーや熱線式人体感知センサーなどで高齢者の生活異常を察知し、LSA※室の警報監視盤に通報し、同時に、登録しておいた外部連絡先にも自動通報され、発信した住戸とハンズフリー通話ができるシステムもある。

㋒　オートロックシステム

オートロックシステムは、インターホン設備に機能が組み込まれていることが多いが、HAシステムに付加しているケースもある。この場合、エントランスホールの自動ドアの開閉のほか、住戸の玄関扉も電気錠による施錠・解錠が可能になっている。

※　LSA：生活援助員（Life Support Adviser）の略。LSA室には介護の係員が常駐することが前提となる。

図36　セキュリティ機能例

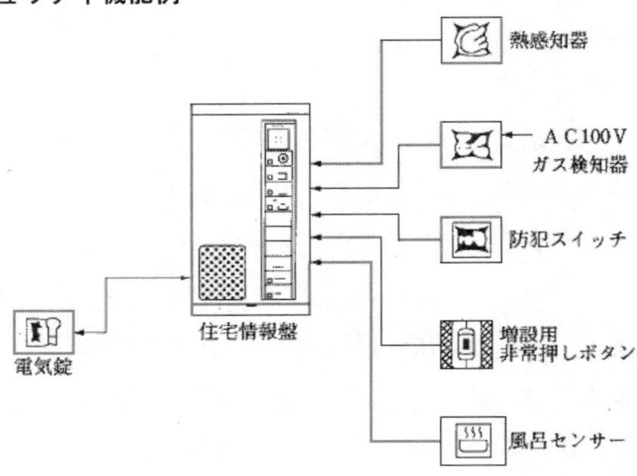

(12) 電気設備

マンションなどの電気設備は、電力設備、防災設備や情報通信設備などに区分され、その種類は一般的に表37のように分類される。

① 電力設備

(ア) 電力引込設備

共同住宅への電力引込みは、住戸部分と共用部分の2系統に分けられる。共用部分への電力引込みは、さらに電灯と電力(動力)引込みに分けられ、その合計電力が50kW（電力供給事情のよい場合には電灯又は動力どちらかの契約電力が50kW)未満の場合は、低圧受電の一般用電気工作物、50kW以上の場合は契約電力によって高圧受電、特別高圧受電の自家用電気工作物となる。

電気事業法38条では、電気工作物の区分について次のように定義している。

一般用電気工作物

以下に掲げる電気工作物のことを指す。ただし、小出力発電設備以外の発電用の電気工作物と同一の構内（これに準ずる区域内を含む。以下同じ。）に設置するもの又は爆発性若しくは引火性の物が存在するため電気工作物による事故が発生するおそれが多い場所であって、経済産業省令で定めるものに設置するものを除く。

表37　集合住宅電気設備の種類

区分	設備種類	設備の内容例
電力設備	電力引込設備	架空・地中引込、借室・借棟方式、パットマウント方式
	自家用受変電設備	高圧・特別高圧受電、キュービクル式
	自家用発電設備	高圧・低圧発電機、ガスタービン、パッケージ型
	電灯動力幹線設備	集合住宅用幹線、一般電灯コンセント幹線
	電灯コンセント設備	照明、コンセント、分電盤及び配線
	動力設備	制御盤、開閉器函、電力用コンセント、電動機までの配線
	外構設備	外灯設備、外灯照明器具及び配線、電灯動力構内電線路などの構内配線
防災設備	自動火災報知設備	受信機、発信機、感知器、非常ベル、表示灯及び配線
	自動閉鎖設備	防火扉、防火シャッター、防煙ダンパー、防煙垂れ壁、煙感知器及び配線
	非常警報設備	発信機、非常ベル、表示灯及び配線
	ガス漏れ警報設備	受信機、感知器及び配線
	避雷設備	受雷部（突針）、避雷導線、接地極及び配線
情報通信設備	テレビ共同受信設備	テレビアンテナ、混合器、増幅器、分配器、テレビ端子及び配線
	電話配管設備	本配線盤（MDF）、端子盤とその相互間の配線及び電話機
	インターホン設備	インターホン親機、子機及び配線
	防犯設備	監視カメラ、受像機、タイムラプス・ビデオ及び配線
	構内通信路	電話設備の構内通信線路、電気時計、拡声など通信設備の構内通信線路
	情報通信網設備	LAN 設備機器、光ファイバー、CAT−5 ケーブルなどの配線

◇他の者から経済産業省令で定める電圧（600V 以下：同法施行規則48条４項）で受電し、その受電の場所と同一の構内において、その受電に係る電気を使用するための電気工作物（これと同一の構内に、かつ、電気的に接続して設置する小出力発電設備を含む。）であって、その受電のための電線路以外の電線路により、その構内以外の場所にある電気工作物と電気的に接続されていないもの。

◇構内に設置する小出力発電設備（これと同一の構内に、かつ、電気的に接続して設置する電気を使用するための電気工作物を含む。）であって、その発電に係る電気を600V以下（同法施行規則48条４項）の電圧で他の者がその構内において受電するための電線路以外の電線路により、その構内以外の場所にある電気工作物と電気的に接続されていないもの。

◇前記の２つのものに準ずるものとして、経済産業省令で定めるもの。

◇前記において「小出力発電設備」とは、経済産業省令で定める電圧（600V）以下の電気の発電用の電気工作物であって、経済産業省令で定めるものをいう。

小出力発電設備とは次のもので、これらの設備は一般用電気工作物になる（同法施行規則48条２項）。

㋐　出力50kW未満の太陽電池発電設備

㋑　出力20kW未満の風力発電設備

㋒　出力20kW未満及び最大使用水量毎秒１m^3未満の水力発電設備（ダムを伴うものを除く。）

㋓　出力10kW未満の内燃力を原動力とする火力発電設備

㋔　出力10kW未満の燃料電池発電設備（固体高分子型又は固体酸化物型及び自動車の動力源として用いる電気を発電するものであって、圧縮水素ガスを燃料とするもの）

㋕　出力10kW未満のスターリングエンジンで発生させた運動エネルギーを原動力とする発電設備

事業用電気工作物

一般用電気工作物以外の電気工作物をいう（同法38条２項）。

自家用電気工作物

電気事業の用に供する事業用電気工作物及び一般用電気工作物以外の事業用電気工作物をいう（同法38条３項）。自家用電気工作物は高圧受電になるので工事等の諸届け、技術基準の適合など厳しく規定される。特に大規模な共同住宅、複合用途建築物の共同住宅などでは自家用電気工作物に該当することがある。通常規模の共同住宅は一般用電気工作物に該当する。なお、電力会社用に専用借室を設け高圧受電をしているマンションは、一般用電気工作物であり自家用電気工作物にあたらない。

⑴ 集合住宅への電力引込設備の概要

電力会社が集合住宅へ送電する場合、電力引込形態は、建物１棟の受電容量により決定される。

㋐ １棟の受電容量が電灯、動力いずれも50kW 未満の場合

(a) 低圧架空引込：１棟当たり電灯、動力各々１引込みが原則

(b) 低圧地中引込：上記と同じ

㋑ １棟の受電容量が電灯、動力いずれか50kW 以上の場合※

(c) 借室方式（高圧）：建物内に電力会社が無償貸与した変圧器室を設置するもの（容量の制限なし。）

(d) 借棟方式（高圧）：敷地内に変圧器棟を設置するもの（容量の制限なし。）

(e) 集合住宅用変圧器（高圧）：敷地内に金属製変圧キャビネットを設置するもの（容量制限あり。）

(f) 借柱方式（都市型変圧器方式）：上記５タイプに加えて、近年技術の進歩（変圧器の小型化）により開発された、電柱上に変圧器を設けて供給する方法（容量の制限あり。）

これらの集合住宅１棟当たりの電力供給形態を整理すると、表38のようになる。

いずれにしても、電灯受電容量が１棟50kW 以下であれば（現状は５階以下の建物に多い。）、低圧架空引込となるが、容量アップを計画する場合（各戸契約を３kW から、４kW～６kW に増量）に、１棟の総容量が、50kW を超える場合には、上記(iii)～(vi)を状況に応じて選択することになる。

つまり、建物全体の電力幹線容量には限りがあり、例えば各戸で電気容量を40A から60A に増やすことは、電力会社との契約形態の中では可能であるが、全戸がこれを行った場合に全体幹線の容量が不足するといった場合もある。管理組合としてあらかじめ幹線容量を確認し、全戸が上げられる容量を上限として取り決めておくことなども必要である。

既存建物の幹線を改修して増容量する場合は、建物内外に変圧器スペースが必要となる借室方式、借棟方式での対応は、景観・建ぺい率・管理組合の合意等が困難な場合もあり、その場合には、集合住宅用変圧器方式又

は借柱方式での供給を電力会社との事前協議で相談する。

表38　集合住宅の電力供給形態

需要構成	需要規模	供給方法
個々の需要がすべて低圧需要の場合	電灯、動力いずれも50kW 未満	(i) 低圧架空引込、(ii) 低圧地中引込
	電灯、動力いずれか50kW 以上※	(iii)、(iv) 供給用変圧器、地上用変圧器、 (v) 集合住宅用変圧器 (vi) 借柱変圧器、汎用変圧器

※　電力会社により異なる場合あり。例：東京電力は電灯受電容量100kW以上となっている。

(ウ)　各住戸の配線方式

電気製品の中には100V で使用するものと200V で使用するものがあるが、昭和30年代の初期のマンションの電灯幹線の配線方式は、100V しか取り出せない「単相２線式」による住戸引込みを用いた集合計器盤方式であった。その後、1960（昭和35）年頃から単相２線式のパイプシャフト方式が用いられるようになり、1975（昭和50）年以降、200V を取り出すことができる「単相３線式」電源が開発され、現在では一般的になっている（表39）。

表39　集合住宅の主な配線方式

電気方式	配線と電圧	主な用途
単相２線式	100V、200V　家庭用は100V	住宅やビルなどの負荷側（照明、コンセントなど）
単相３線式	100V 100V　200V	住宅や小規模ビルの引込み線や集合住宅の幹線

(エ)　自家発電設備

自家発電設備は、その使用目的により、常用発電設備、非常用発電設備に分類される。ここでは防災用電源、保安用電源として敷設される非常用発電設備について述べる。

防災用電源は法令の規制があり、建築基準法と消防法では性能の規制が異なる。しかし、２台設置することは経済性の面から無意味であることから、それらの併用機として設置され、なおかつ保安用電源としても使用される。法令に定められた性能の比較を表40に示す。

表40　自家発電設備の法令による性能比較

関係法令	建築基準法による専用機	消防法による専用機	法令に合った兼用機
発電	自家用発電装置	自家発電設備	
電源	予備電源	非常電源	
運転時間	各設備に有効に30分以上運転できるもの	定格負荷で１時間以上連続して運転できるもの	定格負荷で１時間以上連続して運転できるもの
燃料油	30分以上連続して運転できる容量を保有する	省令で定める「有効に作動できる時間」以上（20分～120分）	120分以上
始動方式	自動始動	自動始動	自動始動
電圧確立及び遮断器投入	40秒以内に切替え電圧を確立するもの（自動切替えの完了は45秒以内）非常用照明は即時点灯させる必要があり、蓄電池と併用	40秒以内に切替え電圧を確立するもの	40秒以内に切替え電圧を確立するもの 非常用照明は即時点灯させる必要があり、蓄電池と併用
負荷投入	自動投入	自動投入　ただし、設備の管理者が常駐し、直ちに操作できる場合は手動でもよい	自動投入
冷却水	規定なし	１時間以上運転できる専用水槽を設ける。ただし、ラジエーター、冷却塔などによる冷却方式の場合は、この限りではない	消防法による専用機に合わせる
計測装置	規定なし	電圧計・電流計・周波数計・回転計（周波数計・回転計のいずれか１つでよい）、潤滑油温度計・圧力計・冷却水温度計（空冷式では気筒温度計）などを設ける。またガスタービンにあっては、ガス温度計・空気圧縮機の吐出圧力計を設ける	消防法による専用機に合わせる

マンションの電気設備には、保安用負荷として停電時にも電源供給しなければならないエレベーター、給水ポンプ、受信機・警報装置などの電源、避難通路などの照明、機械式駐車設備、排水ポンプなどがある。

自家発電設備は、常用電源の停電時に自動的に起動し、これらの負荷に送電できるように施設される。

(オ) 動力設備

○ 集合住宅に設備される主な動力の種類と制御

マンションの動力設備には、建物の規模に応じて表41に示すようなものが設けられている。また、動力設備は機器を稼働させる電動機（モーター）と、電動機を制御するセンサーによって構成されている。

表41 集合住宅の主な動力設備の種類と制御

動力設備の種類			制御（センサー）の種類
①	衛生動力 給水関係	・揚水ポンプ ・加圧給水ポンプ・直結増圧ポンプ	受水槽・高置水槽の電極 給水圧力
②	排水関係	・汚水排水ポンプ・雑排水ポンプ ・湧水排水ポンプ・雨水排水ポンプ	汚水槽のフロートスイッチ、雑排水槽の電極 湧水槽の電極　雨水槽の電極
③	空調動力	・冷暖房機器	室内温度及び湿度
④	換気動力	・給気ファン・排気ファン	自動・手動による起動・停止
⑤	建築動力	・エレベーター・エスカレーター	
⑥	防災動力	・消火栓ポンプ ・排煙ファン	自動火災受信機信号及び手動 自動火災受信機信号及び煙感知器

(カ) 共用照明設備

㋐ 共用階段・廊下照明設備の概要

集合住宅では、階段、廊下、外構などの照明は、共用電灯分電盤から配線され、スイッチ、タイマー又は自動点滅器等によって点滅される。分電盤には、配線用遮断器と自動点灯用の電磁接触器、タイマー、リモコンリレーなどが取り付けられている。

照明点滅用の電磁接触器は、屋外の外壁などに取り付けた自動点滅器(EE スイッチ)、タイマーで制御される。自動点滅器は、光電素子が明るさを感知し、電磁接触器やリモコンリレーに点滅信号を送り照明を制御するセンサーである。最近は、これに季節カレンダーによる日の出・日没時間の条件を設定したタイマーと組み合わせて時間の修正を行い、階段、廊下、外灯照明などの省エネルギー制御を行っている。

㋑ 照明の明るさの基準

明るさの基準は、照度（lx：ルクス）という単位で表され、必要照度についてJISの照度基準が決められている。JIS Z 9110共同住宅の共用部分によると、階段、廊下などは75～150 lx、非常階段、駐車場は30～75 lx となっている。表42に共同住宅の共用部分の照度基準を示す。

表42　所要照度基準（共同住宅）

室　名	照度〔lx〕
管理事務室、玄関ホール（昼間）	200～500
ロビー、集会室、受付	150～300
玄関ホール（夜間）、エレベーターホール、エレベーター、洗濯場	100～200
浴室、脱衣室、棟の出入口、廊下、階段	75～150
非常階段、倉庫、車庫、ピロティ	30～75
構内道路、広場	2～5

出典：JIS Z　9110抜粋

また、国土交通省が「共同住宅に係る防犯上の留意事項」として、共用メールコーナー、エレベーターホール、エレベーター内、では10m先の人の顔、行動が明確に識別できる50ルクス以上の照度とし、共用出入口、共用廊下・共用階段では、10m先の人の顔、行動が識別できる20ルクス以上の照度とし、自転車置場・オートバイ置場、駐車場では、4m先の人の挙動、姿勢等が識別できる3ルクス以上の照度を推奨している。

(キ)　電気工作物の維持保安

㋐　電気工作物の維持保安

一般用電気工作物に対しては、その電気の保安について電気供給者（電力会社）の調査義務と、電気工事士法により、第1種又は第2種の電気工事士による工事義務が課されている（電気工事士法3条）。

一般用電気工作物が技術基準どおり維持されているかどうかは、電力会社が原則として4年に1回以上（一般的には電力会社が電気保安協会に委託しており、その場合は5年に1回以上）調査し、不良な箇所があればその一般用電気工作物の所有者又は占有者に知らせる義務を負っている（電気事業法57条、同法施行規則96条）。

電気事業法により自家用電気工作物に対しては、電気工作物を設置する者に、電気主任技術者の選任や、電気工作物の工事、維持及び運用に関する保安規程の作成など、一般用電気工作物に比較して電気保安確保のため万全の体制を整えることを義務付けている。

また、電気工事士法３条により自家用電気工作物の電気工事は第１種の電気工事士の資格を有している者が技術基準どおりに工事することが義務付けられている。ただし、600V 以下の部分の電気工事（電線路に係るものを除く。）は認定電気工事従事者でも可能である。

㋑ 保安規程

保安規程の制定の目的は、各事業場の種類や規模に応じて、それぞれに最も適した保安体制を確立させることにある。保安規程に関しては、次のように定められている（電気事業法42条）。

(a) 事業用電気工作物を設置する者は、事業用電気工作物の工事、維持及び運用に関する保安を確保するため、経済産業省令で定めるところにより、保安を一体的に確保することが必要な事業用電気工作物の組織ごとに保安規程を定め、当該組織における事業用電気工作物の工事開始前（設備規模により使用開始前）に経済産業大臣に届け出なければならない。

(b) 事業用電気工作物を設置する者は、保安規程を変更したときは、遅滞なく、変更した事項を経済産業大臣に届け出なければならない。

(c) 経済産業大臣は、事業用電気工作物の工事、維持及び運用に関する保安を確保するため必要があると認めるときは、事業用電気工作物を設置する者に対し、保安規程を変更すべきことを命ずることができる。

(d) 事業用電気工作物を設置する者及びその従業者は、保安規程を守らなければならない。

保安規程は、事業用電気工作物の工事、維持及び運用に関して定めるものであるが、具体的には次のような事項について定めるよう規定されている（同法施行規則50条３項）。

(i) 事業用電気工作物の工事、維持又は運用に関する業務を管理する者の職務及び組織に関すること。

(ii) 事業用電気工作物の工事、維持又は運用に従事する者に対する保安教育に関すること。

(iii) 事業用電気工作物の工事、維持及び運用に関する保安のための巡視、点検及び検査に関すること。

(iv) 事業用電気工作物の運転又は操作に関すること。

(v) 発電所の運転を相当期間停止する場合における保全の方法に関すること。

(vi) 災害その他非常の場合に採るべき措置に関すること。

(vii) 事業用電気工作物の工事、維持及び運用に関する保安についての記録に関すること。

(viii) 事業用電気工作物の法定事業者検査又は使用前自己確認に係る実施体制及び記録の保存に関すること。

(ix) その他事業用電気工作物の工事、維持及び運用に関する保安に関し必要な事項。

(ク) 主任技術者

㋐ 主任技術者の選任

事業用電気工作物を設置する者に対しては、次のような主任技術者を選任すべきことを義務付けている（電気事業法43条)。

(a) 事業用電気工作物を設置する者は、事業用電気工作物の工事、維持及び運用に関する保安の監督をさせるため、経済産業省令で定めるところにより、主任技術者免状の交付を受けている者のうちから、主任技術者を選任しなければならない。

(b) 事業用電気工作物を設置する者は、主任技術者を選任したときは、遅滞なく、その旨を経済産業大臣に届け出なければならない。これを解任したときも、同様とする。

このほか、自家用電気工作物の主任技術者制度には、次のような各種の特例がある。

㋑ 許可主任技術者の選任

自家用電気工作物の設置者の場合は、主任技術者免状の交付を受けていない者でも、許可を受けて主任技術者とすることができる場合がある。

許可を受けて主任技術者となった者を許可主任技術者という。その主任技術者は、許可された自家用電気工作物にのみ主任技術者として認められるもので、個人の資格としてあるわけではない。

・許可主任技術者の自家用電気工作物の事業場は、最大電力500kW未満の需要設備。

・許可主任技術者の資格については、経済産業省資源エネルギー庁の内規による。

㋒　保安管理業務外部委託承認制度

自家用電気工作物には、中小企業の工場、事務所ビル、大規模マンションの共用部分など多種多様のものがあり、これらの設置者の中には主任技術者の雇用が容易でないものが多い。

このことから電気事業法施行規則52条２項により、受電電圧7,000V以下の需要設備、600V以下の配電線路又は出力1,000kW未満の発電所（原子力発電所を除く。）である自家用電気工作物の設置者に対しては、一定の要件に該当する者と電気保安業務を委託する契約を締結しているものであって、経済産業大臣の承認を受けたものは、主任技術者の選任義務を免除している。

これを一般には保安管理業務外部委託承認制度と称しており、自家用電気工作物の大半は、この制度により電気保安の確保が図られている。

(ケ)　高圧一括受電契約

マンションにおける高圧一括受電契約とは、共用部分に掛かる電力契約と専有部分の戸別電力契約を含め、高圧電力による安価な電力を一括して受電し低圧配電する契約を言う。受変電設備の資産分岐点が変わることで、管理組合の長期修繕計画における維持費用が抑えられることなどのメリットがあり、既存の多くのマンションで導入に向けての検討がされた。一方、専有部分の各戸の契約については、民法の適用範囲（契約の自由の原則）があり、マンションの管理規約や区分所有法等で定める総会の決議とは別に全員の承諾を要することから合意形成を図ることが困難となっている。また、マンションの経年等により、保守部分や契約時、契約満了時に生じる資産譲渡などに留意する必要がある。最近の新築マンションでは、あらかじめ導入されていることが多い。

②　情報通信設備

(ア)　テレビ共同受信設備

㋐　テレビ共同受信設備の概要（図37）

集合住宅のテレビ共同受信システムは、屋上に設置したUHF、BS、CSなどのアンテナで放送電波を受信し、この電波信号を混合、増幅し、同軸ケーブルで分岐、分配して、各住戸のテレビ端子からテレビ受像機に接続する方式が一般的である。

CATV網が整備された地域では、必要な帯域のアンテナだけを残してCATV回線と混合して同軸ケーブルに伝送している建物もある。

BS・110度CSの4K・8K放送のすべてのチャンネルを受信するためには、共用部分の受信アンテナ、分配器、分波器、ブースター、同軸ケーブル等が既設のもので利用可能か確認する必要がある。

図37　共同受信システムの電波の流れ

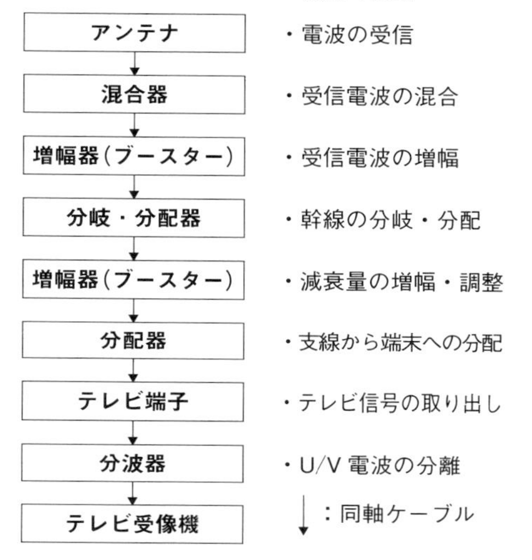

㋑　テレビ端子への配線方式（図38）

(a)　直列ユニット方式　（おくり配線方式）

従来、集合住宅の共同受信設備で採用されていた方式は、アンテナで受信した信号を混合・増幅したうえで分配器や分岐器で必要な縦系統に分け、端末以外の途中の住戸には中継用の直列ユニットで分配する方式がとられていた。この方式は、テレビ端子の増設や変更を希望する場合、縦系統のすべての住戸に影響があるので工事する時間の調整と関係住戸の了解をとることが難しい。

例えば、管理組合の規約でテレビ端子を1つ増やすだけでも、系統の住戸の了承と管理組合からの承認が必要となる場合もある。工事、調整などの作業のために、一時的にテレビが受信不可となる範囲は、当該住戸のみならず系統住戸にも及ぶからである。また、衛星放送の信号をそのまま伝送するには、減衰が大きく性能を確保しづらい欠点もある。

(b)　幹線分岐方式　（スター配線方式）

幹線から分岐器で支線を分岐し、住戸内に設置する分配器で各部屋

図38　テレビ配線方式

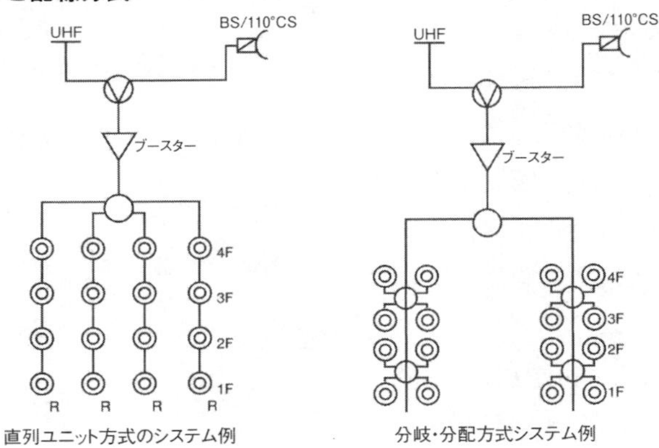

のテレビ端子（通信用端子）に分配する方式である。この方式は、デジタル放送、CATV、インターネットなどで展開される双方向通信には不可欠であり、分岐点で信号レベルを調整しやすく、改修や変更が住戸単位で可能になる。また、衛星放送の一般的な伝送方式（BS–IF、CS–IF）をそのまま伝送するうえでも、伝送路性能を確保しやすいなどメリットが多いが、工事費が高くなる欠点がある。

㋒　CATV 受信設備の概要

CATV（Cable Television）の施設される背景は、次の3種類が挙げられる。

(a)　山間地域などのテレビ難視聴地域の対策

(b)　高層建物などの電波障害対策（ビル陰）

(c)　地域の都市型メディアとしてのサービス

マンションに導入されるCATVの場合には、ほとんど(iii)の都市型CATVで建物側のテレビ共同受信設備への接続は、独自にアンテナを設置しない場合には、引込みケーブルを増幅器に直接入力する。また、アンテナも併設するような大規模な建物では、ヘッドエンドに接続し、チャンネルごとのレベル調整が必要である。一般に、都市型CATVは双方向のシステムでサービスされているので、機器の選定には注意を要する。

CATVの加入料、受信料、サービスなどは、運営している会社により内容が異なるため、導入にあたっては事前に十分に調査することが大切である。CATVの主なサービス内容は、一般テレビ放送の無料配信、有料テレビ、音楽、映画などの配信、電話交換サービス、インターネット接続サービスなどである。

大規模マンションやホテルなどでは、都市型CATVに構内の案内、ビデオ放映、催し物の中継放送（自主放送）、防災、防犯の警報監視などの機能を追加して施設することができる。

(イ) 電話配管配線設備

㋐ 電話設備の概要

マンションなどでは、電話局からの電話引込みケーブルが地中又は架空で引き込まれ、住棟内のMDF※1から各階のIDF※2を経由して、各住戸の電話アウトレット（モジュラージャック）に接続される住戸直接型が一般的である。

集合住宅やマンションの電話設備の工事・維持管理に関する責任分界点の区分は、大まかにはMDFとなるが、詳細に分類すると引込管路（柱）、ハンドホール、MDF（盤、スペース）、二次側配管は共用部分の管理組合、住戸内配線は専有部分の使用者、引込みケーブルや住棟内配線は電話会社の管理となり、かなり輻輳した区分となっている。

表43に設置・管理区分の一般的な例を示す。

この管理区分からわかるように、電話設備のケーブル自体は、原則的に引込みから各戸の電話端子まで電話会社が設置・管理し、ケーブルが通る引込管路、ハンドホール、配管、MDF、IDFは管理組合で維持管理している。

※1 MDF：主配線盤（Main Distribution Frame）の略号で、電話会社から建物内に引き込んだケーブルを整端し、IDFに幹線として分配する。

※2 IDF：中間配線盤（Intermediate Distribution Frame）の略号で、MDFから分配された幹線ケーブルを必要数に応じて、さらに端子盤へ分配する。

㋑ 住戸内電話配線

端子盤から住戸内電話アウトレット（モジュラージャック）までの配線方法は、電線管等の管内配線方式と天井内ケーブル配線方式等が用いられる。配線材料には、通信用電線（TIVF）や情報配線にも使用されるツイストペア（UTP）ケーブルなどが用いられる。端末アウトレット（モジュラージャック）は、家庭用電話機が使えるようにコンセントと

表43　電話設備の設置・管理区分

場　所	設　備　の　名　称		設置・管理区分	
			NTT	使用者
建物外	道路上ハンドホール、管路		○	
	構内ハンドホール、管路			○
	MDF までの引込みケーブル		○	
建物内	ケーブルラック、配管			○
	IDF 取付け、構内ケーブル配線		○	△
	住戸内電話配管・配線・アウトレット取付け		△	○
建物内	構内光配線キャビネット（PD）		○	
		PD 取付け板、スペースなど		○
		構内光ファイバーケーブル（光アクセス装置まで）	○	
建物内	メタリックケーブル用本配線盤（MDF）			○
		MDF 取付け板、スペースなど		○
		引込みケーブル用端子板	○	
		光アクセス装置からのメタリックケーブル用端子板	○	
		構内ケーブル用端子板	△	○
		接地設備		○
建物内	光アクセス装置（電源装置など）		○	
		装置類設置用の部屋スペースなど（二重床を含む）		○
		分電盤までの電源工事		○
		分電盤	○	△
		分電盤から装置までの電源配線	○	
		接地設備		○
		MDF までのメタリックケーブル	○	
		空調設備		○

注　○印は原則的に設置・管理の責任を負う側であるが、△印は、印の側で設置することもある。

組み合わせて設置されることが多い。

㋒　インターネット設備

インターネットの普及に伴い、既存の集合住宅においても居住者のニーズが今後ますます増えることが予測されることから、インターネットへの接続についても情報通信インフラとしての対応が必要になっている。

インターネットへの接続形態としては、一般電話回線やINS64による方式（2024年１月以降一部機能が廃止される）、メタルケーブルや光ケーブルなどを使った様々なインターネット専用回線方式がサービスされてきており、集合住宅においても情報通信インフラとしての何らかの対策が求められている。

集合住宅でインターネット専用回線方式を導入する場合の各種方式を次に示す。

(a) UTP専用線方式：インターネット専用のツイストペアケーブルの施設※1

(b) ADSL方式：電話回線を利用して、音声帯域と異なる周波数帯を使用する※2。

(c) CATV方式：CATVケーブルを利用してインターネットへ接続する。CATV局がプロバイダーサービスを提供する。

(d) FTTH（光ケーブル）方式：基本的に光ケーブルを住戸まで単独に引く必要がある。

(e) VDSL方式：住棟引込みまでを光ケーブルとし、光アクセスシステムを介し住棟内を既存の電話回線（メタリックケーブル）に変換する。

(f) その他方式：一部無線を利用したシステムなど

※1：シールドされていない撚り対ケーブル
※2：既存の電話線ケーブル

(13) エレベーター設備

エレベーターには一般の乗用エレベーターと、非常用エレベーターがあり、非常用エレベーターは、火災時などの災害時に消防隊が建物内の人の救助活動及び消火活動に活用するためのエレベーターであり、乗用エレベーター又は人荷共用エレベーターに、消防運転機能などを追加して非常用エレベーターとする。原則として、建築基準法により高さ31mを超える建築物に設置が義務付けられている。

① エレベーターの駆動方式

(ア) ロープ式エレベーター（図39）

昇降路上部に設置した巻上機により、ロープを摩擦（トラクション）駆動させ、かご室を上下させる一般的な駆動方式である。

⑷　ロープ式機械室レスエレベーター（図40）

巻上機を小型化して昇降路内の上部又は下部に配置して、ロープを摩擦駆動する方式である。積載荷重2,000kg（定員30人）以下の定格速度105m/min 以下のエレベーターが実用化されている。機械室スペースが不要となり、建築設計の自由度が向上する。

図39　ロープ式エレベーター

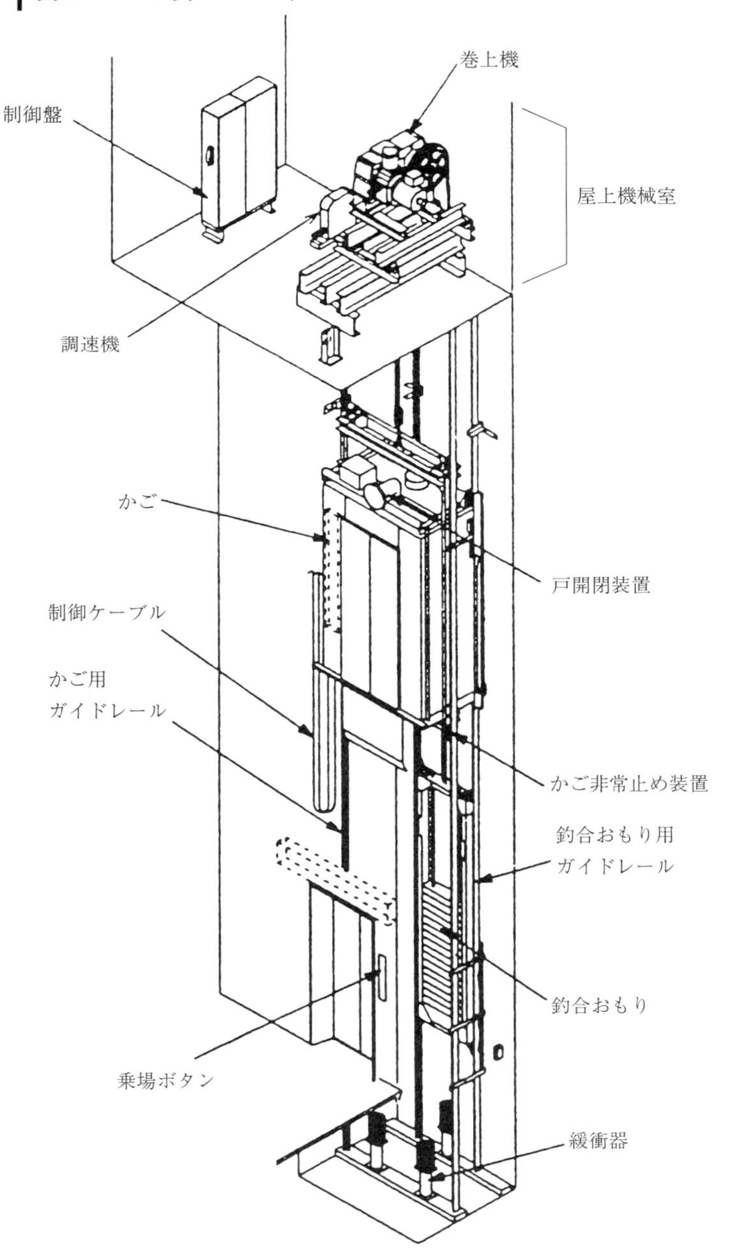

出典：（一財）日本建築設備・昇降機センター、（一社）日本エレベーター協会「昇降機技術基準の解説（2009年版）」

図40　ロープ式機械室レスエレベーター

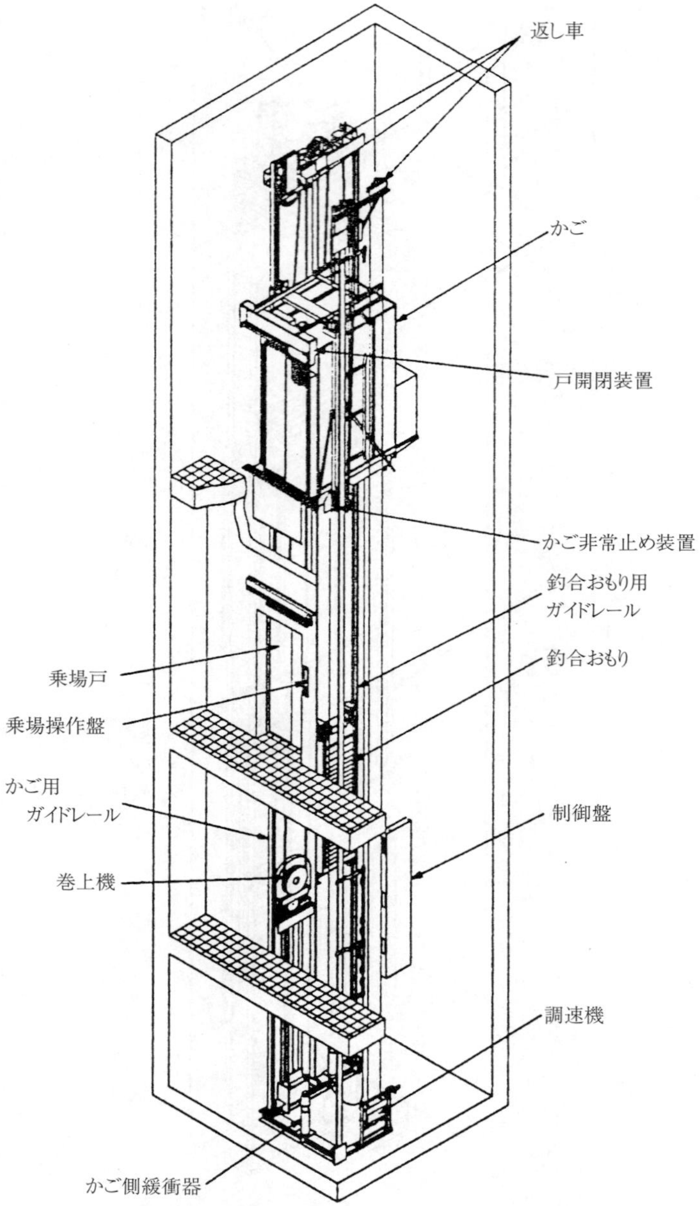

返し車
かご
戸開閉装置
かご非常止め装置
釣合おもり用
ガイドレール
釣合おもり
乗場戸
乗場操作盤
かご用
ガイドレール
制御盤
巻上機
調速機
かご側緩衝器

出典：（一財）日本建築設備・昇降機センター、（一社）日本エレベーター協会「昇降機技術基準の解説（2009年版）」

(ウ) 油圧式エレベーター（図41、42）

かご室を油圧により上下するジャッキを介して昇降させる方式である。機械室の配置の自由度が高く、高さ制限などがある場合に上部機械室が不要であり、効果的である。ジャッキの座屈を防止する関係から、昇降行程が20m程度までとなり、積載荷重の大きな荷物用エレベーターなどに適している。

(エ) リニアモーターエレベーター

リニアモーターを駆動源に活用したエレベーターである。モーターを通常は昇降路内のおもり側に配置しているため、機械室が不要である。リニアモーターは構造上通常のモーターに比較してモーターの効率向上に限界があるため、消費電力の低減がしにくい。

図41　直接式油圧エレベーター

ガイドレール
かご
油圧パワーユニット
プランジャー
シリンダー
保護管

図42　間接式油圧エレベーター

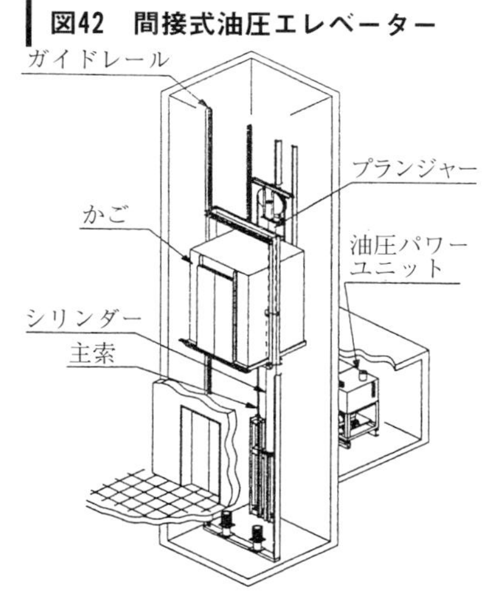

出典：（一財）日本建築設備・昇降機センター、（一社）日本エレベーター協会「昇降機技術基準の解説（2009年版）」

② 共同住宅乗用エレベーターの付加機能

共同住宅のエレベーターに付加されている、又は付加できる機能としては次のようなものがある。

(ア) 乗場窓付き戸

乗場の戸に窓を設け、エレベーターホールからかご内を見やすくしたエレベーターである。

(イ) かご内監視カメラ

防犯などの目的のため、かご内の天井にITVカメラを設置して、かご内を監視できる装置である。

5 (ウ) 防犯運転

夜間など、強制的に各階を停止させる停止運転などがある。

③ 管制運転

平成17年7月の千葉県北西部地震において発生したエレベーターの閉じ込め事故や、平成18年6月の港区のマンションでエレベーターの扉が閉まらな

10 いまま動いた事故等を受け、建築基準法施行令の一部を改正する政令（平成21年9月28日施行）で義務付けがなされた。

(ア) 戸開走行保護装置の設置義務付け（建築基準法施行令129条の10第3項1号関係）

エレベーターの駆動装置や制御器に故障が生じ、かご

15 及び昇降路のすべての出入口の戸が閉じる前にかごが昇降したときなどに自動的にかごを制止する安全装置の設置を義務付ける。

①ダブルブレーキ（2個の独立したブレーキ）、②特定距離感知装置等（かごの移動を感知する装置）、③通常の制御回路とは独立した制御回路、

20 の3つの要件を満たす必要がある。

(イ) 地震時等管制運転装置の設置義務付け（建築基準法施行令129条の10第3項2号関係）

地震等の加速度を検知して、自動的にかごを昇降路の出入口の戸の位置に停止させ、かつ、かごの出入口の戸

25 及び昇降路の出入口の戸を開くことなどができることとする安全装置の設置を義務付ける。

停電になっても運転させるために予備電源が必要。

(ウ) 停電時管制運転

エレベーターが装備したバッテリー又は住宅側の非常電源により、エレ

30 ベーターを最寄り階に着床させたり、運行を継続させる機能である。

㈠ 火災時管制運転

エレベーターの監視盤に設けたキースイッチ又は火災報知器と連動してエレベーターを避難階まで自動的に走行、着床して乗客を避難させる機能である。

㈡ 非常用エレベーター管制運転

非常用エレベーターを火災時など消防隊が活用するための機能である。

④ 遠隔監視・遠隔点検

遠隔点検システムは、エレベーターの運行状態を各種のセンサー信号とデジタル信号で解析し、動作状況の正常・異常などを電話回線を利用して自動送信し点検するシステムである。

専門技術者が同システムを利用し遠隔で点検を行うことも可能な機種もある。

㈦ 身障者仕様

㋐ 車椅子用仕様

車椅子使用者が使用しやすいように戸の開いている時間を長くしたり、低い位置に専用操作盤を設け、出入口の光電装置を設置するなど車椅子使用者の利便性に配慮したエレベーターである。

㋑ 視覚障害者仕様

視覚障害者のために押しボタンに点字を設け、また音声合成アナウンス装置でエレベーターの動作の案内を行う。

⑤ 日常点検・保守の考え方

エレベーターの税法上の法定耐用年数は17年であるが、適正に保守点検が行われていれば、20～25年の寿命は十分保つことができる。

初期の寿命を保つためには、正しい保守点検の継続が必要であり、無保守では当初いかに優れたエレベーターであっても、法定耐用年数すら保つことは困難である。そのうえ、故障も多くなり、故障や取替えに伴う間接的出費も大きく、結局、経済的にも大きな損失を被ることになる。また、寿命だけでなく、運転時のエネルギー消費についても保守は重要で、例えば、保守が行き届かず潤滑が不良で、ベアリングやギアがオーバーヒートするようなことは、これら部品の寿命を縮めるだけでなくエネルギーの浪費にもなるため、これらも保守により事前に防ぐことができる。

年に一度、安全装置の性能確認を主とした法定検査が義務付けられているが、常時この法定検査をパスする状態を保っていることが重要である。

エレベーターやエスカレーターなどの昇降機は、不特定多数の人々が利用する公共性の高い“乗り物”であることから、昇降機の所有者、管理者は事故や故障にならないよう予防措置を講じること、いわゆる「定期的な保守点検」が必要となる。

なお、国土交通省は昇降機の安全性を維持するために、昇降機の所有者及びその所有者から管理を委託された者、保守点検会社並びに製造会社がそれぞれの役割を認識したうえで適切な維持管理を行うことが必要との認識のもと、平成28年2月に「昇降機の適切な維持管理に関する指針」及び「エレベーター保守・点検業務標準契約書」を策定し、公表した。

(ア) 保守点検契約

エレベーターの保守契約には、フルメンテナンス契約とPOG（パーツ、オイル、グリース）契約の2種類がある。いずれの契約でも定期点検・手入れのほか、検査の立会い、事故や故障時の呼出しに応ずるコール・バック・サービスが行われる。

㋐ フルメンテナンス契約

定期的に技術者を派遣し、エレベーターを最良の状態に常に維持するように、予防的な保守、機器や装置の点検・調整・修理・部品取替えなど（経年劣化した電気・機械部品の取替え・修理を含む。）の整備を行う契約である。

㋑ POG契約（パーツ、オイル、グリース契約）

定期的に技術者を派遣し、機器や装置の点検・調整・修理・部品取替えなどの整備を行うが、取替え・修理は別途発注となる。

(イ) 保守点検契約の選択

上記で述べたように2種類の契約形態があり、それぞれ長所、短所がある。

フルメンテナンス契約の利点としては、定額の費用でエレベーターを維持でき、故障が発生する前に機器の摩耗・劣化を予測して、部品の修理・取替えを行うことにより、事故や故障が発生しないように予防措置を講ずることができるが、月々の保守契約料金が割高となる。

POG契約の利点としては、フルメンテナンス契約より安価であることであるが、高額な部品の修理・取替えは別途工事となるため一時的な高額出費が発生することがある。

また、かご室のパネル三方枠の塗替え、巻上機・電動機などの取替えについては、いずれの契約でも除外事項となっている。

保守点検契約を選択する場合には、これらの特徴を十分に検討し、決定することが必要である。

(14) 機械式駐車装置

① 機械式駐車場の法的取扱い

機械式駐車装置は駐車場法施行令15条における「特殊の装置」に該当し、国土交通大臣の認定の必要がある。この大臣認定は平成13年4月の法律改正により、現在では安全性、円滑性（機械式駐車装置の入出庫処理能力）を除く型式認定となっている。

一方、（公社）立体駐車場工業会では、安全性、円滑性を含む総合的な自主型式認定を実施している。機械式駐車場の採用にあたっては、大臣認定の取得を確認するとともに（公社）立体駐車場工業会認定の取得も確認することが望ましい。また、機械式駐車場の建屋部分（本体鉄骨、屋根、壁など）は、建築物として建築基準法が適用され、設置の際には建築確認申請手続などが必要となる。

共同住宅の機械式駐車装置は、駐車場法が適用されない。よって建築基準法が適用される昇降機（エレベーターなど）と違い法的な点検義務はない。しかしながら、機械装置であるため適切な保守（定期点検）が必要となることはいうまでもない。

また、10台以上の機械式駐車装置には、不活性ガス消火設備などの消防用設備の設置が必要となる。

② 機械式駐車装置の種類

機械式駐車装置の分類方法にはいろいろあるが、その構造、機構、機能によって8方式に大別した（公社）立体駐車場工業会の機械式駐車場技術基準による分類がある。

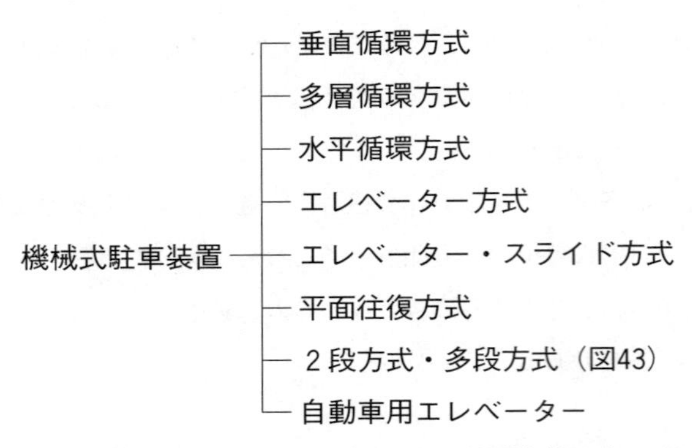

いずれの方式もマンション用としての利用実績はあるが、昭和50年代からマンション用として利用された「２段方式・多段方式」の実績が最も多い。また、機械式駐車装置の中で歴史的に古い「垂直循環方式」の利用実績もみられる。さらに近年では「エレベーター方式」「平面往復方式」の採用もみられる。マンションの建設条件などの種々の問題を解決するために採用される機械式駐車装置の種類は多岐にわたっており、２種類以上の機械式駐車装置を採用する例もある。

図43　２段方式・多段方式

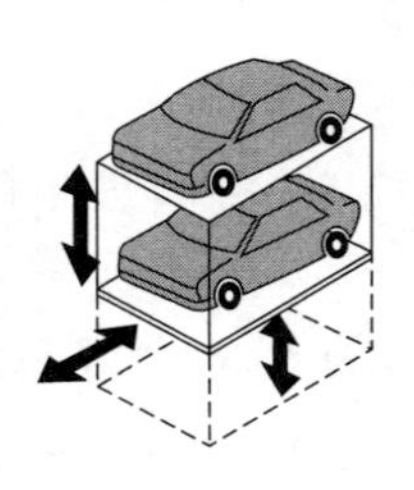

（a）　ピット２段式の例

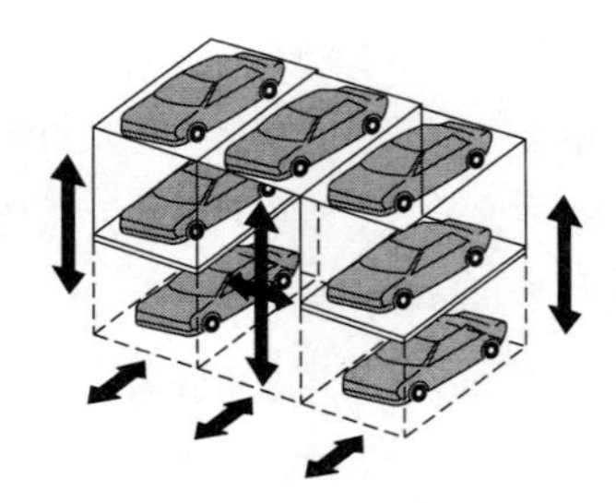

（b）　地上３段式の例

③　維持管理

最初に述べたように、機械式駐車装置については法律で規制された点検義務はなく、各メーカーによりそれぞれの機器に合わせた点検項目を定めて、保守契約の中で定期的な検査や修理が行われている。

機器によって点検項目は異なるが、表44に主な点検項目の例を示す。

表44　機械式駐車装置の点検項目例

パレット関係	作動状態確認、塗装のはがれ、摩耗、錆、歪みなど
駆動装置関係	異音、異常振動、減速機の状況、チェーン・駆動軸の異常、ボルトの緩みなど
ゲート（入口柵）関係	作動状況確認、変形、傾き、異常振動、表示板の損傷など
電装関係	操作盤・制御盤の異常、ランプ類・スイッチ類の異常、絶縁抵抗測定など
検知関係	作動状態、光電管の作動確認・汚れなど
ピット関係	躯体割れ、変形、排水溝詰まりなど
ターンテーブル関係	作動確認、錆、歪みなど
その他	グリース、オイルなど

第2節 マンションの維持保全

1 マンションの維持保全の考え方

（1）維持保全の体系

マンションの維持保全の全体的な概念を示すと図1のようになる。

図1　維持保全の概念

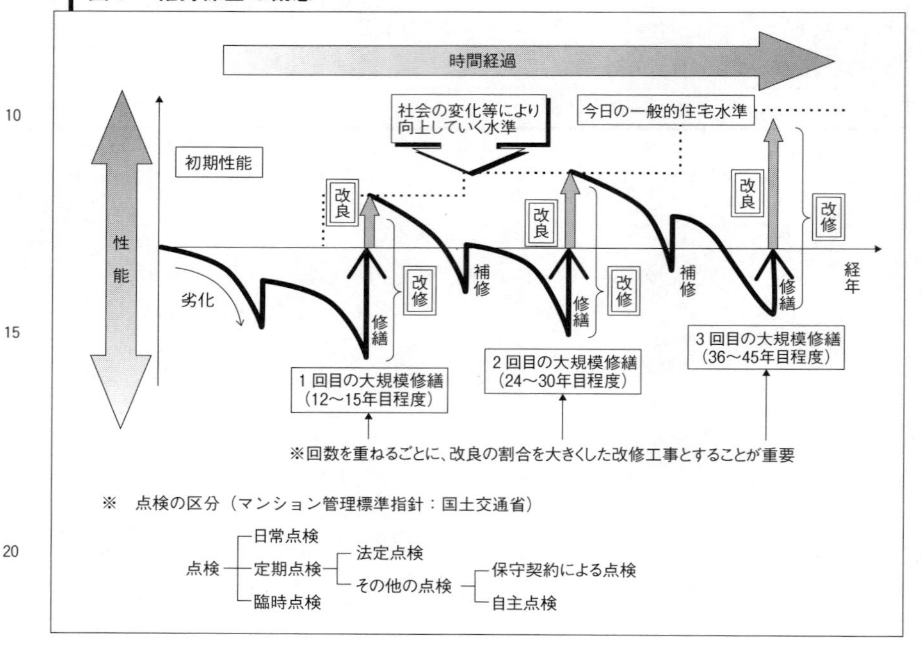

この図から、維持保全は改良保全などを含んだ保全業務の一つとして位置付けられることになる。これは、これまでのマンションストックの単なる機能維持の修繕ばかりでなく、耐震改修、バリアフリー化、防犯対策など、法改正や社会的ニーズが変化してきたことにより、こうした機能が未整備な既存マンションに対して、新たな機能を付加することが要求されてきたことも背景にある。

（2）高経年マンションの陳腐化の例（表1）

〔物理的劣化〕 建物は建設された直後から、雨水、空気中の炭酸ガス、繰返し使用による摩耗などの物理的あるいは化学的要因等により、使用材料・機器の劣化が始まり、さらに経年とともに劣化範囲が拡大し、劣化程度も進行していく。このため、劣化状況に応じて適切な修繕が必要であるが、劣化が全面に至ると大規模な修繕を実施しなければならない。物理的劣化には、このように経年により劣化するもののほかに、自然災害等の被害によるものも含むと考えられる。劣化診断と呼ばれるものは、この物理的な劣化を定量的に把握することであり、この結果により修繕時期や修繕範囲、修繕方法などを検討することになる。

〔機能的劣化〕 建設後の技術の向上によって、建設時より優れた性能や、よりコンパクトな設備機器・材料が開発され、その結果当初設置された機器等の性能が低下していなくても、相対的な評価としてその機器が劣化（陳腐化）しているようになる場合がある。あるいは、法的規制の変化によって建物が備えるべき機能が向上あるいは拡大することにより、同様にその機器が劣化しているようになる場合もある。このようにして起こる劣化を機能的劣化といい、冷暖房機器の高性能化・小型化、各戸の電気容量やコンセント数の増加などが挙げられる。また消防法の強化や新耐震設計法の施行等に伴う既存建物の不適合、アスベスト混入材料の使用などはその一例である。

〔社会的劣化〕 社会的要求水準、要求内容が変化したことによって生じる劣化。高度情報化、多様化あるいは潤いを求める現代社会の変化に対応して、住居に要求する内容も変貌しており、部屋構成の変化、住戸面積の増大、防犯機能の強化、HA（home automation）・IT（information technology）の対応あるいは建物の外観の高級化志向等が求められるが、これらに対応できないことにより生ずる劣化を指す。

表１　高経年マンションの陳腐化の例

住戸の居住性能	住戸面積の狭隘化	住戸面積が狭い、住戸面積が画一的で多様な規模の住戸がない、住戸内に洗濯機置場がない　等
	断熱性能の低下	結露がよく発生する、省エネ仕様になっていない　等
	設備の旧式化・陳腐化	材料・機器の性能が老朽化・旧式化している、給排水システムが旧式化している、電気容量が不足している　等
建物共用部分の性能	バリアフリーでない	段差がある、手すりがない、エレベーターがない　等
	防犯性能が低い	オートロックではない、見通しが確保されていない、照明が薄暗い又は不足している、防犯カメラが設置されていないなど、防犯に対する配慮がなされていない　等
	エントランスの陳腐化	内装仕上げ材、照明器具、集合郵便受け・掲示板等の金物類の性能、デザイン等のエントランスホールの雰囲気が陳腐化している　等
	共用スペースの機能の陳腐化	管理事務所、宅配ロッカー・トランクルーム、共用倉庫、ラウンジ、プレイルーム、宿泊室等の機能がない　等
	外観イメージの陳腐化	仕上げ材、デザイン等の外観の雰囲気が陳腐化している　等
敷地内の性能	バリアフリーでない	段差がある、手すりがない　等
	敷地内のイメージの陳腐化	車道・歩道・広場等の舗装材料のデザイン・性能、屋外灯や外構工作物等のデザインが陳腐化している、緑化環境が整備されていない　等
	附属・共用施設等が整備されていない	集会所の機能が十分でない、駐車場・駐輪場・バイク置場等が不足している　等

出典：国土交通省「改修によるマンションの再生手法に関するマニュアル」抜粋

（３）マンション管理会社と維持保全

マンション建物の維持保全に関しては、大きく２つの関わりがある。１つは建築基準法８条（維持保全）における管理組合の関わりであり、もう１つは管理組合との委託契約の中で対応するマンション管理会社の関わりである。この管理委託契約の中では、建物・設備管理業務とマンション管理適正化法における基幹事務の事務管理業務としての「マンションの維持又は修繕に関する企画又は実施の調整」業務がある。

まず、基本的にはそのマンションを所有する管理組合が、建築基準法における維持保全に関しての義務を負うこととされている。

建築基準法８条（維持保全）

１　建築物の所有者、管理者又は占有者は、その建築物の敷地、構造及び建築設備を常時適法な状態に維持するように努めなければならない。

2　次の各号のいずれかに該当する建築物の所有者又は管理者は、その建築物の敷地、構造及び建築設備を常時適法な状態に維持するため、必要に応じ、その建築物の維持保全に関する準則又は計画を作成し、その他適切な措置を講じなければならない。（略）

一　特殊建築物で安全上、防火上又は衛生上特に重要であるものとして政令で定めるもの

二　前号の特殊建築物以外の特殊建築物その他政令で定める建築物で、特定行政庁が指定するもの

3　国土交通大臣は、前項各号のいずれかに該当する建築物の所有者又は管理者による同項の準則又は計画の適確な作成に資するため、必要な指針を定めることができる。

マンション管理会社は、この管理組合から対価を受けて維持保全業務の委託を受けることになる。

その維持保全業務の内容としては、国土交通省が公表している、管理組合との委託契約書のモデルである「マンション標準管理委託契約書」※において、1つは事務管理業務としての長期修繕計画の作成・見直しと、管理組合が維持又は修繕（大規模修繕を除く修繕又は保守点検等）を外注により委託マンション管理会社以外の会社に行わせる場合の見積書の受理、発注補助、実施の確認であり、もう1つの建物・設備管理業務についても別表でその標準項目が挙げられているが、この項目については、それぞれのマンションごとに対象となる項目の変更、修正が必要である。

マンション標準管理委託契約書2条5号に記載する管理対象部分

イ　敷地

ロ　専有部分に属さない建物の部分（規約共用部分を除く。）

エントランスホール、廊下、階段、エレベーターホール、共用トイレ、屋上、屋根、塔屋、ポンプ室、自家用電気室、機械室、受水槽室、高置水槽室、パイプスペース、内外壁、床、天井、柱、バルコニー、風除室

ハ　専有部分に属さない建物の附属物

エレベーター設備、電気設備、給水設備、排水設備、テレビ共同受信設備、消防・防災設備、避雷設備、各種の配線・配管、オートロック設備、宅配ボックス

ニ　規約共用部分

管理事務室、管理用倉庫、清掃員控室、集会室、トランクルーム、倉庫

ホ　附属施設

塀、フェンス、駐車場、通路、自転車置場、ゴミ集積所、排水溝、排水口、外灯設備、植栽、掲示板、専用庭、プレイロット

マンション標準管理委託契約書別表第4　建物・設備等管理業務

1　建物等点検、検査			
(1)　本契約書第2条第5号に記載する管理対象部分の外観目視点検			
①建物	一　屋上、屋根、塔屋	ひび割れ、欠損、ずれ、剥がれ、浮き、保護層のせり上がり、破断、腐食、接合部剥離、塗膜劣化、錆・白華状況、ゴミ・植物、排水の有無又は状態	○回／年
	二　エントランス周り(屋外)	ひび割れ、段差、陥没等の有無又は状態	
	三　エントランスホール、エレベーターホール、オートロック設備	破損、変形、玄関扉の開閉作動・錆、破損状態・緩み・変形の有無又は状態	
	四　外廊下・外階段	破損、変形、障害物、排水、ノンスリップ取付、鉄部の錆・腐食・ぐらつき等の有無又は状態	
	五　内廊下・内階段	破損、変形、障害物、ノンスリップ取付の有無又は状態	
	六　内壁・外壁・柱	ひび割れ、欠損、剥がれ、腐食、浮き、剥離、錆・白華状況等の有無又は状態	
	七　床、天井	ひび割れ、欠損、剥がれ、腐食等の有無又は状態	
	八　管理事務室、管理用倉庫、清掃員控室、集会室、共用トイレ、ポンプ室、機械室、受水槽室、高置水槽室、倉庫、パイプスペース、自家用電気室、風除室、宅配ボックス	破損、変形等の有無又は状態	
	九　テレビ共同受信設備	アンテナ、増幅器・分岐器の破損・変形等の有無又は状態	
	十　避雷設備	避雷針及び避雷導線の錆、腐食、ぐらつき、破損、変形、ケーブル破断等の有無又は状態	
②附属施設	一　塀、フェンス	錆、腐食、ぐらつき等の有無又は状態	○回／年
	二　駐車場、通路	ひび割れ、段差、陥没等の有無又は状態	
	三　自転車置場	ひび割れ、段差、陥没、錆、腐食、ぐらつき等の有無又は状態	
	四　ゴミ集積所	清掃、換気の有無又は状態	
	五　排水溝・排水口	変形、がたつき、排水、ゴミ・植物の有無又は状態	
	六　プレイロット	遊具の破損、変形等の有無又は状態	
	七　植栽	立ち枯れ等の有無又は状態	
	八　掲示板	変形、がたつき、破損等の有無又は状態	
	九　外灯設備	変形、がたつき、破損等の有無又は状態	
(2)　建築基準法第12条第1項に規定する特定建築物定期調査			(1回／6月～3年)
①　敷地及び地盤		地盤の不陸、排水の状況、通路の確保の状況、塀・擁壁の劣化及び損傷の状況等	
②　建築物の外部		基礎、土台、外壁躯体、外装仕上げ材、窓サッシ等の劣化及び損傷の状況、外壁等の防火対策の状況等	
③　屋上及び屋根		屋上面、屋上周り、屋根等の劣化及び損傷の状況、屋根の防火対策の状況等	

④　建築物の内部	防火区画の状況、室内躯体壁・床の劣化及び損傷状況、給水管・配電管の区画貫通部の処理状況、界壁・間仕切壁の状況、防火設備の設置の状況、照明器具の落下防止対策の状況、採光・換気のための開口部の状況、石綿の使用及び劣化の状況等	
⑤　避難施設	通路、廊下、出入口、階段の確保の状況、排煙設備、非常用エレベーター、非常用照明設備の作動の状況等	
⑥　その他	免震装置、避雷設備等の劣化及び損傷の状況等	
(3)　建築基準法第12条第３項に規定する特定建築物の建築設備等定期検査		（１回／６月～１年）
①　換気設備	機械換気設備の外観検査・性能検査、自然換気設備、防火ダンパーの設置等の状況の検査等	
②　排煙設備	排煙機・排煙口・排煙風道・自家用発電装置の外観検査・性能検査、防火ダンパーの取付け状況、可動防煙壁の作動等の状況の検査等	
③　非常用の照明装置	非常用の照明器具・蓄電池・自家用発電装置の外観検査・性能検査等	
④　給水設備及び排水設備	飲料用の配管・排水管の取付け・腐食及び漏水の状況、給水タンクの設置の状況、給水ポンプの運転の状況、排水トラップの取付けの状況、排水管と公共下水道等への接続の状況、通気管の状況の検査等	
⑤　防火設備	随時閉鎖式の防火設備の設置状況、劣化の状況、作動時の状況の検査等	
（エレベーターの点検方式は、フルメンテナンス方式又は、POG 方式を選択する） ２　エレベーター設備（○○○方式）		
(1)　エレベーター設備の点検・整備	機械室、調速機、主索、かご室、かご上、乗り場、ピット、非常用エレベーター、戸遮煙構造等の点検・整備	（○回／月）
(2)　建築基準法第12条第３項に規定する昇降機定期検査(日本産業規格に基づく)	機械室、調速機、主索、かご室、かご上、乗り場、ピット、非常用エレベーター、戸遮煙構造等の検査	（１回／６月～１年）
３　給水設備		
(1)　専用水道		
①　水道法施行規則に規定する水質検査		（○回／年）
②　水道法施行規則に規定する色度・濁度・残留塩素測定		（○回／日）
③　水道施設の外観目視点検		（○回／年）
一　受水槽、高置水槽	ひび割れ、漏水、槽内沈殿物・浮遊物、マンホール施設、防虫網損傷等の有無又は状態	
二　自動発停止装置、満減水警報装置、電極棒	接点劣化・損傷、作動の有無又は状態	
三　定水位弁、ボールタップ、減圧弁	錆、衝撃、漏水、損傷、作動等の有無又は状態	
四　揚水ポンプ、圧力ポンプ	異音、振動、過熱、漏水等の有無又は状態	
五　散水栓・止水栓、量水器、給水管	錆、損傷、変形、漏水等の有無又は状態	
(2)　簡易専用水道		
①　水道法施行規則に規定する貯水槽の清掃		（１回／年）
②　水道法施行規則に規定する検査		（１回／年）
③　水道施設の外観目視点検		（○回／年）
一　受水槽、高置水槽	ひび割れ、漏水、槽内沈殿物・浮遊物、マンホール施設、防虫網損傷等の有無又は状態	
二　満減水警報装置、電極棒	接点劣化・損傷、作動の有無又は状態	
三　定水位弁、ボールタップ、減圧弁	錆、衝撃、漏水、損傷、作動等の有無又は状態	
四　揚水ポンプ、圧力ポンプ	異音、振動、過熱、漏水等の有無又は状態	
五　散水栓・止水栓、量水器、給水管	錆、損傷、変形、漏水等の有無又は状態	
４　浄化槽、排水設備		
(1)　浄化槽法第７条及び第11条に規定する水質検査		（○回／年）
(2)　浄化槽法第10条に規定する保守点検		（○回／年）
(3)　浄化槽法第10条に規定する清掃		（○回／年）
(4)　排水桝清掃		（○回／年）
(5)　専有部分、共用部分排水管清掃		（○回／年）
(6)　外観目視点検		（○回／年）
①　排水槽、湧水槽	槽内堆積物・ゴミ等の有無	

	② 自動発停止装置、満減水警報装置、電極棒	接点劣化・損傷、作動の有無又は状態	
	③ 排水ポンプ	異音、振動、過熱、漏水、逆止弁の作動の有無又は状態	
	④ 雨水桝、排水桝	破損、がたつき、ゴミ・植物、排水等の有無又は状態	
	⑤ 通気管、雨水樋、排水管	破損、変形の有無	
5 電気設備			
(1) 自家用電気工作物			
	電気事業法第42条、第43条に基づく自主検査	受電設備、配電設備、非常用予備発電設備等に係る絶縁抵抗測定、接地抵抗測定、保護リレー試験等	○回／年
(2) 上記(1)以外の電気設備			
	① 動力制御盤・電灯分電盤	異音、異臭、破損、変形、施錠等の有無又は状態	○回／年
	② 照明、コンセント、配線	球切れ、破損、変形等の有無又は状態	
	③ タイマー又は光電式点滅器	作動時間設定の良否	
6 消防用設備等			
(1) 消防法第17条の3の3に規定する消防用設備等の点検			
	① 消防用設備等の機器点検		(1回/6月)
	② 消防用設備等の総合点検		(1回/年)
(2) 外観目視点検			(○回/年)
	① 消火設備	変形、損傷、液漏れ、紛失等の有無又は状態	
	② 警報設備	異音、発熱、球切れ、破損等の有無又は状態	
	③ 避難設備	球切れ、破損等の有無又は状態	
	④ 消防用水	変形、損傷、障害物等の有無又は状態	
	⑤ 消防活動上必要な施設	変形、損傷等の有無又は状態	
7 機械式駐車場設備			
(1) 外観目視点検		錆、破損、作動、排水ポンプ作動、移動式消火ボックス損傷等の有無又は状態	(○回/年)
(2) 定期保守点検			(○回/○)

これらの管理事務の中には、同契約書コメントとして、修繕工事の前提としての建物等劣化診断業務、大規模修繕工事実施設計及び工事監理業務、マンション建替え支援業務については、必要な年度に特別に行われ、業務内容の独立性が高いという性格から、同契約とは別途契約とすることが望ましいとされている。

2 法定点検

(1) 法定点検・定期報告の目的

法定点検とは、「建築基準法」「消防法」「水道法」などの法令で、主に安全上、防災上及び衛生上確保しなければならない最低水準が示され、マンション竣工後もそれを維持するために行う点検である。また、これらの法律には、用途や建築物の規模により、要求する範囲を限定しており、その範囲も建築物を実際に使用する目的などにより、安全などの要求レベルが考慮されている。

例えば、建築基準法12条では、「一定規模以上・特定建築物で、特定行政庁が指定するものの所有者又は管理者は、建築物の敷地、構造、建築設備について国土交通省令の定めるところにより、定期的にその状況を有資格者に調査させ、その結果を特定行政庁に報告しなければならない」としている。消防法8条では、「一定規模・特定用途の防火対象物について、建築物の管理者は防火管理を行わなくてはならない」とし、定期的な点検と報告を義務付けている。共同住宅で居住者数が50人以上の場合、管理者は防火管理者を定め、消防計画を作成させ、当該計画に基づく消火・避難訓練の実施、消防設備・施設の点検整備などのほか、防火管理上必要な業務を行わせなければならないとされている。また、防火管理者の選任・変更は遅滞なく所轄の消防長（署長）に届け出なければならないなど、安全、防災に関してきめ細かく規制をかけている。こうした法令は共通事項的なものであり、建築物の用途・規模・設備などにより、前記以外にも様々な法令や条例が定められているので、法定点検については、該当する法的規制の各項目について整理するとともに、適用される法令等を確認する。

(2) 点検の実施者

法定点検は、有資格者でないと実施できない（表２）。また、マンションの施設によっては、保安・取扱い業務に携わる技術責任者の選任が必要な場合もある。実際には、資格を所持しているマンション管理会社社員あるいは専門会社技術者が点検業務を実施することが多い。

表2　マンション管理業務に関連する資格

区分	対象設備	適用法令	取扱い有資格者	職務内容
建物関係	建築物 建築設備 防火設備	建築基準法	特定建築物調査員 建築設備検査員 防火設備検査員 建築士（一級・二級）	特定建築物の調査 建築設備及び防火設備の検査 建築物の設計又は工事監理
搬送関係	エレベーター	建築基準法	昇降機等検査員 建築士（一級・二級）	昇降機の定期点検整備
給排水関係	専用水道施設 簡易専用水道施設	水道法 水道法	水道技術管理者 地方公共団体の機関又は厚生労働大臣の登録を受けた機関	専用水道施設の管理等 水道施設の検査等
	し尿浄化槽	浄化槽法	浄化槽設備士 浄化槽管理士	浄化槽の設置及び変更の工事 浄化槽の保守点検
電気関係	自家用電気工作物 一般用電気工作物	建築基準法 電気事業法	建築設備検査員 電気主任技術者（第一種・二種・三種・許可主任技術者）	非常用照明の点検 電気工作物の管理・維持運用（電圧により資格制限あり）
		電気工事士法	電気工事士(第一種・二種) 認定電気工事従事者	一般電気工作物及び自家用電気工作物の電気工事（資格により制限あり） 自家用電気工作物の簡易電気工事
防災関係	防火管理	消防法	防火管理者(甲種・乙種)	収容人数50人以上
	消防用設備等	消防法	消防設備士（甲種・乙種）	消防設備の設置・維持工事及び消防設備の定期点検整備（資格により範囲に制限あり）
		消防法	消防設備点検資格者（特殊・第1種・第2種）	消防設備の定期点検（資格により範囲に制限あり）
	危険物	消防法	危険物取扱者（甲種・乙種・丙種）	火災など危険性の高い物品の取扱い者（資格により範囲に制限あり）
空調関係	ボイラー	労働安全衛生法	ボイラー技士（特級・一級・二級）	ボイラー、圧力容器の取扱い（伝熱面積により資格制限あり）
	冷凍設備	高圧ガス保安法	冷凍機械責任者（第一種・第二種・第三種）	高圧ガス製造施設の取扱い（冷凍能力により資格制限あり）

（3）点検業務の実施方法

限られた費用・人員で、合理的・効率的に日常点検と定期点検を行うため、具体的な点検項目・基準を整備し、わかりやすく文書化しておく必要がある。また、日常のタイムスケジュールは当然であるが、月間及び年間の実施計画表を作成して、点検項目に漏れが発生しないように確認することも必要である。

（4）マンションに関わる各種法定点検・定期報告（表3）

① 特定建築物定期調査報告

所有者又は管理者は、当該建築物の敷地・構造及び建築設備について、定期的にその状況（当該建築物の敷地及び構造についての損傷、腐食その他の劣化の状況の点検を含み、当該建築物の建築設備についての建築基準法12条3項の検査を除く。）を一級建築士若しくは二級建築士又は特定建築物調査員資格者証の交付を受けている者（特定建築物調査員）に調査させ、その結果を特定行政庁に報告しなければならない（建築基準法12条1項）。報告の時期は、建築物の用途、構造、延べ床面積等に応じて、おおむね6カ月から3年までの間隔をおいて特定行政庁が定める時期とする（建築基準法施行規則5条1項）。

特定行政庁：建築主事を置く市町村の区域については当該市町村の長をいい、その他の市町村の区域については都道府県知事をいう（建築基準法2条35号前段）。

表3　マンションの主な法定点検

法定点検・検査項目	点検・検査周期	対象となる施設等
簡易専用水道	年1回	受水槽の有効容量10m³を超える施設
専用水道	各回数	居住人口100人を超える施設か1日の最大給水量20m²を超える施設 その水道施設のうち地中又は地表に施設されている部分の規模が次のいずれかに該当するもの 1　口径25mm 以上の導管の全長1,500m を超える施設 2　水槽の有効容量の合計が100m³を超える施設
受変電設備点検（共同部電気設備対象）	通常 月次点検　年12回 年次点検　年1回 （保安規定に定めた回数）	共用部に使用する電力容量が一定以上の施設 （契約電力50KW 以上）…自家用電気工作物
消防用設備点検・報告	点検　年2回 報告　3年1回	消火設備…消火器、屋内消火栓設備等 …泡・不活性ガス消火設備（駐車場） 警報設備…自動火災報知、ガス漏れ火災警報、非常警報設備等 避難設備…避難器具、誘導灯等 消防用水・防火水槽、貯水槽 消火活動上の施設…連結送水管、非常コンセント設備等
特定建築物定期調査	3年1回※1	施設全般※1（昭和59年4月建設省通達） 共同住宅で地階、3階以上又はその用途に供する部分の床面積300m²以上
建築設備定期検査	年1回	1．換気設備　2．排煙設備 3．非常用の照明装置　4．給水設備及び排水設備
昇降機等定期検査	年1回	エレベーター、エスカレーター
防火設備定期検査	年1回	1．防火扉　2．防火シャッター 3．耐火クロススクリーン 4．ドレンチャーその他の水幕を形成する防火設備
防火管理者	防火管理者選任届（建物使用開始時）	非特定用途防火対象物（共同住宅）の選任 50人以上　500m²以上　甲種防火対象物……甲種免許 50人以上　500m²未満　乙種防火対象物……乙種免許 50人未満……選任不要
	統括防火管理者	高さが31mを超える建築物

※1　点検・報告・対象設備は特定行政庁により異なるので、確認が必要。
東京都は、5階建以上かつ1,000m²を超える共同住宅。

関係法令	法令内容
水道法３条７項（定義） 水道法34条の２ 施行令２条（適用除外基準） 施行規則55条（管理基準） 施行規則56条（検査）	地方公共団体の機関又は厚生労働大臣の登録を受けた者の検査……年１回 水槽の清掃……年１回 水質検査（10項目）……年１回 ※受水槽の有効容量10m³以下の施設については、法規制はないが簡易専用水道に準じた維持管理が望ましい
水道法３条６項（定義） 水道法19条 施行規則15条 施行令１条（適用基準） 建築物衛生法	水道技術管理者（水道法施行令５条の資格）を１名配置 ① 施設の検査 ② 水槽清掃……年１回 ③ 水質検査 ・残留塩素検査等……日１回 ・水質検査（11項目（内省略可２項目））……月１回
電気事業法42条 （保安規定） 電気事業法43条 （電気主任技術者の選任）	保安規定に基づく点検項目の実施 （月次点検……通常点検、年次点検……停電による精密点検） 電気主任技術者の選任又は電気保安協会等による不選任
消防法17条の３の３ （消防用設備等の点検及び報告）	各消防用設備毎に点検項目・回数が定められる ・機器点検……６ヵ月毎 ・総合点検……１年毎
建築基準法12条１項	点検者　一級建築士、二級建築士 建築物調査員資格者証の交付を受けている者（特定建築物調査員）
建築基準法12条３項	点検者　一級建築士、二級建築士 建築設備等検査員資格者証の交付を受けている者（建築設備等検査員）
建築基準法12条３項	点検者　一級建築士、二級建築士　※講習受講を条件とする都道府県があるので要確認 建築設備等検査員資格者証の交付を受けている者（昇降機等検査員）
建築基準法12条３項	点検者　一級建築士、二級建築士、国土交通大臣が定める資格者（防火設備検査員）
消防法８条	※防火管理者とは防火対象物において、防火管理上必要な業務を適切に遂行することができる管理的又は監督的な地位にある者 防火管理者の業務 ① 消防計画の作成 ② ①に基づく消火、通報及び避難訓練の実施 ③ 消防設備等の点検及び整備、火気の使用又は取扱いに関する監督 ④ 避難又は防火上必要な構造及び設備の維持管理並びに収容人員の管理 ⑤ その他防火管理上必要な業務

(ア) 対象建築物

共同住宅については、床面積の合計が200m²を超えるものが該当する（建築基準法６条１項１号、別表第１（い）欄）（図２）。定期調査・検査の規模及び時期については、昭和59年４月建設省通達で、用途ごとの原則的な規模及び時期の指定方針を表４のように示している。

しかし共同住宅においては、東京都が対象規模を５階建て以上かつ1,000m²を超えるに緩和していたり、報告の対象としていない特定行政庁もあるので確認が必要である。

制度の強化として、建築基準法令違反による有床診療所等の火災で死傷者が出ていることを受け、定期報告制度を強化することを定めた建築基準法の一部を改正する法律（平成26年法律54号）が2014（平成26）年６月４日に公布された（2016（平成28）年６月１日施行）。これにより、新たに定期報告が義務付けられた建築物、防火設備又は小荷物専用昇降機が設けられている建築物の所有者等は、適切に報告しなければならなくなった（表５）。

図２　定期報告の対象となる建築物及び建築設備等

○ 特定建築物・特定建築設備等のうち、政令で指定されていない建築物・建築設備等を、それぞれの特定行政庁において指定する。
○ 指定にあたっては、地域の実情（特に物件数の多い用途・規模のものなど）に応じて、定期的な報告を求めておく必要性が高いものに配慮する必要がある。

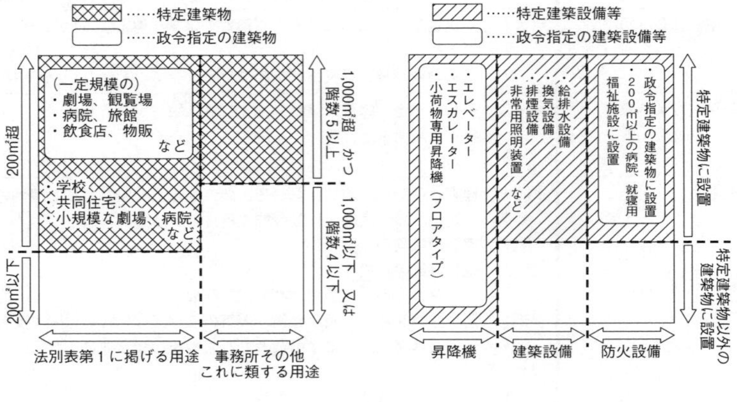

表４　定期調査・検査の規模及び時期の指定方針（昭和59年４月建設省通達）

	用　　途	規　　模	期　間
(1)	劇場、映画館又は演劇場	地階、F≧３、A≧200m²又は主階が１階にないもの	１年間隔
(2)	観覧場（屋外観覧場は除く。）、公会堂又は集会場	地階、F≧３又はA≧200m²	１年間隔
(3)	病院、診療所（患者の収容施設があるものに限る。）、養老院又は児童福祉施設等	地階、F≧３又はA≧300m²	２年間隔
(4)	旅館又はホテル	地階、F≧３又はA≧300m²	１年間隔
(5)	下宿、共同住宅又は寄宿舎	地階、F≧３又はA≧300m²	３年間隔
(6)	学校又は体育館	地階、F≧３又はA≧2,000m²	２年間隔
(7)	博物館、美術館、図書館、ボーリング場、スキー場、スケート場、水泳場又はスポーツの練習場	地階、F≧３又はA≧2,000m²	３年間隔
(8)	百貨店、マーケット、展示場、キャバレー、カフェー、ナイトクラブ、バー、舞踏場、遊技場、公衆浴場、待合、料理店、飲食店又は物品販売業を営む店舗（床面積が10m²以内のものを除く。）	地階、F≧３又はA≧500m²	１年間隔
(9)	事務所その他これに類するもの（階数が５以上で延べ床面積が1,000m²を超えるものに限る。）	地階、F≧３	３年間隔

注１．地階、F≧３は、地階又は３階以上の階でその用途に供する部分（100m²以下のものを除く。）を有するものを、Aはその用途に供する部分の床面積の合計をそれぞれ示す。

２．(1)項から(8)項までの複数の用途に供する建築物にあっては、それぞれの用途に供する部分の床面積の合計をもってその主要な用途に供する部分の床面積の合計とする。

３．地下街、高さ31mを超える建築物その他、防火避難上の安全性の確保が極めて重要なものについては、上表にかかわらず「期間」を0.5年間隔までとするよう配慮するものとする。また、精神病院その他の用途上特殊なものについても、同様とする。

４．共同住宅の規模期間は特定行政庁により異なる。

要重点点検	次回の調査・検査までに「要是正」に至るおそれが高い状態であり、所有者等に対して日常の保守点検において重点的に点検するとともに要是正の状態に至った場合は速やかに対応することを促すもの。
要　是　正	修理や部品の交換等により是正することが必要な状態であり、所有者等に対して是正を促すもの。報告を受けた特定行政庁は、所有者等が速やかに是正する意思がない等の場合に必要に応じて是正状況の報告聴取や是正命令を行うこととなる。

表５　平成28年改正による定期報告対象の見直し

	報告対象となり得る範囲	報告対象		
		改正前		改正後（現行）
建築物	○特定建築物 ・法６条１項１号に掲げる建築物（別表第１に掲げる用途で200m²超） ・法12条１項の政令で定める建築物（階数５以上かつ延べ面積1,000m²超の事務所等）	特定行政庁が指定する建築物	⇒	政令で指定する建築物 特定行政庁が指定する建築物
建築設備等	○特定建築設備等 ・昇降機 ・特定建築物に設けられる建築設備※及び防火設備	特定行政庁が指定する建築設備等	⇒	政令で指定する建築設備等 特定行政庁が指定する建築設備等
準用工作物	○法88条で準用する工作物 ・観光用エレベーター・エスカレーター ・ウォーターシュート、コースターなどの高架の遊戯施設 ・メリーゴーラウンド、観覧車、オクトパス、飛行塔などの原動機による回転運動をする遊戯施設 ・看板、広告塔、装飾塔などの工作物	特定行政庁が指定する準用工作物	⇒	政令で指定する準用工作物 特定行政庁が指定する準用工作物

※　昇降機を除く（上記のとおり、昇降機は特定建築物以外の建築物に設けられるものであっても「特定建築設備等」に該当するため）。

法の改正前においては、建築物及び建築設備の定期報告は、特定行政庁が指定するものが対象であったが、改正により、安全上、防火上又は衛生上特に重要なものとして政令で指定する用途・規模の建築物、防火設備及び昇降機等が義務付けられた。

・定期報告を要する建築物：高齢者・障害者等が就寝する施設や不特定多数の者が利用する施設で、政令で定める規模以上のもの

・定期報告を要する建築設備等：昇降機、定期報告を要する建築物等に設けられる防火設備、準用工作物（図２）

(イ)　定期調査・検査の項目、方法、基準の明確化

定期調査・検査の業務基準、日本産業規格の検査標準の建築基準法上の位置付けを明確にするため、平成20年４月１日に建築基準法施行規則の一

部が改正され、国土交通大臣が定める項目ごとに、国土交通大臣の定める方法により調査・検査を行い、国土交通大臣の定める基準により是正の必要性等を判断することとされた。

具体的な調査・検査の項目並びに項目ごとの調査・検査の方法、是正の必要性等の判定基準は、特殊建築物等、昇降機、遊戯施設、建築設備ごとに告示で定められた。

この調査・検査結果表の添付を義務付けるとともに、その中で検査項目ごとの担当調査・検査資格者や調査・検査を代表する立場の資格者を明確にし、調査・検査の結果、「要是正」や「要重点点検」と判定された項目に対する改善策の具体的内容等、前回の調査・検査以降に発生した不具合について特定行政庁へ報告することとされた。

(ウ) 調査方針

防火・避難、構造安全関係を重点的に、人身事故災害の防止に努める。また法令の適否の追及だけではなく、今日の使用状態が安全かどうかを技術的に判断する。

(エ) 調査内容

㋐ 一般事項

(a) 所有者、管理者の変更の有無

(b) 増改築の有無

(c) 模様替え等構造耐力上主要部分の変更の有無

(d) 関連図書の整備状況

㋑ 敷地関係

(a) 地盤、建築物の沈下、傾斜等

(b) 塀、よう壁の傾斜等

(c) 敷地内通路及びその管理状況

㋒ 建物関係

基礎、土台、躯体、外装仕上げ材、窓サッシ、屋上・屋根、広告板、外部照明器具、石綿等含有建築材料等

㋓ 防火関係

(a) 外壁の防火構造、耐火構造の防火区画、防火戸

(b) 内装材料及び仕上げ方法等

(c) 避難通路、階段等

(d) 排煙設備

㋔ その他

避雷設備、非常用エレベーター、非常用照明、煙突等

(オ) 調査方法と留意点

調査は目視及び打診、設計図書等の確認を中心とするが、以下のものについて留意する。

㋐ 外装仕上げ材等（タイル、石貼り、モルタル等）

部分打診により異常が認められた場合にあっては、落下により歩行者等に危害を加えるおそれのある部分を全面的にテストハンマーによる打診等により確認する。ただし、竣工後、外壁改修後若しくは落下により歩行者等に危害を加えるおそれのある部分の全面的なテストハンマーによる打診等を実施した後10年を超え、かつ３年以内に落下により歩行者等に危害を加えるおそれのある部分の全面的なテストハンマーによる打診等を実施していない場合にあっては、落下により歩行者等に危害を加えるおそれのある部分を全面的にテストハンマーによる打診等により確認する（３年以内に外壁改修等が行われることが確実である場合又は別途歩行者等の安全を確保するための対策を講じている場合を除く。）。

㋑ 防火設備（防火戸、シャッター等）

防火戸にあっては、各階の主要な防火戸の閉鎖時間をストップウォッチ等により測定し、戸の重量により運動エネルギーの状況を確認するとともに、必要に応じて閉鎖する力をテンションゲージ等により測定する。各階の主要な防火シャッター及びその他の防火設備にあっては、閉鎖又は作動を確認する。ただし、３年以内に実施した点検の記録がある場合にあっては、当該記録により確認する。

㋒ その他、作動確認又は３年以内に実施した建築設備定期検査記録の確認が必要な設備

1）換気設備

2）排煙設備

3）非常用エレベーター

4）非常用の照明装置

㋓　石綿等を添加した建築材料（吹付石綿及び吹付ロックウールでその含有する石綿の重量が建築材料の重量の0.1%を超えるもの）

設計図書、分析機関による分析結果、目視等により確認する。

㋔　免震構造建築物の免震層及び免震装置

目視により確認するとともに、３年以内に実施した点検の記録がある場合にあっては、当該記録により確認する。

㋕　耐震診断・耐震改修の実施

昭和56年６月１日施行の新耐震基準以前の基準で建築された建築物については、耐震診断を実施しているか、また、耐震診断の結果、耐震改修が必要と判断された場合に耐震改修を実施しているか、あるいは今後の実施予定をヒアリングにより調査する。

②　建築設備定期検査報告

所有者又は管理者は、その建築物の建築設備について、定期に、一級建築士若しくは二級建築士又は建築設備等検査員資格者証の交付を受けている者（建築設備等検査員）に検査（損傷、腐食その他の劣化状況の点検を含む。）をさせ、その結果を特定行政庁に報告しなければならない（建築基準法12条３項）。ただし、特定行政庁が条例によって別途の規定を設けている場合がある。

㈠　対象建築物

床面積の合計が200m²を超える共同住宅その他政令で定める建築物の昇降機以外の建築設備を設置する建築物で、報告対象は前記①特定建築物定期調査報告に準ずる。ただし、特定行政庁によっては建築設備全体又は一部を報告の対象としていないところもあるので、確認が必要である。

㈡　定期調査・検査の項目、方法、基準の明確化

建築設備等の定期報告も平成20年４月１日に建築基準法施行規則の一部が改正され、大きな改正点は、これまで重要項目以外は抽出検査（数回で検査対象を一巡するよう留意）としていたものを、原則として全数検査とし、国土交通大臣が定める項目（換気量測定、排煙風量測定など）は、３年間で一巡することとした。

また、検査結果の報告の際に、次のものを添付することを義務付けた。

換気設備→換気状況評価表と換気風量測定表

排煙設備→排煙風量測定記録表

非常用の照明装置→照度測定表

(ウ) 調査内容

㋐ 一般事項

5 (a) 所有者、管理者

(b) 検査による指摘の概要、改善予定

(c) 各設備の概要

㋑ 換気設備

(a) 機械換気設備の外観・性能

10 (b) 自然換気設備の取付け状況・性能

(c) 防火ダンパー等の状況

㋒ 排煙設備

(a) 排煙機の外観・性能

(b) 排煙口の外観・性能

15 (c) 排煙風道の状況・性能

(d) 防煙壁の状況・区画

(e) 自家用発電装置の外観・性能

(f) エンジン直結排煙機の外観・性能

㋓ 非常用の照明装置

20 (a) 非常用照明の作動・点灯時間

(b) 照度測定（避難上必要となる部分のうち最も暗い部分の水平床面において30分点灯後の照度が、白熱灯で１ルクス以上あることを低照度測定用照度計で測定する。）

(c) 非常用照明の分電盤・配線の状況

25 (d) 蓄電池・充電器の外観・性能

(e) 自家用発電装置の外観・性能

㋔ 給水設備及び排水設備

(a) 給水配管の劣化・区画貫通・保温・支持金物等の状況

(b) 給水タンクの状況

30 (c) 給湯設備の状況

(d) 排水槽・排水再利用配管設備の状況

(e)　衛生器具・排水トラップ・阻臭器・排水管の状況

③　昇降機設備定期検査報告・点検

所有者又は管理者は、定期的（1年間隔）に、一級建築士若しくは二級建築士又は昇降機等検査員資格者証の交付を受けている者（昇降機等検査員）の検査を受け、その結果を特定行政庁に報告しなければならない（建築基準法12条3項）。

(ア)　対象建築物

昇降機を設置している建築物

(イ)　検査項目

昇降機設備定期検査も平成20年4月1日の建築基準法施行規則の改正により、おおむねJIS A 4302－2006（昇降機の検査標準）の基準を告示に規定することにより、判定基準の法令上の位置付けが明確にされた。検査項目は、ロープ式や油圧式などそれぞれに書式が定められており、定期検査報告書及び定期検査報告概要書に調査結果表及び関係写真を添えて提出する。

この定期報告は1年に1回となるが、（一財）日本建築設備・昇降機センターによる「昇降機の維持及び運行の管理に関する指針」及び日本産業規格（JIS A 4302－2006）「昇降機の検査標準」に基づいて、おおむね1月以内ごとに保守会社による保守点検が行われており、国土交通省でもこれに準じて安全な運行管理を図るよう関係先に通知している。

④　著しく保安上危険な建築物等に対する措置

特定行政庁は、特殊建築物及びその他政令で定める建築物の敷地、構造又は建築設備について、損傷、腐食、その他の劣化が進み、そのまま放置すれば著しく保安上危険となり、又は著しく衛生上有害となるおそれがあると認める場合においては、当該建築物又はその敷地の所有者、管理者又は占有者に対して、相当の猶予期限を付けて、当該建築物の除却、移転、改築、増築、修繕、模様替、使用中止、使用制限その他保安上又は衛生上必要な措置をとることを勧告することができる（建築基準法10条1項）。

勧告の対象となる政令で定める建築物とは、次に掲げるものとする（同法施行令14条の2）。

(ア)　法別表第1(い)欄に掲げる用途に供する特殊建築物のうち階数が3以上で

その用途に供する部分の床面積の合計が100m²を超え200m²以下のもの

(イ) 事務所その他これに類する用途に供する建築物（同法6条1項1号に掲げる建築物を除く。）のうち、階数が5以上で延べ面積が1,000m²を超えるもの

5 **⑤ 水道法に準拠する検査と清掃**

水道法3条（用語の定義。同法施行令1条、2条）により、マンションで使われる水道は専用水道・簡易専用水道・小規模受水槽水道等の3種類に分けられる（表6）。

表6 マンションで使われる水道の種類

10

専用水道	居住人口100人超又は1日最大給水量20m³超で口径25mm以上の導管の全長が1,500mを超え、水槽の有効容量の合計が100m³を超える場合
簡易専用水道	受水槽の有効容量の合計が10m³を超えるもの
小規模受水槽水道等	受水槽の有効容量が10m³以下のもの

15 専用水道と簡易専用水道については、表7に揚げる検査や清掃が法律に定められているが、小規模受水槽水道等についての定めはなく、地方公共団体の一部が条例で規制をかけている。

水道法20条1項、同法施行規則15条において水質基準に関する省令の水質検査の項目と検査基準が掲げられている。

20 専用水道の設置者は水質検査に関する記録を作成し、水質検査を行った日から起算して5年間、これを保存しなければならない（水道法34条1項、20条2項）。また同設置者は、水道の管理に関する業務に従事する者について、定期（おおむね6カ月ごと）又は臨時に健康診断を行うとともに、その記録を作成し、健康診断を行った日から起算して1年間、これを保存しなければ

25 ならない（同法34条1項、21条、同法施行規則16条）。

⑥ 浄化槽の検査、定期検査

浄化槽が設置された場合、使用開始後30日以内に浄化槽管理者は都道府県知事に一定事項を記載した報告書を提出をしなければならない。処理対象人員が501人以上の浄化槽は技術管理者も合わせて届け出る必要がある。この

30 浄化槽管理者、技術管理者を変更する場合も、変更の日から30日以内に報告書を提出しなければならない。

表7　専用水道と簡易専用水道の比較

	専用水道		簡易専用水道		備考（水道法以外及び条例等のまめ等）
	法・施行令・施行規則	内容	法・施行令・施行規則	内容	
定義	法3条6項 施行令1条	寄宿舎、社宅、療養所等における自家用の水道その他水道事業の用に供する水道以外の水道であって、100人を超える者にその居住に必要な水を供給するもの又は1日の最大給水量が20m³超のものをいう	法3条7項	水道事業の用に供する水道及び専用水道以外の水道であって、水道事業の用に供する水道から供給を受ける水のみを水源とするものをいう	
適用除外	施行令1条	1　口径25mm 以上の導管の全長が1,500m 以下又は 2　水槽の有効容量の合計が100m³以下は適用除外	施行令2条	水槽の有効容量の合計が10m³以下は適用除外	
水質検査（簡易5項目）	施行規則15条1項	1　毎日 2　遊離残留塩素濃度0.1ppm（結合残留塩素濃度0.4ppm）以上	施行規則55条 施行規則56条	1　任意で検査を行う項目 色、濁り、臭い、味 2　毎週1回以上検査を行う項目 残留塩素濃度	建築物衛生法及び東京都をはじめとする各地方公共団体による指導
水槽清掃		1年以内に1回 貯水槽清掃作業監督者講習修了証（個人資格）取得者1名以上を含む	施行規則55条	1年以内に1回 貯水槽清掃作業監督者講習修了証（個人資格）取得者1名以上を含む	建築物衛生法 建築物飲料水貯水槽清掃業者登録証を有する業者が望ましい
管理基準	法34条による法13条、19条、20条、22条及び23条の準用	1　水道技術管理者を置くこと 2　定期及び臨時の水質検査を行うこと（記録は5年間保存） 3　衛生上の措置を講じること 4　人の健康を害するおそれのあるときは、給水を停止し、かつ、使用の危険を関係者に知らせる措置をとること	施行規則55条	1　水槽の清掃を1年以内ごとに1回定期に実施すること 2　水槽の点検（水の汚染防止） 3　給水栓における水の色、濁り、臭い、味その他の状態により異常を認めたとき、水質検査のうち必要な事項について検査を行うこと 4　人の健康を害するおそれのあるときは、給水を停止し、かつ、使用の危険を関係者に知らせる措置をとること	
報告		毎月、保健所の専用水道水道事務月報（東京都規則での名称）等への報告が義務付けられていること			東京都第26号様式『専用水道水道事務月報』
健康診断	法34条による21条の準用及び施行規則16条	水道の管理に関する業務に従事する者について、定期（おおむね6ヵ月ごと）又は臨時に健康診断を行うとともに、その記録を作成し、健康診断を行った日から起算して1年間保存しなければならない			
業務の委託	法34条による24条の3の準用	水道技術管理者が実施 ただし、検査施設がない場合は、地方公共団体の機関又は厚生労働大臣の登録機関に委託		義務付けはない （管理会社としては会社の姿勢として省略項目程度の水質検査を年1回実施することが望ましい）	
管理についての定期検査		1　1年以内ごとに1回 2　所轄保健所	施行規則56条	1　1年以内ごとに1回 2　地方公共団体の機関又は厚生労働大臣の登録機関に委託	

［参考］ 1．水道施設の維持管理関連書類は5年間の保存義務がある。
2．水道施設に直接係る法規は、水道法と建築物における衛生的環境の確保に関する法律（ビル管法）があるが、特定建築物に該当する建物はビル管法、その他

は水道法に従う。水道法は一般法、ビル管法は特別法であり、両方が同時に係る場合は特別法が優先される。

3．貯水槽（受水槽と高置水槽）の有効容量を取り扱う場合、通念的に高置水槽の容量は含まない。

4．簡易5項目の水質検査のうち、残留塩素濃度の検査は水質検査項目には義務付けされていないが、水の自己防衛力を判断する唯一の項目であるため、建物管理の姿勢として取り入れる。

5．東京都条例には、専用水道適用除外の特例がある。

6．関東周辺の厚生労働大臣指定検査機関は、東京都は任意、他は（県）地域に固定された検査機関がある。

7．「施設検査」を「水質検査」と称されている場合があるので注意を要する。

⑦　受変電設備検査

一般的に共用設備の電気の電力会社との契約電力が50kW 以上になると、自家用受変電設備が必要となり、この設備を自家用電気工作物という。

この自家用電気工作物の設置者は、法により、電気主任技術者の選任（電気事業法43条)、保安規程の制定（電気事業法42条）が規定され、これに基づき定期的に検査を行う（表8)。

表8　自家用受変電設備（自家用電気工作物）の定期検査

項　目	頻　度	義　務	主な内容
自家用受変電設備（自家用電気工作物）	1回/年（点検1回/月）保守規定に定めた回数	電気主任技術者の選任又は保安管理業務を外部へ委託	保安規程に基づく点検・試験

この保安規程に基づいて、毎月1回の電気主任技術者による点検と、1年に1回、各種試験が行われる。

⑧　ガス設備検査

家庭用ガスは、ガス事業法によりガス供給事業者による4年に1回以上の、配管漏洩・ガス消費機器の点検が義務付けられている。

また、配管設備は区分所有者の財産であるが、ガス事業者による点検義務があり、ガス事業法による通常の定期点検（敷地内ガス管の漏洩検査）も、原則4年に1回以上行うこととなっている。なお、この検査は無料となっている。

⑨　消防用設備点検又は特殊消防用設備等点検・報告

消防法17条の3の3の規定により、定期に当該防火対象物のうち、政令で定めるものにあっては有資格者に点検させ、その結果を消防長又は消防署長に報告しなければならない。

㋐ 消防用設備等の点検方法と点検期間

消防用設備等の種類及び点検内容に応じて行う点検の方法、点検の期間については、消防法施行規則31条の6の規定に基づき消防庁告示（平成16年5月31日9号（最終改正：平成31年4月18日消防庁告示6号））で表9のように定められている。

㋑ 消防用設備等の点検報告

防火対象物の関係者は、(a)消防用設備等の点検が適正に行われているかどうか、(b)点検の結果不良箇所が適正に整備されているかどうか等を的確に把握するため、消防用設備等の点検結果を点検結果報告書として、定期的に消防長又は消防署長に報告しなければならないとされている。

報告の期間は、表10のように区分されており、報告は、消防用設備等点検結果報告書に点検結果を記載した点検表を添付して行う。

なお、単棟型のマンションは、この区分で非特定防火対象物に該当するので、報告は3年に1回でよいが、店舗、飲食店、病院等がある複合用途型マンションでは、1年に1回の報告を求められる場合もあるので、管轄の消防署等に確認が必要である。

表９　消防用設備等の種類及び点検の内容に応じて行う点検の方法、点検の期間

平成16年消防庁告示９号（最終改正：平成31年消防庁告示６号）

消防用設備等の種類等	点検の内容及び方法	点検の期間
消火器具、消防機関へ通報する火災報知設備、誘導灯、誘導標識、消防用水、非常コンセント設備、連結散水設備、無線通信補助設備及び共同住宅用非常コンセント設備	機器点検	６月
屋内消火栓設備、スプリンクラー設備、水噴霧消火設備、泡消火設備、不活性ガス消火設備、ハロゲン化物消火設備、粉末消火設備、屋外消火栓設備、動力消防ポンプ設備、自動火災報知設備、ガス漏れ火災警報設備、漏電火災警報器、非常警報器具及び設備、避難器具、排煙設備、連結送水管、非常電源（配線の部分を除く）、総合操作盤、パッケージ型消火設備、パッケージ型自動消火設備、共同住宅用スプリンクラー設備、共同住宅用自動火災報知設備、住戸用自動火災報知設備、共同住宅用非常警報設備、共同住宅用連結送水管、特定小規模施設用自動火災報知設備、加圧防排煙設備、複合型居住施設用自動火災報知設備並びに特定駐車場用泡消火設備	機器点検	６月
	総合点検	１年
配線	総合点検	１年

※　特殊消防用設備等にあっては、法17条３項に規定する設備等設置維持計画に定める期間によるものとする。

表10　消防法17条の3の3　点検報告の防火対象物と報告期間

<table>
<tr><th colspan="3">防火対象物
（消防法施行令　別表第1）</th><th>点検結果
報告の期間</th></tr>
<tr><td rowspan="2">（1）</td><td>イ</td><td>劇場、映画館、演芸場、観覧場</td><td rowspan="10">1年に1回</td></tr>
<tr><td>ロ</td><td>公会堂、集会場</td></tr>
<tr><td rowspan="4">（2）</td><td>イ</td><td>キャバレー、カフェー、ナイトクラブ等</td></tr>
<tr><td>ロ</td><td>遊技場、ダンスホール</td></tr>
<tr><td>ハ</td><td>風俗営業等</td></tr>
<tr><td>ニ</td><td>カラオケボックス等</td></tr>
<tr><td rowspan="2">（3）</td><td>イ</td><td>待合、料理店等</td></tr>
<tr><td>ロ</td><td>飲食店</td></tr>
<tr><td colspan="2">（4）</td><td>百貨店、マーケットその他の物品販売を営む店舗、展示場</td></tr>
<tr><td rowspan="2">（5）</td><td>イ</td><td>旅館、ホテル、宿泊所等</td></tr>
<tr><td>ロ</td><td>寄宿舎、下宿、共同住宅</td><td>3年に1回</td></tr>
<tr><td rowspan="4">（6）</td><td>イ</td><td>病院、診療所、助産所</td><td rowspan="4">1年に1回</td></tr>
<tr><td>ロ</td><td>養護老人ホーム、特別養護老人ホーム、有料老人ホーム、救護施設、乳児院、障害児入所施設、障害者支援施設（避難の困難な障害者等）等</td></tr>
<tr><td>ハ</td><td>老人デイサービスセンター、老人福祉センター、更生施設、助産施設、保育所、児童養護施設、児童発達支援センター、身体障害者福祉センター等</td></tr>
<tr><td>ニ</td><td>幼稚園、特別支援学校</td></tr>
<tr><td colspan="2">（7）</td><td>小学校、中学校、高等学校、高等専門学校、大学、専修学校、各種学校等</td><td rowspan="2">3年に1回</td></tr>
<tr><td colspan="2">（8）</td><td>図書館、博物館、美術館等</td></tr>
<tr><td rowspan="2">（9）</td><td>イ</td><td>公衆浴場のうち、蒸気浴場、熱気浴場等</td><td>1年に1回</td></tr>
<tr><td>ロ</td><td>イに掲げる公衆浴場以外の公衆浴場</td><td rowspan="9">3年に1回</td></tr>
<tr><td colspan="2">（10）</td><td>車両の停車場、船舶又は航空機の発着場（旅客の乗降又は待合の用に供する建築物に限る。）</td></tr>
<tr><td colspan="2">（11）</td><td>神社、寺院、教会等</td></tr>
<tr><td rowspan="2">（12）</td><td>イ</td><td>工場、作業場</td></tr>
<tr><td>ロ</td><td>映画スタジオ、テレビスタジオ</td></tr>
<tr><td rowspan="2">（13）</td><td>イ</td><td>自動車車庫、駐車場</td></tr>
<tr><td>ロ</td><td>飛行機又は回転翼航空機の格納庫</td></tr>
<tr><td colspan="2">（14）</td><td>倉庫</td></tr>
<tr><td colspan="2">（15）</td><td>前各項に該当しない事業場</td></tr>
<tr><td rowspan="2">（16）</td><td>イ</td><td>複合用途防火対象物のうち、その一部が⑴項から⑷項まで、⑸項イ、⑹項又は⑼項イに掲げる防火対象物の用途に供されているもの</td><td>1年に1回</td></tr>
<tr><td>ロ</td><td>イに掲げる複合用途防火対象物以外の複合用途防火対象物</td><td>3年に1回</td></tr>
<tr><td colspan="2">（16の2）</td><td>地下街</td><td rowspan="2">1年に1回</td></tr>
<tr><td colspan="2">（16の3）</td><td>建築物の地階（（16の2）項に掲げるものの各階を除く。）で連続して地下道に面して設けられたものと当該地下道とを合わせたもの。（⑴項から⑷項まで、⑸項イ、⑹項又は⑼項イに掲げる防火対象物の用途に供される部分が存するものに限る。）</td></tr>
<tr><td colspan="2">（17）</td><td>文化財保護法（昭和25年法律第214号）の規定によって重要文化財、重要有形民族文化財、史跡若しくは重要な文化財として指定され、又は旧重要美術品等の保存に関する法律（昭和8年法律第43号）の規定によって重要美術品として認定された建造物</td><td>3年に1回</td></tr>
<tr><td colspan="2">（18）</td><td>延長50メートル以上のアーケード</td><td>3年に1回</td></tr>
<tr><td colspan="2">（19）</td><td>市町村長の指定する山林</td><td></td></tr>
<tr><td colspan="2">（20）</td><td>総務省令で定める舟車</td><td></td></tr>
</table>

3 日常点検と維持管理

マンション管理会社は、管理委託契約書に基づき前述の法定点検以外にも点検及び維持管理の企画又は実施の調整業務を行う。そのためには、点検による不具合箇所の報告だけではなく、その原因を推定し、予防保全に努めなければならない。

（1）建物の点検・維持管理

建物の日常点検では、建物外壁、各階廊下、階段、屋上など、目視可能な範囲について点検を行う。

点検の目的は、劣化現象の把握や落下物などの危険性を確認することである。建物の各種劣化現象としては、次のようなものが挙げられる。

① 外壁関係

㈠ ひび割れ（写真１）
㈡ 鉄筋露出現象（写真２）
㈢ 手すり付け根の爆裂（写真３）
㈣ タイル・モルタルの剥離、はらみ（浮き）（写真４）
㈤ 錆汁の付着（鉄部の錆、腐食）（写真５、６）

写真１　ひび割れ

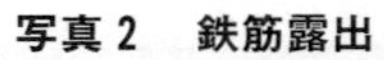

写真２　鉄筋露出

写真3　手すり付け根の爆裂

写真4　タイルのはらみ

写真5　鉄部の錆による錆汁の付着

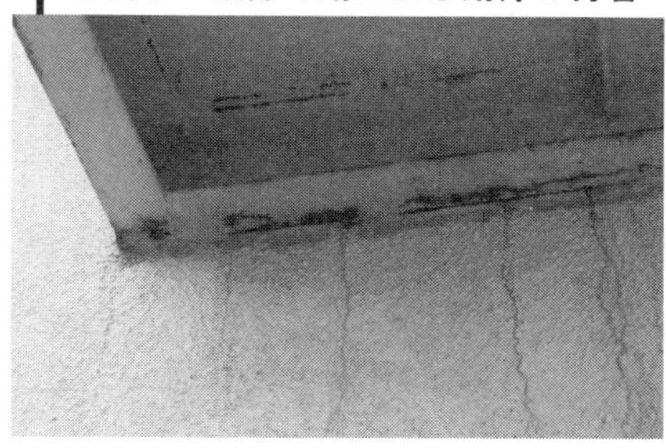

写真6　鉄筋発錆による錆汁の付着

外壁関係の点検では、こうした劣化の発生状況を報告するほか、落下事故の危険性があるものについては速やかに補修などの対応策を管理組合と協議するとともに、危険範囲を立入禁止にするなどの対応が必要である。

② 屋上防水関係

㋐ 防水層の劣化

・押さえコンクリートのひび割れ、欠損等（写真７）

・露出アスファルト防水層の膨れ、破断（写真８）

㋑ 雑草の発生（写真９）

㋒ ドレンの詰まり（写真10）

㋓ 手すり、柵の損傷　他（写真11）

写真7　押さえコンクリートのひび割れ

写真8　露出アスファルト防水層の膨れ

写真9　雑草の発生

写真10　ドレンの詰まり

写真11　手すりの損傷

防水の点検は、各劣化状況を報告するほか、雑草が発生しないような維持管理、ドレンが詰まらないような維持管理、また、居住者等に開放されているような屋上では、手すりなどを安全面から点検・維持管理が必要となる。

写真12　廊下・階段側（一部バルコニー）

管理・点検

- 巡回時、建物４方向から見上げて点検
- 廊下、階段等の自転車、物品等の放置
- 不審者
- 落下物
- ひび割れ
- 浮き、はがれ
- 汚れ
- 変退色
- 白華現象（エフロレッセンス）

写真13　バルコニー側

管理・点検

- 巡回時、建物４方向から見上げて点検
- 不審者
- 落下物
- バルコニーの物置、物品等の放置、花壇等の構築又は設置
- バルコニー手摺の危険物の吊り物
- ひび割れ
- 浮き、はがれ
- 汚れ
- 変退色
- 白華現象（エフロレッセンス）

写真14　屋上（アスファルト防水保護層）

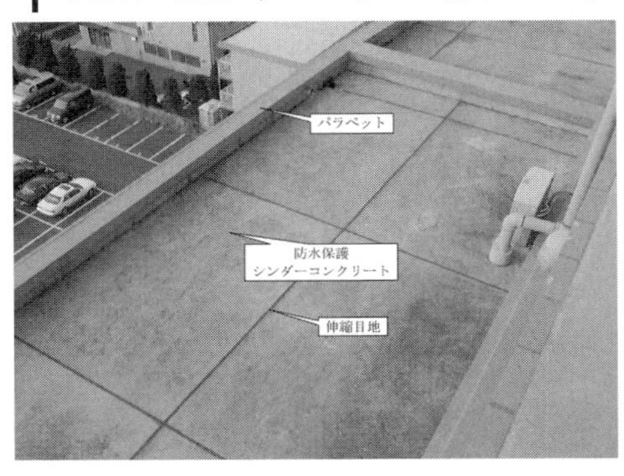

管理・点検

- 安全確認
  転落防止
  手すりのない屋上は１人では点検しない
- ルーフドレンのごみ詰まり
- 防水層上の落葉、ごみ
- 水たまり
- 重量物（広告塔等、太陽光発電パネル）の設置（荷重制限）
- 安全確認
- シンダーコンクリートのひび割れ、浮き等
- パラペット周辺のひび割れ、浮き等
- 伸縮目地の破断
- ルーフドレンの破損、紛失
- 鉄部の錆

写真15　屋上（塗膜防水）

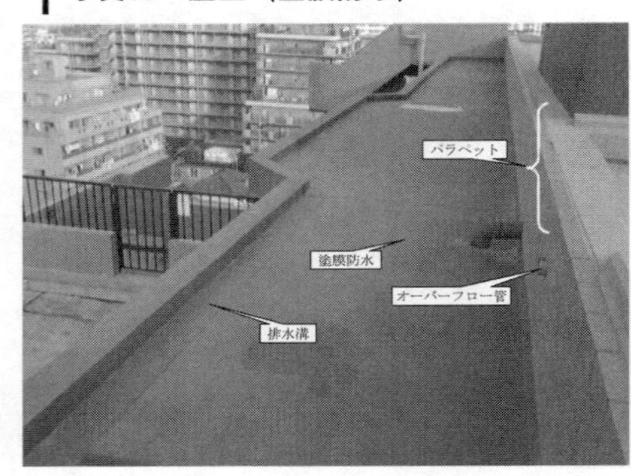

管理・点検

- 安全確認
  転落防止
  手すりのない屋上は１人では点検しない
- ルーフドレンのごみ詰まり
- 防水層上の落葉、ごみ
- 水たまり
- 重量物（広告塔等）の設置（荷重制限）
- 防水層のふくれ
- 防水層のはがれ、破断
- 端末のシーリングのはがれ、破断
- パラペット周辺のひび割れ、浮き等
- ルーフドレンの破損、紛失
- 鉄部の錆

写真16　バルコニー

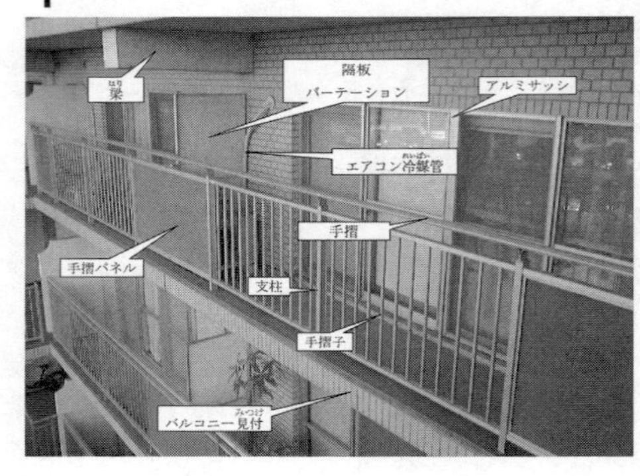

管理・点検

- 物置、花壇等の構築又は設置
- 危険物の手すりからの吊り物
- 二重窓の新設等
- 排水ドレンのごみ詰まり
  (専用使用者管理)
- 隔板の破損
- 手すり及び取付け部の破損
- タイルのひび割れ、はく離
- 天井の漏水跡
- シーリングのはがれ、破断
- ドレンの破損

写真17　廊下

管理・点検

- 自転車、物品等の放置
- ドレンのごみ詰まり
- 廊下床の清掃
- シートの浮き、はがれ
- 排水溝周辺のひび割れ、浮き
- 磁器タイルのひび割れ、浮き
- ドレンの破損、紛失
- 手すり及び取付け部の破損
- 天井の漏水跡
- シーリングのはがれ、破断

写真18　エントランス

管理・点検

- エントランス周辺の清掃
- ガラス、建具の磨き
- タイルの浮き、はがれ
- タイルのひび割れ
- ステンレスの腐食（汚染物質の付着）
- 鉄部の錆
- シーリングのはがれ、破断

写真19　各戸玄関扉

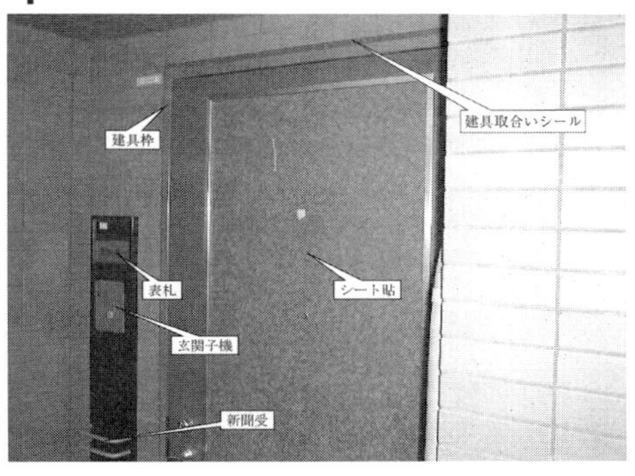

管理・点検

- 巡回時、気付いた箇所を記録
- 各戸扉本体及び壁取付物は共用部扱い
- 目地シーリングのはがれ、破断
- 建具枠の錆、粉化
- シートの浮き、はがれ
- 玄関子機等の破損

写真20　鉄骨階段

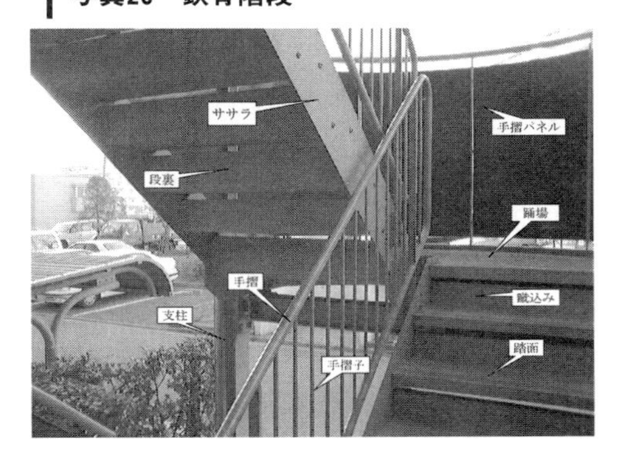

管理・点検

- 階段床の掃除
- 障害物の放置
- 水たまり、水抜き口の確認
- 鉄部の錆、粉化
- ノンスリップ及び各所の破損

写真21　集合郵便受箱

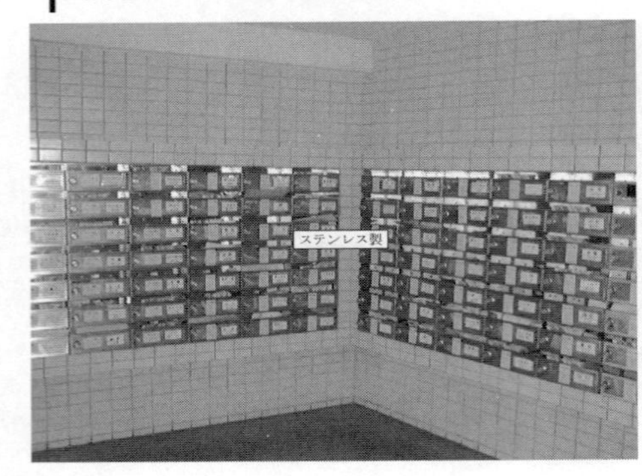

管理・点検

- すす払い
- 空拭き
- 有害なチラシ広告の投げ入れ
- 不審者
- 破損
- 汚れ、しみ

写真22　宅配ボックス

管理・点検

- すす払い
- 空拭き
- 破損
- 汚れ、しみ

写真23　駐輪場

管理・点検

- 自転車の整理整頓
- 居住者以外の放置
- 不審者、盗難
- 屋根の雪おろし
- 鉄部の錆
- 破損

（2）設備関係の点検・維持管理

写真24　受水槽（2槽式）

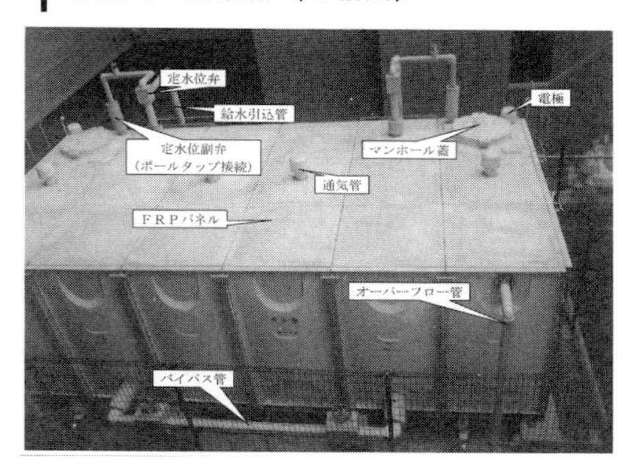

管理・点検

- マンホール蓋の施錠
- フェンス入口の施錠（機械室の施錠）
- 通気管の閉塞
- フェンス金網の破れ
- FRPパネル目地、配管類からの漏水
- FRPパネル、配管類、基礎の破損
- 組立ボルト、平架台、配管類の錆
- オーバーフロー防虫網の破損及び越流
- バルブ類の開閉状態
- タラップの固定状態

写真25　高置水槽

管理・点検

- マンホール蓋の施錠
- 屋上出入口の施錠（点検時も施錠）
- 通気管の閉塞
- 屋上機器点検の際の安全確認
  2名以上での点検が原則
- 各種鍵の保管・管理
- FRPパネル目地からの漏水
- 配管類からの漏水
- FRPパネル、配管類、基礎の破損
- 組立ボルト、平架台、配管類の錆
- オーバーフロー防虫網の破損及び越流
- バルブ類の開閉状態
- タラップの固定状態

写真26　給水ポンプ

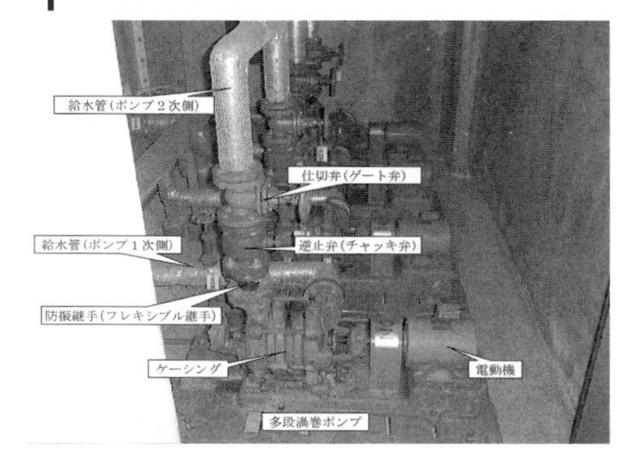

管理・点検

- 機械室の施錠
- 機械室内の整理整頓
- 機械室内の換気扇の作動
  タイマー、温度スイッチの作動チェック
- ポンプ、配管類の錆
- ポンプ、配管類からの漏水
- ポンプの異音、振動、過熱
- 配管類の破損
- バルブ類の開閉状態

写真27　給水ポンプユニット

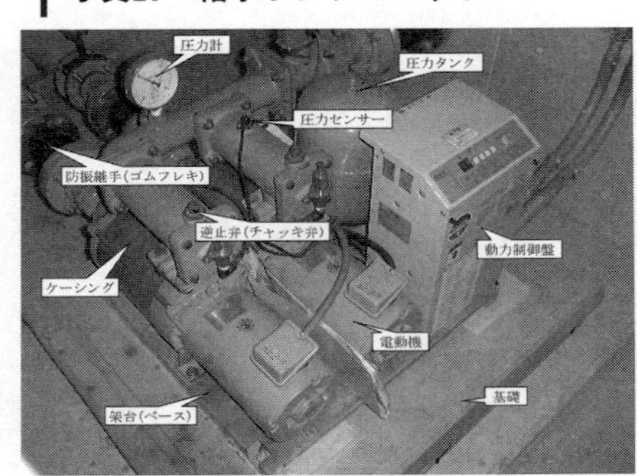

管理・点検

- 機械室入口の施錠
- 機械室内の整理整頓
- 機械室内の換気扇の作動
  タイマー、温度スイッチの作動チェック
- ポンプ、配管類の錆
- ポンプ、配管類からの漏水
- ポンプの異音、振動、過熱
- 配管類の破損
- バルブ類の開閉状態
- 制御盤内部品の過熱、うなり、破損

写真28　各住戸 PS［パイプスペース］扉内部

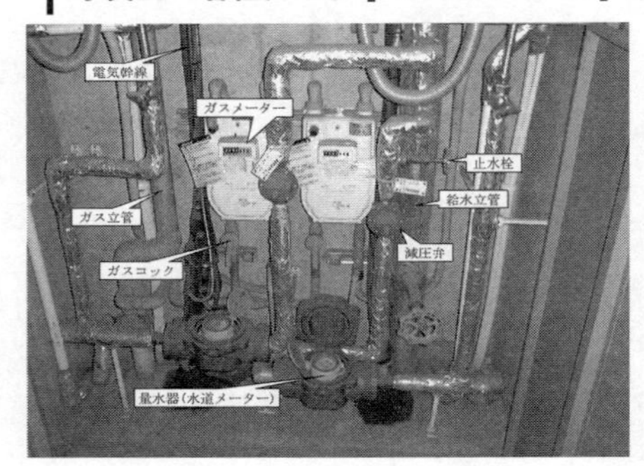

管理・点検

- 量水器、ガスメーター、積算重力計以降は専有部分扱い
- PS 扉内部の整理整頓（物品の放置）
- PS 扉の施錠
- 緊急時以外、弁類、機器類の操作をしない
- 配管類からの漏水
- バルブ類の開閉状態
- 電気幹線の状態

写真29　排水枡（インバート枡）

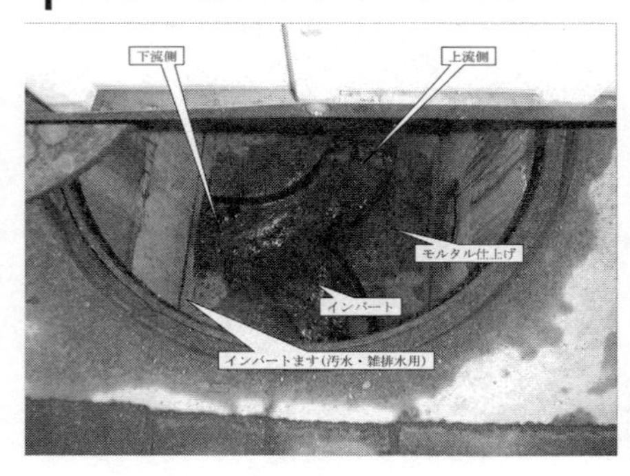

管理・点検

- 汚れ、堆積物の状態
- 虫の発生
- 枡内の清掃
- 点検時の開口養生
- モルタル部の破損
- インバートの破損
- 蓋の破損
- 枡の沈下

写真30　排水枡（雨水枡）

管理・点検

- 汚れ、堆積物の状態
- 虫の発生
- 枡内の清掃
- 点検時の開口養生
- モルタル部の破損（特に管口回り）
- 蓋の破損
- 枡の沈下

写真31　消火ポンプユニット

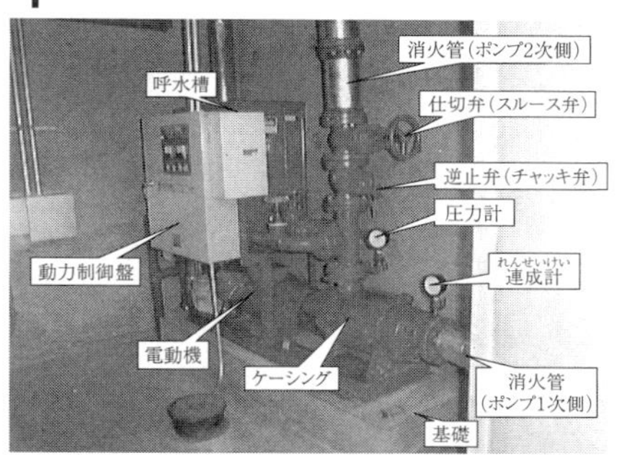

管理・点検

- 機械室入口の施錠
- 機械室内の整理整頓
- 機械室内の換気扇の作動
  タイマー、温度スイッチの作動チェック
- ポンプ、配管類の錆
- ポンプ、配管類からの漏水
- 配管類の破損
- バルブ類の開閉状態
- 呼水槽の水位

写真32　屋内消火栓設備　　1号消火栓

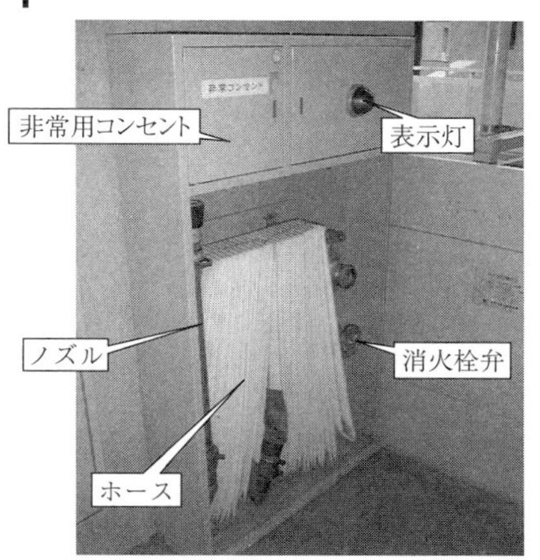

管理・点検

- ノズル、ホースの整理整頓
- 消火栓箱前面の物の放置禁止
- 扉の開閉状態（扉は開くか）
- 消火栓箱の錆、腐蝕
- 機器類の破損、紛失
- 消火栓弁の開閉状態
- 表示灯の球切れ

5

10

15

20

25

30

写真33　火災受信機

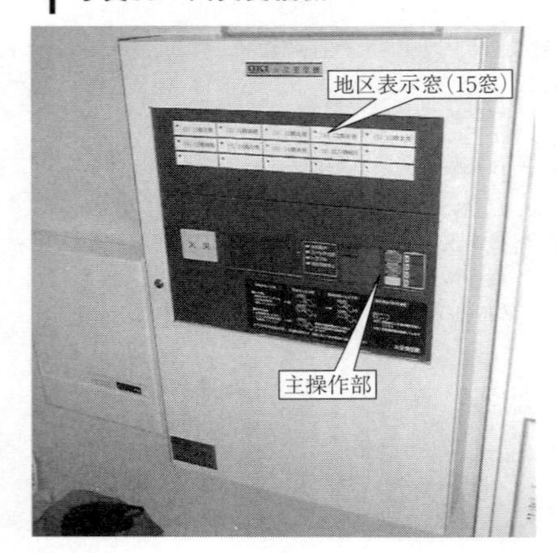

管理・点検

- 電源入力の確認
- 地区表示窓の汚損
- 表示灯の球切れ
- スイッチ類の定位置
- 予備電源の規定電圧低下

写真34　誘導灯

管理・点検

- すす払い清掃
- 非常灯の点灯（ひもを引く。）
  予備電源の確認（モニタランプの確認）
- 器具の破損
- 管球の球切れ

写真35　避難器具用ハッチ

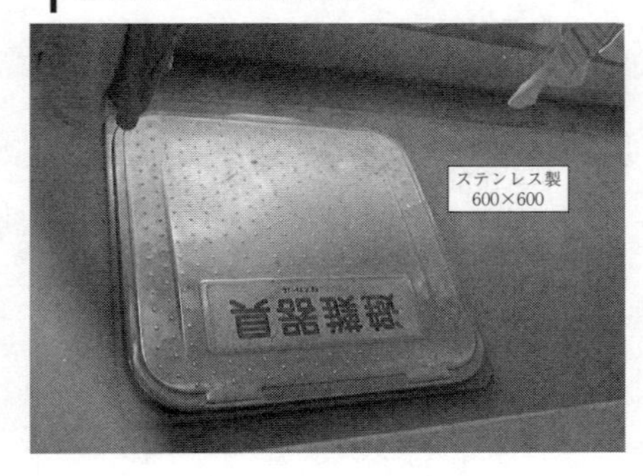

管理・点検

- 避難の障害となる物品の放置
  物置、花壇等の構築又は設置
- ステンレス製：腐触、破損
- 鋼板製：錆、破損
- 下階への漏水
- ステッカーのはがれ

写真36　消火器

管理・点検

- 所定位置設置の確認
- 紛失していないか
- 消火剤の有効期限、期限超過の確認

写真37　避雷針

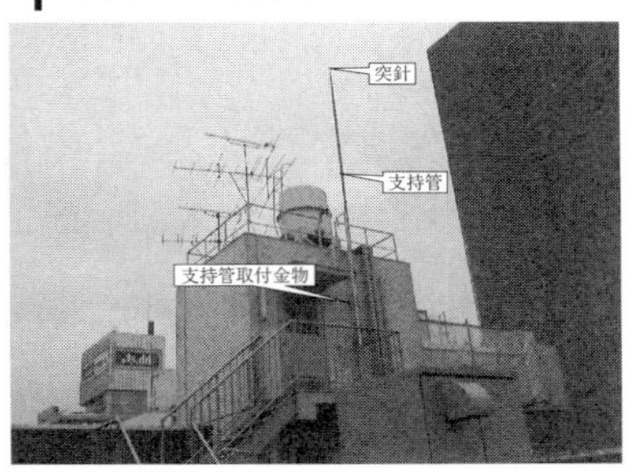

管理・点検

- 広告塔、高架水槽等の取壊し時には、有効保護範囲の確認
- 屋上機器点検の際の安全確認（2名以上での点検が原則）
- 支持管、取付金具の錆、腐蝕
- 突針の脱落
- 避雷導線の断線、支持管の破損

防錆のために塗装工事を行うときは、足場が必要になるので、工事費に反映することも必要である。

写真38　共用分電盤

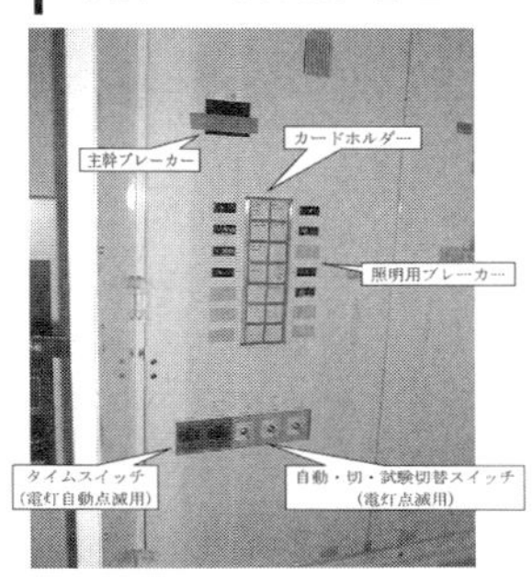

管理・点検

- 施錠の確認
- 室内の漏水、高湿、高温
- ネズミ等の侵入
- タイムスイッチの作動確認（夏期、冬期の設定変更）
- 各種鍵の保管・管理
- 表示灯の球切れ
- スイッチ類の定位置
- 鉄部の錆、腐蝕
- 盤内の異音、異臭

テレビ共同受信設備

不具合	対応策
映像が映らない 映りが悪い	増幅器（ブースター）等機器の故障、電源落ち
	アンテナ位置の調整
	直列ユニット方式の中間断線等

写真39　機械式駐車装置

管理・点検

- 操作方法の確認。安全管理
- 自動車の駐車状態
- 居住者以外の駐車（無断駐車）
- 仮駐車の管理
- 子供の侵入と遊び
- 不審者の侵入と盗難
- メンテナンス会社の点検状況確認
- 鉄部の錆
- 機器の破損
- ピット内の排水ポンプの点検（落ち葉）
- 集中豪雨時の冠水

第３節 長期修繕計画

長期修繕計画の目的と位置付け

（１）マンションの管理の適正化の推進を図るための基本的な方針と長期修繕計画

「マンションの管理の適正化の推進を図るための基本的な方針」（令和３年９月28日国土交通省告示1286号）では、「長期修繕計画の策定及び見直し等」について以下のように定めている。

マンションの管理の適正化の推進を図るための基本的な方針
：長期修繕計画の策定及び見直し等

> ５　長期修繕計画の作成及び見直し等
> マンションの快適な居住環境を確保し、資産価値の維持向上を図るためには、適時適切な維持修繕を行うことが重要である。特に、経年による劣化に対応するため、あらかじめ長期修繕計画を作成し、必要な修繕積立金を積み立てておく必要がある。
> 長期修繕計画の作成及び見直しにあたっては、「長期修繕計画作成ガイドライン」を参考に、必要に応じ、マンション管理士等専門的知識を有する者の意見を求め、また、あらかじめ建物診断等を行って、その計画を適切なものとするよう配慮する必要がある。長期修繕計画の実効性を確保するためには、修繕内容、資金計画を適切かつ明確に定め、それらをマンションの区分所有者等に十分周知させることが必要である。
> 管理組合の管理者等は、維持修繕を円滑かつ適切に実施するため、設計に関する図書等を保管することが重要である。また、この図書等について、マンションの区分所有者等の求めに応じ、適時閲覧できるようにすることが重要である。
> なお、建設後相当の期間が経過したマンションにおいては、長期修繕計画の検討を行う際には、必要に応じ、建替え等についても視野に入れて検討することが望ましい。建替え等の検討にあたっては、その過程をマンションの区分所有者等に周知させるなど透明性に配慮しつつ、各区分所有者等の意向を十分把握し、合意形成を図りながら進める必要がある。

（２）マンション標準管理規約と長期修繕計画

国土交通省により平成16年１月に通知・公表された「マンション標準管理規約（単棟型）コメント」（最終改正：令和３年６月22日）では、長期修繕計画に関して以下の事項の周知が図られている。

第32条関係

① 建物を長期にわたって良好に維持・管理していくためには、一定の年数の経過ごとに計画的に修繕を行っていくことが必要であり、その対象となる建物の部分、修繕時期、必要となる費用等について、あらかじめ長期修繕計画として定め、区分所有者の間で合意しておくことは、円滑な修繕の実施のために重要である。

② 長期修繕計画の内容としては次のようなものが最低限必要である。

1 計画期間が30年以上で、かつ大規模修繕工事が２回含まれる期間以上とすること。

2 計画修繕の対象となる工事として外壁補修、屋上防水、給排水管取替え、窓及び玄関扉等の開口部の改良等が掲げられ、各部位ごとに修繕周期、工事金額等が定められているものであること。

3 全体の工事金額が定められたものであること。

また、長期修繕計画の内容については定期的な見直しをすることが必要である。

③ 長期修繕計画の作成又は変更及び修繕工事の実施の前提として、劣化診断（建物診断）を管理組合として併せて行う必要がある。

④ 長期修繕計画の作成又は変更に要する経費及び長期修繕計画の作成等のための劣化診断（建物診断）に要する経費の充当については、管理組合の財産状態等に応じて管理費又は修繕積立金のどちらからでもできる。

ただし、修繕工事の前提としての劣化診断（建物診断）に要する経費の充当については、修繕工事の一環としての経費であることから、原則として修繕積立金から取り崩すこととなる。

⑤ 管理組合が管理すべき設計図書は、適正化法第103条第１項に基づいて宅地建物取引業者から交付される竣工時の付近見取図、配置図、仕様書（仕上げ表を含む。）、各階平面図、２面以上の立面図、断面図又は矩計図、基礎伏図、各階床伏図、小屋伏図、構造詳細図及び構造計算書である。

ただし、同条は、適正化法の施行（平成13年８月１日）前に建設工事が完了した建物の分譲については適用されてないこととなっており、これに該当するマンションには上述の図書が交付されていない場合もある。

他方、建物の修繕に有用な書類としては、上述以外の設計関係書類（数量調書、竣工地積測量図等）、特定行政庁関係書類（建築確認通知書、日影協定書等）、消防関係書類、給排水設備図や電気設備図、機械関係設備施設の関係書類、売買契約書関係書類等がある。

このような各マンションの実態に応じて、具体的な図書を規約に記載することが望ましい。

⑥ 修繕等の履歴情報とは、大規模修繕工事、計画修繕工事及び設備改修工事等の修繕の時期、箇所、費用及び工事施工者等や、設備の保守点検、建築基準法第12条第１項及び第３項の特定建築物等の定期調査報告及び建築設備（昇降機を含む。）の定期検査報告、消防法第８条の２の２の防火対象物定期点検報告等の法定点検、耐震診断結果、石綿使用調査結果など、維持管理の情報であり、整理して後に参照できるよう管理しておくことが今後の修繕等を適切に実施するためにも有効な情報である。

⑦ 管理組合が管理する書類等として、第三号に掲げる長期修繕計画書、第五号及び⑤に掲げる設計図書等、第六号及び⑥に掲げる修繕等の履歴情報が挙げられるが、具体的な保管や閲覧については、第64条第２項で規定するとおり、理事長の責任により行うこととする。その他に、理事長が保管する書類等としては、第49条第３項で定める総会議事録、第53条第４項の規定に基づき準用される第49条第３項で定める理事会議

事録、第64条及び第64条関係コメントに掲げる帳票類等、第72条で定める規約原本等が挙げられる。
　このうち、総会議事録及び規約原本の保管は、区分所有法により管理者が保管することとされているものであり、この標準管理規約では理事長を管理者としていることから理事長が保管することとしている。

（3）マンション標準管理委託契約書と長期修繕計画

　マンション管理会社の基幹事務の1つである「マンションの維持又は修繕に関する企画又は実施の調整」について、国土交通省が公表しているマンション標準管理委託契約書において、長期修繕計画案の作成及び見直しは別個の契約となるが、マンション管理会社への委託業務と位置付けられている。

マンション標準管理委託契約書：別表第1　事務管理業務　1　基幹事務

(3) 本マンション（専有部分を除く。以下同じ。）の維持又は修繕に関する企画又は実施の調整	一　乙は、甲の長期修繕計画における修繕積立金の額が著しく低額である場合若しくは設定額に対して実際の積立額が不足している場合又は管理事務を実施する上で把握した本マンションの劣化等の状況に基づき、当該計画の修繕工事の内容、実施予定時期、工事の概算費用若しくは修繕積立金の見直しが必要であると判断した場合には、書面をもって甲に助言する。 　なお、乙は、長期修繕計画案の作成業務及び建物・設備の劣化状況等を把握するための調査・診断の実施及びその結果に基づき行う当該計画の見直し業務を実施する場合は、本契約とは別個の契約とする。

（甲＝管理組合、乙＝マンション管理会社）

（4）マンション管理標準指針と長期修繕計画

　平成17年12月に、国土交通省がマンションの維持管理のため、「何を」「どのような点に」留意すべきかを示したものがこのマンション管理標準指針である。この中で、長期修繕計画の作成・見直しについて「標準的な対応」と「望ましい対応」として次の事項が示されている。

マンション管理標準指針：四　建物・設備の維持管理(二)長期修繕計画の作成・見直し

項　目	標準的な対応	望ましい対応
1．計画の作成・見直し	調査・診断を行い、建物・設備等の状況を把握したうえで、①計画期間、②修繕工事項目、③修繕周期、④修繕工事費、⑤収支計画の全ての項目について定めている。	—
①　計画期間	25年程度としている（新築時30年程度としている。）。	—
②　修繕工事項目	調査・診断の結果に基づいて、別表に掲げる18項目のうち、必要な項目の工事内容を定めている。	社会的背景や生活様式の変化等に応じ、性能向上（グレードアップ）工事の項目を計画に含めている。
③　修繕周期	部材の耐用年数、修繕履歴等を踏まえ、調査・診断の結果に基づいて設定している。	—
④　修繕工事費	修繕工事項目、部位ごとに、仕様、数量、単価等の工事費の算出根拠を明確に示している。	—
⑤　収支計画	修繕工事費の計画期間の累計額が示され、その額を修繕積立金の計画期間の累計額が下回らないように計画している。	性能向上（グレードアップ）工事費を含めた収支計画としている。
2．見直し時期	5年程度ごとに見直しを行っている。	—
3．長期修繕計画書の保管・閲覧	区分所有者又は利害関係人の求めに応じて閲覧できる状態で保管している。	—

マンション管理標準指針：別表　長期修繕計画の修繕工事項目

	修繕工事項目	例　　示
1	屋根防水	屋根葺替え、防水等
2	外壁等	躯体、タイル、塗装、シーリング等
3	床防水等	開放廊下・階段、バルコニーの床等
4	鉄部等	手すり、扉、盤、鉄骨階段等（塗替）
5	建具・金物等	玄関扉、窓サッシ、郵便受等（交換）
6	共用内部等	管理人室、エントランスホール等の内装
7	給水設備	給水管、受水槽、高置水槽、給水ポンプ等

8	排水設備	雑排水管、雨水管、汚水管、桝等
9	ガス設備等	ガス管等
10	空調・換気設備等	換気扇、ダクト等
11	電気設備等	電灯、電気幹線、避雷針等
12	情報・通信設備	電話、テレビ共聴、インターネット設備等
13	消防設備	自動火災報知器、屋内消火栓、連結送水管等
14	昇降機設備	駆動装置、カゴ等
15	立体駐車場設備	自走式の構造体、機械式の構造体・駆動装置等
16	外構・附属施設	駐車場、自転車置場、ゴミ置場、通路、公園等
17	診断・設計・監理等費用	調査・診断、設計、工事監理等
18	長期修繕計画作成費用	作成、見直し

マンション管理標準指針におけるマンションの性能向上（グレードアップ）工事の例

項　目	改修工事の例
バリアフリー	スロープ、手すりの設置
	エレベーターの新・増設
	玄関ホールの自動ドアの設置
省エネルギー	屋上・屋根の断熱（防水）
	外壁の外断熱
	開口部の断熱（サッシ、玄関ドア、窓ガラスの交換）
エコロジーへの対応	雨水利用、太陽光発電、屋上緑化、廃棄物利用
防犯	玄関ホールのオートロックの設置
	エレベーターや駐車場の監視カメラの設置
	玄関扉やエレベータードアの防犯対応
利便性その他	ＩＴ化
	給水方式の変更（直結化）
	宅配ボックスの設置
	電気やガスの容量アップ

（5）長期修繕計画標準様式・長期修繕計画作成ガイドライン及び同コメント

(4)のマンション管理標準指針の内容について、国土交通省では平成20年６月に長期修繕計画を作成・見直しするための標準的な様式として、「長期修繕計画標準様式（以下「標準様式」という。）」と、長期修繕計画の基本的な考え方と長期修繕計画標準様式を使用するための留意点を示した「長期修繕計画作成ガイドライン（以下「ガイドライン」という。）・同コメント」（最終改訂：令和３年９月）を策定した。

①　長期修繕計画作成ガイドラインの概要

ガイドラインに書かれている基本的な事項については、後掲の「(様式第３－１号）長期修繕計画の作成・修繕積立金の額の設定の考え方」に網羅されているので、ここではその他のポイントについて述べる。

(ア)　管理規約の規定

管理規約に、長期修繕計画の作成及び修繕積立金の額の設定に関する次に掲げる事項について、マンション標準管理規約（以下「標準管理規約」という。）と同趣旨の規定を定めることが必要とされている。

㋐　管理組合の業務（長期修繕計画の作成、変更）
㋑　総会決議事項（長期修繕計画の作成、変更）
㋒　管理費と修繕積立金の区分経理
㋓　修繕積立金の使途範囲
㋔　管理費と修繕積立金に関する納入義務・分割請求禁止
㋕　専有部分と共用部分の区分
㋖　敷地及び共用部分等の管理

また、長期修繕計画及び修繕積立金の額を一定期間（５年程度）ごとに見直しを行う規定を定めること。

(イ)　会計処理

管理組合は、修繕積立金に関して、次に掲げる事項により会計処理を行うこと。

㋐　修繕積立金は管理費と区分して経理する。
㋑　専用庭等の専用使用料及び駐車場等の使用料は、これらの管理に要する費用に充てるほか、修繕積立金として積み立てる。

ⓤ　修繕積立金（修繕積立基金を含む。）を適切に管理及び運用する。

ⓔ　修繕積立金の使途は、標準管理規約28条に定められた事項に要する経費に充当する場合に限る。

(ウ)　設計図書等の保管

管理組合は、分譲事業者から交付された設計図書、数量計算書等のほか、計画修繕工事の設計図書、点検報告書等の修繕等の履歴情報を整理し、区分所有者等の求めがあれば閲覧できる状態で保管すること。なお、設計図書等は、紛失、損傷等を防ぐために、電子ファイルにより保管することが望まれる。

(エ)　検討体制の整備と専門家の活用

長期修繕計画の作成、見直しについては、必要に応じて専門委員会を設置するなど検討体制を整備する。また、専門家に調査・診断や長期修繕計画の作成、見直し等を依頼することも必要だが、依頼する際は標準様式を参考として、前掲の「(別紙１）長期修繕計画作成業務発注仕様書」を作成し、依頼する業務の内容を明確に示すこと。

(オ)　マンションのビジョンの検討

マンションの現状の性能・機能、調査・診断の結果等を踏まえて、計画期間においてどのような生活環境を望むのか、そのために必要とする建物及び設備の性能・機能等について十分に検討すること。

建物及び設備の耐震性、断熱性等の性能向上を図る改修工事や高経年のマンションの場合は、必要に応じて建替えも視野に入れて検討を行うこと。

(カ)　長期修繕計画の周知、保管

長期修繕計画の作成及び修繕積立金の額の設定に当たっては、総会の開催に先立ち説明会等の開催や長期修繕計画を区分所有者に配付するなどの周知をするとともに、区分所有者等から求めがあれば閲覧できるように保管し、また長期修繕計画等の管理運営状況の情報を開示することが望ましい。

別紙１　長期修繕計画作成業務発注仕様書（例）

長期修繕計画作成業務発注仕様書（例）

年　月　日

(1)　依頼者

マンション（団地）名	／　　　棟
管理組合名	
理事長名	（　　号室）Tel（　　）　-
連絡担当者名	（　　号室）Tel（　　）　-
所在地	〒

(2)　業務内容

□長期修繕計画の作成：□見直し、□その他（　　）
〔□長期修繕計画単独、大規模修繕工事の□前・□後〕
□様式は、長期修繕計画標準様式（国土交通省）による。
□建物・設備の性能向上の希望：□耐震、□省エネ、□バリアフリー、□防犯、□その他（　　　）
□調査・診断報告書の作成：□長期修繕計画用（簡易診断）、□大規模修繕工事用（劣化状況に応じた診断）
□区分所有者に対するアンケート調査：□建物、□給・排水管、□その他（　　　）
□修繕積立金の額の案数（　案）、借入：□可・□否、一時金：□可・□否、□その他（　　）
□専門委員会への出席、□理事会への出席、□事前説明会への出席、□総会への出席
□長期修繕計画の説明資料の作成

(3)　敷地、建物の概要（注）団地型（複数棟）の場合は、団地（全体）と棟別に区分

敷地面積	m^2　権利関係（□所有権・□借地権・□地上権）
建築面積（建ペイ率）	m^2（現行　　%）（注）
延べ面積（容積率）	m^2（現行　　%）（注）
専有面積の合計	m^2　　（注）　　／タイプ別専有面積：別表
構造	造
階数／棟数	地上　階地下　階／　棟（地上　階地下　階／　棟）
住戸数	住戸　　戸／（店舗・事務所等　　区画）（注）
竣工日	年　月　日（経年　年）

(4)　設備、附属施設の概要（注）団地型（複数棟）の場合は、団地（全体）と棟別に区分

給・排水設備	□圧送ポンプ、□受水槽、□高置水槽、□浄化槽
ガス設備	□ガス
空調・換気設備	□空気調和機、□換気
電力設備	□（自家用）受変電室、□避雷針、□自家発電
情報・通信設備	□テレビ共聴（□アンテナ・□ケーブル）、□インターネット、□インターホン、 □オートロック、□防犯カメラ等、□電波障害対策、□その他（　　　）
消防用設備	□屋内消火栓、□自動火災報知器、□連結送水管、□その他（　　　　　）
昇降機設備	□昇降機（　）台
駐車場設備	□平面（　）台、□機械式（　）台、□自走式（　）台、計（　）台
附属建物	□集会室（□棟内、□別棟）、□管理員室（□棟内、□別棟）
その他	□自転車置場、□ゴミ集積所、□遊具（プレイロット）

(5)　関係者

分譲会社名	
施工会社名	
建築士事務所名	
管理会社名	会社名　　　　　　Tel（　　）　- 管理員名　　　、勤務形態（　　　）Tel（　　）　-

(6) 管理組合管理部分

管理規約の規定 (敷地、共用部分、附属建物)	

(7) 維持管理の状況　(団地／　棟)

①主な修繕工事の実施

部　位	実施年月	修繕工事の概要
	年　月	
	年　月	
	年　月	

②長期修繕計画の見直し

時　期	実施年月	見直しの要点
	年　月	
	年　月	

(8) 設計図書等の保管状況

□設計図書	(竣工図)	保管場所（　　　）
□構造計算書		保管場所（　　　）
□数量計算書	(竣工図に基づく数量計算書)	保管場所（　　　）
□確認申請書副本	□確認済証、□検査済証	保管場所（　　　）
□分譲パンフレット	□アフターサービス規準	保管場所（　　　）
□点検報告書	□法定点検、□保守契約による点検	保管場所（　　　）
□調査・診断報告書		保管場所（　　　）
□修繕工事の設計図書等	(仕様書、図面、数量計算書等)	保管場所（　　　）
□その他関係書類	□電波障害協定書、□その他（　　　）	保管場所（　　　）
□長期修繕計画		保管場所（　　　）
□管理規約	□現に有効な管理規約、□原規約	保管場所（　　　）

(9) 会計状況　(団地／　棟)

借入金の残高	年　月　日現在	(円)
修繕積立金残高	年　月　日現在	(円)
修繕積立金の額	月当たり・戸当たり	(円)
専用使用料等からの繰入	月当たり・戸当たり	(円)
駐車場使用料からの繰入	月当たり・戸当たり	(円)
その他の繰入	月当たり・戸当たり	(円)

(注) 団地型の場合は、団地及び棟別に区分（複合用途型の場合は、全体、住宅一部及び店舗一部に区分）

別表　タイプ別専有面積

住戸タイプ	専有面積 (m^2)
小計	
(店舗等)	
小計	
合計	

②　用語の定義

このガイドラインでは、長期修繕計画に関わる用語を次のように定義している。

マンション	マンションの管理の適正化の推進に関する法律(平成12年法律149号。以下「適正化法」という。）２条１号に規定するマンションをいう。
管理組合	適正化法２条３号に規定する管理組合をいう。
区分所有者	建物の区分所有等に関する法律（昭和37年法律69号。以下「区分所有法」という。）２条２項の区分所有者をいう。
購入予定者	マンションの購入に係る売買契約を締結しようとする者をいう。
分譲会社	マンションを分譲する宅地建物取引業法（昭和27年法律176号）２条３号に規定する宅地建物取引業者をいう。
管理業者	適正化法２条８号に規定するマンション管理業者をいう。
専門家	管理業者、建築士事務所等の長期修繕計画の作成業務を行う者をいう。
敷地	区分所有法２条５項に規定する建物の敷地をいう。
附属施設	駐車場施設、自転車置場、ごみ集積所、外灯設備、樹木等建物に附属する施設をいう。
専有部分	区分所有法２条３項に規定する専有部分をいう。
共用部分	区分所有法２条４項に規定する共用部分をいう。
管理規約	区分所有法30条１項及び２項に規定する規約をいう。
推定修繕工事	長期修繕計画において、計画期間内に見込まれる修繕工事（補修工事（経常的に行う補修工事を除く。）を含む。以下同じ。）及び改修工事をいう。
計画修繕工事	長期修繕計画に基づいて計画的に実施する修繕工事及び改修工事をいう。
大規模修繕工事	建物の全体又は複数の部位について行う大規模な計画修繕工事（全面的な外壁塗装等を伴う工事）をいう。
修繕積立金	計画修繕工事に要する費用に充当するための積立金をいう。
推定修繕工事費	推定修繕工事に要する概算の費用をいう。
修繕工事費	計画修繕工事の実施に要する費用をいう。
推定修繕工事項目	推定修繕工事の部位、工種等による項目をいう。

③ 長期修繕計画標準様式

長期修繕計画の構成（例）と長期修繕計画標準様式

【長期修繕計画標準様式の使い方】
・長期修繕計画は、標準様式を参考として作成します。
・標準様式では、一般的な仕様の中高層の単棟型マンションを想定しています。マンションには様々な形態、形状、仕様等があるうえ、立地条件も異なっていることから、これらに応じた適切な長期修繕計画とするため、必要に応じて内容を追加して使用します。

長期修繕計画の構成（例）	長期修繕計画標準様式
表紙	−
長期修繕計画の見方	−
1 マンションの建物・設備の概要等 (1) 敷地、建物の概要 (2) 設備、附属施設の概要 (3) 関係者 (4) 管理・所有区分 (5) 維持管理の状況 (6) 会計状況 (7) 設計図書等の保管状況	様式第1号 マンションの建物・設備の概要等
2 調査・診断の概要 (1) 劣化の現象と原因 (2) 修繕（改修）方法の概要	様式第2号 調査・診断の概要
3 長期修繕計画の作成・修繕積立金の額の設定の考え方 (1) 長期修繕計画の目的 (2) 計画の前提等 (3) 計画期間の設定 (4) 推定修繕工事項目の設定 (5) 修繕周期の設定 (6) 推定修繕工事費の算定 (7) 収支計画の検討 (8) 計画の見直し (9) 修繕積立金の額の設定	様式第3－1号 長期修繕計画の作成・修繕積立金の額の設定の考え方 様式第3－2号 推定修繕工事項目、修繕周期等の設定内容
4 長期修繕計画 (1) 長期修繕計画総括表 (2) 収支計画グラフ (3) 長期修繕計画表（推定修繕工事項目別、年度別） (4) 推定修繕工事費内訳書	様式第4－1号 長期修繕計画総括表 様式第4－2号 収支計画グラフ 様式第4－3号 長期修繕計画表（推定修繕工事項目（小項目）別、年度別） 様式第4－4号 推定修繕工事費内訳書
5 修繕積立金の額の設定	様式第5号 修繕積立金の額の設定

（様式第１号）　マンションの建物・設備の概要等

（団地／　　　棟）（複数棟の場合）　　　　　　　　作成日／2021年〇月〇〇日

（1）　**敷地、建物の概要**（注）団地型（複数棟）の場合は、団地（全体）と棟別に区分

マンション(団地)名	〇〇〇〇マンション
管理組合名	〇〇〇〇マンション管理組合
理事長名	〇〇〇〇
管理者等名	〇〇〇〇、〇〇〇〇
所在地	東京都千代田区〇〇1-2-3
敷地面積	3,000m² 　権利関係（■所有権・□借地権・□地上権）
建築面積（建蔽率）	1,000m²（現行33％）（注）
延べ面積（容積率）	6,200m²（現行207％）（注）
専有面積の合計	5,500m²（注）　／タイプ別専有面積：別表
構造	鉄筋コンクリート造
階数／棟数 住戸数 竣工日	地上　7階　地下　1階／　1棟　（地上　階地下　階／　棟） 住戸　82戸　（注） 1999年12月１日（経年22年）

該当する敷地利用を選択します。

（2）　**設備、附属施設の概要**（注）団地型（複数棟）の場合は、団地（全体）と棟別に区分

該当する施設を選択します。

給・排水設備	■給水ポンプ、■排水ポンプ、■受水槽、□高置水槽、□浄化槽
ガス設備	■ガス、□セントラル給湯
空調・換気設備	■空気調和機、■換気
電力設備	■（自家用）受変電室、■避雷針、□自家発電、□蓄電池、□太陽光発電、□非常電源
情報・通信設備	■テレビ共聴(■アンテナ・■ケーブル)、■電話設備、■インターネット、■インターホン、■オートロック、■防犯カメラ等、□電波障害対策、□その他（　　　）
消防用設備	□屋内消火栓、■自動火災報知器、■連結送水管、■避難設備、□スプリンクラー、■その他（消火器）
昇降機設備	■昇降機（1）台
駐車場設備	□平面（　）台、■機械式（78）台、□自走式（　）台、計（78）台、□ターンテーブル
附属建物	□集会室（□棟内、□別棟）、■管理員室（■棟内、□別棟）
その他	■自転車置場、□バイク置場、■ゴミ集積所、□遊具（プレイロット）、□屋上緑化

（3）　**関係者**

分譲会社名	（株）〇〇〇〇不動産
施工会社名 設計・監理事務所名	〇〇〇〇建設（株） （株）〇〇〇〇建築士事務所
管理会社名	会社名（株）〇〇〇〇会社　TEL（03）XXXX-XXXX 管理員名　〇〇〇〇　　　TEL（03）XXXX-XXXX 勤務形態（通勤）
（分譲時）長期修繕計画案の作成者	会社名　〇〇〇〇会社　TEL（03）XXXX-XXXX 作成者（作成部署）〇〇〇〇部　〇〇〇〇課

(4) 管理・所有区分

〔単棟型の場合〕

所有区分　標準管理規約第８条との比較

部位	区分（標準管理規約との相違点等）
所有区分（建物）	標準管理規約と同趣旨の規定
（設備）	同　上
管理区分（建物）	標準管理規約と同趣旨の規定
（設備）	同　上

〔団地型の場合〕

部分	区分
団地	
棟別	

既に行った維持管理の履歴を記載します。

(5) 維持管理の状況　（団地／　　　　棟）（複数棟の場合）

① 法定点検等の実施

点検等	実施年月	点検等の結果の要点
消防用設備点検	2021年Ｘ月	点検報告書参照
エレベーター保守点検	2021年Ｘ月	点検報告書参照
機械式駐車場装置点検	2021年Ｘ月	点検報告書参照
給排水設備点検	2021年Ｘ月	点検報告書参照

② 調査・診断の実施

調査・診断	実施年月	調査・診断の結果の要点
建物劣化診断	2011年6月	大規模修繕工事の実施に向けた外壁、設備等の状況調査
	年　月	

③ 主な修繕工事の実施

箇所	実施年月	修繕工事の概要
鉄部塗装	2017年5月	鉄部塗装
屋根防水	2011年10月	屋上防水保護塗装等（大規模修繕工事）
外壁・他	2011年10月	外壁塗装・シーリング工事等（大規模修繕工事）
鉄部塗装	2011年10月	鉄部塗装（大規模修繕工事）

④ 長期修繕計画の見直し

時　期	実施年月	見直しの要点・発注先
定期（5年毎）見直し	2017年1月	工事費・労務費の変動による工事単価の見直し及び修繕積立金の改定／発注先：○○○○(株)
修繕工事実施に伴う見直し	2011年11月	第1回大規模修繕工事の実施状況を踏まえた工事項目・周期の見直し／発注先：○○○○(株)
	年　月	

(6) 会計状況　　（団地／　　棟）（複数棟の場合）

現在の会計状況を記入します。

借入金の残高	2021年4月30日現在　0（円）
修繕積立金残高	2021年4月30日現在　253,140,952（円）
修繕積立金の額 専用使用料からの繰入	月当たり・戸当たり　16,970（円） 月当たり・戸当たり　571（円）
駐車場等の使用料からの繰入 その他の繰入	月当たり・戸当たり　11,270（円） 月当たり・戸当たり　0（円）

（注）団地型（複数棟）の場合は、団地（全体）と棟別に区分

(7) 設計図書等の保管状況

■設計図書	（竣工図）
■構造計算書 ■数量計算書	 （竣工図に基づく数量計算書）
■確認申請書副本	■確認済証、■検査済証
■分譲パンフレット	■アフターサービス規準
■点検報告書	■法定点検、■保守契約による点検
■調査・診断報告書	（過去に実施したもの）
■修繕工事の設計図書等 □その他関係書類	（仕様書、図面、数量計算書等） ■電波障害協定書、□建設住宅性能評価書、□設計住宅性能評価書、□石綿使用調査結果の記録、□その他（　　）
■長期修繕計画	■現に有効な長期修繕計画
■管理規約	■現に有効な管理規約　■原始規約
■各種ハザードマップ	■洪水ハザードマップ　■土砂災害ハザードマップ

保管している書類を選択します。

別表　タイプ別専有面積

住戸タイプ	専有面積（m^2）
Aタイプ	75.00
Bタイプ	70.00
・・・	・・・
小計	5,500.00
（店舗等）	—
小計	—
合計	5,500.00

住戸タイプごとの専有面積を記載します。

（様式第２号）　調査・診断の概要

調査・診断箇所／　　　　棟　　　団地共用部分　　　　　調査・診断の実施日／2011年６月10日

	部位等	⑴劣化の現象と原因	⑵修繕（改修）方法の概要
建物	2　屋根防水		
	①屋上防水（保護） ②屋上防水（露出）	シート防水のふくれ／日射や風雨による	シート防水の撤去・新設
	③傾斜屋根	調査・診断により確認された劣化	調査・診断により確認された劣化
	④庇・笠木等防水		
	3　床防水		
	①バルコニー床防水	塗膜防水のひび割れ／日射、風雨、摩耗等による	塗装の塗替え
	②開放廊下・階段等床防水		
	4　外壁塗装等		
	①躯体コンクリート補修		
	②外壁塗装（雨掛かり部分）	外壁の仕上げ塗装のはがれ	塗装の塗替え
	③外壁塗装（非雨掛かり部分） ④軒天塗装	外壁の仕上げ塗装のはがれ	塗装の塗替え
	⑤タイル張補修		
	⑥シーリング	シーリングのひび割れ	シーリングの打替え
	5　鉄部塗装等		
	①鉄部塗装（雨掛かり部分）	鉄部塗装のはがれ	塗装の塗替え
	②鉄部塗装（非雨掛かり部分） ③非鉄部塗装	鉄部塗装のはがれ	塗装の塗替え
	6　建具・金物等		
	①建具関係		
	②手すり		
	③屋外鉄骨階段		
	④金物類（集合郵便受等）		
	⑧金物類（メーターボックス扉等）		
	7　共用内部		
	①共用内部		

設備	8　給水設備		
	①給水管		
	②貯水槽		
	③給水ポンプ		
	9　排水設備		
	①排水管		
	②排水ポンプ	弁類の劣化	部品交換
	10　ガス設備		
	①ガス管		
	11　空調・換気設備		
	①空調設備		
	②換気設備		
	12　電灯設備等		
	①電灯設備		
	②配電盤類		
	③幹線設備		
	④避雷針設備		
	⑤自家発電設備		
	13　情報・通信設備		
	①電話設備		
	②テレビ共聴設備		
	③インターネット設備		
	④インターホン設備等		
	14　消防用設備		
	①屋内消火栓設備 ②自動火災報知設備		
	③連結送水管設備		
	15　昇降機設備		
	①昇降機		
	16　立体駐車場設備		
	①自走式駐車場		
	②機械式駐車場		

<table>
<tr><td rowspan="3">外構他</td><td>17　外構・附属施設</td><td></td><td></td></tr>
<tr><td>①外構</td><td></td><td></td></tr>
<tr><td>②附属施設</td><td></td><td></td></tr>
<tr><td colspan="2">その他</td><td></td><td></td></tr>
</table>

（注）調査・診断報告書（概要版）で代えることができる。

（様式第３－１号）　長期修繕計画の作成・修繕積立金の額の設定の考え方

項　目	基本的な考え方
1　長期修繕計画の作成の考え方	
(1)　長期修繕計画の目的 「長期修繕計画の目的」の【標準的な考え方】を記載しています。記載内容を参考として、各マンションの実態にあった「基本的な考え方」を記載します。	・マンションの快適な居住環境を確保し、資産価値を維持するためには、適時適切な修繕工事を行うことが必要です。また、必要に応じて建物及び設備の性能向上を図る改修工事を行うことも望まれます。 ・そのためには、次に掲げる事項を目的とした長期修繕計画を作成し、これに基づいて修繕積立金の額を設定することが不可欠です。 ①将来見込まれる修繕工事及び改修工事の内容、おおよその時期、概算の費用等を明確にする。 ②計画修繕工事の実施のために積み立てる修繕積立金の額の根拠を明確にする。 ③修繕工事及び改修工事に関する長期計画について、あらかじめ合意しておくことで、計画修繕工事の円滑な実施を図る。
(2)　計画の前提等 「計画の前提等」の【標準的な考え方】を記載しています。記載内容を参考として、各マンションの実態にあった「基本的な考え方」を記載します。	・長期修繕計画の作成に当たっては、次に掲げる事項を前提条件とします。 ①推定修繕工事は、建物及び設備の性能・機能を新築時と同等水準に維持、回復させる修繕工事を基本とする。 ②区分所有者の要望など必要に応じて、建物及び設備の性能を向上させる改修工事を設定する。 ③計画期間において、法定点検等の点検及び経常的な補修工事を適切に実施する。 ④計画修繕工事の実施の要否、内容等は、事前に調査・診断を行い、その結果に基づいて判断する。 ・長期修繕計画は、作成時点において、計画期間の推定修繕工事の内容、時期、概算の費用等に関して計画を定めるものです。 　推定修繕工事の内容の設定、概算の費用の算出等は、新築マンションの場合、設計図書、工事請負契約書による請負代金内訳書及び数量計算書等を参考にして、また、既存マンションの場合、保管されている設計図書のほか、修繕等の履歴、劣化状況等の調査・診断の結果等に基づいて行います。 　したがって、長期修繕計画は次に掲げる事項のとおり、将来実施する計画修繕工事の内容、時期、費用等を確定するものではありません。また、一定期間ごとに見直していくことを前提としています。 ①推定修繕工事の内容は、新築マンションの場合は現状の仕様により、既存マンションの場合は現状又は見直し時点での一般的な仕様により設定するが、計画修繕工事の実施時には技術開発等により異なることがある。 ②時期（周期）は、おおよその目安であり、立地条件等により異

	なることがある。 ③収支計画には、修繕積立金の運用利率、借入金の金利、物価・工事費価格及び消費税率の変動など不確定な要素がある。
(3) 計画期間の設定 「計画期間の設定」の【標準的な考え方】を記載しています。	・30年以上で、かつ大規模修繕工事が2回含まれる期間以上とします。
(4) 推定修繕工事項目の設定 新築・既存により「推定修繕工事項目の設定」の【標準的な考え方】を記載しています。記載内容を参考として、各マンションの実態にあった「基本的な考え方」を記載します。	【新築マンションの場合】 ・標準様式第3－2号に沿って、設計図書等に基づいて設定しています。 ・マンションの形状、仕様などにより該当しない項目、また、修繕周期が計画期間に含まれないため推定修繕工事費を計上していない項目があります。計画期間内に修繕周期に到達しない項目に係る工事については、参考情報として当該工事の予定時期及び推定修繕工事費を明示しています。 ・長期修繕計画の見直し、大規模修繕工事のための調査・診断、修繕設計及び工事監理の費用を含んでいます。 【既存マンションの場合】 ・標準様式第3－2号に沿って、現状の長期修繕計画を踏まえ、保管されている設計図書、修繕等の履歴、現状の調査・診断の結果等に基づいて設定しています。 ・(必要に応じて) 建物及び設備の性能向上に関する項目を追加しています。 ・(必要に応じて) 屋内共用給排水管と同時かつ一体的に行う専有部分の配管工事に関する項目を追加しています。 ・マンションの形状、仕様などにより該当しない項目、また、修繕周期が計画期間に含まれないため推定修繕工事費を計上していない項目があります。計画期間内に修繕周期に到達しない項目に係る工事については、参考情報として当該工事の予定時期及び推定修繕工事費を明示しています。 ・長期修繕計画の見直し、大規模修繕工事のための調査・診断、修繕設計及び工事監理の費用を含んでいます。
(5) 修繕周期の設定 新築・既存により「修繕周期の設定」の【標準的な考え方】を記載しています。記載内容を参考として、各マンションの実態にあった「基本的な考え方」を記載します。	【新築マンションの場合】 ・推定修繕工事項目（小項目）ごとに、マンションの仕様、立地条件等を考慮して設定しています。 ・推定修繕工事の実施の際の経済性等を考慮し、実施時期を集約しています。 【既存マンションの場合】 ・推定修繕工事項目（小項目）ごとに、マンションの仕様、立地条件、調査・診断の結果等に基づいて設定しています。 ・推定修繕工事の実施の際の経済性等を考慮し、実施時期を集約しています。

(6) 推定修繕工事費の算定 「推定修繕工事費の算定」の【標準的な考え方】を記載しています。記載内容を参考として、各マンションの実態にあった「基本的な考え方」を記載します。	・推定修繕工事費は、推定修繕工事項目の小項目ごとに、算出した数量に設定した単価を乗じて算定しています。 (・修繕積立金の運用益年　%、借入金の金利年　%、物価変動年　%を考慮しています。) ・消費税は、　%とし、会計年度ごとに計上しています。
①仕様の設定 新築・既存により「仕様の設定」の【標準的な考え方】を記載しています。記載内容を参考として、各マンションの実態にあった「基本的な考え方」を記載します。	【新築マンションの場合】 ・推定修繕工事項目の小項目ごとに、現状の仕様を設定しています。 【既存マンションの場合】 ・推定修繕工事項目の小項目ごとに、現状又は見直し時点での一般的な仕様を設定しています。
②数量計算 新築・既存により「数量計算」の【標準的な考え方】を記載しています。記載内容を参考として、各マンションの実態にあった「基本的な考え方」を記載します。	【新築マンションの場合】 ・設計図書、工事請負契約による請負代金内訳書、数量計算書等を参考として、「建築数量積算基準・同解説」等に準拠して、長期修繕計画用に算出しています。 【既存マンションの場合】 ・現状の長期修繕計画を踏まえ、保管している設計図書、数量計算書、修繕等の履歴、現状の調査・診断の結果等を参考として、「建築数量積算基準・同解説」等に準拠して、長期修繕計画用に算出しています。
③単価の設定 新築・既存により「単価の設定」の【標準的な考え方】を記載しています。記載内容を参考として、各マンションの実態にあった「基本的な考え方」を記載します。	【新築マンションの場合】 ・修繕工事特有の施工条件等を考慮し、設計図書、工事請負契約による請負代金内訳書等を参考として設定しています。 ・現場管理費・一般管理費・法定福利費、計画修繕工事にかかる瑕疵保険料等の諸経費および消費税等相当額を上記とは①別途設定する方法と、前述の諸経費について、②見込まれる推定修繕工事ごとの総額に応じた比率の額を単価に含めて設定する方法があり、(前者①／後者②)の方法で設定しています。 ・単価に地域差がある場合には、必要に応じて考慮しています。 【既存マンションの場合】 ・修繕工事特有の施工条件等を考慮し、過去の計画修繕工事の契約実績、その調査データ、刊行物の単価、専門工事業者の見積価格等を参考として設定しています。 ・現場管理費・一般管理費・法定福利費、計画修繕工事にかかる瑕疵保険料などの諸経費および消費税等相当額を上記とは①別途設定する方法と、前述の諸経費について、②見込まれる推定修繕工事ごとの総額に応じた比率の額を単価に含めて設定する方法があり、(前者①／後者②)の方法で設定しています。 ・単価に地域差がある場合には、必要に応じて考慮しています。

(7) 収支計画の検討 「収支計画の検討」の【標準的な考え方】を記載しています。記載内容を参考として、各マンションの実態にあった「基本的な考え方」を記載します。	・計画期間に見込まれる推定修繕工事費（借入金がある場合はその償還金を含む。）の累計額を、修繕積立金（修繕積立基金、一時金、専用庭等の専用使用料及び駐車場等の使用料からの繰入れ並びに修繕積立金の運用益を含む。）の累計額が下回らないように計画しています。
(8) 計画の見直し 「計画の見直し」の【標準的な考え方】を記載しています。記載内容を参考として、各マンションの実態にあった「基本的な考え方」を記載します。	・長期修繕計画は、次に掲げる不確定な事項を含んでいますので、５年程度ごとに調査・診断を行い、その結果に基づいて見直すことが必要です。なお、見直しには一定の期間（概ね１～２年）を要することから、見直しについても計画的に行う必要があります。また、併せて修繕積立金の額も見直します。 ①建物及び設備の劣化の状況 ②社会的環境及び生活様式の変化 ③新たな材料、工法等の開発及びそれによる修繕周期、単価等の変動 ④修繕積立金の運用益、借入金の金利、物価、工事費価格、消費税率等の変動
2　修繕積立金の額の設定の考え方	
修繕積立金の額の設定 「修繕積立金の額の設定」の【標準的な考え方】を記載しています。記載内容を参考として、各マンションの実態にあった「基本的な考え方」を記載します。	・修繕積立金の積立ては、長期修繕計画の作成時点において、計画期間に積み立てる修繕積立金の額を均等にする積立方式としています。なお、５年程度ごとの計画の見直しにより、計画期間の推定修繕工事費の累計額の増加に伴って必要とする修繕積立金の額が増加します。 ・修繕積立金のほか、専用庭等の専用使用料及び駐車場等の使用料からそれらの管理に要する費用に充当した残金を修繕積立金会計に繰り入れることとしています。 ・計画期間の推定修繕工事費の累計額を計画期間（月数）で除し、各住戸の負担割合を乗じて、月当たり戸当たりの修繕積立金の額を算定しています。 （【修繕積立基金を負担する場合】算定された修繕積立金の額から修繕積立基金を一定期間（月数）で除した額を減額しています。） （・大規模修繕工事の予定年度において、修繕積立金の累計額が推定修繕工事費の累計額を一時的に下回るときは、その年度に一時金の負担、借入れ等の対応をとることが必要です。）

（様式第３－２号）　推定修繕工事項目、修繕周期等の設定内容

推定修繕工事項目	対象部位等	工事区分（参考）	修繕周期（参考）	想定している修繕方法等（参考）
Ⅰ　仮設				
1　仮設工事				
①共通仮設		仮設	12～15年	仮設事務所、資材置き場等
②直接仮設		仮設	12～15年	枠組足場、養生シート等
Ⅱ　建物				
2　屋根防水				
①屋上防水（保護）	屋上、塔屋、ルーフバルコニー	補修・修繕	12～15年	伸縮目地の打替え、保護コンクリート部分補修
		撤去・新設	24～30年	下地処理、ウレタン塗膜防水通気緩衝工法
②屋上防水（露出）	屋上、塔屋	補修・修繕	12～15年	下地処理、保護塗装（トップコート塗り）
		撤去・新設	24～30年	下地処理、改質アスファルト防水（撤去・新規防水）
③傾斜屋根	屋根	補修・修繕	12～15年	塗装・部分補修
		撤去・葺替	24～30年	既存屋根材を全面撤去の上、下地補修、葺替え（ガルバリウム鋼板等）
④庇・笠木等防水	庇天端、笠木天端、パラペット天端・アゴ、架台天端等	修繕	12～15年	高圧水洗の上、下地処理、ウレタン塗膜防水
3　床防水				
①バルコニー床防水	バルコニーの床（側溝、幅木を含む）	修繕	12～15年	高圧水洗の上、下地調整、ウレタン塗膜防水
②開放廊下・階段等床防水	開放廊下・階段の床（側溝、幅木を含む）	修繕	12～15年	高圧水洗の上、下地調整、ウレタン塗膜防水
4　外壁塗装等				
①躯体コンクリート補修	外壁、屋根、床、手すり壁、軒天（上げ裏）、庇等（コンクリート、モルタル部分）	補修	12～15年	ひび割れ・欠損・爆裂補修
②外壁塗装（雨掛かり部分）	外壁、手すり壁等	塗替	12～15年	高圧水洗の上、下地処理、アクリルシリコン樹脂塗材
		除去・塗装	24～30年	既存塗膜除去、アクリルシリコン樹脂塗材（撤去・新規防水）
③外壁塗装（非雨掛かり部分）	外壁、手すり壁等	塗替	12～15年	高圧水洗の上、下地処理、アクリルシリコン樹脂塗材
		除去・塗装	24～30年	既塗膜除去、アクリルシリコン樹脂塗材（撤去・新規防水）
④軒天塗装	開放廊下・階段、バルコニー等の軒天（上げ裏）部分	塗替	12～15年	高圧水洗の上、下地処理、アクリルシリコン樹脂塗材
		除去・塗装	24～30年	既塗膜除去、アクリルシリコン樹脂塗材（撤去・新規防水）
⑤タイル張補修	外壁・手すり壁等	補修	12～15年	欠損・亀裂・浮部分補修、タイル面洗浄、磁器質タイル貼替え
⑥シーリング	外壁目地、建具周り、スリーブ周り、部材接合部等	打替	12～15年	コンクリートの打継ぎ目地、サッシ回り、タイル伸縮目地のコーキング打替え

記載内容を参考とし、必要に応じて追加して、各マンションの実態にあった「推定修繕工事項目」を記載します。

推測される「工事区分」を記載していますので、記載内容を参考とし、必要に応じて追加して、各マンションの実態にあった「工事区分」を記載します。

推測される「対象部位等」を記載していますので、記載内容を参考とし、必要に応じて追加して、各マンションの実態にあった「対象部位等」を記載します。

修繕工事項目、部位、工事区分に対応した「修繕周期」を記載します。

5　鉄部塗装等				
①鉄部塗装（雨掛かり部分）	（鋼製）開放廊下・階段、バルコニーの手すり	塗替	5～7年	ケレン・錆止め・塗替
	（鋼製）屋上フェンス、設備機器、立て樋・支持金物、架台、避難ハッチ、マンホール蓋、隔て板枠、物干金物等	塗替	5～7年	ケレン・錆止め・塗替
	屋外鉄骨階段、自転車置場、遊具、フェンス	塗替	5～7年	ケレン・錆止め・塗替
②鉄部塗装（非雨掛かり部分）	（鋼製）住戸玄関ドア	塗替	5～7年	ケレン・錆止め・塗魯
	（鋼製）共用部分ドア、メーターボックス扉、手すり、照明器具、設備機器、配電盤類、屋内消火栓箱等	塗替	5～7年	ケレン・錆止め・塗替
③非鉄部塗装	（アルミ製・ステンレス製等）サッシ、面格子、ドア、手すり、避難ハッチ、換気口等	清掃	12～15年	清掃・養生
	（ボード、樹脂、木製等）隔て板・エアコンスリーブ・雨樋等	塗替	12～15年	下地処理、塩化ビニル樹脂塗料塗装
6　建具・金物等				
①建具関係	住戸玄関ドア、共用部分ドア、自動ドア	点検・調整	12～15年	点検、補修
		取替	34～38年	建具取替、スチール枠被せ
	窓サッシ、面格子、網戸、シャッター	点検・調整	12～15年	点検、補修
		取替	34～38年	建具（掃出しアルミサッシ、面格子）取替、アルミ枠被せ
②手すり	開放廊下・階段、バルコニーの手すり、防風スクリーン	取替	34～38年	防風スクリーンの取替
③屋外鉄骨階段	屋外鉄骨階段	補修	12～15年	点検、補修
		取替	34～38年	アルミ製トップレール取替
④金物類（集合郵便受等）	集合郵便受、掲示板、宅配ロッカー等	取替	24～28年	ステンレス製集合郵便受取替
	笠木、架台、マンホール蓋、階段ノンスリップ、避難ハッチ、タラップ、排水金物、室名札、立て樋・支持金物、隔て板、物干金物、スリーブキャップ等	取替	24～28年	竪樋、ステンレス製避難ハッチ、隔て板、ポーチ門扉取替
	屋上フェンス等	取替	34～38年	
⑤金物類（メーターボックス扉等）	メーターボックスの扉、パイプスペースの扉等	取替	34～38年	スチール製扉取替
7　共用内部				
①共用内部	管理事務室、集会室、内部廊下、内部階段等の壁、床、天井	張替・塗替	12～15年	補修及び仕上材貼替等
	エントランスホール、エレベーターホールの壁、床、天井	張替・塗替	12～15年	（壁）下地処理　砂壁状仕上塗材（床）大理石貼欠損・亀裂部分補修　（天井）下地処理、塗替
Ⅲ　設備				
8　給水設備				
①給水管	屋内共用給水管	更生	19～23年	
	屋内共用給水管、屋外共用給水管	取替	30～40年	
②貯水槽	受水槽	補修・取替	12～16年	26～30年目に取替（同等品）
	高置水槽	補修・取替	12～16年	26～30年目に取替（同等品）
③給水ポンプ	揚水ポンプ、加圧給水ポンプ、直結増圧ポンプ、弁類等	補修	5～8年	分解整備
		取替	14～18年	取替（同等品）

9　排水設備				
①排水管	屋内共用雑排水管	更生	19～23年	
	屋内共用雑排水管、汚水管、雨水管	取替	30～40年	
②排水ポンプ	排水ポンプ、弁類等	補修	5～8年	
		取替	14～18年	取替（同等品）
10　ガス設備				
①ガス管	屋外埋設部ガス管、屋内共用ガス管	取替（更新）	28～32年	
11　空調・換気設備				
①空調設備	管理事務室、集会室等のエアコン	取替	13～17年	取替（同等品）
②換気設備	管理事務室、集会室、機械室、電気室等の換気扇、ダクト類、換気口、換気ガラリ	取替	13～17年	取替（同等品）
12　電灯設備等				
①電灯設備	共用廊下・エントランスホール等の照明器具、配線器具、非常照明、避難口・通路誘導灯、外灯等	取替	18～22年	取替（同等品）
②配電盤類	配電盤・プルボックス等	取替	28～32年	取替（同等品）
③幹線設備	引込開閉器、幹線（電灯、動力）等	取替	28～32年	幹線ケーブル引替
④避雷針設備	避雷突針・ポール・支持金物・導線・接地極等	取替	38～42年	取替（同等品）
⑤自家発電設備	発電設備	取替	28～32年	
13　情報・通信設備				
①電話設備	電話配線盤(MDF)、中間端子盤(IDF)等	取替	28～32年	取替（同等品）
②テレビ共聴設備	アンテナ、増幅器、分配器等　※同軸ケーブルを除く	取替	15～20年	取替（同等品）
③インターネット設備	住棟内ネットワーク	取替	28～32年	設備交換
④インターホン設備等	インターホン設備、オートロック設備、住宅情報盤、防犯設備、配線等	取替	15～20年	取替（同等品）
14　消防用設備				
①屋内消火栓設備	消火栓ポンプ、消火管、ホース類、屋内消火栓箱等	取替	23～27年	取替（同等品）
②自動火災報知設備	感知器、発信器、表示灯、音響装置、中継器、受信器等	取替	18～22年	取替（同等品）
③連結送水管設備	送水口、放水口、消火管、消火隊専用栓箱等	取替	23～27年	取替（同等品）
15　昇降機設備				
①昇降機	カゴ内装、扉、三方枠等	補修	12～15年	（かご内装・枠・扉）下地処理　化粧樹脂フィルム貼り
	全構成機器	取替	26～30年	制御リニューアル（モーター、制御盤他取替）
16　立体駐車場設備				
①自走式駐車場	プレハブ造（鉄骨造＋ALC）	補修	8～12年	床面補修、鉄部塗装
		建替	28～32年	
②機械式駐車場	二段方式、多段方式（昇降式、横行昇降式、ピット式）垂直循環方式等	補修	5年	補修（部品取替）
		取替	18～22年	装置入替リニューアル

Ⅳ　外構・その他				
17　外構・附属施設				
①外構	平面駐車場、車路・歩道等の舗装、側溝、排水溝、擁壁等	補修	24～28年	インターロッキング、アスファルト舗装
	囲障（塀、フェンス等）、サイン（案内板）、遊具、ベンチ等	取替	24～28年	塗装補修　及び　取替（同等品）
	埋設排水管、排水桝等 ※埋設給水管を除く	取替	24～28年	
②附属施設	自転車置場、ゴミ集積所	取替	24～28年	
	植樹	整備	24～28年	
18　調査・診断、設計、工事監理等費用				
①点検・調査・診断	大規模修繕工事の実施前に行う点検・調査・診断		10～12年	
②設計、コンサルタント	計画修繕工事の設計（基本設計・実施設計）・コンサルタント		12～15年	
③工事監理	計画修繕工事の工事監理		12～15年	
④臨時点検（被災時）	建物、設備、外構		—	
19　長期修繕計画作成費用				
①見直し	長期修繕計画の見直しのための点検・調査・診断　長期修繕計画の見直し		5年	
Ⅴ　性能向上工事項目（例）（必要に応じて、Ⅱ建物又はⅢ設備に追加する。）				
(1)　耐震	耐震壁の増設、柱・梁の補強、免震、設備配管の補強、耐震ドアへの交換、エレベーターの着床装置・P波感知装置の設置等	改修	年	
(2)　バリアフリー	スロープ、手すりの設置、自動ドアの設置、エレベーターの設置・増設	改修	年	
(3)　省エネルギー	断熱(屋上、外壁、開口部)、昇降機、照明等の設備の制御等	改修	年	
(4)　防犯	照明照度の確保、オートロック、防犯カメラの設置等	改修	年	
(5)　その他	・情報通信（インターネット接続環境の整備等） ・給水方式の変更（直結増圧給水方式への変更等） ・電気容量の増量(電灯幹線の増量等) ・利便施設の設置（宅配ボックス等） ・エレベーターの安全性向上（戸開走行防止装置の設置等） ・外部環境（外構、植栽、工作物等の整備）	改修	年	
Ⅵ　専有部分工事項目（専有部分配管）（例）（必要に応じて、「Ⅰ仮設」～「Ⅳ外構・その他」とは別項目として追加する。）				
①専有部分配管（※）	専有部分給水管、専有部分雑排水管、専有部分汚水管	取替	28～32年	共用給排水管の取替と同時に実施
※　屋内共用給水管・配水管等と同時かつ一体的に行う工事に限る				
Ⅶ　諸経費等　(例) 上記工事項目と区別して設定する場合				
・現場管理費 ・一般管理費 ・法定福利費 ・大規模修繕瑕疵保険の保険料　等		—	—	

区分所有者の要望など必要に応じて、建物・設備の性能を向上させる改修工事を記載します。（1）耐震については、耐震診断の結果により耐震改修が必要となった場合において、耐震改修工事の費用が負担できないなどの理由によりすぐに実施することが困難なときは、推定修繕工事項目として設定します。

（様式第４―１号）長期修繕計画総括表

①支出については、様４―３号長期修繕計画表により、修繕工事項目別にまとめた推定修繕工事費の年度ごとの合計額を記載します。
借入金がある場合は、償還金の年度の合計額を記載します。

区分	推定修繕工事項目 暦年	2018	2019	2020	2021	2022	2023	2024	2025	2026	2027	2028	2029	2030	2031
	経年	19	20	21	22	23	24	25	26	27	28	29	30	31	32
仮設	1 仮設工事	270												1,487	450
建物	2 屋根防水													9,075	
	3 床防水														
	4 外壁塗装等														
	5 鉄部塗装等	1,550												1,211	
	6 建具・金物等													18,450	
	7 共用内部														
設備	8 給水設備				1,665					360					35,303
	9 排水設備		1,823					788	14				1,823		
	10 ガス設備												450		
	11 空調・換気設備		666												
	12 電灯設備等		315					3,645					315		
	13 情報・通信設備							2,160							
	14 消防用設備		1,017	45	45	63	72	5,486	36	18			549	45	45
	15 昇降機設備										10,350				
	16 立体駐車場設備							84,510					1,216		
外構・その他	17 外構・附属施設	1,022						6,415						1,022	4,770
	18 調査・診断、設計、工事監理等費用			108			3,447	4,145		108			108	270	
	19 長期修繕計画作成費用					284					284				
小計		2,841	3,821	153	1,710	347	3,519	183,623	50	486	10,634	0	4,460	31,559	40,568
諸経費（現場管理費・一般管理費、及び法定福利費等(注)）		284	382	15	171	35	352	18,362	5	49	1,063	0	446	3,156	4,057
消費税		250	336	17	188	38	387	20,199	6	53	1,170	0	491	3,471	4,462
支出	推定修繕工事費 年度合計	3,375	4,539	185	2,069	420	4,258	222,184	61	588	12,868	0	5,397	38,186	49,087
	推定修繕工事費 累計	3,375	7,914	8,099	10,168	10,589	14,847	237,031	237,092	237,680	250,548	250,548	255,945	294,131	343,217
	（借入金の償還金 年度合計）														
	支出 年度合計	3,375	4,539	185	2,069	420	4,258	222,184	61	588	12,868	0	5,397	38,186	49,087
	支出 累計	3,375	7,914	8,099	10,168	10,589	14,847	237,031	237,092	237,680	250,548	250,548	255,945	294,131	343,217
収入	修繕積立金の残高（修繕積立基金）	200,000													
	修繕積立金 年度合計	18,891	18,891	18,891	18,891	18,891	18,891	18,891	18,891	18,891	18,891	18,891	18,891	18,891	18,891
	専用使用料等からの繰入額 年度合計	971	971	971	971	971	971	971	971	971	971	971	971	971	971
	修繕積立金の運用益 年度合計														
	収入 年度合計	219,862	19,862	19,862	19,862	19,862	19,862	19,862	19,862	19,862	19,862	19,862	19,862	19,862	19,862
	収入 累計	219,862	239,723	259,585	279,447	299,309	319,170	339,032	358,894	378,755	398,617	418,479	438,341	458,202	478,064
	年度収支	216,486	15,323	19,677	17,793	19,441	15,604	-202,323	19,801	19,274	6,994	19,862	14,465	-18,324	-29,225
	修繕積立金 次年度繰越金	216,486	231,809	251,486	269,278	288,720	304,324	102,001	121,802	141,075	148,069	167,931	182,396	164,072	134,847
修繕積立金等累計 現行（@253円／m²・戸・月）		216,486	234,240	251,994	269,748	287,502	305,256	323,010	340,764	358,518	376,272	394,026	411,780	429,534	447,288
修繕積立金等累計 改正案（@286円／m²・戸・月）		219,862	239,723	259,585	279,447	299,309	319,170	339,032	358,894	378,755	398,617	418,479	438,341	458,202	478,064

（注）諸経費には「長期修繕計画作成ガイドライン」33ページに示すとおり、現場管理費・一般管理費・法定福利費のほか、大規模修繕瑕疵保険の保険料なども見込んで修繕積立金額を検討することが必要です。

作成日／　2021年○月○○日
集会（管理組合総会）で議決された日／　2021年○月○○日

単位：千円

	2034	2035	2036	2037	2038	2039	2040	2041	2042	2043	2044	2045	2046	2047	合計	(参考) 計画期間外に実施予定の工事 (計画期間内に工事が予定されていない項目のみ) 実施予定時期	概算工事額
	35	36	37	38	39	40	41	42	43	44	45	46	47	48			
			18,424						1,487		675				41,216		
			4,037						16,085						33,513		
			14,640												29,281		
			25,887												51,773		
			3,364						1,550						10,951		
			60,733						2,295						90,596		
			713						225						1,741		
			360					1,665					1,530		40,883		
	788	14				18,923					788	14			24,973		
															450		
						666									1,332		
	2,565					315					21,465				28,620		
		9,900									2,322				14,382		
	3,834	36	18			3,888	45	45	63	72	1,607	36	18		17,217		
															10,350		
	37,844		4,500			968	4,202				37,844				188,043		
			5,631						1,022						19,881		
		3,447	6,651		649	90		108		90	108			108	19,544		
				284					284					284	1,706		
	45,031	13,397	144,957	284	649	24,849	4,247	1,818	23,010	162	64,808	50	1,548	392	626,463		
	4,505	1,340	14,496	28	65	2,485	425	182	2,301	16	6,481	5	155	39	62,646		
3	4,953	1,474	15,945	31	71	2,733	467	200	2,531	18	7,129	6	170	43	68,764		
7	54,487	16,211	175,399	344	785	30,067	5,139	2,200	27,842	196	78,418	61	1,873	475	757,873		
7	418,864	435,075	610,473	610,817	611,602	641,669	646,808	649,008	676,850	677,046	755,464	755,525	757,398	757,873			
7	54,487	16,211	175,399	344	785	30,067	5,139	2,200	27,842	196	78,418	61	1,873	475	757,873		
7	418,864	435,075	610,473	610,817	611,602	641,669	646,808	649,008	676,850	677,046	755,464	755,525	757,398	757,873			
															200,000		
1	18,691	18,891	18,891	18,891	18,891	18,891	18,891	18,891	18,891	18,691	18,891	18,891	18,891	18,891	566,722		
1	971	971	971	971	971	971	971	971	971	971	971	971	971	971	29,130		
52	19,862	19,862	19,862	19,862	19,862	19,862	19,862	19,862	19,862	19,862	19,862	19,862	19,862	19,862	795,852		
38	537,649	557,511	577,373	597,234	617,096	636,958	656,820	676,681	696,543	716,405	736,266	756,128	775,990	795,852			
75	-34,625	3,651	-155,537	19,518	19,077	-10,206	14,723	17,662	-7,981	19,666	-58,556	19,801	17,989	19,387			
1	118,786	122,436	-33,100	-13,583	5,494	-4,711	10,011	27,673	19,693	39,358	-19,198	603	18,592	37,978			
96	500,550	518,304	536,058	553,812	571,566	589,320	607,074	624,828	642,582	660,336	678,090	695,844	713,598	731,352			
88	537,649	557,51	577,373	597,234	617,096	636,958	656,820	676,681	696,543	716,405	736,266	756,128	775,990	795,852			

（様式4-2）収支計画グラフ

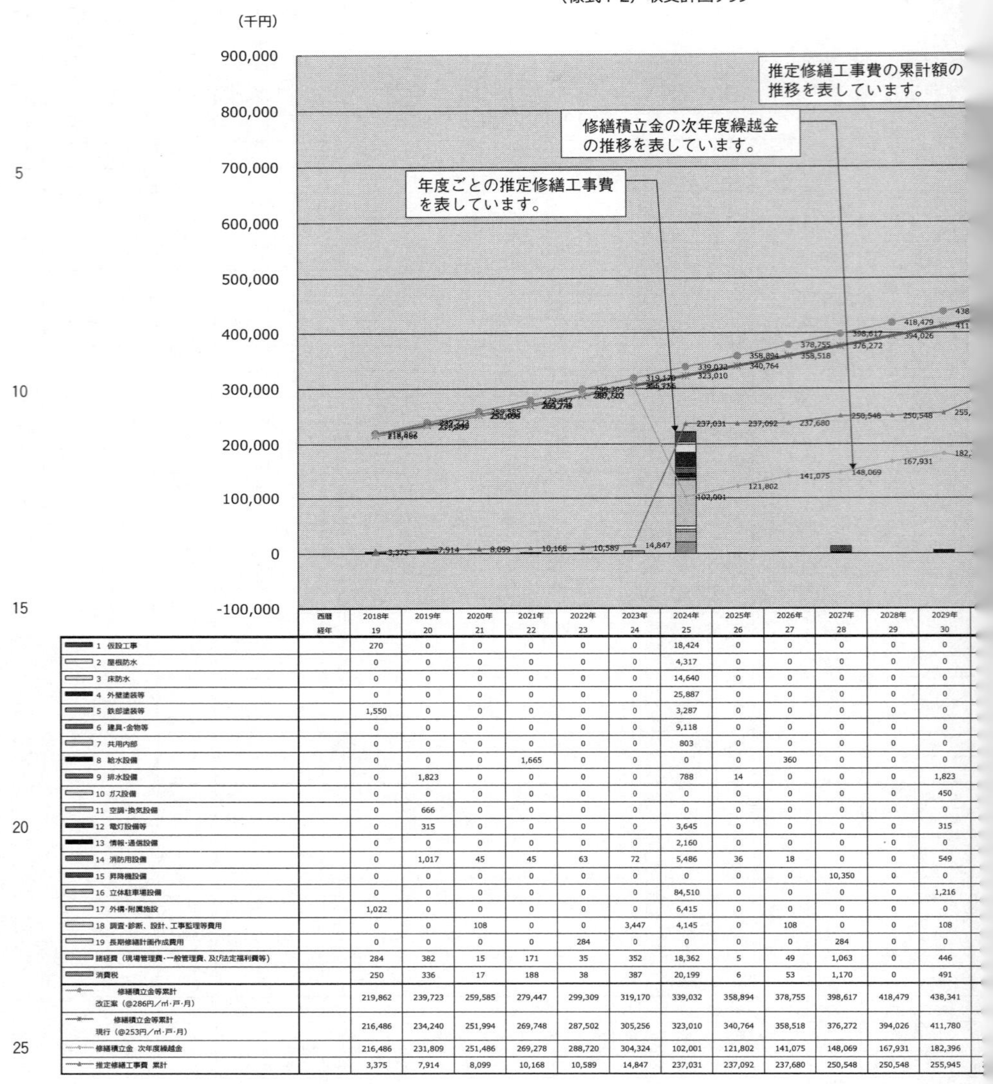

西暦 経年		2018年 19	2019年 20	2020年 21	2021年 22	2022年 23	2023年 24	2024年 25	2025年 26	2026年 27	2027年 28	2028年 29	2029年 30
1 仮設工事		270	0	0	0	0	0	18,424	0	0	0	0	0
2 屋根防水		0	0	0	0	0	0	4,317	0	0	0	0	0
3 床防水		0	0	0	0	0	0	14,640	0	0	0	0	0
4 外壁塗装等		0	0	0	0	0	0	25,887	0	0	0	0	0
5 鉄部塗装等		1,550	0	0	0	0	0	3,287	0	0	0	0	0
6 建具・金物等		0	0	0	0	0	0	9,118	0	0	0	0	0
7 共用内部		0	0	0	0	0	0	803	0	0	0	0	0
8 給水設備		0	0	0	1,665	0	0	0	0	360	0	0	0
9 排水設備		0	1,823	0	0	0	0	788	14	0	0	0	1,823
10 ガス設備		0	0	0	0	0	0	0	0	0	0	0	450
11 空調・換気設備		0	666	0	0	0	0	0	0	0	0	0	0
12 電灯設備等		0	315	0	0	0	0	3,645	0	0	0	0	315
13 情報・通信設備		0	0	0	0	0	0	2,160	0	0	0	0	0
14 消防用設備		0	1,017	45	45	63	72	5,486	36	18	0	0	549
15 昇降機設備		0	0	0	0	0	0	0	0	0	10,350	0	0
16 立体駐車場設備		0	0	0	0	0	0	84,510	0	0	0	0	1,216
17 外構・附属施設		1,022	0	0	0	0	0	6,415	0	0	0	0	0
18 調査・診断、設計、工事監理等費用		0	0	108	0	0	3,447	4,145	0	108	0	0	108
19 長期修繕計画作成費用		0	0	0	0	284	0	0	0	0	284	0	0
諸経費（現場管理費・一般管理費、及び法定福利費等）		284	382	15	171	35	352	18,362	5	49	1,063	0	446
消費税		250	336	17	188	38	387	20,199	6	53	1,170	0	491
修繕積立金等累計 改正案（@286円／㎡・戸・月）		219,862	239,723	259,585	279,447	299,309	319,170	339,032	358,894	378,755	398,617	418,479	438,341
修繕積立金等累計 現行（@253円／㎡・戸・月）		216,486	234,240	251,994	269,748	287,502	305,256	323,010	340,764	358,518	376,272	394,026	411,780
修繕積立金 次年度繰越金		216,486	231,809	251,486	269,278	288,720	304,324	102,001	121,802	141,075	148,069	167,931	182,396
推定修繕工事費 累計		3,375	7,914	8,099	10,168	10,589	14,847	237,031	237,092	237,680	250,548	250,548	255,945

作成日／2021年○月○○日

集会（管理組合総会）で議決された日／2021年○月○○日

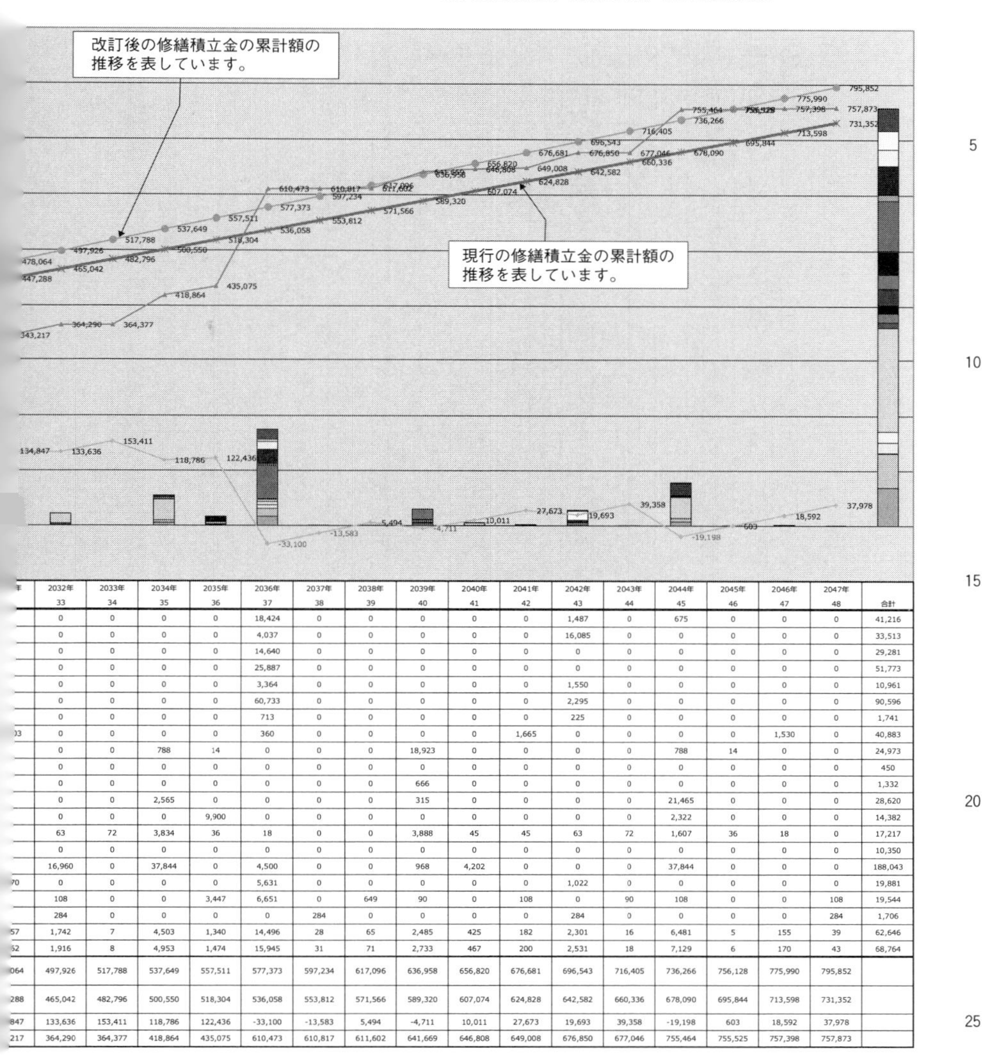

年	2032年 33	2033年 34	2034年 35	2035年 36	2036年 37	2037年 38	2038年 39	2039年 40	2040年 41	2041年 42	2042年 43	2043年 44	2044年 45	2045年 46	2046年 47	2047年 48	合計
	0	0	0	0	18,424	0	0	0	0	0	1,487	0	675	0	0	0	41,216
	0	0	0	0	4,037	0	0	0	0	0	16,085	0	0	0	0	0	33,513
	0	0	0	0	14,640	0	0	0	0	0	0	0	0	0	0	0	29,281
	0	0	0	0	25,887	0	0	0	0	0	0	0	0	0	0	0	51,773
	0	0	0	0	3,364	0	0	0	0	0	1,550	0	0	0	0	0	10,961
	0	0	0	0	60,733	0	0	0	0	0	2,295	0	0	0	0	0	90,596
	0	0	0	0	713	0	0	0	0	0	225	0	0	0	0	0	1,741
03	0	0	0	0	360	0	0	0	0	1,665	0	0	0	0	1,530	0	40,883
	0	0	788	14	0	0	0	18,923	0	0	0	0	788	14	0	0	24,973
	0	0	0	0	0	0	0	0	0	0	0	0	0	0	0	0	450
	0	0	0	0	0	0	0	666	0	0	0	0	0	0	0	0	1,332
	0	0	2,565	0	0	0	0	315	0	0	0	0	21,465	0	0	0	28,620
	0	0	0	9,900	0	0	0	0	0	0	0	0	2,322	0	0	0	14,382
	63	72	3,834	36	18	0	0	3,888	45	45	63	72	1,607	36	18	0	17,217
	0	0	0	0	0	0	0	0	0	0	0	0	0	0	0	0	10,350
	16,960	0	37,844	0	4,500	0	0	968	4,202	0	0	0	37,844	0	0	0	188,043
70	0	0	0	0	5,631	0	0	0	0	0	1,022	0	0	0	0	0	19,881
	108	0	0	3,447	6,651	0	649	90	0	108	0	90	108	0	0	108	19,544
	284	0	0	0	0	284	0	0	0	0	284	0	0	0	0	284	1,706
57	1,742	7	4,503	1,340	14,496	28	65	2,485	425	182	2,301	16	6,481	5	155	39	62,646
62	1,916	8	4,953	1,474	15,945	31	71	2,733	467	200	2,531	18	7,129	6	170	43	68,764
064	497,926	517,788	537,649	557,511	577,373	597,234	617,096	636,958	656,820	676,681	696,543	716,405	736,266	756,128	775,990	795,852	
288	465,042	482,796	500,550	518,304	536,058	553,812	571,566	589,320	607,074	624,828	642,582	660,336	678,090	695,844	713,598	731,352	
847	133,636	153,411	118,786	122,436	-33,100	-13,583	5,494	-4,711	10,011	27,673	19,693	39,358	-19,198	603	18,592	37,978	
217	364,290	364,377	418,864	435,075	610,473	610,817	611,602	641,669	646,808	649,008	676,850	677,046	755,464	755,525	757,398	757,873	

（様式第４－３号）長期修繕計画表（推定修繕工事項目（小項目）別、年度別）

作成日／　2021年○月○○日
集会（管理組合総会）で議決された日／　2021年○月○○日

単位：千円

	推定修繕工事項目	工事区分	修繕周期（参考）	暦年	2018	2019	2020	2021	2022	2023	2024	2025	2026	2027	2028	2029	2030	2031	2032	2033	2034	2035	2036	2037	2038	2039	2040	2041	2042	2043	2044	2045	2046	2047	小計	消費税	合計	（参考）計画期間外に実施予定の工事（計画期間内に工事が予定されていない項目のみ）実施予定時期	概算工事額
				経年	19	20	21	22	23	24	25	26	27	28	29	30	31	32	33	34	35	36	37	38	39	40	41	42	43	44	45	46	47	48					
Ⅰ 仮設	1 仮設工事				270						18,424						1,487	450					18,424						1,487		675				41,216	4,116	45,333		
	共通仮設	仮設	12～15年		270						4,050						1,080	450					4,050						1,080		675				11,655	1,160	12,815		
	直接仮設	仮設	12～15年								14,374						407						14,374						407						29,561	2,956	32,518		
Ⅱ 建物	2 屋根防水										4,317						9,075						4,037						16,085						33,513	3,351	36,865		
	①屋上防水（保護）	補修、修繕	12～15年								834												554												1,388	139	1,527		
		撤去・新設	24～30年																																0	0	0		
	②屋上防水（露出）	補修、修繕	12～15年								1,761						8,500						1,761						15,510						27,532	2,753	30,285		
		撤去・新設	24～30年																																0	0	0		
	③傾斜屋根	補修、修繕	12～15年								34												34												68	7	75		
		撤去・葺替	24～30年																																0	0	0		
	④庇・笠木等防水	修繕	12～15年								1,688						575						1,688						575						4,525	453	4,978		
	3 床防水										14,640												14,640												29,281	2,928	32,209		
	①バルコニー床防水	修繕	12～15年								5,837												5,837												11,673	1,167	12,840		
	②開放廊下・階段等床防水	修繕	12～15年								8,804												8,804												17,608	1,761	19,368		
	4 外壁塗装等										25,887												25,887												51,773	5,177	56,951		
	①躯体コンクリート補修	補修	12～15年								3,121												3,121												6,242	624	6,867		
	②外壁塗装（雨掛かり部分）	塗替	12～15年								2,744												2,744												5,489	549	6,037		
		除去・塗装	24～30年																																0	0	0		
	③外壁塗装（非雨掛かり部分）	塗替	12～15年								1,830												1,830												3,659	366	4,025		
		除去・塗装	24～30年																																0	0	0		
	④軒天塗装	塗替	12～15年								2,463												2,463												4,927	493	5,419		
		除去・塗装	24～30年																																0	0	0		
	⑤タイル張補修	補修	12～15年								11,234												11,234												22,468	2,247	24,714		
	⑥シーリング	打替	12～15年								4,495												4,495												8,989	899	9,888		
	5 鉄部塗装等				1,550						3,287						1,211						3,364						1,550						10,961	1,065	12,026		
	①鉄部塗装（雨掛かり部分）	塗替	5～7年		1,550						1,550						1,211						1,486						1,550						7,346	704	8,049		
	②鉄部塗装（非雨掛かり部分）	塗替	5～7年								7																								7	1	8		
	③非鉄部塗装	清掃・塗替	12～15年								1,730												1,878												3,608	361	3,969		
	6 建具・金物等										9,118						18,450						60,733						2,295						90,596	9,060	99,655		
	①建具関係	点検・調整	12～15年								1,061						18,450						54,078						2,295						75,884	7,588	83,473		
		取替	34～38年																																0	0	0		
	②手すり	取替	34～38年								1,592												2,390												3,983	398	4,381		
	③屋外鉄骨階段	補修	12～15年																																0	0	0		
		取替	34～38年																																0	0	0		
	④金物類（集合郵便受等）	取替	24～28年								5,975												3,650												9,626	963	10,588		
	⑤金物類（メーターボックス扉等）	取替	34～38年								490												614												1,103	110	1,214		
	7 共用内部										803												713						225						1,741	174	1,915		
	①共用内部	張替・塗替	12～15年								803												713						225						1,741	174	1,915		
Ⅲ 設備	8 給水設備							1,665					360					35,303					360					1,665					1,530		40,883	4,088	44,971		
	①給水管	更生	19～23年																																0	0	0		
		（更生後）取替	30～40年																																0	0	0		
		（更生なし）取替	28～32年																26,033																26,033	2,603	28,636		

（「３．床防水」と「４．外壁補修等」についての記載例です。）
様式第３－２号（項目・周期の設定）で設定した周期に基づき、推定修繕工事費用を計上します。

②貯水槽	補修	12~16年					1,305																					1,305							2,610	261	2,871
	取替	26~30年																7,740																			7,740	774	8,514
③給水ポンプ	補修	5~8年					360					360				1,530					360				360					1,530		4,500	450	4,950
	取替	14~18年																																	0	0	0
9 排水設備						1,823					788	14			1,823					788	14			18,923					788	14			24,973	2,461	27,434
①排水管	更生	19~23年																																	0	0	0
	(更生後)取替	30~40年																																	0	0	0
	(更生なし)取替	28~32年																								17,100									17,100	1,710	18,810
②排水ポンプ	補修	5~8年										788	14									788	14									788	14			2,406	241	2,646
	取替	14~18年				1,823									1,823									1,823									5,468	510	5,978
10 ガス設備															450																			450	45	495
①ガス管	取替	28~32年													450																			450	45	495
11 空調・換気設備						666																			666									1,332	120	1,452
①空調設備	取替	13~17年				135																			135									270	24	294
②換気設備	取替	13~17年				531																			531									1,062	96	1,158
12 電灯設備等						315					3,645					315					2,565					315					21,465				28,620	2,856	31,476
①電灯設備	取替	18~22年				315					1,440				315					315				315					3,240				5,940	588	6,528
②配電盤類	取替	28~32年									2,205										2,250										4,185				8,640	864	9,504
③幹線設備	取替	28~32年																													13,500				13,500	1,350	14,850
④避雷針設備	取替	38~42年																													540				540	54	594
⑤自家発電設備	取替	28~32年																																	0	0	0
13 情報・通信設備											2,160											9,900										2,322				14,382	1,438	15,820
①電話設備	取替	28~32年																																	0	0	0
②テレビ共聴設備	取替	15~20年									2,160																				2,322				4,482	448	4,930
③インターネット設備	取替	28~32年																																	0	0	0
④インターホン設備等	取替	15~20年																				9,900													9,900	990	10,890
14 消防用設備						1,017	45	45	63	72	5,486	36	18			549	45	45	63	72	3,834	36	18			3,888	45	45	63	72	1,607	36	18		17,217	1,701	18,918
①屋内消火栓設備	取替	23~27年				657	45	45	63	72	45	36	18			9	45	45	63	72	1,395	36	18			9	45	45	63	72	45	36	18		2,997	287	3,284
②自動火災報知設備	取替	18~22年									5,441					540					90				3,879					1,562				11,511	1,151	12,662
③連結送水管設備	取替	23~27年				360																2,349													2,709	264	2,973
15 昇降機設備														10,350																					10,350	1,035	11,385
①昇降機	補修	12~15年																																	0	0	0
	取替	26~30年												10,350																					10,350	1,035	11,385
16 立体駐車場設備											84,510					1,216			16,960		37,844		4,500			968	4,202				37,844				188,043	18,804	206,848
①自走式駐車場	補修	8~12年																																	0	0	0
	建替	28~32年																																	0	0	0
②機械式駐車場	補修	5年									84,510				1,216			16,960				4,500			968	4,202								112,355	11,236	123,591
	取替	18~22年																			37,844										37,844				75,688	7,569	83,257
IV 外構・その他 17 外構・附属施設					1,022						6,415						1,022	4,770				5,631						1,022						19,881	1,968	21,849
①外構	補修、取替	24~28年									4,303									4,770				3,076											12,149	1,215	13,364
②附属施設	取替、整備	24~28年		1,022						2,112						1,022					2,555						1,022						7,732	753	8,485
18 調査・診断、設計、工事監理等費用							108			3,447	4,145		108			108	270		108			3,447	6,651		649	90		108		90	108			108	19,544	1,954	21,498
①点検・調査・診断		10~12年						108						108			108	270		108						649	90		108		90	108			108	1,855	185	2,040
②設計等		12~15年								3,447													3,447													6,894	689	7,583
③工事監理		12~15年									4,145														6,651													10,795	1,080	11,875
④臨時点検（被災時）		—																																	0	0	0
19 長期修繕計画作成費用										284					284					284					284					284					284	1,706	171	1,877
①見直し		5年								284					284					284					284					284					284	1,706	171	1,877
小計				2,841	3,821	153	1,710	347	3,519	183,623	50	486	10,634	0	4,460	31,559	40,568	17,415	72	45,031	13,397	144,957	284	649	24,849	4,247	1,818	23,010	162	64,808	50	1,548	392	626,463	62,513	688,976
諸経費（現場管理費・一般管理費、及び法定福利費等）(注)				284	382	15	171	35	352	18,362	5	49	1,063	0	446	3,156	4,057	1,742	7	4,503	1,340	14,496	28	65	2,485	425	182	2,301	16	6,481	5	155	39	62,646	6,251	68,898
消費税				250	336	17	188	38	387	20,199	6	53	1,170	0	491	3,471	4,462	1,916	8	4,953	1,474	15,945	31	71	2,733	467	200	2,531	18	7,129	6	170	43	68,764	6,865	75,629
推定修繕工事費　年度合計				3,375	4,539	185	2,069	420	4,258	222,144	61	588	12,868	0	5,397	38,186	49,087	21,072	87	54,487	16,211	175,399	344	785	30,067	5,139	2,200	27,842	196	78,418	61	1,873	475	757,873		
推定修繕工事費　累計				3,375	7,914	8,099	10,168	10,589	14,847	237,011	237,092	237,680	250,548	250,548	255,945	294,131	343,217	364,290	364,377	418,864	435,075	610,473	610,817	611,602	641,669	646,808	649,008	676,850	677,046	755,464	755,525	757,398	757,873			

(注) 諸経費には「長期修繕計画作成ガイドライン」33ページに示すとおり、現場管理費・一般管理費・法定福利費のほか、大規模修繕瑕疵保険の保険料なども見込んで修繕積立金額を検討することが重要です。

（様式４－４号）推定修繕工事費内訳書

作成日／　　2021年〇月〇〇日
集会（管理組合総会）で議決された日／　　2021年〇月〇〇日

推定修繕工事項目	対象部位等	工事区分	仕様等	単位	数量	単価	金額	修繕周期（参考）
Ⅰ仮設　1　仮設工事								
共通仮設		仮設						
直接仮設		仮設						
Ⅱ建物　2　屋根防水								
①屋上防水（保護）	屋上、塔屋、ルーフバルコニー	補修、修繕						
		撤去・新設						
②屋上防水（露出）	屋上、塔屋	補修、修繕						
		撤去・新設						
③傾斜屋根	屋根	補修、修繕						
		撤去・葺替						
④庇・笠木等防水	庇、笠木、パラペット、架台の天端等	修繕						
3　床防水							14,640,300	
①バルコニー床防水	バルコニーの床	修繕	高圧水洗の上、下地調整、ウレタン塗膜防水	m^2	739.27	8,300	6,135,959	12～15年
②開放廊下・階段等床防水	開放廊下	修繕	高圧水洗の上、下地調整、ウレタン塗膜防水	m^2	676.45	7,600	5,140,988	12～15年
	開放階段	修繕	高圧水洗の上、下地調整、ウレタン塗膜防水	m^2	436.80	7,700	3,363,353	12～15年
4　外壁塗装等							25,886,700	
①躯体コンクリート補修	外壁、屋根、床、手すり壁、軒天、庇等	補修	ひびわれ・欠損・爆裂補修	m^2	3,532.69	1,000	3,532,695	12～15年
②外壁塗装（雨掛かり部分）	外壁、手すり壁等	塗替	高圧水洗の上、下地処理、アクリルシリコン樹脂塗材	m^2	2,364.44	1,500	3,546,662	12～15年
		除去・塗装	既存塗膜除去、アクリルシリコン樹脂塗材（撤去・新規防水）	m^2				24～30年
③外壁塗装（非雨掛かり部分）	外壁、手すり壁等	塗替	高圧水洗の上、下地処理、アクリルシリコン樹脂塗材	m^2	1,364.00	1,200	1,636,804	12～15年
		除去・塗装	既存塗膜除去、アクリルシリコン樹脂塗材（撤去・新規防水）	m^2				24～30年
④軒天塗装	開放廊下・階段、バルコニー等の軒天部分	塗替	高圧水洗の上、下地処理、アクリルシリコン樹脂塗材	m^2	2,233.88	1,250	2,792,344	12～15年
		除去・塗装	既存塗膜除去、アクリルシリコン樹脂塗材（撤去・新規防水）	m^2				24～30年
⑤タイル張補修	外壁・手すり壁等	補修	欠損・亀裂・浮部分補修、タイル面洗浄、磁器質タイル貼替え	m^2	232.24	40,000	9,289,444	12～15年
⑥シーリング	外壁目地、建具周り、部材接合部等	打替	コンクリートの打継ぎ目地、サッシ回り、タイル伸縮目地のコーキング打替え	m^2	3,914.42	1,300	5,088,751	12～15年
5　鉄部塗装等								
①鉄部塗装（雨掛かり部分）	開放廊下・階段、バルコニーの手すり等	塗替						
②鉄部塗装（非雨掛かり部分）	住戸玄関ドア、共用部分ドア等	塗替						
③非鉄部塗装	サッシ、面格子、ドア、手すり、避難ハッチ等	清掃・塗替						
6　建具・金物等								
①建具関係	住戸玄関ドア、共用部分ドア、窓サッシ等	点検・調整						
		取替						
②手すり	開放廊下・階段、バルコニーの手すり等	取替						
③屋外鉄骨階段	屋外鉄骨階段	補修						
		取替						
④金物類（集合郵便受等）	集合郵便受、掲示板、笠木、架台等	取替						
⑤金物類（メーターボックス扉等）	メーターボックスの扉、パイプスペースの扉等	取替						
7　共用内部								
①共用内部	管理事務室、内部廊下等の壁、床、天井	張替・塗替						

（「３．床防水」と「４．外壁補修等」についての記載例です。）
様式第３－２号（項目・周期の設定）で設定した小項目ごとに（さらに必要により部位ごとに）、概算の数量と単価を設定し、推定修繕工事費を算出します。

Ⅲ設備	8　給水設備								
	①給水管	屋内共用給水管	更生						
		屋内共用給水管、屋外共用給水管	取替						
	②貯水槽	受水槽、高置水槽	補修						
			取替						
	③給水ポンプ	揚水ポンプ等	補修						
			取替						
	9　排水設備								
	①排水管	屋内共用雑排水管	更生						
		屋内共用雑排水管、汚水管、雨水管	取替						
	②排水ポンプ	排水ポンプ	補修						
			取替						
	10　ガス設備								
	①ガス管	屋外埋設部ガス管、屋内共用ガス管	取替						
	11　空調・換気設備								
	①空調設備	管理事務室、集会室等のエアコン	取替						
	②換気設備	管理事務室等の換気扇、換気口、換気ガラリ等	取替						
	12　電灯設備等								
	①電灯設備	共用廊下等の照明器具、配線器具、非常照明等	取替						
	②配電盤類	配電盤・プルボックス等	取替						
	③幹線設備	引込開閉器、幹線(電灯、動力)等	取替						
	④避雷針設備	避雷突針・ポール・支持金物・導線・接地極等	取替						
	⑤自家発電設備	発電設備	取替						
	13　情報・通信設備								
	①電話設備	電話配線盤（MDF）、中間端子盤（IDF）等	取替						
	②テレビ共聴設備	アンテナ、増幅器、分配器等	取替						
	③インターネット設備	住棟内ネットワーク	取替						
	④インターホン設備等	インターホン設備、オートロック設備等	取替						
	14　消防用設備								
	①屋内消火栓設備	消火栓ポンプ、消火管、ホース類等	取替						
	②自動火災報知設備	感知器、発信器、表示灯、音響装置、受信器等	取替						
	③連結送水管設備	送水口、放水口、消火管、消火隊専用栓箱等	取替						
	15　昇降機設備								
	①昇降機	カゴ内装、扉、三方枠等	補修						
		全構成機器	取替						
	16　立体駐車場設備								
	①自走式駐車場	プレハブ造（鉄骨造＋ALC）	補修						
			建替						
	②機械式駐車場	二段方式、多段方式、垂直循環方式等	補修						
			取替						
Ⅳ外構・その他	17　外構・附属施設								
	①外構	平面駐車場、車路・歩道等の舗装、排水溝、擁壁等	補修、取替						
	②附属施設	自転車置場、ゴミ集積所、植樹	取替、整備						
	18　調査・診断、設計、工事監理等費用								
	③点検・調査・診断、設計等	計画修繕工事の実施に向けた点検・調査・診断							
	④設計等	計画修繕工事の設計等							
	⑤工事監理	計画修繕工事の工事監理							
	⑥臨時点検（被災時）	建物、設備、外構							
	19　長期修繕計画作成費用								
	①見直し	見直しに向けた点検・調査・診断、長期修繕計画の見直し							
諸経費	現場管理費								
	一般管理費								
	法定福利費								
	大規模修繕瑕疵保険の保険料(注)								

（注）「長期修繕計画作成ガイドライン」33ページに示すとおり、年度ごとに計上する工事費に現場管理費・一般管理費・法定福利費、大規模修繕瑕疵保険の保険料等の諸経費および消費税等相当額を別途見込んで修繕積立金額を検討することが重要です。

（様式第５号）修繕積立金の額の設定

A欄：様式第４―１号（総括表）の支出欄【推定修繕工事費年度合計】の計画期間の合計額を転記します。

D欄：様式第４―１号（総括表）の収入欄【計画期間当初の修繕積立金会計の残高】（修繕積立金基金を含む）の計画初年度の金額を記入します。

F欄：計画期間中に修繕積立金の運用益がある場合は、様式第４―１号（総括表）の収入欄【修繕積立金の運用益】の計画期間の合計額を記入します。

J欄：様式第３―１号（長期修繕計画の作成・修繕積立金の額の設定の考え方）（３）計画期間の設定で記載した期間を転記します。段階増額積立方式の場合、設定期間ごとに年数を記載します。

Q欄：修繕積立金の額の平均（戸当たり月当たり）を記載します。

【均等積立方式・段階増額積立方式兼用】

	項　目	摘　要
A	計画期間の 推定修繕工事費の累計額（円）	757,873,078
B	計画期間の借入金の償還金 （元本・利息）	0
C	支出　累計 （C＝A＋B）	757,873,078
D	修繕積立金の残高 （＋修繕積立基金の総額）	200,000,000
E	計画期間の専用使用料、駐車場等の使用料、管理費会計からの繰入金	29,130,000
F	計画期間の修繕積立金の運用益	0
G	計画期間に予定する一時金の合計額	0
H	収入　累計 （H＝D＋E＋F＋G）	229,130,000
I	＋	528,743,078

※使用料収入等からの繰入金は、「前会計年度における使用料収入等の総額（実績）」×計画期間（年）を上限とする

	項目	設定期間Ⅰ	設定期間Ⅱ	設定期間Ⅲ
J	設定期間（年）	6	7	
J′	設定期間の修繕積立金の総額	59,040,000	103,320,000	157,440,(
K	月当たりの負担額 （J′／（J×12））	820,000	1,230,000	1,640,(
L	戸当たりの負担割合	管理規約による	管理規約による	管理規約による
M	修繕積立金の額（M＝K×L） （戸当たり月当たり）	表　住戸タイプ別修繕積立金の額	表　住戸タイプ別修繕積立金の額	表　住戸タイプ修繕積立金の額
N	専有面積の合計（m²）	5,500	5,500	5,5
O	修繕積立金の額（O＝K／N） （m²当たり月当たり）	149	224	2
P	住戸数（戸）	82	82	
Q	修繕積立金の額（Q＝K／P） 平均（戸当たり月当たり）	10,000	15,000	20,(

表　住戸タイプ別修繕積立金の額（設定期間Ⅰ）

住戸タイプ	L　負担割合	M　修繕積立金の額（円／月・戸）
	（L1）	（M＝K×L1）
Aタイプ	0.0100	
Bタイプ	0.0125	
Cタイプ	＿＿＿	11,480

表　住戸タイプ別修繕積立金の額（設定期間Ⅱ）

住戸タイプ	L　負担割合	M　修繕積立金の額（円／月・戸）
	（L1）	（M＝K×L1）
Aタイプ		
Bタイプ		
Cタイプ	0.0140	17,220

表　住戸タイプ別修繕積立金の額（設定期間Ⅲ）

住戸タイプ	L　負担割合	M　修繕積立金の額（円／月・戸）
	（L1）	（M＝K×L1）
Aタイプ		
Bタイプ		
Cタイプ	0.0140	22,9

作成日／　　年○月○○日
集会（管理組合総会）で議決された日／　　年○月○○日

B欄：既存の場合で借入金がある場合は記入が必要です。
様式第4—1号（総括表）の支出欄【借入金の償還金年度合計】の計画期間の合計を記入します。

E欄：専用使用料、駐車場等の使用料を修繕積立金会計に繰り入れている場合は、様式第4—1号（総括表）の収入欄【専用使用料等からの繰入額年度合計】の計画期間の合計額を転記します。

G欄：計画期間中に一時金の予定がある場合は、計画期間に予定する一時金の合計額を記入します。

L欄・M欄：住戸タイプで異なる場合は、「表　住戸タイプ別修繕積立金の額」に記載します。

①	計画期間当初における修繕積立金の残高（円／m²・月）	101
②	計画期間全体における専用使用料収入等からの繰入額の総額（円／m²・月）	15

均等積立方式の場合は使用しない

J	設定期間Ⅳ（年）	9
J′	設定期間Ⅳの修繕積立金の総額	221,400,000
K	月当たりの負担額（J′／（J×12））	2,050,000
L	戸当たりの負担割合	管理規約による
M	修繕積立金の額（M＝K×L）（戸当たり月当たり）	表　住戸タイプ別修繕積立金の額

期間合計			
J	期間（年）	30	
J′	設定期間全体の修繕積立金の総額	541,200,000	J′≧I OK
K	月当たりの負担額（J′／（J×12））	1,503,333	

N	専有面積の合計（m²）	5,500
O	修繕積立金の額（O＝K／N）（m²当たり月当たり）	373
P	住戸数（戸）	82
Q	修繕積立金の額（Q＝K／P）平均（戸当たり月当たり）	25,000

N	専有面積の合計（m²）	5,500
O	修繕積立金の額（O＝K／N）（m²当たり月当たり）	273
P	住戸数（戸）	82
Q	修繕積立金の額（Q＝K／P）平均（戸当たり月当たり）	18,333

表　住戸タイプ別修繕積立金の額

住戸タイプ	L　負担割合	M　修繕積立金の額（円／月・戸）
	（L1）	（M＝K×L1）
Aタイプ		
Bタイプ		
Cタイプ	0.0140	28,700

③	計画期間全体における修繕費積立金の平均額（機械式駐車場分を含む）（③＝①＋②＋O）※残高・基金、その他会計からの振替等含む（m²当たり月当たり）	389	①＋②＋O

③欄に、計画期間全体における修繕積立金の平均額（機械式駐車場分を含む）が表示されます。

第2章 建物及びこれに附随する設備の大規模修繕関係

第1節 大規模修繕工事における役割

1 大規模修繕工事における役割

長期修繕計画はもとより、マンションの計画修繕工事の計画から実施までに、管理組合は、マンション管理会社・設計事務所・施工会社などの様々な関係者とかかわりをもつことになる。小規模な工事では、マンション管理会社や施工会社に任せるケースが多いが、大規模修繕工事などの場合には、そのかかわり方は複雑になる。

大規模修繕工事の場合、管理組合としては初期準備の段階で、どのような劣化が生じていて何をしなければならないかがわからないため、マンション管理会社や施工会社に最初から最後まですべてを任せる場合もあるが、表１の国土交通省実施の「マンション総合調査（平成30年度）」の結果では、大規模修繕工事を実施した1,150組合のうち、事前の建物診断を実施した管理組合は、1,037組合に上っている。

特に、初期準備期、基本計画策定期の調査診断などでは、マンション管理会社が委託契約の中に含む場合や施工会社がサービスで行っているケースもみられるが、組合内の合意形成を得るためには客観的な判断材料が必要なことがうかがえる。

表１　建物診断の実施方法

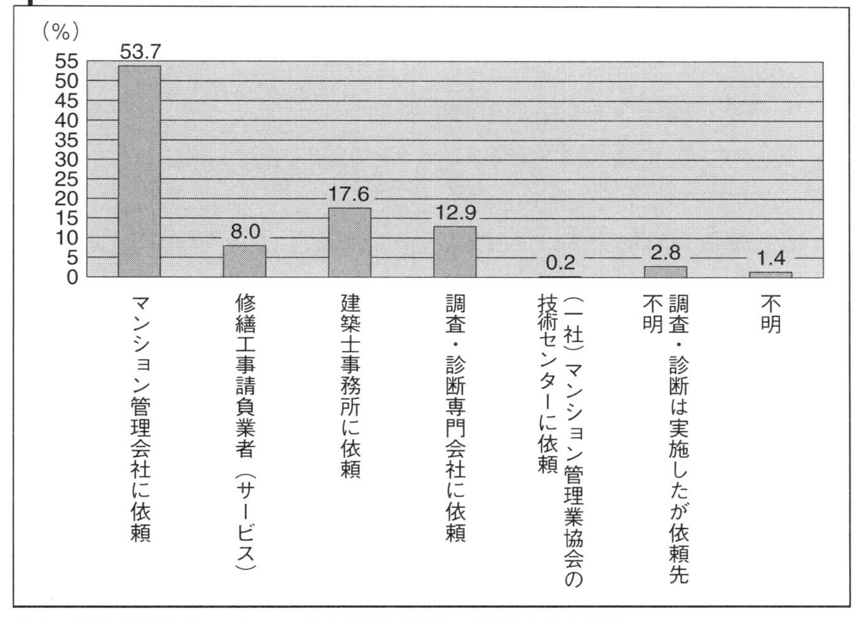

出典：国土交通省「マンション総合調査（平成30年度）」より作図

(1) マンション管理会社の役割

マンション管理会社は、管理組合から業務を受託して日常管理業務を担っているため、日頃より建物・設備に関わる立場から、大規模修繕工事の時期には、マンション管理会社として直接の工事及び工事監理業務を請け負う場合もあり、前述の「マンション総合調査」にもあるように、マンション管理会社が事前の調査診断を行ったという回答が、調査・診断を実施したマンションの53.7%に上っている。マンション標準管理委託契約書においては、建物・設備の調査診断や修繕設計・監理業務は委託契約範囲外として別途契約とすることが望ましいとされているが、先のデータからもそのノウハウを持つことが管理会社に求められているといえる。しかし、受託管理組合数が少ないマンション管理会社では、そのような部署や人員を配置することが難しい場合もある。その場合であっても全体的なコーディネーターとしての役割や、以下のような補助的な役割はあると考えられる。

・日常点検や法定点検の記録や居住者の意見・要望などを工事に反映させ

る。

・工事の実施により、日常管理業務に影響のある管理仕様や受託金額変更の確認をする。

・居住者が生活を営むなかでの作業であることを認識し、工事計画の生活環境への影響、ゴミの収集、ライフラインの停止、防犯対策、などの確認をする。

大規模修繕工事は居住者が生活するなかで行うという特性のため、将来にわたって管理業務を受託するマンション管理会社に対して、専門知識を持った管理組合の良きパートナーとなることが求められている。

（2）調査診断・設計・監理者の役割

計画修繕工事の工事監理業務については、まだ確立された概念はないが、業務項目を分類すると下記のようになる。

※詳細は次節「2．調査診断、修繕設計と工事監理」参照。

・**調査診断**：建築物の現在の状態を定性的・定量的に測定・把握し、その程度を評価・判断すること。

・**基本設計**：修繕の基本的な構想を設計図書類（修繕仕様書案や概算工事金額書など）にまとめたもの。

・**実施設計**：基本設計をより細部まで検討し、管理組合の意向を反映させた見積り及び修繕が施工できるよう詳細に設計図書類にまとめたもの。

・**工事監理**：実施設計どおり修繕が行われているかを確認し、発注者に代わり施工会社に対する指示・承認などをすること。

これら以外にも調査診断・工事監理業務の中には、施工会社選定補助、総会・工事請負契約の立会い、工事説明会の補助、中間・竣工検査立会いなどが含まれる場合がある。

こうした業務は、居住者の日常生活に影響を少なくする配慮が必要であり、単に技術的専門性だけでなく、豊かな経験に裏打ちされた指導力・折衝力・判断力などが求められる。

(3) 施工会社の役割

施工会社の役割は、発注者である管理組合の要求性能に対し、適正な対価で適正な工事を請け、実施することにある。調査診断や設計、施工までを施工会社が一括して管理組合から直接請け負う場合は、マンション修繕工事の特性をよく理解していることが重要であり、更には、組合折衝、区分所有法、管理規約などの知識も必要となる。

マンションの修繕工事を請け負う会社としては、マンション管理会社系、ゼネコン（総合建設会社）系、専門工事会社（塗装・防水・改修専業など）系などがある。

これらの中からマンション管理組合が選定を行うことになるわけだが、その選定方式も、(ア)見積合わせ方式　(イ)特命随意契約方式　(ウ)競争入札方式などがある。一般的に、(ア)の方式が多くとられており、施工会社へのヒアリングにより最終決定をするケースが多い。

(ア)　見積合わせ方式

複数の施工会社を選定し、見積金額だけではなく、その他の要素を多角的に検討し、総合的に最も適当と考えられる会社を選定する方法。

(イ)　特命随意契約（指名発注）方式

特定の１社から見積りをとり、その内容について検討、協議のうえ契約する方式。

そのマンションを建てた元施工のゼネコンや日常の管理をしているマンション管理会社の施工部門など、信頼関係が構築されているケースに多くみられる。

(ウ)　競争入札方式

複数の施工会社を選定し、指定した仕様、数量からなる見積金額のみで決定する方式。

※参考　CM 方式

マンションの大規模修繕工事の発注・管理システムとして、CM（Construction Management）方式という考え方がある。

①　概要

CM 方式とは、1960年代に米国で始まった建設工事などのプロジェクトの実施で用いられる建設生産・管理システムである。発注者を技術的な側面から支援し、コスト構成の透明化・専門工事会社選定等の発注プロセスの透明化などを実現させるものである。コスト構成の透明化は、オープンブック方式*を用いた支払いにより実現される。設計者や施工者とは別に、発注者の支援を担う主体としてのCMR（コンストラクション・マネジャー）が、契約に基づき当該プロジェクトに参画する。このCMRにとって発注者の利益を守ることは最大の任務であり、CMRには発注プロセスの透明化の推進に際し、高い倫理性が要求される。

国土交通省は2000（平成12）年に「CM方式研究会」を設置し、2002（平成14）年にCM方式の活用での基本的な指針としての「CM方式活用ガイドライン」を公開した。公開にあたっては米国のCM方式を、制度・文化・慣習等の異なる我が国にそのまま導入することは困難と考え、米国のCM方式を参考に日本型のCM方式として検討した。「CM方式活用ガイドライン」では、CM方式をピュアCM方式とアットリスクCM方式に分け、それぞれの概要を示している。

＊　オープンブック方式とは、工事費用を施工者に支払う過程において支払金額とその対価の公正さを明らかにするため、施工者が発注者にすべてのコストに関する情報を開示し、発注者（管理組合）又は第三者が監査を行う方式のことをいう。オープンブック方式では、㋐CMRと施工者との契約金額が明らかにされること、㋑施工者の領収書が添付され、出来高払いによる実際の支払代金が毎月又は四半期ごとに明らかになること、㋒共通仮設費、現場管理費、一般管理費などについてもが実費精算がなされ、労務費、材料費、外注費などのすべてのコストが発注者に明らかになること、㋓必要な場合は発注者が第三者にオープンブックの監査を依頼すること、などによってコスト構成の透明化が確保される。

②　ピュアCM方式

従来の工事の一括発注方式（一式請負方式）において設計者、発注者（管理組合）、施工者がそれぞれに担っていた設計、発注、施工に関連する各種のマネジメント業務を発注者側で実施することとしており、CMRは発注者と「CM業務委託契約（マネジメント業務契約）」を締結し、技術的な中立性を保ち、発注者の補助者・代行者としてマネジメント業務の全部又は一部を行うサービス（CMサービス）を提供し、その対価を得るものである。

この場合、施工については発注者がCMRのアドバイスを踏まえ工事種別ごとに分離発注等を行い、発注者が施工者と別途「工事請負契約」を締結する。なお、発注では、(ア)専門工事会社に分離発注するケースだけではなく、(イ)複数工種を分離発注し、残りの工種を総合建設会社に一式発注するケース、(ウ)総合建設会社に一式発注するケースなども行われている。

単にCM方式と称した場合、この「ピュアCM方式」を指すことが多い。

③　アットリスクCM方式

ピュアCMでは、施工に伴う最終的なリスク（施工を分離することなどに伴う全体工事の完成に関するリスク）について発注者（管理組合）が負うため、発注者が支出する工事費がその分増加する可能性がある。米国では発注者が支出する工事費を低減するために、CMRにマネジメント業務に加え工事費の最大保証金額（GMP：Guaranteed Maximum Price）を提示させて施工に関するリスクを負わせる場合があり、このようなCM方式を「アットリスクCM」と呼ぶ。

CMRが発注者が負うリスクの軽減を図るためアットリスク契約を交わし、さらに一連の建設工事の完成まで請け負うとき、建設業の許可が必要な場合がある（建設業法3条）。CMRは管理組合に代わって専門工事会社と直接に工事請負契約を締結することにより、マネジメント業務の担い手というCMRの本質的な性格を越えて工事請負人的な性格を帯びる。なお、アットリスクCM方式においても、マネジメント業務の内容そのものについては、基本的にはピュアCM方式と同じである。

工事の一括発注方式（一式請負方式）の場合、総合建設会社は協力会社となる専門工事会社との契約などに対して自由な裁量権を持っており、一般的にその内容を発注者に見せることはなく、またその指示を受けることもない。これに対し米国ではアットリスクCM方式の場合、CMRが施工者、資材会社と交わす契約などについて発注者の事前の同意を得ることが必要とされ、これによりこれら協力会社の選任についての発注者の裁量権が確保されるとともに契約金額が自ずと明らかにされる。オープンブック方式の採用により協力会社への支払（予定）額、その他の経費などコストの内訳が明らかになる。

総合建設会社の中には、協力関係（継続的な安全教育や技術研究会等）にない専門工事会社を指定された場合や、単にコストを下げることだけを目的としたときは、この方式の特色が生かしきれないおそれもある。よって、一つの方式として紹介するにとどめる。

2 調査診断、修繕設計と工事監理

(1) 調査診断

調査診断の目的は、対象建築物（躯体・仕上げ・設備）の現状の状態を定性的・定量的に測定・把握し、その劣化の程度を評価・判断し、将来への影響を予知することにより必要な対策を立案することにある。管理組合が調査診断を必要とする理由としては、以下の項目が挙げられる。

・自分たちのマンションが、どういう特性を持つ建物なのか

・どのような傷み方をしているのか

・放置しておくと、どういう弊害があるのか

・いつ頃、どういう方法で直したらよいのか

・直すためには、いくらくらいかかるのか

多くの管理組合の場合、こうした修繕に詳しい専門家がいることも少なく、また、いたとしても１居住者の発言だけでは、なかなか修繕実施の合意を得るということは難しい。

管理組合としては、修繕を実施するうえで区分所有者を納得させられるような客観的な資料を求めているのである。

この調査診断を実施する際の基本的な流れは、平成14年に国土交通省が取りまとめた総合技術開発プロジェクト、いわゆるマンション総プロの中の「既存マンション躯体の劣化度調査・診断技術マニュアル」にそのフローが示されている（図１）。

表２　各診断の定義

(a)　１次診断

設計図書・ヒアリング等による概要調査、外観目視検査による不具合・劣化状況等の確認をし、以降のさらに詳しい調査診断が必要かどうか判断する。劣化の状況により応急処置の判断を下す場合や、１次診断から３次診断に直接進む場合もある。

(b)　2次診断

1次診断の結果を受け、仕上げ材の撤去や小規模な破壊を伴う微破壊検査、配管の非破壊検査等により各劣化状況の要因を調査し、これに基づいた所見を行う。主として専門技術者が実施する。

(c)　3次診断

1次又は2次診断の結果を受けて行う、より高度で詳細な調査・診断。コンクリートのはつり・コア採取や配管の抜取りなどの破壊検査を伴う場合もあり、特に必要な場合に実施する。

(d)　総合診断

総合診断とは、建物全体の劣化状況を把握し、診断の目的に応じた評価を行うことにある。各劣化診断の調査結果と建物の初期性能の把握により、劣化の状況（現状）と劣化の進行（速度）を予測し、建物全体を劣化の要因や補修・改修の容易さなどを考慮して、安全性・機能性・美観などの観点から総合的に評価する。

しかし、マンション管理組合の場合は、予算上、後から追加費用が発生するような診断体系はできるだけ避けることが必要である。建物の特性や管理組合の要求事項にもよるが、１次診断から３次診断までの段階的な診断項目（表２）の中から、ある程度標準診断項目を選定し、診断レベルによる移行をできるだけ少なくするやり方も行われている。

（２）修繕設計と工事監理

調査診断の結果から、大規模修繕の実施が必要と判断された場合、管理組合の合意形成を得るためには、修繕の必要な部位の項目、仕様、数量、単価などの適正な情報を提供する必要がある。

この調査診断を依頼する場合には、受託する会社により調査診断報告書と併せて修繕仕様書案と概算工事金額書（修繕基本設計案）を作成し提出する場合と、修繕設計業務を別契約としている場合がある。また工事金額書の中身についても、詳細な面積数量積算を基に作成されたものと、概算数量で作成されたものなどまちまちなので、算出数量の根拠がどのレベルのものかを明確にしておく必要がある。

調査診断の結果から作成した仕様書や工事金額書等を「基本設計」とし、その基本計画を基に管理組合とディスカッションを行い、組合側の要望などを付加・修正したものを「実施設計」と位置付けている。

図1　診断のフロー

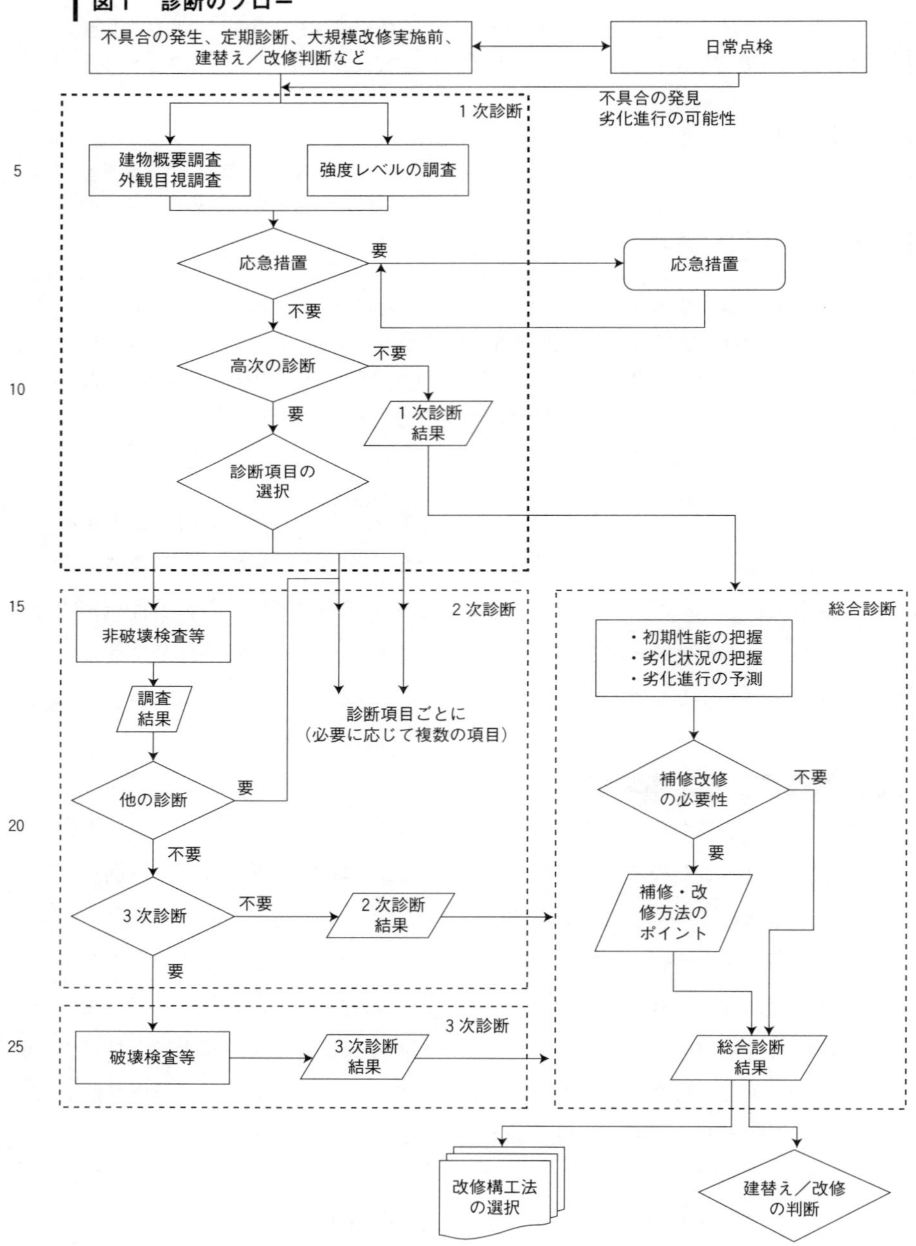

出典：国土交通省「既存マンション躯体の劣化度調査・診断技術マニュアル」

こうして作成する工事仕様書・工事金額書（数量書を含む。）などは、共通仕様・共通数量として複数の施工会社から見積書を提出させて、客観的に比較検討する場合に利用できるので、管理組合に対する情報としては非常に有効となる。

① 施工会社選定

⑺ 工事見積書関連業務

実施設計に基づき、設計図・仕様書・数量内訳書などの設計図書を整え、工事見積条件を明確にした見積要領書又は条件書を作成する。

⑴ 見積参加会社の選定補助

管理組合が行う見積参加会社の選定について、参加候補会社の会社概要資料の作成及び助言などをする。

⑼ 現場説明

見積参加会社（施工会社）が同一条件で見積りできるように、修繕設計図書を含めた見積要領書を交付し、仕様内容、工事範囲、工事項目、見積範囲、現場状況などの現場説明を行う。

㈀ 工事見積書の検討

見積参加会社から提出された見積書について、見積金額、使用予定材料、採用予定工法などを比較検討し、その資料を管理組合に提出する。

㈴ 施工会社の決定

管理組合が工事請負会社を決定するために必要な各種資料の収集、助言などを行う。施工会社の決定及びその旨の連絡は、原則として管理組合が行う。

② 工事監理

⑺ 工事請負契約の締結

施工会社から提出された工事請負契約書の内容を精査し、管理組合と施工会社との協議についての助言を行う。

⑴ 居住者への工事説明会

施工会社が、工事についての説明会を開催する場合が多い。工事監理者は、施工会社とともに、具体的な工事内容の説明、工事中の注意事項、質疑応答などについて対応する。

(ウ) 設計意図の伝達等

設計意図を施工会社に正確に伝えるために、施工会社と打合せをし、必要に応じて、説明図・詳細図などを交付し指導する。

施工会社が作成すべき施工計画書、施工要領書、施工図などの内容、範囲、方法を設計図書に照らして検討・指示する。

(エ) 施工中の工事監理

㋐ 施工会社の提出する施工計画書及び工程表を検討し、確認する。

㋑ 施工について確認・指示し、工事材料などについても確認・検査をする。

㋒ 工事の内容が修繕設計図書・仕様書・詳細図・施工図などの請負契約に合致していることを確認する。

㋓ 修繕設計図書に指定された工事材料・仕上げ見本・施工の検査、確認を行う。また、適時、工事現場を巡回し、工事計画・工程の検討を行い、施工会社に指導・助言する。

㋔ 工事の内容・工期又は請負代金などに変更の必要が発生した場合、技術的に審査し、承諾する。これらの変更事項については、管理組合の承認を受ける。

㋕ 工事進捗状況の立会い・確認を行うとともに、中間金の支払がある場合などは中間出来高の審査を行う。

㋖ 中間検査・竣工検査を行い、工事の契約事項が遂行されたことを確認する。

㋗ 管理組合への引渡しに立ち会う。

(オ) 竣工図書の引渡し

工事監理者は、施工会社が作成する工事記録・工事完了届・保証書などの各種書類を確認し、工事監理報告書とともに、管理組合に提出し承認を受ける。

3 大規模修繕工事の計画から実施までのプロセスと関係者の役割の例

初期準備期から工事竣工後までの、一般的な設計・監理者、管理組合、マンション管理会社、施工会社の関わりの一例を次のフロー図に示す。

（1）初期準備、修繕基本計画策定

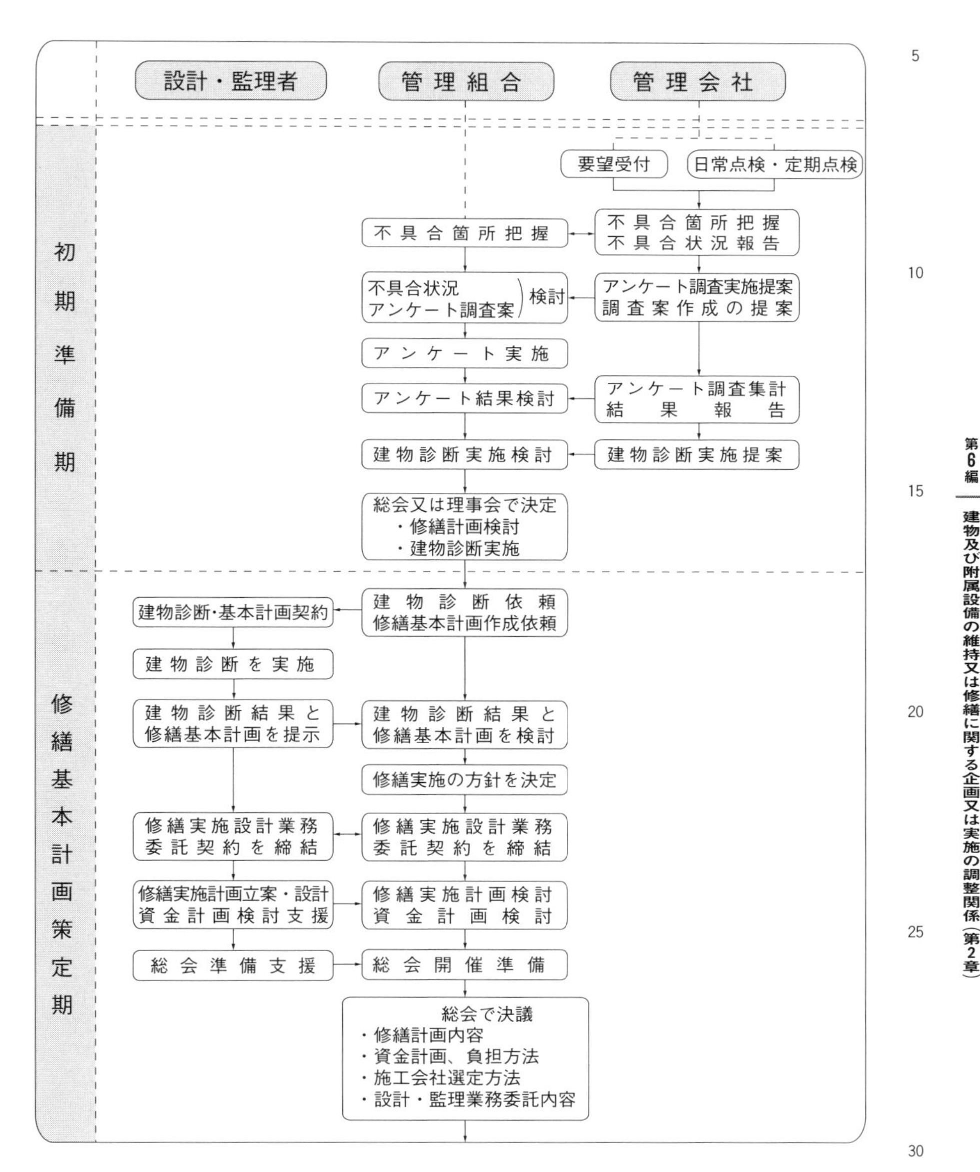

（2）施工会社選定、工事実施

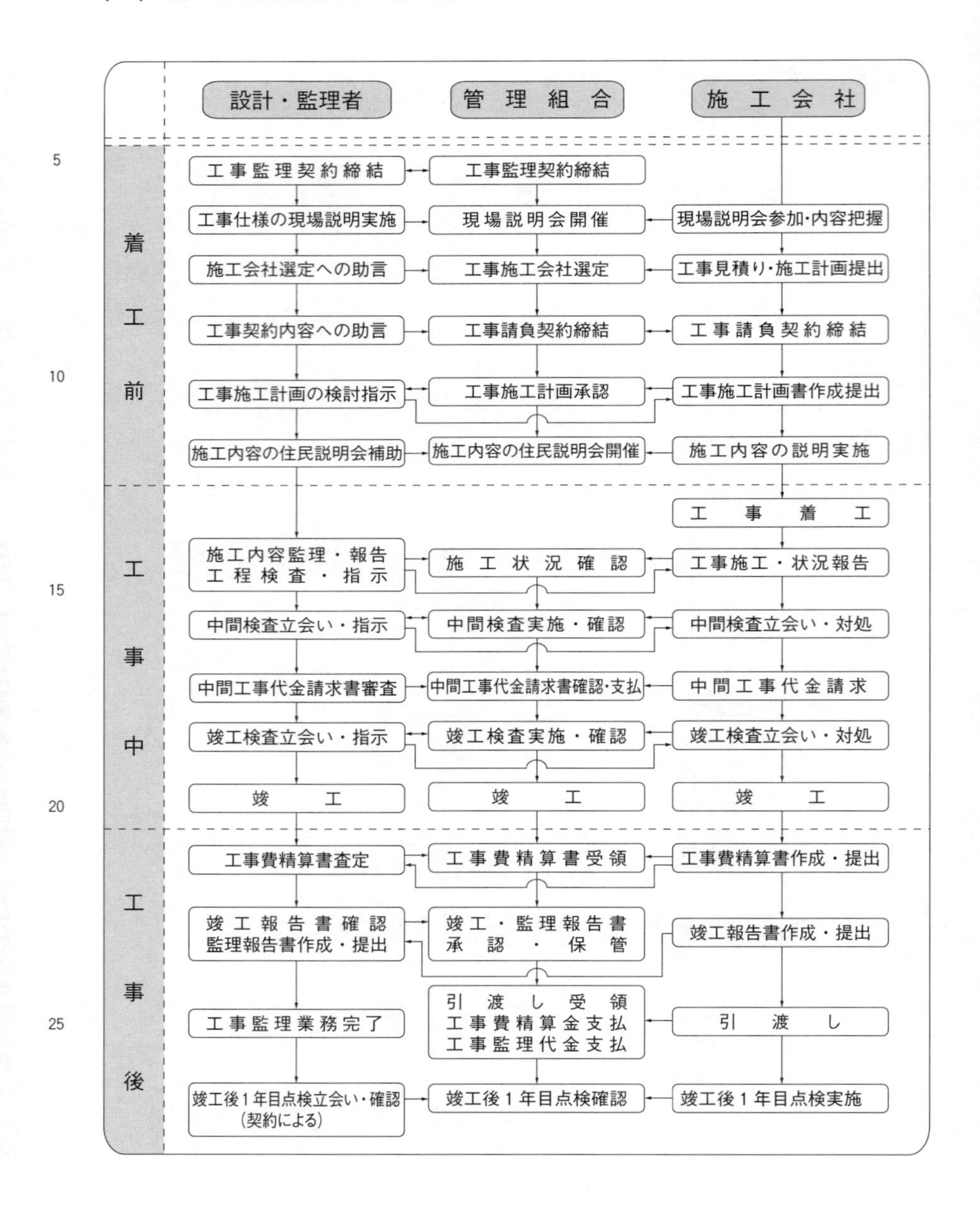

5
10
15
20
25
30

第2節 大規模修繕工事の実施

1 着工前の打合せ

（1）工事説明会

工事の着工前には、施工会社からの居住者に対する説明会を着工の２～３週間前までに開催する。説明会の主な内容は、まず施工会社からは工事施工中における安全管理面からの注意事項、工事の工程、あるいは工事中に発生が予想される種々のトラブルに際しての住民との連絡方法などについての理解と協力を求める内容を説明し、参加居住者からは、生活上の支障を伴うような事項や費用発生を伴う事項についての様々な疑問点を質疑応答する形となる。具体的に説明されることにより、工事が比較的スムーズになる内容項目をまとめると、表１のようになる。

表１　工事説明会のポイント

各種オプション工事	工事中の制限と広報
①　エアコン室外機の移設	①　臭気、騒音の発生認識
②　重量設置物（物置など）の撤去	②　駐車・駐輪場の使用上の注意、制限
③　共用部分の改造物の復元	③　洗濯物の制限
④　バルコニー床の人工芝などの撤去	④　作業時間及び休日の内容
⑤　網戸の取り外し	⑤　工程表の見方（全体及び月間、週間）
⑥　植木、植栽の撤去	⑥　緊急連絡網と連絡方法
	⑦　チラシ配布の計画
	⑧　住民連絡票の内容と利用法

この中で居住者が認知していないケースが多いのが、バルコニーが共用部分であり、エアコン室外機の移動費用、植木鉢などの移動、人工芝の撤去などの費用が原則個人負担（区分所有者の合意があれば組合負担とすることもできるが、ある住戸、ない住戸があると不公平感が生じることになる。）となることである。特にバルコニーに設置した物置などは、バルコニーが避難通路となっているケースが多く、工事の際に撤去すれば用法違反のため復旧することは認められない（管理規約や消防法上の確認が必要。）。各戸でバルコニーに設置した、BS・CS アンテナ類も同様で、規約等で認めていない限り、撤去すれば復旧ができなくなる。また、大がかりな庭園をバルコニーに造作したり、ルーフ

バルコニーにサンルームを設置していた例などもある。管理規約に基づき撤去してもらわなければならないが、撤去することに対して、その区分所有者と管理組合で裁判になった事例もある。その際、根拠となる管理組合の管理規約の整備などもこの機会に検討しておきたい。

（2）駐車場の確保

外壁に足場を架ける際に、建物に近接した駐車場などがあると移動を考えなければならないことがある（図１）。

図１　外壁工事の足場

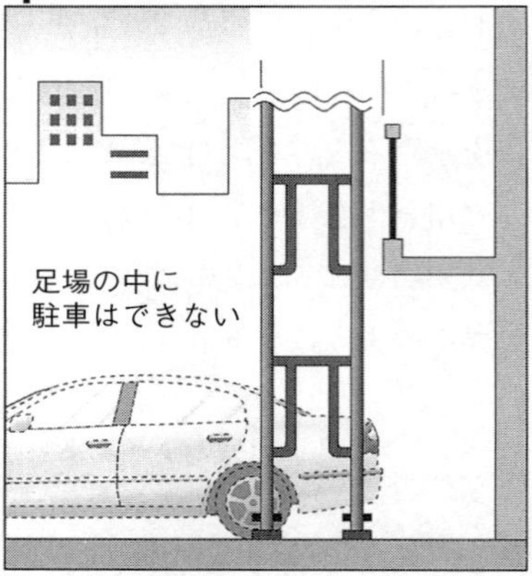

敷地内に移動する場所があればよいが、ない場合は近隣の駐車場を短期で借りることも必要となる。費用については、見積時に条件として含むか、工事費用と別途に予算化しておく必要がある。

また、工事車両用の駐車場も敷地内に確保できる場合と外部に借りる場合では、見積費用に関わる事項となるので施工会社と工事契約前に詰めておく必要がある。

（3）管理委託契約の調整

工事期間中は委託契約にある清掃ができないこと等、委託契約に関連のある事項の対応について協議する。

（4）行政との確認

計画段階から関与することがマンション管理会社としては望ましいが、管理組合と施工会社で計画を進めている場合などは、不備のないよう助言することが必要である。

その例としては次のようなものがある。

・管理組合総会の手続
・火災時における消防隊進入路の確保
・避難経路の確保

・ゴミ収集車などの進入・退路確保
・修繕・改修などによる法的届出事項の確認
・工事代金の支払計画（借入れ、一時金、各戸オプション工事費の徴収方法など）
・行政、公共団体の助成制度の確認

2 建築工事

（1）仮設工事

仮設工事とは、工事を行ううえで必要に応じて設置されるもので、足場など工事に直接必要なものを直接仮設、仮設事務所などの工事を円滑に進めるのに必要なものを共通仮設と称している（写真１）。

外部足場としては、枠組足場、くさび型足場、単管（抱、ブラケット）足場、ゴンドラ足場などがマンションの外装工事で使われる。

枠組・くさび型足場や単管足場は、作業や各工程ごとの検査なども工区ごとに実施することができ、作業効率がよいという利点があるが、養生のためのメッシュシートなどが張られることによって、工事期間中は、居住者に対する日常の通風や採光といった面での負担をかけることがデメリットといえる。それに対して、ゴンドラ足場は、日常の通風や採光は枠組足場に比べ確保できるが、上下方向の作業動線になるため、作業や検査といった面で枠組足場と比較すると効率が落ちる。

また、単管足場は、隣接建物が近く枠組足場が入らないような場所やセットバック部、又は小規模な工事対象物に用いられる。

足場に掛けるメッシュシートも、最近では採光性がよいものも出ているので、美観を含めて最良のものを使用してもらうような取決めを見積時にしておく。

また、足場が架設されることで防犯上の問題点が出てくる。バルコニーなどは、窓の錠を掛けない人も多いが、この工事期間中は、足場より不審者が侵入する恐れもあるため、施錠を居住者に徹底してもらう。施工会社によっては防犯センサーを設置したり、補助錠の貸出しを無償で行っているところもある（写真２、３）。

写真１　足場仮設状況

写真２　防犯センサーライト

写真３　補助錠

その他、仮設事務所（写真４）、仮設トイレ、資材置場・倉庫、作業員詰め所、工事廃棄物置場、工事車両駐車場、工事用掲示板の設置（写真５）などのスペースを確保できるようにする。一部の居住者に不快感を与えないような配置が必要である。

写真４　仮設事務所

できるだけベランダ側には設置しない。また、住居棟側に窓がこないようにする。

写真５　工事用掲示板

居住者が毎日見やすい動線を考慮して設置し、連絡事項などを掲示する。左下は連絡ポストで工事関係の連絡は、ここへ投函してもらう。掲示がたくさんになると何を見てよいかわからなくなるため、できるだけコンパクトにまとめてもらう。

（２）下地（タイル）補修工事

足場が組まれると、次の工程としてひび割れなどの下地補修工事が始まる。下地補修工事は、着工前の足場のない状態ではすべての補修数量を確定することが困難なため、推定数量で契約しておき、工事施工後にその実数を精算する実数精算項目とする場合が多く、どんな補修をどの程度実際に施すのかを確認しなければならない。そのため補修箇所のマーキングを行い、図面化・数量化して管理組合の承認を得て確定することになる（写真６）。規模の大きなマンションではブロックごとに進められていくため、すべてのマーキングが終了してからの確定、承認をすることが工事の工程的には難しく、ブロックごとに承認していかなければならない場合も多い。

また、この実数精算方式の場合、調査診断時の想定の予算から大きく乖離するケースもあるので注意が必要である。

写真6　下地補修工事のマーキング

躯体の寿命に影響がなく、塗装材料によって隠蔽できるような軽微なひび割れは、マーキングしない場合もある。

タイル張り外壁などは、ひび割れ、欠損箇所などのタイルを補修しなければならない。新築時のタイルを補修用として保存してあるマンションもあるが、補修枚数が多ければ、既存タイルに合わせて注文することになる。経年で焼けているタイルと同じ色に合わせることは難しいため、製作期間を考慮し、最も色の近い種類の注文品で承認しなければならない場合もある。

（3）塗装工事

①　壁面塗装工事

塗装工事は養生が重要である。養生とは、塗装工事において塗装箇所以外に塗料が付着することを防止するためにビニールを用いて、保護することである（写真7）。改修工事における検査の指摘事項で一番多いものが塗装の汚れ・見切り（塗る部分と塗らない部分の区分）の不具合が多い。養生が行われると、エアコン室外機もビニールで覆われるために使用できなかったり、窓の開閉ができなくなることもある。よって、工程的にバルコニー側と廊下側を同時に工事を行うことはできるだけ避ける必要がある。

また、最近では、臭いのきつくない環境対応型の塗料（水性塗料）が主流となってきているが、こうした材料の臭いや化学物質にも敏感な居住者や近隣の方がいる場合があるので、工事説明会などで十分に説明し、理解を求めることが必要となる。

写真７　バルコニーの養生

塗装部分以外はすべてビニール養生される。下塗り・中塗り・上塗りと作業が続くので、約１週間ぐらいはこのままの状態となる。

②　鉄部塗装工事

鉄部塗装工事は、一般的にケレン処理、錆止め塗装、上塗り（２回）の工程で行われる。特に既存鉄部に錆が発生している場合は、このケレン処理が重要となる。

（４）防水工事

バルコニーの防水工事では、エアコンの室外機を原則、個人負担で移動するが、最近は室外機を撤去せずに、脚の先が針状になった架台に乗せて防水工事を行う施工会社もある（写真８）。ただし、室外機につながっている冷媒管の長さに余裕がある場合でないと、一時撤去が必要となる。

写真８　室外機の仮設架台

写真のような冷媒管の長さに余裕が必要（長尺塩ビシートで床を仕上げる場合は、室外機の撤去又は一時的に上げて施工する）

バルコニー防水施工後によくあるトラブル

既存の床面で勾配が取れていないところに水溜まりができていた場合、できる範囲で勾配調整を行い防水工事を施したとしても、躯体自体のたわみなどにより完全に水溜まりをなくすことは難しい。特に排水溝においては注意が必要である。

バルコニー防水を行う場合は、あらかじめこうした問題点への理解を求めておく必要がある。

（5）工事情報

屋上・屋根などの防水工事は、居住者への影響は少ないが、バルコニーや廊下・階段の防水工事は塗装工事なども含めて、いつ自分の部屋の周辺の作業が行われるのかが、居住者にとって一番関心のあることである。

工事全体の工程表では、１つの工事の始まりと終わりを示すだけで、その中でいつ自分の部屋の工事が行われるかがわかりにくい。そのため、マンションの改修工事では図２のように、ある程度の工区に分け、自分の住戸周りの工事がいつ頃になりそうかということがわかるような資料作成を施工会社に依頼しておく。

外壁等工事では、居住者に協力を求める事項として、主にバルコニーの片付けや洗濯物などの共用部分に関することが多いが、設備工事では、生活するうえでのライフラインに影響を与えるため、施工会社、管理組合、居住者三者のより緊密な連携と理解が不可欠といえる。

図2　工事情報

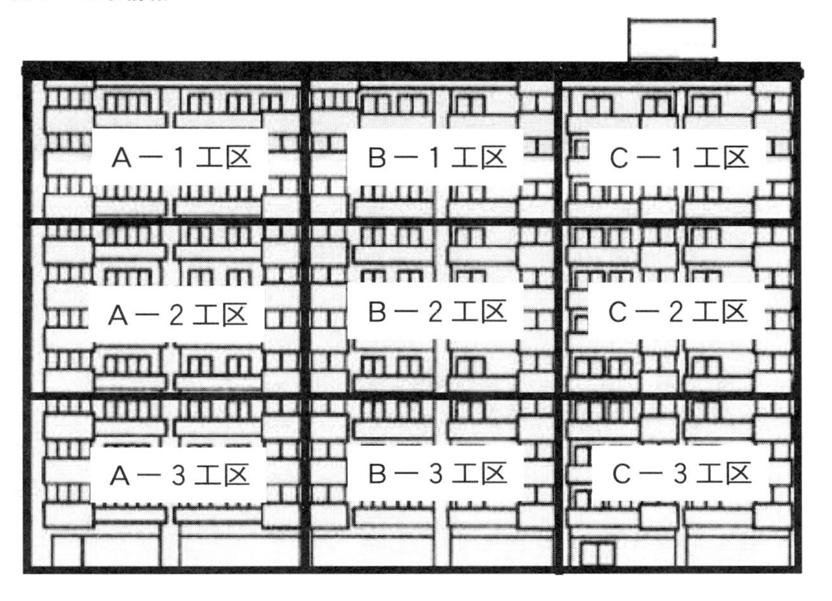

3 設備工事

設備工事では、断水・停電など日常生活に影響を及ぼすものが多い。特に給排水設備工事では、その系統すべてが使えなくなるケースも出てくる。

給水管の改修では、バルブを閉めることでブロックごとに工事が可能な場合があるが、排水管の更新工事などでは、縦系統の配管はすべて上層階から下層階まで直結しているため、居住者が水を流してしまうと、予期せぬ排水が施工箇所で起こる。よって、排水管の工事では原則として断水しての工事となる。

（1）給水配管工事のポイント

給水配管の工事の際には、仮設給水が行われる（写真9）。更新工事で、既設配管をそのままにして新設配管を敷設した後に切り替える場合は、短時間の断水で済むが、既設配管を新設配管に取り替える場合や更生工事は、数日間にわたる場合がある。特に専有部分内の更生工事には、研磨・ライニング・乾燥の工程があり、一般的に3日間は、仮設給水用の仮設蛇口1つで生活しなければならない。また在宅してもらうことも条件となるので、居住者の協力と理解が必要となる。

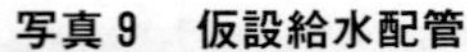
写真９　仮設給水配管

共用給水立管の工事のときは、各戸の量水器（給水メーター）に仮設給水管を接続することで水の通常使用ができる。

（２）排水配管工事のポイント

排水管では、汚水管、雑排水管の工事を別々に行う場合と同時に行う場合がある。排水管は、縦系統ごとに工事を行い、下階住戸から住戸ごとに取り換える作業を進めていくため、その系統すべてが終わるまで排水が制限され、併せて断水となる。写真10は専有部分内のトイレ汚水配管の更新工事の流れである。工事が行われている間は、仮設トイレを設ける場合もある。

排水管工事に伴う内装工事の復旧費用は、リフォームしている住戸もあることから、範囲・グレードの標準タイプ例を基準として工事費に盛り込み、範囲やグレードをアップしたい住戸は、その差額をオプション工事として扱う方法が一例として挙げられる。

写真10　トイレ排水管更新工事の流れ

①床、壁の養生

②大便器の取り外し

③大便器裏の壁解体

④配管の取り外し
床の斫り

⑤新規排水配管
集合管取付け

⑥排水立管の保温

⑦壁の下地復旧

⑧壁の復旧

⑨大便器取付け

（3）水槽・ポンプの更新工事

水槽の更新工事及び設備システムの変更工事は、新規の水槽やポンプが設置できる場所があれば、既存設備を使用したまま、新たな設備の工事を行うことで、切替え時のみの短時間断水が可能になる。受水槽などは、駐車場区画の変更などで対応することを検討する（写真11）。

写真11　仮設高置水槽の設置

既存の高置水槽架台を利用し仮設水槽を設置。上に既存の高置水槽がある。

4 | その他の工事

（1）消防設備

消防設備関係は、法定点検などで指摘された不具合箇所は、実施設計の際に未対応事項の対策を行なう。特に最近の動きとして、消防法の改正による専有部分内の住宅用火災警報器の設置義務（既存住宅については、市町村条例の規定により、平成23年６月１日までに順次義務化）や、建築基準法の特定建築物の定期調査・報告制度の改正（平成20年４月１日施行）があり、これまでよりも防災の観点から不適格事項について厳しくなってきている。

大規模修繕工事に関連する不具合として、鉄部塗装による防火扉などの動作不良が発生していないか、避難経路、排煙関係など法規的に問題のある改修などがされていないか、不具合が起こらないようにする必要がある。

（2）断熱・結露対策

室内の結露対策は、部屋内での断熱又は外壁、屋上の外断熱、窓サッシ又はガラス結露対策などがある。

建物の規模や工事の範囲、工事の内容によっては、建築物省エネ法の届出が必要な場合があるので注意が必要である。

①　外壁の外断熱

最近、外壁に外断熱工法を採用しているマンションも出てきているが、既存マンションに外断熱を施す場合の一般的にみられる改修工法とその特徴を表２に示す。

表２　外壁の外断熱工法

①　断熱材ピンネット押え工法	②　GRC 複合断熱パネル工法	③　胴縁サイディング材仕上工法
外壁面に断熱材（押出し発泡ポリスチレン系断熱材）を接着材＋アンカーピン＋ネットを利用して張り付け、ポリマーセメントモルタル左官材で押さえて仕上げる工法。断熱性能は断熱材の材質や厚みにより決まる。コストは最も安価である。	外壁面にGRC（ガラス繊維補強コンクリート）複合断熱パネルを接着剤とアンカーピンを併用して張り付ける工法。パネルの表面を塗装仕上げとする場合もある。断熱性能は断熱材の材質や厚みにより決まる。コストは①と③の中間程度となる。	外壁面に胴縁を配して胴縁間に断熱材を置き、表面にサイディング材を張り空気層を設ける工法。一般的には、サイディング材は押出し成形セメント板等の不燃材とし、塗装仕上げとする。断熱性能は非常に高まるが、コストも比較的高額となる。
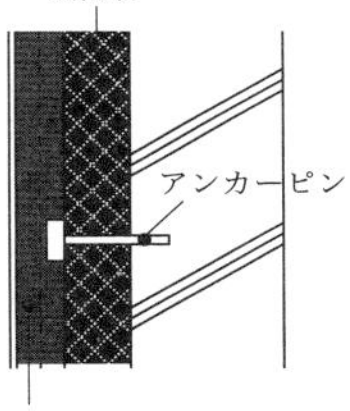 断熱材 アンカーピン ポリマーセメント モルタル左官材	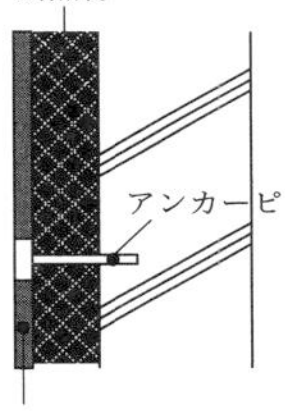 断熱材 アンカーピン GRC 複合断熱パネル	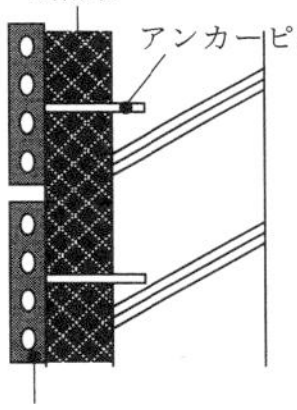 断熱材 アンカーピン サイディング材

②　屋上の外断熱

屋上は、防水工事の改修時に断熱材を敷き込むことがある。また、最近は屋上緑化を奨励する動きがあるが、マンションの場合、漏水時や改修時に一時撤去しなければならないので、そうした撤去、復旧費用や植栽などの維持管理費用を考慮したうえで検討する必要がある。また、設計時に想定している積載荷重を超過しないようにする。

③　窓の改修

窓の改修は、国土交通省が公表しているマンション標準管理規約（単棟型）に次のように定められている。

（窓ガラス等の改良）
第22条　共用部分のうち各住戸に附属する窓枠、窓ガラス、玄関扉その他の開口部に係る改良工事であって、防犯、防音又は断熱等の住宅の性能の向上等に資するものについては、管理組合がその責任と負担において、計画修繕としてこれを実施するものとする。

窓の改修について、その工法と特徴は次のようになっている（図３、４）。

図３　アルミニウム製建具の主な改修工法の分類

- アルミニウム製建具の改修工法
  - かぶせ工法
    - ・既存枠を残したまま新規サッシを取り付ける
    - カバー工法
      - ・既存枠内に新規サッシを取り付ける
    - 持出し（又は二重サッシ）工法
      - ・既存枠の外側に新規サッシを取り付ける、又は既存サッシの外側又は内側に新規サッシを取り付け二重サッシにする
    - ノンシール工法
      - ・外部のシールをしないで取り付ける
  - 撤去工法
    - ・既存枠を撤去し新規サッシを取り付ける
    - 引抜き工法
      - ・既存枠を引抜き新規サッシを取り付ける
    - はつり工法
      - ・既存枠をはつりにより除去し新規サッシを取り付ける

図４　窓サッシ改修参考図

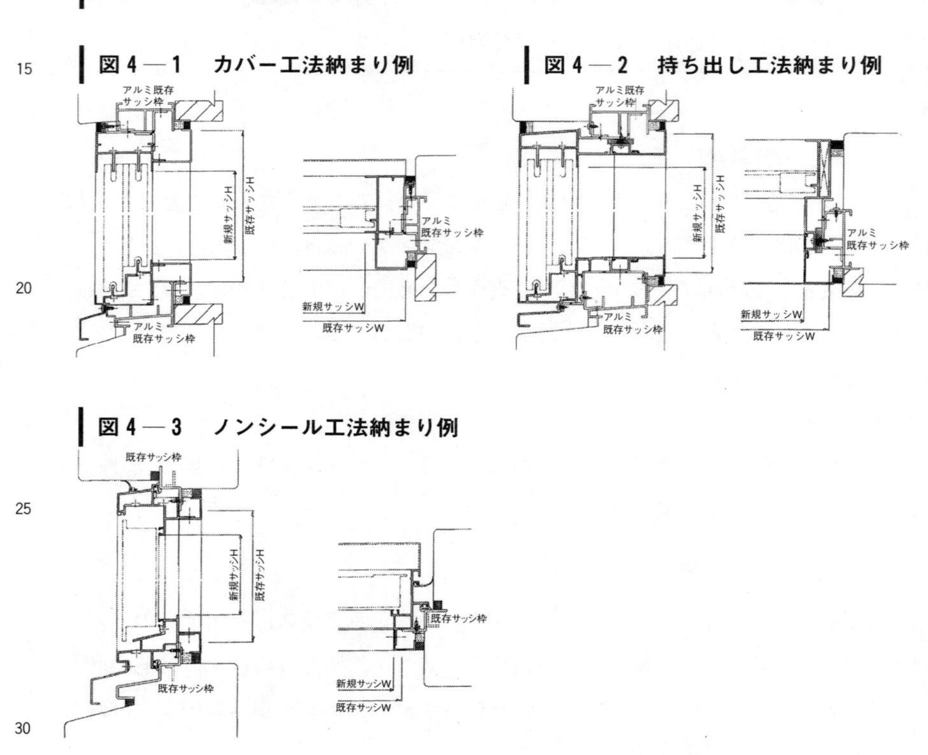

(ア) カバー工法（図４－１）

既存サッシの枠を残して新しいサッシの枠を被せる工法。原則として乾式工法なので工期が短縮できるが、若干開口寸法が小さくなる。

(イ) 持出し工法（図４－２）

基本的にはカバー工法と同様の工法であり、既存サッシ枠の外側に新規建具を取り付けるため、カバー工法より開口寸法を大きくできる。

(ウ) 二重サッシ工法

既存サッシの外部側又は部屋内側に新規サッシを取り付ける工法。外壁を外断熱化する場合などは、外付け二重サッシが適している。部屋内側に新たにサッシを取り付ける場合は、専有物と解釈されるのが一般的で、各戸の負担で行われるケースが多い。

(エ) ノンシール工法（図４－３）

主にマンションの便所・浴室などの比較的小型の窓サッシに採用できるカバー工法で、新規サッシと既存躯体との間をあらかじめ新規サッシに取り付けられているタイト材（成型ゴムガスケット）で塞ぐ工法であり、外部側のシーリング材充填作業が省略できる。

(オ) 引抜き工法

既存枠を油圧工具又はジャッキなどで撤去し、新規建具を取り付ける工法。既存建具と同様の開口寸法を確保できる。

(カ) はつり工法

既存枠回りの躯体壁をはつり取り、新規建具を取り付ける工法。はりなどが障害とならなければ開口部を大きくすることも可能だが、騒音、振動、粉塵が多いため、居住者及び近隣への影響が大きい。

これらの窓サッシ・扉については、各区分所有者が、その責任と負担で実施することも細則で定めることにより可能となっており、その場合には、ガラスの交換だけでも結露対策の１つとなる。

結露効果のあるガラスとしては、複層ガラス（図５）、真空ガラス（図６）などがある。複層ガラスはガラス２枚と空気層があるため、既存サッシのガラス溝に入りきらず通常は特殊なアタッチメントが必要となるが、真空ガラスは単板ガラス用サッシに装着できるという特長も備えている。なお、アタッチメントを用いてガラスをはめ込んだ窓は、防火設備（旧乙種防火戸）とは認められないので注意が必要である。

図５　複層ガラス

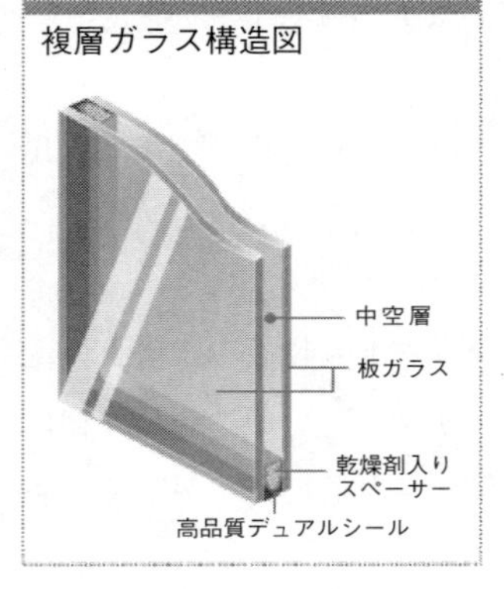

スペーサーと呼ばれる金属部材で、２枚のガラスの間に中空層を持たせたガラス。スペーサーを用いて保たれた空間には、乾燥空気が封入されている。

図６　真空ガラス

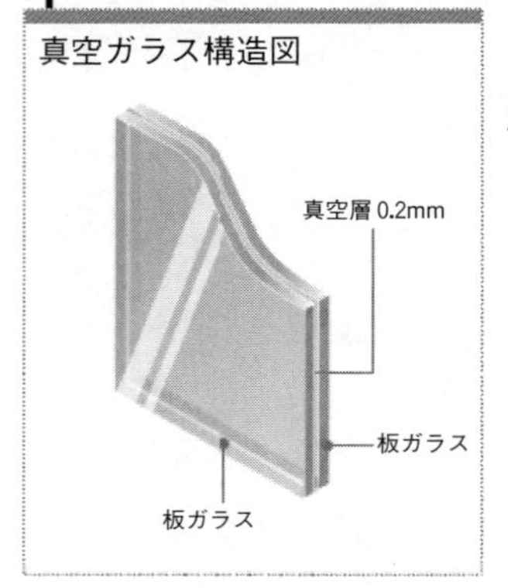

２枚のガラスの間に0.2mm の真空層をつくることで、熱の「伝導」と「対流」を防ぎ、「放射」は高断熱特殊金属膜で抑えている。

（３）アスベスト対策

アスベスト含有材には、吹付材のような飛散性のあるアスベスト製品と成形建材などの飛散性の少ないアスベスト製品とがある。特に表３は、吹付材として使用された期間を示したもので、含有量５％以下のものを除き昭和50年に使用禁止にされ、その後も含有率を下げる改正が行われている。これらがマンションに使われている可能性のある場所は、表４の部位などが考えられる。現在のマンションの居室天井には、ビニールクロスなどが使用されているケースが多いが、昭和50年以前のマンションやそれ以降でも一部のマンションなどではこうしたアスベスト含有吹付材が使用されている事例がある。

非飛散性のアスベスト製品としてはアスベスト成形板などがあり、マンションでは表5の部材などが使われていることがある。

それぞれの部材については、製造年によって必ずしもアスベストが含まれているわけではないので、図面などから使用メーカーと商品名を確認し、問い合わせてみることが必要である。

（一社）JATI協会のホームページ（http://www.jati.or.jp）から、石綿含有建築材料の商品名と製造時期などの情報を得られるので、参考にされたい。

表3　吹付アスベスト、アスベスト含有吹付ロックウールが使用された期間の目安

吹付材の種類	アスベスト含有量等（注2）	使用期間						
		西暦	1955	1965	1970	1975	1980	1985（年）
		昭和	30	40	45	50	55	60（年）
吹付アスベスト	吸音・結露防止用（アスベスト：約70%）		→	→	→			
	耐火被覆用（アスベスト：約60%）			→	→			
アスベスト含有吹付ロックウール	アスベスト：約30%以下				→			
	アスベスト：５%以下					→		
湿式アスベスト含有吹付ロックウール	アスベスト：５%以下		□	→	→	→	→	（注1）

注1：昭和63年頃までの使用といわれているが、その後も使われている可能性もあり
注2：労働安全衛生法の改正で平成7年にアスベスト含有率1%を超えるものの製造・使用禁止
平成18年9月1日の改正で0.1%を超えるものの製造・使用を全面禁止

表4　マンションで吹付材の使われる可能性のある箇所

◇電気室
◇ポンプ室
◇エレベーターシャフト・機械室
◇屋内駐車場
◇エントランスホール天井
◇居室天井

居室やエントランスホールの吹付材

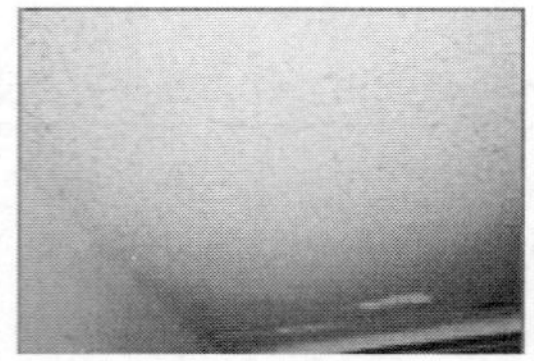

ポンプ室など機械室の吹付

駐車場鉄骨の耐火被覆

表5　非飛散性のアスベスト部材

◇屋根用スレート板
◇床用Ｐタイル
◇ベランダ隔板
◇配管保温材（被覆材が損傷すると飛散性がある。）
◇耐火配管類
◇吸音天井板
◇耐火用ボード（スレート）

内部床のＰタイル

屋根のスレート瓦

配管類の保温材

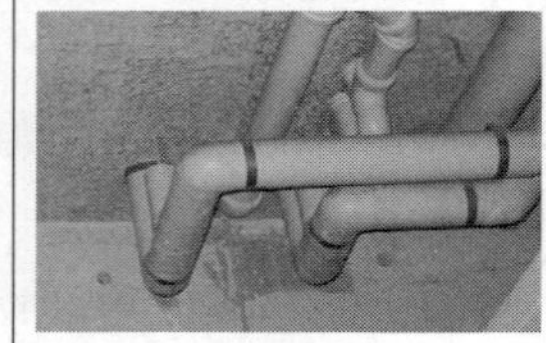

ベランダの隔板

天井の吸音板

排水管などの耐火二層管

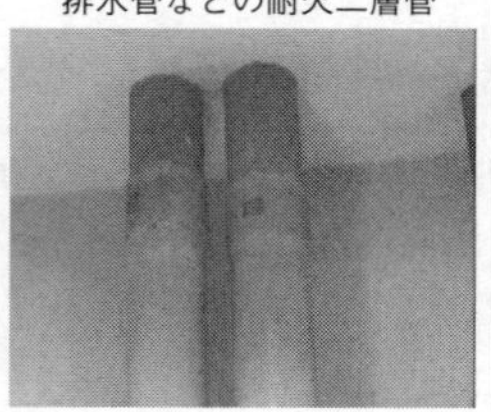

マンションにアスベスト含有材が使われていることが確認された場合、非飛散性の建材に関しては、通常の使用では問題はないとされてる。ただ、切断や除去などを含む改修工事を行う場合には、関連の規制があるので施工会社に遵守してもらう必要がある。

また、飛散性のあるアスベスト含有建材が使われている可能性がある場合は、専門の調査機関に調べてもらい、アスベストの含有が確認されたときは、除去又は封じ込め、囲い込みなどの工法により対処を検討しなければならない。なお、アスベストが含まれている可能性のある建材の除去、切断等を行う際、アスベスト含有の有無を調査しないで実施する場合は、アスベストが含まれているものとして工事を行うことが求められている。

(４) 耐震対策

① 地震に対する安全性確保と構造形式

我が国の建築物に関する法令の耐震性についての規定内容は、過去の震災の教訓などを基に何度か見直しが行われている。

(ア) 構造規定の変遷

㋐ 1968（昭和43）年の十勝沖地震を教訓に、1971（昭和46）年に建築基準法施行令が改正され、鉄筋コンクリート造の柱のせん断補強対策として帯筋（フープ）の規定が強化され、帯筋の間隔をそれまでの30cmから15cm（端部は10cm）とすることとした。

㋑ 1978（昭和53）年の宮城県沖地震を教訓に、1981（昭和56）年に建築基準法施行令が大改正され、新耐震基準の導入、帯筋比の規定などの新設がなされた。

(イ) 既存不適格建築物（旧耐震基準）への対応

1995（平成７）年の兵庫県南部地震（阪神・淡路大震災）を教訓に、同年12月に耐震改修促進法が施行され、1981（昭和56）年以前（新耐震基準以前）の特定建築物（学校、病院、百貨店、事務所、賃貸マンションなど多数の者が利用する一定規模以上の建築物）には耐震診断を行うよう努めなければならないとされた。

また、その後の法改正により、これまで特定建築物に含まれなかった分譲マンションでも、地震により特定行政庁が指定した緊急輸送道路などを閉塞させるような可能性がある場合には、特定建築物に含まれることとなった。

(ウ) 地震に対する主な構造形式

最近では、地震に対する安全性を確保するための開発が行われてきている。

㋐ 免震構造（工法）

地震に対する安全性を確保する構造形式として免震構造が開発され、近年の新築マンションで採用されるものも増えてきている。建物の基礎と上部構造の間に、積層ゴムや摩擦係数の小さい滑り支承を設けた免震装置を設けて、地震力に対して建物がゆっくりと水平移動し、建物の曲げや変形を少なくする構造形式である。

建物の耐震性能が高まるだけではなく、家具の転倒や非構造部材の破壊が少なくなるなど耐震構造にはない長所があるとされるが、免震装置の維持管理が必要になる。

㋑　制震（振）構造（工法）

地震のエネルギーをダンパー等の制震（振）部材を用いて吸収することにより、建物が負担する地震力を低減し破壊されにくくする構造形式である。RC造の高層建築物等の地震・風揺れ対策として用いられるが、免震構造とは異なり、地震による加速度を低減する効果はほとんど期待できないため、家具の転倒防止などの効果は免震構造よりは劣る場合もある。

㋒　耐震構造（工法）

これまで一般的に用いられてきた、地震力に耐えるように考慮して設計された構造で、壁、床、柱、梁などの剛性や靱性を高める工法。

(エ)　耐震診断

耐震改修促進法の改正により、既存マンションでも耐震対策が求められている。特に建築基準法における建築物の耐震基準が大きく改正された昭和56年以前の旧基準のマンションでは、耐震診断が必要とされている。

内装材や防火被覆材を撤去する場合、前項のアスベスト含有を確認して対処する必要がある。

②　管理組合の合意形成

耐震診断・耐震改修を行ううえで、問題となるのが区分所有者の合意形成である。耐震診断により耐震強度が低いという結果が出た場合の対応が難しく、耐震改修費用が高額になった場合の資金がない、耐震改修方法がかなり困難である、資産価値に影響する、居住者の高齢化が進んでいて耐震改修を進める合意がとれないなどがその理由である。

こうした耐震対策を考える場合は、もし耐震診断の結果、どのような結果が出て、どれだけの費用が掛かったとしても、途中で投げ出さず最後までやりとおす事前の合意を管理組合の中で形成しておくことが重要である。

③　改修工法

マンションの場合の耐震改修工事は、居住者が日常生活をしている中で行われる。耐震補強工法はいろいろあるが、こうした制約があるマンションでは使用できる工法が限定される。各補強工法の留意点を表6に、各工法のイメージを図7に示す。

表6　補強工法の留意点

補強手法	補強工法	（擬似工法）	補強工法の概要	適した建物	留意点	居ながら施工*
地震力の低減	免震構造化		基礎梁下部にアイソレーターを組み込む（アイソレーター、ドライエリア、既設杭、新設基礎梁）	剛性が大きい建物	建物外周に地震時変形対応スペースが必要	大規模な工事となる
	制振機構の組込み		架構内にダンパーを組み込む（ダンパー、新設ブレース）	剛性が小さい建物	ダンパー設置用のブレース等が必要	△
強度指標	増設壁	増打ち壁 袖壁	オープンフレーム内に壁を増設	雑壁が多い建物	重量が大 開口による耐力低下が大	△
	鉄骨ブレース	鉄板壁	オープンフレーム内に鉄骨ブレース等を組み込む（鉄骨ブレース）	広範囲な建物に適用可能	中・小開口であれば設置が可能	△
	デザインフレーム	デザインパネル	オープンフレーム内に鉄骨格子フレームを組み込む（鉄骨格子フレーム）	美観に配置する必要がある建物	サッシとの取合いに配慮する必要がある	△
	外付補強		建物外部に鉄骨ブレース等を配置する（既存フレーム、外付補強材）	外部に補強部材を配置できるスペースがある建物	基礎の補強が必要となる場合がある	◎
靭性指標	吹付けモルタル	溶接金網	鉄筋等で補強し，モルタルを吹き付ける（鉄筋）	壁が比較的少ない建物	専用モルタル吹付機が必要	△
	鋼　板		柱を鋼板で巻き，高強度モルタルを圧入する（鋼板、高強度モルタル注入）	壁が比較的少ない建物	現場溶接が必要となる	○
	炭素繊維		柱を炭素繊維シートで巻く（炭素繊維補強、モルタル（耐火被膜））	壁が比較的少ない建物	柱コーナーの成形が必要	○

＊　◎：居ながら施工に適している　○：居ながら施工が比較的容易にできる　△：居ながら施工を行うには慎重な検討が必要である

図 7　建物の各種耐震改修工法

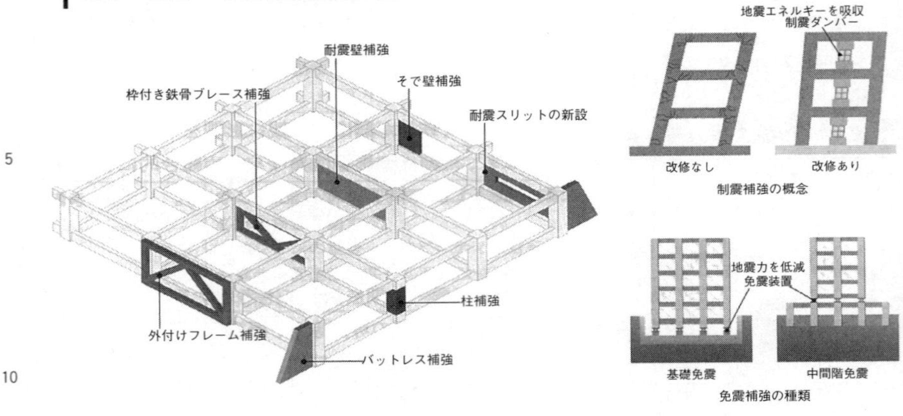

出典：国土交通省「マンション耐震化マニュアル」

5 | 大規模修繕工事の各種検査

（1）検査と工事監理者への委託

検査は、これまで述べてきたような各工事の工程検査、中間検査、最終的に確認する竣工検査などが行われる。特にマンションの大規模修繕工事の場合、下地補修工事がすべて完了した時点、バルコニー側の工事がすべて完了した時点、足場の解体前の時点などの検査があり、１棟の建物全部の検査というよりは、バルコニー側や廊下側、外壁、内壁など１つの区切りがつく部位ごとに行われる。特にバルコニー側は早く足場を解体することが居住者の負担を軽減することになるため、各戸への完了アンケートなどで承認をもらい、バルコニー側の足場の解体を廊下側等の工事を残したまま先行することも多い。つまり、マンション改修工事の検査は、適宜そのタイミングで行わなければならない。管理組合で常に検査、指示、是正確認を行うことが難しいため、工事監理者などの第三者に委託するケースが多くなっている。

工事監理者に委託していれば、工事監理者がそのつど検査を行い、管理組合へ報告し、管理組合がそれを承認する。管理組合理事や修繕委員などの専門委員が足場に登り直接検査することもあるが、危険が伴う。施工会社の保険は、検査で足場に登る管理組合員の事故に対しては、通常適用できない。そのため、管理組合で検査用の保険を別途掛けるか、施工会社との請負契約に傷害保険を含む必要がある。

(2) 支払い

改修工事では、各種検査を行い、契約書どおりの工事ができているかを確認し、契約条件によっては出来高での工事代金の支払をする。

工事代金支払の取決めは契約事項であり、いろいろなケースが考えられるが、一般的に用いられるいくつかのパターンを表7に示す。

表7 改修工事における支払方法のパターン例（パーセンテージは1つの例）

A	1）着手金（工事着工時）10％　2）中間金（出来高50％時）50％　3）竣工時（残金）40％
B	1）着手金（工事着工時）10％　2）竣工時（残金）90％
C	1）中間金（出来高50％時）50％　2）竣工時（残金）50％
D	1）竣工時100％

(3) 竣工図書

これまで行ってきた大規模修繕工事の記録を竣工図書として取りまとめる。

施工会社に見積依頼をする際に、見積条件としてこうした図書の提出を求めておけば、工事途中でこうした書類を順次提出を受け、竣工図書として整理できるはずである。

竣工図書類は、どんな工事がどのようなやり方で、どのような経緯で行われたかが記録されるものなので、将来、当事者がいなくなったとしてもその内容を知ることができる。竣工図書に盛り込むべき書類リストの例を表8に示す。

表 8　竣工図書リストの例

書　類　名
1．工事仕様書
2．仮設計画図
3．施工要領書
4．工事日誌
5．工事工程表（全体・月間）
6．主要材料メーカーリスト及び使用材料カタログ
7．工事用材料入荷管理表
8．工事用材料出荷証明書
9．品質証明書
10．下地補修工事施工図及び数量集計表
11．試験施工記録
12．各製作品製作図
13．工事保証書
14．完成引渡書
15．定期点検確認書
16．手直しアンケート
17．検査記録
18．打合せ議事録
19．追加増減工事精算書
20．工事施工写真

第7編

マンション管理にかかわる周辺法律

第1節 建築物の耐震改修の促進に関する法律

建築物の耐震改修の促進に関する法律（以下、本節において「耐震改修促進法」又は「法」という。）は、平成７年１月に発生した阪神・淡路大震災により多くの建築物が倒壊する等の被害を受けたことから、建築物の耐震改修の促進の措置を講じ建築物の地震に対する安全性の向上を図るため、平成７年10月に制定され、同年12月25日に施行されたものである。

その後、平成18年の改正等を経て、平成25年５月に改正され、同年11月25日に施行された。なお、平成31年１月施行の改正では、避難路沿道の一定規模以上のブロック塀等について、建物本体と同様に、耐震診断の実施及び診断結果の報告を義務付けた（最終改正 令和６年４月１日）。

主な内容

マンションに関するものを挙げると、次のとおりである。

（1） 既存耐震不適格建築物の所有者の耐震診断・耐震改修についての努力義務

学校、病院、百貨店等政令で定める特定建築物等だけでなく、マンションを含む住宅や小規模建築物についても、既存耐震不適格建築物の所有者は、当該建築物について耐震診断を行い、必要に応じ、当該建築物について耐震改修を行うよう努めなければならない（法16条１項）。これらに関し、所管行政庁は、必要な指導及び助言をすることができる（法16条２項）。

（なお、緊急輸送道路等沿道建築物関係の地方公共団体の独自の取組みにも注意が必要。）

（2） 建物の安全性に係る認定制度

区分所有建物を含む建築物の所有者は、所管行政庁に対し、当該建築物について地震に対する安全性に係る基準に適合している旨の認定を申請することができる（法22条１項）。旧々耐震基準又は旧耐震基準に基づく建物であっても、現行の耐震基準を満たしている建物もある。この場合に現行の耐震性が確保されている旨の安全性の認定を受けていれば、区分所有者は安心であり、また売買する際の価格等に評価される可能性もある。

（3）耐震改修の必要性の認定と耐震改修に係る決議要件の緩和

① 前記（1）に記載した努力義務に応じるなどして耐震診断が行われた区分所有建築物の管理者等は、所管行政庁に対し、当該区分所有建築物について耐震改修を行う必要がある旨の認定を申請することができる（法25条1項）。この認定を受けた区分所有建築物は「要耐震改修認定建築物」として、区分所有者は耐震改修を行うよう努力しなければならず（法26条）、所管行政庁は必要な指導、助言、指示等をすることができる（法27条1項・2項）。

② 上記の要耐震改修認定建築物の認定を受けた区分所有建築物は、当該耐震改修工事が共用部分の変更に該当する場合であっても、特別決議を要せず、区分所有者及び議決権の各過半数の決議により行うことができる（法25条3項）。耐震化に関する意思決定の円滑化を図るための規定である。

例えば、耐震改修工事が、マンションの外側に柱、梁フレームを新設する外付けフレーム補強工法やバットレスを新設するバットレス補強工法、あるいは免震、制震の工法を採用する場合には、共用部分の形状又は効用の著しい変更に該当すると考えられるため、区分所有法では特別決議を要するが、このような場合でも、所管行政庁に対し設計図、計算書等の資料を添えて上記①の認定を受けていれば、「要耐震改修認定建築物」として、普通決議でこれを行うことができる。普通決議の要件につき区分所有法は規約による別段の定めを認めているので、例えば、管理規約で普通決議の要件を緩和している場合（標準管理規約（単棟型）47条1項・2項）には、それに従って行うことができる。

なお、工事内容が専有部分の使用に特別の影響を及ぼすべきときは、その専有部分の区分所有者の承諾が必要である（区分所有法17条2項、18条3項）。

第2節 被災区分所有建物の再建等に関する特別措置法

平成7年1月17日に発生した阪神・淡路大震災は、戦後初めての大都市直下型地震として甚大な被害をもたらした。分譲マンションも例外ではなかった。

地震などにより建物が一部滅失した場合は、その程度により、復旧又は建替えの方策が区分所有法で措置されているが、建物が全壊した場合（全部滅失）には区分所有関係は当然に消滅し、敷地に関する権利が残るだけとなる。

前記の震災では全壊した区分所有建物の区分所有者が、従前の敷地に区分所有建物を再建築するためには、民法の規定に従い、敷地の共有者等の全員の同意がなければできないことになるので、その要件の緩和が必要となり、緊急立法として「被災区分所有建物の再建等に関する特別措置法」が平成7年3月17日に成立し、同年3月24日に公布・施行された。同法は通称「被災マンション法」といわれている。

なお、平成14年の「建物の区分所有等に関する法律及びマンションの建替えの円滑化等に関する法律の一部を改正する法律」の改正に伴い、被災マンション法も、同法と同様に①集会の議事録等につき電磁的方法の導入、②再建決議につき敷地の範囲・建物の使用目的の同一性の要件の緩和・撤廃、③過料の額の改定等の改正が加えられた。

その後平成23年3月に起きた東日本大震災を契機に、建物が全部滅失した場合の敷地売却決議、建物が大規模一部滅失した場合の建物敷地売却決議等が、全員の同意がなくても行うことができるよう、平成25年6月に法改正され、同年6月26日に施行された。その後、平成28年4月に起きた熊本地震などに適用された。

被災マンション法（以下、本節において「法」という。）における既存制度と平成25年の改正（最終改正令和3年9月1日）により新設された制度の概略図を示すと次のとおりである。

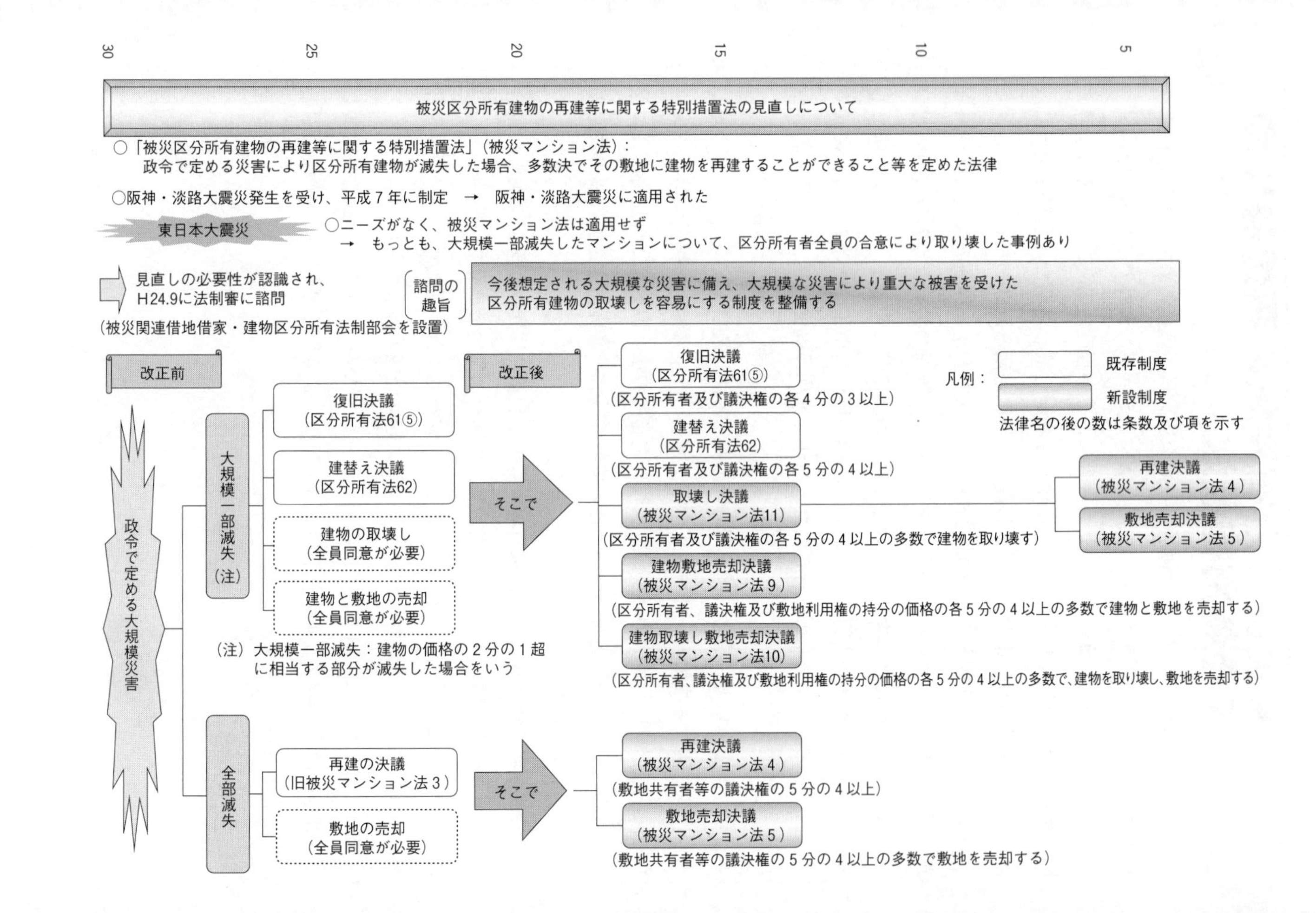
被災区分所有建物の再建等に関する特別措置法の見直しについて
○「被災区分所有建物の再建等に関する特別措置法」（被災マンション法）：
政令で定める災害により区分所有建物が滅失した場合、多数決でその敷地に建物を再建することができること等を定めた法律
○阪神・淡路大震災発生を受け、平成７年に制定 → 阪神・淡路大震災に適用された
東日本大震災
○ニーズがなく、被災マンション法は適用せず
→ もっとも、大規模一部滅失したマンションについて、区分所有者全員の合意により取り壊した事例あり
見直しの必要性が認識され、
H24.9に法制審に諮問
（被災関連借地借家・建物区分所有法制部会を設置）
諮問の趣旨
今後想定される大規模な災害に備え、大規模な災害により重大な被害を受けた
区分所有建物の取壊しを容易にする制度を整備する
改正前
政令で定める大規模災害
大規模一部滅失（注）
復旧決議
（区分所有法61⑤）
建替え決議
（区分所有法62）
建物の取壊し
（全員同意が必要）
建物と敷地の売却
（全員同意が必要）
（注）大規模一部滅失：建物の価格の２分の１超
に相当する部分が滅失した場合をいう
全部滅失
再建の決議
（旧被災マンション法３）
敷地の売却
（全員同意が必要）
そこで
改正後
復旧決議
（区分所有法61⑤）
（区分所有者及び議決権の各４分の３以上）
建替え決議
（区分所有法62）
（区分所有者及び議決権の各５分の４以上）
取壊し決議
（被災マンション法11）
（区分所有者及び議決権の各５分の４以上の多数で建物を取り壊す）
再建決議
（被災マンション法４）
敷地売却決議
（被災マンション法５）
建物敷地売却決議
（被災マンション法９）
（区分所有者、議決権及び敷地利用権の持分の価格の各５分の４以上の多数で建物と敷地を売却する）
建物取壊し敷地売却決議
（被災マンション法10）
（区分所有者、議決権及び敷地利用権の持分の価格の各５分の４以上の多数で、建物を取り壊し、敷地を売却する）
そこで
再建決議
（被災マンション法４）
（敷地共有者等の議決権の５分の４以上）
敷地売却決議
（被災マンション法５）
（敷地共有者等の議決権の５分の４以上の多数で敷地を売却する）
凡例：
既存制度
新設制度
法律名の後の数は条数及び項を示す

第3節 マンションの建替え等の円滑化に関する法律

1 法律制定の背景等

マンションの供給は昭和40年代後半から本格化し、以降増加の一途をたどり、マンションによる共同居住の形式は都市における居住形態として広く普及、定着してきたが、それに伴い、建築後相当の年数を経過したマンションが増加し、老朽化マンションの急増による問題が深刻化し、マンションの建替え問題が社会問題となることは必至であった。

一方、阪神・淡路大震災によるマンションの建替え問題を契機として、建替えを行う団体の法的位置付けや運営ルールが不明確であるための問題点や、区分所有権や抵当権などの関係権利を再建マンションに円滑に移行させる法的仕組みがないなどの問題も指摘された。

そこで、このような問題・課題を解決しマンションの建替えの円滑化を図るため、マンションの建替えの円滑化等に関する法律が成立、平成14年6月19日に公布され、同年12月18日に施行された。その後、平成23年に東日本大震災が発生、耐震性不足の老朽マンションの建替え等が喫緊の課題となった。

このような事情から、地震に対する安全性が確保されていないマンションについて、建替え等の円滑化を図るため、マンション敷地売却制度を創設するとともに、建替えの場合の容積率制限の緩和を可能にする法改正が行われた。平成26年6月25日に、法律名も含めて改正され、同年12月24日に施行された。これにより、法律名は、「マンションの建替えの円滑化等に関する法律」から、「マンションの建替え等の円滑化に関する法律」となった（以下、本節において「建替え円滑化法」又は「法」という。）。

さらに、マンションの老朽化等に対応し、マンションの管理の適正化の一層の推進及びマンションの建替え等の一層の円滑化を図るため、都道府県等によるマンション管理適正化のための計画作成、マンションの除却の必要性に係る認定対象の拡充、団地型マンションの敷地分割制度の創設等を内容とする「マンションの管理の適正化の推進に関する法律及びマンションの建替え等の円滑化に関する法律の一部を改正する法律」が、令和2年6月に成立し、同月24日に公布された

（要除却認定の対象の拡充：令和３年12月20日、団地における敷地分割制度：令和４年４月１日施行）。

※　「円滑化に関する基本的な方針」、「要除却認定実務マニュアル」、「敷地売却ガイドライン」他、最新の情報は国土交通省ホームページを参照。

要除却認定の対象拡大

■ マンション敷地売却事業の適用対象【法108条】

耐震性あり	耐震性なし
適用なし（全員合意【民法】） ▽ 対象の拡大 外壁等の剥落により危害が生ずるおそれのある マンション等を適用対象とする（合意要件を 4／5に緩和）	適用あり 【マンション建替円滑化法】 （4/5の合意）

※　建替えは耐震性の有無にかかわらず4／5の合意で実施可能

■ 容積率緩和特例の適用対象【法105条】

耐震性あり	耐震性なし
適用なし ▽ 対象の拡大 外壁等の剥落により危害が生ずるおそれのあるマンション、 バリアフリー性能が確保されていないマンションなどを 容積率緩和特例の適用対象とする	適用あり 【マンション建替円滑化法】

追加される要除却認定の基準

■　マンション敷地売却制度及び容積率緩和特例の対象とするマンション

【追加①】【法102条２項３号】

外壁、外装材その他これらに類する建物の部分が**剥離**し、**落下**することにより周辺に危害を生ずるおそれがあるものとして国土交通大臣が定める基準に該当すると認められるマンション

例：外壁のひび割れ、鉄筋腐食等が広範囲に生じ、外壁等の落下のおそれがあるマンション

【追加②】【法102条２項２号】

火災に対する安全性に係る建築基準法又はこれに基づく命令若しくは条例の規定に準ずるものとして国土交通大臣が定める基準に適合していないと認められるマンション

例：竪穴区画等の不適格であるマンション

■ 容積率緩和特例の対象とするマンション

【追加③】【法102条２項４号】
給水、排水その他の配管設備の損傷、腐食その他の劣化により著しく衛生上有害となる**おそれ**があるものとして国土交通大臣が定める基準に該当すると認められるマンション

例：改修が困難なスラブ下配管において、配管が腐食し漏水等が生じているマンション

【追加④】【法102条２項５号】
高齢者、障害者等の移動等の円滑化の促進に関する法律に規定する建築物移動等円滑化基準に準ずるものとして国土交通大臣が定める基準に適合していないと認められるマンション

例：エレベーターが未設置で住戸までの経路がバリアフリー化されていないマンション

団地における敷地分割制度の創設

■ 団地型マンションにおける敷地分割の決議要件【法115条の４】

全員合意【民法】 

要件の緩和
団地型マンションにおいて、一部棟が耐震性不足や外壁等の剥落により危害が生ずるおそれのあるマンションなどの場合、4/5の合意による敷地分割を可能に

要除却認定の種類と適用される制度の関係

除却の必要性に係る認定【法102条】		容積率緩和の特例【法105条】	マンション敷地売却事業【法108条～】	団地における敷地分割事業【法115条の４～】
特定要除却認定	耐震性の不足【法102条２項１号】	○	○	●
	火災に対する安全性の不足【法102条２項２号】	●	●	●
	外壁等の剥落により周辺に危害を生ずるおそれ【法102条２項３号】	●	●	●
給排水管の腐食等により著しく衛生上有害となるおそれ【法102条２項４号】		●	—	—
バリアフリー基準への不適合【法102条２項５号】		●	—	—

※ ●が拡充・新設　　　出典：国土交通省説明資料

第4節 その他の周辺法律

1 民　法

民法は、日常生活の基本的ルールを定めているものであり、その目的は、市民相互の生活関係を円滑にし、ひいては調和ある社会を形成・維持するところにある。さらにいえば、民法は、形式的には私法の一般法であり、実質的には、市民の日常生活関係、つまり財産的生活関係と家族的生活関係を規律する法律（前者を財産法、後者を家族法という。）であるといえる。

市民間の生活上生じた紛争を解決するルールを定めたもので、民法の法源の中心をなすのが、民法典という明治31年に施行された成文法である。第２次大戦後、日本国憲法の施行に伴い、家族法（親族法・相続法）の部分が全面改正された。その後も数回の部分的改正が行われて今日に至っている。なお、平成29年６月２日、「民法の一部を改正する法律」が公布され、令和２年４月１日から施行された。これは、民法制定後ほとんど改正されなかった財産法（総則・物権・債権）のうち債権関係の規定（契約等）につき、社会・経済の変化への対応及び国民一般にわかりやすいものにする、また、最高裁判所の確立した判例法理を明文化するという観点からの多岐にわたる大改正となっている。

さらに、平成30年７月13日に、民法の相続編（相続法）の改正法が公布され、配偶者の居住権を保護するための方策（施行：令和２年４月１日）や遺産分割、遺言制度の見直し（施行：令和元年７月１日）が図られることになった。また、所有者不明土地問題の解消に資するため、①相隣関係の見直し、②共有関係規定の見直し、③所有者不明土地・建物管理制度の創設を内容とする改正法が令和３年４月28日に公布され、令和５年４月１日に施行された。

この民法典のほか、区分所有法、借地借家法などの民事特別法も民法の法源として重要である。

（1）制限行為能力者

契約などの取引をする場合、権利能力や行為能力が求められる。権利能力とは、権利の主体となることができる法律上の資格又は地位のことであり、すべての自然人及び法人がこれを有する（マンションの区分所有者は、すべて権利能力を有するが、管理組合は、すべてが権利能力を有しているわけではなく、法人となってはじめて管理組合自体が権利能力を有することとなる。)。また、能力には意思能力と行為能力があり、意思能力は、自己の行為の意味や結果を判断することのできる精神能力である。例えば、およそ10歳未満の子供及びこの子供と同程度以下の知能しかない者は、意思能力がないとみなされる。通常人でも、泥酔中の者とか失神中の者は意思能力がなく、その状態における法律行為は無効である。行為能力は、単独で完全に有効な法律行為を行うことができる資格又は地位である。制限行為能力者とは、この行為能力について一定の制限のある者を総称していう。法律が制限行為能力者制度を認めたのは、そういう一定の人を普通の人と差別して能力を認めない、という趣旨ではなく、それらの人が正常な判断能力を有しないことが多いことから、取引の結果が不利な場合に、その取引を取り消すことができるものとして、その者を保護しようとするためである。この制度は、法律で一定の者を一律・画一的に制限行為能力者として決めることにより、取引に入ろうとする相手方にとっても取引の安全が図られるという結果になっている。

制限行為能力者には、未成年者、成年被後見人、被保佐人、被補助人の4種類がある(このうち、従来は成年被後見人と被保佐人はマンション管理業者の登録をすることができず、またマンション管理士及び管理業務主任者の登録もできないことになっていたが、このように成年被後見人等であることを理由に一律に資格・職種から排除する規定(欠格条項)は、人権上問題であるとの観点から、令和元年に「成年被後見人等の権利の制限に係る措置の適正化等を図るための関係法律の整備に関する法律」が成立し、各法律における一律に欠格者とする条項が削除され、心身の故障等の状況の個別的・実質的な審査により必要な能力の有無を判断することとなった。)。

① 未成年者

㈠ 意義

未成年者とは、年齢18歳未満の者をいう。なお、婚姻は18歳にならなければすることができない(民法(以下「法」という。)731条)。

㈡ 能力

㋐ 原則……未成年者には必ず法定代理人(親権者か、あるいは親権を行う者がいないか、又は親権を行う者が管理権を有しないときは未成年後見人）がつけられる（法838条１号）。なお、未成年後見人は複数人が選任されうるし、法人がなることもできる（法840条）。法定代理人が未成年者の法律行為に同意するか、あるいは法定代理人が代理して行った契約は完全に有効な契約となる（取消しの対象とはならない。）。そうしないで未成年者が単独で行った法律行為は、取り消すことができることになる（法５条２項）。本来、契約は守らなければならないが、判断能力のない未成年者を保護するために、不利な契約から逃れる手段として取消権が定められているのである。取消しを行うと、その行為は、初めから無効であったものとみなされる（法121条）。ただし、その行為によって現に利益を受けている限度において、返還をすればよい（法121条の２第３項）。取消しは未成年者本人も単独で行うことができる（法120条１項）。保護者の同意なく取り消したとしても、完全に有効な取消しとなる。未成年者が単独で行った契約でも、必ずしも不利なものばかりではなく、むしろ有効にしたほうがよい場合もある。そういう場合には、保護者から契約を追認することができる（法122条）。追認すると、その契約は初めから完全に有効だったことになる。

※　未成年者が行った契約は、取消しをしなければ、有効である。未成年者が行った契約でも、不利なものばかりとは限らない。有利な場合は、有効であったほうが未成年者保護という目的に合致する。それゆえ、無効ではなく、取消しができるものとされている。

㋑　例外……ただし、次の行為は未成年者が単独で行うことができる。この行為は完全に有効な契約となり、取消しはできない。

(a)　単に権利を得、又は義務を免れる法律行為（法５条１項ただし書）。

※　ただで物をもらう（贈与を受ける）行為や借金を免除してもらう場合等

(b)　処分を許された財産の処分行為（法５条３項）。

※　渡された小遣いの範囲で物を買う場合等

(c)　営業を許可された場合の営業上の行為（法６条１項）。

※　マンション管理業について自力で営業をすることの許可を親から受けた場合、この営業に関しては成年者と同一の行為能力を有することになる。

(d)　法定代理人の同意を得て行った行為

㋒　マンション管理適正化法における扱い……未成年者も、その試験に合格すれば、マンション管理士及び管理業務主任者の登録ができる。しかし、マンション管理業者が事務所ごとに設置すべき専任の管理業務主任者となることはできない。

② 成年被後見人

(ア) 意義

成年被後見人とは、精神上の障害により、事理を弁識する能力（判断能力のこと）を欠く常況にある者（重い精神病などのため、自分で何をやっているかわからないような状態の人）で、家庭裁判所から後見開始の審判を受けた者をいう（法７条）。成年被後見人を保護する者を成年後見人といい、家庭裁判所が後見開始の審判の際に、これを選任する（法８条）。なお、病気などが回復すれば、後見開始の審判を取り消すことができる。

(イ) 能力

成年被後見人には、成年後見人という保護者がつけられる（法８条）。未成年者の場合と違って、成年後見人には同意権はない。同意以外の権限については、未成年者の場合と同様である。成年後見人には、代理権、取消権、追認権があり、成年後見人も、法定代理人である。

成年被後見人の財産上の行為は、原則として成年後見人が代理して行う（法859条１項）。すなわち、たとえ成年後見人が同意をしたとしても、成年被後見人は必ずしも適切妥当な法律行為をなし得ない可能性が高いため、取消しできるものと解されている。未成年者のように、贈与を受ける場合のような例外はない。単に権利を得、又は義務を免れる行為、処分を許された財産の処分、営業の許可を得た場合のその営業上の行為であっても、取消しの対象となる。ただし、日用品の購入その他日常生活に関する法律行為は、単独で行うことができる（法９条ただし書）。成年被後見人本人は、取消しは単独でできるが、追認は後見開始の審判が取り消されない限り、自分ですることはできない。

(ウ) 審判の申立権者

後見開始の審判を家庭裁判所に申し立てることができる者は、本人、配偶者、四親等内の親族、未成年後見人、未成年後見監督人、保佐人、保佐監督人、補助人、補助監督人又は検察官であるが（法７条）、特別法により、市町村長も特に必要があるときは申立てをすることができる。

③ 被保佐人

㈠ 意義

被保佐人とは、精神上の障害により、事理を弁識する能力（判断能力のこと）が著しく不十分な者で、家庭裁判所から保佐開始の審判を受けた者をいう（法11条）。被保佐人を保護する者を保佐人といい、家庭裁判所が保佐開始の審判の際に、これを選任する（法12条）。

㈡ 能力

被保佐人には、保佐人という保護者がつけられる（法12条）。被保佐人が単独では行うことのできない行為について、保佐人には同意権、取消権、追認権がある。

被保佐人は、成年被後見人に比べ能力が高いため、原則として、１人で完全に有効な契約をすることが認められているが、一定の重要な行為を行う場合に保佐人の同意が必要とされている。被保佐人が一定の財産上の重要な行為を単独で行った場合は、取り消すことができる。被保佐人が、不利な契約をしたときの損失が大きい重要な行為についてのみ、単独で行為をすることができないのである（法13条）。

もちろん、日用品の購入その他日常生活に関する行為は保佐人の同意を要しない。

保佐人の同意が必要な行為について、保佐人が被保佐人の利益を害するおそれがないにもかかわらず同意をしないときは、家庭裁判所が被保佐人の請求により、保佐人の同意に代わる許可を与えることができる（法13条３項）。

保佐人の同意が必要な一定の重要な行為というのは、民法13条１項に掲げられており、次のものをいう。

㋐ 元本を領収し、又は利用すること

㋑ 借財又は保証をすること

㋒ 不動産その他重要な財産に関する権利の得喪を目的とする行為をすること

㋓ 訴訟行為をすること

㋔ 贈与、和解又は仲裁合意をすること

㋕ 相続の承認若しくは放棄又は遺産の分割をすること

㋖　贈与の申込みを拒絶し、遺贈を放棄し、負担付贈与の申込みを承諾し、又は負担付遺贈を承認すること

㋗　新築、改築、増築又は大修繕をすること

㋘　法602条に定める期間（山林10年、宅地５年、建物３年）を超える賃貸借をすること

㋙　前記㋐～㋘に掲げる行為を制限行為能力者の法定代理人としてすること

以上であるが、結局マンションの売買契約をする場合は、すべて保佐人の同意が必要であり、マンションの賃貸借契約をする場合は、その期間が３年以内のものなら、保佐人の同意を要せず単独でできるということになる。

なお、家庭裁判所は、場合により前記以外の行為でも保佐人の同意が必要と判断すれば、その行為を審判にあたって追加することができる（法13条２項）。

⑼　審判の申立権者

成年被後見人の場合とほぼ同じである。

⑽　保佐人への代理権の付与

保佐人には、同意権、取消権、追認権があるが、被保佐人が単独では行うことのできない行為について、原則として代理権はない。そのため保佐人は、未成年者と成年被後見人の保護者と違って、法定代理人とはいわない。ただし、必要に応じて家庭裁判所は、被保佐人、保佐人又は保佐監督人の請求によって、被保佐人のために特定の法律行為（例えば、被保佐人の区分所有権等の売買）について保佐人に代理権を付与する旨の審判ができる（法876条の４）。

④　被補助人

⑺　意義

被補助人とは、精神上の障害により、事理を弁識する能力（判断能力のこと）が不十分な者で、家庭裁判所から補助開始の審判を受けた者をいう（法15条）。被補助人を保護する者を補助人といい、家庭裁判所が補助開始の審判の際に、これを選任する（法16条）。

(イ) 能力

被保佐人より能力が高いのであるから、原則として1人で完全に有効な契約をすることが認められているが、家庭裁判所が審判で定めた特定の法律行為（法13条1項に定められた行為のうちの一部に限る。）を行うときには、補助人の同意を要する。当事者が申立てにより選択した特定の行為を被補助人が単独で行った場合は、取り消すことができる（法17条4項）。補助人が同意をしない場合については、被保佐人の箇所で述べたのと同じく家庭裁判所が補助人の同意に代わる許可を与えることができる（法17条3項）。

(ウ) 審判の申立権者

成年被後見人の場合とほぼ同じである。

なお、本人以外の者の申立てにより補助開始の審判をするには、本人の同意が必要である（法15条2項）。

(エ) 補助人への代理権の付与

被補助人には、補助人という保護者がつけられる（法16条）。被補助人が単独では行うことのできないとされた特定の行為について、補助人には、同意権、取消権、追認権があるが、原則として代理権はない（したがって、補助人も法定代理人とはいわない。）。しかし、家庭裁判所は、被補助人、補助人又は補助監督人の請求によって、被補助人のために特定の法律行為（例えば、あるマンションの売却）について補助人に代理権を付与する旨の審判ができる（法876条の9）。

⑤ 制限行為能力者の行為の効力

制限行為能力者が単独では行うことができない法律行為を単独で行った場合、その行為を取り消すことができる（法5条2項、9条、13条4項）。取り消すことができるというのは、取り消されるまでは有効だということである。したがって、たとえ成年被後見人が単独で行った売買契約であっても、無効ではない。無効というのは、そもそも効力が生じないということで、取消しができるということと明らかに異なる。

(ア) 取消権者

取り消すことができる者（取消権者）は、制限行為能力者本人、法定代理人、本人の承継人（例えば、相続人）、同意をすることができる者（保佐人、補助人）であり（法120条)、制限行為能力者と取引行為をした相手方には取消権はない。

(イ) 追認

取り消すことができる法律行為も、追認がされれば確定的に有効となり、もはや取り消すことができなくなる（法122条)。追認というのは、取り消し得る法律行為を取り消さない旨の、すなわち取消権放棄の意思表示ということができる。追認は、制限行為能力者本人が行う場合は、能力が回復し、かつ取消権を有することを知った後にしなければ追認の効果は生じない（法124条１項)。未成年者は、法定代理人の同意を得れば追認できる。法定代理人、制限行為能力者の保佐人及び補助人は、いつでも追認することができる（法124条２項１号)。制限行為能力者（成年被後見人を除く。）は、法定代理人、保佐人又は補助人の同意を得て追認することができる（法124条２項２号)。

(ウ) 居住用不動産の処分についての裁判所の許可

成年後見人、保佐人、補助人が制限行為能力者のマンションなどの居住用建物・敷地について、売却、賃貸、賃貸借の解除、抵当権の設定その他これらに準ずる処分をするには、家庭裁判所の許可を得なければならない（法859条の３、876条の５第２項、876条の10第１項)。許可を得ないで行った契約は無効と解されている。

⑥ 制限行為能力者と取引した相手方の立場を考慮した制度

(ア) 催告権

取り消すか追認するかは、制限行為能力者側の自由なので、制限行為能力者と契約した相手方は、非常に不安定な立場に立たされる。そこで、制限行為能力者側の意思決定を迫る手段として、相手方に催告権が認められている。相手側は、制限行為能力者側に対して、１カ月以上の期間を定めて、取り消すか追認するかの確答を求めることができる。この催告に対してその期間内に確答がないときは、原則として、追認したとみなされる（法20条１項・２項)。

催告は、追認権のある保護者に対して行うのが原則であるが、被保佐人と被補助人に対して催告することも可能である。ただし、被保佐人又は被補助人に催告して確答がない場合は、その行為を取り消したものとみなされる（法20条４項）。

⑷　取消権の喪失

制限行為能力者に取消権を認めるのは、制限行為能力者を保護するためであるが、制限行為能力者が行為能力者であることを信じさせるために、詐術（だます手段）を用いて相手方を信用させた場合は、公平の観点から、その法律行為を取り消すことができなくなる（法21条）。

⑸　法定追認

追認ができる時より後（未成年者が成年になった後や、制限行為能力者が行為能力を回復した時など）に、取り消し得る法律行為について追認権者が「相手方に契約の履行を請求したり」「自分から契約の履行をしたり」「担保の供与をしたり」「取り消せる行為によって得た権利を第三者に譲渡したり」「強制執行を行ったり」するような事実があったときは、追認ではない旨の異議をとどめない限り、法律上当然に追認したものとみなされる（法125条）。

⑹　取消権の消滅時効

取消権は、追認をすることができる時（未成年者が成年に達した時、あるいは制限行為能力者が行為能力を回復した時）から５年間行使しないと時効により消滅し、又は法律行為をした時から20年を経過すると消滅する（法126条）。

（２）代理

①　意義

代理とは、ある人（代理人）が、他人（本人）に代わって第三者（相手方）に対して意思表示をし（能働代理）、又は第三者から意思表示を受け（受働代理）、その法律効果がことごとく直接に本人に帰属する制度である（法99条）。

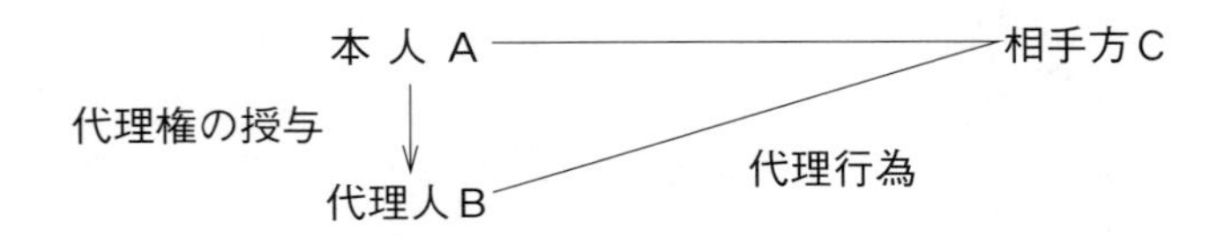

例えば、上図のAが自分の所有するマンションを売却しようとして、Bに

売却の代理権を与えたとする。それが図の「代理権の授与」である。そして、代理人がその物件の買主Cを見つけて売買契約を締結したとする。これが図の「代理行為」である。BがAに代わってA所有のマンションをCに売る場合に、BがAに代わってするCへの売るという申込みの意思表示も、BがAに代わって受けるCからの買うという承諾の意思表示も、ことごとくAについて効力が生じ、AC間に売買契約が成立することになる。もちろん、Aの承諾や同意がなくても売買の効力が生ずることになる。このことを「直接に本人に効果が生ずる」という。

② 代理行為

㈎ 意義

代理行為は、代理人が行う。契約の意思表示をするのは代理人であり、契約書に印鑑を押す場合も、本人の印鑑ではなく、代理人のものを押す。代理人が代理権を有しているのが代理の要件である。

なお、委任状がなくても代理行為は有効である。代理関係の成立、代理権の授与に委任状などの書面が出されることが多いが、それはその証拠とする目的で授与されるものであって、法律上それがないと代理関係が成立しないということではない。

代理人は、行為能力者である必要はない。すなわち、制限行為能力者であってもよい。なぜなら、代理の効果はすべて本人に及ぶため制限行為能力者の保護に支障はないし、代理人が本人に不都合な取引をしても本人が損害を被(こうむ)っても自己の責任だからである。

㈏ 顕名主義

代理人が代理行為をする場合には、本人のためにすることを示さなければならず（代理人が代理行為をするときには、「○○代理人××」というように、本人の名前を明らかにすること（顕名）が必要である。）、また代理人として意思表示を受領する場合には、相手方の表意者が本人のためにすることを示さなければならない。

代理人が本人のためにすることを示さないで意思表示をした場合には、代理人自身のためにこれをしたものとみなされる（法100条本文）。取引の安全を保護するためである。したがって、代理人は本人のためにするつもりであった場合でも、錯誤を理由にその取消しを主張することができない。

ただし、代理人が本人の代理人として行為していることを相手方が知っているか、知ることができた場合は相手方を保護する必要がない。それゆえ、この場合は、本来の代理としての効果が認められる（法100条ただし書）。

(ウ) マンション管理者の代理権

区分所有法26条２項では「管理者は、その職務に関し、区分所有者を代理する」と規定している。区分所有者が集会の決議によって選任した管理者と区分所有者との関係は、管理者の職務の範囲内において代理の関係である。

③ 復代理

(ア) 意義

復代理とは、代理人が自分の権限の範囲内の行為を行わせるため、自己の名義でさらに代理人を選任して本人を代理させることである。このようにして代理人によって選任された代理人を復代理人という。復代理人はあくまで代理人であるから、自ら意思を決定し、表示するものである。代理人の単なる使者となるものではない。また、復代理人は代理人が自己の名義で選任したものであるから、その選任行為は代理行為ではないことはもちろん、代理人の代理ということでもない。復代理人は代理人とともに直接本人を代理するものである（法106条）。したがって、復代理人が行った行為の効果は、直接本人に帰属する。

(イ) 復代理人を選任できる場合

代理人が復代理人を自由に選任できるかどうかについては、任意代理の場合と法定代理の場合とで異なる。

	復代理人を選任できる場合	復代理人の行為に対する代理人の責任
任意代理人	・本人の許諾を得たとき ・やむを得ない事由があるとき	・債務不履行の一般原則による責任を負う
法定代理人	・いつでも自由に復代理人を選任できる	・原則として、復代理人の代理行為に関する全責任を負う ・例外として、やむを得ない事由により復代理人を選任したときは、選任・監督責任のみを負う

※　代理には任意代理と法定代理の２種類があり、任意代理は、本人の意思又は信任に基づく代理であり、法定代理は、未成年者・成年被後見人の保護者のように本人の意思又

は信任に基づかない代理である。この区分の実益は復任権（復代理人を選任する権限）、代理権の消滅事由等にある。

(ウ) 復代理人の権限

復代理人は、本人の代理人として、本人及び第三者に対してその権限の範囲内において、代理人と同一の権限を持つ。ただ、あくまでも復代理であるから、その代理権（復代理権）は代理人の代理権の範囲内に限られる。なお、代理人の代理権は、復代理人を選任しても消滅しない。復代理権は、代理人と復代理人間の授権行為の消滅又はその基礎である対内関係の消滅、代理人の有する代理権の消滅、本人の死亡及び復代理人の死亡、復代理人の破産手続開始の決定等により消滅する。

④ 無権代理

(ア) 意義

無権代理とは、代理権がないのにもかかわらず代理人としてなされた行為である。全く代理権がない場合と代理権の範囲を超えている場合とがある。無権代理は、元来代理権を欠くものであるから、本人について何らの効果をも生ずることなく、無権代理人が不法行為上の責任を負うことがあるにすぎない。しかし、それでは相手方が不測の損害を被るおそれがあり、取引の安全を保護するという理想に反することになる。そこで、民法は、無権代理を無権代理人と本人との間に特別に緊密な関係のある場合とそうでない場合とに分けて、前者の場合は、正当な代理人の行為と同様に本人について効果を生ずるものとし、後者の場合は、本人の追認がない限り、本人について効果を生じないものとし、その代わり無権代理人は自ら履行するか、又は損害賠償をする責任を負うものとした。前者を表見代理といい、後者を狭義の無権代理という。両者を合わせて広義の無権代理と呼ぶ。

(イ) 表見代理

表見代理とは、代理権のない者が代理人と称して行う行為のうち、その無権代理人と本人との間に特別に緊密な関係があるため、本人について代理権が真実存在すると同様の効果を生じさせる制度である（法109条、110条、112条）。つまり、無権代理行為であっても、代理権があるような「外観」があり、その外観が存在することについて本人に何らかの「責任」があり、かつ、相手方が代理権があると誤信することについて「正当な理由」

がある場合に、有効な代理行為があったものと扱い、本人に対して効果を帰属させる制度である。これは相手方を保護するための制度であるから、表見代理が成立するには、保護に値するだけの相手方の事情が必要である。具体的には、無権代理であることについて、相手方が善意・無過失でなければならない。また、表見代理が成立すると、本人に不利益が生じる。それゆえ、相手方の善意・無過失のほか、本人側にも一定の責任があることが必要である。民法は表見代理として次の３つの場合を認めている。

㋐　本人が第三者（相手方）に対し、ある人に代理権を与えた旨を表示したが、実際には与えていなかった場合

※　本当は代理権を与えていないのに、本人が委任状を発行しているような場合

㋑　一定の代理権を有する者が、実際の代理権の範囲を超えて代理行為を行った場合

※　例えば、金銭の借入れと抵当権の設定契約の代理権を与えられた代理人が、その目的物件を売却してしまったというような場合

㋒　代理権の消滅後に、なお代理人として行為をした場合

※　代理権を与えて仕事を任せていた従業員を解雇したのに、その従業員が代理行為をしてしまったような場合

上記㋐～㋒のいずれの場合でも、無権代理であることについて相手方が善意・無過失であれば、本人に代理行為の効果が及ぶ。したがって、逆にいえば相手方が代理人と称する者に真実は代理権がないことを知っていたとき、又は知らないことについて過失があるときは、表見代理は成立しない。

なお、表見代理が成立する場合でも、もともと無権代理行為なので、相手側は表見代理を主張せず、無権代理人の責任を追及することもできる。

(ウ)　無権代理

㋐　代理権がないのにもかかわらず、代理人と称してなされた行為を無権代理という。例えば、Ｂが何ら代理権がないのにＡの代理人であると称してＡ所有のマンションをＣに売却してしまうような場合で、表見代理が成立するような特別の事情がない場合である。

無権代理人が本人のためにすることを示して売買などの法律行為を行っても、無権代理は無効であり、本人に何ら効果が帰属しない（法113

条１項)。しかし、本人が無権代理人の行為を「それでよい」と考えて追認すると、その行為は、契約の時にさかのぼって有効な代理行為となる（法116条本文)。

㋑ 無権代理の相手方を保護するため、次のような規定が定められている。

催告権

追認するかどうかは本人の自由なので、相手方は非常に不安定な立場に立たされる。そこで、本人側の態度決定を迫る手段として、相手方に催告権が認められる。相手方は、本人に対して、追認するかどうかの確答を求めることができ、催告に対して、一定期間内に確答がないときは、追認を拒絶したものとみなされ、無権代理行為は無効に確定する(法114条)。催告権は、無権代理行為につき悪意の相手方でも、行使できる。

取消権

無権代理について善意の相手方は、本人が追認する前に先手を打って、無権代理行為を取り消すことができる（法115条本文)。本人からの追認の余地をなくして、無効に確定させてしまう行為である。

無権代理人への責任追及

無権代理について善意・無過失の相手方から無権代理人に対して、責任追及をすることができる（法117条、契約の履行、損害賠償の請求など)。なお、無権代理人が制限行為能力者である場合には、制限行為能力者の保護を優先し、当該無権代理人は当該責任を負わない。

(3) 意思表示

① 意義

意思表示とは、一定の法律効果の生ずる事項を欲して、その旨を表示する行為である。例えば、契約の申込み・承諾などがそうである。

② 意思の不存在

意思の不存在とは、意思表示において何らかの事情で表示行為から推断される効果意思が、表意者の内心に存在しないか、又は内心に存在する意思と一致しないことである。それには、心裡留保（しんりりゅうほ）、虚偽表示、錯誤の３種類がある。

(ア) 心裡留保

冗談やウソのように、真意と違うことを自分で知りながらする意思表示のことを心裡留保という。例えば、買うつもりがないのに、「買います」といった場合である。

意思表示を受けた側は、相手がウソをいったとは通常思わないので、保護するために有効としている（法93条本文）。有効ということは、表示どおりの効力が生ずるということである。

しかし、表示を受けた者がその意思表示が表意者の真意ではないことを知っていたり（悪意）、又は知ることができた場合（善意・有過失）は、特に保護する必要がないので、無効としている（法93条１項ただし書）。しかし、その意思表示が無効であることは、善意の第三者に対抗できない（法93条２項）。

例えば、マンションの売買において、相手方が悪意又は善意・有過失で意思表示が無効とされる場合に、相手方からさらにマンション等を購入した第三者との関係では、第三者が善意の場合は無効を主張できない。

(イ) 虚偽表示

例えば、債権者からの強制執行を免れようと考え、債務者であるマンションの所有者が、真実は売却する意思がないのに相手方と通じ合って、仮装・架空の売買契約をするというように、相手方と通謀して行う虚偽の意思表示を、虚偽表示又は通謀虚偽表示という。

虚偽表示は、そもそも双方の当事者にその表示した内容に対応する内心の意思が欠けているのであるから、法律はこれを無効としている（法94条１項）。上記の例でいえば、たとえ虚偽の売買契約書を作成し、登記を買主に移転したとしても、所有権は買主に移らず、また買主名義の登記も無効ということになる。

しかし、この虚偽表示の無効は、善意の第三者に対抗できないものとしている（法94条２項）。例えば、上記の例で買主が「自分が所有者だ」と称して第三者にそのマンションを売却してしまった場合、もしその第三者が前の売買が虚偽表示であることを知らず、自分に売ってくれた人の所有物であると思っていた（善意のとき）ならば、真の所有者（もとの売主）は第三者に対し自己の所有権を主張し得ない。具体的には「返してくれ」

と言えない。

(ウ) 錯誤

勘違い、思い違いのように、表意者（意思表示をした者）が自分の内心の意思と表示したことの不一致を知らないことを錯誤という。Ａマンションを購入するつもりでＢマンションの購入申込みをしてしまった、というのが一つの例である。

この場合、民法は思い違いをした人を、一定の場合は保護することが適切と考え、意思表示に対応する意思を欠く錯誤及び意思表示をした者が法律行為の基礎とした事情についてのその認識が真実に反する錯誤（動機の錯誤）が、法律行為の目的及び取引上の社会通念に照らして重要なものであるときは、取り消すことができるとしている（法95条１項）。もっとも、動機の錯誤については、相手方の立場を考慮して、その事情が契約などの法律行為の基礎とされていることが表示されているときに限り、取り消すことができる（法95条２項）。ただし、表意者に「重大な過失」があったとき、要するに著しい不注意によってそのような思い違いをした場合には、意思表示を受ける相手方とのバランスを考慮して、原則として取り消すことはできないとしている（法95条３項）。

なお、錯誤による取消しは善意・無過失の第三者に対抗することができない（法95条４項）。

③ 瑕疵ある意思表示

瑕疵ある意思表示とは、他人の詐欺又は強迫によってなされた意思表示である。意思表示の外形（表示行為）に相応する内心の効果意思はあるが、その意思が決定されるまでの過程において他人の干渉という瑕疵がある。

(ア) 詐欺による意思表示

相手を「だます」ことを欺罔（ぎもう）というが、この欺罔によって他人を錯誤に陥れる行為が詐欺である。その詐欺の結果なされた意思表示を詐欺による意思表示という。例えば、ＡがＢに詐欺をされて自己所有のマンションをＢに売却したという場合、その売却の意思表示が詐欺による意思表示であるということである。

民法は、詐欺された人を保護するため、詐欺による意思表示は取り消すことができる（法96条１項）ものとしている。この場合、詐欺された人に重大な過失があったときでも取り消すことができる。

しかし、民法は「だまされた」という場合は、強迫された場合に比べて、だまされた側にも落ち度があると考えて、詐欺による意思表示の取消しは、善意・無過失の第三者には対抗できないとしている（法96条３項）。

なお、第三者が詐欺の事実を知っていた（悪意）か、知らないことに過失がある場合は、第三者を保護する必要がないので、詐欺による取消しも悪意又は有過失の第三者には対抗できる。

また、相手方ではなく、第三者が詐欺をした場合は、相手方がその事実を知り、又は知ることができたときに限り、取り消すことができる（法96条２項）。

⑷ 強迫による意思表示

恐怖心を生ずることを「畏怖」というが、人に害悪を告げて畏怖させる行為のことを強迫という。その強迫の結果なされる意思表示が、強迫による意思表示である。例えば、ＡがＢに強迫されて自己所有のマンションをＢに売却したという場合、その売却の意思表示が強迫による意思表示となる。

民法は、強迫された人を保護するため、強迫による意思表示は取り消すことができる（法96条１項）ものとしている。

そして強迫による意思表示の取消しは、詐欺による意思表示の場合とは反対に、善意・無過失の第三者に対しても対抗できる。

また、強迫の場合は詐欺の場合と異なり、第三者が強迫したとき、相手方がそのことを知っていたかどうかを問わず、常に取り消すことができる。

④ 公序良俗違反の法律行為

例えば、犯罪を行うことを約束するように、公の秩序、善良の風俗に反する事項を目的とする法律行為は無効である（法90条）。

（４）時効

時効とは、一定の事実状態が一定期間継続した場合に、この状態が真実の権利関係に合致するものかどうかを問わないで、法律上この事実状態に対応する法律効果を認める制度である。民法上、一定期間他人の物を占有する者にその物に関する権利を取得させる取得時効と、一定期間権利を行使しない者にその権利を消滅させる消滅時効とがある。

① 取得時効

(ア) 意義

取得時効とは、他人の物を一定期間継続して占有する者にその占有者の意思に相応する権利を与える時効である。所有権、用益物権（地上権、地役権、永小作権）は時効取得できるが、債権は不動産賃借権を除いて時効取得できないとされている。

※ 地上権とは、工作物又は竹木を所有する目的で他人の土地を使用する権利
※ 地役権とは、他人の土地を自己の土地の便益に供する権利

(イ) 時効取得の要件

所有権の時効取得のための要件は、所有の意思をもって、平穏に、かつ、公然と他人の物を一定期間、継続して占有することである。いわば、所有者らしい外観が一定期間継続することである（賃借人は、いくら占有を続けても「所有の意思をもって」占有しているわけではないので、所有権の時効取得をすることはできない。）。時効の完成に必要な期間は、この占有を始めた当時の占有者の意思によって異なる。占有者が占有の開始の時に、善意であり、かつ過失がなかった場合は10年（法162条2項）で、そうではなく他人の物であることを知っており（悪意）、又は知らなかったが過失がある場合は20年である（法162条1項）。占有の開始の時に、善意・無過失であれば、途中で悪意に変わっても、10年で時効が適用される。ここで善意というのは、占有している物（不動産あるいは動産）が自分の所有に属すると信ずることであって、無過失とは、このように信ずることに過失（いわば落ち度）がないことをいう。

時効の期間の進行中に占有の承継が行われた場合、例えば、占有者が死亡し、相続人が占有を引き継いだり、占有者がその不動産を譲渡し、譲受人が占有を引き継いだような場合には、承継者は、自分の選択により自分の占有のみを切り離して占有を主張することも、あるいは前の占有者の占有を通算して主張することもできる（法187条1項）。ただし、前の占有者の占有を併せて主張する場合には、その瑕疵をも承継しなければならない（法187条2項）。したがって、承継者がたとえ善意でも、もし前の占有者が悪意の場合には、その前の占有者の期間も通算するときは、20年の時効

期間が必要となる。

② 消滅時効

(ア) 権利を行使しない状態が一定期間継続することによって、権利が消滅してしまうという効果を生ずる時効のことを消滅時効という。消滅時効にかかる権利としては債権が典型例であるが、その他に用益物権も消滅時効にかかる。しかし、所有権は絶対に消滅時効にかからない。他人に所有権の時効取得が認められれば、もとの所有者の所有権はなくなるが、それは他人の時効取得の反射的効果であって、消滅時効にかかったのではない。

(イ) 通常の債権は、債権者が権利を行使することができることを知った時から5年間又は権利を行使できる時から10年間、権利行使をしない場合に、時効により消滅する（法166条1項）。債権以外にも、地上権、地役権などの所有権以外の財産権は、権利を行使できる時から20年で時効により消滅する（法166条2項）。

確定判決で確定した権利、裁判上の和解・調停によって確定した権利の消滅時効期間は、10年である（法169条1項）。

不法行為に基づく損害賠償請求権の消滅時効は、被害者又はその法定代理人が損害及び加害者を知った時から3年、又は不法行為の時から20年である（法724条）。

ただし、人の生命又は身体を害する不法行為による損害賠償請求権については、その「3年」は「5年」とされ、被害者の保護をより図っている（法724条の2）。

③ 時効の援用と時効利益の放棄

時効が完成しても、自動的に時効の効果が生じるわけではない。時効により利益を受ける当事者が、時効利益を受ける旨の意思表示（時効の援用）をしてはじめて時効の効果が発生する。当事者が時効を援用しない限り、裁判所も時効に基づいた判決をすることはできない（法145条）。

時効が援用されると、時効の効力は、その起算日（占有を開始した時点又は権利行使が可能になった時点）にさかのぼって生じる（法144条）。時効は時効の期間中に継続した事実状態をそのまま保護する制度であるから、これは、むしろ当然のことである。このことを時効の遡及効（そきゅうこう）といい、例えば、時効によって取得された権利を時効期間中に侵害した者に対し不法行為に基づく損害賠償請求権をもつ者は、もとの権利者ではなく、時効取得者となる。

時効の援用を当事者の意思に任せるのと同様に、当事者が積極的に時効による利益を放棄することもでき（例えば、消滅時効の完成に必要な期間が経過した後でも、債務者が時効を援用せずに、債務を弁済するなど）、いったん時効の利益を放棄すると、以後、時効の援用はできなくなる。ただし、時効完成前にあらかじめ時効の利益を放棄することは認められない（法146条）。もしこれを認めると、ほとんどの債権において、事前に時効の利益を放棄する契約がなされ、事実上、時効制度が無意味になってしまうからである。

④ 時効の完成猶予及び更新

時効の完成猶予及び更新とは、時効の基礎となる継続した事実状態と相容れない一定の事実が生じた場合に、時効の完成を猶予し、新たにその進行を始めることである。時効の更新があれば、すでに進行してきた時効期間は全く効力を失い、その後から新たに時効期間が計算される。

時効の完成猶予事由

㋐ 請求（権利者が自己の権利を主張すること）等

(a) 裁判上の請求（法147条１項１号）

訴えを提起したときに時効の完成猶予の効力が生じる。訴えの却下又は取下げの場合は、時効の完成猶予の効力が生じない。

他の債権者が強制執行の手続をした際に、その手続において単に債権の届出をしただけでは、この裁判上の請求に該当せず、時効の完成猶予の効力は生じない。

(b) 支払督促（法147条１項２号）

債権者が簡易裁判所に請求して行う簡易な手続のことである。

(c) 和解及び調停の申立て（法147条１項３号）

和解とは、裁判所において、当事者が相互に譲歩して争いを解決する行為をいう。調停とは、裁判所の調停委員会の仲介によって、相手方との話合いで法的にトラブルを解決する手続をいう。

(d) 破産手続参加等（法147条１項４号）

破産手続参加とは、債権者が破産の配当に加入するために、その債権の届出をすること

(e) 催告（法150条）

以上のような裁判上の請求ではなく、郵便とか口頭などの方法で相手方に対して義務の履行を請求する行為（裁判外の請求行為）のことを催告という。催告は、その時から6カ月を経過するまでの間、時効は完成しない。一度催告をし、その後6カ月以内にまた催告するというように、催告を繰り返してもその時効完成猶予の効力はない（法150条2項）。

㋑　強制執行等

強制執行、担保権の実行、民事執行法上の競売、民事執行法上の財産開示手続の事由がある場合には、その事由が終了するまでの間は、時効は完成しない（法148条1項）。

㋒　仮差押え、仮処分

仮差押え、仮処分の事由がある場合には、その事由が終了した時から6カ月を経過するまでの間は、時効は完成しない（法149条）。

㋓　承認（法152条1項）

承認とは、時効によって利益を受ける者が、時効によって権利を失う者に対して、その権利の存在を認める旨を表示することをいう。請求の場合と異なって、特別の方式は要しない。積極的に「承認します」という表示をしなくても、債務者が利息や債務の一部を支払ったり、支払猶予を申し入れる行為も承認に当たると解されている。債務の一部であることを明示して弁済した場合、残余の債務についての時効も新たにその進行を始める。

※　承認書の提出…区分所有者から管理組合あてに滞納管理費等の合計金額、支払時期等の内訳と、これらを滞納している事実を認める内容の承認書を提出させることにより、時効が更新される。

(5) 債務不履行

①　意義

債務不履行とは、正当な事由がないのに債務の本旨に従った履行をしないことである。債務の本旨に従った履行であるか否かは、法律の規定とか一般取引の慣行とか信義誠実の原則等によって判断される。債務不履行となるためには、その不履行が債務者の責めに帰すべき事由によること、すなわち債務者の故意又は過失に基づくことが必要である。債務不履行には履行遅滞、履行不能及び不完全履行の３つがある。なお、債務者自身に故意又は過失がある場合だけでなく、自ら雇用している職員・従業員（履行補助者）に故意又は過失があった場合も、債務者の故意又は過失があったのと同様に取り扱われる。

(ア) 履行遅滞（法412条）

履行遅滞とは、債務が履行期にあり、かつ、履行が可能であるのに、債務者の責めに帰すべき事由によって履行期が過ぎても履行をしないことをいう。例えば、マンションの売主が約束の引渡期日に引渡しをしない、というのが典型例である。

債務者が履行遅滞になると、債権者は債務者の財産に強制執行を行うこと、損害賠償の請求を行うこと、契約の解除の手段をとることができる。

(イ) 履行不能（法412条の２）

履行不能とは、契約の成立後に債務者の責めに帰すべき事由によって履行が不能になった場合のことをいう。例えば、売買契約の締結後、引渡し前に売主の失火（過失）により売買の目的物を焼失させてしまい、引渡しができなくなってしまった、というのがその例である。

債務者が履行不能になると、債権者は損害賠償の請求と契約の解除ができることになる。

(ウ) 不完全履行

不完全履行とは、債務の履行として、とにかく一応の履行はなされたが、それが不完全であった、すなわち債務の本旨に従ったものでない場合をいう。例えば、ある物件の調査を頼まれた者がずさんな報告をした、マンションの管理業者が清掃業務を依頼されたのにずさんな清掃しかしなかった、というような場合である。

不完全履行であれば、損害賠償請求、契約の解除、完全給付請求ができることになる。

② 損害賠償

(ア) 損害賠償の原則

債務不履行が債務者の責めに帰すべき事由による場合に、債権者は債務者に対してその不履行によって生じた損害の賠償を請求することができる（法415条）。損害賠償は、原則として金銭で行う（法417条）。

損害が発生したことや損害額がいくらかについては、請求者（債権者）の側で立証する必要がある。その請求できる額は、債務不履行から生じたすべての損害ではなく、債務不履行と「相当因果関係」のある損害に限られる。相当因果関係のある損害というのは、原因・結果の関係、すなわち因果関係のうち、常識的にみてそのようなことがあれば、そのような結果になるであろうと考えられる範囲の損害ということである。

賠償額について話合いがつかないときは、債権者が裁判所で証明した金額となる。なお、債務の不履行又はこれによる損害の発生や拡大に関して債権者にも過失があったときは、その分、賠償額が減額されたりする（法418条、過失相殺）。

(イ) 損害賠償額の予定

損害賠償について話合いがつかないときは、裁判で争うことになるが、裁判は時間がかかるし、弁護士に依頼するなどの費用もかかる。そこで、そのようなことを避けるため、あらかじめ当事者で損害賠償額を決めておくこと（損害賠償額の予定）ができる（法420条）。

損害賠償額の予定とは、債権者が自己の損害や損害額を立証しなければならないという困難、面倒を回避するための制度であり、契約当事者があらかじめ債務不履行の場合に賠償すべき額を定めておくことをいう。

この場合には、請求権者は相手方の債務不履行の事実を証明すれば、それだけで約定の賠償額を請求でき、損害を受けたことを証明する必要はない。それにより、損害額をめぐる当事者間の紛争を未然に防止できることになる。要するに、実際の損害額が予定額より大きいことを証明しても、予定額を超えて請求できない反面、実際の損害額が予定額より小さくても予定額を請求できる（損害賠償額を100万円と定めたら、現実の損害額が80万円であろうと120万円であろうと、100万円の賠償額となる。）。

賠償額の予定は、契約と同時にする必要はないし、履行の請求又は解除権の行使を防げるものではない。

(ウ) 金銭債務の特則について

債務者が「履行遅滞」の責任を負うためには、「債務者の責めに帰すべき事由」が必要である。しかし、「金銭債務」においては、債務者は、不可抗力、つまり責めに帰すべき事由がなくても、期日に金銭を返さなければ「履行遅滞」の責任を負うことになる（法419条）。マンションの売買代金債務や管理費等の支払債務は金銭債務なので、この特則が適用される。

金銭の給付を目的とする債務の不履行については、その損害賠償の額は、債務者が遅滞の責任を負った最初の時点における法定利率（年３％）（法404条）によって定める（法419条１項本文）。ただし、約定利率（契約で定めた利率）が法定利率を超えているときは、約定利率による（法419条１項ただし書）。例えば、年２％の約定利率を定めていた場合、法定利率より低いので賠償額は法定利率の年３％で計算される。これに対して、年５％の約定利率があった場合は、約定利率の年５％で計算される。

⑸ 損害賠償の発生

損害賠償とは、違法な行為により損害を受けた者（将来受けるはずだった利益を失った場合を含む。）に対して、その原因をつくった者が損害の埋め合わせをすることである（法415条、709条）。

㋐ 債務不履行による損害賠償（法415条）

債務不履行とは、債務者が契約などに基づく債務を自ら履行（弁済）しないことをいう。

債務の不履行又はこれによる損害の発生や拡大に関して債権者に過失があったときは、裁判所は、これを考慮して、損害賠償の責任及びその額を定める（法418条）。

㋑ 不法行為による損害賠償（法709条）

不法行為とは、故意又は過失によって他人の権利又は法律上保護される利益を侵害することをいう（過失責任主義）。

従業員の行為については使用者も損害賠償の責任を負う（法715条本文、使用者責任）。

故意、過失については、債権者（被害者）がその存在について立証責任がある。

被害者に過失があったときは、裁判所は、これを考慮して、損害賠償の額を定めることができる（法722条２項）。

失火の場合は、重過失があってはじめて損害賠償の義務が発生する（失火ノ責任ニ関スル法律）。

㋒　土地工作物の責任による損害賠償

土地の工作物の設置又は保存に瑕疵があることによって他人に損害を生じたときは、その工作物の占有者が損害賠償の責任を負う（法717条１項本文）。しかし、通常の不法行為と異なり、占有者が損害の発生を防止するのに必要な注意をしたことを証明したときは、所有者について無過失責任が定められている（法717条１項ただし書）。

（６）契約の解除

契約が締結された後に、当事者の一方的意思表示によって、いったん有効に成立した契約を解消させて、その契約が初めから存在しなかったのと同じ状態に戻す効果を生じさせることを、契約の解除又は単に解除という（法540条１項）。

①　解除権の発生

解除権は、法律の規定によって発生する場合（法541条、542条）と、契約により解除権が留保されることによって発生する場合とがある。前者を法定解除権といい、債務不履行の場合が典型例である。後者は約定解除権といい、解約手付が交付された場合が典型例である。

債務不履行には前述のとおり、履行遅滞、履行不能及び不完全履行の３つのタイプがあるが、不動産取引で重要な履行遅滞と履行不能とでは、解除権を行使できる要件に差異がある。

履行遅滞の場合には、履行が不可能になったわけではなく、単に債務者が忘れていた場合などもあるので、債権者は債務者に対して、相当の期間を定めて履行を催告し、債務者が、なおその期間内に履行しないときにはじめて解除することができることにしている（法541条）。

履行不能などの場合には、催告なしに直ちに契約解除をすることができる（法542条）。催告をすること自体、無駄なことだからである。

②　解除権の行使

解除権は、相手方に対する一方的な意思表示によって、これを行使する。つまり、解除される相手方の承諾は不要である（法540条１項）。いったん解除をした以上、撤回することはできないものとされている（法540条２項）。なぜなら、解除権の行使によって契約関係は当然に消滅するが、自由にその撤回をできることにしたのでは、相手方の地位が極めて不安定になるからである。

１つの契約の一方の当事者が複数人いるとき（例えば、Ａ・Ｂの共有物をＣに売却、Ａの所有物をＢ・Ｃが共同購入する場合など）は、解除をするほうの当事者についても、その相手方の当事者についても、その全員から、又は全員に対して解除の意思表示を行わなければならないものと定められている（法544条１項）。これを「解除権不可分の原則」という。この場合において、解除権が当事者の１人について消滅したときは、その他の者についても消滅する（法544条２項）。契約の当事者が複数以上いる場合に、その一部の者との間にだけ契約解除を認めると、その法律関係が極めて複雑化するからである。

③ 解除権行使の効果

解除権が行使されると、契約は最初にさかのぼって消滅する。言い換えれば、初めから存在しなかったのと同じ効果が生じる。これを解除の遡及効という。その結果として、各当事者は互いに契約締結前のもとの状態（これを原状という。）に復させる義務を負う（法545条１項本文）。これを原状回復義務という。すでに引き渡された目的物件は返還され、給付された金銭も返還されるが、解除の結果、金銭を返還するときは、「解除をした時から」ではなく、「受領した時から」の利息をつけなければならない（法545条２項）。

また、金銭以外の物を返還するときは、その受領の時以後に生じた果実をも返還しなければならない（法545条３項）。

なお、解除と損害賠償請求は、二者択一の関係にあるのではなく、解除したうえで、さらに損害があるときは、損害賠償を請求することもできる（法545条４項）。

（７）契約の類型とその効力

① 契約の成立

契約は、申込みと承諾の意思表示の合致によって成立するのが原則であり、契約書の作成などは、特に必要ではない。

このように当事者の意思表示だけで成立する契約を、諾成契約という。これに対し、質権設定契約などのように、当事者の意思表示の合致のほか、目的物の引渡しまで行わないと契約が成立しないものがある。このような契約のことを要物契約という。

② 売買

㈠ 意義

売買とは、当事者の一方（売主）がある財産権を相手方（買主）に移転することを約し、相手方（買主）がこれに代金を払うことを約束する契約である（法555条）。契約類型としては、諾成・有償・双務契約がその典型である。

㈡ 売主の義務

〈売主の財産権移転義務〉

売主は、売買の目的物である財産権を買主に移転し、不動産であれば対抗要件（登記）を備えさせ、目的物を引き渡す義務を負担する。しかし、目的物を引き渡す前にそれから生じた果実（例えば、地代・家賃）は、売主に帰属するものとされている。その代わり、買主も、引渡しを受けるまでは代金の利息を支払う必要がないものとされている（法575条）。

㈢ 売主の契約不適合責任

令和２年４月１日施行の改正民法により、それまでの売主の「瑕疵担保責任」の概念が「契約不適合責任」に変更され、その用語のみならず、内容も大きく変更された。

改正法は、まず売主の義務として、売主は「種類、品質又は数量に関して契約の内容に適合した目的物を引き渡す義務」を負うとして、これを怠ったときは債務不履行になるものとした。そして、その場合の買主の権利として、㋐追完（修補）請求権、㋑代金減額請求権、㋒損害賠償請求権、㋓契約解除権の４つを規定した。

㋐ 追完請求権

引き渡された目的物が種類、品質又は数量に関して契約の内容に適合しないものであるときは、買主は売主に対し、目的物の修補、代替物の引渡し又は不足分の引渡しによる履行の追完を請求することができる（法562条１項）。「追完」とは、追って完全な給付をするという意味であるが、不動産取引では、ほとんどが目的物の修補である。

この請求は、売主の責めに帰すべき事由がないときでもできる。

④ 代金減額請求権

買主が売主に修補の請求をしても修補しないとき、そもそも修補が不能であるとき、あるいは売主が修補を拒絶する意思を明確に表示したときは、買主はその不適合の程度に応じて代金の減額を請求することができる（法563条）。

この請求も、売主の責めに帰すべき事由がないときでもできる。

㋒ 損害賠償請求権

契約不適合責任は、債務不履行責任の一種であるから、民法の債務不履行一般の規定の適用により、買主は売主に対し、損害賠償請求をすることができる（法564条、415条）。

損害賠償請求は、もちろん買主に損害が発生したことが前提であるが、債務の不履行が債務者の責めに帰することのできない事由によるものであるときはできない（法415条１項ただし書）。この点が、前記㋐④の請求と異なるところである。

㋓ 契約解除権

目的物の契約不適合の場合でも、債務不履行一般の解除の規定の適用により解除することができる（法541条、542条）。解除も売主の帰責事由の有無を問わないが、その契約不適合が「軽微」であるときは解除できないこととされている（法541条ただし書）。

㈣ 担保責任の期間の制限

民法は、売買により生じた紛争を早期に解決することが適切との考慮から、その責任を負う期間を一般の時効期間によらず、短期とする特別の規定を置いた。

売主が種類又は品質に関して契約の内容に適合しない目的物を引き渡した場合、買主がその不適合を知った時から１年以内にその旨を売主に通知しないときは、買主は前記㈥の㋐から㋓の権利の行使ができなくなる（法566条本文）。要するに１年以内に正式な権利行使をしなくても、その間に売主に「通知」をすればよいこととした。もっとも、この期間制限は、正義公平の観点から、売主が引渡しの時にその不適合を知り、又は重大な過失によって知らなかったときは、適用されず、一般の時効期間の適用を受けることになる（法566条ただし書）。

(オ) 契約不適合責任に関する特約

契約不適合責任についての民法の規定は、任意規定（当事者の合意で修正できる規定）であって、強行規定（当事者の合意をもってしてもその規定を修正できない規定）ではない。したがって、売主はその責任を一切負わないとしたり、民法で定められた責任を変更したりする特約も、原則として自由に決められ、有効である。ただし、その特約がある場合でも、売主が不適合があることを知りながら買主に告げなかった事実、又は売主が自ら第三者に設定したり譲渡したりした権利についてまで、特約どおり責任を免れるというのではあまりにも不公平であるため、担保責任を免れることができない（法572条）。

(カ) 競売における担保責任

買主が競売によって目的物を取得した場合、債務者に対し、担保責任を追及することができる（法541条、542条、563条の規定により、債務者に対し契約の解除をし、又は代金の減額を請求することができる。）が、目的物の種類又は品質に関する不適合だけは追及することが認められていない（法568条４項）。

(キ) 買主の義務

㋐ 代金の支払義務

買主は、売主に対して代金の支払義務を負う。もし、目的物の引渡しについてだけ期限を定めたときは、代金の支払についても、同一の期限を定めたものと推定される（法573条）。また、目的物の引渡しと同時に代金を支払うべきときは、特約がない限り、その引渡しの場所において支払うことが必要である（法574条）。

㋑ 他人が権利を主張する場合の代金支払拒絶権

買主は、売買の目的物について権利を主張する者があることその他の事由により、その買主がその買い受けた権利の全部又は一部を取得することができず、又は失うおそれがあるときには、売主の側が相当の担保を供しない限り、その危険の程度に応じて代金の全部又は一部の支払を拒絶する権利が認められている（法576条）。

㋒ 担保物権の存する場合の代金支払拒絶権

買い受けた不動産に契約の内容に適合しない抵当権の登記がある場合

には、買主は、その抵当権消滅請求の手続が終わるまで、代金の支払を拒絶する権利が認められている（法577条１項）。買い受けた不動産に契約の内容に適合しない先取特権又は質権の登記がある場合にも、法577条１項の規定が準用される（法577条２項）。

③ 危険負担

不動産の売買契約締結後、その建物が引き渡される前に、売主の責めに帰することができない事由によって、目的物が滅失し、履行ができなくなった場合（落雷等で全焼してしまった場合など）、買主は反対給付の履行（代金の支払い）を拒むことができる（法536条１項）。

履行ができない原因も、落雷のような不可抗力だけでなく、第三者が放火したような場合も含む。第三者が放火したときはもちろん、最終的にその第三者に損害賠償を請求できる。

反対に、買主の失火によって目的物が焼失した場合のように買主の責めに帰すべき事由によって売主の履行ができなくなったときは、買主は代金の支払いを拒むことができない。その場合、売主は自分の債務を免れたことによって利益を得たときは、これを買主に返さなければならない（法536条２項）。

④ 賃貸借

㈠ 意義

区分所有者Ａが専有部分をＢに貸し、Ｂが賃料をＡに毎月支払うというように、当事者の一方（賃貸人）が相手方（賃借人）にある物の使用・収益をさせることを約し、相手方はこれに対して賃料を支払うこと及び引渡しを受けた物を契約が終了したときに返還することを約することによって成立する契約である（法601条）。したがって、売買と同じく、諾成・有償・双務契約である。

㈡ 賃貸人、賃借人の義務

㋐ 賃貸人の義務

(a) 使用・収益をさせる義務

賃貸人は、賃借人にその賃貸借契約の目的物であるマンションの専有部分を使用・収益させる義務を負う（法601条）。この義務に基づいて賃貸人は目的物である専有部分を引き渡すべき義務を負い、また専有部分の居住に必要な範囲において共用部分を賃借人に使用させる義務を負う。

(b) 修繕義務

専有部分を使用・収益させる義務の重要な内容として、賃貸人は、専有部分の使用・収益に必要な修繕義務を負う（法606条１項）。この修繕義務は特約によって排除することができるが、特約があった場合でも、大規模な修繕については、原則として賃貸人が負担する（判例）。

なお、賃貸人が賃貸目的物の保存に必要な行為をしようとするときは、賃借人は、これを拒むことができない（法606条２項）。

(c) 費用償還義務

(i) 必要費償還義務

必要費とは、目的物の原状を維持・回復する費用だけでなく、賃借物を通常の用法に適する状態に保全する費用をも含むものをいう。

賃借人が、雨漏りの修繕のように必要な費用を出費した場合には（修繕は、本来は賃貸人の義務であるから、その費用は賃貸人が負担すべきものである。）、賃貸人は賃貸借の終了を待たないで、直ちに償還しなければならない（法608条１項）。なお、事前の通知をしないで必要費を支出した場合であっても、賃借人は、その償還を請求することができる。

(ii) 有益費償還義務

有益費とは、目的物を使ううえでは必要ないが、目的物の価値を増すために支出された費用をいう。例えば、家屋の賃貸借において、和式のトイレを洋式に替える場合や壁紙を張り替える場合でも、そのことによって家屋の利用価値が増すのであれば有益費に該当する（判例）。必要不可欠な行為ではないので、必要費のように直ちに掛かった費用を賃貸人に負担させるべきではない。賃貸人が利益を得るのは、契約が終了して目的物の返還を受けた時である。

そこで、賃借人が専有部分の改良のために費用を支出した場合には、賃貸人は賃貸借終了の時に、その専有部分の価値の増加が現存している限り、賃貸人の選択により、支出された費用又は増価額のどちらか（要するに安いほう）を償還しなければならない（法608

条２項、196条２項）。

㋑ 賃借人の義務

(a) 賃料支払義務

賃借人は、賃貸人に賃料（家賃）を支払う義務を負う（法601条）。その支払時期については、民法の原則では後払い（例えば、月末払い）でよい（法614条）となっているが、特約によって変更してもよい。一般的には、４月分の家賃は３月末日に支払うというように、先払いの特約をしていることが多い。

(b) 保存義務

賃借人は、その専有部分を契約終了によって返還するまで、当該契約の趣旨に照らして定まる善良な管理者の注意をもって保存することを要し（法400条）、契約に定まった用法に従って使用・収益をすることを要する（法616条、594条１項）。

(c) 賃借権の無断譲渡、専有部分の無断転貸をしない義務

賃借人は、賃貸人の承諾がなければ賃借権を第三者に譲渡したり、専有部分を転貸したりしてはならない（法612条１項）。もし、これに反して賃貸人の承諾がないのに譲渡・転貸を行って、第三者がそのマンションの使用・収益を始めたときは、賃貸人は賃貸借契約の解除をすることができる。賃貸人が契約を解除できるのは、第三者が目的物の使用又は収益を開始した場合であり、単に賃借権の譲渡契約又は転貸借契約が行われただけでは、まだ解除はできない（法612条２項）。第三者に、専有部分の一部だけについて賃借権の譲渡・転貸をした場合も同様である。なお、賃借権の譲渡・転貸が賃貸人に無断で行われたとしても、譲渡・転貸借契約自体は当事者間では有効である。ただし、譲渡・転貸借契約が有効なのは、あくまで当事者間だけであるから、無断転貸を承諾しない賃貸人は、賃貸借契約を解除することなく、直接、転借人に対して明渡しを請求することができる。

ただ、今日では判例によって、本条の解釈が修正されており、たとえ賃借人が賃貸人に無断で第三者に譲渡・転貸しても、「背信的行為と認めるに足りない特段の事情がある場合」には、その第三者は、転借権に基づく使用又は賃借権の譲受けを賃貸人に対抗することができき

る、としている（賃貸人の承諾を得ないで賃借権を譲渡した場合、賃借人は賃貸借関係から離脱し、賃借権の譲受人が賃借人となる。）。

賃借人が賃貸人の承諾を得て賃借権を譲渡したときは、譲渡人は賃借人としての地位を離脱し、譲受人が賃借人となる。

賃貸人の承諾を得て転貸した場合、賃貸人と賃借人（転貸人）の関係は、何らの影響も受けずにそのまま存在する。賃借人（転貸人）と転借人との関係は転貸借の内容によって決まる。賃貸人の承諾を得た有効な転貸借がなされた場合、転借人は、目的物の保管義務・賃料支払義務・契約終了後の目的物返還義務等の義務を賃借人の債務の範囲を限度として、「直接」賃貸人に対して負う（法613条１項）。

期間の満了や賃借人の債務不履行を理由とする解除等により、賃貸借が消滅したときは、転貸借も消滅する（判例）。なお、賃貸人と賃借人の合意解除により、賃借権が消滅しても、特別の事情がない限り、転借人に対抗することができない（法613条３項）。

(ウ) 敷金

㋐ 敷金の意義と性質

令和２年４月１日施行の改正民法は、敷金について従来からの解釈に沿って明文規定を設けたが、その定義を「いかなる名目によるかを問わず、賃料債務その他の賃貸借に基づいて生ずる賃借人の賃貸人に対する金銭の給付を目的とする債務を担保する目的で、賃借人が賃貸人に交付する金銭をいう。」としている（法622条の２第１項本文かっこ書）。要するに、敷金とは、賃貸借契約に際して、賃料債務その他の賃借人の債務を担保する目的で、賃借人から賃貸人に交付される金銭で、法律的性質は、一種の条件付きで金銭の所有権を賃借人から賃貸人に移転するものと解されている。

㋑ 敷金の効力

交付された敷金は、いったん賃貸人のものとなり、賃料の支払債務や将来賃借人が負うことがあり得る賃貸人への損害賠償債務など、賃貸借契約から生じる金銭の給付を目的とする債務を担保することになる。したがって、賃借人に賃料の不払いなどがあれば、賃貸人は契約の存続期間中でも終了後でも、敷金をこれに充当することができる。しかし、敷金が交付されていても、賃貸人は賃料不払いを理由に契約を解除することができる。

賃借人の側から、不払賃料を敷金から差し引けと主張することはできない（法622条の２第２項）。契約終了時に賃借人に債務があればその額を差し引き、不履行がなければ全額返還しなければならないが、利息をつける必要はないものとされている。

契約が終了すると、最終的に敷金は賃借人に返還されるが、その時期は目的物の明渡しが終了した後になる。先に明渡しを済ませる必要があるので、明渡しと敷金返還は同時履行の関係にはならない（法622条の２第１項１号）。

賃貸人が変更した場合は、当事者間に特約のない限り、敷金関係は新しい賃貸人に承継される（法605条の２第４項）。

賃借権が適法に譲渡された場合、賃借人は賃貸借契約締結時に差し入れた敷金の返還を賃貸人に請求することができる（法622条の２第１項２号）。

⑤ 贈与

㈠ 意義

贈与とは、当時者の一方（贈与者）が相手方（受贈者）に無償で、ある財産を与える意思を表示し、相手方がこれを受諾することによって成立する契約である（法549条）。したがって、諾成契約であるが、無償・片務契約である。

㈡ 書面によらない贈与の解除

贈与契約の成立には、特に方式などを要しないので、書面による必要はなく、口頭の合意で成立する。しかし、書面によらない贈与は、各当事者はいつでもこれを解除することができる（法550条本文）ことにしているが、すでに引き渡されるなど「履行の終わった部分」は、解除できないものとしている（法550条ただし書）。法律が贈与について特別に解除を認めたのは、贈与の意思を確実にして、後日の紛争をできるだけ防止しようということと、贈与者の熟慮を促して、軽率な贈与がなされることを予防するためといわれている。

なお、不動産については、「引渡し」か「移転登記」のいずれかがなされれば、すでに履行が終わったとみて、もはや取り消すことができないとするのが判例である（最判昭40．3．26）。

(ウ) 効力

㋐ 財産権移転義務

贈与者は、受贈者に対して、財産権の移転義務を負う。不動産では、具体的には目的物件の引渡し、登記などである。

㋑ 贈与者の引渡義務等

贈与者は、贈与の目的である物又は権利を、贈与の目的として特定した時の状態で引き渡し、又は移転することを約したものと推定する（法551条１項）。

(エ) 特殊な贈与

㋐ 死因贈与

死因贈与とは、贈与者の死亡によって効力が生ずる贈与のことである。例えば、Ａが「自分が死んだら、このマンションの１室をＢにやる」と約するなどである。これに似たものに遺贈（法964条、986条以下）があるが、遺贈は、遺言によって遺産の全部又は一部を人に与えるものであり、単独行為である。これに対し、死因贈与は、あくまでも契約である点に基本的な違いがある。

また、民法554条の規定により、死因贈与は遺贈に関する規定に従うとされている（準用される遺贈に関する主要規定は、法991条～994条（受遺者の権利義務）、996条～1003条（担保責任）、1046条～1048条（遺留分侵害額請求）である。）。しかし、死因贈与の方式については、遺贈に関する規定の準用はないとするのが判例である（最判昭32．5．21）。

㋑ 負担付き贈与

負担付き贈与とは、受贈者に一定の負担を負わせる贈与契約のことである。例えば、Ａがマンションの１室をＢに贈与し、その代わりＡのローンの返済をＢが行うとか、Ａの生活費の一定額を毎月ＢがＡに給付するというような場合である。この場合の受贈者の負担は対価ではないから、これはやはり無償契約である。

しかし、実質的には負担の限度で対価関係に立つので、贈与者は、その負担の限度で売主と同じく担保責任を負わなければならない（法551

条２項）。また、その性質に反しない限り、双務契約に関する規定が準用される（法553条）。

⑥　相続

㈠　区分所有者の死亡

区分所有者が死亡した場合、その者が有していた専有部分に対する区分所有権、共用部分に対する共有持分権及び敷地利用権は、それぞれ財産権として相続の対象となり、相続人に承継される。また、管理組合の構成員としての地位などの法律上の地位も、区分所有権の承継人に移転する。

このような相続の関係一般については、マンション固有の特殊な法的問題があるわけではなく、他の財産の相続と異ならない。例えば、区分所有者が死亡し、相続人が数人あるときには、区分所有者が有していた専有部分の区分所有権等の権利は、遺産分割がなされるまでは、これらの相続人の共有に属する。

㈡　相続人がいない場合の特別規定

区分所有法は、相続に関し民法の規定の適用関係について１カ条を設けている。

民法においては、共有者の１人が死亡して相続人がないときには、その持分は他の共有者に帰属するものとされている（民法255条）。

相続人が１人もいない無主の不動産は、国庫に帰属することになる（民法239条２項）ので、専有部分は国の所有となる。ところが、敷地利用権については、区分所有者が共有持分又は準共有持分を有していることがほとんどであるので、死亡して相続人がない場合、上記の民法255条をそのまま適用すると、敷地利用権である共有持分又は準共有持分は、他の共有者又は準共有者に帰属してしまうことになる。その結果は、敷地利用権のない専有部分の所有という不合理な事態を招くこととなり、区分所有法における専有部分と敷地利用権との一体性の原則に反することとなる。

そこで、区分所有法は、専有部分の所有者が、その敷地について共有持分又は準共有持分を有する場合において、死亡して相続人がないとき、民法255条（民法264条において準用する場合を含む。）の規定は、敷地利用権には適用しない旨を明らかにしている（区分所有法24条）。死亡して相続人がない（又は共有持分を放棄した）区分所有者の敷地利用権の共有持分が、敷地利用権の共有者である他の区分所有者に帰属することを防止して、すべて国庫に帰属するように規定している。

⑦ 請負

㈠ 意義

請負とは当事者の一方（請負人）が相手方（注文者）にある仕事を完成することを約し、相手方がその仕事の結果に対して報酬を支払うことを約する契約である（法632条）。請負は請負人の仕事の完成と注文者の報酬支払とが対価関係に立ち、両当事者は対価的債務を負い当事者の合意のみによって成立する契約である。したがって、諾成契約であり、有償・双務契約である。

㈡ 請負の効力

㋐ 仕事完成義務

請負人は契約によって定められた時期・方法に従って仕事に着手し、仕事を完成させなければならない。請負人は、特約又は仕事の性質上、自らの労務によるべきこととされている場合を除いて自らが仕事を完成する必要はなく、第三者の労務によって仕事を完成させても契約の本旨に従ったものであれば、第三者の使用も認められる。仕事の完成に期限があれば、その時期までに完成しなければならない。

㋑ 目的物引渡義務と所有権の帰属

物の製作・修理などのように有体物に関する請負については、請負人は完成した目的物を注文者に引き渡す義務を負う。請負人は仕事の完成後でなければ報酬を請求することができないのが原則であるから、注文者が報酬を提供しないことを理由に仕事の遂行を拒否できない。なお、完成した建物の所有権が注文者、請負人のどちらに帰属するかは学説上の議論はあるが、判例によれば、材料の全部を注文者が供給した場合には、注文者が建物の完成と同時に建物の所有権を当然に取得する。材料の全部を請負人が供給した場合は特約のない限り、仕事の完成と同時に請負人が目的物の所有権を取得し、引渡しによって注文者に所有権が帰属する。ただし、建物の完成前に請負代金が完済されたとき、あるいはそれに準ずるようなときには、はじめから注文者に所有権が帰属すると解されている。

㋒ 請負人の担保責任

(a) 内容

請負契約において、引き渡された目的物が種類、品質又は数量に関して契約の内容に適合しない場合に、請負人が注文者に対して負う担保責任については、売買の担保責任の規定が準用される（法559条）。すなわち、注文者が行使できる権利は、①追完（修補）請求権、②報酬の減額請求権、③損害賠償請求権、④契約解除権の4つである（それぞれの要件・効果は、売買の該当箇所を参照。）。

(b) 担保責任の存続期間

請負人が種類又は品質に関して契約の内容に適合しない仕事の目的物を注文者に引き渡した場合、注文者がその不適合を知った時から1年以内にその旨を請負人に通知しないときは、注文者はその不適合を理由として、追完（修補）請求、報酬の減額請求、損害賠償請求及び契約の解除をすることができない（法637条1項）。もっとも、仕事の目的物を注文者に引き渡した時に、請負人がその不適合を知り、又は重大な過失によって知らなかったときは、上記の「1年以内」という期間の制限は受けない（法637条2項）。

㋓ 注文者の権利・義務

注文者は、請負人に対し適当な時期に工事に着手し、契約に定められた仕事を完成するよう請求することができる。そして、請負人が仕事に着手しないとき、又は仕事に着手したが契約の期日までに仕事を完成しないときは、注文者は請負人に対し債務不履行責任を追及することができる。

㋔ 注文者の報酬支払義務

注文者は、請負人に対して報酬を支払う義務を負う（法632条）。報酬は、特約のない限り、仕事の目的物の引渡しと同時に支払う、すなわち後払いが原則である（法633条本文）。

㋕ 注文者の目的物受領義務

目的物の引渡しを要する請負においては、注文者に目的物を受領する義務があると解されている。

(a)　注文者の解除権

請負人が仕事を完成する前であれば、注文者はいつでも損害を賠償して、契約を解除することができる（法641条）。この注文者の解除権は、請負の目的物が建物の場合でも認められる。

(b)　注文者の破産手続開始の決定による解除

注文者が破産手続開始の決定を受けたときは、請負人又は破産管財人は契約を解除することができる（法642条１項）。ただし、請負人による契約の解除については、仕事を完成した後はできない（法642条１項ただし書）。

⑧　委任

(ア)　意義

委任とは当事者の一方（委任者）が相手方（受任者）に法律行為をすることを委託し、相手方がこれを承諾することによって成立する契約である（法643条）。売買や賃貸借などの法律行為を委託する場合のほか、例えば、マンション管理の委託、不動産の売買や賃貸の媒介の委託、賃貸不動産の管理の委託などのような法律行為以外の事務の処理を委託するものもあり、このような行為を委託する契約を特に準委任と呼んでいるが、これにも委任の規定が準用される（法656条）。

(イ)　委任の効力

㋐　受任者の注意義務

受任者は原則として委任の本旨に従って善良な管理者の注意をもって、委任事務を処理する義務を負い（法644条）、これに違反するときには債務不履行の責任を負わなければならない。善良な管理者の注意とは、取引上一般に要求される程度の注意（受任者の職業、地位、能力等において一般的に要求される平均人としての注意義務）を意味し、比較的高度な注意が要求されている。この義務は、有償・無償を問わず受任者に課せられる。なお、より軽度な注意義務を表す言葉として、「自己の財産におけると（自己のためにするのと）同一の注意義務」というものがある。

信頼関係を基礎とする委任契約においては、受任者は原則として自ら事務を処理しなければならない。しかし、委任者の許諾がある場合、又は受任者が急病の場合などやむを得ない場合には、復受任者を選任できる（法644条の２第１項）。

④　受任者の付随的義務

事務処理義務に付随して民法上、受任者は、委任者の請求があるときは、いつでも委任事務処理状況を報告し、委任終了後は遅滞なくその経過及び結果を報告しなければならないという委任事務処理の報告義務がある（法645条）。また、受任者は委任事務を処理するに当たって受け取った金銭（事務処理の過程で受け取った金銭等）及び天然・法定の果実など、及び自己の名で取得した権利を委任者に引き渡さなければならない（自己名義で取得した権利を委任者の名義にする義務）（法646条）。さらに、受任者が委任者に引き渡さなければならない金額、又は委任者の利益のために用いるべき金額を自己のために消費したときは、その消費した日以後の利息を支払わなければならず、損害がある場合にはその賠償をしなければならない（法647条）。

㋒　委任者の義務

委任は特約のない限り無償であるが、特約があれば委任者に報酬支払義務が生じる（法648条１項）。

受任者は、委任事務履行後でなければ報酬を請求できない。ただし、期間をもって報酬を定めた場合には、その期間の経過後に報酬を請求することができる（法648条２項、624条２項）。

受任者は、委任者の責めに帰することができない事由によって委任事務の履行をすることができなくなったとき又は委任が履行の中途で終了したときは、すでにした履行の割合に応じて報酬を請求することができる（法648条３項）。

㊁　民法所定の委任者の義務

(a)　費用前払義務

委任事務の処理について費用を必要とするときは、委任者は、受任者の請求によってその費用の前払をしなければならない（法649条）。

(b)　立替費用償還義務

受任者が委任事務処理のために必要と認められる費用を支出した場合には、委任者は、受任者の求めによりその費用及びその支出の日以後の利息の償還義務を負う（法650条１項）。中途で委任が解除された場合でも、受任者が解除前に支出した費用については償還義務を負う。

(c) 債務弁済義務

受任者が委任事務処理のために必要と認められる債務を負担したときは、委任者は、受任者の求めにより受任者に代わってその弁済をする義務を負い、その債務が手形の期限のように、まだ弁済期に至らない場合には相当の担保を供する義務を負う（法650条２項）。

(d) 損害賠償義務

受任者が自己の過失によらず委任事務を処理するについて損害を受けたときは、委任者は受任者の求めによりその賠償をする義務を負う（法650条３項）。

㋔ 委任の終了

委任契約は、委任者、受任者のいずれからでも、またいつでも、特に理由を要せずに解除することができる（法651条１項）。これは、委任契約が他の種類の契約に比べ、より当事者の信頼関係を基礎とする契約であるから、もし委任者がその受任者に任せたくないと考えたり、受任者がその委任者の事務をしたくないと考えた場合には、解除を認めるのが妥当だからである。委任は、委任者又は受任者の死亡又は破産手続開始の決定によっても終了する。これに対し、受任者が後見開始の審判を受けた場合には委任契約は終了するが、委任者が後見開始の審判を受けても終了しない（法653条）。

しかし、相手方にとって不利な時期に委任を解除した場合と委任者が受任者の利益（専ら報酬を得ることによるものを除く。）をも目的とする委任を解除した場合には、やむを得ない事由があるときを除いて、相手方に生じた損害を賠償しなければならない（法651条２項）。やむを得ない事由とは、受任者が病気になって事務処理を続けられなくなった場合などであり、この場合には損害賠償の必要はない。

なお、委任契約は、契約関係が継続するもの（継続的契約）なので、解除の効果はさかのぼらず、将来に向かってのみ効力を生じる（法652条、620条）。

⑨　その他の契約

㈠　消費貸借

消費貸借とは、当事者の一方である借主が他方当事者の貸主から金銭その他の物を受け取り、これと種類・品質及び数量の同じ物を返還することを約する契約である（法587条）。借主は受け取った物の所有権を取得し、これを消費した後、同種・同等・同量の物を返還すればよい点で、目的物の所有権が貸主に保留され、借主は目的物を処分しないで、借りたその物を返還する使用貸借や賃貸借とは異なる。

なお、書面でする消費貸借は、当事者の一方が金銭その他の物を引き渡すことを約し、相手方がその受け取った物と種類・品質及び数量の同じ物を返還することを約することによって効力を生ずる（法587条の２第１項）。

㈡　使用貸借

使用貸借とは、当事者の一方（貸主）がある物を引き渡すことを約し、相手方（借主）がその受け取った物を無償で使用・収益し、契約が終了したときに返還することを約することによって成立する契約である（法593条）。要するに、物の無償の貸し借りである。

貸主は、契約が終了すれば目的物の返還請求権を有する。これは借主の返還義務と対応するものである。また、貸主は借主に目的物の使用・収益を許容する義務を負うが、それ以上の義務を負担するものではない。この点において、修繕義務などを負う賃貸借とは異なる。しかし、借主の支出した通常の必要費以外の臨時の必要費及び有益費の償還義務は負担しなければならない（法595条２項、583条２項）。

使用貸借は借主に借用物を使用・収益させることを目的とする契約であるから、その契約の効力として、借主は借用物の性質によって定まった用法に従った使用・収益権を取得する（法594条１項）。ただし、貸主の承諾なしに第三者に使用・収益させることはできない（法594条２項）。また、用法及び禁止の規定に違反したときは、貸主は契約の解除ができるとともに、損害賠償若しくは不当利得返還の請求ができる（法594条３項、600条）。また、借主は目的物を借用中、善良な管理者の注意をもって保管する義務を負うとともに、通常の必要費を負担しなければならない（法595条１項）。返還時期があればその到来、なければ使用・収益の目的を達したときには、目的物を貸主に返還する義務を負う（法597条１項・２項）。

また、借主が死亡した場合には使用貸借関係は消滅する（法597条３項）。使用貸借は当事者の信頼関係を基礎にしたものだからである。逆に、貸主の死亡は特約のない限り終了原因とならない。

（８）債権担保の手段

① 抵当権

(ア) 意義

抵当権は、債権者が債務者又は第三者（物上保証人）が債務の担保に提供したものを、質権のように提供者から奪うことなく、担保物提供者にその使用・収益を任せておきながら、債務が弁済されない場合に、その物から優先的に弁済を受けることのできる担保物権である。このように、抵当権の特徴は、目的物の占有が債権者に移転しないで、担保物の所有者がそのまま自由に使ったり、賃貸したり、売却したりすることができる。債権者、すなわち抵当権者にとっては、いざというときに競売にかけてお金に換えることさえできればよいのである。また、目的物が売却されて第三者のものになっても抵当権はそのまま行使できるので、特に抵当権者が不利益を受ける心配もない。

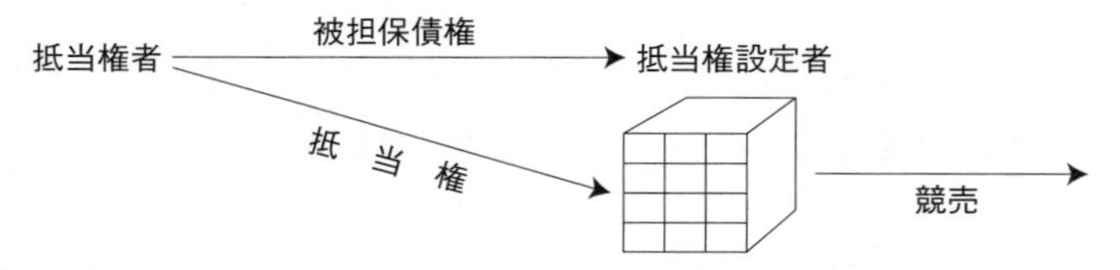

※ 抵当権において、自己の不動産に抵当権を設定した者のことを「抵当権設定者」、抵当権の設定を受けた債権者のことを「抵当権者」、抵当権によって回収を確保される（担保される）債権のことを「被担保債権」という。

(イ) 抵当権の設定契約

抵当権設定契約は、抵当権を取得する者（債権者）と、目的物に対して抵当権の負担を設定する者（抵当権設定者－債務者・物上保証人）との間の合意のみによって成立する契約である。登記は対抗要件にすぎない。

抵当権設定者は、通常は債務者であることが多いが、それに限らず、第三者でも差し支えない。例えば、Aが金を借りる際、貸主から担保を求められたときに、何も担保に供する不動産を所有していないときは、Ａの兄弟Ｂが自分の持っている不動産をＡのために担保として供するような場合である。このように他人の借金のために、抵当権の目的物を提供する人のことを物上保証人という。

(ウ) 抵当権の目的物

抵当権の目的物にできるものは、民法上は不動産（土地・建物）と地上権、永小作権に限られる（法369条）。不動産賃借権は、たとえ登記がなされていても、抵当権の目的とすることはできない。なお、土地と建物は別個独立の不動産であるので、抵当権も土地、建物それぞれに対して、別個独立に設定される。

抵当権は、１つの債権のために複数の不動産の上に設定することもできる。例えば、１つの債権のために、土地とその上の建物の両方に抵当権を設定するような場合である。これを共同抵当という。

(エ) 抵当権の性質

抵当権は、担保物権の一種として、次のような性質を有している。

㋐ 附従性

債権がなければ抵当権は成立せず、債権が消滅すれば抵当権も消滅する。抵当権は、あくまでも特定の債権を担保するために存するのであるが（根抵当権は別）、この担保される債権を「被担保債権」といい、抵当権は被担保債権と運命を共にするということを、抵当権の附従性という。

したがって、抵当権の被担保債権が弁済や免除により消滅したときには、たとえ抵当権の登記が残っていても、抵当権の消滅を第三者に対抗することができる。抵当権の附従性により抵当権も消滅し、その抵当権の登記は実体を欠く無効の登記となるからである。

㋑ 随伴性

抵当権は、被担保債権が譲渡されると、これに伴って移転し、債権の譲受人が抵当権を取得する。その債権を担保するための権利だからである。これを随伴性という。

㋒ 不可分性

抵当権者は、被担保債権の全額の弁済を受けるまで、目的物の全部について権利を行使することができる（法296条、372条）。

例えば、1,000万円の債権を担保するために、100m²の土地に抵当権を設定したが、その後500万円を弁済して、残りの債権額が半分になったとしても、抵当権の効力はそのまま目的物の全体である100m²の土地に及ぶことになっている。

� 物上代位性

抵当権は、その目的物の売却、賃貸、滅失、損傷によって、設定者が受けるべき金銭その他の物に対しても行うことができる。例えば、抵当物件が火災で滅失して、設定者が保険金請求権を有することになったときは、抵当権はその火災保険金請求権に効力を及ぼすことができる。なぜなら、抵当権は、目的物の物それ自体を目的としているのではなく、目的物の価値に着眼しているものだからである（抵当権は、もともと目的物そのものを手に入れるための権利ではなく、お金に換えて債権の弁済を受けるための権利である。）。このように、目的物の代わりのものに抵当権を行使することを物上代位性という。ただし、抵当権者は、その保険金請求権に対して、その払渡し前に差押えをすることが必要である（法304条、372条）。お金がいったん払い渡されて抵当権設定者の財産にまぎれ込んでしまうと、どの部分が物上代位の対象なのか区別がつかなくなるからである。

(オ) 抵当権の効力

㋐ 抵当権の効力の及ぶ範囲

(a) 付加一体物

被担保債権が弁済されないときは、抵当不動産を競売に付することができるのは当然であるが、民法は当事者の意思の推測に基づく規定を設け、土地の庭石や建物の造作（雨戸等）、地上の樹木、増築部分などのように目的物以外に抵当不動産に付加して一体となっている物（不動産の構成部分となって独立性を失ったもの）には、その付加したことが抵当権設定登記の前後を問わず、抵当権の効力が及ぶ。また、建物を所有するために必要な敷地に対する賃借権は、その建物所有権に付随し、これと一体となって一つの財産価値を形成しているのであるから、建物に設定された抵当権は敷地の賃借権にも効力が及ぶものと解されている（判例）。ただし、例外として、抵当権設定契約で付加物には抵当権の効力が及ばない旨の特約がある場合は、債務者が抵当不動産に物を付加させて一般財産を減少させ、そのために他の債権者を害する場合の付加物、抵当地の賃借人が植えた木のように目的物の所有者以外の者が権原に基づいてなした付加物、民法上土地とは別個の不動産として取り扱われる建物などについては抵当権の効力は及ばない。土地と建物は別個独立の不動産であるから、土地に付けた抵当権の効力が建物に及んだり、建物に付けた抵当権の効力が土地に及ぶことはない。

(b)　従物

抵当権の効力は、抵当不動産の常用に供するために自己の所有する他の物をもって附属させた物、例えば、家屋に対する畳、建具のような主物に対する従物にも及ぶ。

(c)　果実

果実とは、ある物から生ずる収益物をいう。これには、土地に埋蔵されていた鉱物や土地上から収穫される米、野菜のような天然果実と、地代、家賃や利息のような法定果実とがある。

果実については、抵当権は抵当物所有者から目的物の利用権能を取り上げないことを本体とするから、目的物から生ずる果実には効力が及ばないのが原則である。しかし、その被担保債権について不履行があったときは、不履行の後に生じた抵当不動産の果実には、抵当権の効力が及ぶ（法371条）。

㋑　被担保債権の範囲

抵当権によって優先弁済が認められる債権の範囲は、抵当権設定当時の元本や抵当権実行の費用などについては、問題なく優先弁済を受けることができるが、満期前の利息や満期後の遅延利息や利息以外の地代・家賃などの定期金については、満期となった最後の２年分に限定される（法375条１項）。ほかに債権者や後順位の抵当権者がいないときは誰も不利益を受けないので、利息全額について抵当権による満足を受けることができる。

㋒　抵当権によって優先弁済を受ける権利

抵当権を設定した目的物に重ねて抵当権を設定することもできる。同一の目的物に重ねて抵当権を設定した場合、それぞれの抵当権に順位がつく。そして、抵当物が競売されて得た代金からの弁済は、登記をした順位によって行われる。

債務者が期限に弁済をしない場合、抵当権者は目的物から優先弁済を受ける権利をもつ（法369条１項）。これが、抵当権の中心的な効力である。

(a)　優先弁済を受ける方法は、競売によるのが原則である。しかし、当事者間の契約によって任意の方法で換価する方法をとったり、目的物を直ちに抵当権者の所有にさせる旨の特約（抵当直流（ていとうじきながれ））をしても差し支えない。質権については、流質契約が禁止されているが、抵当権では許されている。

(b)　優先弁済の順位……抵当権者は、次の順位で優先弁済を受ける。

同一の不動産の上に数個の抵当権が競合する場合の順位は、各抵当権の登記の順序による（法373条）。

なお、先順位の抵当権が消滅すると後順位の抵当権が繰り上がる。これを順位上昇の原則という。

㈿　建物を保護するための制度

抵当権が実行された場合、すなわち競売が行われた場合に関連して、建物を保護するための制度が規定されている。

㋐　法定地上権

抵当権設定当時、すでに土地と建物が存在し、その土地と建物が同一人の所有に属していた場合に、その一方に抵当権を設定したときは、もし競売の結果、土地と建物が別人に属することになれば、建物の所有者は、当然に地上権を取得したものとみなすことにしている（法388条）。これは、そのような競売が行われたときに、理屈をいえば建物は他人の土地に理由・根拠もなく存在することになり、本来なら撤去しなければならないはずであるが、民法はこの場合、建物を保護することを意図して、当然にその建物のために地上権が成立することとしたのである。これを法定地上権という。地代については、当事者の請求によって裁判所が定めることとしている。

※　例えば、土地と建物を所有する甲が、債権者乙のために建物に抵当権を設定、その後抵当権が実行されて、競売の結果、丙が建物を取得した場合、土地の所有者甲、建物の所有者丙となるが、もともと土地と建物は同一所有だったので、借地権は存在していない。そうすると、丙は土地を使う権利がないのに、甲の土地に無権原で建物を設置していることになる。そこで、こういう場合は、丙のために法律上、自動的に地上権を与えることにしたのである。

〈法定地上権の成立要件〉

(a)　抵当権設定時に、土地の上に建物が存在する（更地ではない。）。建物について登記がなされている必要はない。また、抵当権設定当時建物が存在していれば、設定後に建物が滅失し、同様の建物が再築された場合でもよい。

(b)　抵当権設定時に、土地と建物の所有者が同一人である。抵当権設定後に、土地あるいは建物のどちらかが譲渡され、土地と建物が別人の所有に属した場合でもよい。

(c)　抵当権実行の結果、土地と建物の所有者が別々になる。

(d)　土地と建物の一方又は両方に抵当権が存在する。

これらの要件を満たせば、法定地上権が成立する。したがって、抵当権設定「後」に土地と建物の所有者が別になり、借地権の設定が行われても、法定地上権は成立する。また、抵当権設定時の建物がその後火災で焼失し、別の建物を再築した場合も、法定地上権は成立する。抵当権を設定する対象も、土地のみ、建物のみ、土地・建物の両方、いずれの場合でもかまわない。

しかし、土地（更地）に抵当権を設定した当時には建物が存在せず、抵当権設定後に建物が築造された場合には、法定地上権は成立しないと解されている（判例）。

㋑　一括競売

土地に抵当権を設定したのち、抵当土地の上に建物が築造された場合は、抵当権者はその土地とともに、この建物をも競売することができ、これを一括競売の制度という（この場合は、上記の法定地上権の成立要件を満たさない。）。抵当権設定者以外の者が建物を建てた場合も含まれる。本来、土地と建物とは別個の不動産であるから、土地に対する抵当権の効力は建物には及ばないが、このような場合に土地だけの競売は事実上困難であることと、建物を保護しようとの趣旨から存在する制度である。ただ、もともと建物には抵当権の効力は及んでいないのであるから、抵当権者が優先弁済を受けられるのは土地の代価についてのみであって、建物の代価については優先弁済が受けられない（法389条１項ただし書）。建物の代価は他の債権者と平等に分けることになる。

なお、その建物の所有者が、抵当土地を占有することについて、土地の抵当権者に対抗できる権利を有している場合には、一括競売はできない（法389条２項）。

(キ) 賃借権と抵当権の関係

同一の不動産に賃借権と抵当権が競合して存在する（甲の不動産に乙の抵当権と丙の賃借権がついている）場合、どちらの権利が優先するかは、それらの権利の対抗要件の先後で決まるのが原則である。すなわち、建物の賃借権の対抗要件である賃借権の登記又は建物の引渡し（借地借家法31条）が、抵当権の登記より先になされていれば、抵当権の実行（競売）による買受人は、その賃借人を引き受けなければならず（賃借人はそのまま目的物を使用できる。）、反対に抵当権の登記のほうが先であれば、競売の結果、賃借人は買受人に建物を明け渡さなければならない。

ただし、これは抵当権者を保護するための扱いなので、例外として、賃借権の登記前に登記したすべての抵当権者が同意をし、その同意について登記がされたときは、抵当権設定登記後の賃借権であってもその抵当権者及び競売における買受人に対抗することができる（法387条１項）。ただし、抵当権者がその同意をするには、その抵当権を目的とする権利を有する者その他抵当権者の同意によって不利益を受けるべき者の承諾を得なければならない（法387条２項）。また、抵当権者すべての同意がなく、抵当権者に対抗することができない場合でも、賃貸借により抵当目的物である建物を使用・収益している者で、正当な使用・収益権を有していた者（競売手続の開始前から使用又は収益をする者、強制管理又は担保不動産収益執行の管理人が競売手続の開始後にした賃貸借により使用又は収益をする者）は、競売の買受人が所有権を取得した時から６カ月の明渡し猶予期間が与えられる（法395条１項）。

なお、買受人の買受けの時より後にその建物の使用をしたことの対価について、買受人が抵当建物使用者に対し相当の期間を定めてその１カ月分以上の支払を催告し、その相当の期間内に履行がない場合には、その建物を買受人に引き渡さなければならない（法395条２項）。

(ク) 第三取得者を保護する制度

抵当権が実行されると、抵当権設定後に抵当不動産の所有権や地上権を取得した者（これらを「第三取得者」という。例えば、甲の土地に乙のために抵当権を設定した後、甲がその土地を丙に売却した場合の丙のこと）の地位は覆（くつがえ）されるので、これらの者の地位を保護するために、民法は代価弁済、抵当権の消滅請求の制度を設けている。

㋐ 第三取得者の代価弁済

抵当不動産について所有権又は地上権を買い受けた第三者が、抵当権者の請求に応じて、その抵当権者にその代価を弁済すれば、抵当権はその第三者のために消滅するという制度を「代価弁済」という（法378条）。あくまでも、代価弁済は抵当権者の請求がなければできない。

㋑ 抵当権の消滅請求

代価弁済は、抵当権者からの請求がないと始まらない。そこで第三取得者のほうから働きかけて、抵当権を消滅させる制度が認められている（法379条～386条）。

まず、抵当不動産について所有権を取得した第三者は、抵当不動産を自ら評価してその評価額を抵当権者に提供して、抵当権の消滅請求をする（法379条、383条）。

抵当権者がこれを承諾して、第三者が支払えば、抵当権は消滅する。第三者の提示した金額が不当に低いと思うときは、抵当権者は目的物を競売にかけることができる。この消滅請求は、抵当権の実行としての競売による差押えの効力発生前にしなければならない（法382条）。

なお、主たる債務者、保証人及びその承継人は、この抵当権の消滅請求をすることはできない（法380条）。これらの者は、債務の全額を弁済すべきであるから、これより少ない金額で抵当権を消滅させる権利をもたせるのは妥当でないからである。

(ケ) 根抵当権

根抵当権とは、銀行との当座貸越契約・手形割引契約、メーカーと卸商、問屋と小売商などのように継続的な取引関係のある者の間において生じる増減変動する多数の債権を一括して担保するために、あらかじめ担保物が負担しなければならない最高の限度額（極度額）を予定しておいて、将来確定する債権を極度額の範囲内で担保する抵当権である（法398条の２以下）。

根抵当権によって担保される債権は債務者との直接の取引によって生じたものでなければならないから、当事者の意思に基づかない偶発的に発生した不法行為による損害賠償債権などは、被担保債権とすることはできない。根抵当は現在債務がないのに抵当権が先に成立すること、被担保債権が消滅しても担保権は消滅しないこと（附従性の緩和）などで通常の抵当権と異なる。

根抵当権は、その担保する債権の範囲、すなわち極度額の限度内であれば、元本及び利息・遅延賠償金並びに確定後配当の時までに発生する利息・遅延賠償のすべてについて優先弁済を受けることができる。ただし、極度額を超える部分については優先権がない。優先弁済を受けるために、自分で競売を申し立てることもできる。また、他の債権者の申立てによって競売が開始したときに、これに加入して弁済を受けることもできる。自分で競売の申立てをするには被担保債権のすべてについて債務不履行を生じる必要はなく、被担保債権の１つについて債務不履行が生ずれば足りる。

② その他の担保物権など

(ア) 質権

債権者がその債権の担保として債務者又は第三者から受け取った物を、債務の弁済がされるまで留置して債務の弁済を間接的に強制するとともに、弁済がされない場合には、その物から優先弁済を受けることができる担保物権のことである（法342条）。

抵当権と同じく、当事者間の契約によって成立する担保物権（約定担保物権）であるが、債務者等の設定者から目的物の占有を奪う点で、抵当権と根本的に異なる。そのため、不動産を目的とする債権担保の手段としては、比較的少ない。

また、抵当権と同様、質権には、物上代位性、不可分性、附従性、随伴性があり、不動産質権については、登記することもできる。

(イ) 留置権

他人の物を占有している者が、その物に関して生じた債権の弁済を受けるまでその物を留置して、債務の弁済を間接的に強制する担保物権のことである（法295条１項）。

例えば、マンションの賃借人が、賃借中にその建物に雨漏りがしてきたため必要な修繕をしたのに賃貸人が修繕代を支払ってくれない場合、その後、賃貸借契約が終了すると、マンションを返還しなければならないが、その必要費の償還を受けるまで、留置権に基づいてそのマンションの返還を拒むことができる。

留置権は、債権が留置する物に関して生じたものである場合に法律上当然に発生する担保物権、すなわち法定担保物権である。法律がこれを認めたのは、公平の原理によるもので、成立する目的物は、動産であると不動産であるとを問わない。

留置権にも不可分性、附従性、随伴性はあるが、物上代位性はない。また、留置権は、登記することができない。

(ウ) 先取特権

法律の定める特定の債権（一般の債権より厚く保護する必要があると考えられる債権）を有する者が、債務者の一定の財産から、他の債権者より優先して弁済を受けることができる担保物権のことである(法303条以下)。例えば、建物について修繕工事を行った者の修繕代金債権は、その建物の換価の場合、他の債権者より優先して配当が受けられる。

先取特権は、法定担保物権であるが、法律が特定の債権についてこのような権利を認め、債権者平等の原則を破って特定の債権を厚く保護しようというその趣旨は、公平の原則であったり、社会政策的要請であったり、当事者の意思を推測してのことであったり、まちまちである。

目的物である債務者の財産が何かによって、債務者の総財産を目的物とする一般先取特権、債務者の特定の動産を目的物とする動産先取特権、債務者の特定の不動産を目的物とする不動産先取特権の３種類に大別される。

マンションの区分所有者間における債権について、区分所有法は特別の先取特権を認めている（区分所有法７条）。

すなわち、区分所有者は、共用部分、建物の敷地若しくは建物の共用部分以外の建物の附属施設について他の区分所有者に対して有する債権又は規約若しくは集会の決議に基づき他の区分所有者に対して有する債権について、債務者の区分所有権及び建物に備え付けた動産の上に先取特権を有するものとしている（区分所有法７条１項）。区分所有者間の公平の観点から、その債権に先取特権を付与して保護しようとしたのである。その場合、先取特権の目的物が区分所有権のときは不動産先取特権で、建物に備え付けた動産のときは動産先取特権である。

不動産の賃貸の先取特権は、その不動産の賃料その他の賃貸借関係から生じた賃借人の債務に関し、賃借人の動産について存在する（法312条）。

賃借権の譲渡又は転貸の場合には、賃貸人の先取特権は、譲受人又は転借人の動産にも及ぶ。譲渡人又は転貸人が受けるべき金銭についても同様である（法314条）。

この先取特権は、民事執行法の手続によって実行することになるが、同法により、まず動産の先取特権から実行しなければならない。

先取特権の権利の性質は、ほぼ抵当権と同一である。最終的に目的物を競売にかけ、お金に換えて優先弁済を受ける。したがって、物上代位性、不可分性、附従性、随伴性がある。なお、先取特権の目的物が動産である場合、債務者がその動産を第三取得者に引き渡した後は、その動産について先取特権を行使することはできなくなる（法333条）。

㈣　譲渡担保

債務者又は物上保証人の権利（多くは所有権）を担保の目的で、債権者に譲渡する形式によって行われる担保方法のことで、民法には規定がないが、判例上その有効性が認められている。債務の弁済により、その権利は債務者等の設定者に復帰する。もし、期限に弁済がなされないときには、確定的に債権者に権利が帰属する。

譲渡担保は、不動産だけでなく、動産にも設定することができる。

※　甲が乙から借金をする際に、甲の土地の所有権を乙に移転（譲渡）する。甲が借金を返済しないと、土地はそのまま乙のものになる。ただし、将来、甲が借金を弁済したときは、所有権は甲に戻す約束をしておく。目的物の所有権を譲渡するかたちをとって、債権の担保をするわけである。

(オ) 仮登記担保

将来、債務者が債務を弁済しない場合に備えて、あらかじめ不動産等で代物弁済することなどを予約し、これを仮登記しておく方法による担保物権のことをいう。「仮登記担保契約に関する法律」により認められている。

③ 保証債務

(ア) 意義

保証債務とは、主たる債務者の債務の履行を債権者に対して担保することを内容とする債務のことをいう（法446条１項）。

保証は、貸金返還債務や売買の割賦金支払債務といった金銭債務について行われることが多いが、必ずしもそれに限られるわけではなく、土地建物の引渡しのような金銭債務以外についても、将来の債務不履行の場合における損害賠償債権を担保するための保証も成立する。

保証人になる場合の多くは、主たる債務者（例えば、金を借りる者、マンションの賃借人など）から保証人になってくれと頼まれるからであるが、保証人となる契約は、債権者と保証人との間に締結される保証契約であって、主たる債務者は保証契約の当事者ではない。したがって、主たる債務者の依頼がなくても保証人になることができるし、主たる債務者の意思に反して保証契約を結ぶこともできる。また、主たる債務者と保証人との契約は、必ずしも必要ではない。

主たる債務者が保証人を立てる義務を負う場合、その保証人は、行為能力者であり、なおかつ、弁済をする資力を有する者でなければならない（ただし、債権者が保証人を指名した場合は、この条件には該当しない。）（法450条１項・３項）。

保証契約は、書面でしなければ、その効力を生じない（法446条２項）。保証契約がその内容を記録した電磁的記録によってされたときは、書面で行われたものとみなされる（法446条３項）。

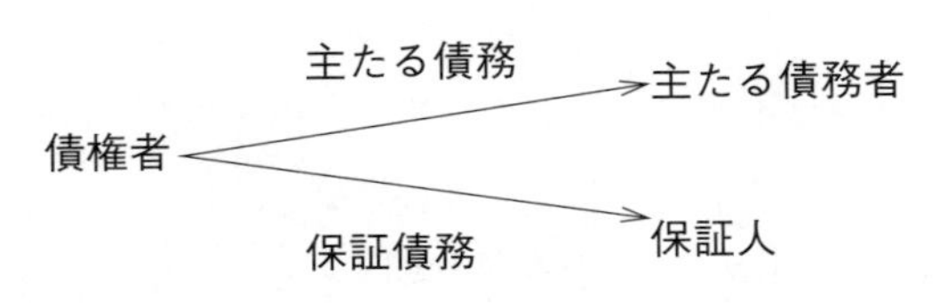

※　保証においては、保証人の負担する債務と本来の債務者の負担する債務を区分する意味で、本来の債務者のことを主たる債務者、その債務を主たる債務という。

なお、令和２年４月１日施行の改正民法により、賃貸借の賃借人の保証のように一定の範囲に属する不特定の債務の保証人に個人がなる場合（個人根保証契約）には、極度額すなわち保証人が保証責任を負う最高限度額を定めないと保証契約の効力が生じない、言い換えると保証人は何ら責任を負わないこととなった（法465条の２第１項・２項）。

(イ)　性質

保証債務は、主たる債務とは別個・独立の債務であるが、あくまでも主たる債務を担保することを目的として存在するもので、次のような性質を有する。

㋐　附従性

主たる債務がなければ保証債務は成立せず、主たる債務が消滅すれば保証債務もまた消滅するという性質である。例えば、主たる債務が錯誤による取消しなどにより成立しなかったときは、保証債務も成立しない。また、主たる債務が弁済や時効により消滅すれば、保証債務も自動的に消滅する。

これに関連して、保証債務は、その目的や態様において、主たる債務より重いということはあり得ない。例えば、主たる債務が100万円で保証債務が150万円ということは許されない。こういう場合は、保証債務は主たる債務の100万円の限度に減縮される（法448条１項）。また、主たる債務の目的や態様が保証契約の締結後に加重されても、保証人の負担は加重されない（法448条２項）。なお、主たる債務が100万円で保証債務が70万円というのは、一部保証といって、もちろん許される。

また、保証人は、特に保証債務についてのみ、違約金や損害賠償の額を約定することができる（法447条２項）。なぜならそれは、保証債務が目的・態様において主たる債務より重くなるというより、ただ保証債務の履行を確実にするための方法として考えられているにすぎないからである。

主たる債務者に対して債権者が履行の請求をしたり、債務者が承認するなど、主たる債務者について時効の完成猶予及び更新をした場合、その効果は保証人にも及び、保証債務の時効も完成猶予及び更新されることになる（法457条１項）。

さらに、附従性から主たる債務者の有する同時履行の抗弁権などの抗弁権をもって債権者に対抗することができるし、また、主たる債務者が債権者に対して反対債権を有している場合は、その債権をもって債権者に対抗することができる（法457条２項）。例えば、主たる債務が売買代金債務であり、主たる債務者が所有者に対して、目的物を引き渡さないと支払わないという同時履行の抗弁権（法533条）が主張できる場合、保証人も同様に、同時履行の抗弁権を主張してかまわない。また、保証人は、主たる債務者が債権者に債権を有している場合、その債権を使って相殺することができる（主たる債務者は、保証人が反対債権を有していても、その債権を使って、相殺を主張することはできない。）。

㋑　随伴性

保証債務は、主たる債務に対する債権が移転すれば、それに伴って移転するという性質のことで、保証人は、新しい債権者に対して保証債務を負うことになる。

㋒　補充性

保証債務は、たとえ独立の債務とはいっても、あくまでも主たる債務に対して第二次的な地位にあるので、通常は主たる債務者が履行しない場合にはじめて、履行すればよいはずである（法446条）。そこで、まず保証人は、債権者からの請求に対して、まず主たる債務者に催告せよ、と主張することができる。これを「催告の抗弁権」という。もっとも、主たる債務者が破産手続開始の決定を受けたとき、又は行方不明のときは、この抗弁権を行使することができない（法452条）。

また保証人は、自分が債権者から強制執行を受けそうになったときは、主たる債務者に弁済の資力があり、かつ、その執行が容易であることを証明して、まず主たる債務者の財産に対して執行してくれと主張できる。これを「検索の抗弁権」という（法453条）。

※　主たる債務が無効であったり、消滅したりしたような場合には、保証人も債権者による請求を拒むことができる。主たる債務者が債権者に対して主張できることは、保証人も債権者に対して言うことができる。

⑼　範囲

保証債務の範囲は、特約がない限り、主たる債務に関する利息、違約金、損害賠償、その他その債務に従たるすべてのものを包含する（法447条１項）。ただ、主たる債務と保証債務は一応別々の債務であり、契約当事者も異なるので、前述のとおり、主たる債務とは別に違約金又は損害賠償額の約定をすることもできる（法447条２項）。

⑽　主たる債務の履行状況に関する情報の提供義務

保証人が主たる債務者の委託を受けて保証をした場合、債権者は保証人の請求があったときは、遅滞なく、主たる債務の元本や利息その他の債務についての不履行の有無、これらの残額、弁済期が到来しているものの額に関する情報を保証人に提供しなければならない（法458条の２）。

⑾　分別（ぶんべつ）の利益

１つの債権のために複数の保証人がつくことがある。これを共同保証という。共同保証において各保証人は、主たる債務の額を保証人の頭数で割った額のみを保証することとされている。これを「分別の利益」という（法456条、427条）。

⑿　保証人の求償権

保証人が主たる債務を弁済したときは、他人のために自分が支払ったのであるから、その償還を求めることができるのは当然である。この償還を求める権利のことを求償権という。

そして、求償権の範囲は場合によって異なる。

㋐　保証人が主たる債務者の委託を受けて保証人となった場合……主たる債務者に対して、弁済額のほか、弁済後の利息及び避けることができなかった費用その他の損害額を求償することができる（法459条２項、442条２項）。

㋑　保証人が主たる債務者の委託を受けないで保証人となり、それが債務者の意思に反しない場合……主たる債務者に対して、弁済した当時に主たる債務者が得た利益を限度として求償できる（法462条１項、459条の２第１項）。

㋒　保証人が主たる債務者の意思に反して保証人となった場合……主たる債務者が現に利益を受けている限度で求償できるにすぎない（法462条２項）。

保証人のように、弁済をするについて正当な利益を有する者は、弁済によって当然に債権者に代位すると定められていることから（法500条）、債権者が抵当権を有していた場合、弁済者は、その債権者の有していた抵当権を代わりに行使することができる。

(キ)　連帯保証

㋐　連帯保証の意義

連帯保証とは、保証人が主たる債務者と連帯して保証債務を負うことを約する保証である。

㋑　連帯保証の特質

連帯保証も保証の一種であるから、附従性、随伴性を有するが、補充性はない。

(a)　連帯保証人は、催告の抗弁権及び検索の抗弁権を有しない（法454条）。

したがって、連帯保証人にいきなり請求してきた場合でも支払わなければならないし、債権者が強制執行の基本となる債務名義を有しているなら、連帯保証人は直ちに強制執行を受けてもやむを得ないことになる。

(b)　連帯保証人には、分別の利益がないので、複数の保証人がいるときでも、全額について保証債務を負わなければならない。したがって、Ａの主たる債務についてＢとＣが連帯保証人となっている場合、債権者はＡ・Ｂ・Ｃのいずれに対しても全額の請求をすることができる。

㋒　令和２年４月１日施行の改正民法により、債権者が連帯保証人に請求しても、その効果は主たる債務者には及ばないことになった。普通の保証は、保証人に請求しても、その効果は主たる債務者には及ばないので、時効の完成猶予及び更新をするには、必ず主たる債務者に請求する必要があるが、それと同じである。免除及び消滅時効の完成についても、絶対効が失われたので主たる債務者には及ばない。

④ 連帯債務

㈠ 意義

連帯債務とは、数人の債務者が同一内容の給付について、各人が独立に全部の弁済をなすべき債務を負担し、そのうちの１人が弁済すれば、他の債務者の債務もすべて消滅するという債務関係のことをいう。各債務者の債務はそれぞれ独立のものであって、主従の区別がない点において保証、連帯保証と異なる。

例えば、夫Ａと妻Ｂが共同で5,000万円のマンションを買い受けた場合、もし連帯債務でなく通常の債務である限り、Ａ・Ｂはそれぞれ2,500万円の債務を負えばよいのが原則である(法427条、分割債務の原則)。しかし、それでは事情いかんによっては、売主は１人分の債権しか回収できないという危険性がある。そこで、こうした危険を避け、Ａ・Ｂのどちらにも5,000万円の請求ができることを合意しておけば、債権の回収は確実になる。この場合に、Ａ・Ｂが負う債務を連帯債務といい、保証よりも債権の効力を強める作用をもつことになる。

㈡ 効力

数人が連帯債務を負担するときは、債権者は、連帯債務者のうちの任意の１人又は数人、あるいはその全員に対して、全部又は一部の請求をすることができ、もし数人又は全員に請求するときには、同時に請求してもよいし、順次に請求してもかまわない（法436条)。なぜなら、連帯債務は、同一目的を有するとしても、あくまでもそれぞれが別個・独立の債務だからである。

㈢ 負担部分

連帯債務者は、債権者から請求されれば、全額払わざるを得ない。しかし連帯債務者同士の内部関係においては、１人で全額負担するいわれはない。そこで、連帯債務者の内部では、負担部分と呼ばれるものがあり、弁済をした連帯債務者は、他の債務者に対して、その負担部分の支払を求償できる。

㈣ 連帯債務者間の影響

連帯債務者の１人について法律行為の無効又は取消しの原因があって

も、他の連帯債務者に影響しないのが原則（法441条）であるが、更改、混同、相殺については、例外的に他の債務者にも影響する。

⑤ 不可分債権及び不可分債務

㈠ 不可分債権

債権の目的がその性質上不可分である場合において、数人の債権者があるときは、各債権者はすべての債権者のために履行を請求し、債務者はすべての債権者のために各債権者に対して履行をすることができる（法428条、432条）。例えば、Aが所有する専有部分を、BとCが共同で購入する契約をした場合、BとCがAに対して専有部分の引渡しを請求するような権利は不可分債権となる。不可分債権の債権者は、債務者に対して、単独で債務の履行を請求することができる。また、債務者は、債権者のうちから任意の1人を選んでその者に対して履行をすることができる。

㈡ 不可分債務

BとCが共有する専有部分をAに売却する契約をした場合、BとCはAに対して専有部分を引き渡す債務を負う。この場合、専有部分を引き渡す債務は分割することができないので不可分債務となる。また、共同でマンションを賃借している場合の賃料債務や、専有部分を共有している場合に管理組合に対して負う管理費債務も、不可分債務となる。

このように不可分債務とは、数人の債務者が、1つの不可分な給付を目的とする債務を負担する法律関係をいう（法430条）。不可分債務の債権者は、各債務者に対して同時に又は順次に全部の履行を請求することができる。

（9）共有

① 意義

共有とは、1個の所有権が数人に量的に分属（いわば分割されて帰属）している関係をいう。

② 共有者間の関係

㈠ 共有というのは、同一物について、数個の所有権が互いに制限し合う状態であるから、その制限に基づく各共有者の有する割合がなければならない。これが共有持分の割合である。

共有者の持分の割合は、法律の規定あるいは共有者の意思表示によって定まるが、はっきりしない場合は均等と推定されることになっている（法250条）。

(イ) 各共有者は、共有物の全部について、その持分に応じた使用をすることができる（法249条）。

(ウ) 共有物の保存行為（例えば、不法占拠者に対する明渡請求、共有建物の修理など）は、各共有者が単独ですることができ、管理行為（例えば、賃貸借契約の解除など）は、持分の価格の過半数で決定し、共有物の処分（共有物の譲渡、共有物に対する抵当権の設定など）や変更は、原則として、共有者全員の同意をもって行わなければならない。ただし、共有物に変更を加える行為であっても、形状又は効用の著しい変更を伴わないものについては持分価格の過半数で決定することができる（法251条１項、252条１項）。

また、共有物の管理費用、公租公課などの負担は、持分に応じて各共有者が負担する。共有者のうち、もし１年以内にこの負担を履行しない者があるときは、他の共有者は相当の償金を支払って、その者の共有持分を取得することができる（法253条）。

③ 共有持分の譲渡、放棄

共有物の譲渡などの処分と異なり、各共有者は、自分が有する持分を自由に譲渡したり、放棄することができる。共有持分は共有者にとって自分１人のものだからである。共有者の１人が、共有持分を放棄したとき、又は死亡して相続人がないときには、その持分は他の共有者に帰属する（法255条）。

④ 共有物の分割

(ア) 各共有者は、いつでも共有物の分割を請求することができる（法256条１項本文）。それは、法律はあくまでも単独所有が原則だという思想によるものである。各共有者が分割禁止の特約をした場合は、一応その特約を認めるが、その特約も５年を超えることはできない（法256条１項ただし書）。

(イ) 分割の方法は、共有者全員の協議が調えばどんな方法でもよいが、共有者間に協議が調わないとき、又は協議をすることができないときは、裁判所に分割を請求することができる（法258条１項）。分割の方法は、現物分割（共有物自体を分割する方法）、代金分割（共有物を売却して、その売却代金を持分に応じて分配する方法)、あるいは賠償分割(共有物を共有者の1人が単独所有し、他の共有者に持分に応じて価格を賠償する方法)があるが、裁判所は現物分割又は賠償分割を命ずることができる(同条2項)。また、これらの方法による分割ができないとき、又は分割によってその価格を著しく減少させるおそれがあるときは、裁判所は競売を命ずることができる(同条3項)。

(ウ) 共有物分割の効果として、各共有者は、他の共有者が得た物について、その持分に応じて売主と同様の担保責任を負担する(法261条)。

(エ) 共有物に関する証書があるときは、分割の後は一定の者(その物の最大の部分を取得した者)がこれを保存し、必要に応じ他の者にこれを使用させなければならない(法262条)。

証書とは、共有物分割によって取得した者が、自己の権利を証明するために必要となるかもしれないあらゆる証拠書類を指す。

⑤ 共有物についての債権

共有者が、他の共有者に対して有する債権は、その特定承継人(例えば、共有持分の譲受人など)に対しても、その支払を請求することができる(法254条)。

⑥ 準共有

所有権以外の権利を共同で持つ場合、これを準共有という。

例えば、区分所有建物(マンション)の売主(分譲会社)が、地主と地上権あるいは賃借権の設定契約を行い、その上にマンションを建築して分譲する場合、通常、買主である区分所有者は、敷地に対しては地上権、賃借権の共有持分を有することになるが、これがまさに土地に関する権利の準共有であり、共有に関する規定が準用される(法264条本文)。

⑦ 所在等不明共有者

民法の共有に関する規定は、所有者不明土地の解消に資する目的で令和3年4月に改正法が公布され、共有者が不明な場合でも、共有土地の利用を促進する観点から、裁判を得て、不明共有者以外の共有者全員の同意により共有土地に変更を加え、また不明共有者以外の共有者の持分の過半数により管理に関する事項を決することができるといった改正がなされている(法251条2項、252条2項1号:施行日は令和5年4月1日)。

2 宅地建物取引業法

(1) 目的

「宅地建物取引業法」(以下「法」又は「宅建業法」という。)は、宅地建物取引業(以下「宅建業」という。)を営む者について免許制度を実施し、その事業に対し必要な規制を行うことにより、その業務の適正な運営と宅地及び建物の取引の公正とを確保するとともに、宅建業の健全な発達を促進し、もって購入者等の利益の保護と宅地及び建物の流通の円滑化とを図ることを目的とする(法1条)。

(2) 宅地建物取引業

宅建業とは、①宅地若しくは建物(建物の一部を含む。以下同じ。)の売買、②宅地若しくは建物の交換、③宅地若しくは建物の売買、交換若しくは貸借の代理、④宅地若しくは建物の売買、交換若しくは貸借の媒介のいずれかの行為を業として行うものをいう(法2条2号)。

業として行うというのは、不特定多数の者に対して反復継続して行うことである。マンションの分譲業は建物を自ら当事者として売買する行為であるから、宅建業に該当する。また、マンションの売買でも賃貸借でも、その仲介あっせん(代理・媒介)業は宅建業に該当する(例えば、甲がマンションを建築して、その売却の代理・媒介を乙に依頼した場合、甲も乙も宅建業を行うことになる。)。これに対してマンションの貸借は、他人間の契約を代理・媒介する行為のみが宅建業にあたり、自ら契約当事者として貸借する行為は宅建業にあたらない。また、マンションの管理業は宅建業に該当せず免許を要しない。

(3) 免許

宅建業を営もうとする者は、2以上の都道府県の区域内に事務所を設置してその事業を営もうとする場合にあっては国土交通大臣の、1つの都道府県の区域内にのみ事務所を設置してその事業を営もうとする場合にあっては当該事務所の所在地を管轄する都道府県知事の免許を受けなければならない(法3条1項)。

(4) 誇大広告等の禁止

宅地建物取引業者（以下「宅建業者」という。）は、その業務に関して広告をするときは、その広告に係る宅地又は建物の所在、規模、形質若しくは現在若しくは将来の利用の制限、環境若しくは交通その他の利便等について著しく事実に相違する表示をし、又は実際のものよりも著しく優良であり、若しくは有利であると人を誤認させるような表示をしてはならない（法32条）。

(5) 広告の開始時期の制限

宅建業者は、宅地の造成又は建物の建築に関する工事の完了前においては、その工事に関して必要とされる都市計画法上の開発許可、建築基準法上の建築確認等の処分を受けた後でなければ、その物件に関する広告をしてはならない（法33条）。

宅地造成のための開発許可や建物建築のための建築確認を受けないと、造成工事や建築工事に着手できない。これらの許可や確認を受ける前に広告をすると、その設計では許可が下りず、工事ができなくなって、広告とは違うものになったりして顧客が損害を受けるおそれがあるからである。「申請中」と明示したとしても、広告はできない。

(6) 契約締結等の時期の制限

宅建業者は、宅地の造成又は建物の建築に関する工事の完了前の物件においては、その工事に必要とされる都市計画法上の開発許可、建築基準法上の建築確認その他法令に基づく許可等の処分で政令で定めるものがあった後でなければ、その工事に係る宅地又は建物の売買、交換、又はその代理・媒介などの契約を締結してはならない（法36条）。

この規制では、賃貸借契約が除外されている（「広告の開始時期の制限」のほうは賃貸借契約も含む。）。したがって、確認等を受ける前の賃貸マンションを広告することはできないが、賃貸借契約を代理・媒介して契約することは許されている。

(7) 重要事項の説明

① 意義

重要事項の説明とは、宅地・建物を取得し又は借りようとする者に対して、その物件や取引条件についての重要な事項を事前に説明することである（法35条）。買主や借主に対して、契約の判断材料を提供して、安心して契約してもらうために行われる。

宅建業者は、宅地・建物の売買、交換、貸借の相手若しくは代理を依頼した者又は媒介に係る売買、交換、貸借の各当事者に対して、

「その者が取得し、又は借りようとしている宅地又は建物に関し」、

「その売買、交換又は貸借の契約が成立するまでの間に」、

「取引しようとする物件や取引条件に関する一定の重要な事項について」、

「宅地建物取引士をして、これらの事項を記載した書面を交付して説明をさせなければならない」（法35条）。宅建業者は、宅地建物取引士をして説明させる義務を負っている。したがって、重要事項の説明をせずに契約が締結された場合は、宅建業者が宅建業法違反に問われる。

物件を取得し又は借りようとする者に対して説明を行うのであり、売主・貸主には説明する必要はない。なお、交換契約の媒介・代理を行った場合は、両当事者に説明する必要がある。どこで説明をするかについては、特に制限はない。喫茶店や買主等の自宅でもかまわない。

② 説明の方法

㋐ 法35条１項各号及び２項各号に掲げる重要事項を、書面に記載して、その書面を相手方に交付して説明しなければならない。また、未完成物件の場合において、図面を必要とする場合は、図面を交付して説明をする必要がある。

㋑ 重要事項説明は、宅地建物取引士が行わなければならない。重要事項説明書の作成自体は宅地建物取引士によることが義務付けられていないが、説明は宅地建物取引士が行うことが必要である。宅地建物取引士であれば、パートの者でもよく、むろん専任の宅地建物取引士である必要はない。

㋒ 宅地建物取引士は、重要事項の説明をするときは、説明の相手方に対し、宅地建物取引士証を提示しなければならない（法35条４項）。

㋓ 重要事項の説明のための書面には、宅地建物取引士が記名しなければな

らない（法35条５項）。記名というのは、署名というのに比べ、その名がゴム印やパソコン印字でもよく、つまり自署でなくてもよい、という意味である。なお、従来は「記名押印」を要するとされていたが、令和３年５月19日公布の「デジタル社会の形成を図るための関係法律の整備に関する法律」（以下、「デジタル関係整備法」という。）の制定により、「押印」は廃止され、また書面に代えて電磁的方法で提供できることになったが、そのためには相手方の承諾が必要とされている（令和３年５月19日公布、令和４年５月18日施行）（法35条８項）。

㈔　重要事項説明義務の規定は、宅建業者間の取引でも適用があるが、書面の交付のみで足り、説明を要しない（法35条６項）。

㈕　上記㈔の書面にも、宅地建物取引士に記名させなければならない（法35条７項）。

（８）契約書面の交付義務

宅建業者は、宅地又は建物の売買又は交換に関して、自ら当事者として契約を締結したときはその相手方に、当事者を代理して契約を締結したときはその相手方及び代理を依頼した者に、媒介により契約が成立したときはその契約の各当事者に、遅滞なく、その契約の内容のうちの一定事項を記載した書面を交付しなければならない（法37条１項）。宅地又は建物の貸借の代理又は媒介をした場合にも、それぞれの相手方と代理を依頼した者あるいは媒介により成立した契約の各当事者に、一定事項を記載した書面を交付しなければならない（法37条２項）。この書面には、宅地建物取引士の記名が必要である（法37条３項）。記名するのは、重要事項の説明と同様に、専任の宅地建物取引士以外の宅地建物取引士でもかまわない。なお、この書面も前述の「デジタル関係整備法」により、「押印」は廃止され、また相手方の承諾があれば、書面の交付に代えて電磁的方法の提供でもよいとされた（法37条４項・５項）。

契約書面に記載する事項

①　必ず記載すべき事項（法37条１項１号～５号）

㈠　当事者の氏名（法人は、その名称）・住所

㈡　取引物件の所在等のその取引物件を特定するために必要な表示

㈢　取引物件が既存の建物であるときは、建物の構造耐力上主要な部分等の

状況について当事者の双方が確認した事項

(エ) 代金・交換差金の額並びにその支払の時期及び方法

(オ) 取引物件の引渡しの時期

(カ) 移転登記の申請の時期

5 **② 定めがある場合だけ記載すればよい事項（法37条1項6号～12号）**

(ア) 代金・交換差金「以外」の金銭の授受に関する定めがあるときは、その額並びにその金銭の授受の時期及び目的

(イ) 契約の解除に関する定めがあるときは、その内容

(ウ) 損害賠償額の予定・違約金に関する定めがあるときは、その内容

10 (エ) 代金・交換差金についての金銭の貸借（ローン）のあっせんに関する定めがあるときは、そのあっせんによる金銭の貸借が成立しないときの措置

(オ) 天災その他不可抗力による損害の負担（危険負担）に関する定めがあるときは、その内容

(カ) 当該宅地若しくは建物が種類若しくは品質に関して契約の内容に適合し
15 ない場合におけるその不適合を担保すべき責任又は当該責任の履行に関して講ずべき保証保険契約の締結その他の措置についての定めがあるときは、その内容

(キ) 取引物件に係る租税その他の公課の負担に関する定めがあるときは、その内容

20

（9）秘密を守る義務

宅建業者は、正当な理由がある場合でなければ、その業務上取り扱ったことについて知り得た秘密を他に漏らしてはならない。宅建業を営まなくなった後であっても、同様である（法45条）。

25

（10）業務に関する禁止事項

① 宅建業者は、その業務に関して、相手方等に対し、次に掲げる行為をしてはならない（法47条）。

a．宅地若しくは建物の売買、交換若しくは貸借の契約の締結について勧誘
30 をする際、又はその契約の申込みの撤回若しくは解除若しくは宅建業に関する取引により生じた債権の行使を妨げるため、次のいずれかに該当する

事項について、故意に事実を告げず、又は不実のことを告げる行為

イ　重要事項の各説明事項

ロ　供託所等に関する説明

ハ　法37条に定める契約書面への記載事項

ニ　上記のイからハまでに掲げるもののほか、宅地若しくは建物の所在、規模、形質、現在若しくは将来の利用の制限、環境、交通等の利便、代金、借賃等の対価の額若しくは支払方法その他の取引条件又は当該宅建業者若しくは取引の関係者の資力若しくは信用に関する事項であって、宅建業者の相手方等の判断に重要な影響を及ぼすこととなるもの

b．不当に高額の報酬を要求する行為

c．手付について貸付けその他信用の供与をすることにより契約の締結を誘引する行為

② 宅建業者又はその代理人、使用人その他の従業者（以下「宅建業者等」という。）は、宅建業に係る契約の締結の勧誘をするに際し、宅建業者の相手方等に対し、利益を生ずることが確実である（「確実に値上がりします」など）と誤解させるべき断定的判断を提供する行為をしてはならない（法47条の2第1項）。

③ 宅建業者等は、宅建業に係る契約を締結させ、又は宅建業に係る契約の申込みの撤回若しくは解除を妨げるため、宅建業者の相手方等を威迫してはならない（法47条の2第2項）。

④ 宅建業者は、その業務に関して広告をするときは、当該広告に係る宅地又は建物の所在、規模、形質若しくは現在若しくは将来の利用の制限、環境若しくは交通その他の利便又は代金、借賃等の対価の額若しくはその支払方法若しくは代金若しくは交換差金に関する金銭の貸借のあっせんについて、著しく事実に相違する表示をし、又は実際のものよりも著しく優良であり、若しくは有利であると人を誤認させるような表示をしてはならない（法32条）。

⑤ 宅建業者は、その業務に関してなすべき宅地若しくは建物の登記若しくは引渡し又は取引に係る対価の支払を不当に遅延する行為をしてはならない（法44条）。

⑥ 宅建業者は、宅地建物取引の媒介又は代理に関して契約を成立させたときは、依頼者から報酬を受領する。ただし、その報酬の額は、国土交通大臣が

定めており、宅建業者は、その額を超えて報酬を受領することはできない（法46条1項・2項）。

(11) 媒介契約の規制

例えば、Aが自己所有のマンションを売却したいということで、宅建業者Bに対し、売却のあっせんを依頼し、Bがこれを承諾するというように、宅地・建物の売買又は交換を宅建業者に依頼することを内容とする、依頼者とその業者との間の契約を媒介契約という。

① 宅建業者は、媒介契約を締結したときは、遅滞なく一定の契約内容を記載した書面を作成して記名押印し、依頼者に交付しなければならない（契約内容を記載した書面を作成して記名押印するのは、宅建業者であって、宅地建物取引士ではない。法34条の2第1項）。これにより依頼者の媒介契約を依頼する意思が明確化し、媒介契約の内容、すなわち当事者の権利義務も明確になり紛争を防止できることになるが、決して媒介契約自体を要式契約（一定の方式に従って契約を行わなければその効力が発生しない契約）にしようとするものではない。実務では「媒介契約書」をもって書面に代えているが、宅建業法上は、契約書の作成が義務付けられているのではなく、次に掲げる事項を記載した「書面」を作成・交付することが義務付けられている。なお、この書面も前述の「デジタル関係整備法」により、相手方の承諾を得て電磁的方法をもって提供できることとされた（法34条の2第11項）。

(ア) 当該宅地の所在、地番、その他当該宅地を特定するために必要な表示又は当該建物の所在、種類、構造、その他当該建物を特定するために必要な表示

(イ) 当該宅地又は建物を売買すべき価額又はその評価額

(ウ) 当該宅地又は建物について、依頼者が他の宅建業者に重ねて売買又は交換の媒介又は代理を依頼することの許否及びこれを許す場合の他の宅建業者を明示する義務の存否に関する事項

(エ) 当該建物が既存の建物であるときは、依頼者に対する建物状況調査を実施する者のあっせんに関する事項

(オ) 媒介契約の有効期間及び解除に関する事項

(カ) 当該宅地又は建物の指定流通機構への登録に関する事項

(キ) 報酬に関する事項

(ク) その他国土交通省令・内閣府令で定める事項

② 宅建業者は、媒介契約の相手方（依頼者）に媒介契約を締結した宅地又は建物の価額又は評価額について意見を述べるときは、その根拠を明らかにしなければならない（法34条の2第2項）。

③ 媒介契約の種類

(ア) 専任媒介契約（依頼者が他の宅建業者に重ねて売買又は交換の媒介又は代理を依頼することを禁ずる媒介契約）

(イ) 専属専任媒介契約（依頼者が当該宅建業者が探索した相手方以外の者と売買又は交換の契約を締結することができない旨の特約を含む専任媒介契約）

(ウ) 明示義務のある一般媒介契約（依頼者が他の業者に重ねて媒介・代理を依頼することが許されるが、依頼した相手の業者を明示する義務のあるもの）

(エ) 明示義務のない一般媒介契約（依頼者が他の業者に重ねて媒介・代理を依頼することが許されるが、依頼した相手の業者を明示する義務のないもの）

専任媒介契約・専属専任媒介契約の有効期間は、3カ月を超えることができない。これより長い期間を定めた場合でも、その期間は3カ月とされる。また、その有効期間は、依頼者の申出によってのみ更新することができるが、この場合でも更新の時から3カ月を超えることができない（法34条の2第3項・4項）。

(12) 手付金

① 宅建業者が自ら売主となる宅地又は建物の売買契約の締結に際して手付を受領したときは、その手付がいかなる性質のものであっても、当事者の一方が契約の履行に着手するまでは、買主はその手付を放棄して、宅建業者はその倍額を現実に提供して、契約の解除をすることができる。これに反する特約で、買主に不利なものは無効とされる。また、宅建業者が自ら売主となる売買契約において受領する手付の額は、代金の額の2割を超えてはならない（法39条）。売主が受領する手付金の額を売買代金の額の3割と定めた場合は、手付金として認められるのは2割となる。また、売買代金の10%（未完成物件は5%）又は、1,000万円を超えた額を手付金等（中間金を含む。）として

受領する場合は、手付金等の保全措置を講じなければならない(法41条1項、41条の2第1項、施行令3条の3)。

② 売主は、受領した手付金の金額について宅建業法に規定されている手付金の保全措置をしたとしても、手付金の額についてはこれに影響を受けることなく2割の制限を受ける。

③ 買主は、手付金放棄の意思表示だけで解除できるが、売主は現実に手付の倍額の金銭を提供しなければ解除できない。解約手付による解除は、特別の理由がなくても一方的に行われるものであるが、相手方が契約の履行に着手すると、それ以後は手付による解除はできなくなる(法39条2項)。

④ 債務不履行があった場合に、その損害賠償の額を予定する目的で交付される手付のことを違約手付という。すなわち、手付金を支払った当事者が債務不履行に陥ったときは、手付金を受領した者がこれを没収でき、逆に手付金を受領した当事者が債務不履行に陥ったときは、手付金を支払った者は、その返還とそれと同額の損害賠償を請求できることになる。違約手付は、いわば、履行確保の手段として交付されるものである。

⑤ 契約が締結されたということを示し、その証拠という趣旨で交付される手付のことを証約手付という。どの手付でも、最小限この効果は持つと解されている。

(13) 損害賠償額の予定等の制限

宅建業者が自ら売主となる宅地又は建物の売買契約については、当事者の債務不履行を理由とする契約の解除に伴う損害賠償の額を予定し、又は違約金を定めるときは、これらを合算した額が代金の額の2割を超える定めをすることはできない。この規定に違反する特約は代金の額の2割を超える部分について無効とされる(法38条)。ただし、この規定は宅建業者間の取引には適用されない(法78条2項)。

(14) クーリング・オフ制度

宅建業者が自ら売主となる宅地又は建物の売買契約において、宅建業者の事務所その他国土交通省令・内閣府令で定める場所以外の場所で、その物件の買受けの申込みをした者又は売買契約を締結した買主は、次に掲げる場合を除き書面により、買受けの申込みの撤回又はその売買契約の解除をすることができる（法37条の２）。

① 業者から、その申込みの撤回又は契約の解除ができる旨とその撤回等の方法を書面をもって告げられた日から起算して８日を経過したとき。

② 顧客が物件の引渡しを受け、かつ代金の全部を支払ったとき。

(15) 業者間取引の適用除外

法33条の２（自己の所有に属しない宅地又は建物の売買契約締結の制限）及び法37条の２から法43条までの規定（事務所等以外の場所においてした買受けの申込みの撤回等、損害賠償額の予定等の制限、手付の額の制限等、担保責任についての特約の制限、手付金等の保全等、所有権留保等の禁止）は、宅建業者相互間の取引については、適用しない（法78条２項）。

(16) 担保責任の特約の制限

マンションの売買契約等において、その物件に契約内容に適合しないことがあった場合、その契約内容に適合しないことについて買主は、売主に対して、修補の請求、代金の減額請求や損害賠償を請求したり、契約を解除することができる（ただし、契約の解除は不適合が軽微なときはできない（民法541条）。）。また、これらの担保責任の追及は、買主が不適合を知った時から１年以内に通知しなければならない（民法566条）。

① 宅建業者が、自ら売主となり、宅建業者でない一般消費者に自己の物件を売却する場合、宅地・建物の取引については素人である一般消費者に対して、契約内容を自己に有利なものにしてしまうおそれがある。そこで、宅建業法によって、宅建業者が自ら売主となる場合に一般消費者に不利とならないように、売主には担保責任についての特約の制限などいくつかの制限が課されている。宅建業法では、宅建業者は、自ら売主となる宅地・建物の売買契約において、その担保責任について、原則として、民法の規定より買主に不利となる特約をしてはならない。不利な特約をした場合には、その特約は無効となり、民法に規定する内容となる。例えば、「売主たる宅建業者に故意又は過失がある場合にのみ担保責任を負う」旨の特約や「売主たる宅建業者は担保責任を負わない」「損害賠償請求はできるが契約解除はできない」旨の

特約は、無効である。なお、民法の規定より買主に有利な特約はすることができる。

② 民法では、担保責任は、「買主が不適合を知った時から1年以内」に通知しなければならない（民法566条）。しかし、宅建業法では、宅建業者が自ら売主となる場合には、その期間を「その目的物の引渡しの日から2年以上」とする特約をすることができる（法40条1項）。この期間以外は、買主に不利な特約はどのようなものでも、宅建業法40条2項の規定により無効となる。この規定は宅建業者が自ら売主となる場合にだけ適用される規定なので、売主が宅建業者でない場合や買主も宅建業者である場合は、適用されない（法78条2項）。

(17) 手付金等の保全義務

① 宅建業者は、宅地の造成又は建築に関する工事の完了前において行うその宅地又は建物の売買（工事完了前の物件）で自ら売主となるものに関しては、一定の保全措置を講じた後でなければ、買主から手付金等を受領することはできない（宅建業者は、売買契約の締結日以降、引渡し前に、手付金及び代金の全部又は一部を受領するときは、原則として宅建業法に定める一定の保全措置を講じなければならない。法41条1項）。

② 宅建業者は、そのマンションの所有権をまだ有しない場合であっても、宅建業法に定める手付金等の保全措置を講ずれば、売買契約を締結することができる（法33条の2第2号）。

③ 保全措置を講じなくてもよい場合（法41条1項ただし書）

(ア) 売買の目的物である物件について買主への所有権移転の登記がされたとき、又は買主が所有権の登記をしたとき

(イ) 宅建業者が受領しようとする手付金等の額が、代金の額の5％以下であり、かつ、政令で定める額（1,000万円。施行令3条の3）以下のとき

3 借地借家法（借地）

借地借家法における借地に関する規定は、建物の所有を目的とする地上権及び土地の賃借権の存続期間、効力等並びに建物の賃貸借の契約の更新、効力等に関

し特別の定めをするとともに、借地条件の変更等の裁判手続に関し必要な事項を定めている。

(1) 地上権と土地賃借権

マンションの敷地に対する使用権には、所有権、地上権、賃借権がある。 5

① 地上権

地上権は、他人の土地において工作物又は竹木を所有するため、その土地を使用する物権であり（民法265条）、土地所有者を地上権設定者、地上権を有する者を地上権者という。地上権は権利の種類として物権の一つであり、地上権者が土地に対して直接支配する権利形態である。地上権者は、自由に 10 第三者に地上権を譲渡することができるとともに、相続も可能である。また、地上権の登記をすれば、これを第三者に対抗することができる。地上権者は、土地賃借権と異なり、土地所有者に対して、地上権設定登記をするように請求する権利を有し、地上権設定者はこれに応じる義務がある。

② 土地賃借権 15

土地賃借権は、賃貸借契約に基づき、借主が貸主に対して、土地を使用・収益させるように請求する権利を持つこととなり、逆に、貸主は借主に対し土地を使用・収益させる義務を負うものであり、相手に対する請求権ということで、債権の一つである。その結果、借主は、貸主の承諾を得ないで賃借権を第三者に譲渡したり転貸することはできない。もし借主が貸主に無断で 20 譲渡・転貸を行い、第三者に使用・収益させると、貸主は、賃貸借契約を解除することができる。賃貸借契約の解除について判例は、賃貸人の承諾なしに、賃借権の譲渡・転貸がなされても、信頼関係を破壊するに足る事情がない場合には、賃貸人は解除することができないとしている。また、賃借人が無断で第三者に賃借権の譲渡・転貸をする契約を締結したとしても、その第 25 三者が使用又は収益を開始しない限り、賃貸人は賃貸借契約を解除することはできない。このように、賃貸人の承諾を得ないで行った賃借権の譲渡・転貸がすべて無効というわけではない。

借地人は、借地上の建物の建築、借家の造作に多額の資本を投下しており、それを回収するため建物と土地賃借権を譲渡する必要性が生ずる。そこで借 30 地借家法は譲渡、転貸しても賃貸人の不利となるおそれがない場合には、賃貸人の承諾に代わる裁判所の許可を求めることができることにしている。

③　地上権にあっては、その存続期間を当事者が約定する場合、その下限と上限には民法上制限はなく自由に決められるが、賃借権にあっては、その存続期間を当事者が約定する場合、その上限は民法では50年までと制限されている。しかし、借地借家法においては、当初の借地権の存続期間は最短で30年とし、これより短い期間を定めたときは30年となる。合意更新の場合は１回目が最短20年、２回目以降からは最短10年と規定され、借地権については、これらが優先して適用される。

④　地上権にあっては、地代は地上権の要素ではないので、地代の支払を伴う有償の地上権と地代の支払を伴わない無償の地上権があるが、賃借権にあっては、その性質上、有償の使用収益権であるから、当然に借賃の支払が伴い、借賃の支払を伴わない賃借権はあり得ない。

（２）借地権

①　借地権

借地借家法で借地権とは、建物の所有を目的とする地上権又は土地の賃借権のことである（借地借家法（以下「法」という。）２条１号）。借地権を設定した場合の地主・貸主を借地権設定者、地上権者・借主を借地権者という。土地を借りる場合でも、駐車場として借りたり、材木置場として借りるようなときは、借地借家法の適用はない。

②　借地権の存続期間

借地権の存続期間は30年とする。これより短い期間を定めたときは、強制的に30年となる。契約でこれより長い期間を定めたときは、その期間とする（法３条）。

③　借地権の更新後の期間

当事者が借地契約を更新する場合においては、その期間は、借地権の設定後の最初の更新にあっては、最短20年、２回目以降の更新にあっては最短10年とする。ただし、当事者がこれより長い期間を定めたときは、その期間とする（法４条）。

④　借地契約の更新請求等

(ア)　存続期間満了の際に、借地権者が契約の更新を請求をしたときは、建物が存在する場合に限り、従前の契約と同一条件で契約を更新したものとみなす（法５条１項本文）。

(イ) 存続期間満了後、借地権者が土地の使用を継続するときも、建物がある場合に限り、従前の契約と同一条件で契約を更新したものとみなす（法５条２項）。

⑤ 借地契約の更新拒絶の要件

借地権者の更新請求、又は継続使用に対して、借地権設定者が、遅滞なく異議を述べたときは、自動的な更新は認められないことになっている。ただし、更新についての借地権設定者の異議は、借地権設定者及び借地権者が、土地の使用を必要とする事情のほか、借地に関する従前の経過及び土地の利用状況並びに借地権設定者が土地の明渡しの条件として又は土地の明渡しと引換えに借地権者に対して財産上の給付をする旨の申出をした場合におけるその申出を考慮して、正当の事由があると認められる場合でなければ、述べることができない（法６条）。

⑥ 建物買取請求権

借地権の存続期間が満了した場合において、契約の更新がないときは、借地権者は、借地権設定者に対し、建物その他借地権者が権原により土地に附属させた物を時価で買い取るべきことを請求することができる（法13条１項）。

存続期間満了後、契約の更新がないときは、借地権者は建物を撤去したうえで土地を返さなければならないはずであるが、まだ使える建物を壊すのは社会全体からみればもったいないし、借地権者の不利益も大きいことから、借地権設定者に買い取るよう請求できるようにしたわけである。

⑦ 借地権の対抗力

乙（借地権者）は甲（借地権設定者）より土地を借りて建物を建てていたが、甲が丙にこの土地を売却した場合の借地権の対抗力については次のとおりである。

(ア) 借地権は、その登記がなくても、土地の上に借地権者が登記されている建物を所有するときは、これをもって第三者に対抗することができる（法10条１項）。借地権者が、地上権の登記又は賃借権の登記をしていれば、第三者に借地権を主張できるが、賃借権の場合は、賃貸人には賃借権の登記に応ずる義務がない。そのために、その借地権が賃借権の場合は対抗する手段がないことになる。そこで法律は、借地権設定者の協力がなくても、第三者に借地権を対抗する手段を認めたのである。なお、建物の登記は、所有権保存の登記のほか、表題登記でもかまわないが、必ず自己名義でしなければならない。

(イ) 前記の建物登記による対抗力は、当然ながら、その登記が有効であることが前提である。ところが、建物が滅失すると、その登記の対象がこの世に存在しない以上、その建物の登記は無効になり、借地権の対抗力もないことになる。そこで、建物の滅失があっても、借地権者が、これまで建っていた建物を特定するために必要な事項、その滅失があった日及び建物を新たに築造する旨を土地の上の見やすい場所に掲示するときは、建物滅失の日から2年間に限り、借地権の対抗力は持続することになっている。ただし、2年間に限った暫定的な対抗手段なので、建物の滅失があった日から2年が経過するまでに建物を新たに築造し、かつ、その建物につき登記した場合に限ると規定している(法10条2項)。

⑧ 土地の賃借権の譲渡又は転貸の許可

(ア) 借地権者が賃借権の目的である土地の上の建物(借地上の建物)を第三者に譲渡しようとする場合、借地権の譲渡又は転貸をする必要がある。借地権が賃借権の場合、これには借地権設定者の承諾が必要である。この場合において、その第三者が賃借権を取得し、又は転借しても借地権設定者に不利となるおそれがないにもかかわらず、借地権設定者がその賃借権の譲渡又は転貸を承諾しないときは、裁判所は、借地権者の申立てにより、借地権設定者の承諾に代わる許可を与えることができる(法19条前段)。

(イ) 第三者が賃借権の目的である土地の上の建物を競売又は公売により取得した場合において、その第三者が賃借権を取得しても借地権設定者に不利となるおそれがないにもかかわらず、借地権設定者がその賃借権の譲渡を承諾しないときは、裁判所は、その第三者の申立てにより、借地権設定者の承諾に代わる許可を与えることができる(法20条前段)。

(ウ) 第三者が賃借権の目的である土地の上の建物その他借地権者が権原によって土地に附属させた物を取得した場合において、借地権設定者が賃借権の譲渡又は転貸を承諾しないときは、その第三者は、借地権設定者に対し、建物その他借地権者が権原によって土地に附属させた物を時価で買い取るべきことを請求することができる（法14条）。

⑨ 裁判所の関与

借地契約をめぐる当事者の利害を調整するために、様々な場面で裁判所が介入することが認められる。

㈠ 借地権更新後の存続期間中に建物が滅失した場合で再築についてやむを得ない事情があるにもかかわらず、借地権設定者が承諾しないときに建物再築に対する承諾に代わる許可

㈡ 借地権の譲渡・転貸における承諾に代わる許可

㈢ 建物の種類、構造、規模又は用途を制限する旨の借地条件があり、法令による土地利用の規制の変更、付近の土地の利用状況の変化その他の事情の変更により、その借地条件が相当でなくなったが、借地条件の変更につき当事者間に協議が調わないときは、裁判所は、当事者の申立てにより、その借地条件を変更することができる（法17条１項）。

㈣ 増改築を制限する旨の借地条件があっても、土地の通常の利用上相当とすべき増改築について当事者間に協議が調わないときは、裁判所は、借地権者の申立てにより、その増改築につき借地権設定者の承諾に代わる許可を与えることができる（法17条２項）。

⑩ 自己借地権

借地権を設定する場合においては、他の者と共に有することとなるときに限り、借地権設定者が自らその借地権を有することを妨げない（法15条１項）。自己の所有地に自己の地上権や賃借権を設定すること（自己借地権）は、原則として認められない。しかし、自己所有地にマンションを建てた者が、区分所有者の敷地利用権を借地権にして分譲しようとするときに、自己借地権が認められないとすると、１戸１戸売るたびに借地権を設定しなければならない。これでは不便なので、借地権設定者は、他の者と共に借地権を有する場合（つまり、借地権を準共有する場合）に限り、自己借地権を設定できるのである。

⑪ 借地権者に不利な特約

借地権者を保護するために、借地借家法は様々な規定を定めているが、当事者がこれを特約で自由に変更できるとしたのでは目的が達成できない。そ

れゆえ、借地借家法の規定により借地権者に不利な特約を定めても無効となる（法9条、16条、21条）。借地借家法と異なる特約でも、借地権者に有利な特約は有効である。

⑫　地代等増減請求権

地代等が社会経済事情の変動などにより、不相当となったときは、当事者は将来に向かって地代等の増減額を請求できる。ただし、一定期間、地代等を増額しない旨の特約がある場合は、その期間中は増額請求ができない（法11条1項）。

この増減額請求について、当事者間の協議が調わない場合、裁判所に判断してもらうしかない。

増額の請求を受けた者は、増額を正当とする裁判が確定するまでは、自分が相当と思う額を支払っておけばよいことになっている。ただし、裁判が確定した場合は、すでに支払った額に不足があるときは、借地権者は、不足額に年1割の利息をつけて支払わなければならない（同条2項）。

また、減額の請求を受けた者は、減額を正当とする裁判が確定するまでは、相当と思う額を請求してよいことになっている。ただし、裁判が確定し、すでに支払を受けた額が正当とされた額を超えるときは、超過額に年1割の利息をつけて返還しなければならない（同条3項）。

⑬　定期借地権

定期借地権とは、更新がなく一定期間の経過によって当然に借地契約が終了する借地権で、これには、一般定期借地権、事業用定期借地権、建物譲渡特約付借地権の3種類がある。事業用定期借地権以外の2類型の借地権については、借地契約の締結は公正証書によることを要しない。

㈠　一般定期借地権

存続期間を50年以上とし、契約の更新や建物の築造による存続期間の延長がなく、建物の買取請求を認めない旨の特約を定めた契約である。期間経過後は、建物を撤去して更地にして返すことになる。この特約は、必ず書面により行わなければならない。書面の種類は問われないので、公正証書以外の書面でもよい（法22条）。

㈡　事業用定期借地権

もっぱら事業の用に供する建物（居住の用に供するものを除く。）の所有を目的とし、存続期間を10年以上50年未満とし、契約の更新や建物買取請求を認めない旨の特約等を定めた契約である。この契約は、必ず公正証書によってしなければならない（法23条）。店舗や事務所などの事業用建物を所有する目的の場合に限定して、一般定期借地権より短い存続期間でも定期借地権を設定できるようにしたものである。居住用の建物は除かれているので、例えば、アパートを建てて賃貸業を営む目的で、事業用定期借地権を設定することはできない。なお、存続期間50年以上で事業用定期借地権を設定したい場合は、一般定期借地権を利用することになる。

(ウ) 建物譲渡特約付借地権

借地権設定後30年以上経過した日に、建物を借地権設定者に相当の対価で譲渡する旨を特約し、その譲渡によって借地権を消滅させる契約である。この契約は、書面による必要はなく、口頭の契約も認められている。建物の譲渡により借地権が消滅した場合、借地権者又は建物の賃借人が建物を使用しているときには、それらの者が請求すれば、その建物につき借地権設定者との間で期間の定めのない賃貸借が設定されたものとみなされる（法24条）。

4 借地借家法（借家）

借地借家法の適用を受ける「借家」とは、建物の賃貸借一般のことをいい、居住用のものに限られない。マンションの専有部分を賃貸することも借家に該当する。ただし、自宅を建て替える間だけ借りる場合のように、一時使用のために賃貸借したことが明らかなときは、借地借家法の規定は適用されない。また、いわゆる間借り（普通の一軒家でその中の一室を人に賃貸するような形態）についても使用部分の独立性がないため適用されない。

（1） 建物賃貸借の期間

① 借家契約では、借地のような最短期間の定めはない。しかし、建物の賃貸借契約の期間について１年未満の期間を定めた場合は、定期建物賃貸借を除き、期間の定めがない契約とみなされる（法29条１項）。

② 賃貸借は、その存続期間が50年を超えることはできないという民法604条

の規定は、建物の賃貸借には適用されないので（法29条２項）、50年を超える建物賃貸借契約も締結することができる（借地借家法では、最長期間については制限はない。)）。

（２）契約の更新

①　存続期間の定めがある場合

建物の賃貸借について期間の定めがある場合においては、当事者が期間満了の１年前から６カ月前までの間に、相手方に対して更新をしない旨の通知又は条件を変更しなければ更新をしない旨の通知をしなかったときは、従前の契約と同一の条件で自動的に契約が更新される（ただし、更新後は期間の定めがないものとなる。)）。賃貸人の側から期間満了と同時に明渡しを求めるには、期間満了の１年前から６カ月前までの間に借家人に対し予告（更新しない旨の通知）をしなければ更新の拒否ができず、これをしなければ従前と同一の条件で更新されることになる。そして、賃貸人の側から、この更新拒絶の通知をする場合には、正当の事由が必要である。正当の事由がなく更新拒絶の通知をしても、更新を阻止することはできない（法26条、28条）。

＊建物賃貸借契約の更新拒絶等の要件（正当事由）

家主及び賃借人（転借人を含む。）が建物の使用を必要とする事情（必要性の比較）のほか、建物の賃貸借に関する従前の経過（借家人の債務不履行など）、建物の利用状況及び建物の現況（㋐建物が賃貸借の目的に従い適法かつ有効に利用されているか否か、㋑建物が老朽化し大修繕や建替えの必要がある場合、借地権が期間満了により消滅した場合、近隣と比較して土地が有効に利用されていないために収益が極めて低い場合、例えば、近隣は賃貸ビルや中高層マンションが立ち並んでいるが、木造２階建アパートで賃料も相当低額など）並びに建物の賃貸人が建物の明渡しの条件として、又は建物の明渡しと引換えに建物の賃借人に対して財産上の給付（立退料の提供など）をする旨の申出などを考慮し、正当の事由があると認められる場合でなければすることができない（法28条）。

また、適法な解約の申入れ後、所定の期間の経過又は正当事由のある更新拒絶後の存続期間満了後も賃借人が立ち退かず、使用を継続する場合において、建物の賃貸人が遅滞なく異議を述べなかったときは、自動的に従前と同一の条件で契約が更新される（法26条２項）。この場合も、更新後は期間の定めがないものとなる。

②　存続期間の定めがない場合

存続期間の定めがない場合、賃貸人は、いつでも解約の申入れをすることができる（民法617条１項前段）。しかし、その解約申入れには正当事由がなければならない。また、正当事由のある解約申入れがなされたとしても、解約の効果は解約申入れの日から６カ月後に生じる。６カ月経過後も賃借人が立ち退かず、これに対して賃貸人が遅滞なく異議を述べなかったときは、自動的に従前の契約と同一の条件で契約が更新される（法27条）。なお、賃借人から解約を申し入れる場合は、正当事由は不要であり、申入れ後３カ月経過すると契約は終了する（民法617条１項２号）。

（３）普通建物賃貸借と定期建物賃貸借等

建物賃貸借には、普通建物賃貸借と定期建物賃貸借等がある。定期建物賃貸借は、借地借家法の更新規定の適用がなく、正当事由がなくても、期間満了により当然に終了する賃貸借契約である。借地借家法によれば、正当事由なしに解約・更新拒絶できるという合意を賃貸借契約で定めても、無効である（これに反する特約で建物の賃借人に不利なものは無効である。法30条）が、一定の要件を備えれば、当事者の合意によって、契約期間満了後更新がないと定めることができる（法38条１項）。

①　定期建物賃貸借（法38条）

期間の定めがある建物の賃貸借において、書面によって契約をするときに限り、契約の更新がないこととする旨を定めることができる。この場合は、１年未満の期間の定めもそのまま有効になる。

㈠　定期建物賃貸借契約として有効であるためには、まず契約が公正証書によるなど書面によって締結されなければならない（法38条１項）。また、契約書面には、期間の定め、期間満了により賃貸借契約は終了する旨、契約の更新がない旨を定めなければならない（定期建物賃貸借は、契約内容を記載した書面を作成することを要し、書面を作成しなければ契約したことにならない。）。

㈡　賃貸人は、定期建物賃貸借契約を締結するときは、あらかじめ、その賃貸借は契約の更新がなく、期間の満了により終了する旨を、賃借人に対し書面を交付して説明しなければならない（法38条３項）。説明しなかったときは、契約の更新がないとする定めは無効となる（法38条５項）。

(ウ) 期間が１年以上の定期建物賃貸借の場合、賃貸人は、期間満了の１年前から６カ月前までの間に賃借人に対して、期間の満了により建物の賃貸借契約が終了する旨の通知をしなければ、契約の終了を建物の賃借人に対抗することができない。ただし、建物の賃貸人が通知期間の経過後建物の賃借人に対して通知が行われた場合でも、その通知の日から６カ月を経過すれば、契約の終了を対抗できるようになる（法38条６項）。

(エ) 定期建物賃貸借契約は中途解約することはできないのが原則である。賃借人が引っ越しすることになっても、期間満了までは賃料を払い続けるしかない。ただし、居住用建物（床面積200m²未満のものに限る。）の定期建物賃貸借契約では、賃借人が転勤、療養、親族の介護その他やむを得ない事情により自宅として使用が困難となったときは、１カ月の予告期間で解約の申入れができる（法38条７項）。

② 取壊し予定の建物の賃貸借（法39条）

法令又は契約により一定の期間を経過した後に建物を取り壊すべきことが明らかな場合において、建物の賃貸借をするときは、法30条（この節の規定に反する特約で建物の賃借人に不利なものは無効とする。）の規定にかかわらず、建物を取り壊すこととなる時に賃貸借が終了する旨の特約を定めることができる。この場合も、契約は必ず書面で行う必要がある。

※ 借地借家法では、いくつかの場面で「書面」によることを要求しているが、前述の「デジタル関係整備法」の制定により、電磁的記録によってなされたときは、書面によってなされたものとみなす旨の改正が行われた（令和３年５月19日公布、令和４年５月18日施行）。

（４）一時使用目的の建物の賃貸借

一時使用のための賃貸借では借地借家法は適用されず、民法の賃貸借の規定が適用されることになる（法40条）。民法の賃貸借では、契約期間満了後も賃借人が使用・収益を継続していて、賃貸人が異議を述べない場合は黙示の更新があったものと推定され、黙示の更新後は期間の定めのない賃貸借になる（民法619条１項）。民法での期間の定めのない賃貸借では、当事者はいつでも解約の申入れができ、正当事由は必要とされていない。契約は建物の場合では、解約の申入れから３カ月を経過することで終了することになる(民法617条１項２号)。

(５) 建物賃貸借の対抗力

建物の賃貸借は、その登記があれば、賃貸人から建物を買い受けた第三者のような物権の取得者に対して賃借権を対抗できるとされている。しかし、建物の賃借権は、その登記がなくても、建物の引渡しがあったときは、その後、その建物について物権を取得した者に対し、対抗することができる（法31条）。例えば、賃借人は、マンションの引渡しさえ受けていれば、マンションが転売されて区分所有者が変わっても、追い出される心配はない。

(６) 借賃増減請求権

建物の借賃が、土地若しくは建物に対する租税その他の負担の増減により、土地若しくは建物の価格の上昇若しくは低下その他の経済事情の変動により、又は近傍同種の建物の借賃に比較して不相当となったときは、契約の条件にかかわらず、当事者は、将来に向かって建物の借賃の額の増減を請求することができる。ただし、一定の期間建物の借賃を増額しない旨の特約がある場合には、その定めに従う。

建物の借賃の増額について当事者間に協議が調わないときは、その請求を受けた者は、増額を正当とする裁判が確定するまでは、相当と認める額の建物の借賃を支払うことをもって足りる。ただし、その裁判が確定した場合において、すでに支払った額に不足があるときは、その不足額に年１割の割合による支払期後の利息を付してこれを支払わなければならない（法32条１項・２項)。

(７) 造作買取請求権

建物の賃貸人の同意を得て建物に付加したエアコン、畳、建具その他の造作がある場合には、建物の賃借人は、建物の賃貸借が期間の満了又は解約の申入れによって終了するときに、建物の賃貸人に対し、その造作を時価で買い取るべきことを請求することができる。また、賃借人が賃貸人から買い受けた造作についても、同様に買取請求権が認められる（法33条)。なお、この造作買取請求権があるため、賃貸人が造作の取付けに同意しないというデメリットもあることから、この造作買取請求権を排除する特約は有効である。

（8）建物賃貸借契約終了の場合における転借人の保護

建物の転貸借がされている場合において、建物の賃貸借が期間の満了又は解約の申入れによって終了するときは、建物の賃貸人は、建物の転借人にその旨を通知しなければ、その終了を建物の転借人に対抗することができない（法34条1項)。建物の賃貸人がこの通知をしたときは、建物の転貸借は、その通知がされた日から6カ月を経過することによって終了する（同条2項)。

（9）借地上の建物の賃借人の保護

借地権の目的である土地の上の建物につき賃貸借がされている場合において、借地権の存続期間の満了によって建物の賃借人が土地を明け渡すべきときは、建物の賃借人が借地権の存続期間が満了することをその1年前までに知らなかった場合に限り、裁判所は、建物の賃借人の請求により、建物の賃借人がこれを知った日から1年を超えない範囲内において、土地の明渡しにつき相当の期限を許与することができる（法35条1項)。裁判所が期限の許与をしたときは、建物の賃貸借は、その期限が到来することによって終了する（同条2項)。

5｜不動産登記法

不動産登記制度の目的は、(ア)公示により所有権者等権利者の権利保全を図ること、(イ)権利変動の公示により取引の安全と円滑化を確保すること、(ウ)不動産の流通取引・保有・利用等から生ずる徴税事務の基本となる不動産情報を明確にして、国家租税制度の基盤とすることなどが主なものである。

（1）不動産登記

不動産登記とは、不動産に関する権利の発生、売買等の変動、消滅を登記所という国家機関が管理する登記記録（登記簿）に記録すること、又は記録された内容自体のことをいう。登記は、登記官が登記簿に登記事項を記録することによって行う。

（2） 登記記録

不動産登記簿は、登記記録が記録される帳簿であって、磁気ディスク（これに準ずる方法により一定の事項を確実に記録することができる物を含む。）をもって調製するものをいう。その登記記録のうち、表示に関する登記が記録される部分を「表題部」といい、権利に関する登記が記録される部分を「権利部」という。登記記録は、登記官が登記簿に登記事項を記録することによって作成される。そして、その作成単位は一筆の土地又は一個の建物とされている（不動産登記法（以下「法」という。）２条５号～９号）。すなわち、登記記録の作成については、一不動産一登記記録主義が採用されている。これは一筆の土地又は一個の建物ごとに、独立して取引が行われるので、登記記録も別にするのである。登記記録は、土地及び建物について、表題部と権利部に区分されて作成されている。そして、さらに権利部は、甲区・乙区に区分され、甲区には所有権に関する登記の登記事項が記録され、乙区には所有権以外の権利に関する登記の登記事項が記録される。

（3） 登記記録の記載事項

① 表題部は、登記記録のうち、表示に関する登記が記録される部分である（法２条７号）。表示に関する登記とは、不動産の物理的な状況を明らかにするための情報である。土地であれば、所在地、地番、地目、地積（面積）など、建物であれば、所在地、家屋番号、種類（居宅・店舗などの区別）、構造、床面積などである。

② 権利部は登記記録のうち、権利に関する登記が記録される部分であり（法２条８号）、権利部はさらに甲区と乙区に区分される。甲区は、所有権に関する事項が記録される（不動産登記規則（以下「規則」という。）４条４項）。所有権の保存、移転、変更はもとより、所有者の住所・氏名の変更、所有権に関する仮登記、所有権の買戻権の登記など、所有権に関することはすべてここに記録される。

乙区には、抵当権、地上権、地役権、先取特権、質権、賃借権といった所有権以外の権利に関する事項が記録される（規則４条４項）。

以上の記録内容の違いから、表題部に登記することを表示に関する登記（表題の登記）、権利部に登記することを権利に関する登記（権利の登記）という。

なお、甲区及び乙区に記録する登記事項がない場合には、甲区又は乙区は作成されない。所有権の登記がない不動産については、表題部に所有者の氏名又は名称及び住所が記録される（法27条3号）。これは、甲区に所有権の登記が行われない場合、さしあたっての所有者を明らかにするためである。所有者が明らかでないと、固定資産税の徴収などのときに困るからである。したがって、甲区に本来の所有権の保存登記（甲区に対して初めて行われる所有権の登記）が行われると、表題部にあった所有者の記録はなくなるので、抹消されることになっている。なお、この表題部に所有者として記録されている者のことを「表題部所有者」という（法2条10号）。

(ア) 表示に関する登記

㋐ 原則として、不動産の所有者に申請義務が課せられており、例えば、建物の新築・増築・滅失等があった場合は、新築・増築・滅失後1カ月以内に表示に関する登記を申請しなければならない（法36条、47条1項、申請義務）。

㋑ 登記官は、実地調査権が認められ、実地調査に際して関係人への質問や文書又は電磁的記録に記録された事項を法務省令で定める方法により表示したものの提示要求も認められている（法29条）。

㋒ 表示に関する登記は公益的な目的（不動産に課税する等）のためになされるものであり、個人の権利の保全を目的とする制度ではない。そのため、表示に関する登記については、登記官の職権による登記も認められている（法28条）。

㋓ 区分建物については、一棟の建物に属する他の区分建物全部について一括して申請しなければならない（法48条）。

(イ) 権利に関する登記

新たに不動産の所有権等の権利を取得した場合、第三者に自己の権利を対抗するためには、登記をしなければならない（民法177条）。これは表示に関する登記の申請と異なり、権利に関する登記では、当事者に申請義務はない。当事者がそれでかまわないのであれば、変更登記をせずにそのままでもよい。

※ 権利に関する登記を申請する場合には、登記の真正を確保するために、登記識別

情報を申請情報として提供しなければならない。この登記識別情報を一定の理由により提供することができないときには、事前通知制度と資格者代理人による本人確認情報提供制度を利用して申請することができる。

(ウ) 付記登記

登記名義人が婚姻して姓が変わった場合、登記名義人の表示を変更する登記をする必要がある。この登記は、すでにある登記（主登記という。）の順位をそのまま保持したうえで、主登記に付随するようなかたちで登記が行われる。この登記のことを付記登記という（4条2項）。

（4）登記の手続

① 申請主義の原則

登記は、当事者の申請又は官庁若しくは公署の嘱託がない限り、登記官が勝手に登記すること（職権による登記という。）はないというのが原則である（法16条1項）。しかし、この原則は権利に関する登記には当てはまるが、表示に関する登記には当てはまらない。表示に関する登記は、登記官の職権により登記できる（法28条）。

② 共同申請の原則

所有権の移転の登記を申請するときは、登記義務者（登記簿上権利を失う者）と登記権利者（登記簿上権利を得る者）が共同で申請しなければならない（法60条）。しかし、この原則は次の場合は適用されない。

(ア) 相続による登記（被相続人がすでに死亡しているので、共同申請は無理であるため（法63条2項）。）

(イ) 所有権の保存の登記（最初の所有者として権利部の甲区に登記する場合であるから、単独でしか申請できない。）。表題登記も同様である。

(ウ) 確定判決による登記（判決に基づくのであれば、共同申請によらなくても、間違った登記が行われるおそれはない（法63条1項）。）

(エ) 仮登記の申請において、仮登記義務者の承諾があるとき及び仮登記を命ずる裁判所の処分があるときは、単独申請が認められる（法107条1項）。

(5) 登記申請の手続

① 申請の方法

登記の申請は「電子情報処理組織を使用する方法」(これはインターネットを利用して、オンラインで申請する方法)か「申請情報を記載した書面(申請情報の全部又は一部を記録した磁気ディスクを含む。)を提出する方法」のどちらかで行う(法18条)。

登記申請に関する出頭主義を廃止し、オンライン申請ができることとなった。それに伴い、郵送申請も可能になった。

※ 表示に関する登記、権利に関する登記はともに、登記所に「申請人が出頭して行うこと」「郵送で行うこと」「(指定された登記所において)オンラインにより行うこと」のいずれもできる。

② 登記識別情報

登記名義人が登記義務者として登記の申請をするときは、原則として、登記所に登記識別情報を提供しなければならない(法22条本文)。登記識別情報とは、登記名義人本人の申請であることを確認するための情報のことで、十数桁の英数字がランダムに羅列されたパスワードのようなものである(登記識別情報は、登記申請が完了したときに登記所が登記名義人になった者に対して通知する。)。なお、書面による申請の場合は、登記識別情報によらず、従来よりある登記済証(権利証)が用いられる。

③ 事前通知制度・本人確認情報提供制度、登記原因証明情報

登記済証(権利証)がない場合の保証書制度が廃止され、登記済証がない場合は、「事前通知制度」か、司法書士等の資格者代理人による「本人確認情報提供制度」を利用することとなった(法23条1項・4項)。

登記原因証書がない場合の申請書副本制度が廃止され、「登記原因証明情報」の添付・提供が必須となった(不動産登記令7条)。これまで、事柄の性質上、原因証書が不存在とされていた登記原因(相続、時効取得、真正な登記名義の回復、錯誤など)も含めすべての物権変動の登記について必要になった。この「登記原因証明情報」は登記記録の附属記録として登記所に保管され、利害関係人による閲覧が可能である(法121条)。

(6) 登記した権利の順位

同一の不動産に関して登記した権利の順位については、法令に別段の定め(不動産保存の先取特権、不動産工事の先取特権など)がない限り、その順位は、登記の前後(先に登記した者が優先する。)による(法4条1項)。

この登記の前後は、登記用紙中、同一の区の中でした登記(甲区と甲区、乙区と乙区という同じ区に登記された権利同士の関係)については、順位番号による。また、甲区、乙区間における登記の順位は、受付番号の前後による(所有権と抵当権のように、別の区に登記された権利同士の場合、権利部の記録には、受付番号が記載されているので、この受付番号で前後を判断する。)。付記登記間の順位は、主登記の順位によるが、同一の主登記に関する付記登記同士では、順位はその前後による。

※ 順位番号とは、権利に関する登記をするときに、登記事項を記録した順序を示すものとして、甲区又は乙区に記録される番号をいう。

※ 受付番号は、甲区・乙区を区別することなく、登記を受け付けた順番どおり通し番号で振られるので、区が異なっても順位がわかる。

(7) 仮登記

仮登記は、権利関係が未確定であったり、登記すべき権利の変動は生じているが、登記申請に要する書類がそろっていない場合に、仮に登記しておき、後に権利関係が確定し、あるいは書類が完備したときに備えようとするものである(将来なされるべき本登記の順位をあらかじめ保全することを目的としている。)。

法105条は、手続上の条件が具備しない場合の権利保全の仮登記(登記すべき権利の変動は生じているが、登記申請に必要な情報を登記所に提出できない。)と、権利の設定、移転、変更又は消滅の請求権を保全する場合の仮登記(登記すべき権利の変動はまだ生じていないが、将来、権利変動が生じる予定があり、その請求権を保全する必要があるとき、例えば、売買の予約や停止条件付き売買予約など)の2種類を規定する。

仮登記には本登記のような対抗力はないため、仮登記がされた後でも、現在の所有者は第三者に所有権を移転して登記することができる。しかし、仮登記で設けられた余白に、登記本来の対抗力を有する本登記がされたときは、その仮登記に遅れて登記をした者の登記は、原則として本登記と同時に抹消されることとなる（法109条２項）。

仮登記も本登記と同じく、仮登記権利者と仮登記義務者の共同申請を原則とするが、権利者は義務者の承諾書を添付して単独で申請することができる。

仮登記については、後日、本登記の申請をした場合には、仮登記がなされた時点にさかのぼって対抗力を有することになる。

（8）地図・建物所在図

登記簿の附属書面として、土地には地図、建物には建物所在図というものがある（法14条１項～３項）。これは、土地や建物の位置関係などをわかりやすくするための図面である。通常は、複数の土地・建物をまとめて示すかたちになっている。

（9）登記事項証明書の交付

誰でも、登記官に対し、手数料を納付して、登記記録に記録されている事項の全部又は一部を証明した書面（登記事項証明書）又は記録されている事項の概要を記載した書面の交付を請求することができる（法119条１項・２項）。この場合の手数料の納付は収入印紙で行われる。なお、あわせて地図や建物所在図等のコピーの交付も請求できる（法120条１項）。

（10）区分建物と登記

①　区分建物の登記の特例

区分建物では、専有部分ごとに区分して所有されるので、登記記録も専有部分（規約共用部分とされている場合も含む。）ごとに作成される。しかし、表題部に記録されている情報が、その専有部分に関するもののみであるとすると、登記を見てもマンション全体の構造や共用部分に対する権利関係等を知ることができない。そこで、区分建物の場合、表題部として「一棟の建物全体の表題部」と「当該専有部分の表題部」が設けられている。なお、権利部（甲区・乙区）は、通常の一戸建ての建物の場合と同様である。

②　敷地権の登記

「敷地権」とは、

㋐　区分所有法２条６項に規定する敷地利用権として登記された権利で、

(イ) 建物又は附属建物と分離して処分することができないもの、

である（法44条１項９号）。

専有部分と分離処分できない敷地利用権に関する登記は、土地に対する権利でありながら、表示は、区分建物の表示に関する登記の登記事項（法44条１項９号）に属し、区分建物の登記記録に記録（記録される場所は、建物登記記録の表題部である。）される。このように、建物の表題部に行われた敷地利用権の登記のことを「敷地権の登記」という。「利用」という言葉が取れて、「敷地権」というときは、こうした登記が行われたものだけを意味している。

ただ、土地に対する権利なのに、土地の登記記録に何も記録していないというわけにはいかないので、敷地権の登記がされると、登記官が職権で、土地の登記記録の権利部の相当区に敷地権である旨の登記をする（法46条、規則119条）。相当区とは、敷地権が所有権なら甲区、賃借権や地上権なら乙区という意味である。

登記官は、表示に関する登記のうち、区分建物に関する敷地権について表題部に最初に登記をするときは、当該敷地権の目的である土地の登記記録について、職権で、当該登記記録中の所有権、地上権その他の権利が敷地権である旨の登記をしなければならないこととされている（法46条）。

敷地権の登記は、分離処分できず、区分所有権と一体であることが前提である。それゆえ、区分建物についてされた登記は、敷地権についての登記としても効力を有する（法73条１項本文）。例えば、区分所有権をＡからＢに移転する登記がされると、それは同時に敷地権もＡからＢに移転した登記がされたという効力が生じるということである。また、分離を生じさせる登記（例えば、建物のみの所有権が移転し、敷地権は移転しない。）は認めることができない（法73条２項本文・３項本文）。

敷地権の表示を登記した後は、専有部分と敷地利用権の一体性の原則に反する処分は、善意の第三者に対しても無効である（区分所有法23条本文）。

③ 区分建物の表示に関する登記

(ア) 「区分建物」とは、区分所有権の目的となり得る建物の部分、すなわち、専有部分である（法２条22号）。

新築した建物の所有権を取得した者は、その所有権の取得の日から１カ月以内に、表題登記を申請しなければならない（法47条１項）。

区分建物が属する一棟の建物が新築された場合の表題登記の申請は、当該新築された一棟の建物又は当該区分建物が属することとなった一棟の建物に属する他の区分建物についての表題登記の申請と併せてしなければならない（法48条１項）。

その場合において、当該区分建物の所有者は、他の区分建物の所有者に代わって、当該他の区分建物についての表題登記を申請することができる（法48条２項）。

※　一棟の建物全体の表題部と専有部分ごとの表題部の登記の申請は、新築後１カ月以内に、全部を一括して申請しなければならない。この場合、全区分所有者が共同して申請するのは困難なので、分譲会社が他の区分所有者に代わって一括申請することができる。

区分建物である建物を新築した場合において、その所有者について相続その他の一般承継があったときは、相続人その他の一般承継人も、被承継人を表題部所有者とする当該建物についての表題登記を申請することができる（法47条２項）。

(イ)　一般的に所有権の保存登記は、㋐表題部所有者又はその相続人その他の一般承継人、㋑所有権を有することが確定判決によって確認された者、㋒収用によって所有権を取得した者以外の者は、申請できないとされている（法74条１項）。しかし、区分建物にあっては、表題部所有者から所有権を取得した者も、所有権保存の登記を申請することができる。この場合において、当該建物が敷地権付き区分建物であるときは、当該敷地権の登記名義人の承諾を得なければならない（法74条２項）。

④　共用部分である旨の登記等

(ア)　共用部分である旨の登記事項は、表示に関する登記事項（法27条各号（３号を除く。））及び建物の表示に関する登記の登記事項（法44条１項各号（６号を除く。））のほか、次のとおりである（法58条１項１号）。

「共用部分である旨の登記にあっては、当該共用部分である建物が当該建物の属する一棟の建物以外の一棟の建物に属する建物の区分所有者の共用に供されるものであるときは、その旨」

(イ)　共用部分である旨の登記は、当該共用部分である旨の登記をする建物の表題部所有者又は所有権の登記名義人以外の者は、申請することができない（法58条２項）。

(ウ)　共用部分である旨の登記は、当該共用部分に所有権等の登記以外の権利に関する登記があるときは、当該権利に関する登記に係る権利の登記名義人（当該権利に関する登記が抵当権の登記である場合において、抵当証券が発行されているときは、当該抵当証券の所持人又は裏書人を含む。）の承諾があるとき（当該権利を目的とする第三者の権利に関する登記がある場合にあっては、当該第三者の承諾を得たときに限る。）でなければ、申請することができない（法58条３項）。

(エ)　登記官は、共用部分である旨の登記をするときは、職権で、当該建物について表題部所有者の登記又は権利に関する登記を抹消しなければならない（法58条４項）。

(オ)　前記(ア)に掲げる登記事項についての変更の登記又は更正の登記は、当該共用部分である旨の登記がある建物の所有者以外の者は、申請することができない（法58条５項）。

(カ)　共用部分である旨の登記がある建物について共用部分である旨を定めた規約を廃止した場合には、当該建物の所有者は、当該規約の廃止の日から１カ月以内に、当該建物の表題登記を申請しなければならない（法58条６項）。

この規約を廃止した後に当該建物の所有権を取得した者は、その所有権の取得の日から１カ月以内に、当該建物の表題登記を申請しなければならない（法58条７項）。

⑤　規約共用部分の登記

規約共用部分の権利関係は、区分所有者全員の共有である。マンションにおいては規約共用部分である旨の登記は、甲区には記録せず、専有部分ごとの表題部に記録されることになっている（法44条１項６号）。

専有部分と共用部分とは分離できないので、規約共用部分の共有者イコール専有部分の所有者である。そして、専有部分の所有者は、同じ登記記録のある各専有部分の甲区を見ればわかる。なにも甲区に共有者全員の氏名を記録しなくても、共有者の氏名がわかる仕組みになっている。それに、専有部分を譲渡した場合も、このような登記の仕組みなら、専有部分についての所有権移転登記しか行わないので、共用部分の権利と分離した登記になる心配もない。

⑥　不動産登記簿の記載事項

区分建物全部事項証明書に記載されている「一棟の建物の表示」「敷地権の目的である土地の表示」「専有部分の建物の表示」「附属建物の表示」「敷地権の表示」「所有権に関する事項」「所有権以外の権利に関する事項」についての不動産登記簿の記載例は後掲参照。

(11)　登記の申請義務

相続登記や住所等の変更登記は、従来は、あくまでも任意であったが、近年の所有者不明土地問題の解決の観点から、所有者不明土地の発生を抑制するため、それらの登記を義務化する旨の不動産登記法の改正法が令和3年4月に公布された。

①　相続登記の申請義務

所有権の登記名義人について相続の開始があったときは、当該相続により所有権を取得した者は、自己のために相続の開始があったことを知り、かつ、当該所有権を取得したことを知った日から3年以内に、所有権の移転の登記を申請しなければならない。遺贈（相続人に対する遺贈に限る。）により所有権を取得した者も、同様とする（法76条の2第1項）。

②　相続登記に代わる申出

上記①により所有権の移転の登記を申請する義務を負う者は、登記官に対し、所有権の登記名義人について相続が開始した旨及び自らが当該所有権の登記名義人の相続人である旨を申し出ることができる。この申出をした者は①の登記を申請する義務を履行したものとみなす。

登記官は、職権でその旨、申出人の氏名・住所等の事項を所有権の登記に付記することができる（法76条の3）。

③　住所等変更の申請義務

所有権の登記名義人の氏名・名称又は住所について変更があったときは、その変更があった日から2年以内に、変更の登記を申請しなければならない（法76条の5）。

④　過料

正当な理由なく、申請義務を懈怠したときは、過料が科せられる（相続登

記申請義務は、10万円以下、住所等変更登記申請義務は、５万円以下、法164条１項・２項)。

⑤　施行日

相続登記の申請の義務化の施行日は、令和６年４月１日、住所等変更登記の申請義務化の施行日は、令和８年４月１日であるが、いずれの場合でも施行日前の相続や住所等の変更についても遡及して適用され、令和６年４月１日より前に相続が開始している場合でも、３年間の猶予期間はあるが、義務化の対象となる。また、住所等変更登記も令和８年４月１日より前に変更があった場合でも施行日から２年以内に変更登記をしなければならない。

東京都新宿区○○１丁目20—１—11　　　　区分建物全部事項証明書

専有部分の家屋番号	20—１—１～20—１—160				
表題部（一棟の建物の表示）		調製	令和○年○月○日	所在図番号	余白
所　在	新宿区○○一丁目20番地１	余白			
建物の名称	マンション新宿	余白			

①構造	②床面積　m²	原因及びその日付　〔登記の日付〕
鉄骨鉄筋コンクリート造陸屋根14階建	１階　528:38	余白　令和○年○月○日
	２階　631:78	
	３階　631:78	
	４階　631:78	
	５階　631:78	
	６階　631:78	
	７階　631:78	
	８階　631:78	
	９階　631:78	
	10階　631:78	
	11階　631:78	
	12階　631:78	
	13階　546:57	
	14階　525:51	

表題部　（敷地権の目的である土地の表示）

①土地の符号	②所在及び地番	③地目	④地積　m²	登記の日付
1	新宿区○○一丁目20番１	宅地	1489:73	令和○年○月○日

一棟の建物の表示

・専有部分の家屋番号（一棟の建物に登記されているすべての専有部分の家屋番号を記載）
・所在（一棟の建物の所在を記載）
・所在図番号
・建物の名称（マンションの名称を記載）
・構造（鉄骨鉄筋コンクリート造、鉄筋コンクリート造等を記載）
・床面積（床面積の測定方法は、壁の中心線で囲まれた水平投影面積によるとされているが、区分所有建物の各専有部分にあっては、壁の内側線で囲まれた水平投影面積によるとされている。この建物全体の床面積の総和から各専有部分の床面積の総和を差し引いた残りの面積が法定共用部分の面積である。）
・原因及びその日付（新築という法律上の原因とその発生日付を記載）
・登記の日付（登記所の事務処理日を記載）

敷地権の目的である土地の表示

・土地の符号
・所在及び地番
・地目
・地積
・登記の日付

表題部（専有部分の建物の表示）				不動産番号	○○○○○○○○○○○○○○
家屋番号	○○町一丁目20番１の11				
建物の名称	101号				
①種類	②構造	③床面積	㎡	原因及びその日付	〔登記の日付〕
居宅	鉄骨鉄筋コンクリート造１階建	１階部分 64	99	令和○年○月○日新築	令和○年○月○日
表題部（附属建物の表示）					
符号 ①種類	②構造	③床面積	㎡	原因及びその日付	〔登記の日付〕
表題部（敷地権の表示）					
①土地の符号	②敷地権の種類	③敷地権の割合		原因及びその日付	〔登記の日付〕
1	所有権	１万分の68		令和○年○月○日 敷地権	令和○年○月○日
所有者	渋谷区○○五丁目５番５号 株式会社 甲野不動産				

※下線のあるものは抹消事項であることを示す。

専有部分の建物の表示

- 不動産番号（一筆の土地又は一個の建物ごとに、番号、記号その他の符号を記載）
- 家屋番号（所在の町名及びそれ以外の地番の部分と家屋番号を記載）
- 建物の名称（部屋番号又は部屋の通し番号を記載）
- 種類
- 構造
- 床面積（壁その他の区画の内側線（内法）で囲まれた部分の水平投影面積による。また、その専有部分が一棟の建物の何階部分にあるかも記載）
- 原因及びその日付（新築という法律上の原因とその発生日付を記載）
- 登記の日付（登記所の事務処理日を記載）

附属建物の表示

規約共用部分である場合には、この欄に「共用部分である旨の登記」がされ、「令和○年○月○日規約設定共用部分」と記載される。

敷地権の表示

- 土地の符号（一棟の建物の表題部に示された土地がこの専有部分の敷地権であることを表示）
- 敷地権の種類（敷地権がいかなる権利であるかを表示）
- 敷地権の割合（専有部分が持っている利用権の割合を表示）
- 原因及びその日付（敷地権という原因名と発生日を記載）
- 登記の日付（登記所の事務処理日を記載）

所有権に関する事項欄（甲区）

- 所有権保存
- 所有権移転
- 所有権に関する仮登記
- 所有権変更・更正登記
- 所有権登記名義人表示変更・更正登記（住所移転、氏名変更・更正等）
- 所有権抹消登記
- 買戻特約等の登記等

東京都新宿区○○１丁目20―１―11　　　　区分建物全部事項証明書

権利部（甲区）（所有権に関する事項）			
順位番号	登記の目的	受付年月日・受付番号	権利者その他の事項
1	所有権保存	令和○年○月○日 第11111号	原　因　令和○年○月○日売買 所有者　港区港一丁目１番１号 令和株式会社 順位１番の登記を移記
2	所有権移転	令和○年○月○日 第22222号	原　因　令和○年○月○日売買 所有者　新宿区○○一丁目20番４―101号 新宿一郎
<u>3</u>	<u>差押</u>	<u>令和○年○月○日</u> <u>第33333号</u>	原　因　<u>令和○年○月○日東京地方裁判所担保不動産競売開始決定</u> <u>申立人</u>　<u>千代田区○○町五丁目５番５号</u> <u>○○信用保証株式会社</u>
4	所有権移転	令和○年○月○日 第44444号	原　因　令和○年○月○日担保不動産競売による売却 所有者　新宿区新宿○丁目○番○号 新宿株式会社
5	３番差押登記抹消	令和○年○月○日 第44444号	原　因　令和○年○月○日担保不動産競売による売却

※下線のあるものは抹消事項であることを示す。

東京都新宿区○○１丁目20−１−11　　　　区分建物全部事項証明書

権利部（乙区）（所有権以外の権利に関する事項）			
順位番号	登記の目的	受付年月日・受付番号	権利者その他の事項
1	抵当権設定	令和○年○月○日 第55555号	原　因　令和○年○月○日保証委託契約による求償債権令和○年○月○日設定 債権額　金5,000万円 利息　年2.60%（年365日日割計算） 損害金　年14%（年365日日割計算） 債務者　新宿区○○町一丁目20番４−101号 新宿一郎 抵当権者　千代田区○○町五丁目５番５号 ○○信用保証株式会社
2	根抵当権設定仮登記	令和○年○月○日 第66666号	原　因　令和○年○月○日設定 極度額　金500万円 債権の範囲　金銭消費貸借取引　保証取引　手形貸付取引　手形割引取引　手形債権　小切手債権 債務者　新宿区○○一丁目20番４−101号 株式会社　昭和 権利者　神戸市○○区○○町三丁目３番３号 株式会社　△△△
3	賃借権設定	令和○年○月○日 第77777号	原　因　令和○年○月○日設定 借賃　１ヶ月金３万円 支払期　毎月末日 存続期間　平成○年○月○日から満３年 特約　譲渡、転貸ができる 構造又は造作を変更できる 賃借権者　江戸川区○○六丁目６番６号 □□商事株式会社

これは請求に係る専有部分の登記簿に記録されている事項の全部を証明した書面である。

令和○年○月○日

東京法務局○○出張所　　　　登記官　　　　氏名

※下線のあるものは抹消事項であることを示す。　　　　整理番号 D11109（１／１）３／３

所有権以外の権利に関する事項欄（乙区）

- 地上権
- 永小作権
- 地役権
- 先取特権
- 質権
- 抵当権
- 根抵当権
- 賃借権
- 抹消の登記
- 登記名義人の表示変更・更正登記
- 処分制限の登記等

6 建築基準法

「建築基準法」は、建築物の敷地、構造、設備及び用途に関する最低の基準を定めて、国民の生命、健康及び財産の保護を図り、もって公共の福祉の増進に資することを目的とする（建築基準法（以下「法」という。）1条）。

建築基準法の法体系は3つの要素から成る。1つは法令運用上の総括的なもので、適用の範囲、原則、制度、手続、罰則規定などである。あとの2つは、単体規定と集団規定と呼ばれる。単体規定は、個々の建築物の構造耐力、防火や避難施設、衛生設備などに関する安全確保についての規定である。集団規定は、建築物の集団である街や都市において、安全で合理的な秩序を確保するための規定で、都市計画区域内に対象を限定し、健全な街づくりをするために容積率や建蔽率、建物の高さや日影規制などを定めるものである。

（1）建築物等の維持保全

① 維持保全義務

建築物の所有者、管理者又は占有者は、その建築物の敷地、構造及び建築設備を常時適法な状態に維持するように努めなければならない（法8条1項）。

② 維持保全計画

維持保全計画の作成を義務付けられる特殊建築物で、その用途に供する床面積の合計が100m²を超える建築物の所有者又は管理者は、その建築物の敷地、構造及び建築設備を常時適法な状態に維持するため、必要に応じ建築物の維持保全に関する準則又は計画を作成し、その他適切な措置を講じなければならない（法8条2項、建築基準法施行令（以下「令」という。）13条の3）。

維持保全計画の作成を義務付けられる特殊建築物は、学校、病院、劇場、百貨店、ダンスホール、旅館、共同住宅、倉庫、自動車車庫などを指す。マンションは共同住宅にあたるので、特殊建築物に含まれる（法別表第1）。

(2) 建築物の構造及び建築設備

① 構造耐力に係る適合基準

建築物は、自重、積載荷重、積雪荷重、風圧、土圧及び水圧並びに地震その他の震動及び衝撃に対して安全な構造のものとして、次に定める基準に適合するものでなければならない（法20条1項）。

(ア) 高さが60m を超える建築物　当該建築物の安全上必要な構造方法に関して政令で定める技術的基準に適合するものであること。この場合において、その構造方法は、荷重及び外力によって建築物の各部分に連続的に生ずる力及び変形を把握することその他の政令で定める基準に従った構造計算によって安全性が確かめられたものとして国土交通大臣の認定を受けたものであること。

(イ) 高さが60m 以下の建築物のうち、法6条1項2号に掲げる建築物（高さが13m 又は軒の高さが9m を超えるものに限る。）又は同項3号に掲げる建築物（地階を除く階数が4以上である鉄骨造の建築物、高さが20m を超える鉄筋コシクリート造又は鉄骨鉄筋コンクリート造の建築物その他これらの建築物に準ずるものとして政令で定める建築物に限る。）次に掲げる基準のいずれかに適合するものであること。

・当該建築物の安全上必要な構造方法に関して政令で定める技術的基準に適合すること。この場合において、その構造方法は、地震力によって建築物の地上部分の各階に生ずる水平方向の変形を把握することその他の政令で定める基準に従った構造計算で、国土交通大臣が定めた方法によるもの又は国土交通大臣の認定を受けたプログラムによるものによって確かめられる安全性を有すること。

・前記(ア)に定める基準に適合すること。

(ウ) 高さが60m 以下の建築物のうち、法6条1項2号又は3号に掲げる建築物その他その主要構造部（床、屋根及び階段を除く。）を石造、れんが造、コンクリートブロック造、無筋コンクリート造その他これらに類する構造とした建築物で高さが13m 又は軒の高さが9m を超えるもの（前記(イ)に掲げる建築物を除く。）次に掲げる基準のいずれかに適合するものであること。

・当該建築物の安全上必要な構造方法に関して政令で定める技術的基準に適合すること。この場合において、その構造方法は、構造耐力上主要な部分ごとに応力度が許容応力度を超えないことを確かめることその他の政令で定める基準に従った構造計算で、国土交通大臣が定めた方法によるもの又は国土交通大臣の認定を受けたプログラムによるものによって確かめられる安全性を有すること。

・前記(ア)(イ)に定める基準のいずれかに適合すること。

(エ) 前記(ア)～(ウ)に掲げる建築物以外の建築物　次に掲げる基準のいずれかに適合するものであること。

・当該建築物の安全上必要な構造方法に関して政令で定める技術的基準に適合すること。

・前記(ア)～(ウ)に定める基準のいずれかに適合すること。

② 防火壁等

延べ面積が、1,000㎡を超える建築物は、防火上有効な構造の防火壁又は防火床によって有効に区画し、かつ、各区画の床面積の合計をそれぞれ1,000㎡以内としなければならない。ただし、耐火建築物又は準耐火建築物等については、この限りではない（法26条１項）。

③ 道路

(ア) 建築基準法でいう「道路」とは、「国道や都道府県道、市町村道など道路法で定められた道路」のほか、「都市計画法や土地区画整理法、都市再開発法等によって造られた道路」「都市計画区域及び準都市計画区域の指定・変更又は条例の制定・改正により法３章の規定が適用された際、すでに現存する道」、また、「道路法、都市計画法等の事業計画のある道路で、２年以内に事業が執行される予定のものとして、特定行政庁が指定した道路」「土地を建築物の敷地として利用するため築造し、特定行政庁から位置指定を受けた道」などで、原則として幅員４ｍ以上（特定行政庁が指定した区域では６ｍ以上）のもの（地下におけるものを除く。）を指す（法42条１項）。幅員４ｍ未満でも例外的に道路としてみなされる「二項道路」の例もある（同条２項：幅員４ｍ未満の道で、都市計画区域若しくは準都市計画区域の指定・変更又は条例の制定・改正により法３章の規定が適用されることになった際、現に建築物が立ち並んでおり、特定行政庁が指定したものは「道路」とみなされる。）が、法律に規定のない路地などは道路と認められない。

(イ) 建築物の敷地の接道義務（法43条）

建築物の敷地は、道路（自動車専用道路等を除く。）に2m以上接しなければならない。ただし、その敷地が幅員4m以上の道（道路に該当するものを除き、避難及び通行の安全上必要な一定の基準に適合するものに限る。）に2m以上接する建築物のうち、利用者が少数であるものとしてその用途及び規模に関し一定の基準に適合するもので、特定行政庁が交通上、安全上、防火上及び衛生上支障がないと認めるもの、また、周囲に広い空き地があるなど安全上等支障がないと特定行政庁が認めて、建築審査会の同意を得て許可した場合は例外である。

(ウ) 私道の変更又は廃止の制限（法45条）

私道の変更又は廃止によって、その道路に接する敷地が接道義務に抵触することとなる場合においては、特定行政庁は、その私道の変更又は廃止を禁止し、又は制限することができる。

(エ) 道路内の建築制限（法44条）

建築物又は擁壁は、道路内に、又は道路に突き出して建築・築造することはできない。ただし、㋐地盤面下に設ける建築物、㋑公益上必要な建築物（公衆便所、巡査派出所など）で、特定行政庁が通行上支障がないと認めて建築審査会の同意を得て許可したもの、㋒公共用歩廊（アーケード）等の建築物で特定行政庁が安全上、防火上及び衛生上他の建築物の利便を妨げる等がないと認めて許可したもの等は、この限りではない。

(オ) 壁面線の指定と建築制限（法46条、47条）

特定行政庁は、必要があると認めるときは、壁面線（壁面線とは、敷地内において建築物の壁等を設置できる境界線をいう。）を指定することができる。指定に際しては、建築審査会の同意、公開の聴聞等が必要である（法46条1項）。

壁面線が指定された区域内では、㋐建築物の壁若しくはこれに代わる柱、㋑高さ2mを超える門又はへいは、壁面線を越えて建築してはならない（法47条本文）。

④ 敷地の衛生及び安全

(ア) 建築物の敷地は、これに接する道の境より高くなければならず、建築物の地盤面は、これに接する周囲の土地より高くなければならない。ただし、敷地内の排水に支障がない場合又は建築物の用途により防湿の必要がない場合においては、この限りでない（法19条１項）。

(イ) 湿潤な土地、出水のおそれの多い土地又はごみその他これに類する物で埋め立てられた土地に建築物を建築する場合においては、盛土、地盤の改良その他衛生上又は安全上必要な措置を講じなければならない（法19条２項）。

(ウ) 建築物の敷地には、雨水及び汚水を排出し、又は処理するための適当な下水管、下水溝又はためますその他これらに類する施設を設けなければならない（法19条３項）。

(エ) 建築物ががけ崩れ等による被害を受けるおそれのある場合においては、擁壁の設置その他安全上適当な措置を講じなければならない（法19条４項）。

⑤ 居室の採光及び換気

(ア) 居室の採光

住宅等の居室には、採光のための窓その他の開口部を設け、その採光に有効な部分の面積は、その居室の床面積に対して、住宅にあっては７分の１以上、その他の建築物にあっては５分の１から10分の１までの間において政令で定める割合以上としなければならないとされていたが、令和５年４月１日施行の改正により、住宅についても５分の１から10分の１までの間で政令で定める割合以上とされた（法28条１項本文）。なお、令19条３項において、住宅の居室は７分の１以上とされ、国土交通大臣が定める基準に従い、一定の措置が講じられている場合には、10分の１までの範囲内において国土交通大臣が別に定める割合とされた。

(イ) 居室の換気

居室には換気のための窓その他の開口部を設け、その換気に有効な部分の面積は、その居室の床面積に対して、20分の１以上としなければならない。ただし、政令で定める技術的基準に従って換気設備を設けた場合においては、この限りでない（法28条２項）。

(ウ) 調理室等への換気設備の設置

建築物の調理室、浴室その他の室でかまど、こんろその他火を使用する設備若しくは器具を設けたもの（政令で定めるものを除く。）には、政令で定める技術的基準に従って、換気設備を設けなければならない（法28条3項）。

⑥ 特殊建築物等の避難及び消火に関する技術的基準

特殊建築物等（階数3以上、又は延べ面積1,000m²超の建築物）については、廊下、階段、出入口その他の避難施設、消火栓、スプリンクラー、貯水槽その他の消火設備、排煙設備、非常用の照明装置及び進入口並びに敷地内の避難上及び消火上必要な通路は、政令で定める技術的基準に従って、避難上及び消火上支障がないようにしなければならない（法35条）。

⑦ 避雷設備

高さ20mを超える建築物には、有効に避雷設備を設けなければならない。ただし、周囲の状況によって安全上支障がない場合においては、この限りでない（法33条）。

⑧ 昇降機

(ア) 建築物に設ける昇降機は、安全な構造で、かつ、その昇降路の周壁及び開口部は、防火上支障がない構造でなければならない（法34条1項）。

(イ) 高さ31mを超える建築物には、高さ31mを超える部分を階段室の用途に供するもの等一定のものを除き、非常用の昇降機を設けなければならない（法34条2項、令129条の13の2）。

⑨ 屋外への出入口等の施錠装置の構造等

屋外に設ける避難階段に屋内から通ずる出口、避難階段から屋外に通ずる出口、その他維持管理上、常時鎖錠状態にある出口で、火災その他の非常の場合に避難の用に供すべきものに設ける戸の施錠装置は、当該建築物が法令の規定により人を拘禁する目的に供せられるものである場合を除き、屋内からかぎを用いることなく解錠できるものとし、かつ、当該戸の近くの見やすい場所にその解錠方法を表示しなければならない（令125条の2第1項）。

⑩ 避難階段

建築物の避難階以外の階が共同住宅の用途に供する階で、その階における居室の床面積の合計が100m²（主要構造部が準耐火構造であるか、又は不燃材料で造られている建築物については200m²）を超える場合は、その階から避難階又は地上に通ずる２以上の直通階段を設けなければならない（令121条１項５号・２項）。

（３）建蔽（ぺい）率と容積率

①　建蔽率

建蔽率とは、建築物の建築面積の敷地面積に対する割合のことである（法53条）。防火や避難路、通風、採光などを確保するため、建築基準法によって建蔽率の限度が定められている。都市計画区域内では、用途地域の種別に応じて建蔽率の制限がなされる。

建蔽率は、都市計画で用途地域ごとに30～80％の範囲で制限が定められている。建築基準法上、原則として指定建蔽率を上回る建築面積の建築物を建ててはならないことになっている。例えば、100m²の土地で建蔽率が80％の地域の場合、最大80m²（100m²×80％）の建築面積の建築物を建てることができる。ただし、次のような場合はこの限りではない。

・㈠第一種住居地域、第二種住居地域、準住居地域、近隣商業地域、準工業地域、商業地域などのうち建蔽率の上限が80％とされている地域で、防火地域内に耐火建築物等を建てる場合には、建蔽率の制限がない。また、㈡巡査派出所、公衆便所、公共用歩廊その他これらに類するものと、㈢公園、広場その他これらに類するものの内にある建築物なども制限がかからない。

・敷地が特定行政庁が指定する角地にあたる場合及び防火地域内の耐火建築物等の場合には、建蔽率が10％の割増（両方に該当する場合、20％の割増）に緩和される。

建蔽率の違う複数の地域にまたがって建築物を建築する場合の建蔽率は、加重平均による。また、防火地域と防火地域以外の地域にまたがった建築物を建築する場合、防火地域以外の敷地は防火地域内とみなされる。

②　容積率

㈠　容積率とは

容積率とは、建築物の延べ面積（各階の床面積の合計）の敷地面積に対する割合のことである（法52条）。敷地内における建築物の大きさを制限し、間接的に建築物の高さを規制して、建築物と周囲の環境とのバランスを図るための規制である。

容積率は、都市計画で用途地域ごとに指定容積率が定められている。建築基準法上、原則として指定容積率を上回る延べ面積の建築物を建ててはならないことになっている。例えば、50m²の土地で容積率が200%の地域の場合、最大100m²（50m²×200%）の延べ面積の建築物（1階40m²、2階30m²、3階30m²のような）を建てることができる。

(イ) 容積率の数字

容積率は、建築物の前面道路の幅員によって規制を受ける。12m以上の幅の道路に接する場合、都市計画図に示された指定容積率がその敷地の基準容積率となる。接道する前面道路の幅員（2以上あるときは、道路の幅員が最大のもの）が12m未満の場合、都市計画で定められた容積率とは異なる制限を受ける場合がある。住居系の用途地域では「道路幅（前面道路の幅員のmの数値）$\times\frac{4}{10}$」の数値、その他の用途地域（商業系・工業系）では「道路幅$\times\frac{6}{10}$」の数値と、都市計画で指定された容積率の数値（指定容積率）とを比較して、原則として厳しいほうが適用される（基準容積率）。道路幅員の狭い、基盤整備の十分でない地域に高容積の建築物ができるのを抑えるための規定である。

※　例えば、都市計画による指定容積率が$\frac{30}{10}$（300%）で、前面道路幅員が6mの第一種住居地域の場合、前面道路幅6m$\times\frac{4}{10}=\frac{24}{10}$（240%）と指定容積率$\frac{30}{10}$（300%）を比較すると、$\frac{24}{10}$の数字のほうが厳しいので、こちらを採用することになる。
（6m$\times\frac{4}{10}=\frac{24}{10}$（240%）$<\frac{30}{10}$（300%））

※　建築基準法の改正（2002年）後、自治体により異なった数値を用いる場合がある。特定行政庁が指定する住居系の用途区域では$\frac{6}{10}$、その他の用途地域では$\frac{4}{10}$や$\frac{8}{10}$になることもある。

(ウ) 建築物の敷地が2以上の異なる容積率の地域・区域にわたる場合

指定容積率の違う複数の地域・区域にまたがった敷地に建築物を建築する場合の容積率は、加重平均による。各地域に属する部分の面積比を計算した合計容積率を限度として計算する。したがって、各地域に属する敷地の部分につき、それぞれ計算して容積率を算出することになる。

※　例えば、1,000m²の敷地が、商業地域（指定容積率$\frac{40}{10}$）に600m²属し、第二種住居

地域（指定容積率$\frac{30}{10}$）に400m²属する場合で、前面道路が7ｍである場合

・商業地域での指定容積率は$\frac{40}{10}$であり、7ｍ×$\frac{6}{10}$と比較すると$\frac{40}{10}<\frac{42}{10}$であるから、指定容積率のほうが厳しいので、容積率は$\frac{40}{10}$となる。

・第二種住居地域での指定容積率は$\frac{30}{10}$であり、7ｍ×$\frac{4}{10}$と比較すると$\frac{30}{10}>\frac{28}{10}$であるから、算出容積率のほうが厳しいので、この敷地部分の容積率は$\frac{28}{10}$となる。

・以上を合算すると$600m^2\times\frac{40}{10}+400m^2\times\frac{28}{10}=3,520m^2$となり、1,000m²の敷地に延べ面積3,520m²までの建築物が建築可能ということになる。そして、容積率は、面積比により按分されるので、全体としては$\frac{3520}{1000}$という数字である。

（4）政令で定める昇降機の昇降路の部分、又は共同住宅若しくは老人ホーム等の共用の廊下、階段の部分等に係る容積率の不算入措置（法52条6項）

① 対象となる共同住宅の範囲は、分譲・賃貸を問わず共用廊下等を有するすべての共同住宅の住戸で、事務所等を兼ねるいわゆる兼用住宅は該当しない。

共同住宅の共用廊下等の部分に係る容積率の不算入措置は、当該建築物の用途が共同住宅に該当する場合に限り、容積率の算定において、共用廊下等の部分の床面積を不算入とするものである。したがって、当該建築物の全部又は一部について住宅以外の用途に変更された場合には、当該用途変更に係る共用廊下等の部分の床面積は容積率に算入されることとなる。

共用廊下等の部分に係る容積率の不算入措置の対象は、「共同住宅若しくは老人ホーム等」とされており、建築計画や機能が共同住宅若しくは老人ホーム等と異なり、建築基準法において別の用途とされている「寄宿舎、下宿」は、当該措置の対象とはならない。

② 共用廊下等の床面積の容積率の不算入措置は、容積率の最高限度を適用する場合において、延べ面積を算定する際に限るものである。

③ 通常の共用廊下、階段（中廊下や外階段）は、特例により容積率の算定の基礎となる延べ面積には算入されない。

エントランスホール、エレベーターホール、階段の代わりに設けるスロープ（車椅子用等）の面積は、特例により容積率の算定の基礎となる延べ面積には算入されない。パイプスペース及び収納スペース・管理事務室・集会室並びに機械室等特別な室の階段の部分は該当しない。

なお、政令で定める昇降機とは「エレベーター」のことであり、エスカレー

ターや小荷物専用昇降機は含まれない。また、共同住宅に限定されない。

④　容積率不算入について、住居であることの確認のため、建築確認申請書に、台所、風呂、便所など居住するために必要な機能を備えていることを記載しなければならない。

(5) 建築物の高さの制限

一つの敷地に建てることのできる建物の大きさを制限するものとして、建蔽率と容積率があるが、それ以外に建築物の高さを制限する規制がある。この規制には、「絶対高さの制限」「道路斜線制限」「隣地斜線制限」「北側斜線制限」「日影規制（日影による中高層建築物の高さの制限）」がある。

①　絶対高さの制限

第一種低層住宅専用地域・第二種低層住居専用地域又は田園住居地域内では、住環境を良くするために隣地斜線制限がない代わりに建築物の高さが10m又は12m以下に制限されている。これを絶対高さの制限と呼んでいる（法55条）。この絶対高さの制限が「10m以下」と「12m以下」のどちらになるかは、各地域の都市計画によって決められる。なお、この絶対高さの制限には例外がある。建築審査会が同意して特定行政庁が許可した場合には、絶対高さの制限を上回る高さの建築物を建築することができる。高さの限度が10mの地域では、その敷地内に政令で定める空地を有し、かつ、その敷地面積が政令で定める規模以上である建築物であって、特定行政庁が低層住宅に係る良好な住居の環境を害するおそれがないと認めるものは、12mまでの緩和もある（同条2項）。また、再生可能エネルギー源の利用に資する設備の設置のため必要な屋根に関する工事等で、特定行政庁が許可したもの（同条3項）、敷地の周囲に広い公園・広場・道路その他の空き地を有する建築物であって、低層住宅に係る良好な住居の環境を害するおそれがないものとして、特定行政庁が許可したもの（同条4項1号）、及び学校その他の建築物であって、その用途についてやむを得ないと認めて建築審査会の同意を得て特定行政庁が許可したもの（同条4項2号）など、規制が適用されないものもある。一方、限度12mの地域では日影規制が強化されるなど総合的に運用される。

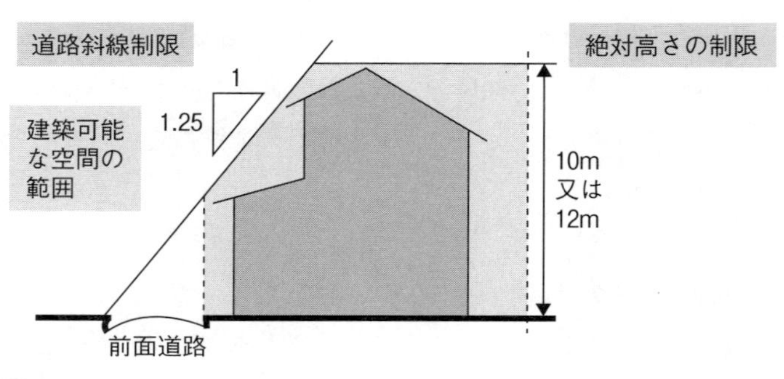

② 斜線制限

斜線制限は建築物の高さに関する制限のことである。建築物を真横から見たとき、空間を斜線で切り取ったようになることから、斜線制限と呼ばれる。通風、採光等を確保し、良好な環境を保つことが目的である。

斜線制限とは、建築物の各部分の高さを、前面道路の反対側の境界線や隣地境界線からの水平距離に一定数値を乗じて得られた数値以下にしようとする規制であり、道路斜線制限、隣地斜線制限、北側斜線制限の３種類がある。

㈠ 道路斜線制限（法56条１項１号）

都市計画区域及び準都市計画区域内のすべての地域では、道路面の日照などを確保するため、建築物の高さを前面道路の反対側の境界線を起点とする一定こう配の斜線の範囲内に収めなくてはならない。この地域では、建築物の各部分の高さは、前面道路の反対側の境界線からの水平距離に1.25又は1.5を乗じて得られたもの以下とする必要がある。ただし、前面道路の境界線から後退した建築物については、後退距離分だけ外側の線を境界線とする。

㈡ 隣地斜線制限（法56条１項２号）

都市計画区域及び準都市計画区域内で、第一種低層住居専用地域・第二種低層住居専用地域又は田園住居地域を除くすべての区域内には、隣地の日照及び通風などの環境確保のため「隣地斜線制限」が設けられている。これは、建物の高さを隣地境界線から一定以上の高さを起点とする斜線の範囲内に収めるというもので、起点となる高さは住居系地域で20m、それ以外の地域は31mであり、それぞれ斜線のこう配も異なる。また、壁面を隣地境界線から後退させるとその距離に応じて斜線制限が緩和される。

建築物の各部分の高さは、当該部分から隣地境界線までの水平距離に

1.25又は2.5を乗じて得たものに20m又は31mを加えた数値以下としなければならない。ただし、20m又は31mを超える部分が隣地境界線から後退している場合は、後退分だけ外側の線を隣地境界線とみなす。

(ウ) 北側斜線制限（法56条1項3号）

第一種低層住居専用地域・第二種低層住居専用地域若しくは田園住居地域内、第一種中高層住居専用地域若しくは第二種中高層住居専用地域内においては、隣地又は道路の日照確保のため、建築物の高さを、北側隣地（道路）境界線上の一定の高さを起点とする斜線の範囲内に収めなくてはならない。ただし、第一種中高層住居専用地域及び第二種中高層住居専用地域内で日影規制の対象地域は除外される。一般的に北側斜線制限より道路斜線制限のほうが厳しいため、敷地の真北に道路がある場合は、道路斜線で規制されることが多い。

建築物の各部分の高さは、当該部分から前面道路の反対側の境界線又は隣地境界線までの真北方向の水平距離に1.25を乗じて得たものに、第一種・第二種低層住居専用地域又は田園住居地域内の建築物では5mを、第一種・第二種中高層住居専用地域内の建築物では10mを加えた数値以下とする必要がある。

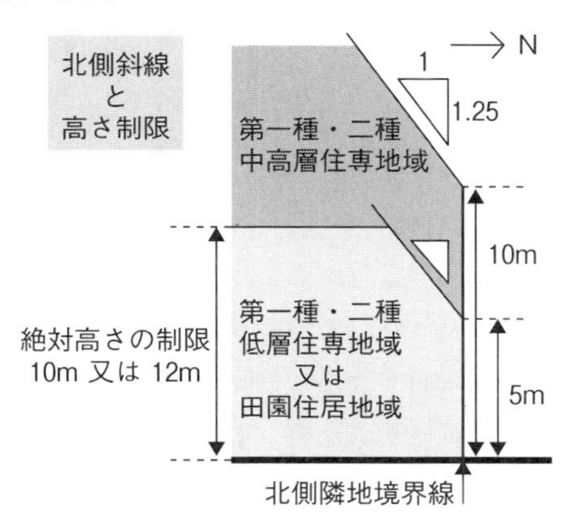

③ 日影による中高層建築物の高さの制限

日影による中高層建築物の高さの制限とは、建築される中高層建築物が、隣地境界線からの水平距離が5mを超える範囲内に、一定時間以上の日影を生じさせることのないように日照を確保する規制である（法56条の2）。次の対象区域内の建築物について適用がある。

規制対象区域	(ア)第一種・第二種低層住居専用地域、第一種・第二種中高層住居専用地域、第一種・第二種住居地域、準住居地域、田園住居地域、近隣商業地域、準工業地域の10種類の地域及び用途地域の指定のない区域内であって、かつ、 (イ)地方公共団体の条例で指定された区域内
規制対象建築物	(ア)第一種・第二種低層住居専用地域 田園住居地域 ― 軒高7m超 又は 3階以上（地階は含まない。） (イ)第一種・第二種低層住居専用地域、田園住居地域以外―高さ10m超

用途地域の指定のない区域では、軒高7m超又は3階以上（地階は含まない。）の建築物が規制対象となることもある。

なお、規制対象外の区域にある建築物であっても、高さが10mを超える建築物で、冬至日において、規制対象区域内の土地に一定の日影を生じさせるものには、当該対象区域内の建築物とみなして、日影規制が適用される。

※　建築基準法別表第4に定める区分に従い、冬至日において建築物が8時から16時（道の区域内においては9時から15時）までに発生する日影の量を制限することで建築物の形態を制限する。具体的には、敷地境界線から5m、10mの測定ラインを設定して、そのラインを超えて一定以上の日影を生じさせないように建築物の形態を制限する。

（6）防火地域・準防火地域内の規制

防火地域及び準防火地域内の建築物は、外壁の開口部で延焼のおそれのある部分に防火戸その他の政令で定める防火設備を設け、かつ、壁、柱、床その他の建築物の部分及び当該防火設備を通常の火災による周囲への延焼を防止するためにこれらに必要とされる性能に関して防火地域・準防火地域の別に応じて政令で定める技術的基準に適合し、国土交通大臣が定めた構造方法を用いるもの又は国土交通省の認定を受けたものとしなければならない（法61条）。

防火地域及び準防火地域内では、建築物の構造について建築物の規模により次のような構造としなければならない（令136条の2）。

	耐火建築物等	耐火建築物等又は準耐火建築物等
防火地域内	(ア) 階数3以上（地階を含む。）の建築物 (イ) 延べ面積100㎡を超える建築物	階数2以下で延べ面積100m²以下の建築物
準防火地域内	(ア) 地階を除く階数が4以上の建築物 (イ) 延べ面積1,500m²を超える建築物	(ア) 地階を除く階数が3で延べ面積が1,500m²以下の建築物 (イ) 地階を除く階数が2以下で延べ面積が500m²を超え、1,500m²以下の建築物

① 防火地域のみに適用される規定（看板等の防火措置）

防火地域内にある看板、広告塔、装飾塔その他これらに類する工作物で、建築物の屋上に設けるもの又は高さ3mを超えるものは、その主要な部分を不燃材料で造り、又はおおわなければならない（法64条）。

② 防火地域及び準防火地域に共通の規定

(ア) 屋根

防火地域又は準防火地域内の建築物の屋根の構造は、市街地における火災を想定した火の粉による建築物の火災の発生を防止するために屋根に必要とされる性能に関して建築物の構造及び用途の区分に応じて政令で定める技術的基準に適合するもので、国土交通大臣が定めた構造方法を用いるもの又は国土交通大臣の認定を受けたものとしなければならない（法62条）。

(イ) 隣地境界線に接する外壁

防火地域又は準防火地域内にある建築物で、外壁が耐火構造のものは、外壁を隣地境界線に接して設けることができる（法63条）。

③ 建築物が防火地域又は準防火地域の内外にわたる場合

建築物が、防火地域又は準防火地域とこれらの地域として指定されていない区域にわたる場合においては、その全部についてそれぞれ防火地域又は準防火地域内の建築物に関する規定を適用する。ただし、その建築物が、防火地域又は準防火地域外において防火壁で区画されている場合は、その防火壁外の部分については、それぞれの区域における規制を遵守すればよい（法65条）。

※　建築物が防火地域及び準防火地域にまたがってある場合は、その全部について防火地域内の建築物に関する規定を適用する。

(7) 建築協定

建築協定とは、市町村が条例で定める土地の区域内において、例えば、住宅地としての良好な環境や商店街としての利便をより高度に維持増進することを目的として、建築物の利用を増進をし、土地の環境を改善する必要がある場合に、地域住民の合意により建築基準法の一般的基準を超えた基準を定めることを認めた制度である（法69条）。建築協定には大きく分けて合意協定と一人協定がある。

①　市町村は、一定の区域を定め、その区域内における建築物の敷地、位置、構造、用途、形態、意匠又は建築設備に関する基準についての協定を締結することができる旨を、条例で定めることができる。建築協定は、市町村の条例で建築協定を締結できる旨を定められた区域に限って締結できる（法69条）。

②　建築協定の締結は、土地の所有者及び借地権を有する者（以下、「土地の所有者等」という。）の全員の合意による必要があるが、当該建築協定区域内の土地に借地権の目的となっている土地がある場合は、当該借地権の目的となっている土地の所有者以外の土地の所有者等の全員の合意があれば足りる（法70条３項）。

③　建築協定を締結しようとする土地の所有者等は、建築協定の目的となっている土地の区域、建築物に関する基準、協定の有効期間及び協定違反があった場合の措置を定めた建築協定書を作成し、その代表者によって、これを特定行政庁に提出し、その認可を受けなければならない（法70条１項）。認可を受けない限り、建築協定の効果は生じない。

④　市町村の長は、建築協定書の提出があった場合においては、遅滞なく、その旨を公告し、20日以上の相当の期間を定めて、これを関係人の縦覧に供するとともに、縦覧期間の満了後、関係人の出頭を求めて公開による意見の聴取を行わなければならない（法71条、72条１項）。

⑤　認可の公告のあった建築協定は、その公告のあった日以後において当該建築協定区域内の土地の所有者等となった者に対しても、その効力があるもの

とする(法75条)。また、建築協定の基準が借家人の権限に関する場合には、借家人も土地の所有者等とみなされる。

⑥ 建築協定区域内の土地所有者等は、認可を受けた建築協定を廃止しようとする場合においては、その過半数の合意をもってその旨を定め、これを特定行政庁に申請してその認可を受けなければならない(法76条1項)。

⑦ 1人の土地所有者しかいない場合でも、建築協定を定めることができる。開発業者などが分譲に先立って、あらかじめ建築協定書を作っておく場合などに利用される(法76条の3第1項)。

この建築協定は、特定行政庁の認可の日から起算して3年以内において、当該建築協定区域内の土地に2以上の土地所有者等が存することとなった時から、協定としての効力を生じる(法76条の3第5項)。

(8) 関係行政庁との協議

① 都市計画法関係

(ア) 公共施設の管理者の同意等

開発許可を申請しようとする者は、あらかじめ、開発行為に関係がある公共施設の管理者と協議をし、その同意を得なければならない。また、新たに設置される公共施設の管理者となる者その他政令で定める者と協議を行わなければならない(都市計画法32条)。

(イ) 工事完了の検査

開発行為の事業主は、開発行為に関する工事を完了したときは、都道府県知事に届け出なければならず、検査の結果、その工事が開発許可の内容に適合している場合は、検査済証が交付され、公告される(都市計画法36条)。

② 建築基準法関係

(ア) 建築確認

建築主は、建築工事に着手する前に、原則として、建築基準法や条例などに適合するものであることについての建築主事又は指定確認検査機関の確認を受けなければならない。この確認申請について、建築主事又は指定確認検査機関が審査を行い、建築計画が建築基準法や条例などに適合する場合は確認の通知をすることとなるが、建築主事又は指定確認検査機関が建築確認等をする場合には、所在地を管轄する消防長等の同意を得なければならないことになっている（法６条、６条の２、消防法７条）。

(ｲ) 完了検査

建築主は、工事完了から４日以内に建築主事又は指定確認検査機関にその申請をしなければならず、申請を受理した日から７日以内に建築基準法や条例に適合しているか否かの検査が行われて、適合している場合は、検査済証の交付を受けることとなる。特殊建築物と大規模建築物は、この検査済証の交付を受けた後でなければ原則として建築物の使用を開始することができない（法７条、７条の２、７条の６）。

③ 消防法関係

建築主は、建築物の用途及び規模に応じて一定の技術基準に従い、消火器、消火栓、火災報知設置、避難設備などの消防用設備等を設置するとともに、50人以上が居住するマンションの管理者は防火管理業務を行う防火管理者を定め、消防計画の作成、消防用設備等の点検整備といった防火管理業務を行わせなければならない（消防法８条、17条、消防法施行令１条の２、７条）。

（９）木材利用促進のための建築基準法の改正

建築基準法は、木材利用の促進等の観点から令和４年６月に改正法が公布され、①建築確認・検査の対象となる建築物の規模等の見直し（法６条、６条の３）、②階高の高い木造建築物等の増加を踏まえた構造安全性の検証法の合理化（法20条）、③中大規模建築物の木造化を促進するための防火規定の合理化（法21条）、④部分的な木造化を促進するための防火規定の合理化（法２条、21条、26条、27条、61条）、⑤既存不適格建築物における増築時等における現行基準の遡及適用の合理化（法68条の７、87条）等がその内容であり、それらの施行日は、①②が公布の日から３年以内、③④⑤が令和６年４月１日である。

７ 都市計画法

「都市計画法」は、都市計画の内容及びその決定手続、都市計画制限、都市計画事業その他都市計画に関し必要な事項を定めることにより、都市の健全な発展と秩序ある整備を図り、もって国土の均衡ある発展と公共の福祉の増進に寄与することを目的としている（都市計画法（以下「法」という。）１条）。

（1）都市計画区域・準都市計画区域

都市計画は、日本の国土のすべての場所において行われるわけではない。都市計画の出発点は、どこで都市計画を行うかの場所の決定から始める。その都市計画を行う場所として指定されるのが、都市計画区域である。都市計画は、都市計画区域内のみで行うのが原則であり、都市計画区域外では行われない。ところが、都市計画区域外であっても、開発行為や建築行為が急に増加する場所がある（高速道路のインターチェンジができて、レストラン、ホテル、住宅などが建ち始めたなど）。ここは都市計画区域外なので、都市計画法による規制がなく、無秩序な建築等が行われてしまう危険がある。そこで、このような都市計画区域外の場所についても、一定の都市計画法上の規制ができるようにするため設けられたのが、準都市計画区域である（法５条の２）。

都市計画法の規定は、原則として、都市計画区域及び準都市計画区域のみに適用になり、それ以外の区域には適用されない。都市計画区域・準都市計画区域は、原則として都道府県が指定するが、都市計画区域が２以上の都府県の区域にわたる場合は、国土交通大臣が指定する。

①　都市計画区域の指定

都市計画区域は、次の(ア)又は(イ)の要件を備えた区域が都道府県によって指定される。

(ア)　都道府県は、市又は人口、就業者数その他の事項が政令で定める要件に該当する町村の中心の市街地を含み、かつ、自然的及び社会的条件並びに人口、土地利用、交通量その他国土交通省令で定める事項に関する現況及び推移を勘案して、一体の都市として総合的に整備し、開発し、及び保全する必要がある区域を都市計画区域として指定するものとする。この場合において、必要があるときは、当該市町村の区域外にわたり、都市計画区域を指定することができる（法５条１項）。

(イ)　都道府県は、前記(ア)の規定によるもののほか、首都圏整備法による都市開発区域、近畿圏整備法による都市開発区域、中部圏開発整備法による都市開発区域その他新たに住居都市、工業都市その他の都市として開発し、及び保全する必要がある区域を都市計画区域として指定するものとする（法５条２項）。

(ウ)　都道府県は、前記(ア)(イ)の規定により都市計画区域を指定しようとするときは、あらかじめ、関係市町村及び都道府県都市計画審議会の意見を聴くとともに、国土交通省令で定めるところにより、国土交通大臣に協議し、その同意を得なければならない（法５条３項）。

(エ)　２以上の都府県の区域にわたる都市計画区域は、前記(ア)(イ)の規定にかかわらず、国土交通大臣が、あらかじめ、関係都府県の意見を聴いて指定するものとする。この場合において、関係都府県が意見を述べようとするときは、あらかじめ、関係市町村及び都道府県都市計画審議会の意見を聴かなければならない（法５条４項）。

(オ)　都市計画区域の指定は、国土交通省令で定めるところにより、公告することによって行う（法５条５項）。

②　準都市計画区域の指定

都道府県は、都市計画区域外の区域のうち、相当数の建築物その他の工作物（以下「建築物等」という。）の建築若しくは建設又はこれらの敷地の造成が現に行われ、又は行われると見込まれる区域を含み、かつ、自然的及び社会的条件並びに農業振興地域の整備に関する法律その他の法令による土地利用の規制の状況その他国土交通省令で定める事項に関する現況及び推移を勘案して、そのまま土地利用を整序し、又は環境を保全するための措置を講ずることなく放置すれば、将来における一体の都市としての整備、開発及び保全に支障が生じるおそれがあると認められる一定の区域を、準都市計画区域として指定することができる（法５条の２第１項）。

（２）都市計画区域の指定の効果

都市計画区域においては、次のような効果がある。

「土地利用の規制」に関する事項として、区域区分（市街化区域と市街化調整区域との区分）、地域地区のすべてを定めることができ（法７条、８条）、「都市施設」及び「市街地開発事業」に関する事項を定めることができる（法11条、12条）。また、「開発許可制度」が適用される（法29条）。

①　区域区分

都市計画区域について無秩序な市街化を防止し、計画的な市街化を図るため必要があるときは、都市計画に、市街化区域と市街化調整区域との区分（以下「区域区分」という。）を定めることができる。都市計画区域のすべてを市街地にしてしまうと住みにくい都市となるので、農業中心の場所などを市街化調整区域として、市街化すべき場所とそうでない場所を線引きして歯止めをかけることにしたのである。なお、区域区分を行わないこととした都市計画区域のことを非線引き区域ということがある。

市街化区域
すでに市街地を形成している区域及びおおむね10年以内に優先的かつ計画的に市街化を図るべき区域（法７条２項）
市街化調整区域
市街化を抑制すべき区域（同条３項）

②　地域地区

都市計画法では、様々な都市計画に対応するため、都市計画のメニューである地域地区というものを定めている。

地域地区は、土地の自然的条件及び土地利用の動向を勘案して、住居、商業、工業その他の用途を適正に配分することにより、都市機能を維持増進し、かつ、住居の環境を保護し、商業、工業等の利便を増進し、良好な景観を形成し、風致を維持し、公害を防止する等適正な都市環境を保持するように定めることとされている。この場合において、市街化区域については、少なくとも用途地域を定めるものとし、市街化調整区域については、原則として用途地域を定めないものとする（法13条１項７号）。都市計画区域については、都市計画に、地域、地区又は街区で必要なものを定めることができる。地域地区には、次のものがある（法８条１項）。

(ア)　用途地域

用途地域とは、建築物の用途に着目して地域の区分を定め、建築基準法により、それぞれの地域にふさわしい建築物の形態制限等を行う地域のことをいう。

建築物の用途、容積率、建蔽（ぺい）率、高さ等を定めた地域（法８条１項１号・３項２号イ～ハ、９条１項～13項）で13種類がある。

住　居　系	
第一種低層住居専用地域	低層住宅に係る良好な住居の環境を保護するため定める地域（法９条１項）
第二種低層	主として低層住宅に係る良好な住居の環境を保護するため定める地域

住居専用地域	（同条２項）
第一種中高層住居専用地域	中高層住宅に係る良好な住居の環境を保護するため定める地域（同条３項）
第二種中高層住居専用地域	主として中高層住宅に係る良好な住居の環境を保護するため定める地域（同条４項）
第一種住居地域	住居の環境を保護するため定める地域（同条５項）
第二種住居地域	主として住居の環境を保護するため定める地域（同条６項）
準住居地域	道路の沿道としての地域の特性にふさわしい業務の利便の増進を図りつつ、これと調和した住居の環境を保護するため定める地域（同条７項）
田園住居地域	農業の利便の増進を図りつつ、これと調和した低層住宅に係る良好な住居の環境を保護するため定める地域（同条８項）
商業系	
近隣商業地域	近隣の住宅地の住民に対する日用品の供給を行うことを主たる内容とする商業その他の業務の利便を増進するため定める地域（同条９項）
商業地域	主として商業その他の業務の利便を増進するため定める地域（同条10項）
工業系	
準工業地域	主として環境の悪化をもたらすおそれのない工業の利便を増進するため定める地域（同条11項）
工業地域	主として工業の利便を増進するため定める地域（同条12項）
工業専用地域	工業の利便を増進するため定める地域（同条13項）

※　都市計画区域のうち、市街化区域には必ず用途地域を定める必要があるが、市街化調整区域には原則として用途地域を定めないこととしている。非線引き区域及び準都市計画区域は、必要に応じて用途地域を定めることができる。

(イ)　その他の地域地区

その他の地域地区のうち、主なものを次に掲げる（法８条１項２号～４号・５号・６号・７号、９条14項～23項）。

特別用途地区	「用途地域内」の一定の地区における当該地区の特性にふさわしい土地利用の増進、環境の保護等の特別の目的の実現を図るため当該用途地域の指定を補完して定める地区（法９条14項）
特定用途制限地域	用途地域が定められていない土地の区域（市街化調整区域を除く。）内において、その良好な環境の形成又は保持のため当該地域の特性に応じて合理的な土地利用が行われるよう、制限すべき特定の建築物等の用途の概要を定める地域（同条15項）
特例容積率適用地区	第一種中高層住居専用地域、第二種中高層住居専用地域、第一種住居地域、第二種住居地域、準住居地域、近隣商業地域、商業地域、準工業地

	域又は工業地域内の適正な配置及び規模の公共施設を備えた土地の区域において、建築基準法52条１項から９項までの規定による建築物の容積率の限度からみて未利用となっている建築物の容積の活用を促進して土地の高度利用を図るため定める地区（同条16項）
高層住居誘導地区	住居と住居以外の用途とを適正に配分し、利便性の高い高層住宅の建設を誘導するため、第一種住居地域、第二種住居地域、準住居地域、近隣商業地域又は準工業地域のうちで、建築物の容積率が40/10又は50/10の区域内において、建築物の容積率及び建蔽率の最高限度、敷地面積の最低限度を定める地区（同条17項）
高度地区	「用途地域内」において市街地の環境を維持し、又は土地利用の増進を図るため、建築物の高さの最高限度又は最低限度を定める地区（同条18項）
高度利用地区	「用途地域内」の市街地における土地の合理的かつ健全な高度利用と都市機能の更新とを図るため、建築物の㋐容積率の最高限度及び最低限度、㋑建蔽率の最高限度、㋒建築面積の最低限度、㋓壁面の位置の制限を定める地区（同条19項）
特定街区	市街地の整備改善を図るため街区の整備又は造成が行われる地区について、街区内における容積率、建築物の高さの最高限度、壁面の位置の制限を定める街区（同条20項）
防火地域・準防火地域	市街地における火災の危険を防除するため定める地域（同条21項）
風致地区	都市の風致を維持するため定める地区（同条22項）
景観地区	市街地の良好な景観の形成を図るため定める地区（景観法61条１項）
臨港地区	港湾を管理運営するため定める地区（港湾法38条１項）

③ 地域地区以外の都市計画

㋐ 地区計画

地区計画とは、建築物の建築形態、公共施設その他の施設の配置等からみて、一体としてそれぞれの区域の特性にふさわしい態様を備えた良好な環境の各街区を整備・開発・保全するための計画である（法12条の５第１項）。比較的小規模の地区を単位として、その地区の特性に応じたキメ細かな街づくりをするためのもので、他の都市計画に比べて住民の意見を重視する傾向にある。

地区計画を都市計画に定める際は、地区整備計画を定めるものとするのが原則であるが（同条２項１号）、地区整備計画を定めることができない特別の事情があるときは、例外的に地区整備計画を定めなくてもよいとされている（同条８項）。

(イ)　都市施設

都市施設とは、都市生活に必要な公共施設等を設置する都市計画である。都市のために必要な施設を定めるものなので、原則として都市計画区域内にしか定められない。ただし、特に必要があるときは、都市計画区域外（準都市計画区域を含む。）においても都市施設を定めることができる（法11条）。

都市施設には、道路、公園、上下水道、ごみ焼却場、学校等の教育文化施設、病院、保育所等多くの種類がある（同条１項１号～15号）。

(ウ)　市街地開発事業

市街地開発事業とは、都市計画区域において総合的計画に基づいて公共施設の整備と宅地の開発とを併せて行うことにより、市街地の一体的な整備開発を図るための都市計画である。市街地開発事業は、準都市計画区域で定めることはできない（法12条）。

(エ)　促進区域

促進区域は、主として関係権利者による市街地の計画的な整備・開発を促進する必要があると認められる土地の区域として定めることができる（法10条の２）。

(オ)　遊休土地転換利用促進地区

遊休土地転換利用促進地区は、主として関係権利者による有効、かつ、適切な利用を促進する必要があると認められる土地の区域として定めることができる（法10条の３）。

(カ)　被災市街地復興推進地域

被災市街地復興推進地域は、大規模な災害により相当数の建築物が滅失した市街地の計画的な整備改善を推進して、その緊急、かつ、健全な復興を図る必要があると認められる土地の区域として定めることができる（法10条の４）。

(キ)　市街地開発事業等予定区域

市街地開発事業等予定区域とは、大規模な都市施設又は市街地開発事業を円滑に行うために、予定段階から用地確保などに向けた規制をする区域をいう（法12条の２）。

(3) 都市計画の決定

都市計画の決定とは、都市計画区域又は準都市計画区域において、地域地区等の都市計画のメニューを決定することである。都市計画の決定は、都道府県（2以上の都府県の区域にわたる都市計画区域については国土交通大臣及び市町村）又は市町村が行う（法15条、22条）。

① 都道府県の都市計画の案の作成

市町村は、必要があると認めるときは、都道府県に対し、都道府県が定める都市計画の案の内容となるべき事項を申し出ることができる（法15条の2第1項）。

都道府県は、都市計画の案を作成しようとするときは、関係市町村に対し、資料の提出その他必要な協力を求めることができる（同条2項）。

② 公聴会の開催等

都道府県又は市町村は、都市計画の案を作成しようとする場合において必要があると認めるときは、公聴会の開催等住民の意見を反映させるために必要な措置を講ずるものとする（法16条1項）。

都市計画に定める地区計画等の案は、意見の提出方法その他の政令で定める事項について条例で定めるところにより、その案に係る区域内の土地の所有者その他政令で定める利害関係を有する者の意見を求めて作成するものとする（同条2項）。

市町村は、前記の条例において、住民又は利害関係人から地区計画等に関する都市計画の決定若しくは変更又は地区計画等の案の内容となるべき事項を申し出る方法を定めることができる（同条3項）。

③ 都市計画の案の縦覧等

(ア) 都道府県又は市町村は、都市計画を決定しようとするときは、あらかじめ、国土交通省令で定めるところにより、その旨を公告し、当該都市計画の案を、当該都市計画を決定しようとする理由を記載した書面を添えて、当該公告の日から2週間公衆の縦覧に供しなければならない（法17条1項）。

(イ) 前記(ア)の規定による公告があったときは、関係市町村の住民及び利害関係人は、前記(ア)の縦覧期間満了の日までに、縦覧に供された都市計画の案について、都道府県の作成に係るものにあっては都道府県に、市町村の作成に係るものにあっては市町村に、意見書を提出することができる（法17条２項）。

(ウ) 特定街区に関する都市計画の案については、政令で定める利害関係を有する者の同意を得なければならない（法17条３項）。

5 **④ 都市計画の告示等**

(ア) 都道府県又は市町村は、都市計画を決定したときは、その旨を告示し、かつ、都道府県にあっては関係市町村長に、市町村にあっては都道府県知事に、法14条１項に規定する図書（総括図、計画図及び計画書）の写しを送付しなければならない（法20条１項）。

10 (イ) 都道府県知事及び市町村長は、国土交通省令で定めるところにより、前記(ア)の図書又はその写しを当該都道府県又は市町村の事務所に備え置いて一般の閲覧に供する方法その他の適切な方法により公衆の縦覧に供しなければならない（法20条２項）。

(ウ) 都市計画は、前記(ア)の規定による告示があった日から、その効力を生ずる（法20条３項）。 15

（４）開発許可制度

開発許可制度は、都市における無秩序な市街化を防止し、計画的な市街化を図るために設けられた制度で、一定の開発行為（土地の造成工事等）について、20 あらかじめ都道府県知事（指定都市等の区域内にあっては、当該指定都市等の長。）の許可を受けなければならないとするものである（法29条１項）。

開発許可が必要な区域は、都市計画区域及び準都市計画区域だけでなく、それ以外の区域でも許可が必要である（同条２項）。

市街化区域であれば、一定の基準を満たせば原則として許可されるが、市街25 化調整区域では比較的厳しい許可基準が定められている。

各区域ごとに開発許可が必要となる土地の面積は、以下のとおりである（都市計画法施行令19条、22条の２）。

市街化区域	市街化調整区域	非線引き区域及び準都市計画区域	都市計画区域及び準都市計画区域外
1,000㎡以上	面積を問わず	3,000㎡以上	10,000㎡以上

30

8 消防法

(1) 「消防法」は、火災を予防し、警戒し及び鎮圧し、国民の生命、身体及び財産を火災から保護するとともに、火災又は地震等の災害による被害を軽減するほか、災害等による傷病者の搬送を適切に行い、もって安寧秩序を保持し、社会公共の福祉の増進に資することを目的とする（消防法（以下「法」という。）１条）。

(2) 建築基準法による建築確認をする場合、所在地を管轄する消防長又は消防署長の同意を得なければならない（法７条本文）。

※ 建築物の新築、増築、改築、移転、修繕、模様替、用途の変更若しくは使用について、許可、認可若しくは確認をする権限を有する行政庁若しくはその委任を受けた者又は建築基準法６条の２第１項の規定による確認を行う指定確認検査機関は、所在地を管轄する消防長又は消防署長の同意を得なければ、当該許可、認可若しくは確認又は同項の規定による確認をすることができない。

(3) 防火管理

(a) 防火管理者

収容人員（居住者の数）50人以上の分譲マンションでは、管理権原者が当該建物の防火管理に必要な業務を行わせるため、一定の資格を有したものの中から防火管理者を選任し、所轄消防長又は消防署長に届け出なければならない（次ページ表参照）。

分譲マンションにおける防火管理者の業務としては、

(i) 消防計画の作成

(ii) (i)に基づく消火、通報及び避難の訓練の実施

(iii) 消防用設備等の点検及び整備、火気の使用又は取扱いに関する監督

(iv) 避難又は防火上必要な構造及び設備の維持管理

(v) その他防火管理上必要な業務

などがある。

なお、防火管理者が選任されていない場合や、防火管理者の行うべき防火管理上必要な業務が行われていないときは、消防長又は消防署長が必要な措置を講じるよう命ずることができることとなっている（法８条、消防法施行令（以下「令」という。）１条の２）。

また、消防訓練を実施せず、防火管理業務適正執行命令に従わなかった場合は、１年以下の懲役又は100万円以下の罰金を課される場合がある（法41条）。

防火対象物と防火管理者の資格区分

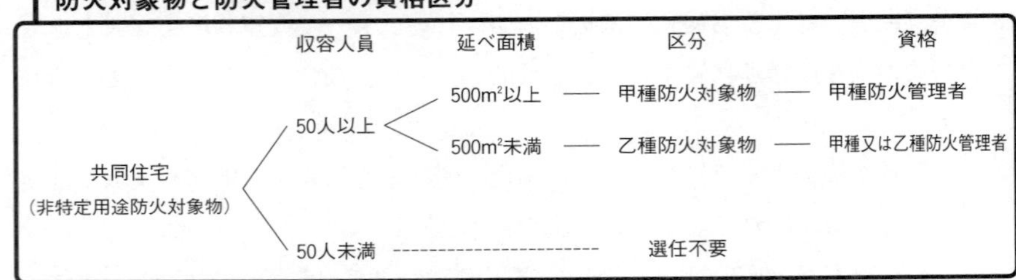

(b) 統括防火管理者

雑居ビル等で多くの死傷者等を伴う火災が相次いで発生していることや、東日本大震災の発生を受け、防火・防災管理体制を強化するため、平成24年に消防法の一部が改正公布され、平成26年４月より「統括防火管理者」を選任し届け出ることが義務化された。

対象となるのは、例えば高さ31mを超えるマンション、建物が３階以上で、飲食店・病院がある複合用途型マンション等である。

なお、併設する施設の種類や収容人員などにより、そのマンションが特定用途防火対象物となる場合には、消防訓練のうち消火訓練及び避難訓練を年２回以上実施しなければならない（消防法施行規則（以下「規則」という。）３条10項）。

(c) 共同住宅の防火管理

共同住宅については、その特性にかんがみ、各種の通達、通知も出されている。

> 「共同住宅等に対する防火管理指導について」（平成元年７月７日指指385号）
>
> 共同住宅等の防火管理者の選任（解任）届出書及び消防計画作成（変更）届出書の届出者は管理組合理事長とする。

また、一定の条件のもとに、共同住宅では防火管理を外部（マンション管理会社等）へ委託することができる。

(d) 解説

消防法では、一定の防火対象物（マンションは、一部の小規模なものを除いて対象となる。）の管理権原者に対して、防火管理者を選任し、その者に消防計画を作成させ、その計画に基づいて「消火、通報及び避難の訓練の実施」「消防の用に供する設備」「消防用水又は消火活動上必要な施設の点検及び整備」「火気の使用又は取扱いに関する監督」「避難又は防火上必要な構造及び設備の維持管理」「収容人員の管理」その他防火管理に必要な業務を行わせるよう義務付けている（法８条１項）。したがって、マンションにおいても管理権原者の地位にある者及び防火管理者に選任された者は、消防法の定めるところにより、防火管理に関する所要の業務を行うことが必要になる。

管理権原者は、防火管理者を選任、解任したときは、遅滞なく所轄の消防長又は消防署長に届け出なければならない（法８条２項）。

一定の防火対象物の関係者は、当該防火対象物における消防用設備等又は特殊消防用設備等について、総務省令で定めるところにより、定期に、消防設備士等の有資格者に点検させ、その他のものにあっては自ら点検し、その結果を消防長又は消防署長に報告しなければならない（法17条の３の３）。

管理権原者とは、防火対象物の管理行為を法律、契約又は慣習上当然に行うべき者をいう。分譲マンションにおいては、専有部分については組合員等（占有者を含む。）が個々に管理権原を有し、共用部分については管理組合理事長が権原を有していると考えられる。ただし、使用体系と管理体系が分かれているときは、管理体系の代表者がこれに当たるので、分譲マンションにおいては専有部分の管理権原が所有者又は占有者に帰属していても、管理組合理事長が共用部分の管理権原者として、専有部分の防火管理業務を委任されてこの任に当たると解される。

管理権原者が選任する防火管理者は、「防火管理業務を適切に遂行できる管理的あるいは監督的地位にある者」で一定の資格を有した者でなければならない。この場合、「管理的あるいは監督的地位にある者」とは、建物の防火管理を実質的に推進できる地位にある者という意味であり、かつ防火管理の原則が自主防火管理であるとすれば、組合員等が本来的にこの地位にあるといえる。防火管理者を組合員又は占有者若しくはそれの雇用する者以外の第三者（管理会社等）に委託することは、消防法の趣旨及び自主防火管理の原則に反するものである。したがって、マンションの防火管理者は組合員等の中から選任することが最も適切である。しかし現実的には、マンションにおいて組合員等が防火管理者に選任される例は必ずしも多くはなく、結果として防火管理も適切に行われていないケースが多いことから、総務省（旧自治省）消防庁は共同住宅の防火管理の実効性を確保する等の見地より、平成４年９月11日付の通知において、「防火管理者の外部選任」を一定の条件の下で認め、また、平成16年３月26日付の消防安43号「新築の工事中の建築物等に係る防火管理及び防火管理者の業務の外部委託等に係る運用について」の通知において、「防火管理者の外部委託」を平成16年６月１日から、一定の要件を満足する防火対象物（マンション、アパート等）に限って、防火管理者の業務を外部の防火管理者の資格を有する者に委託できることとした。とはいえ、これはマンション管理会社に積極的に防火管理業務の委託を推奨するものではなく、あくまでも組合員等の中から防火管理者が選任されるまでの間、緊急避難的に、かつ短期間、臨時的に防火管理者を管理員等から選任することを認めたものと解釈すべきである。もちろん、短期の臨時的な処置であったとしても、マンション管理会社の社員を防火管理者として選任することは、マンション管理会社として又従業員として必要な責任が課せられるのは当然のことである。

防火管理者に関する通達

・区分所有の共同住宅等においては、管理組合のなかから防火管理者を選任できる場合は、管理組合の役員から共同選任するように行政指導する。ただし、役員のなかから選任することが困難な場合は、管理組合が指定する組合員を共同選任するよう行政指導する。

・同一敷地内に２以上の防火管理義務共同住宅等がある場合は、共同住宅等以外の用途の部分を除いて団地単位に１名の防火管理者を重複して選任することができる。
・管理会社等のなかから防火管理者を選任させることについては、共同住宅等の特性及び実態面からやむを得ないものとして取り扱うものであるが、この場合でも当該共同住宅等の防火管理上の管理権原及び防火管理責任まで移行したものではない。
・管理会社が複数の共同住宅の管理業務全般について受託している場合、防火管理者としての職務を遂行しうる範囲において、同一人を重複して防火管理者として選任することとしても差し支えない。

前記の消防庁通知「消防安43号」（平成16年３月26日）によれば、その要件等は次のとおりである。

第二　防火管理者の業務の外部委託等に関する事項

防火管理者は、防火対象物は自らが守るという防火管理の本旨に基づき、当該防火対象物において防火管理上必要な業務を適切に遂行することができる管理的又は監督的な地位にある者であることが必要であること。しかし、共同住宅等管理的又は監督的な地位にあるいずれの者も防火管理上必要な業務を適切に遂行することが困難な防火対象物については、防火管理者の業務の外部委託等をすることができることとしたこと。

１　共同住宅について

共同住宅等の防火対象物のうち、管理的又は監督的な地位にあるいずれの者も防火管理上必要な業務を適切に遂行することが困難な防火対象物として、消防長（消防本部を置かない市町村においては、市町村長。以下同じ。）又は消防署長として認めたものについて、防火管理者の業務の外部委託等が認められたこと。

消防長又は消防署長として認める際には、当該防火対象物の状況（規模、用途、収容人員等）、当該防火対象物の管理の状況（防火管理上必要な業務を遂行するための組織、人員とその勤務状況等）、管理権原者の勤務状況等を確認したうえで判断すること。

２　防火管理者の業務の外部委託等を行う際の要件について

(ア) 防火管理者の責務を遂行するために必要な権限の付与

「防火管理者の責務を遂行するために必要な権限」とは、次に掲げる権限であること（令3条2項関係（及び現行法では消防法施行規則（以下「規則」という。）2条の2第2項1号関係））。

㋐ 消防計画の作成、見直し及び変更に関する権限

㋑ 避難施設等の置かれた物を除去する権限

㋒ 消火、通報及び避難訓練の実施に関する権限

㋓ 消防用設備等及び特殊消防用設備等の点検・整備の実施に関する権限

㋔ 不適切な工事に対する中断、器具の使用停止、危険物の持ち込みの制限に関する権限

㋕ 収容人員の適正な管理に関する権限

㋖ 防火管理業務従事者に対する指示、監督に関する権限

㋗ その他、防火管理者の責務を遂行するために必要な権限

(イ) 管理権原者からの文書の交付

管理権原者が交付する文書の「防火管理上必要な業務の内容」は、次に掲げる内容であること（規則2条の2第2項2号関係）。

㋐ 消防計画の作成、見直し及び変更に関すること

㋑ 避難施設等の管理に関すること

㋒ 消火、通報及び避難訓練の実施に関すること

㋓ 消防用設備等及び特殊消防用設備等の点検・整備の監督に関すること

㋔ 火気の使用等危険な行為の監督に関すること

㋕ 収容人員の適正な管理に関すること

㋖ 防火管理業務従事者に対する指示、監督に関すること

㋗ その他、防火管理者として行うべき業務に関すること

(ウ) 防火対象物の防火管理上必要な事項に関する十分な知識を有していること

防火対象物の位置、構造及び設備の状況その他防火管理上必要な事項に関する十分な知識を有するため、防火管理者に選任される者は、当該防火対象物の管理権原者等から説明を受ける必要があるこ

と。なお、防火管理上必要な事項は、次に掲げる事項であること(規則2条の2第2項3号関係)。

㋐　防火管理体制及び自衛消防組織の編成等従業者の配置等に関すること

㋑　従業員等に対する防火上必要な教育の状況に関すること

㋒　消火、通報及び避難訓練の実施状況に関すること

㋓　その他防火管理上必要な事項

3　防火管理業務を委託された防火管理者の選任届出について

防火管理者の選任の届出については、規則3条の2第1項により行うこととされているが、委託された防火管理者の選任の届出が提出された際には、特に次の事項に留意すること（規則3条の2関係)。

(ア)　規則別記様式第1号の2の2の「その他必要事項」の欄に、「管理的又は監督的な地位にある者のいずれもが防火管理上必要な業務を適切に遂行することができない理由」が記載されているかどうかを確認するとともに、当該内容について妥当かどうかを判断すること。なお、管理的又は監督的な地位にある者のいずれもが防火管理上必要な業務を適切に遂行することができないと管轄の消防長又は消防署長が認めたものしか防火管理者の業務の外部委託等は行えないことから、防火管理者の業務の外部委託等を行う者は、防火管理者の選任の届出の前に認められるかどうかを管轄消防本部に確認するよう指導すること。

(イ)　規則2条の2第2項1号の「防火管理者の責務を遂行するために必要な権限が付与されていること」については、契約等で行われることが想定されるが、防火管理者の選任の届出の際にその写しを添付するよう指導すること。また、契約等は、防火管理者に必要な権限が付与されていることを明確にすることが必要であり、法人間の契約の場合も当該事項を明確にする必要があること。

(ウ)　規則2条の2第2項2号の「防火管理上必要な業務の内容を明らかにした文書」の写しは、規則3条の2第2項の防火管理者の資格を証する書面であること。したがって、防火管理者の業務を外部委託等された防火管理者の選任の届出の際に添えなければならない

「資格を有する書面」は、「防火管理講習の修了証」及び「防火管理上必要な業務の内容を明らかにした文書」等であること。

(エ) 規則2条の2第2項3号の要件は、防火管理者の選任の届出の際に口頭で確認することが望ましいこと。

高層建築物等における防火・防災管理体制の拡充を図る消防法の改正が行われた（平成26年4月1日施行）。

これまでは、高層建築物や比較的規模の大きい建築物等で管理権原者が複数となるものについては、共同で防火管理を行うこととされており、各々の管理権原が存する部分ごとに防火管理者を選任して防火管理を実施し、また各々の管理権原が存する部分ごとに防災管理者を選任して防災管理を実施することとされていた。そして、共同防火管理を実施している建築物等においては、消防法施行規則に基づき、管理権原者が協議して「統括防火管理者」を定めることとなっていたが、その役割や権限が法令上も明確でなかったため、例えば、建築物全体での避難訓練等の実施に支障を生ずるなどの問題点が指摘されていた。

そこで、近年の雑居ビル等で多くの死傷者を伴う火災被害の発生や東日本大震災の教訓を踏まえ、高層ビル等の防火・防災体制を強化する等の観点から消防法の改正が行われた。

まず、次の防火対象物で管理権原の分かれているものは、統括防火管理者を選任し、建物全体の防火管理上必要な業務を行わせるとともに、その旨を所轄消防長又は消防署長に届け出ることが義務付けられた（法8条の2第1項・4項、令3条の3、4条の2）。

次のいずれかに該当する防火対象物で、管理について権原が分かれているもの

○高層建築物（高さ31mを超える建築物）

○避難困難施設（消防法施行令別表第一(6)項ロの施設）が入っている防火対象物のうち、地階を除く階数が3以上で、かつ、収容人員が10人以上のもの

○特定用途の防火対象物のうち、地階を除く階数が3以上で、かつ、収容人員が30人以上のもの（消防法施行令別表第一(6)項ロの施設を含む防火対象物を除く。）

○非特定用途の複合用途の防火対象物のうち、地階を除く階数が5以上で、かつ、収容人員が50人以上のもの

○地下街のうち消防長又は消防署長が指定するもの

○準地下街

これらの建物等について、統括防火管理者は次のような業務を行う。

① 建物全体についての消防計画の作成

② 建物全体についての消防計画に基づく消火、通報及び避難の訓練の実施

③ 廊下や階段等の共用部分等の避難上必要な施設の管理

④ 必要に応じて管理権原者に指示を求め、誠実に職務を遂行すること。

9 バリアフリー法

バリアフリー法とは、正式名称を「高齢者、障害者等の移動等の円滑化の促進に関する法律」といい、平成18年（2006年）12月20日から施行された。このバリアフリー法の施行に伴い、旧・ハートビル法は同日付で廃止された。最終改正は令和5年6月16日に公布され、令和6年4月1日から施行されており、全国において、さらにバリアフリー化を推進するとともに、すべての国民が共生する社会の実現に向けた取組みを進めている。

（1）目的

バリアフリー法は、高齢者、障害者等の自立した日常生活及び社会生活を確保することの重要性にかんがみ、公共交通機関の旅客施設及び車両等、道路、路外駐車場、公園施設並びに建築物の構造及び設備を改善するための措置、一定の地区における旅客施設、建築物等及びこれらの間の経路を構成する道路、駅前広場、通路その他の施設の一体的な整備を推進するための措置、移動等円滑化に関する国民の理解の増進及び協力の確保を図るための措置その他の措置を講ずることにより、高齢者、障害者等の移動上及び施設の利用上の利便性及び安全性の向上の促進を図り、もって公共の福祉の増進に資することを目的と

する（バリアフリー法（以下「法」という。）１条）。

（２）建築主の責務

だれもが利用する建築物を造ろうとする際には、バリアフリーにする責務がある。バリアフリー法によれば、特定建築物は努力義務にとどまり、特別特定建築物では適合義務が求められる。また、同法では地方公共団体が条例によって拡充強化できるとされている。

（３）対象建築物

バリアフリー法では、高齢者及び障害者等が円滑に移動及び利用できるようにすべき建築物として、特定建築物と特別特定建築物を定めている（法２条18号・19号、バリアフリー法施行令（以下「令」という。）４条、５条）。

① 高齢者、障害者等とは、高齢者又は障害者で日常生活又は社会生活に身体の機能上の制限を受けるものその他日常生活又は社会生活に身体の機能上の制限を受ける者である（法２条１号）。

② 施設設置管理者とは、公共交通事業者等、道路管理者、路外駐車場管理者等、公園管理者等及び建築主等である（法２条３号）。

③ 特定建築物とは、学校、病院、劇場、観覧場、集会場、展示場、百貨店、ホテル、事務所、共同住宅、老人ホームその他の多数の者が利用する政令で定める建築物又はその部分をいい、これらに附属する建築物特定施設を含む（法２条18号）。

④ 特別特定建築物とは、不特定かつ多数の者が利用し、又は主として高齢者、障害者等が利用する特定建築物その他の特定建築物であって、移動等円滑化が特に必要なものとして政令で定めるものである（法２条19号）。床面積の合計2,000m^2以上のものは、建築物移動等円滑化基準の適合義務が課せられている（法14条１項、令９条）。

⑤ 建築物特定施設とは、出入口、廊下、階段、エレベーター、便所、敷地内の通路、駐車場その他の建築物又はその敷地に設けられる施設で政令で定めるものである（法２条20号）。

⑥ 建築とは、建築物を新築し、増築し、又は改築することをいう（法２条21号）。

(4) 基本方針

主務大臣は、移動等円滑化（高齢者、障害者等の移動又は施設の利用に係る身体の負担を軽減することにより、その移動上又は施設の利用上の利便性及び安全性を向上することをいう。法2条2号）を総合的かつ計画的に推進するため、移動等円滑化の促進に関する基本方針を定めるものとする（法3条）。

(5) 施設設置管理者等の責務

施設設置管理者その他の高齢者、障害者等が日常生活又は社会生活において利用する施設を設置し、又は管理する者は、移動等円滑化のために必要な措置を講ずるよう努めなければならない（法6条）。

(6) 国民の責務

国民は、高齢者、障害者等の自立した日常生活及び社会生活を確保することの重要性について理解を深めるとともに、これらの者が公共交通機関を利用して移動するために必要となる支援、これらの者の高齢者障害者等用施設等の円滑な利用を確保する上で必要となる適正な配慮その他のこれらの者の円滑な移動及び施設の利用を確保するために必要な協力をするよう努めなければならない（法7条）。

(7) 特別特定建築物の建築主等の基準適合義務等

① 建築主等は、特別特定建築物の政令で定める規模以上の建築（用途の変更をして特別特定建築物にすることを含む。）をしようとするときは、当該特別特定建築物を、移動等円滑化のために必要な建築物特定施設の構造及び配置に関する政令で定める基準（「建築物移動等円滑化基準」という。）に適合させなければならない（法14条1項）。

② 建築主等は、その所有し、管理し、又は占有する新築特別特定建築物を建築物移動等円滑化基準に適合するように維持しなければならない（法14条2項）。

(8) 特定建築物の建築主等の努力義務等

建築主等は、特定建築物（特別特定建築物を除く。）の建築（用途の変更をして特定建築物にすることを含む。）又は建築物特定施設の修繕・模様替をしようとするときは、当該特定建築物又は当該建築物特定施設を建築物移動等円滑化基準に適合させるために必要な措置を講ずるよう努めなければならない(法16条１項・２項)。

建築物移動等円滑化基準

高齢者、障害者等の移動等の円滑化の促進に関する法律施行令で定める建築物特定施設の構造及び配置に関する基準は、次のとおりである。最低限のレベルで、高齢者、障害者等の利用上の障害を除去することを目的とした水準であり、すべての特定建築主の努力の基準である（以下、抜粋)。

廊下等（令11条）

不特定かつ多数の者が利用し、又は主として高齢者、障害者等が利用する廊下等は、次に掲げるものでなければならない。

一　表面は、粗面とし、又は滑りにくい材料で仕上げること。

二　階段又は傾斜路（階段に代わり、又はこれに併設するものに限る。）の上端に近接する廊下等の部分（不特定かつ多数の者が利用し、又は主として視覚障害者が利用するものに限る。）には、視覚障害者に対し段差又は傾斜の存在の警告を行うために、点状ブロック等（床面に敷設されるブロックその他これに類するものであって、点状の突起が設けられており、かつ、周囲の床面との色の明度、色相又は彩度の差が大きいことにより容易に識別できるものをいう。以下同じ。）を敷設すること。ただし、視覚障害者の利用上支障がないものとして国土交通大臣が定める場合は、この限りでない。

階段（令12条）

不特定かつ多数の者が利用し、又は主として高齢者、障害者等が利用する階段は、次に掲げるものでなければならない。

一　踊場を除き、手すりを設けること。

二　表面は、粗面とし、又は滑りにくい材料で仕上げること。

三　踏面の端部とその周囲の部分との色の明度、色相又は彩度の差が大きいことにより段を容易に識別できるものとすること。

四　段鼻の突き出しその他のつまずきの原因となるものを設けない構造とすること。
五　段がある部分の上端に近接する踊場の部分（不特定かつ多数の者が利用し、又は主として視覚障害者が利用するものに限る。）には、視覚障害者に対し警告を行うために、点状ブロック等を敷設すること。ただし、視覚障害者の利用上支障がないものとして国土交通大臣が定める場合は、この限りでない。
六　主たる階段は、回り階段でないこと。ただし、回り階段以外の階段を設ける空間を確保することが困難であるときは、この限りでない。

階段に代わり、又はこれに併設する傾斜路（令13条）

不特定かつ多数の者が利用し、又は主として高齢者、障害者等が利用する傾斜路（階段に代わり、又はこれに併設するものに限る。）は、次に掲げるものでなければならない。

一　勾配が12分の１を超え、又は高さが16cm を超える傾斜がある部分には、手すりを設けること。
二　表面は、粗面とし、又は滑りにくい材料で仕上げること。
三　その前後の廊下等との色の明度、色相又は彩度の差が大きいことによりその存在を容易に識別できるものとすること。
四　傾斜がある部分の上端に近接する踊場の部分（不特定かつ多数の者が利用し、又は主として視覚障害者が利用するものに限る。）には、視覚障害者に対し警告を行うために、点状ブロック等を敷設すること。ただし、視覚障害者の利用上支障がないものとして国土交通大臣が定める場合は、この限りでない。

便所（令14条）

不特定かつ多数の者が利用し、又は主として高齢者、障害者等が利用する便所を設ける場合には、そのうち１以上（男子用及び女子用の区別があるときは、それぞれ１以上）は、次に掲げるものでなければならない。

一　便所内に、車椅子を使用している者（以下「車椅子使用者」という。）が円滑に利用することができるものとして国土交通大臣が定める構造の便房（以下「車椅子使用者用便房」という。）を１以上設けること。

二　便所内に、高齢者、障害者等が円滑に利用することができる構造の水洗器具を設けた便房を１以上設けること。

2　不特定かつ多数の者が利用し、又は主として高齢者、障害者等が利用する男子用小便器のある便所を設ける場合には、そのうち１以上に、床置式の小便器、壁掛式の小便器（受け口の高さが35cm 以下のものに限る。）その他これらに類する小便器を１以上設けなければならない。

敷地内の通路（令16条）

不特定かつ多数の者が利用し、又は主として高齢者、障害者等が利用する敷地内の通路は、次に掲げるものでなければならない。

一　表面は、粗面とし、又は滑りにくい材料で仕上げること。

二　段がある部分は、次に掲げるものであること。

イ　手すりを設けること。

ロ　踏面の端部とその周囲の部分との色の明度、色相又は彩度の差が大きいことにより段を容易に識別できるものとすること。

ハ　段鼻の突き出しその他のつまずきの原因となるものを設けない構造とすること。

三　傾斜路は、次に掲げるものであること。

イ　勾配が12分の１を超え、又は高さが16cm を超え、かつ、勾配が20分の１を超える傾斜がある部分には、手すりを設けること。

ロ　その前後の通路との色の明度、色相又は彩度の差が大きいことによりその存在を容易に識別できるものとすること。

駐車場（令17条）

不特定かつ多数の者が利用し、又は主として高齢者、障害者等が利用する駐車場を設ける場合には、そのうち１以上に、車椅子使用者が円滑に利用することができる駐車施設（以下「車椅子使用者用駐車施設」という。）を１以上設けなければならない。

2　車椅子使用者用駐車施設は、次に掲げるものでなければならない。

一　幅は、350cm 以上とすること。

二　建築物又はその敷地に車椅子使用者用駐車施設を設ける場合は、当該車椅子使用者用駐車施設から利用居室までの経路の長さができるだけ短くなる位置に設けること。

10 建築物のエネルギー消費性能の向上に関する法律

（1）建築物省エネ法

我が国のエネルギー需給は、年を追うごとに逼迫しており、国民生活や経済活動への支障が懸念されているが、産業・運輸部門のエネルギー消費量が減少するなか、民生部門（業務・家庭部門）として分類される建築物で消費されるエネルギー量は、他分野に比べ過去からの増加が顕著で、平成25年時点では我が国の最終エネルギー消費の約３分の１を占めている。この分野における省エネ対策の抜本的強化は、省エネルギー社会の確立、ひいては安定的なエネルギー需給構造を構築していくうえで必要不可欠である。

このような状況を背景に平成27年７月に「建築物のエネルギー消費性能の向上に関する法律（建築物省エネ法）」が公布され、平成29年４月１日に全面施行されている。この法律は、建築物のエネルギー消費性能の向上を図るため、住宅以外の一定規模以上の建築物のエネルギー消費性能基準への適合義務の創設、エネルギー消費性能向上計画の認定制度の創設等の措置を講ずるものとしてスタートした。具体的には、従来の「エネルギーの使用の合理化等に関する法律（省エネ法）」で措置されていた300㎡以上の建築物の新築等の「省エネ措置の届出」や住宅建築業者が新築する一戸建て住宅に対する「住宅トップランナー制度（※）」等の措置をこの法律に移行させるとともに、新たに「大規模非住宅建築物の適合義務」「特殊な構造・設備を用いた建築物の大臣認定制度」「性能向上計画認定・容積率特例」や「基準適合認定・表示制度」が定められた。そして、同法はその後の社会状況を踏まえ、令和元年に大幅な改正がなされた。それは、①建築物エネルギー消費性能基準への適合義務等の対象となる特定建築物の範囲を非住宅部分の規模が中規模以上の建築物に拡大、②計画の届出制度の合理化、③小規模建築物の新築等の設計を行う建築士のエネルギー消費性能に係る評価説明義務、④建築主の責務の見直し等を始め、広範囲にわたるものであった。

※ 住宅トップランナー制度とは、１年間に一定戸数以上の住宅を供給する事業者に対し、国が、目標年次と省エネ基準を超える水準の基準（トップランナー基準）を定め、新たに供給する住宅について、その基準を平均的に満たすことを努力義務として課す制度

（２）脱炭素社会の実現を目指す改正

2050年カーボンニュートラル、2030年度温室効果ガス46%削減（2013年度比）の実現に向け、2021年10月、地球温暖化対策等の削減目標を強化することが決定され、これを受けて、建築物の省エネ性能の一層の向上を図る対策の抜本的な強化や、建築物分野における木材利用のさらなる促進に資する規制の合理化などを図る同法の改正が行われた（令和４年６月17日公布）。

改正の要点と施行日

① 建築主のエネルギー性能の一層の向上を図る努力義務（公布日から３年以内に施行）

② 建築士の省エネ基準適合性の説明努力義務（公布日から３年以内に施行）

③ 省エネ基準適合義務の対象拡大（公布日から３年以内に施行）

④ 適合性判定の審査の簡素化・合理化（公布日から３年以内に施行）

⑤ 住宅トップランナー制度の拡充（令和５年４月１日施行）

⑥ エネルギー消費性能の表示の推進（令和６年４月１日施行）

⑦ 建築物再生可能エネルギー利用促進区域の創設（令和６年４月１日施行）

このうち、すでに施行されている⑤の住宅トップランナー制度については、従来は制度の対象が、注文戸建住宅、賃貸アパート、建売戸建住宅であったが、改正により2023（令和５）年度から分譲マンションも対象となった。

11 浄化槽法

（１）目的（法１条）

浄化槽法は、浄化槽の設置、保守点検、清掃及び製造について規制するとともに、浄化槽工事業者の登録制度及び浄化槽清掃業の許可制度を整備し、浄化槽設備士及び浄化槽管理士の資格を定めること等により、公共用水域等の水質の保全等の観点から浄化槽によるし尿及び雑排水の適正な処理を図り、もって生活環境の保全及び公衆衛生の向上に寄与することを目的とする。

（2）浄化槽の管理者

浄化槽法では、浄化槽の所有者などを「浄化槽管理者」として定め、浄化槽の保守点検と清掃を、毎年、法律で定められた回数について行い、その記録を3年間保存しなければならない。

（3）浄化槽の保守点検

保守点検では、浄化槽のいろいろな装置が正しく作動しているかを点検し、装置や機械の調整・修理、スカムや汚泥の状況を確認する。

（4）定期検査

浄化槽法では、浄化槽管理者は「水質に関する検査」を受けなければならないことになっている。

浄化槽が適正に維持管理され、本来の浄化機能が十分に発揮されているかどうかを、この水質に関する検査で確認する重要な検査である。

これらの検査は法律に定められていることから、法定検査と呼ぶが、浄化槽を使用開始して3カ月を経過してから5カ月以内に行う「設置後等の水質検査」とその後、毎年1回定期的に行う「定期検査」がある。

それぞれの検査概要は、次の表のとおりとなる。

	「設置後等の水質検査」	「定期検査」
検査の時期	使用開始後３カ月を経過してから５カ月以内	年１回
外観検査	設置状況 設備の稼働状況 水の流れ方の状況 使用の状況 悪臭の発生状況 消毒の実施状況 か、はえ等の発生状況	設置状況 設備の稼働状況 水の流れ方の状況 使用の状況 悪臭の発生状況 消毒の実施状況 か、はえ等の発生状況
水質検査	水素イオン濃度（pH） 活性汚泥沈殿率 溶存酸素量 透視度 塩化物イオン濃度 残留塩素濃度 生物化学的酸素要求量（BOD）	水素イオン濃度（pH） 溶存酸素量 透視度 残留塩素濃度 生物化学的酸素要求量（BOD）
書類検査	使用開始直前に行った保守点検の記録等を参考とし、適正に設置されているか否か等について検査を実施	保存されている保守点検と清掃の記録、前回検査の記録等を参考とし、保守点検及び清掃が適正に実施されているか否かについて検査を実施

※都道府県によって検査項目が異なる場合があります。

12 警備業法

(1) 「警備業法」は、警備業について必要な規制を定め、警備業務の実施の適正を図ることを目的とし（警備業法（以下「法」という。）１条）、警備業を営むための認定、認定手続等、警備員の制限、警備員指導教育責任者の選任、機械警備業務の届出等を定めている。

(2) 警備業務とは、次のいずれかに該当する業務で、他人の需要に応じて行うものである（法２条１項）。

① 事務所、住宅、興行場、駐車場、遊園地等（以下「警備業務対象施設」という。）における盗難等の事故の発生を警戒し、防止する業務（同項１号）

※ ここでいう「盗難等の事故」とは、窃盗、強盗、不法侵入、放火、その他刑事犯罪を広く含み、失火等の事故も含むとされ、警備対象施設における事業活動の正常な運行を妨げ、又は施設の正常な状態を損なうような出来事をいう。

② 人若しくは車両の雑踏する場所又はこれらの通行に危険のある場所におけ

る負傷等の事故の発生を警戒し、防止する業務（同項2号）

③　運搬中の現金、貴金属、美術品等に係る盗難等の事故の発生を警戒し、防止する業務（同項3号）

④　人の身体に対する危害の発生を、その身辺において警戒し、防止する業務（同項4号）

これは事務所や工場等の陸上の施設で行われている守衛と同様の業務であり、見張り、巡回等の方法で行われる最も一般的な警備業務を指すものである。事故の発生を警戒し、防止する業務とは、「事故の発生を予防する活動及び事故発生後においてする通常の措置、例えば、住居侵入者を発見して警察に通報したり、倒れている負傷者を救出する活動をいう」というのが警察庁の基本的解釈である。

(3)　警備業とは、警備業務を行う営業をいう（法2条2項）。

(4)　警備業者とは、都道府県公安委員会（以下「公安委員会」という。）の認定を受けて警備業を営む者をいう（法2条3項）。

(5)　警備員とは、警備業者の使用人その他の従業者で警備業務に従事するものをいう（法2条4項）。

(6)　機械警備業務とは、警備業務用機械装置（警備業務対象施設に設置する機器により感知した盗難等の事故の発生に関する情報を当該警備業務対象施設以外の施設に設置する機器に送信し、及び受信するための装置で内閣府令で定めるものをいう。）を使用して行う前記(2)①の警備業務をいう（法2条5項）。

(7)　機械警備業とは、機械警備業務を行う警備業をいう（法2条6項）。

(8)　破産手続開始の決定を受けて復権を得ない者、禁錮以上の刑に処せられ、又は警備業法の規定に違反して罰金の刑に処せられ、その執行を終わり、又は執行を受けることがなくなった日から起算して5年を経過しない者など、一定の欠格事由に該当する者は警備業を営むことができない（法3条）。

(9)　警備業を営もうとする者は、法3条に定める欠格事由のいずれにも該当しないことについて、公安委員会の認定を受けなければならない（法4条）。

(10)　警備業の認定を受けようとする者は、その主たる営業所の所在地を管轄する公安委員会に、認定申請書及び必要な書類を提出しなければならない。公安委員会は認定申請書を提出した者が法3条各号の欠格事由に該当しないことを認定したときは、その旨を通知する。認定の有効期間は5年（法5条）。警備業者は、認定を受けた旨の内閣府令で定める、標識を作成し掲示する（法６条）。

⑾　警備業者は、その主たる営業所の所在する都道府県以外の都道府県の区域内に営業所を設け、又は当該区域内で警備業務を行おうとするときは、内閣府令で定めるところにより、当該都道府県の区域を管轄する公安委員会に、一定の事項を記載した届出書及び必要な書類を提出しなければならない（法９条）。

⑿　警備業者は、自己の名義をもって、他人に警備業を営ませてはならない（法13条）。

⒀　18歳未満の者又は法３条１号から７号までのいずれかに該当する者は、警備員となってはならない。警備業者は、これらの者を警備業務に従事させてはならない（法14条）。

（法３条１号～７号）

①　破産手続開始の決定を受けて復権を得ない者

②　禁錮以上の刑に処せられ、又は警備業法の規定に違反して罰金の刑に処せられ、その執行を終わり、又は執行を受けることがなくなった日から起算して５年を経過しない者

③　最近５年間に、警備業法の規定、警備業法に基づく命令の規定若しくは処分に違反し、又は警備業務に関し他の法令の規定に違反する重大な不正行為で国家公安委員会規則で定めるものをした者

④　集団的に、又は常習的に暴力的不法行為その他の罪に当たる違法な行為で国家公安委員会規則で定めるものを行うおそれがあると認めるに足りる相当な理由がある者

⑤　暴力団員による不当な行為の防止等に関する法律（平成３年法律第77号）第12条若しくは第12条の６の規定による命令又は同法第12条の４第２項の規定による指示を受けた者であって、当該命令又は指示を受けた日から起算して３年を経過しないもの

⑥　アルコール、麻薬、大麻、あへん又は覚醒剤の中毒者

⑦　心身の障害により警備業務を適正に行うことができない者として国家公安委員会規則で定めるもの

⒁　警備業者及び警備員は、警備業務を行うに当たっては、警備業法により特別

に権限を与えられているものでないことに留意するとともに、他人の権利及び自由を侵害し、又は個人若しくは団体の正当な活動に干渉してはならない（法15条）。

⒂ 警備業者及び警備員は、警備業務を行うに当たっては、内閣府令で定める公務員の法令に基づいて定められた制服と、色、型式又は標章により、明確に識別することができる服装を用いなければならない（法16条１項）。また、その服装の色、形式等を変更したときは、その変更の届出書を、当該変更に係る公安委員会に提出しなければならない（同条３項）。

⒃ 警備業者は、警備業務の依頼者と警備業務を行う契約を締結しようとするときは、当該契約を締結するまでに、内閣府令で定めるところにより、当該契約の概要について記載した書面をその者に交付しなければならない（法19条１項）。

（書面の交付）

警備業法施行規則第33条第１号

法第19条第１項の規定により警備業務の依頼者に対して交付する契約の概要について記載した書面には、当該契約に係る次の事項を明記しなければならない。

一 法第２条第１項第１号の警備業務（機械警備業務を除く。）を行う契約にあつては、次に掲げる事項

イ 警備業者の氏名又は名称、住所及び電話番号並びに法人にあつては代表者の氏名

ロ 警備業務を行う日及び時間帯

ハ 警備業務対象施設の名称及び所在地

ニ 警備業務に従事させる警備員の人数及び担当業務

ホ 警備業務に従事させる警備員が有する知識及び技能

ヘ 警備業務に従事させる警備員が用いる服装

ト 警備業務を実施するために使用する機器又は各種資機材

チ 警備業務対象施設の鍵の管理に関する事項

リ 警備業務対象施設における盗難等の事故発生時の措置

ヌ 報告の方法、頻度及び時期その他の警備業務の依頼者への報告に関

する事項
ル　警備業務の対価その他の当該警備業務の依頼者が支払わなければならない金銭の額
ヲ　ルの金銭の支払の時期及び方法
ワ　警備業務を行う期間
カ　警備業務の再委託に関する事項
ヨ　免責に関する事項
タ　損害賠償の範囲、損害賠償額その他の損害賠償に関する事項
レ　契約の更新に関する事項
ソ　契約の変更に関する事項
ツ　契約の解除に関する事項
ネ　警備業務に係る苦情を受け付けるための窓口
ナ　特約があるときは、その内容

(17)　警備業者は、警備業務を行う契約を締結したときは、遅滞なく、内閣府令で定めるところにより、次に掲げる事項について当該契約の内容を明らかにする書面を当該警備業務の依頼者に交付しなければならない（法19条２項）。

①　警備業務の内容として内閣府令で定める事項
②　警備業務の対価その他の当該警備業務の依頼者が支払わなければならない金銭の額
③　前記②の金銭の支払の時期及び方法
④　警備業務を行う期間
⑤　契約の解除に関する事項
⑥　前記①～⑤に掲げるもののほか、内閣府令で定める事項

警備業者は、法19条１項・２項の規定による書面の交付に代えて、政令で定めるところにより、当該警備業務の依頼者の承諾を得て、当該書面に記載すべき事項を電子情報処理組織を使用する方法その他の情報通信の技術を利用する方法であって内閣府令で定めるものにより提供することができる。この場合において、当該警備業者は、当該書面を交付したものとみなす（法19条３項）。

(18)　警備業者は、常に、その行う警備業務について、依頼者等からの苦情の適切な解決に努めなければならない（法20条）。

(19) 警備業者及び警備員は、警備業務を適正に行うようにするため、警備業務に関する知識及び能力の向上に努めなければならない。また、警備業者は、その警備員に対し、警備業務を適正に実施させるため、教育を行うとともに必要な指導及び監督をしなければならない（法21条）。

(20) 警備業者は、営業所（警備員の属しないものを除く。）ごと及び当該営業所において取り扱う警備業務の区分ごとに、警備員の指導及び教育に関する計画を作成し、その計画に基づき警備員を指導し、及び教育する業務で内閣府令で定めるものを行う警備員指導教育責任者を、警備員指導教育責任者資格者証の交付を受けている者のうちから、選任しなければならない。ただし、当該営業所の警備員指導教育責任者として選任した者が欠けるに至ったときは、その日から14日間は、警備員指導教育責任者を選任しておかなくてもよい（法22条1項）。

(21) 公安委員会は、警備業務の実施の適正を図るため、その種別に応じ、警備員又は警備員になろうとする者について、その知識及び能力に関する検定を行う（法23条1項）。

(22) 機械警備業を営む警備業者（以下「機械警備業者」という。）は、機械警備業務を行おうとするときは、当該機械警備業務に係る受信機器を設置する施設（以下「基地局」という。）又は送信機器を設置する警備業務対象施設の所在する都道府県の区域ごとに、当該区域を管轄する公安委員会に、届出書及び必要な書類を提出しなければならない（法40条）。

(23) 機械警備業者は、基地局ごとに、警備業務用機械装置の運用を監督し、警備員に対する指令業務を統制し、その他機械警備業務を管理する業務で内閣府令で定めるものを行う機械警備業務管理者を、機械警備業務管理者資格者証の交付を受けている者のうちから、選任しなければならない（法42条1項）。

(24) 機械警備業者は、都道府県公安委員会規則で定める基準に従い、基地局において盗難等の事故の発生に関する情報を受信した場合に、速やかに、現場における警備員による事実の確認その他の必要な措置が講じられるようにするため、必要な数の警備員、待機所及び車両その他の装備を適正に配置しておかなければならない（法43条）。

(25) 警備業者は、内閣府令で定めるところにより、営業所ごとに、警備員の名簿その他の内閣府令で定める書類を備えて、必要な事項を記載しなければならない（法45条）。

(26) 公安委員会は、警備業法の施行に必要な限度において、警察職員に警備業者の営業所、基地局又は待機所に立ち入り、業務の状況又は帳簿、書類その他の物件を検査させることができる（法47条１項）。

5

13 個人情報の保護に関する法律

（１）個人情報の保護に関する法律制定の背景

近年、高度情報通信社会のめざましい進展により、各種の分野において個人情報の利用による利便性が増大しているが、一方において個人情報の不正利用やその大量漏えい、流出事件も多発している。そのため国民のプライバシーに関する不安も高まっており、個人情報の取扱いの適正化や安全管理の徹底化等の必要性が各方面で主張されていた。また、国際的にも情報流通の拡大とIT化に伴い、諸外国においては個人情報の保護のための法整備が早くからなされており、国際交流がますます増大するなか、我が国における国内法の整備が要請されていた。

10

15

このような背景の下に、「個人情報の保護に関する法律」（以下「個人情報保護法」又は「法」という。）が、平成15年５月に成立・公布された。民間事業者（個人情報取扱事業者）の義務等に関する規定は、平成17年４月１日から施行された。

20

（２）個人情報取扱事業者の概念

個人情報保護法で、一定の義務が課せられる「個人情報取扱事業者」とは、個人情報データベース等を事業の用に供している者をいう（法16条２項）。個人情報データベース等というのは、特定の個人情報をコンピュータを用いて検索することができるように体系的に構成した個人情報を含む情報の集合物又はコンピュータを用いていない場合であっても、紙面で処理した個人情報を一定の規則（例えば、五十音順、生年月日順など）に従って整理・分類し、特定の個人情報を容易に検索することができるよう、目次、索引、符号等を付し、他人によっても容易に検索可能な状態に置いているものをいう（法16条１項）。

25

30

同法では、その事業の用に供する個人情報データベース等を構成する個人情報によって識別される特定の個人の数が過去6カ月以内のいずれの日においても5,000人を超えない者は、個人情報取扱事業者にはならないとされていたが、平成27年の改正により、この要件が撤廃され、小規模事業者も同法の適用を受けることとなった（平成29年5月30日施行）。

（3）個人情報取扱事業者の義務等

① 利用目的の特定（法17条）

個人情報取扱事業者は、個人情報を取り扱うに当たっては、その利用の目的をできる限り特定しなければならない。

個人情報取扱事業者は、利用目的を変更する場合には、変更前の利用目的と関連性を有すると合理的に認められる範囲を超えて行ってはならない。

② 利用目的による制限（法18条）

個人情報取扱事業者は、あらかじめ本人の同意を得ないで、特定された利用目的の達成に必要な範囲を超えて、個人情報を取り扱ってはならない。

③ 取得に際しての利用目的の通知等（法21条）

個人情報取扱事業者は、個人情報を取得した場合は、あらかじめその利用目的を公表している場合を除き、速やかに、その利用目的を、本人に通知し、又は公表しなければならない。

個人情報取扱事業者は、本人との間で契約を締結することに伴って契約書その他の書面（電磁的記録を含む。）に記載された当該本人の個人情報を取得する場合その他本人から直接書面に記載された当該本人の個人情報を取得する場合は、原則として、あらかじめ、本人に対し、その利用目的を明示しなければならない。

④ 第三者提供の制限（法27条）

個人情報取扱事業者は、一定の場合を除いて、あらかじめ本人の同意を得ないで、個人データを第三者に提供してはならない。

⑤ 開示等の請求等に応じる手続（法37条）

個人情報取扱事業者は、本人からの請求に関し、政令で定めるところにより、その求め又は請求を受け付ける方法を定めることができる（なお、開示を求められた業者は、手数料を徴収することができる（法38条）。）。

（4）マンション管理における個人情報保護

マンションにおいては、管理組合において組合員名簿や入居者名簿、駐車場使用契約書、管理費・修繕積立金等滞納状況表、専有部分修繕工事等の各種の申請書や届出書など個人情報が含まれる多数の書類があり、また管理を受託している管理会社も区分所有者及び入居者の個人情報が含まれる多数の書類を保有している。

こうした個人情報をどう守っていくべきかについては、平成17年３月に社団法人高層住宅管理業協会（現：一般社団法人マンション管理業協会）がガイドライン（正式名称「マンション管理業における個人情報保護ガイドライン」）を策定、平成19年６月、及び平成25年12月に改訂を行った。

その後、マンション管理において個人情報保護法を適用する際の考え方の参考とするために、「個人情報保護法関係法令集」（平成29年５月）及び前記法令集を補足するものとして、「マンション管理における個人情報保護法適用の考え方」（平成29年９月）*が作成されている。

※　同書籍については、令和４年４月１日施行の改正法を踏まえた改訂（令和５年１月）が行われた。

14｜住生活基本法

（1）目的

「住生活基本法」は、住生活の安定の確保及び向上の促進に関する施策について、基本理念を定め、並びに国及び地方公共団体並びに住宅関連事業者の責務を明らかにするとともに、基本理念の実現を図るための基本的施策、住生活基本計画その他の基本となる事項を定めることにより、住生活の安定の確保及び向上の促進に関する施策を総合的かつ計画的に推進し、もって国民生活の安定向上と社会福祉の増進を図るとともに、国民経済の健全な発展に寄与することを目的とする（住生活基本法（以下「法」という。）１条）。

この法律では４つの基本理念が示されている。

① 現在及び将来における国民の住生活の基盤となる良質な住宅の供給等（法３条）

② 住民が誇りと愛着をもつことのできる良好な居住環境の形成（法４条）

③　居住のために住宅を購入する者及び住宅の供給等に係るサービスの提供を受ける者の利益の擁護及び増進（法５条）

④　低額所得者、被災者、高齢者、子どもを育成する家庭その他住宅の確保に特に配慮を要する者の居住の安定の確保（法６条）

（２）住宅関連事業者の責務

住宅の供給等を業として行う者は、基本理念にのっとり、その事業活動を行うに当たって、自らが住宅の安全性その他の品質又は性能の確保について最も重要な責任を有していることを自覚し、住宅の設計、建設、販売及び管理の各段階において住宅の安全性その他の品質又は性能を確保するために必要な措置を適切に講ずる責務を有する（法８条１項）。

住宅関連事業者は、基本理念にのっとり、その事業活動を行うに当たっては、その事業活動に係る住宅に関する正確かつ適切な情報の提供に努めなければならない（法８条２項）。

なお、平成28年３月18日に、「住生活基本計画（全国計画）」（計画期間：平成28年度～平成37年度〈＝令和７年度〉）が閣議決定され、少子高齢化・人口減少等の課題を正面から受け止めた次のような住宅政策の方向性が提示された。

・マンション建替え件数の増加、空き家戸数の抑制

・既存住宅流通・リフォームの市場規模の拡大等

さらに、令和３年３月19日、令和の新たな時代における住宅政策の指針として「住生活基本計画」（計画期間：令和３年度～令和12年度）が閣議決定され、社会環境の変化を踏まえ、新たな日常や豪雨災害等に対応した政策の方向性として、

・新たな日常に対応した、二地域居住等の住まいの多様化・柔軟化の推進

・安全な住宅・住宅地の形成、被災者の住まいの早急な確保

2050年カーボンニュートラルの実現に向けた政策の方向性として、

・長期優良住宅やZEHストックの拡充、LCCM（ライフ・サイクル・カーボン・マイナス）住宅の普及を推進

・住宅の省エネ基準の義務付けや省エネ性能表示に関する規制など更なる規制の強化

等が示された。

15 自動車の保管場所の確保等に関する法律

5 (1) 「自動車の保管場所の確保等に関する法律」(以下「法」という。)は、自動車の保有者等に自動車の保管場所を確保し、道路を自動車の保管場所として使用しないよう義務づけるとともに、自動車の駐車に関する規制を強化することにより、道路使用の適正化、道路における危険の防止及び道路交通の円滑化を図ることを目的とする(法1条)。

10 (2) 自動車の保有者は、道路上の場所以外の場所において、当該自動車の保管場所(自動車の使用の本拠の位置との間の距離その他の事項について政令で定める要件を備えるものに限る。)を確保しなければならない(法3条)。

保管場所については、自動車の使用の本拠の位置との間の距離が2㎞を超えないものであることとされている(自動車の保管場所の確保等に関する法律施

15 行令(以下「令」という。)1条1号)。

(3) 道路運送車両法に規定する一定の処分を受けようとする者は、当該行政庁に対して、警察署長の交付する道路上の場所以外の場所に当該自動車の保管場所を確保していることを証する書面で政令で定めるものを提出しなければならない(法4条1項)。いわゆる「車庫証明」と呼ばれるものである。

20 政令で定める書面は、自動車の保有者の申請により、当該申請に係る場所の位置を管轄する警察署長が、当該場所が当該申請に係る自動車につき法3条に規定する保管場所として確保されていることを証明した書面である(令2条1項)。

(4) 軽自動車である自動車を新規に運行の用に供しようとするときは、当該自動

25 車の保有者は、当該自動車の保管場所の位置を管轄する警察署長に、当該自動車の使用の本拠の位置、保管場所の位置その他政令で定める事項を届け出なければならない(法5条)。

(5) 警察署長は、政令で定める書面を交付したとき、政令で定める通知を行ったとき、又は政令で定める事項による届出を受理したときは、当該自動車の保有

30 者に対し、当該自動車の保管場所の位置等について表示する国家公安委員会規則で定める様式の保管場所標章を交付しなければならない(法6条1項)。

保管場所標章の交付を受けた者は、国家公安委員会規則で定めるところにより、当該自動車に保管場所標章を表示しなければならない（同条２項）。

自動車の保有者は、保管場所標章が滅失し、損傷し、又はその識別が困難となった場合その他国家公安委員会規則で定める場合には、当該自動車の保管場所の位置を管轄する警察署長に、その再交付を求めることができる（同条３項）。

⑹　自動車の保有者は、政令で定める書面若しくは政令で定める通知において証された保管場所の位置又は届出に係る保管場所の位置を変更したときは、変更した日から15日以内に、変更後の保管場所の位置を管轄する警察署長に、当該自動車の使用の本拠の位置、変更後の保管場所の位置その他政令で定める事項を届け出なければならない。変更後の保管場所の位置を変更したときも、同様とする（法７条１項）。

⑺　自動車の使用の本拠の位置を管轄する公安委員会は、道路上の場所以外の場所に自動車の保管場所が確保されていると認められないときは、当該自動車の保有者に対し、当該自動車の保管場所が確保されたことについて公安委員会の確認を受けるまでの間、当該自動車を運行の用に供してはならない旨を命ずることができる（法９条１項）。

⑻　道路上の場所を自動車の保管場所として使用してはならない。また自動車を道路上の同一の場所に引き続き12時間以上（夜間においては８時間以上）駐車してはならない（法11条）。

⑼　法人の代表者又は法人若しくは人の代理人、使用人その他の従業者が、その法人又は人の業務に関し、本法に定める違反行為をしたときは、行為者を罰するほか、その法人又は人に対しても、罰金刑を科する（法18条）。

16　駐車場法

⑴　駐車場法（以下「法」という。）は、都市における自動車の駐車のための施設の整備に関し必要な事項を定めることにより、道路交通の円滑化を図り、もって公衆の利便に資するとともに、都市の機能の維持及び増進に寄与することを目的とする（法１条）。

⑵　地方公共団体は、駐車場整備地区内又は商業地域内若しくは近隣商業地域内において、延べ面積が2,000㎡以上で条例で定める規模以上の建築物を新築し、

延べ面積が当該規模以上の建築物について増築をし、又は建築物の延べ面積が当該規模以上となる増築をしようとする者に対し、条例で、その建築物又はその建築物の敷地内に自動車の駐車のための施設（以下「駐車施設」という。）を設けなければならない旨を定めることができる。劇場、百貨店、事務所その他の自動車の駐車需要を生じさせる程度の大きい用途で政令で定めるもの（以下「特定用途」という。）に供する部分のある建築物で特定用途に供する部分（以下「特定部分」という。）の延べ面積が当該駐車場整備地区内又は商業地域内若しくは近隣商業地域内の道路及び自動車交通の状況を勘案して条例で定める規模以上のものを新築し、特定部分の延べ面積が当該規模以上の建築物について特定用途に係る増築をし、又は建築物の特定部分の延べ面積が当該規模以上となる増築をしようとする者に対しては、当該新築又は増築後の当該建築物の延べ面積が2,000㎡未満である場合においても、同様とする（法20条１項）。

⑶　地方公共団体は、駐車場整備地区若しくは商業地域若しくは近隣商業地域の周辺の都市計画区域内の地域（以下「周辺地域」という。）内で条例で定める地区内、又は周辺地域、駐車場整備地区並びに商業地域及び近隣商業地域以外の都市計画区域内の地域であって自動車交通の状況が周辺地域に準ずる地域内若しくは自動車交通が輻輳（ふくそう）することが予想される地域内で条例で定める地区内において、特定部分の延べ面積が2,000㎡以上で条例で定める規模以上の建築物を新築し、特定部分の延べ面積が当該規模以上の建築物について特定用途に係る増築をし、又は建築物の特定部分の延べ面積が当該規模以上となる増築をしようとする者に対し、条例で、その建築物又はその建築物の敷地内に駐車施設を設けなければならない旨を定めることができる（法20条２項）。

⑷　上記⑵⑶の延べ面積の算定については、同一敷地内の２以上の建築物で用途上不可分であるものは、これを一の建築物とみなす（法20条３項）。

⑸　地方公共団体は、前記⑵の地区若しくは地域内又は前記⑶の地区内において、建築物の部分の用途の変更（以下「用途変更」という。）で、当該用途変更により特定部分の延べ面積が一定規模（前記⑵の地区又は地域内のものにあっては特定用途について前記⑵に規定する条例で定める規模、前記⑶の地区内のものにあっては前記⑶に規定する条例で定める規模をいう。以下同じ。）以上となるもののために大規模の修繕又は大規模の模様替（建築基準法２条14号又は15号に規定するものをいう。以下同じ。）をしようとする者又は特定部分の延

べ面積が一定規模以上の建築物の用途変更で、当該用途変更により特定部分の延べ面積が増加することとなるもののために大規模の修繕又は大規模の模様替をしようとする者に対し、条例で、その建築物又はその建築物の敷地内に駐車施設を設けなければならない旨を定めることができる（法20条の２第１項）。

⑹ 前記⑷の規定は、前記⑸の延べ面積の算定について準用する（法20条の２第２項）。

これらの条文が、いわゆる駐車場の附置義務を定めた規定である。

⑺ 地方公共団体は、前記⑵若しくは前記⑶又は前記⑸の規定に基づく条例で定めるところにより設けられた駐車施設の所有者又は管理者に対し、条例で当該駐車施設をその設置の目的に適合するように管理しなければならない旨を定めることができる（法20条の３）。

17 郵便法

(1) 目的

郵便法（以下「法」という。）は、郵便の役務をなるべく安い料金で、あまねく、公平に提供することによって、公共の福祉を増進することを目的としている（法１条）。

(2) 郵便受箱に関する定め

マンション管理に関係する規定としては、次のような郵便受箱に関する定めがある。

① 高層建築物に係る郵便受箱の設置

階数が３以上で、かつ、その全部又は一部を住宅、事務所又は事業所の用に供する建築物で総務省令で定めるものには、同省令で定めるところにより、その建築物の出入口又はその付近に郵便受箱を設置しなければならない（法43条）。要するに、集合郵便受のことである。

② 郵便受箱の規格

上記①の郵便受箱については、規格が定められており、その主なものは次のとおりである（施行規則11条）。

(ア) 容積が、長さ30cm 以上、幅20cm 以上、厚さ12cm 以上であること。

(イ) 郵便物の差入口の大きさが、縦2cm 以上、横16cm 以上のものであること。

(ウ) 世帯主の氏名、事務所若しくは事業所の名称又は室番号を適宜の箇所に明示したものであること。

18 失火ノ責任ニ関スル法律

(1) 失火によって他人に損害を与えた場合には、故意又は過失があれば不法行為による損害賠償責任を負うはずである（民法709条）が、「失火ノ責任ニ関スル法律」により、軽過失を免責して、故意又は重大な過失（重過失）があるときだけ賠償責任があるとされている。その理由は、木造家屋の多い我が国では、天候や消防の状況などによって損害が甚大になることがあり、また失火者自身も損害を受けるのが通常であるため、通常の過失（軽過失）の場合にも賠償責任を負うのでは、失火者に酷になるからである。ただし、判例・通説によれば、この法律は不法行為責任だけに適用されるものであって、借家人が失火によって借家を焼失した場合に家主に対して負う債務不履行（家屋返還債務の履行不能）による損害賠償責任は、軽過失でも免れることができないとされている。また、アパートなどで隣室や上下階の部屋についても延焼した場合には、失火者に延焼部分のすべてについて、債務の履行義務を認めている判例もある。

「重大な過失」とは、「通常人に要求される程度の相当な注意をしないでも、わずかの注意さえすれば、たやすく違法有害な結果を予見することができた場合であるのに、漫然これを見すごしたような、ほとんど故意に近い著しい注意欠如の状態を指すものと解するのを相当とする」（最判昭32．7．9）。

(2) 失火ノ責任ニ関スル法律

民法第709条ノ規定ハ失火ノ場合ニハ之ヲ適用セス　但シ失火者ニ重大ナル過失アリタルトキハ此ノ限ニ在ラス

民法709条（不法行為による損害賠償）

故意又は過失によって他人の権利又は法律上保護される利益を侵害した者は、これによって生じた損害を賠償する責任を負う。

19｜動物の愛護及び管理に関する法律

（1）動物愛護法の制定及び基本理念

我が国においては、ペット等を飼うについて直接規制する法律は存在しない。ただ、「動物の愛護及び管理に関する法律」（以下「動物愛護法」又は「法」という。）が制定され、ペットの飼主に対して動物を適正に飼養すべきこと、また、動物の虐待・遺棄を禁止するなどして、ペットを飼うについて一定の基準を設けた。

動物愛護法は、「動物が命あるものであることにかんがみ」、その命を尊重するとともに、人と動物の共生を図ることを基本原則としている（法２条）。

そのうえで、国民一般に対しては動物をみだりに殺し、傷つけ、又は苦しめることを禁止し、また、動物の飼主に対しては動物による人の生命、身体及び財産に対する侵害を防止するよう適切に管理すべきことを義務付けている。

（2）動物の所有者又は占有者の責務等

① 動物の所有者又は占有者は、命あるものである動物の所有者又は占有者としての動物の愛護及び管理に関する責任を十分に自覚して、その動物をその種類、習性等に応じて適正に飼養し、又は保管することにより、動物の健康及び安全を保持するように努めるとともに、動物が人の生命、身体若しくは財産に害を加え、生活環境の保全上の支障を生じさせ、又は人に迷惑を及ぼすことのないように努めなければならない（法７条１項）。

② 動物の所有者又は占有者は、その所有し、又は占有する動物に起因する感染性の疾病について正しい知識を持ち、その予防のために必要な注意を払うように努めなければならない（法７条２項）。

③ 動物の所有者又は占有者は、その所有し、又は占有する動物の逸走を防止するために必要な措置を講ずるよう努めなければならない（法７条３項）。

④ 動物の所有者は、その所有する動物の飼養又は保管の目的等を達する上で支障を及ぼさない範囲で、できる限り、当該動物がその命を終えるまで適切に飼養することに努めなければならない（法７条４項）。

⑤ 動物の所有者は、その所有する動物がみだりに繁殖して適正に飼養することが困難とならないよう、繁殖に関する適切な措置を講ずるよう努めなけれ

ばならない（法７条５項）。

⑥　動物の所有者は、その所有する動物が自己の所有に係るものであることを明らかにするための措置として環境大臣が定めるものを講ずるように努めなければならない（法７条６項）。

家庭動物等の飼養及び保管に関する基準（平成14年環境省告示37号、最終改正：令和４年環境省告示54号）

第１　一般原則

1　家庭動物等の所有者又は占有者（以下「所有者等」という。）は、命あるものである家庭動物等の適正な飼養及び保管に責任を負う者として、動物の健康及び安全を保持しつつ、その生態、習性及び生理を理解し、愛情をもって家庭動物等を取り扱うとともに、その所有者は、家庭動物等をその命を終えるまで適切に飼養（以下「終生飼養」という。）するように努めること。

2　所有者等は、人と動物との共生に配慮しつつ、人の生命、身体又は財産を侵害し、及び生活環境を害することがないよう責任をもって飼養及び保管に努めること。

3　家庭動物等を飼養しようとする者は、飼養に先立って、当該家庭動物等の生態、習性及び生理に関する知識の習得に努めるとともに、将来にわたる飼養の可能性について、住宅環境及び家族構成の変化や飼養する動物の寿命等も考慮に入れ、慎重に判断するなど、終生飼養の責務を果たす上で支障が生じないよう努めること。

4　特に、家畜化されていない野生動物等については、本来その飼養及び保管のためには当該野生動物等の生態、習性及び生理に即した特別の飼養及び保管のための諸条件を整備し、及び維持する必要があること、譲渡しが難しく飼養の中止が容易でないこと、人に危害を加えるおそれのある種が含まれていること等から限定的であるべきこと及び適正な飼養には十分な経費等が必要であることを認識し、その飼養に先立ち慎重に検討すること。さらに、これらの動物は、ひとたび逸走等により自然生態系に移入した場合には、生物多様性の保全上の問題が生じるおそれが大きいことから、飼養者の責任は重大であり、この点を十分自覚すること。

第2　定義

この基準において、次の各号に掲げる用語の意義は、当該各号に定めるところによる。

(1)　動物　哺乳類、鳥類及び爬（は）虫類に属する動物をいう。

(2)　家庭動物等　愛がん動物又は伴侶動物（コンパニオンアニマル）として家庭等で飼養及び保管されている動物並びに情操の涵(かん)養及び生態観察のため飼養及び保管されている動物をいう。

(3)　管理者　情操の涵養及び生態観察のため飼養及び保管されている動物並びにその飼養及び保管のための施設を管理する者をいう。

第3　共通基準

1　健康及び安全の保持

所有者等は、次の事項に留意し、家庭動物等の種類、生態、習性及び生理に応じた必要な運動、休息及び睡眠を確保し、並びにその健全な成長及び本来の習性の発現を図るように努めること。

(1)　家庭動物等の種類、発育状況等に応じて適正に餌(えさ)及び水を給与すること。

(2)　疾病及びけがの予防等の家庭動物等の日常の健康管理に努めるとともに、疾病にかかり、又は負傷した家庭動物等については、原則として獣医師により速やかに適切な措置が講じられるようにすること。みだりに、疾病にかかり、又は負傷した動物の適切な保護を行わないことは、動物の虐待となるおそれがあることを十分認識すること。また、家庭動物等の訓練、しつけ等は、その種類、生態、習性及び生理を考慮した適切な方法で行うこととし、みだりに、殴打、酷使すること等は、虐待となるおそれがあることを十分認識すること。

(3)　所有者等は、適正な飼養及び保管に必要なときは、家庭動物等の種類、生態、習性及び生理を考慮した飼養及び保管のための施設（以下「飼養施設」という。）を設けること。飼養施設の設置に当たっては、適切な日照、通風等の確保を図り、施設内における適切な温度や湿度の維持等適切な飼養環境を確保するとともに、適切な衛生状態の維持に配慮すること。

2　生活環境の保全

(1)　所有者等は、自らが飼養及び保管する家庭動物等が公園、道路等公共の場所及び他人の土地、建物等を損壊し、又はふん尿その他の汚物、毛、羽毛等で汚すことのないように努めること。

(2)　所有者等は、自らが飼養及び保管する家庭動物等を、みだりに、排せつ物の堆積した施設又は他の動物の死体が放置された施設であって自己の管理するものにおいて飼養及び保管することは虐待となるおそれがあることを十分認識し、家庭動物等のふん尿その他の汚物、毛、羽毛等の適正な処理を行うとともに、飼養施設を常に清潔にして悪臭、衛生動物の発生の防止を図り、周辺の生活環境の保全に努めること。

3　適正な飼養数

所有者等は、その飼養及び保管する家庭動物等の数を、適切な飼養環境の確保、終生飼養の確保及び周辺の生活環境の保全に支障を生じさせないよう適切な管理が可能となる範囲内とするよう努めること。また、適切な管理を行うことができない場合、虐待となるおそれがあることを十分認識すること。

4　繁殖制限

所有者は、その飼養及び保管する家庭動物等が繁殖し、飼養数が増加しても、適切な飼養環境及び終生飼養の確保又は適切な譲渡が自らの責任において可能である場合を除き、原則としてその家庭動物等について去勢手術、不妊手術、雌雄の分別飼育等その繁殖を制限するための措置を講じること。

5　動物の輸送

所有者等は、家庭動物等の輸送に当たっては、次の事項に留意し、動物の健康及び安全の確保並びに動物による事故の防止に努めること。

(1)　家庭動物等の疲労及び苦痛をできるだけ小さくするため、なるべく短い時間による輸送方法を選択するとともに、輸送時においては必要に応じ適切な休憩時間を確保すること。

(2)　家庭動物等の種類、性別、性質等を考慮して、適切に区分して輸送する方法をとるとともに、輸送に用いる容器等は、動物の安全の確保及び動物の逸走を防止するために必要な規模及び構造のものを選定すること。

(3) 輸送中の家庭動物等に適切な間隔で給餌及び給水するとともに、適切な温度、湿度等の管理、適切な換気の実施等に留意すること。

6 人と動物の共通感染症に係る知識の習得等

(1) 所有者等は、その所有し、又は占有する家庭動物等と人に共通する感染性の疾病について、動物販売業者が提供する情報その他の情報をもとに、獣医師等十分な知識を有する者の指導を得ることなどにより、正しい知識を持ち、その飼養及び保管に当たっては、感染の可能性に留意し、適度な接触にとどめるなどの予防のために必要な注意を払うことにより、自らの感染のみならず、他の者への感染の防止にも努めること。

(2) 家庭動物等に接触し、又は家庭動物等の排せつ物等を処理したときは、手指等の洗浄を十分行い、必要に応じ消毒を行うこと。

7 逸走防止等

所有者等は、次の事項に留意し、家庭動物等の逸走の防止のための措置を講ずるとともに、逸走した場合には、自らの責任において速やかに捜索し捕獲すること。

(1) 飼養施設は、家庭動物等の逸走の防止に配慮した構造とすること。

(2) 飼養施設の点検等、逸走の防止のための管理に努めること。

(3) 逸走した場合に所有者の発見を容易にするため、マイクロチップを装着する等の所有明示をすること。

8 危害防止

所有者等は、動物の愛護及び管理に関する法律(昭和48年法律105号。以下「法」という。)25条の2に規定する特定動物その他の大きさ、闘争本能等にかんがみ人に危害を加えるおそれのある動物(以下「人に危害を加えるおそれのある家庭動物等」という。)を飼養及び保管する場合には、次の事項に留意し、逸走の防止等、人身事故の防止に万全を期すこと。

(1) 飼養施設は、動物が逸走できない構造とすること。

(2) 飼養施設は、飼養に当たる者が、危険を伴うことなく作業ができる構造とすること。

(3) 所有者等は、人に危害を加えるおそれのある家庭動物等の逸走時の措置についてあらかじめ対策を講じ、逸走時の事故の防止に努めること。

(4) 所有者等は、飼養施設を常時点検し、必要な補修を行うとともに、施錠の実施状況や飛来物の堆積状況の確認をするなど逸走の防止のための管理に万全を期すこと。

(5) 捕獲等のための機材を常備し、当該機材については常に使用可能な状態で整備しておくこと。

(6) 所有者等は、人に危害を加えるおそれのある家庭動物等が飼養施設から逸走した場合には、速やかに関係機関への通報を行うとともに、近隣の住民に周知し、逸走した動物の捕獲等を行い、家庭動物等による事故の防止のため必要な措置を講じること。

(7) 所有者等は、特定動物の飼養又は保管が困難になった場合における措置として譲渡先又は譲渡先を探すための体制を確保すること。

9 緊急時対策

所有者等は、関係行政機関の指導、地域防災計画等を踏まえて、地震、火災等の非常災害に際してとるべき緊急措置を定めるとともに、避難先における適正な管理が可能となるための移動用の容器、非常食の用意等、避難に必要な準備を行うよう努めること。非常災害が発生したときは、速やかに家庭動物等を保護し、及び家庭動物等による事故の防止に努めるとともに、避難する場合には、できるだけ同行避難及びその家庭動物等の適切な避難場所の確保に努めること。

10 犬及び猫のマイクロチップ装着等に係る飼い主の責務

(1) 法39条の2第2項に基づき、所有する犬又は猫にマイクロチップを装着した者は、法39条の5第1項に基づき、当該マイクロチップを装着した日から30日を経過する日（その日までに当該犬又は猫の譲渡しをする場合にあっては、その譲渡しの日）までに、環境大臣（指定登録機関が登録関係事務を行う場合にあっては、指定登録機関。以下同じ。）の登録を受けること。

(2) 法39条の6第1項に基づき、犬猫等販売業者以外の者であって、登録を受けた犬又は猫を当該犬又は猫に係る登録証明書とともに譲り受けたものは、当該犬又は猫を取得した日から30日を経過する日（その日までに当該犬又は猫の譲渡しをする場合にあっては、その譲渡しの日）までに環境大臣の変更登録を受けること。

(3) 法39条の5第8項に基づき、登録を受けた者は、動物の愛護及び管理に関する法律施行規則（平成18年環境省令1号。以下「施行規則」という。）21条の7第7項各号に掲げる事項に変更を生じたときは、変更を生じた日から30日を経過する日までに、その旨を環境大臣に届け出ること。

(4) 法39条の4に基づき、何人も、犬又は猫の健康及び安全の保持上支障が生じるおそれがあるときを除き、当該犬又は猫に装着されているマイクロチップを取り外してはならないこと。

(5) 法39条の8に基づき、登録を受けた犬又は猫の所有者は、当該犬又は猫が死亡したとき、及び施行規則21条の6の当該犬又は猫の健康及び安全の保持上支障が生じるおそれがある場合に該当するものとして、獣医師がマイクロチップを取り外したときは、遅滞なく、その旨を環境大臣に届け出ること。

第4　犬の飼養及び保管に関する基準

1　犬の所有者等は、さく等で囲まれた自己の所有地、屋内その他の人の生命、身体及び財産に危害を加え、並びに人に迷惑を及ぼすことのない場所において飼養及び保管する場合を除き、犬の放し飼いを行わないこと。ただし、次の場合であって、適正なしつけ及び訓練がなされており、人の生命、身体及び財産に危害を加え、人に迷惑を及ぼし、自然環境保全上の問題を生じさせるおそれがない場合は、この限りではない。

(1) 警察犬、狩猟犬等を、その目的のために使役する場合

(2) 人、家畜、農作物等に対する野生鳥獣による被害を防ぐための追い払いに使役する場合

2　犬の所有者等は、犬をけい留する場合には、けい留されている犬の行動範囲が道路又は通路に接しないように留意するとともに、犬の健康の保持に必要な運動量を確保するよう努めること。また、みだりに健康及び安全を保持することが困難な場所に拘束することにより衰弱させることは虐待となるおそれがあることを十分認識すること。

3　犬の所有者等は、頻繁な鳴き声等の騒音又はふん尿の放置等により周辺地域の住民の日常生活に著しい支障を及ぼすことのないように努めること。

4　犬の所有者等は、適当な時期に、飼養目的等に応じ、人の生命、身体及び財産に危害を加え、並びに人に迷惑を及ぼすことのないよう、適正な方法でしつけを行うとともに、特に所有者等の制止に従うよう訓練に努めること。

5　犬の所有者等は、犬を道路等屋外で運動させる場合には、次の事項を遵守するよう努めること。

(1)　犬を制御できる者が原則として引き運動により行うこと。

(2)　犬の突発的な行動に対応できるよう引綱の点検及び調節等に配慮すること。

(3)　運動場所、時間帯等に十分配慮すること。

(4)　特に、大きさ及び闘争本能にかんがみ人に危害を加えるおそれが高い犬（以下「危険犬」という。）を運動させる場合には、人の多い場所及び時間帯を避けること。

6　危険犬の所有者等は、当該犬の行動を抑制できなくなった場合に重大な事故を起こさないよう、道路等屋外で運動させる場合には、必要に応じて口輪の装着等の措置を講ずること。また、事故を起こした場合には、民事責任や刑事責任を問われるおそれがあることを認識すること。

7　犬の所有者は、やむを得ず犬を継続して飼養することができなくなった場合には、適正に飼養することのできる者に当該犬を譲渡するように努めること。なお、都道府県等（法35条1項に規定する都道府県等をいう。以下同じ。）に引取りを求めても、終生飼養の趣旨に照らして引取りを求める相当の事由がないと認められる場合には、これが拒否される可能性があることについて十分認識すること。

8　犬の所有者は、子犬の譲渡に当たっては、特別の場合を除き、離乳前に譲渡しないように努めるとともに、法22条の5の規定の趣旨を考慮し、適切な時期に譲渡するよう努めること。また、譲渡を受ける者に対し、社会化に関する情報を提供するよう努めること。

第５　猫の飼養及び保管に関する基準

1　猫の所有者等は、周辺環境に応じた適切な飼養及び保管を行うことにより人に迷惑を及ぼすことのないよう努めること。

2　猫の所有者等は、疾病の感染防止、不慮の事故防止等猫の健康及び安全の保持並びに周辺環境の保全の観点から、当該猫の屋内飼養に努めること。屋内飼養以外の方法により飼養する場合にあっては、屋外での疾病の感染防止、不慮の事故防止等猫の健康及び安全の保持を図るとともに、頻繁な鳴き声等の騒音又はふん尿の放置等により周辺地域の住民の日常生活に著しい支障を及ぼすことのないように努めること。

3　猫の所有者は、繁殖制限に係る共通基準によるほか、屋内飼養によらない場合にあっては、去勢手術、不妊手術等繁殖制限の措置を講じること。

4　猫の所有者は、やむを得ず猫を継続して飼養することができなくなった場合には、適正に飼養することのできる者に当該猫を譲渡するように努めること。なお、都道府県等に引取りを求めても、終生飼養の趣旨に照らして引取りを求める相当の事由がないと認められる場合には、これが拒否される可能性があることについて十分認識すること。

5　猫の所有者は、子猫の譲渡に当たっては、特別の場合を除き、離乳前に譲渡しないよう努めるとともに、法22条の５の規定の趣旨を考慮し、適切な時期に譲渡するよう努めること。また、譲渡を受ける者に対し、社会化に関する情報を提供するよう努めること。

6　飼い主のいない猫を管理する場合には、不妊去勢手術を施して、周辺地域の住民の十分な理解の下に、給餌及び給水、排せつ物の適正な処理等を行う地域猫対策など、周辺の生活環境及び引取り数の削減に配慮した管理を実施するよう努めること。

第６　学校、福祉施設等における飼養及び保管

1　管理者は、学校、福祉施設等の利用者が動物の適切な飼養及び保管について正しい理解を得ることができるように努めること。

2　管理者は、動物の飼養及び保管の目的、学校、福祉施設等の立地及び施設の整備の状況並びに飼養又は保管に携わる者の飼養能力等の条件を考慮して、飼養及び保管する動物の種類及び数を選定すること。

3　異種又は複数の動物を同一施設内で飼養及び保管する場合には、その組合せを考慮した収容を行うこと。

4　管理者は、動物の所有者等としての責務を十分に自覚し、動物の飼養及び保管が、獣医師等十分な知識と飼養経験を有する者の指導の下に行われるよう努め、本基準の各項に基づく適切な動物の飼養及び保管並びに動物による事故の防止に努めること。

5　管理者は、学校、福祉施設等の休日等においても、動物の飼養及び保管が適切に行われるよう配慮すること。

6　管理者は、飼養及び保管する動物に対して飼養に当たる者以外の者からみだりに食物等を与えられ、又は動物が傷つけられ、若しくは苦しめられることがないよう、その予防のための措置を講じるよう努めること。

7　管理者は、地震、火災等の非常災害に際しても、動物の飼養及び保管が適切に行われるよう配慮すること。

第7　その他

所有者等は、動物の逸走、放し飼い等により、野生動物の捕食、在来種の圧迫等の自然環境保全上の問題が生じ、人と動物との共生に支障が生じることがないよう十分な配慮を行うこと。

第8　準用

家庭動物等に該当しない犬又は猫については、当該動物の飼養及び保管の目的に反しない限り、本基準を準用する。

（3）犬及び猫の引取り

①　都道府県等（都道府県及び指定都市、中核市その他政令で定める市（特別区を含む。）をいう。以下同じ。）は、犬又は猫の引取りをその所有者から求められたときは、これを引き取らなければならない。ただし、犬猫等販売業者から引取りを求められた場合その他の法7条4項の規定の趣旨に照らして引取りを求める相当な事由がないと認められる場合として環境省令で定める場合には、その引取りを拒否することができる。都道府県等が犬又は猫を引き取る場合には、都道府県知事等（都道府県等の長をいう。）は、その犬又は猫を引き取るべき場所を指定することができる（法35条1項・2項）。

②　この規定は、都道府県等が所有者の判明しない犬又は猫の引取りをその拾

得者その他の者から求められた場合に準用する（法35条３項）。

（4） 動物の占有者等の責任

動物の占有者又は管理者は、その動物が他人に加えた損害を賠償する責任を負わなければならない（民法718条１項本文・２項）。この責任の根拠は、動物は人に危害を加える可能性のあるものであるから、その占有者又は管理者にその損害の発生予防義務を負担させ、その注意義務責任を加重することによって危害を未然に予防しようとするところにある。この責任も動物の占有者及び管理者が、動物の種類及び性質に従って相当の注意をもって管理したことを立証すればその責任を免れることができる（民法718条１項ただし書）。したがって、絶対的な無過失責任ではない。

動物が他人に損害を加えるとは、動物の動作によって他人の身体に傷害を加え、若しくは他の物を滅失・毀損した場合である。

動物が人の指揮に従って動作し、その結果他人に損害を加えたときは、指揮者には民法709条の責任と民法718条による動物占有の責任とが競合する。また、被害者が動物を興奮させた場合のように被害者に過失があるときは過失相殺の規定が準用される。

20 身体障害者補助犬法

（1） 目的

身体障害者補助犬の育成及びこれを使用する身体障害者の施設等の利用の円滑化を図り、もって身体障害者の自立及び社会参加の促進に寄与することを目的とする（身体障害者補助犬法（以下「法」という。）１条）。

（2） 定義

「身体障害者補助犬」とは、盲導犬、介助犬及び聴導犬をいう（法２条１項）。

（3） 施設等における身体障害者補助犬の同伴等

① 国、地方公共団体、公共交通事業者等、不特定多数の者が利用する施設の管理者等は、その管理する施設を身体障害者が利用する場合、身体障害者補

助犬の同伴を拒んではならない（法７条１項、８条、９条各本文）。

ただし、身体障害者補助犬の同伴により当該施設に著しい損害が発生するおそれがある場合などは、この限りではない（法７条１項、８条、９条各ただし書）。

② 民間事業主及び民間住宅の管理者は、従業員又は居住者が身体障害者補助犬を使用することを拒まないよう努めなければならない（法10条２項、11条）。

③ 身体障害者補助犬を同伴して施設等（住宅を除く。）の利用又は使用する身体障害者は、その身体障害者補助犬に、その者のために訓練された身体障害者補助犬である旨を明らかにするための表示をしなければならない（法12条１項）。

21 被災市街地復興特別措置法

「被災市街地復興特別措置法」（以下「法」という。）は、大規模な火災、震災その他の災害を受けた市街地について、その緊急かつ健全な復興を図るため、被災市街地復興推進地域及び被災市街地復興推進地域内における市街地の計画的な整備改善並びに市街地の復興に必要な住宅の供給について必要な事項を定める等特別の措置を講ずることにより、迅速に良好な市街地の形成と都市機能の更新を図り、公共の福祉の増進に寄与することを目的としている（法１条）。

（１）建築等の許可（法７条１項）

被災市街地復興推進地域内において、土地の形質の変更又は建築物の新築、改築若しくは増築をしようとする者は、都道府県知事（市の区域内にあっては、当該市の長）の許可を受けなければならない。

ただし、ⅰ）通常の管理行為、軽易な行為等、ⅱ）非常災害のため必要な応急措置、ⅲ）都市計画事業の施行行為又はこれに準ずる行為として政令で定める行為は、許可は不要である。

（２）土地の買取請求（法８条３項）

都道府県知事等は、被災市街地復興推進地域内の土地の所有者から、土地の利用に著しい支障を生ずることとなることを理由として、土地の買取りの申出があったときは、特別の事情がない限り、その土地を時価で買い取るものとする。

※　被災区分所有建物の再建等については、「被災区分所有建物の再建等に関する特別措置法」が制定されている（本編第２節を参照）。

22 消費者契約法

（１）目的

消費者契約法は、消費者と事業者との間の情報の質及び量並びに交渉力の格差にかんがみ、事業者の一定の行為により消費者が誤認し、又は困惑した場合等について契約の申込み又はその承諾の意思表示を取り消すことができることとするとともに、事業者の損害賠償の責任を免除する条項その他の消費者の利益を不当に害することとなる条項の全部又は一部を無効とするほか、消費者の被害の発生又は拡大を防止するため適格消費者団体が事業者等に対し差止請求をすることができることとすることにより、消費者の利益の擁護を図り、もって国民生活の安定向上と国民経済の健全な発展に寄与することを目的とする（消費者契約法（以下「法」という。）１条）。

（２）定義（法２条）

消費者契約法において「消費者」とは、個人（事業として又は事業のために契約の当事者となる場合におけるものを除く。）をいう。

消費者契約法において「事業者」とは、法人その他の団体及び事業として又は事業のために契約の当事者となる場合における個人をいう。

消費者契約法において「消費者契約」とは、消費者と事業者との間で締結される契約をいう。

（３）消費者が支払う損害賠償の額を予定する条項等の無効（法９条）

次の①、②に掲げる消費者契約の条項は、当該①、②に定める部分について、無効とする。

①　当該消費者契約の解除に伴う損害賠償の額を予定し、又は違約金を定める条項であって、これらを合算した額が、当該条項において設定された解除の

事由、時期等の区分に応じ、当該消費者契約と同種の消費者契約の解除に伴い当該事業者に生ずべき平均的な損害の額を超えるもの　当該超える部分

② 当該消費者契約に基づき支払うべき金銭の全部又は一部を消費者が支払期日（支払回数が２以上である場合には、それぞれの支払期日。以下②において同じ。）までに支払わない場合における損害賠償の額を予定し、又は違約金を定める条項であって、これらを合算した額が、支払期日の翌日からその支払をする日までの期間について、その日数に応じ、当該支払期日に支払うべき額から当該支払期日に支払うべき額のうちすでに支払われた額を控除した額に年14.6パーセントの割合を乗じて計算した額を超えるもの　当該超える部分

（４）消費者の利益を一方的に害する条項の無効（法10条）

消費者の不作為をもって当該消費者が新たな消費者契約の申込み又はその承諾の意思表示をしたものとみなす条項その他の法令中の公の秩序に関しない規定の適用による場合に比して消費者の権利を制限し又は消費者の義務を加重する消費者契約の条項であって、民法１条２項に規定する基本原則に反して消費者の利益を一方的に害するものは、無効とする。

23 住宅宿泊事業法

（１）背景と必要性

多様化する宿泊ニーズに対応するため、ここ数年、民泊サービスが日本国内でも急速に普及してきたが、一方で、公衆衛生の確保や地域住民とのトラブル防止、無許可で旅館業を営む違法民泊への対応など、一定の規制を設ける必要が生じることとなった。

そのため、民泊サービスを行うための規制を設ける必要から法律が定められたものである。

① 住宅宿泊事業者に係る制度の創設

(ア) 都道府県知事への届出が必要

（年間提供日数の上限は180日（泊）とし、地域の実情を反映する仕組みの創設）

(イ) 住宅宿泊事業の適正な遂行のための措置（衛生確保措置、騒音防止のための説明、苦情への対応、宿泊者名簿の作成・備付け、標識の掲示等）を義務付け

(ウ) 家主不在型の場合は、上記措置を住宅宿泊管理業者に委託することを義務付け

(エ) 都道府県知事は、住宅宿泊事業者に係る監督を実施

＊都道府県に代わり、保健所設置市（指定都市、中核市等）、特別区（東京23区）が監督・条例制定措置を処理できる。

② 住宅宿泊管理業者に係る制度の創設

(ア) 国土交通大臣の登録が必要

(イ) 住宅宿泊管理業の適正な遂行のための措置（住宅宿泊事業者への契約内容の説明等）の実施と①(イ)の措置（標識の掲示を除く）の代行を義務付け

(ウ) 国土交通大臣は、住宅宿泊管理業者に係る監督を実施

③ 住宅宿泊仲介業者に係る制度の創設

(ア) 観光庁長官の登録が必要

(イ) 住宅宿泊仲介業の適正な遂行のための措置（宿泊者への契約内容の説明等）を義務付け

(ウ) 観光庁長官は、住宅宿泊仲介業に係る監督を実施

(2) 分譲マンションにおける民泊対応

分譲マンションにおいて民泊サービスを行うことを容認するか否かは、管理組合としての意思決定が求められる。

管理組合としての対応をまとめると以下のとおりとなる

① 管理規約において、住宅宿泊事業を許容するか否かについて、明確化しておくこと

② 管理規約改正手続ができない場合は、少なくとも総会、あるいは理事会において、住宅宿泊事業を許容するか否かの方針を決議しておくこと

住宅宿泊事業は、「宿泊料を受けて住宅に宿泊させる事業（略）」と定義しているため、管理規約で専有部分の用途を「専ら住宅」としていても、これをもって「宿泊料を受けて住宅に宿泊させる事業」を禁止しているとは解されないことに注意しなければならない。

24 景観法

（1）目的

景観法は、我が国の都市、農山漁村等における良好な景観の形成を促進するため、景観計画の策定その他の施策を総合的に講ずることにより、美しく風格のある国土の形成、潤いのある豊かな生活環境の創造及び個性的で活力ある地域社会の実現を図り、もって国民生活の向上並びに国民経済及び地域社会の健全な発展に寄与することを目的とする（景観法（以下「法」という。）1条）。

（2）届出及び勧告等

景観計画区域内において、次に掲げる行為をしようとする者は、あらかじめ、国土交通省令（④に掲げる行為にあっては、景観行政団体の条例）で定めるところにより、行為の種類、場所、設計又は施行方法、着手予定日その他国土交通省令で定める事項を景観行政団体の長に届け出なければならない（法16条1項）。

① 建築物の新築、増築、改築若しくは移転、外観を変更することとなる修繕若しくは模様替又は色彩の変更

② 工作物の新設、増築、改築若しくは移転、外観を変更することとなる修繕若しくは模様替又は色彩の変更

③ 都市計画法4条12項に規定する開発行為その他政令で定める行為

④ ①～③に掲げるもののほか、良好な景観の形成に支障を及ぼすおそれのある行為として景観計画に従い景観行政団体の条例で定める行為

25 賃貸住宅の管理業務等の適正化に関する法律

（1）目的

賃貸住宅の管理業務等の適正化に関する法律は、社会経済情勢の変化に伴い国民の生活の基盤としての賃貸住宅の役割の重要性が増大していることに鑑み、賃貸住宅の入居者の居住の安定の確保及び賃貸住宅の賃貸に係る事業の公正かつ円滑な実施を図るため、賃貸住宅管理業を営む者に係る登録制度を設け、その業務の適正な運営を確保するとともに、特定賃貸借契約の適正化のための

措置等を講ずることにより、良好な居住環境を備えた賃貸住宅の安定的な確保を図り、もって国民生活の安定向上及び国民経済の発展に寄与することを目的とする（賃貸住宅の管理業務等の適正化に関する法律（以下「法」という。）１条）。

（２）法の概要

この法律のポイントは、①不動産のオーナーから受託して賃貸住宅を管理する「賃貸住宅管理業者」の登録制度を創設する、②賃貸住宅を一括で借り上げて、転貸事業を営む者（サブリース業者）に対する業務の規制をする、という２つである。

（３）賃貸住宅管理業の登録

①　登録義務

賃貸住宅管理業を営もうとする者は、国土交通大臣の登録を受けなければならない。ただし、管理戸数が200戸未満の場合は登録の必要はない（法３条１項、施行規則３条）。

登録の有効期間は、５年であり、５年ごとに更新を受けなければならない（法３条２項）。

②　業務の規制

㋐　営業所又は事務所ごとに１人以上の業務管理者を選任（法12条１項）

㋑　重要事項説明書の交付と説明（法13条１項）

㋒　管理受託契約締結時の書面の交付（法14条１項）

㋓　財産の分別管理（法16条）

（４）特定賃貸借契約の適正化

①　定義

「特定賃貸借契約」とは、賃借人がその賃貸住宅を第三者に転貸する事業を営むことを目的として締結される賃貸借契約のことをいう（法２条４項）。すなわち、賃貸住宅のオーナーとサブリース事業者の間の賃貸借契約で、「マスターリース契約」ともいわれる。

また、「特定転貸事業者」とは、上記の特定賃貸借契約に基づき賃借した賃貸住宅を第三者に転貸する事業を営む者（サブリース業者）をいう（法2条5項）。

② 業務の規則

(ア) 誇大広告等の禁止・不当な勧誘等の禁止

特定転貸事業者又は勧誘者（以下「特定転貸事業者等」という。）は、特定賃貸借契約の条件について広告をするときは、特定賃貸借契約に基づき特定転貸事業者が支払うべき家賃、賃貸住宅の維持保全の実施方法、特定賃貸借契約の解除に関する事項その他の国土交通省令で定める事項について、著しく事実に相違する表示をし、又は実際のものよりも著しく優良であり、若しくは有利であると人を誤認させるような表示をしてはならない（法28条）。

また、特定転貸事業者等は、次に掲げる行為をしてはならない（法29条）。

㋐ 特定賃貸借契約の締結の勧誘をするに際し、又はその解除を妨げるため、特定賃貸借契約の相手方又は相手方となろうとする者に対し、当該特定賃貸借契約に関する事項であって特定賃貸借契約の相手方又は相手方となろうとする者の判断に影響を及ぼすこととなる重要なものにつき、故意に事実を告げず、又は不実のことを告げる行為

㋑ ㋐に掲げるもののほか、特定賃貸借契約に関する行為であって、特定賃貸借契約の相手方又は相手方となろうとする者の保護に欠けるものとして国土交通省令で定めるもの

(イ) 特定賃貸借契約の締結前の書面の交付

特定転貸事業者は、特定賃貸借契約を締結しようとするときは、特定賃貸借契約の相手方となろうとする者（特定転貸事業者である者その他の特定賃貸借契約に係る専門的知識及び経験を有すると認められる者として国土交通省令で定めるものを除く。）に対し、当該特定賃貸借契約を締結するまでに、特定賃貸借契約の内容及びその履行に関する事項であって国土交通省令で定めるものについて、書面を交付して説明しなければならない（法30条1項）。

また、特定転貸事業者は、この書面の交付に代えて、政令で定めるところにより、当該特定賃貸借契約の相手方となろうとする者の承諾を得て、当該書面に記載すべき事項を電磁的方法により提供することができる。こ

の場合において、当該特定転貸事業者は、当該書面を交付したものとみなす（法30条２項）。

(ウ)　特定賃貸借契約の締結時の書面の交付

特定転貸事業者は、特定賃貸借契約を締結したときは、当該特定賃貸借契約の相手方に対し、遅滞なく、次に掲げる事項を記載した書面を交付しなければならない（法31条１項）。

㋐　特定賃貸借契約の対象となる賃貸住宅
㋑　特定賃貸借契約の相手方に支払う家賃その他賃貸の条件に関する事項
㋒　特定転貸事業者が行う賃貸住宅の維持保全の実施方法
㋓　契約期間に関する事項
㋔　転借人の資格その他の転貸の条件に関する事項
㋕　契約の更新又は解除に関する定めがあるときは、その内容
㋖　その他国土交通省令で定める事項

また、法30条２項の電磁的方法による提供の規定は、この書面の交付についても準用される（法31条２項）。

(エ)　書類の閲覧

特定転貸事業者は、国土交通省令で定めるところにより、当該特定転貸事業者の業務及び財産の状況を記載した書類を、特定賃貸借契約に関する業務を行う営業所又は事務所に備え置き、特定賃貸借契約の相手方又は相手方となろうとする者の求めに応じ、閲覧させなければならない（法32条）。

資料1

一般社団法人マンション管理業協会発行
『マンションの管理の適正化の推進に関する法律実務Q&A』(抜粋)

■ ITを活用した重要事項説明等(以下「IT重説」という。)の説明・交付・報告の関係

Q1. 相手方より取得した承諾書は、書面として出力できる必要はあるか?

電磁的交付におけるマンション管理業者が説明の相手方より取得する承諾書については、管理業者側の管理となるため、書面として出力できる必要がありますか。

A 承諾書は、見読性・非改ざん性の確保や相手方より閲覧・提供を求められた際に応じるため、電子ファイルで取得する場合、書面に出力できることが施行規則84条の5にて規定されております。

Q2. 相手方より取得した承諾書について、保管期間の定めはあるか?

電磁的交付における管理者等及び区分所有者等から取得する承諾書について、保管義務並びに保管期間に定めはありますでしょうか。

A 保管義務・保管期間の規定は特段ありませんが、適切な管理が必要で、重要事項説明書と合わせて、保管することが望ましいと考えます。

Q3. 承諾書ファイルを、電子メールを利用して取得する場合はどのようにしたらよいか?

電磁的交付に関する承諾書について、電子メールを利用して送付した場合、取得する承諾書ファイルは、相手方の電子署名を付したファイルでの返信が必要となりますか。又は、相手方が受領した電子ファイルを紙に出力し、捺印の上、改めて電子データに変換し、返信してもらう必要がありますか。

A　承諾にあたって書面への押印や、電子署名は必ずしも必要はありません。

なお、トラブル防止の観点から、双方の本人性や非改ざん性の確保を強化するための、必要な措置を講じることも有効な手段であり、電子署名、電子サイン、電子捺印等を施すことも考えられます。

Q4. 重要事項説明書ファイルをマンション管理業者のホームページに掲載する場合、その掲載期間の規定はあるか？

重要事項説明書をマンション管理業者のホームページに掲載し、閲覧してもらう方法で電磁的交付する場合、重要事項説明会が終了次第、ホームページから削除しようと思いますが、掲載期間について、規定はありますでしょうか。

A　ホームページへ掲載する場合、特段掲載期間の定めはありません。なお、トラブル防止の観点から、区分所有者等への掲載期間の周知や管理組合側での印刷・保管の推奨が考えられ、掲載終了後についても、現状の書面を紛失し、閲覧等の請求に応じた対応と同様、区分所有者等からの求めに対し、適切な対応を取ることが望ましいと考えます。

Q5. 共有名義の住戸に対し、電磁的方法による交付を行う場合は、それぞれに承諾が必要か？

専有部分が複数の共有である場合、重要事項説明書を電磁的方法により交付する際の承諾書は、共有者全員から取得する必要がありますか。

A　重要事項説明書等の交付先として、届け出のある全ての者に対し、承諾を得て、交付することが必要です。なお、届け出のない共有者であっても、求められた場合等には交付する必要があります。

Ｑ６．ＩＴ重説会を実施する際の、相手方から取得する承諾書のひな形はあるか？

ＩＴを活用した重要事項説明会を実施する上で、意向確認の際は承諾書を取得することが望ましいとされていますが、その承諾書のひな形はありますか。

Ａ　ＩＴ重説会開催にあたっての意向確認の手段としての承諾書のひな形はありませんが、トラブル防止の観点から区分所有者から、開催方法、開催時間、通信障害等を含むトラブル発生時のどちら側からの申出により中止（中断）する場合があること等の承諾を得ることとし、双方のＩＴ環境やＩＴリテラシィを理解し開催しましょう。

Ｑ７．ＩＴ重説会を選択する際、管理者等から承諾が得られれば、開催可能か？

ＩＴ重説会（完全オンライン形式を含む）開催については、一部の区分所有者から反対意見があったとしても、管理組合の管理者決定事項として、承諾が得られれば開催することは可能でしょうか。

Ａ　現状における重要事項説明会の開催日・開催場所の決定と同様、開催方法について、管理組合の十分な理解を得た上で、実施することが望まれます。

なお、完全オンラインの形式で実施する場合は、区分所有者全員に対し、各区分所有者のＩＴ環境、ＩＴリテラシィを踏まえた意向を確認するなど、出席機会が失われないよう丁寧な対応が必要で、一人でもオンライン参加ができない区分所有者がいる等の場合は、リアル＋オンライン併用型での開催が必要です。

Ｑ８．ＩＴ重説会当日の通信テストは、オンライン参加者全員に対し必要か？

ＩＴ重説会の当日、相手方のＩＴ環境（映像の視認性や音声の聞き取り状況等）を事前に確認する必要がありますが、オンライン参加者一人ひとりに対し、確認する必要はありますでしょうか。

A　当日の重説会において、オンライン参加者に対して映像の視認性や音声の聞き取り状況等を確認することは必要と考えますが、その確認方法に定めはありません。オンライン参加者の人数やマンション管理業者の体制に鑑み、適切な運用が望まれます。

Q 9. 管理業務主任者が画面をオフにし、音声のみにより説明を行うことは可能か？

ＩＴ重説会の実施中に配信状況が乱れ、画像をオフにすることで通信が安定した場合、音声のみで重要事項説明を実施することは可能でしょうか。

A　ＩＴ環境については、「管理業務主任者及び説明の相手方が関係書類及び説明の内容について十分に理解できる程度に映像を視認でき、かつ、双方が発する音声を十分に聞き取ることができるとともに、双方向でやりとりできる環境において実施していること」とされており、その要件を満たすことが必要です。そのため、音声のみでの説明では、要件を満たしたことにはなりません。

Q10. 事前に録画した動画を配信すれば、重説会当日は、質疑応答のみでも有効か？

録画した動画を配信することで、重説に代える場合、組合員に対して「○月○日○時～○月○日○時迄」と動画を配信する旨案内すれば、重説会当日は、重説を不要とし、質疑応答だけを行うことでもよいのでしょうか。

A　動画配信を利用したＩＴ重説は、 配信のみで終了するのではなく、相手方が視聴した後、双方向でやりとり（質疑応答等）可能な環境下（重説会等）において、重要事項の内容の理解をする必要があり、その要件を満たせば可能と考えます。

Q11. 通信障害等が発生した場合、どのように対応したらよいか？

ＩＴ重説会において、一部のオンライン参加者が通信障害の発生等により、双方向のやりとりが不可能となった場合、当該重説会は無効となりますでしょうか。

A ＩＴ重説を可能とする要件は、対面と同様、情報伝達の双方向性と即時性が確保された環境下において実施することとされております。

そのため、大半の方が通信障害等の発生により、双方向のやりとりが不可能となった場合においては、管理組合と協議し、改めて重説会を開催することが望まれます。

なお、一部の区分所有者が受付時にオンライン参加不可、又は何らかの理由で途中に双方向のやりとりが不可能となった場合には、他のオンライン参加者が聞こえていることを確認し、主催者側に起因する問題ではないことを確認した上で、管理組合と協議し、進めることが望ましいと考えます。

上記については、事前に組合と協議し、オンライン形式による運用ルールを明確にし、区分所有者へ周知することが望ましい対応と考えます。

なお、通信障害等への対応において、周知する内容としては、以下の例示が考えられます。

例）オンライン参加した場合、通信障害等の発生等も踏まえて、会場参加かオンライン参加のご判断をお願いします。なお、オンライン参加された一部の区分所有者側に起因する通信障害等により、双方向性のやりとりが困難となった場合においては、他の区分所有者との通信状態を確認した上で、組合と協議し、説明会を継続実施することもございますので、ご了承ください。

資料２

（別記様式）

重　要　事　項　説　明　書
（第一面）

年　　月　　日

殿

商号又は名称

代表者の氏名

貴管理組合と締結する管理受託契約の内容及びその履行に関する事項について、マンションの管理の適正化の推進に関する法律（平成１２年法律第１４９号。以下、「法」という。）第７２条の規定に基づき、次のとおり説明します。この内容は重要ですから、十分理解されるようお願いします。

説明をする管理業務主任者	氏　　名	
	登録番号	
	業務に従事する事務所	電話番号（　　）　―

説明に係る契約の別	新規	更新（同一条件でない場合）	更新（同一条件である場合）

1　商号又は名称、住所、登録番号及び登録年月日

商号又は名称	
住所	
登録番号	（　　）第　　　号
登録年月日	年　　月　　日

巻末資料　資料2

（第二面）

2　管理事務の対象となるマンションの所在地に関する事項

マンションの名称	
マンションの所在地	

3　管理事務の対象となるマンションの部分に関する事項

敷　　地	面積	㎡
建　　物	構造等	造　地上　　階　地下　階　塔屋 階建共同住宅 建築面積　　　　㎡　延床面積　　　　㎡
	専有部分	住宅　　戸　　事務所　　戸　　店舗　　戸
	①　専有部分以外の建物の部分 ②　専有部分に属さない建物の附属物 ③　規約共用部分	
附属施設		

（第三面）

4　管理事務の内容及び実施方法

<table>
<tr><td rowspan="7">管理事務の名称</td><td rowspan="3">基幹事務</td><td>①　管理組合の会計の収入及び支出の調定</td></tr>
<tr><td>②　出　納</td></tr>
<tr><td>③　マンション（専有部分を除く。）の維持又は修繕に関する企画又は実施の調整</td></tr>
<tr><td rowspan="4">基幹事務以外の管理事務</td><td>①　管理員業務</td></tr>
<tr><td>②　清掃業務</td></tr>
<tr><td>③　建物・設備管理業務</td></tr>
<tr><td>④　その他の管理事務</td></tr>
</table>

5

10

15

20

25

30

巻末資料

資料2

（第四面）

4－2　法第７６条の規定により管理する財産の管理の方法

<table>
<tr><td colspan="2">修繕積立金等の種類</td><td colspan="4">金　　銭　・　有価証券</td></tr>
<tr><td rowspan="14">金
銭</td><td>管理方法</td><td colspan="2">マンションの管理の適正化の推進に関する法律施行規則第８７条第２項第１号</td><td colspan="2">イ　・　ロ　・　ハ</td></tr>
<tr><td></td><td>項　目</td><td>収納口座</td><td>保管口座</td><td>収納・保管口座</td></tr>
<tr><td rowspan="4">口座名義</td><td>管理組合法人</td><td></td><td></td><td></td></tr>
<tr><td>管理者等（　　　　　）</td><td></td><td></td><td></td></tr>
<tr><td>マンション管理業者</td><td></td><td></td><td></td></tr>
<tr><td>その他（　　　　　）</td><td></td><td></td><td></td></tr>
<tr><td rowspan="4">預貯金通帳・印鑑等の保管者</td><td>通帳</td><td></td><td></td><td></td></tr>
<tr><td>印鑑</td><td></td><td></td><td></td></tr>
<tr><td>その他（　　　　　）</td><td></td><td></td><td></td></tr>
<tr><td>備　考</td><td colspan="3"></td></tr>
<tr><td>修繕積立金等金銭の収納方法</td><td colspan="4"></td></tr>
<tr><td>収納に関する再委託先</td><td colspan="4"></td></tr>
<tr><td>修繕積立金等金銭の保管及び管理の方法</td><td colspan="4"></td></tr>
<tr><td colspan="5"><出納フロー図></td></tr>
<tr><td>有
価
証
券</td><td colspan="5"></td></tr>
</table>

5　管理事務に要する費用並びにその支払の時期及び方法

<table>
<tr><td>定額委託業務費</td><td>定額委託業務費の額　合　計　月　額　　円
消　費　税　額　等　　円
消費税額等抜き価格　　円
支　払　期　日
日　割　計　算</td></tr>
<tr><td>定額委託業務費以外の費用の支払の時期及び方法</td><td></td></tr>
</table>

（第五面）

6　管理事務の一部の再委託に関する事項

再委託する管理事務の有無		有
再委託する管理事務の名称	基幹事務	基幹事務以外の管理事務

7　保証契約に関する事項

保証する第三者の氏名		
保証契約の名称		
保証契約の内容	①保証契約の額及び範囲	
	②保証契約の期間	年　月　日から　年　月　日まで
	③更新に関する事項	
	④解除に関する事項	
	⑤免責に関する事項	
	⑥保証額の支払に関する事項	

8　免責に関する事項

5
10
15
20
25
30

9　契約期間に関する事項

年　月　日　から　　年　月　日　まで

5

１０　契約の更新に関する事項

10

１１　契約の解除に関する事項

15

１２　法第７９条に規定する書類の閲覧方法

20

25

30

（第六面）

記載要領

【第一面関係】

①「商号又は名称」「代表者の氏名」について

原則として、マンション管理業者の「商号又は名称」及び「代表者の氏名」を記入することとするが、これに代えて、法施行規則第52条に規定する本店以外の事務所の「名称」及び「代表者の氏名」を記入しても差し支えないこと（ただし、1についてはこの限りでない）。

②「説明に係る契約の別」について

「従前の管理受託契約と同一の条件で管理組合との管理受託契約を更新しようとするとき」（法第72条第２項）は、「更新（同一条件である場合）」を丸で囲むこと。

【第二面関係】

３について

「管理事務の対象となるマンションの部分」とは、管理規約により管理組合が管理すべき部分のうち、マンション管理業者が受託して管理する部分をいう。

【第三面関係】

４について

管理事務には、警備業法第２条第１項に規定する警備業務及び消防法第８条の規定により防火管理者が行う業務は含まないこと。

【第四面関係】

①４－２について

「修繕積立金等の種類」については、修繕積立金等が金銭の場合にあっては「金銭」を、有価証券の場合にあっては「有価証券」を丸で囲むこと。「金銭」と「有価証券」両方で管理している場合は両方を丸で囲むこと。

「管理方法」については、修繕積立金等が金銭である場合に、当該金銭の管理方法について、法施行規則第87条第２項第１号のイ・ロ・ハのうち該当するものを丸で囲むこと。

「口座名義」については、括弧内に具体の名義者名（理事長）等を記入のうえ、該当箇所に丸を付けること。

「預貯金通帳・印鑑等の保管者」については、当該項目に対応する保管者を該当箇所に記入すること。なお、保管口座が複数ある場合で通帳の保管者が異なる場合は、保管者の欄に併記し、その旨を備考欄に記載すること。

「修繕積立金等金銭の収納方法」については、期日及び手段（振込，引落又は集金の別）等を記載すること。

「収納に関する再委託先」については、該当がある場合、会社名等を記載すること。

「修繕積立金等金銭の保管及び管理の方法」については、各区分所有者等から徴収した修繕積立金等金銭の具体的な保管及び管理の方法を記載することとし、出納の流れが分かる図も併せて記載すること。

②５について

「定額委託業務費」とは、その負担が定額でかつ実施内容によって価格に変更を生じる場合がないため精算を要しない費用をいうこと。

【第五面関係】
① 7について
「保証契約」とは、「マンション管理業者が第三者との間で締結する契約であって、マンション管理業者が管理組合に対して、修繕積立金等金銭の返還債務を負うこととなったときに当該第三者がその返還債務を保証することを内容とするもの」（法施行規則第53条第1項第11号）をいうこと。
② 12について
法第79条に定める書面の閲覧場所、閲覧方法等を記入すること。

（重要事項説明書作成例）

重　要　事　項　説　明　書

（第一面）

令和○年○月○日

霞が関ハイツ管理組合理事長、組合員　殿

商号又は名称　霞が関管理株式会社

代表者の氏名　代表取締役社長　霞が関　太郎

貴管理組合と締結する管理受託契約の内容及びその履行に関する事項について、マンションの管理の適正化の推進に関する法律（平成１２年法律第１４９号。以下、「法」という。）第７２条の規定に基づき、次のとおり説明します。この内容は重要ですから、十分理解されるようお願いします。

説明をする管理業務主任者	氏名	千代田　一郎
	登録番号	０１××××××
	業務に従事する事務所	霞が関管理㈱千代田支店 電話番号（０３）○○○○－○○○○

説明に係る契約の別	新規	更新（同一条件でない場合）	更新（同一条件である場合）

１　商号又は名称、住所、登録番号及び登録年月日

商号又は名称	霞が関管理株式会社
住所	東京都千代田区霞が関２－１－３
登録番号	（４）第××××××号
登録年月日	令和○年○月○日

（第二面）

2　管理事務の対象となるマンションの所在地に関する事項

マンションの名称	霞が関ハイツ
マンションの所在地	東京都千代田区霞が関６－５－４

3　管理事務の対象となるマンションの部分に関する事項

<table>
<tr><td rowspan="2">敷　　地</td><td>面積</td><td colspan="2">１１９９．０６㎡</td></tr>
<tr><td colspan="3">通路、車路その他外周部分</td></tr>
<tr><td rowspan="5">建　　物</td><td colspan="2">構造等</td><td>鉄筋コンクリート造
地上２０階地下１階建共同住宅
建築面積８５６．３５㎡　延床面積１１，１２８．３０㎡</td></tr>
<tr><td colspan="2">専有部分</td><td>住宅８５戸、店舗１戸</td></tr>
<tr><td colspan="3">①　専有部分以外の建物の部分
エントランスホール、廊下、階段、エレベーターホール、共用トイレ、屋上、屋根、塔屋、ポンプ室、自家用電気室、機械室、受水槽室、高置水槽室、パイプスペース、内外壁、床、天井、柱、バルコニー、風除室</td></tr>
<tr><td colspan="3">②　専有部分に属さない建物の附属物
エレベーター設備、電気設備、給水設備、排水設備、テレビ共同受信設備、消防・防災設備、避雷設備、各種の配線・配管、オートロック設備、宅配ボックス</td></tr>
<tr><td colspan="3">③　規約共用部分
管理事務室、管理用倉庫、清掃員控室、集会室、トランクルーム、倉庫</td></tr>
<tr><td>附属施設</td><td colspan="3">塀、フェンス、駐車場、通路、自転車置場、ゴミ集積所、排水溝、排水口、外灯設備、植栽、掲示板、専用庭、プレイロット</td></tr>
</table>

（第三面）

4　管理事務の内容及び実施方法

<table>
<tr>
<td rowspan="3">管理事務の名称</td>
<td rowspan="3">基幹事務</td>
<td>① 管理組合の会計の収入及び支出の調定
一　貴管理組合の収支予算案の素案の作成
二　貴管理組合の収支決算案の素案の作成
三　貴管理組合の収支状況の報告</td>
</tr>
<tr>
<td>② 出納（保証契約を締結して貴管理組合の収納口座と貴管理組合の保管口座を設ける場合）
一　貴管理組合の組合員が貴管理組合に納入する管理費等の収納
二　管理費等滞納者に対する督促
三　通帳等の保管
四　貴管理組合の経費の支払い
五　貴管理組合の会計に係る帳簿等の管理
六　現金収納業務
［現金収納を行わない場合の記載例］
現金収納は行いません。
［現金収納を行う場合の記載例］
当社が現金で受領する使用料等の種類は、○○使用料、××使用とし、これら以外は現金で受領することはできません。</td>
</tr>
<tr>
<td>③ 本マンション（専有部分を除く。）の維持又は修繕に関する企画又は実施の調整
一　当社は、貴マンションの長期修繕計画における修繕積立金の額が著しく低額である場合若しくは設定額に対して実際の積立額が不足している場合又は管理事務を実施する上で把握した貴マンションの劣化等の状況に基づき、当該計画の修繕工事の内容、実施予定時期、工事の概算費用若しくは修繕積立金の見直しが必要であると判断した場合には、書面をもって貴管理組合に助言します。
当社は、長期修繕計画案の作成業務並びに建物・設備の劣化状況等を把握するための調査・診断の実施及びその結果に基づき行う当該計画の見直し業務を実施する場合は、本契約とは別個の契約とします。
二　当社は、貴管理組合が貴マンションの維持又は修繕（大規模修繕を除く修繕又は保守点検等。）を外注により当社以外の業者に行わせる場合には見積書の受理、貴管理組合と受注業者との取次ぎ、実施の確認を行うものとします。
また、当社が、本マンションの維持又は修繕を自ら実施する場合は、本契約とは別個の契約とします。</td>
</tr>
</table>

5

10

15

20

25

30

<table>
<tr><td rowspan="4"></td><td rowspan="4">基幹事務
以外の
管理事務</td><td>① 管理員業務
一 業務実施態様 通勤方式、管理員○名
二 勤務日・勤務時間 週○日
(○曜日、○曜日、○曜日、○曜日、○曜日)
午前・午後○時○分～午前・午後○時○分
(休憩時間○分を含む。)
三 休日
・日曜日、祝日及び国が定める休日
・夏期休暇○日、年末年始休暇（○月○日～○月○日)、その他休暇○日（健康診断、研修等で勤務できない場合を含む)。この場合、当社はあらかじめ貴管理組合にその旨を届け出るものとします。
・忌引、病気、災害、事故等でやむを得ず勤務できない場合の休暇。この場合の対応について、当社はあらかじめ貴管理組合と協議するものとします。
四 執務場所 管理事務室
五 業務区分 受付等の業務、点検業務、立会業務、報告連絡業務</td></tr>
<tr><td>② 清掃業務
一 日常清掃 業務内容 建物周囲／ゴミ拾い清掃他、建物内部／掃き・拭き清掃他
二 定期清掃 ○回／○ エントランスホール、廊下等の床面洗浄及びワックス仕上げ他</td></tr>
<tr><td>③ 建物・設備等管理業務
一 建物等点検、検査 ○回／年
二 エレベーター設備点検 ○回／月
三 給水設備点検 ○回／年
四 浄化槽、排水設備点検 ○回／年
五 電気設備点検 ○回／年
六 消防用設備等点検 1回／6月
七 機械式駐車場設備点検 ○回／年</td></tr>
<tr><td>④ その他の管理事務
一 理事長・理事会支援業務
・組合員等の名簿の整備
・理事会の開催、運営支援
・貴管理組合の契約事務の処理
二 総会支援業務
総会招集通知及び議案書の配付、組合員等の出欠の集計、議事録案の作成等
三 その他
・各種点検、検査等に基づく助言等
・貴管理組合の各種検査等の報告、届出の補助
・図書等の保管等</td></tr>
</table>

（第四面）

4－2　法第７６条の規定により管理する財産の管理の方法

<table>
<tr><td colspan="2">修繕積立金等の種類</td><td colspan="4">（金　銭）・　有価証券</td></tr>
<tr><td rowspan="16">金
銭</td><td>管理方法</td><td colspan="2">マンションの管理の適正化の推進に
関する法律施行規則
第８７条第２項第１号</td><td colspan="2">（イ）・　ロ　・　ハ</td></tr>
<tr><td></td><td>項　目</td><td>収納口座</td><td>保管口座</td><td>収納・保管口座</td></tr>
<tr><td rowspan="4">口座名義</td><td>管理組合法人</td><td></td><td></td><td></td></tr>
<tr><td>管理者等（管理組合理事長）</td><td>○</td><td>○</td><td></td></tr>
<tr><td>マンション管理業者</td><td></td><td></td><td></td></tr>
<tr><td>その他（霞が関信販㈱）</td><td>○</td><td></td><td></td></tr>
<tr><td rowspan="4">預貯金通帳・印鑑等
の保管者</td><td>通帳</td><td>マンション管理業者</td><td>マンション管理業者</td><td></td></tr>
<tr><td>印鑑</td><td>管理組合</td><td>管理組合</td><td></td></tr>
<tr><td>その他
（インターネットバンキング
パスワード）</td><td>マンション
管理業者</td><td></td><td></td></tr>
<tr><td colspan="4">備　考</td></tr>
<tr><td>修繕積立金等金銭の
収納方法</td><td colspan="4">当月分を前月２６日（当該日が金融機関の休日に当たる場合はその翌営業日）に各区分所有者等の指定口座から振り替えます。</td></tr>
<tr><td>収納に関する
再委託先</td><td colspan="4">霞が関信販株式会社（集金代行会社）</td></tr>
<tr><td>修繕積立金等金銭の
保管及び管理の方法</td><td colspan="4">①当月分を前月２６日に各区分所有者等の口座から管理業者が再委託する集金代行会社の口座に振替え
②振替後、●営業日後に集金代行会社の口座から収納口座へ振込み
③当月分の管理事務に要する費用の支払い（インターネットバンキングを利用）
④翌月末日までに当月分の修繕積立金及び当月分の管理費用の残額を保管口座に移換え（インターネットバンキングを利用）</td></tr>
<tr><td colspan="5"><出納フロー図>

区分所有者等 →① 集金代行会社収納口座 →② <収納口座> 管理者 管理組合理事長 名　義
③→ 管理事務に要する費用の支払い
④→ 修繕積立金及び管理費用の残額 → <保管口座> 管理者 管理組合理事長 名　義

※　③及び④については、インターネットバンキングを利用しています。</td></tr>
<tr><td>有
価
証
券</td><td colspan="5">当社は、貴管理組合の有価証券はお預かりいたしません。</td></tr>
</table>

5　10　15　20　25　30

5　管理事務に要する費用並びにその支払の時期及び方法

定額委託業務費	定額委託業務費の額	合　計　月　額　７７０，０００円 消　費　税　額　等　７０，０００円 消費税額等抜き価格　７００，０００円
	支払い期日及び支払方法	毎月○日までにその○月分を、当社が指定する口座に振り込む方法によりお支払いいただきます。
	日　割　計　算	期間が１月に満たない場合は当該月の暦日数によって日割計算を行います。
定額委託業務費以外の費用の支払の時期及び方法	貯水槽の清掃費用等は、業務実施後にお支払いいただきます。	

（第五面）

6　管理事務の一部の再委託に関する事項

再委託する管理事務の有無			有
再委託する管理事務の名称	基幹事務	基幹事務以外の管理事務	
	出納のうち、修繕積立金等金銭の収納業務	日常清掃、定期清掃、建物等点検・検査、エレベーター設備点検、給水設備点検、浄化槽・排水設備点検、電気設備点検、消防用設備等点検、機械式駐車場設備点検	

7　保証契約に関する事項

保証する第三者の氏名		一般社団法人マンション管理業協会保証機構（以下「保証機構」という。）
保証契約の名称		一般社団法人マンション管理業協会保証機構管理費等保証委託契約（以下「保証委託契約」という。）
保証契約の内容	①保証契約の額及び範囲	貴管理組合の組合員から毎月又はそれ以外で定期的に収納する管理費等１か月分の額を限度とし、管理費等又は委託業務費の返還債務につき保証
	②保証契約の期間	令和○年１０月１日から令和○年９月３０日まで
	③更新に関する事項	当社が保証機構に対し、上記②の契約期間が満了する前までに更新のための管理費等保証委託契約申込書を提出したうえで、新たな保証委託契約について保証機構の承認を得ます。 なお、上記申込が承認された後は、一般社団法人マンション管理業協会（以下「協会」という。）ホームページ上に、貴管理組合に対する保証受諾証明が掲載されます。掲載後、速やかに、貴管理組合専用のＩＤ及びパスワードを通知いたしますので、協会ホームページ上から保証受諾証明の確認を行ってください。 ただし、貴管理組合が保証受諾証明の確認を行うことができないときは、当社は、保証受諾証明を書面として出力し、貴管理組合に交付し、その交付に係る受領書を貴管理組合から受領いたします。
	④解除に関する事項	別添管理費等保証委託契約約款第２２条の記載のとおり
	⑤免責に関する事項	別添管理費等保証委託契約約款第１５条の記載のとおり
	⑥保証額の支払に関する事項	別添管理費等保証委託契約約款第１３条及び第１６条の記載のとおり

8　免責に関する事項

当社は、貴管理組合又は貴管理組合の組合員等が、次の各号に掲げる損害を受けたときは、その損害を賠償する責任を負わないものとします。
① 地震、台風、突風、集中豪雨、落雷、雪、噴火、ひょう、あられ等による損害
② 火災、漏水、破裂、爆発、物の飛来若しくは落下又は衝突、犯罪、孤立死（孤独死）等（当社の責めによらない場合に限る。）による損害
③ 当社が善良な管理者の注意をもって管理事務を行ったにもかかわらず生じた管理対象部分の異常又は故障による損害
④ 当社が、書面をもって注意喚起したにもかかわらず、貴管理組合が承認しなかった事項に起因する損害
⑤ 前各号に定めるもののほか、当社の責めに帰することができない事由による損害

9　契約期間に関する事項

令和○年○月１日　　から　　令和○年○月３１日　　まで

１０　契約の更新に関する事項

① 貴管理組合又は当社が、本契約を更新しようとする場合、本契約の有効期間が満了する日の３月前までに、その相手方に対し、書面をもって、その旨を申し出るものとします。
② 本契約の更新について申出があった場合において、その有効期間が満了する日までに更新に関する協議が調う見込みがないときは、貴管理組合及び当社は、本契約と同一の条件で、期間を定めて暫定契約を締結することができるものとします。
③ 本契約の更新について、貴管理組合・当社いずれからも申出がないときは、本契約は有効期間満了をもって終了とします。

１１　契約の解除に関する事項

① 貴管理組合及び当社は、その相手方が、本契約に定められた義務の履行を怠った場合は、相当の期間を定めてその履行を催告し、相手方が当該期間内に、その義務を履行しないときは、本契約を解除することができるものとします。この場合、貴管理組合又は当社は、その相手方に対し、損害賠償を請求することができるものとします。
② 貴管理組合又は当社の一方について、次の各号のいずれかに該当したときは、その相手方は、何らの催告を要せずして、本契約を解除することができるものとします。
一　当社が、銀行の取引を停止されたとき
二　当社に、破産手続、会社更生手続、民事再生手続その他法的倒産手続開始の申立て、若しくは私的整理の開始があったとき
三　当社が、合併又は前号以外の事由により解散したとき
四　当社が、マンション管理業の登録の取消しの処分を受けたとき

五　当社及び貴管理組合において次の各号の確約に反する事実が判明したとき
1）自らが、暴力団、暴力団関係企業、総会屋、社会運動等標ぼうゴロ若しくはこれらに準ずる者又はその構成員（以下これらを総称して「反社会的勢力」という。）ではないこと。
2）自らの役員（貴管理組合の役員及び当社の業務を執行する社員、取締役、執行役又はこれらに準ずるものをいう。）が反社会的勢力ではないこと。
3）反社会的勢力に自己の名義を利用させ、本契約を締結するものではないこと。
4）本契約の有効期間内に、自ら又は第三者を利用して、次の行為をしないこと。
イ　相手方に対する脅迫的な言動又は暴力を用いる行為
ロ　偽計又は威力を用いて相手方の業務を妨害し、又は信用をき損する行為

１２　法第７９条に規定する書類の閲覧方法

当社の本社及び各支店において、営業時間中、当社に関する業務状況調書、貸借対照表及び損益計算書を閲覧できます。
閲覧を希望される方は、下記支店までご連絡ください。
最寄りの支店名：霞が関支店
営業時間：平日９時～５時
連絡先：（０３）○○○○－○○○○

5
10
15
20
25
30

巻末資料　資料2

（第六面）

記載要領

【第一面関係】

① 「商号又は名称」「代表者の氏名」について

原則として、マンション管理業者の「商号又は名称」及び「代表者の氏名」を記入することとするが、これに代えて、法施行規則第52条に規定する本店以外の事務所の「名称」及び「代表者の氏名」を記入しても差し支えないこと（ただし、１についてはこの限りでない）。

② 「説明に係る契約の別」について

「従前の管理受託契約と同一の条件で管理組合との管理受託契約を更新しようとするとき」（法第72条第２項）は、「更新（同一条件である場合）」を丸で囲むこと。

【第二面関係】

３について

「管理事務の対象となるマンションの部分」とは、管理規約により管理組合が管理すべき部分のうち、マンション管理業者が受託して管理する部分をいう。

【第三面関係】

４について

管理事務には、警備業法第２条第１項に規定する警備業務及び消防法第８条の規定により防火管理者が行う業務は含まないこと。

【第四面関係】

① ４－２について

「修繕積立金等の種類」については、修繕積立金等が金銭の場合にあっては「金銭」を、有価証券の場合にあっては「有価証券」を丸で囲むこと。「金銭」と「有価証券」両方で管理している場合は両方を丸で囲むこと。

「管理方法」については、修繕積立金等が金銭である場合に、当該金銭の管理方法について、法施行規則第87条第２項第１項のイ・ロ・ハのうち該当するものを丸で囲むこと。

「口座名義」については、括弧内に具体の名義者名（理事長）等を記入のうえ、該当箇所に丸を付けること。

「預貯金通帳・印鑑等の保管者」については、当該項目に対応する保管者を該当箇所に記入すること。なお、保管口座が複数ある場合で通帳の保管者が異なる場合は、保管者の欄に併記し、その旨を備考欄に記載すること。

「修繕積立金等金銭の収納方法」については、期日及び手段（振込、引落又は集金の別）等を記載すること。

「収納に関する再委託先」については、該当がある場合、会社名等を記載すること。

「修繕積立金等金銭の保管及び管理の方法」については、各区分所有者等から徴収した修繕積立金等金銭の具体的な保管及び管理の方法を記載することとし、出納の流れが分かる図も併せて記載すること。

② ５について

「定額委託業務費」とは、その負担が定額でかつ実施内容によって価格に変更を生じる場合がないため精算を要しない費用をいうこと。

【第五面関係】

① 7について

「保証契約」とは、「マンション管理業者が第三者との間で締結する契約であって、マンション管理業者が管理組合に対して、修繕積立金等金銭の返還債務を負うこととなったときに当該第三者がその返還債務を保証することを内容とするもの」（法施行規則第53条第1項第11号）をいうこと。

② 12について

法第79条に定める書面の閲覧場所、閲覧方法等を記入すること。

管理費等保証委託契約約款

（保証する債務）

第１条　一般社団法人マンション管理業協会保証機構（以下「保証機構」という。）と保証機構会員（以下「保証委託者」という。）とは、管理組合のために保証委託契約を締結し、保証委託者と管理組合間の管理委託契約（出納業務の委託を含むものに限る。以下同じ。）に基づき管理費等を管理し又は委託業務費を前受する保証委託者が、倒産等により管理組合に対し管理費等又は委託業務費の返還債務を負うこととなった場合において、保証機構が保証委託者に替わってその返還債務につき管理費等１か月分の額を限度として履行します。

（管理費等の定義）

第２条　この約款において、管理費等とは、管理組合が毎月及び定期的に区分所有者から徴収する次の費用をいい、一時的に徴収する工事分担金等は含まないものとします。

(1) 管理費
(2) 修繕積立金
(3) 敷地又は共用部分等の専用使用料
(4) その他管理規約に定められた管理に要する費用

（管理費等又は委託業務費の返還原因）

第３条　次の各号の一に該当するときは、管理費等又は委託業務費の返還原因が発生したものとします。

(1) 保証委託者が、破産手続開始、民事再生手続開始、会社更生手続開始、特別清算開始の申立てを受け、又は自らこれをなしたことにより、管理委託契約が終了したとき
(2) 保証委託者が、手形、小切手の不渡り等支払いを停止したこと、又は手形交換所の取引停止処分を受けたことにより、管理委託契約が終了したとき
(3) その他保証委託者の経営が破綻し、保証機構が、管理業務の継続及び管理費等又は委託業務費の返還が著しく困難と認めたとき

（通知義務）

第４条　次の各号の一に掲げる事実が生じたときは、保証委託者は直ちに書面をもってその事実を保証機構に通知しなければなりません。

(1) 前条各号に該当したとき
(2) 前号のほか返還債務の履行に影響を及ぼすべき事実が生じたとき

（責任の範囲）

第５条　保証機構は、管理費等保証委託契約受諾書並びに次条に規定する保証委託契約受諾の証明に記載された保証期間に、保証委託者が、第３条第１号若しくは第２号に掲げる管理委託契約の解除の原因となる事項に該当し、又は同条第３号に該当する事実により、管理費等又は委託業務費の返還債務を負うこととなった場合、管理組合に対し、保証の責めを負います。

（保証委託契約受諾の証明）

第６条　保証機構は、保証委託契約を締結したとき及び保証委託者が新たに管理委託契約を締結した旨の届出をしたときは、管理組合に対し、インターネットを利用して閲覧に供する方法により、保証委託契約受諾の証明（以下「保証受諾証明」という。）を行います。この場合において、保証機構は、管理組合ごとの保証受諾証明を一般社団法人マンション管理業協会（以下「協会」という。）ホームページに掲載します。

（保証受諾の確認）

第７条　保証機構は、管理組合ごとの個別のＩＤとパスワードを設定し、保証委託者へ通知します。

２　保証委託者は、前項において保証機構から通知を受けたＩＤとパスワードを、ただちに管理組合に通知しなければなりません。

３　前項において、保証委託者からＩＤとパスワードの通知を受けた管理組合は、インターネットを利用して、ＩＤとパスワードを入力し、保証受諾証明の確認を行ってください。

４　前項において、管理組合が、保証受諾証明の確認を行うことができないときは、保証委託者は、保証受諾証明を書面として出力し、管理組合に交付しなければなりません。この場合において、保証委託者は、その交付に係る受領書を管理組合から受領し、受領後遅滞なく保証機構に提出しなければなりません。

（善管注意義務）

第８条　保証委託者は、保証機構から通知を受けた管理組合ごとの個別のＩＤとパスワード、及び書面として出力した保証受諾証明を、善良なる管理者としての注意をもって取り扱わなければなりません。

（保証受諾証明使用上の禁止事項）

第９条　保証委託者は、次の各号に該当する行為をしてはなりません。

(1) 保証機構から通知を受けたＩＤとパスワードを、通知すべき管理組合以外の者に通知すること。
(2) 書面として出力した保証受諾証明を、交付すべき管理組合以外の者に交付すること。
(3) 書面として出力した保証受諾証明を、改ざん又は訂正をして管理組合に交付すること。

（損害賠償）

第10条　保証委託者が前二条の規定に違背し、又は保証機構から通知を受けたＩＤとパスワード及び書面として出力した保証受諾証明の紛失、盗難等により保証機構に損害を及ぼしたときは、保証委託者は、直ちにこれを保証機構に賠償しなければなりません。

（保証金の額）

第11条　保証機構が、管理組合に対し返還債務の履行として支払う金銭（以下「保証金」という。）は、管理費等１か月分の額を限度とします。

２　保証委託者が管理組合に対し債権を有しており、その債権が管理費等返還請求権と相殺できる状態にあるときは、保証機構は保証金の額からその債権額を控除します。

３　管理組合が、管理費等又は委託業務費の返還原因による管理委託契約の消滅に基づき、すでに保証委託者より、違約金、損害賠償金、慰謝料等の名目で金銭の支払いを受けている場合は、その支払い名目が何であるかを問わず、保証機構は、保証金の額からその支払い額を控除します。

（保証対象管理組合）

第12条　保証機構が保証の責任を負う管理組合は、保証委託者と管理委託契約を締結しており、かつ、保証委託者より保証機構に届け出のあった管理組合とします。

２　保証委託者は、管理組合と新たに管理委託契約を締結し又は管理委託契約を解約したときは、２月以内に所定の方法により保証機構に届け出なければなりません。

（保証金の請求及び支払い）

第13条　管理組合は、保証金の支払いを受けようとするときは、所定の保証金請求書に、次の書類を添えて、保証機構に提出しなければなりません。

(1) 管理委託契約書・重要事項説明書
(2) 債権額を証する書面
(3) その他保証機構が必要と認めた書類

２　保証機構は、前項の保証金請求書等を受領したときは、管理組合の要求に応じて、受領書を交付します。

３　保証機構は、保証金の額等について調査のうえ、管理組合に対し、保証金を支払います。ただし、次条乃至第16条に該当したときはこの限りではありません。

（不可抗力による免責）

第14条　保証機構は、戦争、暴動、その他の事変又は地震、噴火、その他これに類する天災等、保証委託者の責めに帰することのできない客観的事由により管理費等又は委託業務費の返還債務が生じた場合には、保証の責めには任じません。

（免責事項）

第15条　管理組合が、次の各号の一に該当したことにより生じた返還債務については、保証機構は、保証金支払の責めを負わないものとします。

(1) 管理組合が、管理組合の故意又は過失により、管理組合名義の口座の通帳（キャッシュカードを含む。以下同じ。）又は印鑑（当該口座の暗証番号、電子取引におけるパスワード等を含む。以下同じ。）若しくは有価証券を保証委託者又は保証委託者の被用者（以下「保証委託者等」という。）に引き渡す等、管理委託契約に定める通帳又は印鑑若しくは有価証券の保管に関する管理組合の管理責任を怠ったとき
(2) 管理組合が、管理組合の故意又は過失により、保証委託者等に管理委託契約の目的に該当しない管理費等の払戻しを承認し又は管理費等を引き渡す等、管理費等の管理責任を怠ったとき
(3) 管理組合が、保証委託者等と通謀して管理費等の払戻し等をしたとき

２　管理組合が、次の各号の一に該当し保証機構に不利益を及ぼしたときは、保証機構は、当該不利益の範囲で保証金支払いの責めを負わず、又は保証金を減ずるものとします。

(1) 前項各号の調査に関し、正当な理由なく保証機構が要求した書類の提出、説明又は調査に速やかに応じなかったとき
(2) 第18条の調査に関し、第３条又は第11条第２項若しくは第３項の事項について正当な理由なく説明に応ぜず、又はその調査を妨げたとき
(3) 管理委託契約書以外に保証委託者との間で保証機構に不利益な内容の念書、覚書等を取り交わしたとき

（保証金支払いの留保）

第16条　次の各号の一に該当するときは、保証機構は、保証金の支払いを留保することができます。

(1) 管理費等又は委託業務費の返還原因の有効性について疑義があるとき
(2) 管理費等の額について疑義があるとき
(3) 前条第１項各号又は第２項各号の一に該当するおそれがあるとき

２　前項各号に該当し、保証金の支払いを留保するものについては、保証機構は、必要な調査の終了後、遅滞なく保証金の支払いを行うか否かを決定し、書面により管理組合及び保証委託者にその旨を通知します。

（保証金支払い請求権の存続期間）

第17条　保証機構は、管理費等又は委託業務費の返還原因の発生後１年を経過した後は、管理組合からの保証金の支払い請求を受付けません。

（調査）

第18条　保証機構は、保証委託契約に関して必要と認めたときは、保証委託者に対し必要な書類の提出を求め、保証委託者の事務所等につき立入調査をし、その説明を求めることができます。

２　保証機構は、保証委託者の経営に危機があると認めたときは、前項に定める調査の他、保証委託者に対し、必要な商業帳簿の提出を求め、閲覧をし、その説明を求めることができます。

３　保証機構は、保証金の支払いに関し必要があるときは、保証委託者又は管理組合に対し必要な書類の提出及び説明を求め、又は必要な事項を調査することができます。

（代位権）

第19条　保証機構は、保証金を支払ったときは、その金額の限度内において、管理組合が保証委託者に対して有する権利を取得します。

２　保証機構は、保証金を支払ったときは、前項の権利の保全及び行使に必要な書類の交付を管理組合に請求できるものとします。

（求償権等）

第20条　保証機構は、保証金を支払ったときは、その支払った金額及び支払った日の翌日から保証委託者が求償債務の履行を完了するまでの期間の日数に応じ年18.25%の割合による遅延損害金（ただし、365日日割計算とします。）について保証委託者に対し求償権を取得します。

２　保証機構が保証金を支払ったときは、保証委託者は、前項の金員及び保証機構が求償権を行使するために要した費用の全額を、保証機構に支払わなければなりません。

３　保証委託者は、管理組合に対抗できる理由その他の理由をもって前項の支払いを拒むことはできません。

（求償権の事前行使）

第21条　保証機構は、保証委託者が次の各号の一に該当し、求償権の保全に支障が生じ、又は生じるおそれがあるときは、代位弁済前に求償権を行使することができます。

(1) 保証委託者がこの約款に違反したとき
(2) 差押え、仮差押え、仮処分、強制執行又は競売申立てを受けたとき
(3) 破産手続開始、民事再生手続開始、会社更生手続開始、特別清算開始の申立てを受け、又は自らこれをなしたとき、若しくは解散したとき
(4) 公租公課につき差押え又は保全差押えを受けたとき
(5) 手形、小切手につき不渡りとしたとき、又は取引停止処分を受けたとき
(6) 金銭債務の履行のための支払いを停止したとき
(7) その他保証委託者の経営が破綻し、管理業務の継続及び管理費等又は委託業務費の返還が不可能と認められるとき
(8) 理由の如何を問わず、管理業務の継続及び管理費等又は委託業務費の返還が不可能と認められるとき、若しくはおそれがあると認められるとき

２　前項の場合において、保証機構が行使する求償権の範囲は、管理費等保証委託契約受諾書に記載の保証受諾金額を限度とします。

（保証委託契約の解除等）

第22条　保証委託者が次の第１号乃至第６号の一に該当するときは、保証機構は、何らの催告を要せず、保証委託契約を将来に向かって解除することができ、第７号に該当するときは、保証委託契約は当然に終了となります。

(1) 管理費等保証委託契約申込書及び申込に必要な添付書類に著しく虚偽の記載がしてあったとき
(2) 第７条第４項に規定する保証受諾証明の受領書の提出を怠ったとき
(3) 第15条第２項第３号に該当する締結行為があったとき
(4) 第18条に規定する調査に応じなかったとき、又は調査を妨げたとき
(5) 経営の安定性を維持することが困難と認められるとき
(6) その他管理費等保証委託契約に違反したとき
(7) 保証機構の会員資格を喪失したとき

２　前項の規定により保証委託契約の解除等が行われた場合であっても、保証委託契約の解除等前に保証委託者と管理委託契約を締結し、かつ、保証機構に届け出のあった管理組合に対する保証機構の責任は、前項第１号乃至第６号に該当する場合は第５条の規定を準用するものとし、前項第７号に該当する場合は管理委託契約満了日又は保証委託契約満了日の早い方の時期までとします。

３　保証機構は、保証委託者が第１項各号に該当したことにより保証委託契約を解除等した場合は、その旨を公表することができるものとします。

（契約の更新）

第23条　保証委託者が現に有効な保証委託契約を更新しようとする場合は、当該保証委託契約が満了する前までに、管理費等保証委託契約申込書を保証機構に提出したうえで、保証機構の承諾を得なければなりません。

２　保証機構が前項の申込を承諾したときは、保証委託契約は本約款と同一の条件をもって更に１年間更新されたものとします。

（担保の提供）

第24条　保証機構は、保証機構が必要と認めたときは、別に定める保証機構業務取扱規則の規定に基づき、保証委託者に対し保証機構の認める担保の提供を求めることができるものとします。

（管轄裁判所）

第25条　本約款の保証委託契約に関する訴訟については、保証機構の所在地を管轄する裁判所を合意による管轄裁判所とします。

（その他）

第26条　本約款に定めのない事項については、民法その他の法令に従うものとします。

(R4.5.13)

資料 3

掲示物用ユニバーサルデザインフォント

ユニバーサルデザイン（Universal Design ,UD と略記することもある）とは、障がいの有無、年齢、性別、人種等にかかわらず多様な人々が利用しやすいようあらかじめ都市や生活環境をデザインする考え方であり、現在、さまざまなところで、ユニバーサルデザインが採用されている。そのなかの一つとして、ユニバーサルデザインフォントを紹介する。高齢者等の要望・意見の中には、掲示物の字が読みにくいといったものもある。そのため、掲示物などは伝えたい内容を整理し、わかりやすく、読みやすく、誤解を招きにくい、フォントを利用する等の配慮をする必要がある。

ユニバーサルデザインフォントの一例（BIZ UD ゴシック）

あいうえおかきくけこさしすせそたちつてとなにぬねのはひふへほまみむめもやゆよらりるれろわゐゑをん

ABCDEFGHIJKLMNOPQRSTUVWXYZabcdefghijklmnopqrstuvwxyz

数字と英字の差別化

狭い　広い

2Z

適切な文字の太さ

AN

左右反転の差別化

bd

近似図形の差別化

S6b

ぼやけた時の見易さ

KP

大文字と小文字の大きさ

飛び出す　大きく

Bb

空間（フトコロ）を大きく

C3

回転時の図形の差別化

69

索引

用語

あ

アスベスト　241, 680
アフターサービス　372, 393
アフターサービス規準　394, 395
泡消火設備　538

い

意思の不存在　711
意思表示　711
維持保全計画　798
一時使用目的の建物の賃貸借　780
一部共用部分　45
一括競売　745
一般定期借地権　776
一般的不法行為　425
一般用電気工作物　552
委任　107, 736
違反行為の停止等の請求　55
印鑑等の管理の禁止　169
インターネット専用回線方式　566
インバート枡　612
飲料用水槽　496

う

ウォーターラム法　520
請負　734
雨水枡　613
売主の契約不適合責任　724
売渡し請求権　62

え

エレベーター　567

お

屋内消火栓設備　536

か

加圧給水方式　493
会計監査　356
会計処理の原則　344
会計担当理事　340
外装仕上げ材　470, 473
買取請求権　60
開発許可制度　822
価額協定保険特約　117
化学的洗浄方法　520
瑕疵ある意思表示　713
果実　743
ガス配管　525
仮設工事　667
カバー工法　679
壁式構造　463
仮登記　787
仮登記担保　751
過料　69
簡易消火用具　535
簡易専用水道　598
換気方式　527
監査　356
監事　52, 111, 340, 356
勘定科目の区分　345
監督　183
監督処分の公告　185
管理委託契約　197, 264, 371, 373, 419
管理員業務　211, 215
管理員業務費　312
管理規約　87, 622
管理規約の保管、閲覧　89
管理業務主任者　129, 144, 177, 263
管理業務主任者証の交付　149
管理業務主任者証の提示　157
管理業務主任者の登録　148
管理組合　87, 103, 113, 127, 309, 445
管理組合会計　338
管理組合監査主要項目　360
管理組合の会計の収入及び支出の調定　309
管理組合の業務　113
管理組合の税務　363
管理組合法人　51
管理権原者　825
管理事務　128
管理事務の報告　176, 293

管理事務報告書　298
管理者　39
管理者等　127
管理受託契約　264
管理受託契約帳簿　162
管理所有　34
管理担当者の業務対応の原則　431
管理に係る重要事項調査報告書　250
管理に係る重要事項調査報告書作成に関するガイドライン　231
管理費　309
管理費等の滞納者に対する措置　452
管理報酬　313

き

機械警備業務　841
機械式駐車装置　575
機械的洗浄方法　519
基幹事務　128
議決権　50
議決権行使書　97, 107
危険負担　431, 727
議事　50
議事録　50
既存耐震不適格建築物　691
既存不適格建築物　683
北側斜線制限　809
機能的劣化　579
義務違反者に対する措置　55, 448
規約　41
規約共用部分　32
規約共用部分の登記　791
規約敷地　36
規約の設定、変更、廃止　44
給水設備　507
給水方式　491
給水ポンプ　501
給水用配管材料　505
給湯管　509
給湯配管材料　509
給湯方式　507
共同申請の原則　785
共同の利益に反する行為　434
共同の利益に反する行為の停止等の請求　448
共同不法行為　429
強迫　713
業務監査　356
業務処理の原則　158
業務停止命令　184
共有　757
共有持分　758
共用照明設備　558
共用部分　32, 626
共用部分の持分　35
共用部分の持分の処分　35
虚偽表示　712
局所給湯方式　507
居室の採光及び換気　802
金銭債務の特則　720
近隣商業地域　818

く

区域区分　816
クーリング・オフ制度　768
区分所有権　28
区分所有権・敷地利用権の競売の請求　55, 450
区分所有者　28, 626
区分所有者等　127
区分所有者の団体　29
区分所有建物　28
区分建物の登記の特例　788
区分建物の表示に関する登記　789
組合員　103
クロスコネクション　506

け

景観地区　819
警備業者　841
警備業法　840
警報設備　530, 539
契約書面の交付義務　763
契約成立時の書面の交付　159, 289
契約締結等の時期の制限　761
契約の解除　722
契約不適合責任　385, 394, 724
契約履行責任　214
検索の抗弁権　754
建築基準法　798
建築協定　812
建築設備定期検査報告　595
建築物移動等円滑化基準　832
建築物のエネルギー消費性能の向上に関する法律　837
建築物の耐震改修の促進に関する法律　691
建築物の高さの制限　807
建蔽率　804
顕名主義　707
権利に関する登記　784

高圧洗浄法　519
工業専用地域　818
工業地域　818
広告の開始時期の制限　761
工作物責任　428, 442
工事監理　654, 659
公序良俗違反　714
剛接合構造　463
高層住居誘導地区　819
構造耐力上主要な部分　466
構造耐力に係る適合基準　799
高置水槽（重力給水）方式　492
高度地区　819
高度利用地区　819

高齢者、障害者等の移動等の円滑化の促進に関する法律　831
個人情報データベース等　846
個人情報取扱事業者　846
個人情報の保護に関する法律　425, 846
個人情報保護法の遵守　425
個人賠償責任保険　121
誇大広告等の禁止　761
コンクリート　467

さ

再委託の制限　159
再建決議　693
催告権　705, 711
催告の抗弁権　753
財産的基礎　143
財産の分別管理　165, 319
細則　44
債務不履行　718
詐欺　713
先取特権　30, 332, 749
錯誤　713
さや管ヘッダー方式　506

し

シーリング　476
死因贈与　732
市街化区域　817
市街化調整区域　817
市街地開発事業　820
市街地開発事業等予定区域　820
自家発電設備　556
自家用電気工作物　554
敷金　730
敷地　36, 626
敷地権の登記　788
敷地売却決議等　693
敷地利用権　38
事業用定期借地権　776
事業用電気工作物　554
時効　329, 714
時効の援用　716
時効の完成猶予、更新　329, 717
自己借地権　775
資産科目　345, 349
指示処分　156, 184
地震保険　119
施設所有者管理者賠償責任保険　120
下地（タイル）補修工事　669
質権　748
失火ノ責任ニ関スル法律（失火責任法）　429, 854
自転車置場　122
自動火災報知設備　539
自動車の保管場所の確保等に関する法律　850
支払督促　333, 717
事務管理業務　210
事務管理業務費　312
事務禁止処分　153
社会的劣化　579
借地　770
借地権　772
借地借家法　770, 777
借賃増減請求権　781
借家　777
斜線制限　807
集会　47
集会室　123, 440
集会の議長　48
集会の招集請求　48
住戸セントラル給湯方式　507
収支推移表　340
収支報告書案　346
収支予算案　340
住生活基本計画　849
住生活基本法　848
修繕設計　659
修繕積立金　309, 314, 316
住宅宿泊事業法　868
住宅性能表示制度　390
住宅用防災警報器　540
住棟セントラル給湯方式　508
収納口座　165
収納・保管口座　165
従物　743
重要事項の説明（義務）　159, 265, 408, 424, 762
重要事項説明書への記名　268
取得時効　715
受変電設備検査　600
主要構造部　799
準委任　293
準共有　38, 759
準工業地域　818
準住居地域　818
準耐火建築物　811
準都市計画区域　815
準防火地域　810, 819
消火活動上必要な施設　530, 547
消火器　536
少額訴訟制度　334
浄化槽　524
浄化槽管理者　839
浄化槽の保守点検　839
浄化槽法　838
小規模受水槽水道　598
小規模滅失　57
商業地域　818
昇降機　803
昇降機設備定期検査報告・点検　597
昇降機の維持及び運行の管理に関する指針　597
昇降機賠償責任保険　120
使用者責任　196, 426
招集通知　48
使用貸借　739
譲渡担保　750
消費者契約法　867
消費貸借　739
情報通信設備　553, 563
情報等の開示　229

消防法　823
消防用水　530
消防用設備等　530
消防用設備等の点検報告　601
証明書の携帯　179
消滅時効　329, 716
書面又は電磁的方法による決議　51
書類の閲覧　177
真空ガラス　680
身体障害者補助犬法　865
伸頂通気方式　522
心裡留保　712

す

出納　128
水道法　598
随伴性　741, 753
スネークワイヤー法　519
スプリンクラー設備　537
スラブ　467

せ

制限行為能力者　698
制震（振）構造　684
清掃業務　213, 218
成年被後見人　701
設計図書の交付　181
絶対高さの制限　807
接道義務　801
善管注意義務　195, 423
専任の管理業務主任者　144
占有者に対する専有部分の引渡し請求　56, 451
占有者の意見陳述権　51
占有者の義務　30
専有部分　31, 626
専有部分と敷地利用権の一体性　38
専有部分の管理　32
専有部分の使用禁止の請求　55, 449
専用使用権　35
専用使用料　311, 314
専用水道　583, 598
専用水道と簡易専用水道の比較　599

そ

総会　106
総会決議　339
造作買取請求権　781
相続　733
贈与　731
促進区域　820
損害賠償　719
損害賠償額の予定　720
損害賠償額の予定等の制限　768
損害保険契約者保護機構　122

た

第１種換気法　527
第一種住居地域　818
第一種中高層住居専用地域　818
第一種低層住居専用地域　817
耐火建築物　811
大規模修繕工事　652, 662, 665, 686
大規模滅失　57
第３種換気法　528
貸借対照表案　346
耐震構造　684
耐震対策　683
第２種換気法　527
第二種住居地域　818
第二種中高層住居専用地域　818
第二種低層住居専用地域　817
滞納管理費等の督促　326
代理　706
耐力壁　466
タイル　470
宅地建物取引業　760
宅地建物取引業法　760
立入検査　186
宅建業法35条、重要事項説明　407
建替え決議　60, 694
建物買取請求権　773
建物敷地売却決議　693
建物譲渡特約付借地権　777
建物・設備管理業務　214
建物賃貸借契約の更新拒絶等の要件（正当事由）　778
建物取壊し敷地売却決議　694
建物の価格の２分の１以下に相当する部分が滅失した場合の復旧　56
建物の価格の２分の１を超える部分が滅失した場合の復旧　58
建物の区分所有等に関する法律　27
建物の設置又は保存の瑕疵に関する推定　36
単相３線式　556
単相２線式　556
団地　64
団地規約　64
団地共用部分　64
団地建物所有者の団体　64
団地内の建物の一括建替え決議　67
断熱・結露対策　676
担保責任の特約の制限　769

地域地区　817
遅延損害金　331
地区計画　819
地上権　38, 771
地代等増減請求権　776
中高層住宅アフターサービス規準（様式Ａ）　395
中高層住宅アフターサービス規準（様式Ｂ）　403
駐車場　123, 439

駐車場消火設備　538
駐輪場（自転車置場）　122, 441
長期修繕計画　617
長期修繕計画作成ガイドライン及び同コメント　622
長期修繕計画標準様式　622, 627
調査診断　654, 658
帳簿の作成　160
直結増圧方式　491
直結直圧方式　491
賃借権　38
賃貸借　727

つ

通気管　517, 522
通気方式　522

て

定期借地権　776
定期建物賃貸借　779
ディスポーザ排水処理システム　515
抵当権　740
鉄筋コンクリート造　460
手付金　767
手付金等の保全義務　770
鉄骨鉄筋コンクリート造　460
鉄部塗装工事　671
テレビ共同受信設備　562, 616
田園住居地域　818
電気事業法　559
電力設備　552
電力引込設備　552

と

統括防火管理者　824
登記記録　783
登記識別情報　786
登記事項証明書　788
動物の愛護及び管理に関する法律　855
道路　800
道路斜線制限　808
登録　134, 148
登録の拒否事由　154
登録の消除　142
登録の取消し　155, 185
特殊建築物　803
特殊継手排水システム　522
特定街区　819
特定共同住宅に必要な消防用設備等　533
特定建築物　832
特定建築物定期調査報告　587
特定承継人　31, 453
特定用途制限地域　818
特別決議　33
特別特定建築物　832
特別用途地区　818
特例容積率適用地区　818
都市ガスの種類　525
都市計画区域　815
都市計画法　814
都市施設　820
塗装工事　670
土地賃借権　771
取消権　706, 711
取壊し決議　694
取壊し予定の建物の賃貸借　780

に

二重サッシ工法　679
二重トラップ　512
日影による中高層建築物の高さの制限（日影規制）　809
ニューサンス　435

ね

根抵当権　748

の

ノンシール工法　679

は

パーツ、オイル、グリース契約　574
媒介契約の規制　766
廃業等の届出　142
排水管　517
排水設備　518
排水・通気設備　511
排水トラップ　512
排水ヘッダー方式　516
排水ポンプ　521
排水枡　612
売買　724
発生主義の原則　347
罰則　68, 186
はつり工法　679
バリアフリー法　831
ハロゲン化物消火設備　538

ひ

引抜き工法　679
被災区分所有建物の再建等に関する特別措置法　693
被災市街地復興推進地域　820
被災市街地復興特別措置法　866
非常警報設備　542
非常コンセント設備　547
非常用照明設備　546
筆　37
必要費償還義務　728
避難階段　803
避難器具　545
避難設備　531, 544
被保佐人　702
被補助人　703
秘密を守る義務　764
秘密保持義務　178, 263, 425
標識の掲示　158
表示に関する登記　783
避雷設備　548, 803

ふ

風致地区　819
付加一体物　742
不活性ガス消火設備　538
不可分債権　757
不可分債務　757
不可分性　741
不完全履行　422, 719
付記登記　785
複層ガラス　680
復代理　708
負債科目　345, 348
附従性　741, 752
負担付き贈与　732
普通決議　33
普通建物賃貸借　779
復旧　56
物上代位性　742
物理的劣化　579
不当外観変更行為　435
不当毀損行為　435
不動産業　13
不動産登記　782
不動産登記法　782
不動産登記簿の記載事項　791
不当使用行為　435
不法行為責任　429
プライバシーの侵害　435
フルメンテナンス契約　574
プレキャストコンクリート工法　460
分別の利益　754
粉末消火設備　538

へ

ペイオフ　325
壁面線の指定　801
壁面塗装工事　670
ペット問題　437

ほ

保安管理業務外部委託承認制度　562
防火管理者　823
防火地域　810, 819
防火壁　800
防災・防犯設備　530
防災用電源設備　548
防水工事　671
法定共用部分　32
法定敷地　36
法定地上権　744
法定点検・定期報告　585
防犯設備　549
ホームセキュリティ設備　551
保管口座　165
補充性　753
保証契約の締結　169
保証債務　751
保証人の求償権　754
ホルムアルデヒド　529

ま

マンション　126, 626
マンション管理会社　421, 580, 653
マンション管理業　22, 129, 134
マンション管理業者　129, 198
マンション管理業者登録簿　142
マンション管理業者の団体　190
マンション管理業における個人情報保護ガイドライン　848
マンション管理組合向け火災保険　118
マンション管理組合向け積立型火災保険　119, 317
マンション管理士　128
マンション管理適正化指針　130
マンション管理適正化推進センター　188
マンション管理標準指針　619
マンション敷地売却決議　242
マンション敷地売却事業　696
マンションすまい・る債　317
マンションの管理の適正化に関する指針　130
マンションの管理の適正化の推進に関する法律　125
マンションの管理の適正化の推進を図るための基本的な方針　130
マンションの建替え等の円滑化に関する法律　695
マンション標準管理委託契約書　195, 436, 581, 619
マンション標準管理規約　90, 94, 437, 617

み

水噴霧消火設備　538
未成年者　699
みなし専任管理業務主任者　145
民事訴訟　54, 446
民事調停　333
民法　698

む

無権代理　709
無登録営業の禁止　144

め

名義貸しの禁止　144
免震構造　683
メンブレン防水　477

も

持出し工法　679

ゆ

油圧式エレベーター　571
有益費償還義務　728
有価証券の管理　170
遊休土地転換利用促進地区　820
ユニバーサルデザイン　899

よ

容積率　804
要耐震改修認定建築物　692
用途地域　817
預金保険制度　323
預貯金、有価証券　170

ら

ラーメン構造　463

り

履行遅滞　421, 719
履行不能　719
理事　52
理事会　110
理事会決議　339
理事長の業務　339
リニアモーターエレベーター　571
留置権　749
両罰規定　188
隣地斜線制限　808

れ

連結送水管　547
連帯債務　756
連帯保証　755

ろ

ロッド法　520

欧文

A 火災　535
B 火災　535
CATV 受信設備　564
CM 方式　655
C 火災　535
D 値（界壁の遮音等級）　487
FM 契約（フルメンテナンス契約）　574
FRP　499
ITV 設備　550
L 値（床衝撃音遮断性能）　486
N 値（室内の騒音等級）　487
PCa　460
POG 契約（パーツ、オイル、グリース契約）　574
RC 造　460
SE・U ダクト方式の換気法　527
SRC 造　460

判　例

最判昭32. 5. 21　732
最判昭32. 7. 9　854
最判昭39. 10. 15　54, 446
最判昭40. 3. 26　732
大阪地判昭61. 12. 12　385
最判昭62. 7. 17　71, 452
横浜地判平元. 9. 7　385
最判平2. 11. 26　72
最判平5. 2. 12　73
東京高判平6. 8. 4　438
最判平9. 3. 27　73
最判平10. 3. 26　74
最判平10. 10. 22　75
最判平10. 10. 30　75
最判平10. 11. 20　76
最判平12. 3. 21　77
最判平16. 4. 23　77
最判平22. 1. 26　78
最判平23. 10. 11　79
最判平24. 1. 17　79
最判平29. 1. 19　80
最判平29. 9. 14　81
最判平29. 12. 18　82
最判平31. 3. 5　83
最判令元. 10. 11　84
最判令2. 2. 28　427
最判令2. 10. 9　85
最判令6. 2. 2　85

令和６年度版 管理業務主任者の知識

平成13年10月２日　初版発行
平成14年６月26日　改訂版発行
平成15年７月29日　３訂版発行
平成16年７月22日　４訂版発行
平成17年７月19日　５訂版発行
平成18年７月10日　平成18年度版発行
平成19年７月４日　平成19年度版発行
平成20年６月30日　平成20年度版発行
平成21年７月３日　平成21年度版発行
平成22年７月14日　平成22年度版発行
平成23年７月11日　平成23年度版発行
平成24年７月12日　平成24年度版発行
平成25年７月３日　平成25年度版発行
平成26年７月16日　平成26年度版発行
平成27年７月８日　平成27年度版発行
平成28年６月28日　平成28年度版発行
平成29年６月19日　平成29年度版発行
平成30年７月４日　平成30年度版発行
令和元年７月４日　令和元年度版発行
令和２年７月22日　令和２年度版発行
令和３年８月２日　令和３年度版発行
令和４年７月28日　令和４年度版発行
令和５年７月27日　令和５年度版発行
令和６年７月18日　令和６年度版発行

編著者　マンション管理業研究会

発行者　馬場　栄一
発行所　㈱住宅新報出版
〒171-0014　東京都豊島区池袋２-38-１
電話（03）6388-0052

＊印刷・製本／亜細亜印刷
Printed in Japan
落丁本・乱丁本はお取り替えいたします。

ISBN978-4-910499-94-9　C2030